DUDEN

Wie sagt man in der Schweiz?

DUDEN-TASCHENBÜCHER

Praxisnahe Helfer zu vielen Themen

Band 1:
Komma, Punkt und alle anderen Satzzeichen

Band 2:
Wie sagt man noch?

Band 3:
Die Regeln der deutschen Rechtschreibung

Band 4:
Lexikon der Vornamen

Band 5:
Satz- und Korrekturanweisungen

Band 6:
Wann schreibt man groß, wann schreibt man klein?

Band 7:
Wie schreibt man gutes Deutsch?

Band 8:
Wie sagt man in Österreich?

Band 9:
Wie gebraucht man Fremdwörter richtig?

Band 10:
Wie sagt der Arzt?

Band 11:
Wörterbuch der Abkürzungen

Band 13:
mahlen oder malen?
Gleichklingende, aber verschieden geschriebene Wörter

Band 14:
Fehlerfreies Deutsch
Grammatische Schwierigkeiten verständlich erklärt

Band 15:
Wie sagt man anderswo?
Landschaftliche Unterschiede im deutschen Wortgebrauch

Band 17:
Leicht verwechselbare Wörter

Band 21:
Wie verfaßt man wissenschaftliche Arbeiten?

Band 22:
Wie sagt man in der Schweiz?

Band 23:
Wörter und Gegenwörter

Band 24:
Jiddisches Wörterbuch

DUDEN

Wie sagt man in der Schweiz?

Wörterbuch der schweizerischen Besonderheiten

von Kurt Meyer

DUDENVERLAG

Mannheim · Leipzig · Wien · Zürich

Meiner Frau

CIP-Titelaufnahme der Deutschen Bibliothek
Meyer, Kurt: Duden Wie sagt man in der Schweiz?:
Wörterbuch der schweizerischen Besonderheiten
von Kurt Meyer. - Mannheim; Wien; Zürich: Dudenverl., 1989
(Die Duden-Taschenbücher; Bd. 22)
ISBN 3-411-04131-5
NE: GT

Das Wort DUDEN ist für Bücher
aller Art für den Verlag
Bibliographisches Institut & F. A. Brockhaus AG
als Warenzeichen geschützt

Alle Rechte vorbehalten
Nachdruck, auch auszugsweise, verboten
© Bibliographisches Institut &
F. A. Brockhaus AG, Mannheim 1989
Satz: Bibliographisches Institut & F. A. Brockhaus AG
(DIACOS Siemens) und Mannheimer Morgen
Großdruckerei und Verlag GmbH
Druck: Zechnersche Buchdruckerei, Speyer
Bindung: Progressdruck GmbH, Speyer
Printed in Germany
ISBN 3-411-04131-5

Vorwort

„Wie sagt man in der Schweiz?" So lautet der Titel dieses Büchleins. Was will er besagen und was nicht?
Was man in der deutschsprachigen Schweiz „sagt", das heißt mündlich äußert, geschieht ganz überwiegend auf Alemannisch, in der „Mundart", nicht in einer dem „Einheitsdeutsch" (der Hoch- oder Standardsprache) angenäherten „Umgangssprache", wie das im übrigen deutschen Sprachgebiet der Fall ist. Nehmen Sie also, verehrte Leserin, verehrter Leser, das „sagt" im Titel nicht allzu wörtlich! Eine schweizerische Spielart der deutschen Einheitssprache gibt es trotzdem; sie ist aber in stärkerem Maße als sonstwo „Schriftsprache", und der Schweizer nennt sie ja auch gerne so.

„Wörterbuch der schweizerischen Besonderheiten" lautet der Untertitel. Das soll besagen, daß Sie nicht ein Wörterbuch des *gesamten* „Schweizer Hochdeutschen" vor sich haben: Es ist darin nur der Teil des Wortschatzes herausgesiebt und dargestellt, der in irgendeiner Richtung vom anerkannten Sprachgebrauch in Deutschland abweicht. Dies Büchlein ersetzt also kein deutsches Wörterbuch, aber es ergänzt sie allesamt – für den, den's interessiert –, indem es auf die schweizerischen Eigenheiten genauer eingeht als alle großen wie kleinen Gesamtwörterbücher, die dafür entweder gar keinen Platz haben oder denen doch die Fachleute und Unterlagen dazu fehlen.

Entschuldigen möchte ich mich bei meinen französisch, italienisch oder rätoromanisch sprechenden Landsleuten, weil ich aus Bequemlichkeit stets nur „Schweizer" und „schweizerisch" schreibe, wo „Deutschschweizer" und „deutschschweizerisch" gemeint ist.

Ebenso bitte ich die Leserinnen um Verständnis dafür, daß die schematisch mit der Bildungssilbe *-in* geprägten weiblichen Personenbezeichnungen wie *Mittelschullehrerin, Bundesrätin, Telefonabonnentin* kürzehalber nicht eigens angeführt sind.

Dank schulde ich Herrn Prof. Dr. Paul Grebe † für den Anstoß zu diesem Büchlein, ihm und seinem Nachfolger in der Leitung der Dudenredaktion, Herrn Prof. Dr. Günter Drosdowski, für die Unterstützung und die große Geduld während der langen Entstehungszeit. Der Regierungsrat des Kantons Aargau gewährte mir Stundenentlastung zu einer Zeit, wo die Weiterarbeit sonst unmöglich gewesen wäre. Meinen Söhnen danke ich für ihre Hilfe beim Fertigstellen des Manuskripts; vielen

Näher- und Fernerstehenden für Hilfe im einzelnen, für Zuspruch und Teilnahme. Und ganz besonders danke ich meiner Frau für ihre liebevolle Unterstützung, Aufmunterung und Geduld während all der Jahre. Ihr ist das Büchlein gewidmet.

Daß das Wörterbuch weder vollständig (innerhalb des gesteckten Rahmens) noch fehlerlos ist, weiß ich. Ich hoffe, es sei trotzdem brauchbar. Ergänzungen und Berichtigungen nehme ich dankbar entgegen und werde sie sorgfältig für eine spätere Auflage bereitstellen.

Aarau, Sommer 1989 Kurt Meyer

Inhalt

Lautschrift

Angaben in Lautschrift stehen immer in eckigen Klammern [ ].
Angewandt ist das Zeichensystem der API/IPA, und zwar in *weiter* Umschrift, so daß derselbe Buchstabe in verschiedenen Sprachen nicht immer genau dasselbe bedeutet: [p t k] in der deutschen und in der englischen Standardaussprache sind behaucht, in der französischen, italienischen, spanischen usw. hingegen unbehaucht.
Wenn nicht das deutsche „Register" gemeint ist, steht innerhalb der Klammer voran *frz.* oder *engl.* usw.; ein Strichpunkt hebt diese Zuordnung für das folgende wieder auf.
' steht vor der Silbe mit dem Hauptdruckakzent des Wortes, ˌ bei Bedarf vor einer Silbe mit Nebenakzent: ['ga:bə, 'haupt̮ˌba:nho:f, 'hauptba:nˌho:f].
: hinter einem Vokalzeichen bezeichnet die Vokallänge: ['ma:sə] Maße, ['masə] Masse.
In der französischen Standardaussprache sind weder Wortakzent noch Vokallänge bezeichnet, da sie für das französische Wort nicht konstitutiv sind.

Laute der (bdt.) Standardaussprache

a	['gasə]	Gasse
a:	[ga:s]	Gas
ɐ	bdt. ['bɛsɐ]	besser
ɐ̯	bdt. [ti:ɐ̯]	Tier
ã	[rã'ʒi:rən]	rangieren
ã:	bdt. [abɔnə'mã:]	Abonnement
ai̯	[vai̯s]	weiß
au̯	[frau̯]	Frau
b	[bau̯]	Bau
ç	[ɪç]	ich
d	[du:]	du
d	[d͜ʒɪn]	Gin
e	[me'ta:n]	Methan
e:	[le:bn̩]	leben
ɛ	[fɛst]	fest
ɛ:	[ʃlɛ:fə]	Schläfe
ɛ̃	[tɛ̃'bri:rən]	timbrieren
ɛ:	['tɛ̃:brə]	Timbre
ə	['bo:tə]	Bote
f	[fau̯l]	faul
g	[gu:t]	gut
h	[has]	Haß
i	[vi'ta:l]	vital
i:	['bi:nə]	Biene
i̯	['ʃtu:di̯ə]	Studie
ɪ	[nɪçt]	nicht
j	[ja:]	ja
k	[ku:]	Kuh
l	[lau̯]	lau
l̩	['apfl̩]	Apfel
m	['my:də]	müde
m̩	['a:tm̩]	Atem
n	[nɔy̯]	neu
n̩	['ʃatn̩]	Schatten
ŋ	[ɛŋ]	eng
o	[mo'ra:l]	Moral
o:	[ro:t]	rot
o̯	[lo̯a'ja:l]	loyal
õ	bdt. [arõ'di:rən]	arrondieren
õ:	bdt. [fõ:]	Fonds
ɔ	[flɔt]	flott
ø	[øko'no:m]	Ökonom
ø:	[ʃø:n]	schön
œ	[ʃœp͜fn]	schöpfen
œ̃	[ʃakœ̃asõ'gu]	chacun à son goût
œ̃:	bdt. [par'fœ̃:]	Parfum
ɔy̯	[nɔy̯]	neu
p	[plat]	platt
p͜f	[p͜fau̯]	Pfau
r	[ro:t]	rot
s	[has]	Haß

ʃ	[ʃø:n]	schön	v	[vi:]	wie
t	[tau̯]	Tau	x	[ax]	ach
ts	[tsai̯t]	Zeit	y	[fy'zi:k]	Physik
tʃ	[klatʃ]	Klatsch	y:	['gy:tə]	Güte
u	[tu'rɪst]	Tourist	y̆	[ety̆i]	Etui
u:	[gu:t]	gut	ʏ	[mʏl]	Müll
u̯	[ak'tu̯ɛl]	aktuell	z	[zo:]	so
ʊ	[kʊs]	Kuß	ʒ	[ʒe'ni:]	Genie

Besondere Zeichen für die schweizerische (alemannische) Aussprache

æ, æ:	['ræ:bəli̯extlɪ]	Räbeliechtli	ungefähr wie in engl. *back, bag*
i̯ə	['r-æ:bəli̯əxtlɪ]	Räbeliechtli	fallende Diphthonge; auch i̯ɐ usw. (GR), i̯a usw. (bes. Innerschweiz)
u̯ə	['u̯əlɪ]	Ueli (Vorname)	
y̯ə	['y̯ətlɪbɛrg]	Üetliberg	
k'	[ɛk]	Egg	unbehaucht wie im Frz., Ital. usw. (im Gegensatz zur dt. und engl. Standardaussprache)
p'	['p'ɪstaʃ]	Pistache	
t'	['t'əny]	Tenue	
b̥	[gra:b̥]	Grab	stimmlos (im Wörterbuch meist nicht besonders gekennzeichnet)
d̥	[ra:d̥]	Rad	
g̊	[ve:g̊]	Weg	
ɣ̊	['xy̯əɣ̊lɪ]	Chüechli	
v̥	[tsi'v̥i:l]	zivil	
z̥	[vaz̥]	was	

Besondere Zeichen bzw. Zeichenwerte für fremdsprachliche Aussprache

Englisch

æ	[bæk]	back
ʌ	[blʌf]	bluff
ə:	[flə:t]	flirt
ɔ:	[kɔ:nə, krɔ:l]	corner, crawl
oʊ	[goʊl]	goal
w	[fɔ:wəd]	forward

Französisch (und Italienisch)

ɑ	[bɑ, pɑt]	bas, pâte	„dunkler" als [a]: [pat] patte
ɑ̃	[blɑ̃]	blanc	
j	[pje]	pied	= bdt. [i̯] (Halbvokal)
ɲ	[liɲə]	ligne	ital.: [leɲo] legno
ɔ̃	[fɔ̃]	fonds	
R	[ʀy]	rue	Zäpfchen-r
w	[tʀɔtwaʀ]	trottoir	= bdt. [u̯] (Halbvokal)
ɥ	[etɥi]	étui	= bdt. [y̆] (Halbvokal)
k	[kaʀ]	car	unbehaucht! (ebenso ital.)
p	[po]	pot	
t	[tɔ̃]	ton	

Abkürzungen und Zeichen

Nicht aufgeführt sind Adjektive, bei denen nur die Endsilbe *-isch* weggelassen (z. B. bayr., engl., schwäb.) oder *-lich* zu *-l.* verkürzt ist (z. B. amtl., mundartl.).

( ) [ ] ‹ ›	die Bedeutung der verschiedenen Klammern ist Seite 19 u. 20 erklärt
— ⧺ //	siehe Seite 18 u. 19
*	steht vor einer Redewendung oder Redensart
**	desgleichen, wenn die Wendung o. ä. nicht zu der Wortbedeutung gehört, hinter der sie angeführt ist
/	steht zwischen zwei möglichen (alternativen) Formen
[!]	steht (in Belegzitaten) hinter einer ungewöhnlichen, nicht empfohlenen Wortform
→	bedeutet soviel wie *siehe* ... oder *siehe auch* ... bzw. *vgl.* ...

abgek.	abgekürzt
Adj.	Adjektiv
Adv.	Adverb
AG	Aargau
AI	Appenzell Innerrhoden
Akk.	Akkusativ
alem.	alemannisch
amerik.	amerikanisch-englisch
Amtsspr.	Amtssprache
AR	Appenzell Außerrhoden
Art.	Artikel
attr.	attributiv
bdt.	binnendeutsch
BE	Kanton Bern
Bed.	Bedeutung
bes.	besonders
BL	Baselland
Bl.	Blatt
BS	Basel-Stadt
Dat.	Dativ
Dim.	Diminutiv
dt.	deutsch
Dtl.	Deutschland
ebd.	ebendort, ebenda
etw.	etwas
f.	feminin, weiblich
Fem.	Femininum
FR	Kanton Freiburg
frz.	französisch
G 001 usw.	siehe Grammatikal. Skizze (Seite 25 ff.) unter der betr. Randnummer
gdt.	gemeindeutsch, gesamtdeutsch
gebr.	gebräuchlich
Gegs.	Gegensatz
Gen.	Genitiv
Geschäftsspr.	Geschäftssprache
GL	Kanton Glarus
GR	Graubünden
i. e. S.	im engeren Sinne
intr.	intransitiv
i. S. v.	im Sinne von
ital.	italienisch
i. w. S.	im weiteren Sinne
jmd., jmdm., jmdn.	jemand, jemandem, jemanden
landsch.	landschaftlich
lat.	lateinisch
LU	Kanton Luzern
m.	maskulin, männlich
Mask.	Maskulinum
Milit.	Militär
n.	neutrum, sächlich
Neutr.	Neutrum
nlat.	neulateinisch
Nom.	Nominativ
nordd.	norddeutsch
normalspr.	normalsprachlich
NW	Nidwalden
o.	ohne
o. ä.	oder ähnlich
obd.	oberdeutsch
österr.	österreichisch
OW	Obwalden
Part.	Partizip
Pl.	Plural
Pl. tant.	Plurale tantum
präd.	prädikativ
Präp.	Präposition
Pron.	Pronomen
rätor.	rätoromanisch
refl.	reflexiv
S.	Sinn

schweiz.	schweizerisch
SG	Kanton St. Gallen
SH	Kanton Schaffhausen
SO	Kanton Solothurn
spez.	speziell
st. V.	starkes Verb
stand.	standardisiert (in der Schreibweise o. ä. der Standardsprache angepaßt)
südd.	süddeutsch
südwestd.	südwestdeutsch
svw.	soviel wie
sw. V.	schwaches Verb
SZ	Kanton Schwyz
TG	Thurgau
trans.	transitiv
Überschr.	Überschrift
übertr.	übertragen
übh.	überhaupt
ugs.	umgangssprachlich
unpers.	unpersönlich
unr. V.	unregelmäßiges Verb
UR	Uri
urspr.	ursprünglich
vorarlb.	vorarlbergisch
VS	Wallis
westmd.	westmitteldeutsch
ZG	Kanton Zug
ZH	Kanton Zürich

Einleitung

„Besonderheiten“ sind Abweichungen von einer Norm, einer bestehenden oder doch angestrebten Einheitlichkeit. Während im Mittelalter und darüber hinaus „deutsch“ nur ein Sammelbegriff für eine Vielfalt von regionalen und lokalen Sprachvarianten („Mundarten“) war, hat sich seit dem 16., 17., vor allem aber dem 18. Jahrhundert eine wirkliche deutsche Einheitssprache herausgebildet – wenn auch nicht bis zu völliger Einheitlichkeit durchgesetzt. Die alten Regionalvarianten sind immer mehr an den Rand gedrückt worden. Für einen großen Teil der Deutschsprechenden ist heute die Einheitssprache das „Deutsch“ schlechthin; daß es daneben andere, zum Teil stark abweichende, uralte Varianten des Deutschen – die Mundarten – immer noch gibt, nehmen sie höchstens ganz am Rande wahr.

Doch auch wo die Einheitssprache herrscht, schimmert die alte Vielfalt noch durch, wenn auch in sehr unterschiedlicher Stärke. Schreibweise (Orthographie) und Grammatik sind stärker vereinheitlicht als Aussprache und Wortschatz; in Deutschland (in den Grenzen von 1871/1919/1945) hat sich die Konzentration und Vereinheitlichung auch auf diesen Gebieten stärker entwickelt und durchgesetzt als in den seit damals oder (wie die Schweiz) schon viel länger politisch eigene Wege gehenden Randgebieten.

In der deutschsprachigen Schweiz hat sich die alte „Zweisprachigkeit in der einen Sprache“[1], das Nebeneinander von südalemannischer Umgangssprache und (vor allem schriftlich gebrauchter) allgemeindeutscher Standardsprache voll erhalten[2]. Damit ist die Gebrauchsbreite der Standardsprache deutlich eingeschränkt: Sie ist Schriftsprache und Hochsprache (so nennt sie der Schweizer auch), aber kaum Umgangssprache, da an deren Stelle die südalemannische Mundart[3] gebraucht wird. Demzufolge beherrscht der Deutschschweizer die Standard-Umgangssprache meist nur mangelhaft.

---

[1] So zitiert – ungenau, aber griffig – Walter Gut (in Schweizer Monatshefte 1987, 1045) den Schriftsteller Hugo Loetscher: eine einprägsame Formel für das, was der Sprachwissenschaftler Diglossie nennt. Loetscher selbst sagt (in: Deutsch der Schweizer, 28): „Wir sind zweisprachig innerhalb der eigenen Sprache“.

[2] Zum Verhältnis von „Mundart“ und „Schriftsprache“ in der deutschen Schweiz vgl. vor allem A. Lötscher 123 ff. und W. Haas, in: Viersprachige Schweiz, 93 ff.

[3] Die südalemannische oder, was im ganzen gleichbedeutend ist, schweizerdeutsche Mundart als Einheit gibt es nicht: Jeder spricht, mehr oder weniger ausgeprägt oder aber verwaschen, seine lokale, regionale Mundart – und man versteht sich.

[4] Oder „Schweizer Hochdeutsch“. Der Schweizer zieht die obige Schreibweise vor; vgl. G 152/2a.

Trotzdem gibt es ein, vor allem schriftlich gebrauchtes, „Schweizerhochdeutsch“[4], d. h. eine Variante der deutschen Standardsprache mit lautlichen, orthographischen, grammatikalischen und Wortschatz-Eigenheiten, die entweder nur in der Schweiz (in der ganzen oder in großen Teilen) oder darüberhinaus in Teilen des übrigen Sprachgebietes (vor allem in Süddeutschland und Österreich) gelten, aber nicht der (binnendeutschen) Einheitsnorm entsprechen.

Diese Besonderheiten – allem voran die des Wortschatzes –, soweit sie wirklich heute allgemein oder doch weithin üblich sind, haben wir in diesem Büchlein zu erfassen und kurz darzustellen versucht.

Also ein Wörterbuch der Besonderheiten[5]: nicht der ganzen deutschen Standardsprache, wie sie in der Schweiz üblich ist, sondern nur jenes Teils, der sich vom Standard Deutschlands unterscheidet. Das rechtfertigt sich aus praktischen Überlegungen:

- Ein größeres[6] Wörterbuch des (ganzen) Schweizer Standarddeutschen – ein Wörterbuch, das zu schätzungsweise 95% dasselbe enthielte wie die bundesdeutschen Standardwerke – wird kaum je erscheinen. Ein kleines aber kann auf keinerlei Besonderheiten näher eingehen.
- Abgesehen davon hat ein „differentielles“ Wörterbuch (wie das vorliegende) auch seine ganz besonderen Vorteile für den Benutzer, wie im folgenden Abschnitt skizziert wird.

Worauf die vermittelten Informationen beruhen, ist im übernächsten Abschnitt dargelegt; vorher sei kurz vom Zielpublikum die Rede, an das sich Autor und Buch wenden, und von der persönlichen Einstellung des Verfassers zum Thema.

An wen richtet sich dieses Buch?

Zwei Zielgruppen hat der Verfasser bei der Ausarbeitung dieses Büchleins vor Augen gehabt:

- die „Fremden“: Schweizer oder Ausländer anderer Muttersprache, Ausländer deutscher Muttersprache. Sie werden beim Aufenthalt in der deutschen Schweiz oder beim Lesen und Hören von Texten aus

[5] Hugo Loetscher (in: Deutsch der Schweizer, 32) trifft schon etwas Wichtiges, wenn er sich ein schweizerisches Wörterbuch der Standardsprache wünscht „nicht unter dem Zeichen von Besonderheiten, sondern von Üblichkeiten“. Das vorliegende Büchlein sollte dem wenigstens soweit gerecht werden, als es ganz bewußt nicht auf die Besonderheiten um der Besonderheit willen ausgeht, sondern durchaus auf das Übliche, dies allerdings nur soweit darstellt, als es in Deutschland (so) nicht üblich ist.

[6] Größer als etwa: Unser Wortschatz. Schweizer Wörterbuch der deutschen Sprache. Zürich 1987. XVI, 400 Seiten.

der deutschen Schweiz Wörtern und Wendungen begegnen, die ihnen fremd sind und die sie oft in deutschen Wörterbüchern nicht finden. Hier sollen sie Auskunft erhalten.

- Deutschschweizer, welche wissen oder ahnen, daß ein von ihnen gebrauchtes „schriftdeutsches" Wort nicht allgemein deutsche Geltung hat. Sie sollen hier Genaueres über den Verkehrsbereich des Wortes und gegebenenfalls über seine „draußen" (im übrigen deutschen Sprachgebiet) gültigen Entsprechungen (Synonyme) erfahren.

Dies Büchlein soll also bieten, was es trotz vieler sehr wertvoller Vorarbeiten noch nicht gibt: eine handliche und zuverlässige Zusammenstellung der heute gebräuchlichen, üblichen Helvetismen, d.h. der Besonderheiten, welche die schweizerische Spielart von der binnendeutschen Standardsprache unterscheiden.

Dabei soll es weder eine Propagandaschrift für die Helvetismen sein noch ein „Antibarbarus" („Das ist nicht allgemeines Deutsch, also schlecht!"). Wir wollen beschreiben, nicht vorschreiben. Grundsätzlich hält der Verfasser Helvetismen in der deutschen Standardsprache für berechtigt und sogar für notwendig, doch gibt es zweifellos Situationen, wo ihre Anwendung sinnlos, ja sinnwidrig und also falsch ist. Zudem gibt es Helvetismen und Helvetismen: solche, deren Verschwinden der Verfasser sehr bedauern würde, solche, die ihn völlig gleichgültig lassen, und schließlich sogar einige, über deren Verschwinden er sich freute. Doch derartige Wertungen sollen hier im Hintergrund bleiben; in erster Linie soll das Buch Tatsachen geben, Urteile sind nur in wenigen Fällen beigefügt, deutlich abgehoben als Anmerkungen im Sinne von Empfehlungen oder Warnungen. Trotzdem, bei aller Bemühung um Objektivität, ist besonders in der Auswahl der Wörter noch viel persönliches Urteil miteingeflossen.

Was in einen bestimmten Text paßt, muß der einzelne „Sprachbenutzer" entscheiden; dies Büchlein möchte ihm dabei helfen, indem es so gut wie möglich sagt, was zur Verfügung steht und wie es sich brauchen läßt.

Herkunft und Auswahl der Informationen

Soll der Zweck dieses Büchleins also vor allem ein praktischer sein, so ist der Standpunkt des Verfassers doch wissenschaftlich: zuerst möglichst objektiv feststellen, erst dann urteilen.
Festzustellen und darzustellen war, was heute in der deutschen Schweiz weithin üblich und gültig ist. Also

- keine Raritätensammlung, wie sie ältere Wörterbücher z.T. boten: altehrwürdige Wörter, die das Herz des Romantikers, Nostalgikers usw. erfreuen, die aber kaum ein Deutschschweizer heute noch kennt, geschweige denn öffentlich gebraucht[7];

- überhaupt kein unbesehenes Weiterschleppen von Wörtern, die andere Wörterbücher als „schweizerisch“ anführen[8];
- keine Sammlung von individuellen Wortbildungen schweizerischer Schriftsteller und Journalisten;
- keine Sammlung aller Mundartwörter, die je einmal – auch nur von den wichtigsten Schriftstellern – in „schriftdeutschen“ Texten gebraucht worden sind – das ergäbe ein halbes Mundartwörterbuch (aber eben nur ein halbes!) und würde den Rahmen sprengen;
- keine Sammlung von Entgleisungen[9], Ausdruckskreuzungen (Kontaminationen), Halbmundartlichkeiten usw., sofern sie nicht wirklich (fast) allgemein gebräuchlich geworden sind.

Grundlage der Arbeit mußte also eine umfangreiche Kartei des heute Üblichen sein. Sie wurde in den letzten zwanzig Jahren angelegt und zählt rund 18 000 Karten mit Belegstellen aus:

- Zeitungen und Zeitschriften. Kontinuierlich exzerpiert wurde die „Neue Zürcher Zeitung“, in kleineren oder größeren Stichproben viele andere Tages- und Wochenzeitungen sowie Zeitschriften.
- Sachbüchern in (wohl zu) kleiner Auswahl.
- der schönen Literatur: intensiv von den in den 1890er Jahren geborenen Autoren (Inglin, Welti, Humm, Zollinger, Glauser, Guggenheim) an[10] dann vor allem Frisch (geb. 1911), Dürrenmatt (geb. 1921) und die Jüngeren.

Von Fall zu Fall zur Ergänzung herangezogen wurde die gut 20 000 Zettel umfassende Helvetismen-Kartei von Eric William Longet (1917–1972), die, breiter, aber auch weniger planmäßig auf die Gegenwarts-

---

[7] Sehr zurückgehalten haben wir uns auch beim sog. historischen Wortschatz, d. h. bei Bezeichnungen für Gegenstände und Einrichtungen, die wir nur noch aus der Geschichte oder dem Museum kennen: *Hellebarde, Letzi, Sust, Hintersäß* usw.

[8] Für acht Wörterbücher, (in den jeweiligen Auflagen) zwischen 1967 und 1970 erschienen, hat das Material Fenske 1973 zusammengestellt. Von den dort als schweizerisch aufgeführten 1768 Wörtern kommen im vorliegenden Buch nur rund 60% vor. Alles, was der Verfasser nicht belegen konnte, wurde weggelassen.

[9] Was ist eine Entgleisung, was ist schief, was falsch? Vielleicht können wir das so definieren. Falsch ist ein Sprachgebrauch, der einem „passiert“, unbemerkt, den man aber niemals bewußt wählen würde und den man, wenn es möglich ist, korrigiert. Nun gibt es Fehler, die immer und immer wieder passieren, z. B. in der Schweiz die Verwechslung von Nominativ und Akkusativ (verursacht durch die Nichtunterscheidung in der Mundart); wir sind nur auf einen Fall eingegangen, weil er offensichtlich von sehr vielen nicht (mehr) als Fehler betrachtet wird: **sich selber sein*, →sein. Vgl. hierzu A. Bänziger (zu **sich selber sein* S. 156).

[10] Das ist die Generation der Eltern des Verfassers (geb. 1921); mit ihr sind die heute Älteren aufgewachsen; ihr Sprachgebrauch ist zum größten Teil noch lebendig. Was weiter zurückgeht, ist oft nur noch historisch; hie und da bringen wir aber einen Beleg bis zurück zu Conrad Ferdinand Meyer (1825–1898) und Gottfried Keller (1819–1890).

sprache hin angelegt, schon nicht mehr ohne weiteres dazu dienen kann, den heutigen Sprachgebrauch zu belegen, aber wichtiges Hintergrund- und Kontrollmaterial lieferte.
Über alle zitierten Quellen gibt das Quellenverzeichnis (S. 343) Auskunft[11].
Im übrigen wurde die gesamte wissenschaftliche und halbwissenschaftliche Literatur zum „Schweizerdeutschen" herangezogen und kritisch verarbeitet. Besonders wertvoll war das große Werk von Stephan Kaiser, ohne das dieses Büchlein in der vorliegenden Form nicht möglich gewesen wäre.

Um festzustellen, was schweizerische Besonderheiten sind, braucht man aber auch möglichst genaue Kenntnisse dessen, was heute – sei es in der Bundesrepublik, sei es im ganzen Deutschland oder im gesamten deutschen Sprachgebiet – gebraucht wird und als überregionaler Standard gilt oder bloß landschaftlich beschränkte Geltung hat. Das war vor zwanzig Jahren, als der Verfasser mit der Arbeit an diesem Buch begann, noch nirgends zusammengetragen und dargestellt. Einen ersten Anlauf in der gründlichen Erfassung der heutigen deutschen Sprache in allen deutschsprachigen Staaten machte Gerhard Wahrig mit seinem einbändigen „Deutschen Wörterbuch" 1966. Schon vorher war in der DDR mit einem mehrbändigen Werk begonnen worden: dem „Wörterbuch der deutschen Gegenwartssprache" (begonnen 1961, abgeschlossen in sechs Bänden 1977), doch erst „Das große Wörterbuch der deutschen Sprache" des Duden-Verlages in Mannheim (6 Bände, 1976–1981) kann als für unsere Zwecke voll brauchbare Inventarisation gelten. Darauf haben wir uns nun auch sehr weitgehend gestützt. Was in diesem Büchlein als „binnendeutscher" oder „gesamtdeutscher" Standard angeführt ist, beruht zu 95% oder mehr auf den Angaben des GWdS[12].

---

[11] Sie ist verzeichnet bei Sonderegger, bes. S. 302–309, und Börlin, bes. S. 178–183.

[12] Weitere wichtige Informationsquellen für die „Kontrastsprache" Gemeindeutsch/Binnendeutsch waren (außer den genannten):
- Der Duden in 10 Bänden; vor allem
  - 3: Duden Bildwörterbuch
  - 4: Duden Grammatik
  - 5: Duden Fremdwörterbuch
  - 6: Duden Aussprachewörterbuch
- Duden Deutsches Universalwörterbuch
- Friederich: Moderne deutsche Idiomatik
- Gorys: dtv-Küchenlexikon
- Ortner: Wortschatz der Mode
- Wehlen: Wortschatz und Regeln des Sports: Ballspiele
- Werlin: Wörterbuch der Abkürzungen
- Ebner: So sagt man in Österreich
- Magenau: Die Besonderheiten der deutschen Schriftsprache im Elsaß und in Lothringen
- Schilling: Romanische Elemente im Schweizerhochdeutschen

Am wenigsten sicher zu fassen ist der wichtige Bereich dessen, was Haas[13] die „Frequenzhelvetismen" nennt: Erscheinungen, bei denen es nicht um Vorkommen/Nichtvorkommen (Schweiz ja, Binnendeutsch nein) geht, sondern um die Häufigkeit des Vorkommens bzw. die allgemeine oder beschränkte Geltung eines Ausdrucks. Das kann hieb- und stichfest nur durch Auszählen von großen Massen elektronisch oder schriftlich aufgezeichneten Materials festgestellt werden. Wir haben uns deshalb in diesem Bereich sehr zurückgehalten[14]. Da fehlt also manches, das zum Bild gehörte. Wo aber dennoch Angaben gemacht sind, handelt es sich – das sei ausdrücklich betont – immer nur um Schätzungen.

Aufbau und Anlage des Wörterbuchs

Die Darstellung beruht auf folgenden Grundsätzen:
1. Es soll so klar und knapp wie möglich einander gegenübergestellt werden: das gilt (nur) in der Schweiz – und das entweder im übrigen oder aber im gesamten deutschen Sprachgebiet.
2. Denn es gibt schweizerische Besonderheiten, für die in der Schweiz praktisch keine Alternative besteht, und solche, die wir je nach Stilwillen, Zielpublikum usw. *neben* dem allgemeindeutschen Ausdruck gebrauchen.
3. Als schweizerische Besonderheit nehmen wir nicht nur, was genau auf das Gebiet der deutschen Schweiz beschränkt ist, sondern alles in der Schweiz standardsprachlich Übliche, das nicht der binnendeutschen Einheitssprache entspricht, auch wenn es über die Schweiz hinaus (in Süddeutschland, Österreich) gültig ist. Umgekehrt bringen wir auch Ausdrücke, die nicht in der ganzen deutschen Schweiz gebräuchlich sind, wenn sie wenigstens einer der großen Regionen (Nordostschweiz, Nordwestschweiz, Westschweiz, Zentralschweiz) oder einem der großen Zentren (Zürich, Basel, Bern) angehören.
4. Es geht nicht darum, die schweizerischen Besonderheiten wissenschaftlich zu beschreiben, sondern der Benützer des Wörterbuchs soll in erster Linie die allgemein- oder „binnen"deutsche *Entsprechung* finden, wobei
— voransteht, wenn diese auch in der Schweiz neben dem Helvetismus gebraucht wird, also allgemeindeutsch ist,

---

[13] W. Haas, in: Viersprachige Schweiz, 115/116.
[14] Vor allem haben wir als (Frequenz-)Helvetismen aufgenommen, was das GWdS mit „bes. schweiz." bezeichnet; in unserem Wörterbuch steht da, in der umgekehrten Perspektive, „bdt. selten".

// wenn sie in der Schweiz gar nicht[15] üblich ist, also als „binnendeutsch" zu gelten hat,

-//- wenn sie dem Schweizer deutlich weniger naheliegt, von ihm weniger angewendet wird als der Helvetismus[16].

5. Belege sollen die Bedeutung, den syntaktischen Gebrauch und nicht zuletzt (auch durch die Art der Quelle) die Geltung der Wörter verdeutlichen.

6. Kommentare werden nur in Ausnahmefällen gegeben:

- zur Herkunft eines Ausdrucks,
- zur Stellung in einem anders (als im Binnendeutschen) gegliederten Wortfeld,
- als Empfehlung oder Warnung.

Die Wortartikel sind stark schematisiert, was Platz spart und – sobald der Benutzer den Aufbau durchschaut hat – die Übersicht wesentlich erleichtert.

1. Wörter, die auf die Schweiz (und Nachbargebiete) beschränkt sind, also nicht der binnendeutschen Standardsprache angehören, erhalten einen vollständigen Wortartikel:

> **behạften,** jmdn. auf/bei etw. — jmdn. für etw. beim Wort nehmen, zur Rechenschaft ziehen.
> **Buffettochter** ['bʏfɛ...], die; -, ...töchter (Gastgewerbe) // Büfettfräulein (Mädchen hinter dem Schanktisch).

Ein solcher Wortartikel enthält:

- das Stichwort (halbfett grotesk), unter Umständen ein zweites (ebenso) oder als Nebenstichwort eine weniger wichtige oder weniger empfehlenswerte Nebenform (halbfett). Durch untergesetzten Punkt oder Strich ist gewöhnlich die Wortbetonung angegeben (Punkt bei Kürze, Strich bei Länge des betonten Vokals).
- Aussprache in [ ] bei fremdsprachigen und mundartlichen Wörtern; Lautschrift → S. 9
- nach Komma bei Substantiven den bestimmten Artikel und die Endungen des Gen. Sg. und des Nom./Akk. Pl.; bei Verben das „syntaktische Umfeld" (vgl. oben: behaften).
- in ⟨ ⟩ grammatikalische Angaben. So ist bei Verben immer angegeben, wenn sie stark oder unregelmäßig gebeugt werden: ⟨st. V.⟩, ⟨unr. V.⟩, und wenn sie das Perfekt mit „sein" bilden: ⟨ist⟩. In ⟨ ⟩ wird auch bei Fremdwörtern die (letzte) Herkunftssprache genannt.

---

[15] Cum grano salis, „mit einem Körnchen Salz", d. h. nicht stur wörtlich zu nehmen: unter besonderen Umständen kann auch ein solches Wort einmal von einem Schweizer verwendet werden, doch bleibt es Ausnahme.

[16] Die Grenze zwischen // und -//- wie zwischen -//- und — ist natürlich nicht ganz ohne Willkür zu ziehen.

- in ( ) Angaben über die Verbreitung und Geltung, z. B.
  - Verbreitung innerhalb der Schweiz: (im Westen)
  - Verbreitung außerhalb der Schweiz: (auch südd., österr.)
  - gesellschaftlicher Gebrauchsbereich, Fachbereich: (Gastgewerbe), (Recht), (Sport)
  - Stilschicht: (mundartnah), (Geschäftsspr.)
- das „Gelenk" zwischen dem schweizerischen Stichwort und der gesamt- oder binnendeutschen Entsprechung (Synonym), welches angibt:

— Das Synonym gilt auch in der Schweiz neben dem Stichwort. Das Synonym ist also gesamtdeutsch; das Stichwort hat die (mehr oder weniger ausgeprägte) Funktion eines Regionalworts.

Das Synonym ist in der Schweiz deutlich weniger gebräuchlich als das Stichwort.

// Das Synonym ist in der Schweiz (so gut wie) gar nicht üblich, ist also nur binnendeutsch; das Stichwort beherrscht das Feld allein.

: Dem schweizerischen Stichwort steht keine (genaue) binnendeutsche Entsprechung gegenüber, so daß seine Bedeutung umschrieben werden muß. Der Doppelpunkt steht auch sonst in Fällen, die nicht ins obige Schema passen.

- die binnendeutsch-standardsprachliche Entsprechung (Synonym; s. oben);
- dem Synonym voraus in ( ) allenfalls Angaben über dessen irgendwie beschränkte Geltung, z. B.: (bdt. meist:).

2. Bei den andern Wörtern, die auch im binnendeutschen Standard vorkommen, schweizerisch aber in irgendeiner Richtung abweichend verwendet werden, ist möglichst nur gerade das Unterscheidende angeführt:

Rụckzug, der: auch svw. — Abhebung (von einem Bankguthaben).

Das Wort hat zusätzlich eine Bedeutung, die im Binnendeutschen nicht üblich ist. Das „Gelenk" besteht hier aus

: auch svw. — (oder # usw.)

Angaben über Verbreitung und Geltung werden dem eingefügt, z. B.:

erstrẹcken: auch (Amtsspr.; ebenso österr.) svw. — (eine Frist o. ä.) verlängern, hinausschieben.

Ist die zusätzliche Bedeutung für den Schweizer wichtiger als die gesamtdeutsche[n], so steht: besonders svw./vor allem svw. oder: ausschließlich svw.:

Ẹstrich, der: ausschließlich svw. # Dachraum, // Dachboden (bdt.: fugenloser Fußboden, Unterboden aus einer erhärtenden Masse).

Nach der (den) Entsprechung(en) steht in ( ) die binnendeutsche, in der Schweiz nicht oder kaum bekannte Bedeutung des Stichwortes.

A̲ugenwasser, das (bdt. veraltet, dichter.) — Tränen.

Die Verschiedenheit liegt hier in der Geltung des Wortes: schweizerisch ist es normalsprachlich, was nicht besonders angegeben wird, binnendeutsch - siehe Klammer - ist es veraltet, dichterisch.

Fu̲der, das: ***das Fuder überladen** — zuviel des Guten tun, zuviel auf einmal wollen.

Hier kommt es nur auf die (ausschließlich schweizerische) Redensart an. Redensarten, Redewendungen, Idiome sind mit * oder ** eingeleitet.

Ampere, das: [frz. ɑ̃pɛʀ; 'ãpɛ:r// am'pɛ:ɐ̯]

Der Unterschied liegt nur in der Aussprache; entsprechend reduziert sich der Wortartikel bis auf die [ ].

Antifaschismus, der: ['-----] (auch österr.) // (bdt. meist:) [---'--].

Es kommt nur auf die Wortbetonung an, so werden in [ ] die Silben nur durch Striche angedeutet; das Akzentzeichen steht wie immer vor der betonten Silbe.

Foto, die; -, -s ⫽ das; -s, -s.

Der Unterschied liegt im Genus (Geschlecht) und, damit zusammenhängend, in der Beugung. Alles andere bleibt weg.

Bogen, der: ⟨Plural:⟩ Bögen (auch südd., österr.) ⫽ Bogen.

Der Unterschied liegt nur in der Pluralform (Beugung).

3. Weist ein Wort mehrere verschiedene Besonderheiten auf, die nicht (wie oben Geschlecht und Beugung bei dem Stichwort Foto) parallel laufen, so wird der Artikel durch • unterteilt und jede Unterabteilung durch einen Hinweis in ⟨ ⟩ eingeleitet, z. B.

Buffet, das: • ⟨Aussprache:⟩ [*frz.* byfɛ // bʏ'fe:, by'fɛt]; →G 037 • ⟨Schreibweise und Beugung:⟩ Buffet; -s, -s // Büfett; -[e]s, -e; →G 031 • ⟨Bedeutung:⟩ auch svw. // Bahnhofgaststätte.

4. Am Schluß eines beliebigen Wortartikels oder Artikelteils ist oft mit → auf unter irgendeinem Gesichtspunkt Verwandtes, Zusammengehöriges verwiesen.

Ein paar Begriffserklärungen

binnendeutsch (bdt.) steht hier für „(deutsch) im übrigen deutschen Sprachgebiet“. Der Umfang kann wechseln, je nachdem ob ein „Schweizer“ Ausdruck wirklich auf die Schweiz beschränkt ist oder darüber hinaus auch im Österreichischen, Süddeutschen usw. gilt. „Binnendeutsch“ ist einfach immer der Sprachgebrauch des großen übrigen Sprachgebiets, d. h. vor allem der (vorherrschende) Sprachgebrauch Deutschlands.

Allgemein gilt für die Angaben über die räumliche Geltung, daß sie nur ein grobes Bild geben.

Geltung: Als Unterschiede der Geltung oder des Verkehrswertes der Ausdrücke bezeichnen wir alle Beschränkungen im Gebrauch wie:

selten
veraltend, veraltet
gehoben, gewählt, poetisch
scherzhaft, ironisch
mundartnah, umgangssprachlich
salopp, derb
abwertend, verächtlich
expressiv
Amtssprache
Geschäftssprache
Ausdrücke ohne Gebrauchsbeschränkung, also von allgemeiner Geltung, bezeichnen wir als normalsprachlich.

gemeindeutsch (gdt.) meint soviel wie „allgemein deutsch", im ganzen deutschen Sprachgebiet gültig und üblich. Vor allem wird es als Gegensatz zu „binnendeutsch" verwendet; in dieser Perspektive gilt: binnendeutsch + schweizerisch = gemeindeutsch.

Geschäftssprache: diejenige Sprachschicht, die im Geschäfts-, Berufs- und öffentlichen Leben im weitesten Sinne, nicht aber im „schöngeistigen" und im privaten Bereich gebraucht wird. Sie umfaßt sowohl die Amts- wie die Kaufmanns- und weitgehend auch die Zeitungssprache; sie ist betont nüchtern, unpersönlich: nicht die Sprache von Mensch zu Mensch, sondern die Sprache der Institutionen.

mundartnah: diese – behelfsmäßige – Bezeichnung steht für eine Sprachschicht des „Schweizerhochdeutschen", die ungefähr dem entspricht, was sonst als „umgangssprachlich" bezeichnet wird: „im alltäglichen, besonders im familiär-vertraulichen, mündlichen Verkehr der Menschen untereinander üblich ... und in Briefen verwendet ... ist aber heute auch häufig in der Öffentlichkeit anzutreffen und hat Eingang in die Literatur gefunden"[17].

Die Umgangssprache ist aber zugleich „überregionales Ausgleichsprodukt zwischen sozialen und regionalen mündlichen Sprachvarianten"[18]. An diesem gesamtdeutschen Ausgleichsprozeß ist die deutsche Schweiz nicht beteiligt; sie bleibt im größten Teil des mündlichen Sprachgebrauchs beim althergebrachten Alemannischen. Deshalb können wir die Sprachschicht, die im Rahmen des Schweizerhochdeutschen ungefähr der „Umgangssprache" entspricht, in gesamtdeutschen Zusam-

[17] GWdS I 15.
[18] H. Bußmann 561.

menhängen wie hier nicht einfach als „Umgangssprache“, „umgangssprachlich“ bezeichnen, ohne wesentliche Unterschiede zu verwischen.

Wir nennen sie also behelfsmäßig „mundartnah“ und verstehen darunter eine Gebrauchsschicht innerhalb der geschriebenen Standardsprache, die der Mundart (dem Alemannischen) nahesteht. Ihre Elemente sind aus dieser herübergenommen, sie sind lautlich, in der Schreibweise und der Grammatik mehr oder weniger den standardsprachlichen Regeln angepaßt worden und bilden einen einigermaßen festen Bestand.

An sich kann der Schweizer ja (fast) jeden Mundartausdruck in die standardsprachliche Schreibe (und Rede) herübernehmen, der sprachlich wenig Gebildete tut das notgedrungen und oft unbewußt, der Geschulte erzielt damit bestimmte stilistische Wirkungen, manche Schriftsteller haben eifrig davon Gebrauch gemacht. Darum geht es hier nicht; wir suchen hier nur jene Schicht zu erfassen, die zum einigermaßen festen Bestand des Schweizerhochdeutschen gehört, ohne doch als (schweizerisch-)normalsprachlich gelten zu können.

Einerseits sind das Ausdrücke mit ausgeprägt volkssprachlichen[19] Zügen: geradeheraus, oft derb, oft jargonhaft verkürzt, alles in allem: mehr oder weniger hemdsärmelig. Anderseits handelt es sich um betont Regionales[20], Traditionelles, „Bodenständiges“, auch Familiäres.

normalsprachlich nennen wir[21] die große mittlere Hauptschicht der Sprachmittel, die überall ohne Einschränkung gebraucht werden kann: im privaten wie im geschäftlich/beruflich/fachlichen Bereich, in der Literatur, im Sportbericht usw. Sie umfaßt alle Spracherscheinungen, die nicht auf irgendeinen besonderen Bereich beschränkt sind, die stilistisch neutral sind. Die normalsprachlichen Ausdrücke werden im Wörterbuch nicht besonders gekennzeichnet.

Standardsprache: Der Ausdruck, im Deutschen verhältnismäßig neu (dem englischen Terminus Standard English nachgebildet), bezeichnet die „Sammelmitte“, die allgemeingültige Form, das einheitliche Leitbild der modernen deutschen Sprache, worauf sich ausrichtet, wer eine von regionalen und sozialen Besonderheiten freie Sprachform anstrebt. Vollständig ist diese Einheit bis heute nicht erreicht. Im Wortschatz zum Beispiel hat zwar in sehr vielen Fällen heute ein Wort standardsprachlichen Rang erreicht (oder zumindest zugesprochen erhalten), womit seine Synonyme als „landschaftlich“ zurückgestuft sind, doch stehen *Samstag* und *Sonnabend* und einige andere Paare nach wie vor gleichberechtigt einander gegenüber.

---

[19] Zum Begriff der Volkssprache vgl. Weiß, Volkskunde 247 (mit Literatur).

[20] *Gewöhnliche,* normalsprachliche Regionalwörter stellen wir nicht hierher und haben sie nicht besonders gekennzeichnet. Sie stehen in der Regel vor —; das sollte genügen.

[21] mit dem GWdS I 16.

Die Frage ist überhaupt offen, ob die Entwicklung so geradlinig auf eine einheitliche Form des Deutschen zulaufe, ob also ein völlig einheitliches Standarddeutsch nicht eine normative Fiktion sei. Jedenfalls gibt es in der Wirklichkeit bis heute nur Annäherungen, mit andern Worten: Varianten[22]. Die wichtigste Variante, sowohl was die Zahl der Sprachbenutzer wie die Ausstrahlung und die Aufarbeitung in Wörterbüchern usw. betrifft, ist die Bundesrepublik. Wir nennen sie den binnendeutschen (bdt.[23]) Standard und heben den schweizerischen (das „Schweizerhochdeutsch") von ihm ab.
So halten wir fest: Die schweizerische Variante des Standarddeutschen steht grundsätzlich gleichberechtigt neben der binnendeutschen (die z. T. in je eine der Bundesrepublik und der DDR zerfällt) und der österreichischen. Aus rein praktischen Gründen stellen wir unsere Variante nicht aus sich selbst heraus dar, sondern heben sie ab von der soviel besser dokumentierten binnendeutschen Variante.

Regionen innerhalb der deutschen Schweiz:

Innerschweiz, innerschweizerisch: die Urkantone Uri, Schwyz und Unterwalden (Nid- und Obwalden) sowie Luzern und Zug.

Nordosten, Nordostschweiz, nordostschweizerisch: nördlich und östlich des Kantons Zürich, also Schaffhausen, Thurgau, St. Gallen und Appenzell.

Nordwesten, Nordwestschweiz, nordwestschweizerisch: Basel-Stadt und -Land sowie (Teile von) Aargau, Solothurn und Bern.

Osten: östlich der Linie Aaremündung-Reuß, wobei die Innerschweiz entweder ganz zum Osten zählt oder geteilt ist.

Westen: westlich der genannten Linie.

---

[22] Vgl. Tendenzen 5; H. Moser, bes. 329–331.
[23] Wer will, mag das auch „bundesdeutsch" lesen.

Grammatikalische Skizze der Besonderheiten

Das folgende ist eine – unvollständige – Skizze, die dazu dienen soll, Übergreifendes, das im Wörterbuch auf viele Wörter verteilt erscheint, zusammenzufassen und anderes, das sich im Wörterbuch überhaupt nicht unterbringen läßt, kurz anzudeuten.
Das angeführte Wortmaterial erscheint zum größten Teil im Wörterbuch; für alles Nähere sei hier ein für allemal darauf verwiesen

Laut und Schrift

Aussprache

001 Da die deutsche Standardsprache in der Schweiz überwiegend nur geschrieben wird – man spricht sie vor allem in mehr oder weniger „offiziellen" Situationen und nur wenig (mit Ausländern) spontan, privat -, gibt es keine allgemeine, als vorbildlich und verbindlich anerkannte schweizerische Aussprache des Standarddeutschen. Es besteht vielmehr ein offenes Feld zwischen folgenden Grenzen:

- auf der einen Seite die (binnen)deutsche Standardaussprache[24], die zu stark nach der norddeutschen Aussprache (der Bundesrepublik und der DDR) ausgerichtet ist, als daß sie ohne weiteres von der Schweiz (und Österreich) übernommen werden könnte, die aber – beim Fehlen einer eigenen Norm – dennoch einen spürbaren Einfluß ausübt[25].
- auf der andern Seite die Grenze dessen, was (an oberdeutsch-alemannischen Sprechgewohnheiten) heute allgemein als in der Standardsprache nicht (mehr)[26] erlaubt gilt: etwa *k* als *kch,* inlautend *sp, st* als *schp, scht,* Assimilationen wie *Apfokat (Advokat), mipmachen,* Übergangslaute: *Männdlein* usw.

Einen gangbaren Weg zu einer gehobenen und doch für den Schweizer noch „natürlichen", d.h. den Zusammenhang mit der Tradition nicht völlig aufgebenden Aussprache hat eine kleine

[24] Duden Aussprache 5 f., 29 ff.
[25] Meist einen unerfreulichen! Da der Schweizer (wie der Österreicher und der Süddeutsche) in der Regel ohne eingehende Sprechschulung die Standardlautung nicht angemessen verwirklichen kann, entsteht ein Aussprache-Flickenteppich, der nur entweder lächerlich oder ärgerlich wirkt.
[26] Vor fünfzig Jahren noch häufig zu hören und von manchen verteidigt.

Gruppe von Fachleuten in den fünfziger Jahren erarbeitet[27]; leider hat sie sich nur zum Teil durchzusetzen vermocht[28]. Die Arbeit müßte heute erneuert werden.

Im folgenden unterscheiden wir zwischen übergreifenden Artikulationseigenschaften wie Tempo, Rhythmus, Ton- und Druckführung, Deutlichkeit usw. einerseits und auf der andern Seite der Aussprache einzelner Lautkategorien und Laute bzw. Buchstaben, der Aussprache und/oder Betonung einzelner Wörter und Wortkategorien.

Übergreifende Erscheinungen

002 Schriftlich und allgemeinverständlich läßt sich dazu nicht sehr viel sagen.

- Die Druckverteilung ist im allgemeinen ausgeglichener, die Tonführung („musikalischer Akzent") im Gegenteil meist ausgeprägter als in der Standardaussprache.
- Das Zusammenspiel von Druck und Ton ist anders geregelt.
- Das Sprechtempo ist im allgemeinen langsamer, was zum Teil der mangelnden Übung im Hochdeutschsprechen zuzuschreiben sein mag.

Die Trennschärfe der Artikulation ist, mundartbedingt, geringer: schwacher Vokaleinsatz, Neigung zu Assimilationen, zum „Verschlucken" ganzer Silben.

Vokale

Vokallänge statt -kürze[29]

003 *Amboß* [...bo:s], *Andacht, brachte, dachte, Gedächtnis, Flysch* [fli:ʃ], *hüst, juchzen, Rache, rächen;* in der ersten Silbe: *Lorbeer*[30], *Nachbar, Viertel, vierzehn, vierzig, Vorteil*[31].

¹*Rost* 'gitterartiges Gerät' wird als [ro:st] von ²*Rost* [rɔst] 'Belag auf Eisen' unterschieden[32]; umgekehrt wird ¹*Hochzeit* 'Vermählungsfeier' [bdt. 'hɔxtsai̯t] meist ['ho:x...] ausgesprochen und also nicht von ²*Hochzeit* 'Höhepunkt einer Entwicklung, Blütezeit' unterschieden. Auch bdt. kommt die (schweiz. herrschende) Länge neben der Kürze vor in *Löß, Tschad;* auch südd., österr. sind *Geschoß, Rum* mit Langvokal.

---

[28] Vgl. Bruno Boesch 1968, S. 232.
[29] Vgl. Boesch 19/20.
[30] Vgl. Boesch 23.
[31] Vgl. Boesch 23.
[32] Vgl. Boesch 23.

Vokalkürze statt -länge[33]

004 Kürze gilt in *Dromedar* ['drɔm... // 'dro:meda:ɐ̯, drome'da:ɐ̯], *Städte, Grätsche, grätschen, hätscheln, Kardätsche, Kartätsche, Rätsche, knutschen; düster.*

Häufig ist sie in *gemächlich, Brezel*[34]; *Nische, Viper* ['fɪpər]; *gehabt, Jagd, Magd, Krebs, Obst, Vogt, wuchs, Wuchs*[35] sowie in den (betonten) Endsilben *-it: Konvertit; -iz: Benefiz, Hospiz, Miliz, Salsiz, Matrize;* in *Kapuze* sowie in *-tum* (*Christentum* usw.).

Unsicherheit besteht besonders vor *r* + Konsonant, wo die Standardsprache nur in gewissen Wörtern Länge vorschreibt: *Art, Barsch, Quarz, zart, zärtlich, Gebärde, erst[e], Herd, Pferd, wert, Beschwerde, Erde, Herde, werden, Behörde, Geburt,* während im Südalem. die Länge weithin fast ausnahmslos gilt und demzufolge beim Standardsprechen (als mundartlich) gemieden wird. Das geht bis zu [ɛrst] für *erst* [e:rst, e:ɐ̯st]

[ə] in Endsilben

005 Das [ə] in den Endsilben *-el, -em, en, -er* wird meist noch gesprochen: ['e:zəl, 'e:zᵊl; 'a:təm, 'a:tᵊm; 'maxən, 'maxᵊn; 'a:dər, 'a:dᵊr]. Bdt. gilt als Standardlautung heute (im Gegensatz zur Bühnenaussprache) silbischer Konsonant[35a]: ['e:zl̩, 'a'tm̩, 'maxn̩] bzw. Vokalisation des *r* ['a:dɐ][35b]. Schweiz. kommt auch eine gegen [ɛ] hin liegende Aussprache des unbetonten *e* vor.

Einzelne Vokale (Vokalzeichen)

006 **a** in engl. *Back* u. ä. wird [æ], nicht [ɛ] ausgesprochen. ([ɛ] ist Lautersatz für das engl. [æ], das im Lautvorrat des Standarddeutschen fehlt, im größten Teil des Südalem. aber in vergleichbarer Lautung vorkommt.)

y wird in einer Anzahl eingebürgerter Wörter, für die die Standardaussprache (noch) „ü" [y:, ʏ] vorschreibt, als „i" [i:, ɪ] ausgespro-

---

[33] Vgl. Boesch 19/20 ff.

[34] *Brezel* scheint gleich zu liegen wie die in Anm. 35 genannten Wörter, ist aber im alem. als *Bretzel* bzw. *Brätzel* alt verwurzelt. Noch Heuer, Richtiges Deutsch (1960) § 557 und Gubler, So ist's richtig (⁴1961) geben als schweiz. Schreibform *Bretzel* (so auch noch etwa bei Erny, Neujahr [1971], 31). Sicher mit *tz* zu schreiben bleibt das alem. Dim. *Bretzeli.*

[35] Wörter mit Langvokal + *p* oder *k* wie *blöken, Küken, abtakeln, hapern* sind niederd. Ursprungs; im Oberdeutschen kannte man diese Lautfolge nicht, las sie als Kürze und schrieb sie auch so (+*pp, ck,* z. T. bis heute, z. B. *blöcken* Humm, Linsengericht 115; *Kücken* Guggenheim, Alles in allem 24, Sandkorn 83; Helen Meier, Trockenwiese 114). Diese Aussprache und Schreibweise muß heute doch wohl als Substandard gelten.

[35a] Duden Aussprache 32–37.

[35b] Duden Aussprache 60.

chen: *Asyl, *Ägypten, *Forsythie* (auch österr.), **Gymnasium, Gymnastik, *Libyen, Physik, Pyramide, System*[36].
Besonders bei den mit * bezeichneten empfindet der Schweizer die Aussprache mit [y,ʏ] als hochgestochen.

ie, ue/uo, üe/üo in Eigennamen wie den Ortsnamen *Brienz* BE, *Spiez* BE, *Fiesch* VS, *Schlossrued* AG, *Buochs* NW, *Muolen* SG; *Flüelen* UR, *Üetikon* ZH, dem Flußnamen *Muota* SZ, dem Bergnamen *Üetliberg* ZH, den Familiennamen *Diem, Dieth, Vieli; Bueß, Fueter, Kuoni, Ruoff; Grüebler, Rüegg, Lüönd* werden als fallende Diphtonge [i̯ə, u̯ə, y̯ə] ausgesprochen[37].

Konsonanten

Allgemeines

009 *b, d, g* und *s* werden (schwach und) stimmlos [b̥ d̥ g̊ z̥] gesprochen[38] (Standardaussprache: stimmhaft).

010 Die Auslautverhärtung [gɪp, grɔp, ga:p] *gib, grob, gab;* [frɔ̯ynt, ra:t] *Freund, Rad;* [la:k, ve:k] *lag, Weg;* [vas, ga:s] *was, Gas* wird nicht oder nur schwach durchgeführt, auf jeden Fall nicht bis zu behauchtem *p, t, k; Rad* [ra:d̥] bleibt deutlich von *Rat* [ra:t] unterschieden[39].

011 Im Substandard sind die Verschlußlaute *p* und *t* unbehaucht [p', t']. Zu [k'], geschrieben *gg,* siehe 047.

Einzelne Konsonanten/Konsonatenzeichen

012 **ch** wird südalem. mundartlich immer als [x], niemals als [ç] gesprochen: *Räbeliechtli* ['ræ:bəli̯əxtlɪ, 'rɛ:...]. Auch die Verbindung *chs* wird überwiegend als [xs] gesprochen. Das gilt auch standardsprachlich für Ortsnamen wie *Buchs,* Familiennamen wie *Luchsinger*[40].

013 Häufig bis überwiegend als [x] gesprochen wird *ch* im Anlaut in *Chemie, China, Chinin, Chirurg* (bdt. standardspr. [ç], südd., österr. [k]) sowie in *Chaos, Charakter, Chor, Choral, Cholera, cholerisch, Chrom, Chronik, Chronometer* und im Inlaut in *Melancholie, Orchester* (bdt. [k])[41].

014 g in der Endsilbe *-ig* wird auch in Endstellung als solches [...ɪg̊, ...ɪk] ausgesprochen (bdt. standardspr. [...ɪç][42]

---

[36] Vgl. Boesch 24.
[37] Vgl. Boesch 25.
[38] Vgl. Boesch 31; Duden Aussprache 63, 63 (Umgangslautung).
[39] Vgl. Boesch 30/31.
[40] Vgl. Boesch 29.
[41] Vgl. Boesch 30.
[42] Die Aussprache von *-ig* als [ɪç] ist auch bdt. noch umstritten, vgl. Sprachdienst 1986, 161; 1987, 5; 1988, 41, 61; Duden Aussprache 67 rechnet [ɪk] zur Umgangslautung.

015 **gg** in südalem. Wörtern und Eigennamen siehe 047. Meist wird es auch in gdt. Wörtern wie *Egge, Roggen, schmuggeln* als [k'] gesprochen.

016 **j** ist nicht wie in der Standardaussprache stimmhafter Reibelaut (das stimmhafte, „weiche" Gegenstück zu [ç]), sondern reibungsloser Halbvokal [i̯][43].

017 **r** wird niemals „vokalisiert" (bdt. Standardaussprache [ti:ɐ̯, 'e:bɐ] *Tier, Eber*), sondern auch vor Konsonant und in Endstellung als [r] oder [ʀ] ausgesprochen[44], allerdings oft reduziert.

018 **v**: Die Zahl der aus dem Lateinischen oder den romanischen Sprachen stammenden eingebürgerten Wörter, wo *v* nicht als [v], sondern als [f], zwischen Vokalen [v̥], gesprochen wird, ist viel größer als im Binnendeutschen. Dazu gehören[45]: *Advent, Advokat, Evangelium, Kadaver, Klaviatur, Klavier, Klavichord, Konvikt, nervös, November, Proviant, Provinz, provisorisch, Revier, Vagabund, Vagant, Vakanz, Vasall, Vegetarier, Veltlin, Viktor, violett, Viper, Visier, Vogesen, Vokabel, Vokal, Vulkan, zivil.* An nur schweizerischen Wörtern gehören hierher: *Arve, Clevner;* an geographischen Namen *Vaduz, Veltlin, Venedig; Somvix, Tavetsch.*
Doch werden stets mit [v] gesprochen: *vag, Valuta, Vanille, Variation, Vase, Velo, Verb, Vestibül, Virtuose, visieren, Visite, Votum, vulgär; Cervelat, servieren* und andere mehr.

Wortbetonung

Erst- statt Zweit- oder Drittsilbenbetonung[46]

019 *Abteilung, Durcheinander, Hellebarde, Hornisse* (auch bdt.), *Techtelmechtel; alsbald, bisher* (auch -'-), *nachher* (seltener auch bdt).

020 Bei *Allgegenwart, allesamt, allgemein, alljährlich* schreibt die bdt. Standardlautung Doppelbetonung vor: ['-'---, '--'-][47]; schweiz. wirkt diese expressiv, normal ist Erstbetonung. Erstbetont wird auch *Allheilmittel* (bdt. [-'---]).

021 Bei *absichtlich, vorzüglich*[48] sowie bei den Adjektiven mit der Vorsilbe *un-*, einem [präfigierten] Verbalstamm und der Ableitungssilbe *-bar* oder *-lich,* selten *-sam* (Typus *unsäglich, unabdingbar, unaufhaltsam*) verlangt die bdt. Standardlautung Starkton auf dem Stamm, doch ist auch Ton auf der ersten Silbe zugelassen. Schwei-

---

[43] Vgl. Boesch 30.
[44] Duden Aussprache 60 rechnet das zur „Überlautung" (Bühnenaussprache); für den Schweizer ist sie die einzige geläufige.
[45] Vgl. Boesch 29.
[46] Vgl. Boesch 33.
[47] Die leicht in Nebenton/Hauptton übergeht, d. h. in (Haupt-)Betonung der 2. oder 3. Silbe: [ˌ-'---], [ˌ--'-].
[48] Bei *ausführlich* nennt zwar Duden Aussprache 157 Erstbetonung noch zuerst, doch liegt der Fall kaum wesentlich anders.

zerisch ist Betonung von *un-* normal; expressiv ist Doppelbetonung: *unglaublich* ['-'--] oder Hauptton auf dem Stamm [-'--]. Dasselbe gilt für *unzählig* sowie für die adjektivischen 2. Partizipien *unbekümmert, unberufen, unbeschädigt, unbesehen, unentwegt, unerachtet, unerreicht, unübertroffen, unverblümt, unwidersprochen* usw.

022 Umgekehrt ist *Neujahr* gewöhnlich (bdt. seltener) auf der zweiten Silbe betont.

023 Schweizerischer Substandard ist Erstbetonung in *inzwischen, sofort, sogleich*[49] u. ä.

Verben vom Typus *anerkennen*

024 Neben *ạnerkennen (er erkennt ạn, hat ạnerkannt), ọbsiegen (er siegt ọb, hat ọbgesiegt)* kommt im bdt. Standard auch vor *anerkẹnnen (er anerkẹnnt, hat anerkạnnt), obsi̲egen (er obsi̲egt, hat obsi̲egt).*[50] Schweizerisch wird die zweite Art der Betonung (auf dem Verbalstamm) bevorzugt. Es handelt sich um folgende Verben (* auch bdt.; ** bdt. selten): *anerbieten, *anerkennen, **anvertrauen, *auferlegen; überfließen, *überführen, überlaufen, überquellen, *übersiedeln; **widerhallen, **widerspiegeln; *obliegen, *obsiegen.* Es besteht die Neigung, weitere Verben so zu behandeln: [So] *laufen wir stets wieder Gefahr, ihr* [der Ontologie des Nationalstaates] *alles Normative zu unterordnen* (NZZ 4./5. 7. 87, 21).

Substantivzusammensetzungen mit Ortsableitungen, Typus *Zürcherart*
Siehe **153**.

[Erst-]Betonung eingebürgerter Wörter fremden Ursprungs

025 Viele eingebürgerte Wörter vor allem lateinischen Ursprungs werden schweizerisch auf der ersten, bdt. standardsprachlich auf der zweiten oder dritten Silbe betont.
Bei einigen ist die Erstbetonung bdt. auch zugelassen: *Anis, Antifaschist, -faschismus, -kommunist, -militarist, -zyklone, Asphalt, Deziliter, -meter, Dromedar, Hektoliter, Marzipan, Radar.*
Darüber hinaus geht das Schweizerische mit: *Aktivum, Apostroph, Büro, Chronometer, Dekor, Gasometer, Grammophon, Karton* ['kartɔŋ], *Kilogramm, -meter, -volt, -watt, Kohlrabe, Kondukteur, Konfitüre, Merkur, Milligramm, -meter, Nepal, Neptun, Passivum, Taburett, Thermometer, Zentimeter;* auch österr. erstbetont sind *Labor, Muskat, Papagei.*

---

[49] Vgl. Boesch 33.
[50] Vgl. Duden Grammatik 425 mit Fußnote 2 sowie (auch zum historischen Hintergrund) Kaiser II 145/146.

026 Das Umgekehrte: bdt. standardsprachlich Erst-, schweizerisch Zweitbetonung, ist viel seltener: *Motor, Orient;* schweiz. Zweit- neben Erstbetonung: *Algebra, Araber, Autor, Moloch, Tibet.*

027 Bei den Adjektiven auf *-iv* werden nur mit Erstbetonung gesprochen *aktiv* (auch bdt.), *passiv* sowie im grammatikalischen Sinn *reflexiv,* auf der ersten oder der letzten Silbe werden betont *alternativ, defensiv, definitiv, exekutiv, intuitiv, konstruktiv, legislativ, objektiv, offensiv, produktiv, provokativ, qualitativ, quantitativ, repressiv, speditiv, subjektiv* und andere mehr; andere wie *initiativ, lasziv, primitiv* kommen nur mit Endbetonung vor.

Buchstabierte Abkürzungen

028 Für Abkürzungen aus drei, seltener zwei oder vier Buchstaben, die einzeln ausgesprochen werden (Typus *FDP,* im Gegensatz zu *Ufo* = *U*nbekanntes *F*lug*o*bjekt) gilt bdt. standardsprachlich Endbetonung; schweizerisch hingegen Erstbetonung, bei gewählterer Aussprache mit deutlichen Nebentönen auf den übrigen Silben, besonders auf der letzten: *SBB* ['ɛsbe,be:], *SRG* ['ɛsɛr,ge:], *VPOD* ['faupeo,de:]

Wortnebenformen als Ergebnis der landschaftlichen Lautentwicklung

029 Eine Reihe von (ausschließlichen oder alternativen) abweichenden Wortformen sind als Ergebnis abweichender obd. oder [süd]alem. Lautentwicklungen stehengeblieben[51]: *Alp* // Alm, *Blache/Pl-* ⫽ Blahe, Plane, *Brachsmen* ⫽ Brachse[n]/Brasse[n], *Bretzel* — Brezel, *Drilch* // Drillich, *Fasnacht* ⫽ Fastnacht, *Feldweibel* // -webel, *Fürio* // feurio/feuerjo, *Getäfer* // -el, *Haber* — Hafer, *zu Handen* // zu Händen, *Holder* — Holunder, *Hurde* // Horde 'Gestell', *juhe!* // juchhe, *Kummet* // Kumt, *March* — Mark (*Marchstein* ⫽ Markstein, *vermarchen* — vermarken, *Gemarchung* — Gemarkung), *Mesmer* // Mesner, *Räf* ⫽ Reff, Sammet — Samt, *Sulz* — Sülze, *täfern* — täfeln, *Tausendguldenkraut* // Tausendgüldenkraut, *Zimmet* — Zimt, *Zwetschge* // Zwetsche/Zwetschke.

Die Synkope der Vorsilbe *ge* zu *g-* (mit anlautendem *b, d, g* assimiliert zu *p, t, gg* [p', t', k']; vor *p, t, z* totalassimiliert) spiegelt sich im schweizerhochdeutschen Wortschatz einzig in *Gluscht, Grümpel, Gwächte* und *Biet, Bott, Täfer.*

030 Gegenläufige Tendenz, d. h. „hyperhochdeutsche" Schreibweise, ist fest geworden in *von amteswegen* // von Amts wegen, *Bestandesaufnahme* // Bestands..., *Geleise* ⫽ Gleis.

[51] Wobei die Neuerung auf seiten des Alem. (*Drilch, Getäfer, Holder, Mesmer* usw.) oder auf seiten des Bdt. liegen kann *(Alm, feurio).*

Fremde/deutsche Aussprache und Schreibung von Wörtern aus andern Sprachen

Aus lebenden fremden Sprachen herübergenommene Wörter werden, wenn sie fest in den deutschen Wortschatz eingehen und sich einige Zeit halten, in Aussprache und Schreibweise den deutschen Regeln angepaßt („eingedeutscht"). Dabei haben sich auch Unterschiede zwischen dem Binnendeutschen und dem Schweizerhochdeutschen ergeben; sie lassen sich grundsätzlich einteilen in:

- Anpassung/Nichtanpassung
- verschieden weit gehende Anpassung
- Anpassung in verschiedener Richtung

Praktisch sind diese Kategorien nicht sauber auseinanderzuhalten.

Französisch

Gemeindeutsch war der Einfluß des Französischen im 17./18. Jahrhundert und noch ins 19. Jahrhundert hinein stark, dann wurde er bewußt aus nationalistischen Gründen, besonders seit 1870, zurückgedrängt. Die Schweiz machte diese Abwehr nicht mit; doch ist seit der Mitte unseres Jahrhunderts auch hier – wie weltweit – das Englisch-Amerikanische an die erste Stelle gerückt. Aber das Französische bleibt unsere zweitstärkste Landessprache und in allen Schulen die erste moderne Fremdsprache. So steht es heute noch dem Schweizer viel näher als dem Deutschen oder dem Österreicher. Das wirkt sich aus im Gebrauch einer größeren Anzahl französischer Wörter, in deren Aussprache und in stärkerer Bewahrung der original französischen (nicht dem Deutschen angenäherten oder ganz angepaßten) Schreibweise.[52]

Betonung

Der ohrenfälligste Unterschied liegt in der Betonung der nicht eingedeutschten französischen Wörter. Die schroffe Endbetonung französischer Wörter in der bdt. Standardaussprache tut dem Schweizer in den Ohren weh[53]. Wer des Französischen einigermaßen mächtig ist, spricht die Wörter wie im Französischen „schwebend"[54], d.h. mit ausgeglichenem Druckakzent[55]. Erste und letzte, eventuell auch dazwischenlie-

---

[52] Am stärksten ist der Widerstand gegen Zwitterformen wie *Kode, Kommuniqué* (folgerichtig wären *Kod, Kommünikee!*).

[53] Vgl. Muschg, Mitgespielt 184/85: *„Veuve Cliquót", sagte Uschi ... „Veuve Cliquot", betonte er heftig ... Bordeaúx! Racine! Es wäre zum Lachen, wenn es nicht zum Heulen wäre ... denn Französisch töne nicht einfach umgekehrt wie Deutsch, sondern anders ... Die in der Schweiz gebräuchliche Erstsilbenbetonung sei zwar auch falsch, denn im Französischen schwebe der Akzent, aber sie sei weniger falsch, ehrlicher falsch, sozusagen* [?].

[54] Vgl. Boesch 33.

[55] Vgl. Dieth, Vademecum 75ff. Ebd.: En français l'accent d'intensité est faible" (Marcel Grammont, Traité de phonétique, Paris 1933, p. 117).

gende (Vollvokal-)Silben werden ungefähr gleich stark betont (und halblang ausgesprochen); diejenigen, welche – für das ans Deutsche gewöhnte Ohr – nicht den Hauptton erhalten, tragen einen starken Nebenakzent; die Lage des Haupttons kann wie im Französischen wechseln, d. h. sie ist für das Lautbild des Wortes nicht konstitutiv[56].
Wird ein Wort stärker der deutschen Betonungsgewohnheit unterworfen[57], so erhält es den Hauptakzent auf der ersten, einen deutlichen Nebenakzent auf der letzten vollen Silbe. Im Wörterbuch wird in der Regel nur die französische Aussprache (ohne Druckakzent) angegeben; die deutschschweizerische nur, wenn der Hauptakzent nicht auf der ersten Silbe liegt (*Abonnement* [a'bɔnəmã]).
Diese Betonung gilt für alle nach französischer Orthographie geschriebenen Wörter, aber auch für eine Reihe von orthographisch/grammatisch [teilweise] eingedeutschten Wörtern.

031 Im Gegensatz zum Binnendeutschen gilt die französische Schreibweise (und damit auch die französische Aussprache/Betonung!) ausschließlich oder doch überwiegend in[58] *Bohème, Bohémien, *Buffet, *Cabriolet, chic, Code, Cognac, Collier, Communiqué, Cortège, Crème/Creme, Crêpe, Crevette, Début, Décolleté, Directrice, Doublé, *Drain, Drainage, écru, Entrecôte, *Financier, Hors-d'œuvre, Manicure*[59], **Meringue, Mocassin, Mousseline, Négligé, *Occasion, *Parfum, Pédicure, Pendule, Piqué, *Praliné, *Quai, Rayonne, *Réception/Reception, Rencontre, Rendez-vous, Résumé, Sauce, Variété.*
(Mit * sind die Wörter bezeichnet, wo sich auch die Aussprache der bdt. Norm vom französischen Lautstand entfernt.)

032 Nebeneinander verwendet man die französische und die „eindeutschende" Schreibung[60] bei unverändert französischer Aussprache/Betonung in *Biscuit, Caramel, Carrosserie, Cliché, Décor, Frotté, Menu, Ouverture* und (mit bloßer Weglassung des Akzents) *Apéritif, Apéro, Décharge, Dépendance, Enquête, Entrée, Intérieur, Matinée, Nécessaire, Première, Réchaud, Réduit, Tantième, Tournée* sowie in den nur in der Schweiz gebräuchlichen *Cervelat/Servela, Tenue/Tenü.*

---

[56] Dementsprechend geben französische Wörterbücher in der phonetischen Umschrift keinen Druckakzent (und keine Vokallänge) an; wir folgen dem für die schweizerische Standardaussprache; eine beigefügte zweite Form mit Druckakzent (in der Regel auf der ersten Silbe) ist Substandard.

[57] Z. B. als 1. Glied von Zusammensetzungen: *Detail* [frz. detaj], aber *Detailgeschäft* ['detajgəʃɛft]. Aber als 2. Glied z. B. *Offiziers-, Verwaltungsetat* [...e,ta] mindestens so gut wie [...,eta].

[58] Die Wörter gehören zu einem reichlichen Drittel in den Bereich von Mode und Schönheitspflege, zu einem knappen in den des Gastgewerbes.

[59] Als korrekt französisch gilt heute *Manucure*, das schweiz. nicht gebräuchlich ist.

[60] Mischformen wie *Carosserie* (richtig: Carr.../Kar...), *Cervela/Servelat* (richtig: Cervelat/Servela), *Clichée* (richtig: Cliché/Klischee) sollten vermieden werden.

033 Nebeneinander gelten die beiden Schreibweisen auch in folgenden Fällen, wo damit aber auch in der Schweiz eine nicht nur in der Betonung abweichende Aussprache einhergeht: *Bouquet/Bukett, Cabaret/Kabarett, Couvert/Kuvert;* veraltend ist *Billet* neben *Billett.*

034 Dem Deutschen angenäherte/angepaßte Schreibung bei trotzdem französischer Aussprache/Betonung zeigen (*: nur schweiz. gebräuchliche Wörter):
- mit Weglassung von Akzenten: *Ampere, Defilee, Depot, Detail, Etat, *Patisserie, Premiere, Püree, Ragout, Renommee, Soiree, Tournee, *Velo;*
- Zusammenschreibung statt Bindestrich: *Passepartout;*
- *ee* statt *é*: *Defilee, *Trassee;*
- *k* statt *c*: *Korps, Trikot, Kotelett;*
- *ss* statt *c*: *Trassee;
- Weiteres: *Püree, *salü* (frz. salut), **Trottinett* (frz. *-ette*).

035 Französische Aussprache/Betonung bei deutscher Formenbildung:
1. Wörter auf französisch stummes *-e* werden, wenn sie im Deutschen Feminina sind, z. T. mit [...ə] ausgesprochen. (Nicht-Feminina haben niemals [ə]: *der Jupe, orange* [Adj.] usw.)
Im Schweiz. weisen folgende Feminina nie oder selten [ə] auf; sie bilden den Plural auf *-s* oder haben keinen: *Ambiance, Crêpe, Décharge, Manicure, Meringue, Mousseline, Patrone, Pédicure, Pièce de résistance, Pistache, Police(mütze), Portable, Raclette, Rayonne.*
Meist oder auschließlich mit [...ə] ausgesprochen und mit deutschem Plural auf *-n* [...ən] versehen werden: *Affiche, Bise, Bride, Clique, Creme, Enquête, Equerre, Glace, Limite, Passerelle, Pendule, Sauce.*
Bei Wörtern auf *-ette* (*Camionnette, Crevette, Omelette, Pincette, Pochette, Vignette* usw.) und besonders auf *-age* (*Camionnage, Drainage, Emballage, Garage* usw.) und *-euse* (*Chauffeuse, Coiffeuse* usw.) ist auch Sg. ohne [...ə] mit Pl. auf *-n* [...ən] möglich, z. B. Chauffeuse [ʃɔføz]; -, *-n* [ʃɔfø:zən]
2. Feminina auf *-ie* [...i:], Pl. *-ien* [...i:ən]: *Bijouterie, Carrosserie, Confiserie, Lingerie, Patisserie.*
3. Maskulina auf *-eur* [frz. ...œʀ; ...ø:r], Pl. *-e*[61]: *Camionneur, Chauffeur, Coiffeur, Confiseur, Mitrailleur, Sappeur.*
4. Neutra auf *-oir* [frz. ...waʀ], Pl. *-e: Pissoir, Trottoir* – ferner: *Tablar.*

036 In einigen Fällen wird selbst bei nach deutscher Art fest betonten (Lehn-)Suffixen der Stamm nach französischer, nicht (wie bdt.) nach eingedeutschter Weise geschrieben: *coupieren, drainieren, roulieren; Defaitismus, Defaitist.* Nur schweiz.: *foutieren.*

---
[61] Vgl. Duden Grammatik § 868.

Einzelne Laute

037 Schweiz. in französischer Aussprache: bdt. eingedeutscht → 031, ferner: *jovial, jurieren, Serie;* hierher wohl auch *Promille* (frz. pour mille).

Wörter auf *-et* werden wie im Französischen [...ɛ] gesprochen: *Brevet* [bʀəvɛ] usw., bdt. meist [...'e:, bre've:, bʏ'fe:][62]. So *Brevet, Buffet, Cachet, Poulet, Toupet,* ferner etwa *Budget, Couplet, Filet* usw.

Bdt. ungebräuchlich sind: *Béret, Café complet, Carnotzet, Chalet, Cornet, Duvet, Gilet.*

Neben der eingedeutschten Form auf *-ett* [...'ɛt] steht schweiz. die französische auf *-et* [ɛ] bei *Billett, Bouquet, Cabaret;* → 033.

038 Schweiz. [stärker] eingedeutscht: *Algier, Komfort, Quarantäne, Signet, Store, Usanz; Equipe;*

-on [...'o:n], mit dt. Flexion: *Balkon, Ballon, Fasson;*

-ment [...'mɛnt], mit dt. Flexion: *Abonnement, Appartement, Bombardement, Departement, Detachement, Etablissement, Kantonnement, Klassement, Reglement, Signalement.*

039 Schweiz. anders eingedeutscht als bdt.: *Vanille.*

Schweiz. in französischer gegenüber bdt. in englischer Aussprache: *Pyjama, Service.*

Andere Sprachen

040 Englisch.

Abweichend von der bdt. Regel sind schweiz.

1. Aussprache und Schreibung englisch (bdt. eingedeutscht) bei *Crawl, crawlen.*
2. Aussprache englisch (bdt. deutsch) bei *Bluff, bluffen, Flirt, flirten.*
3. Schreibung englisch (bdt. eingedeutscht) bei *Handicap, Plastic* (neben Plastik); amerik. *Check.*
4. Aussprache deutsch (bdt. englisch) bei *Shampoo.*
5. Aussprache und Flexion deutsch (bdt. engl.) bei *Sponsor.*
6. Schreibung eingedeutscht (bdt. engl.) bei *Skore, skoren, Skorer.*
7. Schreibung und Aussprache deutsch (bdt. englisch) bei *Rezital.*

041 Italienisch

1. Aussprache italienisch (bdt. deutsch) bei *Maggi.*
2. Schreibung italienisch (bdt. eingedeutscht) bei *Corso, Delcredere, Marroni.*

042 [Neu-]Latein

Schreibung lateinisch (bdt. eindeutschend) bei *Calvinismus, -ist, Credo, Vandale, Vandalismus, Viscose.*

043 Niederländisch

Schreibung niederländisch (bdt. eindeutschend) *Boskoop.*

---

[62] Boesch 22.

Varianten infolge unterschiedlicher Eindeutschung

046 *Thon* [to:n] (frz. thon [tɔ̃]) ≠ *Thunfisch* (lat. thunnus), *punkto* (beim Eindeutschen gekürzt) // in puncto (lat.).

Schreibung

Reste alter Schreibtradition

047 Wie in anderen Gegenden des deutschen Sprachgebietes[63] haben sich auch in der Schweiz einige Schreibgewohnheiten aus der alten regionalen (oberdeutschen, alemannischen) Schreibsprache des 15.–17. Jahrhunderts, vor allem in Familien- und Örtlichkeitsnamen (und in der Schreibung der Mundart) erhalten.
y [i:] in Familiennamen wie *Rychner, Wyss,* Örtlichkeitsnamen wie *Lyss* BE, *Mythen* SZ, *Schwyz*[64], alem. Wörtern wie *schwyzerdütsch,*
gg [k'][65] in Familiennamen wie *Egger, Rüegg,* Ortsnamen wie *Egg* ZH, *Weggis* LU, alem. Wörtern wie *Egg, Weggen,*
ie [i̯ə] (fallender Diphthong)[66] in Familiennamen wie *Diem, Hiestand,* Ortsnamen wie *Brienz* BE, *Fiesch* VS, *Kriens* LU und alem. Wörtern wie *Räbeliechtli,*
ue, uo [u̯ə] (fallender Diphthong) in Familiennamen wie *Buess, Ruoff* Ortsnamen wie *Rued* AG, *Buochs* NW,
üe, üö [y̯ə] (fallender Diphthong) in Familiennamen wie *Rüegg, Lüönd,* Ortsnamen wie *Flüelen* UR, *Üetliberg* ZH, alem. Wörtern wie *Müesli.*

ss statt *ß*

048 Mit der Preisgabe der deutschen Kurrentschrift an den Schulen[67] und dann mit dem Aufkommen der Schreibmaschine und der Einführung einer (auch für Französische verwendbaren) schweizerischen Einheitstastatur geriet das *ß* immer mehr ins Abseits: In den Schulen wurde es nicht mehr gelehrt[68], die Zeitungsdruckereien gaben es nach und nach auf[69], heute wird es einzig noch von einem Teil der Druckereien für den Druck von Büchern angewendet.

---

[63] Vgl. die Ortsnamen rheinisch *Raesfeld* [ra:s...], *Roisdorf* [ro:s...], westfälisch *Soest* [zo:st].
[64] Auch in Südbaden: *Wyhl* (Kaiserstuhl), *Wyhlen* (Lkr. Lörrach)!
[65] Entsprechend wurde (und wird) auch *bb, dd* als [p', t'] gesprochen und etwa in *knappern* (veraltet für knabbern), besonders aber in *schruppen, Schrupper* auch entsprechend geschrieben.
[66] Vgl. zu ie, ue/uo, üe/üö **006**.
[67] Nach Kantonen verschieden; etwa 1920 ff. (?).
[68] Im Kanton Zürich wurde es durch Beschluß des Erziehungsrates im Jahre 1935 abgeschafft (Heuer, Lupe 209). Vgl.: „Den Buchstaben *ß* schien es in seiner Schule nicht gegeben zu haben, aber sonst war sein [brieflicher] Wortschatz tadellos" (Muschg, Fremdkörper 177).
[69] Die NZZ hielt lange durch, 1974 gab auch sie auf.

Beim Ersatz von *ß* durch *ss* gelten folgende Regeln:
Es wird *Stras-se, grüs-sen* getrennt (nicht wie Duden Rechtschreibung, unter R 179: *Stra-sse, grü-ssen*).
Trifft *ss* mit einem dritten *s* zusammen, so werden immer alle drei *s* geschrieben: *Schiessstand, Fusssohle* (entsprechend Duden Rechtschreibung, unter R 204).

Klein- statt Großschreibung

049 Bei adverbiell gebrauchten Substantiven: *anno 1914* (auch österr., bdt. häufiger *Anno*); *punkt 8 Uhr* (auch österr.).

Zusammen-/Getrenntschreibung

050 Getrennt wird geschrieben: *alt Bundesrat* (vgl. bdt. *Altbundeskanzler*)
051 Zusammen statt getrennt schreibt man: *von amteswegen* (neben *von Amtes wegen*); *frei haben; rechtsumkehrt machen; zurzeit* (auch österr.).

Schreibung von Wörtern aus andern Sprachen

Siehe 029 ff.

Formenlehre und Wortsyntax

Verb

2. Person Sg.

052 *-est* nach *s, ß, z, x, sch* im Präs. Ind.: *du liesest* (liest), *reisest* (reist), *hassest* (haßt), *heißest* (heißt), *scherzest* (scherzt), *sitzest* (sitzt), *hexest* (hext), *wünschest* (wünschst) gelten bdt. als veraltet, poetisch oder geziert[70]; schweiz. sind sie bis heute normalsprachlich bis veraltend; die Kurzformen dringen auch hier immer mehr vor.
053 *-est* im starken Prät. Ind. nach *d, t: du fandest, du botest* ist schweiz. normalsprachlich (bdt. standard: *fandst, botst*[71]).

Starke/schwache Beugung

054 Bei *sieden* und *weben* gelten schweizerisch allgemein die starken Formen: *sott, gesotten; wob, gewoben* (bdt. gebräuchlicher *siedete,*

[70] Duden Grammatik § 194.
[71] Ebd. § 209.1.

gesiedet; nur noch in übertragener Bedeutung *wob, gewoben* sonst *webte, gewebt*).

055 Zu *speisen* bestehen die starken Formen *spies, gespiesen*[72], die in der eigentlichen Bedeutung des Wortes (die ja allgemein als „gehoben" gilt) nur sozusagen „übergehoben", d. h. ironisch gebraucht werden, in übertragenem Sinn aber unverdächtig und üblich sind. Siehe auch *abspeisen* (nur übertragen) sowie *verspeisen,* das ja an sich (gehobenes *speisen* in eigentlicher Bedeutung + prosaisch die Verwertung bezeichnendes *ver-*) etwas Ironisches an sich hat, weshalb der Gebrauch der starken Formen besonders naheliegt.

056 *Einladen* hat (wie bdt. landsch.) in der 2. und 3. Pers. Sg. Ind. Präs. auch die schwachen Formen *ladest, ladet ein.*

057 Die alte Doppelreihe von starkem intransitiven und schwachem transitiven (faktitiven, Veranlassungs-)Verben, die gdt. bis auf wenige Reste[73] vereinfacht worden ist, hat sich bei *hangen* noch ein Stückchen besser erhalten (gdt. [1]*hängen, hängst, hing, gehangen:* [2]*hängen, hängt, hängte, gehängt;* schweiz. statt [1]*hängen* noch oft *hangen, hängt*[74] usw.).

Perfekt/Plusquamperfekt mit *sein* statt *haben*

058 Bei *liegen, sitzen* gilt wie südd., österr. von alters her *ich bin/war gelegen/gesessen/gestanden;* heute steht *ich habe/hatte gelegen* usw. daneben. So auch bei *herumliegen; da-, gegenüber-, herum-, zusammensitzen; da-, fest-, herum-, nach-, nahe-, vor-, zustehen.* Das mundartnahe *hocken* im Sinn von sitzen wird immer mit *sein* flektiert.

Abweichende Rektion

059 Mit Akkusativobjekt wird gebraucht *präsidieren* (bdt. mit Dativobjekt), *anfragen* (bdt. mit *bei* + Dat.).

060 Vor allem aber gilt häufig Dativobjekt[75], und zwar statt Akkusativobjekt bei *abpassen, anläuten, rufen, anrufen;* statt Präpositionalobjekt bei *aufpassen* (auf), *einhängen* (bei); *klingeln, läuten* (nach); *Sorge tragen* (für), warten (auf) sowie bei den transitiven Verben *beantragen, bestellen* (bei), *sagen* (zu), *verklagen* (bei), *verlangen* (von), und dann vor allem statt *für,* also als deutlicher Dativus commodi,

---

[72] Die starken Formen dieses ursprünglich schwachen alten Lehnworts (aus dem Mittellateinischen) sind sprachgeschichtlich so viel oder wenig „falsch" wie die von *preisen, pries, gepriesen,* das ebenfalls ein altes Lehnwort (aus dem Altfranzösischen) ist.

[73] Erlöschen (-lischt, -losch, -loschen)/löschen (löscht, löschte, gelöscht); [1]schwellen (schwillt, schwoll, geschwollen)/[2]schwellen (schwellt, schwellte, geschwellt); stecken (stak/steckte).

[74] Mit Umlaut nur in der 2. und 3. Pers. Sg., also *ich hange, du hängst, er hängt, wir hangen, ihr hangt, sie hangen* (wie bei *fangen*).

[75] Vgl. Kaiser I 171 ff.

bei *haben, organisieren, reservieren, stimmen, wissen* sowie etwa bei *finden (dem Kugelfisch noch immer keinen ... Namen gefunden.* Humm, Carolin 205), *organisieren* ([Sie] *organisierten ihm eine Wohnung, eine Arbeit und liehen ihm ein Startkapital.* NZZ 31. 10./1. 11. 87, 23), *reservieren* (*Die Laternen vor dem Palast sind den Mitgliedern der Regierung reserviert.* Dürrenmatt, Komödien I 217).

061 Abweichende Präposition steht bei *sehen zu* (nach), *Sorge tragen zu* (für).

062 Satzadjektiv zum Objekt steht ohne Präposition (bdt. mit *für*) bei *erklären*.

063 Im Zuge des allgemeinen Rückgangs des Genitivs[76] wird das Genitivobjekt auf breiter Front durch das Dativobjekt ersetzt, z. B. *Gedenken Sie dem lieben Kinde im Gebete* (Vaterland 3. 10. 68; 9; Todesanzeige); *den Überschüssen Herr zu werden* (Weltwoche 19. 2. 87, 43), *dem erhöhten Geschiebeanfall Herr zu werden* (NZZ 17. 10. 88, 18). Vor allem ist der Dativ bei *sich annehmen* eingerissen, selbst bei guten Schriftstellern und in sorgfältig redigierten Zeitungen wie der NZZ: *Sie nahm sich den Gästen an* (Schmidli, Schattenhaus 30). *Der humane Geist ... der sich dem Menschenleben gern erzählend, abschreitend annimmt* (Weber, Figuren 180; auch ebd. 149). *Ein Zweig der modernen Philosophie hat sich dem Problem angenommen* (NZZ 31. 4. 84), 32: Prof. Dr. Manfred Bleuler). *Sich vermehrt den Anliegen der Jugend anzunehmen* (NZZ 26. 5. 87, 25). Usw.
Dieser Dativ muß noch als Substandard (mundartnah bzw. salopp) eingestuft werden. Doch scheint es, daß viele Schreiber den korrekten Genitiv bereits so stark als gehoben und/oder veraltet empfinden, daß sie den saloppen Dativ vorziehen.

Absolut statt reflexiv[77]

064 Das bdt. seltener ohne *sich* gebrauchte *rentieren* wird schweiz. nur so gebraucht.
Bei den transitiven Verben *ändern, bessern, einhängen, lehnen* besteht schweiz. auch eine intr. Bedeutung, die bdt. nur durch die reflexive Wendung mit *sich* ausgedrückt werden kann.
Hier schließt sich auch an *scheiden* im Sinn von sich scheiden lassen.
Zu *hocken, kauern* im Sinn von sich hocken, kauern → **065**.

Resultativ neben durativ

065 Die Verben der körperlichen Lage oder Stellung *liegen, sitzen* und *stehen* sowie *hocken* und *kauern* werden, verbunden mit einem die

[76] Vgl. **083, 090**.
[77] Vgl. Kaiser II 168.

Richtung bezeichnenden Adverbiale bzw. zusammengesetzt mit einem entsprechenden Adverb (Präposition) zum resultativen Verb des Sich-in-diese-Lage-Begebens: *auf den Tisch stehen* — sich auf den Tisch stellen.
Siehe auch *abhocken, -liegen, -sitzen, stehen; aufsitzen; hinsitzen, -stehen; unterstehen; zusitzen.*

Substantiv

Wortausgang

066 Feminina endungslos statt auf *-e: Allmend* (bdt. Allmende); *Sulz* (seltener [wie südd., österr.] *Sulze,* standard-bdt. Sülze); umgekehrt schweiz. *Klientele, Streue* (bdt. Klientel, Streu). In der Formel **Red und Antwort stehen* wird gewöhnlich die einsilbige Form statt des sonst üblichen *Rede* gebraucht.

067 Maskulina auf *-en* statt endungslos: Neben *Hahn, Hähne* steht (in der Bedeutung Vorrichtung zum Öffnen und Schließen von Rohrleitungen) *Hahnen: Hahnen;* neben *Kran: Kräne* steht *Kranen: Kranen,* und anstelle des wenig gebräuchlichen *Spund* steht *Spunten.* Das französische Lehnwort *Store* [bdt. sto:ɐ̯] weist schweiz. meist die eingedeutschte Form *Storen* [ˈʃto:rən] auf.

068 Die Gastwirtschafts-Namen *Bären, Falken, Hirschen, Löwen/Leuen, Ochsen, Pfauen, Raben, Salmen, Schwanen, Sternen, Storchen* sind in dieser Form fest geworden (ursprünglich nur: *Gasthaus zum Bären; wir gehen in den Bären;* heute: *der Bären, des/dem/den Bären*).

069 Fremdsprachige Wortausgänge sind
1. bewahrt in *Kassa.*
2. abgestoßen in *Petrol* ≠ Petroleum (vgl. gdt. Antiquar[ius], Adverb[ium]).
3. ersetzt in *Kohlrabe*— Kohlrabi.

Beugung

071 stark: schwach: *Adjunkt, Substitut, Tambour.*

072 Abweichende Pluralbildung
1. Maskulina: *Bösewicht: Bösewichte* (auch österr.; bdt. meist -er); mit Umlaut: *Hag: Häge* (bdt. Hage), *Park: Pärke* [78] (bdt. Parks, seltener Parke);

[78] Vgl. gdt. *Bach: Bäche, Kamm: Kämme, Stab: Stäbe* usw.
[79] Vgl. gdt. *Garten: Gärten, Ofen: Öfen* usw.
[80] Vgl. gdt. *Dorn: Dornen, Mast: Masten* usw.
[81] Vgl. gdt. *Muskel: Muskeln, Pantoffel: Pantoffeln, Stachel: Stacheln* (Duden Grammatik § 385, P 2, Ausnahmen).

Bogen: Bögen (auch südd., österr.), *Kragen: Krägen* (ebenso), *Zapfen: Zäpfen*[79] (bdt. alle ohne Umlaut);
schwach: *Rest: Resten*[80] (bdt. Reste), *Spargel: Spargeln*[81] (bdt. Spargel).
2. Neutra: *Ried: Rieder* ≠ Riede, *Scheit: Scheiter* (auch südd., österr.; bdt. Scheite).

073 Alemannische Wörter auf *-i*
Maskulina und Neutra *(Ätti, Bätzi, Buschi, Büsi, Götti, Muni, Nuggi, Pfadi, Rolli, Schlufi, Stürmi, Znüni, Zvieri)* haben im Gen.Sg. *-s*, im Pl. Endung Null (das völlig unalemannische Plural-*s* sollte vermieden werden!). Das gilt auch für Kurzformen auf *-i* (→ 096) sowie die Diminutive auf *-li* (→ 105/06).

074 Die Feminina haben im Sg. *-i*, im Pl. *-inen* oder *-enen* [...ɪnən, ...ənən]: *Chilbi: Chilbinen/Chilbenen*. Ebenso *Rösti* sowie die in 096 aufgeführten Kurzformen. Bei *Seegfrörni* lautet der Pl. *Seegfrörnen*.

Numerus

075 1. Die Bezeichnungen der drei Feste *Ostern, Pfingsten, Weihnachten* werden bdt. standardsprachlich heute (außer in einigen erstarrten Wendungen) im Singular gebraucht, schweiz. (und bdt. landsch., bes. südd., und österr.) im Plural. Neben *Weihnachten* steht der häufig gebrauchte auch äußerlich erkennbare Singular *die Weihnacht*.
2. Umgekehrt wird *Mode* im Sinn von 'elegante Kleidungsstücke, die nach der neuesten Mode angefertigt sind' nur im (kollektiven) Sg. (bdt. nur Pl.) gebraucht.
4. *Baute*, das bdt. nur im Plural *Bauten* vorkommt, wird schweiz. (Geschäftsspr.) auch als Singular verwendet; ebenso *An-, Umbaute*.

Genus

076 Maskulina:
statt/neben Femininum: *Couch, Coupe, Jus, Salami, Stage, Tour d'horizon;*
statt/neben Neutrum: *Achtel, Drittel* usw.; *Bund, Büschel, Grammophon, Karacho, Kummet, Match, Meter* (und *Kilo-, Milli-, Zentimeter*), *Passepartout, Prozent, Radio, Taxi*.
Feminina:
statt/neben Maskulinum: *Crêpe/Krepp, Rayonne/Reyon, Store;*
statt/neben Neutrum: *Foto, Fräulein* (veraltet), *Servitut*.

---

[82] Daß franz. Maskulina als Neutra gebraucht werden, ist eine gdt. Erscheinung; vgl. *das Filet, Tableau* usw. Von nur schweiz. gebräuchlichen Wörtern gehören hierher: *Béret, Bidon* (auch mask.), *Brevet, Canapé, Caquelon, Carnotzet, Ceinturon* (neben mask.), *Chalet, Cornet, Duvet, Foulard, Gilet, Lavabo, Office, Poulet, Prussien, Quai* (neben mask.), *Soussol, Tablar, Tailleur* (neben mask.), *Trassee*.

Neutra:

statt/neben Maskulinum: *Bikini, Bonbon*[82], *Boulevard, Caramel, Dekor, Efeu, Kamin, Kies, Pack, Perron, Puff, Pyjama, Risotto, Schlamassel, Schoß, Tea-Room, Volant;*

statt/neben Femininum: *Coca-Cola, Jus, Malaise, Männertreu, Rally[e], Tram.*

077 Mit anderem Wortausgang

Maskulina:

statt Femininum: *Socken* (Socke)[83] *Spitz* (Spitze), *Tusch* (Tusche);

statt Neutrum: *Final* (und *Halb-, Semifinal* usw. ≠ Finale).

Feminina:

statt Maskulinum: *Enziane* (Enzian), *Handballe* (-ballen), *Gurte* (Gurt), *Harasse* (Haraß), *Strange* (Strang);

statt Neutrum: *Are, Hektare* (Ar, Hektar), *Etikette* (Etikett), *Omelette* (Omelett), *Zyklame* (Zyklamen).

Neutra:

statt Femininum: *Sulz* (Sülze), *Tenn* (Tenne).

078 Manche Schweizer haben ein schlechtes Gewissen bei nur in der Schweiz gebräuchlichen französischen Wörtern, die als Neutra oder Maskulina gebraucht werden, während sie im Französischen Feminina sind: *Cheminée, Fondue, Jupe, Raclette, Tenue*[84]. Das ist ganz unbegründet, denn solcher Geschlechtswechsel kommt auch gdt. nicht selten vor: *das Entree* (frz. *l'entrée* f.), *das Renommee (la renommée).*

Gebrauch des bestimmten Artikels

statt des Possessivpronomens bei Verwandtschaftsbezeichnungen

079 Bei Verwandtschaftsbezeichnungen steht der bestimmte Artikel (mundartnah) anstelle des gdt. Possessivpronomens:

[A:] *Mein Sohn ist in irgendeinem Konzentrationslager.* [B: Und] *Die Tochter?* [A:] *Ich habe keine Tochter* (Dürrenmatt, Gespräch 9). *Selbstverständlich habe ich Kinder ... Die Tochter ist verheiratet ... Und der Sohn arbeitet bei der Post* (Morf, Katzen 150). *Von vielen* [Männern] *erfährt man ... in der ersten Stunde ein ganzes Leben ... Sie sind ... meistens unglücklich verheiratet, die Frau hat irgendein Leiden, sie werden nicht verstanden* (Kloter, Didier 87).

---

[83] In diesen Fällen dürfte es sich um abweichende Singularbildungen vom (häufiger gebrauchten) Plural aus handeln, der jeweils für beide Formen gleich lautet. Ebenso bei *Storen/die Store.*

[84] Auch *das Trottinett* gehört eigentlich hierher *(la trottinette).*

[85] Vgl. Duden Grammatik § 356.2

[86] Vgl. ebd. § 357.

statt des unbestimmten Artikels beim Komparativ

080 Anstelle des gdt. unbestimmten steht der bestimmte Artikel beim Komparativ: *Die noch größere Veränderung erfuhr ich am Gymnasium* (Oehninger, Kriechspur 207). [Da] *die Schweizer ... das weit schnellere und intensivere Spiel zu bestreiten hatten als die Österreicher* (Tages-Anzeiger 4. 2. 88, 45). Im Plural anstelle von Artikellosigkeit: [Es] *hatten sich ihnen mindestens gleich viele Torchancen geboten, und eher die aussichtsreicheren* (NZZ 16. 5. 88, 53).

statt Artikellosigkeit bei Namen

081 Bei Vor- und Familiennamen kann (mundartnah) der bestimmte Artikel stehen (auch südd., österr.)[85]: *Das Anni sei ein- oder zweimal nach ihm schauen gekommen* (Glauser II 218). *Sei mir jetzt nicht böse, weil ich mit der Yvette damals weglief* (Kloter, Didier 195). *Der August Urech hat's mir gesagt* (Inglin, Erlenbüel 43). *Irgendso einen schlechten Zahn hat auch der Brunner, der Architekt* (Nizon, Im Hause 26).

082 Die Zahl der Länder- und Gebietsnamen, bei denen der bestimmte Artikel steht (bei schweizerischen durchweg, bei ausländischen neben gdt. Artikellosigkeit), ist größer als bdt.[86]
Schweiz:
der Aargau, Thurgau;
die March SZ, *Waadt;*
das Avers, Bergell, Domleschg, Engadin GR, *Entlebuch* LU, *Gaster* SG, *Goms* VS, *Lugnez* GR, *Mendrisiotto* TI, *Misox, Oberhalbstein* GR, *Oberhasli* BE, *Prättigau, Puschlav, Rheinwald, Schams, Schanfigg, Somvix* GR, *Sopra-/Sottoceneri* TI, *Tavetsch* GR, *Tessin, Toggenburg* SG, *Wallis.*
Ausländische Umgebung:
das Burgund, Friaul, Piemont, Tirol, Vorarlberg.

Substantivische Attribute ohne Genitivzeichen

083 Nach dem Vorbild von Anfang/Ende April, Anfang/Ende 1988 kommt schweiz. (geschäftsspr.) auch *Anfang/Ende Jahr, Monat, Woche* vor (statt Anfang/Ende des Jahres, des Monats, der Woche): *anläßlich der Anfang Woche abgehaltenen Generalversammlung* (NZZ 9.6. 88, 9); *Dr. H.R.B. ... teilt mit, daß er Ende Monat das Statthalteramt verlassen werde* (National-Zeitung 1968, 453,7).

Pronomen

jemand anderer usw.

084 Schweiz. (und südd., österr.) steht *jemand/niemand anderer,* Dat. *jemand/niemand anderem,* Akk. *jemand/niemand anderen* häufiger als standardsprachlich *jemand anders* (unveränderlich).
Das war niemand anderer als der frühere Agent (Walser, Gehülfe 192; hingegen an derselben Stelle *niemand anderes* Werke V 179; was W. wirklich schrieb, bleibe dahingestellt). *Wie kommt es, daß niemand anderer die Spuren bemerkte?* (Doyle, Holmes [Übers.] 225).

085 Ebenso bei *jemand/niemand* + substantiviertes Adjektiv: *Daß es* [eine Frau!] *jemand Netter, Humaner sein mußte* (Welti, Puritaner 369).

Neutrum mit Bezug auf eine Person des einen oder anderen Geschlechts

086 Ein Indefinitpronomen, das sich auf eine Person des einen oder des anderen Geschlechts bezieht, steht bdt. standardsprachlich im Mask.; das Neutrum gilt als veraltet[87]. Schweiz. ist es noch lebendig und üblich: *Wenn ... eines von euch oder sonst jemand einzugreifen versucht* (Junge Schweizer 69). *Jetzt hat sie dieses hochmütige Gesicht ... und keines von uns beiden bewegte sich* (Nizon, Jahr der Liebe 120). *Unsere Meinung, daß wir das andere kennen, ist das Ende der Liebe* (Frisch, Tagebuch 1946/49, 32).

Adjektiv

Wortausgang Null/*-e*

087 Bei den folgenden Adjektiven ist die einsilbige Form schweiz. gebräuchlicher, während bdt. die auf *-e* im Vordergrund steht: *fad* (auch südd., österr.), *mürb* (ebenso), *öd* (bdt. gehoben), *schad* (bdt. nur landsch.), *schnöd* (auch südd., österr.), *solid* (auch österr.), *trüb.*

Prädikativer Gebrauch

088 *reuig* wird durchaus auch prädikativ gebraucht (bdt. nur selten).

---

[87] Duden Grammatik 570/1, 572.
[88] vgl. Duden Grammatik § 453.
[89] Duden Grammatik § 643.
[90] Duden Grammatik § 641
[91] Vgl. Gelhaus 105.
[92] Vgl. oben **063**.
[93] Duden Grammatik § 644.

Abweichende Rektion[88]

089 Bei *verwandt* kann (neben gdt. *mit* + Dat.) bloßer Dativ stehen.

Präposition

Abweichende Rektion: Dativ statt Genitiv

090 *dank* verlangt bdt. bei singularischem Substantiv den Dativ oder Genitiv, bei pluralischem gewöhnlich den Genitiv.[89] Schweiz. herrscht der Dativ allgemein vor.

trotz hat bdt. den Genitiv, seltener den Dativ bei sich[90]; schweiz. kommt der Dativ mindestens gleich stark zum Zuge.[91]

Bei *während* und *wegen* gilt bdt. der Genitiv; der Dativ steht (außer in Ersatzfunktion, wenn der Genitiv sich nicht vom Nominativ unterscheidet: *während Monaten*) als veraltet oder umgangssprachlich, bei *wegen* auch landschaftlich. In der Schweiz wird der – immer noch korrekte – Genitiv oft schon als gesucht empfunden, entsprechend rückt der Dativ in den Bereich des Normalsprachlichen vor.

Auch bei andern Präpositionen, die den Genitiv regieren, dringt schweiz. der Dativ vor, entsprechend der allgemeinen Tendenz, (wie in der Mundart) den Genitiv durch den Dativ zu ersetzen[92]. Doch muß solches einstweilen noch als salopp-mundartnah eingestuft werden: *hinsichtlich alleinstehenden Müttern* (NZZ 30. 3. 87, 16); *mittels zwei Küssen* (Bund 15. 10. 87, 31); *zufolge Mangel an überbaubarem Boden* (National-Zeitung 1968, 557, 31)

Dativ statt Akkusativ

091 Nachgestelltes *entlang* wird bdt. gewöhnlich mit dem Akkusativ gebraucht *(die Kanäle entlang)*[93], schweiz. (wie bei Voranstellung) mit dem Dativ: *den Kanälen entlang.*

Abweichender Gebrauch der Präpositionen:
Siehe im Wörterbuch unter *an, auf, in, ob, unter, zu.*

Wortbildung

Abkürzungen

Sie können (wie allgemein) aufgeteilt werden in

092 – Siglen: bloße Schreibabkürzungen, die nicht als solche, sondern als unabgekürzte Wörter ausgesprochen werden: *AG* ['a:rgau]:
a., AG, AI, AR, BE, BL, BS, CH, Fr., FR, GE, GL, JU, (LdU), LU, NE, NW, OW, q, Rp., sFr., SG, SH, SO, SZ, TG, TI, UR, VD, VS, ZG, ZH.

093 – buchstabierte [Initial-]Abkürzungen: *SBB* ['ɛsbe,be:]
ACS, AHV, BGB, BLS, CVP, EMD, ETH, EVP, FDP, FHD, FMH, HD, HTL, IKS, IV, KK, KV, MFD, N 1 usw., *NZZ, OL, OR, PdA, PTT, PW/Pw, RS, SAC, SBB, SIA, SP, SRG, SVP, TCS, VDM, VPOD, WK, ZGB.*

094 – Initialenwörter: wie normale Wörter ausgesprochen: *Empa* ['ɛmpa]
Biga, Empa, Flab, lic., Muba, Olma, Poch, Suva, Volg, Wust.

Kurzformen (Kopfformen)

095 Kopfformen des gdt. Typus sind: *Elast[ik]* m./n., *Manus* n., *Manus[kript]* n. (auch österr.), *Matur[ität]* f., *Prope* (Prapädeutikum, medizinische Vorprüfung) n.

096 In der Mundart (und besonders in der Jugendsprache) werden von Wörtern aller drei Geschlechter, namentlich solchen, die Institutionen, Ämter, o. ä. bezeichnen, Kopfformen auf *-i* gebildet; einige davon sind auch in der Schriftsprache öfter anzutreffen[94].
Maskulina[95]: *Dezi[liter], Heli[kopter], Präsi[dent]; Pfadi* (Pfadfinder), *Stapi* (Stadtpräsident [von Zürich], namentlich der sehr volkstümliche Dr. Emil Landolt, im Amt 1949–66).
Feminia[97]: *Legi*[timationskarte], *Badi* (Badeanstalt), *Jugi* (Jugendherberge), *Loki* (Lokomotive), *Kanti* (Kantonsschule), *Schoggi* (Schokolade), *Seki* (Sekundarschule).
Neutra[98]: *Poly[technikum], Semi[nar]; Gymi* (Gymnasium), *Konsi* (Konservatorium).

---

[94] Vgl. gdt. *Uni[versität].* Während aber bdt. der 2. Vokal des Vollwortes als Endsilbe der Kopfform beibehalten wird (*Abi[tur], Demo[nstration], Akku[mulator];* vgl. Duden Grammatik § 694), verwendet das Südalemannische das ihm eigene Suffix *-i,* um die Kopfform abzuschließen; vgl. schweiz. mundartlich *Abi* = gdt. *Abo[nnement].*

[95] Zur Beugung siehe **073**.

[96] Hier schließt sich zwanglos die englische Bildung *Goalie* (colloquial English, Kurzform für goalkeeper) an, die deshalb auch öfters *Goali* geschrieben wird.

[97] Zur Beugung siehe **074**.

[98] Zur Beugung siehe **073**.

Ableitung
Verb

Suffix *-[e]l-*

Das Suffix *-[e]l-* mit Umlaut des Stammvokals, Inf. *-eln,* 1. Sg. Präs. Ind. je nach Untertypus *-ele* oder *-le* (vgl. gdt. bräteln, köcheln), dient der Modifikation und der Transposition, zum Teil sind die beiden Funktionen vermischt.

097 In Bildungen aus Verben bringt *-[e]l-* eine diminutivische, oft auch iterative und/oder [leicht] pejorative Bedeutungsvariante ('[wiederholt] ein wenig tun'). Vor vokalischer Endung steht bloßes *-l- (ich pützle);* gelegentlich vorkommendes *-el-* ist stärker diminutivisch. *föppeln, förscheln, frägeln, [über-, zusammen]höckeln, klöpfeln, ankreuzeln, [mit]mischeln, [herum]pröbeln, pützeln, räucheln, verrumpfeln, schlückeln, schnödeln, [vor]zwängeln.*
Davon sind *ankreuzeln* und *schlückeln* auch auf – diminutivische! – Substantive beziehbar (mit kleinen Kreuzen bezeichnen; in kleinen Schlucken trinken); ebenso *zuknöpfeln* (Humm, Carolin 67).
Nur okkasionell aus der Mundart herübergenommen sind etwa *bläseln* (Blatter, Heimweh 217), *läppeln* (*Die Katze läppelte die Milch,* ebenda 242), *pläuderln* (Guggenheim, Alles in allem 102), *sückeln* (Blatter, Heimweh 197), *träppeln* (Guggenheim, Alles in allem 546. 573), *zänkeln* (ebenda 683).
Neben normalem *jodeln (ich jodle)* steht diminutivisches *jödeln (ich jödele).*
Undurchsichtig (ohne dahinterstehendes *l*-loses Verb, aber dennoch mehr oder weniger stark diminutivisch sind *gramseln, schnetzeln, [ab-, dahin-, ver]serbeln, wiefeln, zeuseln, verzwatzeln.* Zu einem standardspr. kaum vorkommenden Verb (alem. *schmusle*) gehört das Adjektiv *schmuslig.*

098 Von den Substantiven sind abgeleitet (gewöhnlich mit *-l-;* * mit *-el-,* ** mit *-l-* oder *-el-*): *beineln, ausbeineln, ellbögeln, gifteln, *höfeln, köpfeln, kücheln, plätteln, *säuseln, **scherbeln, schlitteln, **schöppeln, soldäteln.*
Davon beziehen sich nur *kücheln* (Küchlein backen) und *plätteln* (mit *Plättli,* Wandfliesen, auskleiden) eindeutig auf Diminutiva (tantum).
Eher nur okkasionelle Herübernahmen aus der Mundart sind etwa *börseln* '[an der Börse] spekulieren', *sprächeln* (Guggenheim, Alles in allem 385. 861. 888), **wirtshäuseln* (Walser V 273), eine individuelle Bildung *kunststückeln* (Morgenthaler, Woly 128).
Zu (nicht diminutivischen) Substantiven auf *-el* stellen sich: ***[zusammen]büscheln, krüppeln, nachdoppeln, raffeln, riegeln, verwedeln.*

099 Zu Adjektiven stellen sich *blütteln, weißeln.*

100 Schließlich bilden eine besondere Gruppe die zu Substantiven oder Adjektiven gebildeten Verben auf *-el-* mit der Bedeutung 'nach etwas riechen (im eigentlichen oder übertragenen Sinn)': *feuchteln, fischeln, menscheln.*
Hier sind wohl auch anzuschließen das (ursprünglich schweiz.) *heimelig* (zu *heimeln, anheimeln*) und *anmächelig* (zu *anmachen, anmächeln* 'anziehen, verlocken') sowie eine okkasionelle Bildung *sachermasochelig (eines gewissermaßen sachermasochelig veranlagten Menschen.* Walser IX 130).

Suffix *-ieren:* bdt. *-en*

101 *campieren, grillieren, handicapieren, parkieren* stehen neben bdt. campen, grillen, handikapen, parken. Umgekehrt *amten* (bdt. selten) neben gdt. amtieren.

Suffix *-isieren*

102 Nur schweiz. sind die Bildungen *schubladisieren* und *urbarisieren.*

Suffix *-en:* bdt. *-eln, ern*

103 Gegenüber bdt. fremdeln, mangeln, verzetteln steht schweiz. *fremden, mangen, [ver]zetten.*
Neben gdt. geräuchert schweiz *geräucht;* umgekehrt schweiz. *kalbern* neben bdt. kalben (ein Kalb werfen).

Substantiv

Diminution

104 Das Schweiz. – wie das Südd. und das Österr. – neigt stärker als die Standardsprache zum Gebrauch des Diminutivs. Als Diminutivzeichen dient entweder die südalem. Suffixform *-li* oder das in der Standardsprache heute die zweite Rolle spielende, ursprünglich oberdeutsche *-lein,* schließlich auch das standardsprachlich normale *-chen.* Hier aufgeführt und ins Wörterbuch aufgenommen sind nur Bildungen, die fest geworden sind, sei es daß sie eine eigene Bedeutung besitzen, die das Grundwort nicht hat, oder daß ein Grundwort gar nicht (mehr) existiert (Diminutiva tantum), sei es einfach, daß das Diminutiv häufig anstelle des Grundwortes gebraucht wird, weil dieses an sich etwas Kleines *(Zündholz : Zündhölzchen)* oder „Liebes" *(Schatz : Schätzchen)* bezeichnet.

105 Diminutiva tantum: *Albeli, Bettmümpfeli, Bibeli, Brösmeli, Bürdeli, Bürli, Dünkli, Egli, Fideli, Flädli, Gletscher-, Steinmannli, Guetsli/-üe-, Güggeli, Häuptli, Höckli, Hörnli; Knöpfli, Leckerli, Meit[e]li, Mistkratzerli, Mödeli, Müesli, Mümpfeli, Mutschli/-ü-,* [2]*Päckli,*

Pflümli, Räbe[n]liechtli, Säli, Schlüttli, Schüfeli, Spätzli, Springerli, Töffli, [Gold-]Vreneli, Wädli, Weggli, Wienerli; Kässeli/Sparkäßlein, Chüechli/Küchlein, Stöckli/-lein; [1]Päckli/-lein/-chen, Zeltli/-lein/-chen; Grieß-, Caramelköpfli/-chen, Plättli/-chen, Plätzli/-chen, Rüebli/Rübchen; Dienstbüchlein, Lohn-, Zahltag[s]säcklein, Sennenkäpplein; Brünnlein/-chen; Müsterchen.

Die auch bdt. üblichen *Pastetchen, Radieschen* werden schweiz. oft, *Rippchen* ganz überwiegend mit *-li* gebraucht: *Pastetli, Radiesli, Rippli.*

Bdt. *Heftchen* erscheint meist als *Heftli* oder *Heftlein.*

106 Diminutiva ohne Bedeutungsunterschied häufig neben dem Grundwort:
Bretzeli, Chuchichäschtli, Emmentalerli, Erbsli (Erbsen, als Gericht), *Frankfurterli, [Berg-]Heimetli, Hockerli* (Sitzmöbel), *Laffli; Kinderbettli/-chen, Poschettli/-chen, Büro-, Frisier-, Nacht-, Salontischli/-chen, Speckwürfeli/-chen; Beizlein, Check-, Spar[kassen]büchlein, Geschenklein, Extra-, Sonderzüglein Christkindlein* (geläufiger als gdt. Christkindchen); *Bänklein/-chen; Zündhölzchen.*

107 Personenbezeichnungen auf *-li,* die sich auf Männer beziehen, sind Maskulina: *Bünzli, Kasperli, Schmutzli;* ebenso einige Sachbezeichnungen: *Köhli, Peterli*

108 Mit dem in den meisten Mundarten nicht mehr oder nur noch kindersprachlich lebendigen Diminutiv-Suffix *-i* sind gebildet: *Bätzi, Buschi, Büsi, Gitzi, Gnagi, Guetsi.*

109 Bestimmungsglied auf *-li* weisen folgende Zusammensetzungen auf: *Bündelitag, Dächlikappe, Flädlisuppe, Kantönligeist, Lädelisterben, Lättlirost, Nüßlisalat, Röhrlihosen, Rößlispiel, Säuliamt, Schifflistickerei.*

Mit und ohne Diminutiv kommen vor: *Häfeli-/Hafenbrand, Vetterli-/Vetternwirtschaft.*

Transposition

Regionale Suffixe

-i m.

110 Nomina agentis oder instrumenti auf *-i* sind südalem. sehr gebräuchlich, kommen im Schweizerhochdeutschen aber nur vereinzelt vor: *Rolli, Stürmi.* Undurchsichtig gewordene Bildungen sind *Muni, Nuggi, Schlufi.* Vgl. 073.

-et **m.**

111 wird gebraucht für „Aktionen": periodisch wiederkehrende Naturereignisse oder kollektive Arbeiten, Bräuche: *Antrinket* (neben *-ete* f.), *Ausschießet* (neben *-en* n.), *Ausschwinget* (neben *-en* n.), *Austrinket* (neben *-ete* f.), *Blühet, Emdet, Heuet, Leset, Schwinget, Wimmet/ -ü-.*
Ein in Lenzburg neu(!) eingeführter Brauch heißt *Baumpflanzet* (Aargauer Tagblatt 23. 10. 68).

-ete **f.**

112 ist in der Mundart produktiv für Verbalabstrakta (Nomina actionis), z. T. übergehend in kollektive Bezeichnungen für das Resultat der Handlung: *Metzgete* a) das jährliche Schlachten, Hausschlachtung, Schlachtfest; b) das Resultat eines solchen Schlachtens, Schlachtplatte.
An-, Austrinkete (neben *-et* m.), *Metzgete, Putzete, Züglete.*
Reines Nom. act. ist etwa *Ausmarchete = Ausmarchung.*

-same **f.**

113 In Resten besteht noch ein altes Suffix *-same* f. mit kollektiver Bedeutung: *Bauer[n]same, Genoßsame, Teilsame, Tranksame.*

-(l)is

114 1. Mundartlich werden Kinderspielbezeichnungen auf *-is* gebildet und ausschließlich in Verbindung mit *machen* oder *spielen* gebraucht: *Fangis, Versteckis machen:* Fangen, Verstecken spielen. Entsprechende Ableitungen aus Substantiven mit dem erweiterten Suffix *-lis* werden gern auch schriftsprachlich verwendet, da sie sich mit gdt. Wortbildungsmitteln nicht mit dem gleichen Gefühlswert wiedergeben lassen: *Indinanerlis, Räuberlis;* dazu etwa die neue Bildung *Weltraumfahrerlis.*
2. Gleich gebildet wie die obigen *Fangis, Versteckis* – aber in einem ganz andern Bedeutungsfeld – ist *Duzis machen,* das Du antragen.

Gemeindeutsche Suffixe

Suffix Null

115 Für Verbalabstrakta (Nomina actionis) ist die Bildungsweise gdt.: *Absatz (absetzen), Bestand (bestehen), Rückgriff (zurückgreifen), Verlauf (verlaufen)* usw.; doch wird dem Schweizerhochdeutschen eine

---

[99] Duden Grammatik § 844; Duden Zweifelsfälle 704; Walter Henzen: „Schweizerisch Unterbruch" in: Sprachleben 141–155; Kaiser II 65/66.

besondere Neigung zu dem Typus zugeschrieben[99]. Viele Bildungen gehören der Geschäfts- bzw. Fachsprache an[100]; dies gilt auch für die nur schweizerisch bezeugten.

Als schweiz. geläufig können gelten[101]: *Unterbruch; Ligaerhalt, Kehr, Pintenkehr* (neben f.); *Ab-, Auf-, Aus-, Ein-, Ent-, Um-, Verlad; Aus-, Rücksand; Hinschied; [Bau-]Be-, Verschrieb; Einsitz; Untersuch; Landesverweis; Be-, Einbe-, Ein-, Weiter-, Zusammenzug*

116 Weiter wurden verzeichnet, ohne daß wir sie als geläufig bezeugen könnten: *Verbau* (*Einsatz der Pflanzen im Wildbachverbau.* NZZ 2. 10. 87, 21), *Ausdunst* (*den A. eines Kindes.* Aargauer Kurier 15. 4. 70), *Hinfall* (zu: *dahinfallen;* Wegfall), *Erfund* (*ohne Fabel, ohne Schichtenstil. Ohne Personenerfund.* Nizon, Canto laut Bucher/Ammann 342), *Anhalt* (svw. Anhalten, Halt, Kaiser II 65), *Einhalt* (*es war etwas wie E. in der Luft.* Nizon, Jahr der Liebe 173), *Rückhalt* (zu *zurückhalten: Rückhalt in Speicherbecken.* NZZ. *Für die Bauherrschaft bilden die Garantierückhalte eine wesentliche Sicherung,* beim Nationalstraßenbau. Bund 1968, 280, 6), *Vorhalt* (svw. Vorhaltung: *auf den Vorhalt des Gerichtsvorsitzenden erklärt er, nichts davon gewußt zu haben.* NZZ 10. 7. 63), *Aushang* (*A. von Plakaten.* Tages-Anz. 20. 1. 64), *Aufhau* (*Astaufhau.* Landanzeiger 10. 9. 70; Überschrift der Bekanntmachung einer Gemeinde betreffend Zurückschneiden von Bäumen und Sträuchern an Straßen), *Beilad* (*Wer interessiert sich für Beilad oder Gegenfuhr mit Möbelwagen.* St. Galler Tagblatt 1968, 564, 26; Inserat), *Auflag* (*Jeder Bauer hat die Möglichkeit, sein Vieh auf eine Alp aufzutreiben, wofür er pro Haupt den „Viehauflag" entrichtet.* NZZ 1968, 132, 14), *Zusammenlauf* (*daß wir den Z. der Wärter jeden Augenblick erwarteten.* Dürrenmatt, Stadt 124), *Ausleih* (*der Ausleih von Büchern und Filmen.* Henzen, in: Sprachleben 154), *Verleih* (*bis zum Verleih des tschechoslowakischen Ordens vom Weißen Löwen.* Weltwoche 24. 4. 64), *Ausruf* (*auf den Ausruf der Haltestellen zu achten.* Guggenheim, Friede 81), *Aussatz* (*daß der ausgesetzte Bestand an ... Jungfischen bereits in der ersten Nacht nach dem Aussatz ... stark dezimiert wurde.* NZZ 30. 12. 87, 39), *Verschub* (*Der V.* [notwendiger Aufgaben] *in die Zukunft ist ja keine Einsparung.* Bund 19. 9. 87, 25), *Einschuß* (*der E. neuer Mittel,* in ein Unternehmen. National-Zeitung 16. 10. 68, 2), *Betracht* (*beim Betracht unserer nationalen Vergangenheit.* Prof. Dr. Marcel Beck, in: Archivalia et Historica. Festschrift für Anton Largiadèr, 1958, 243), *Abtrag* (*A. des großen Einschnittes nördlich der Autobahnbrücke.* Kaiser II 65), *Austrag* (svw. Austragen, Verteilen: *der Austrag dieser Broschüre wird morgen beginnen.* Kaiser II 65), *Ausweich*

[100] Duden Grammatik § 844 („gelegentlich", mit einem Beispiel. Die Beispiele sind nicht so selten, vgl. im GWdS *Abgleich, Aufbrauch, Erhalt, Verriß* usw.)
[101] Geordnet nach dem Grundglied (Verbalstamm).

(*einen A. ermöglichen.* Kaiser II 65), *Vorweis* (*gegen Vorweis der Billette.* Kaiser II 65), *Hinterzug* (*Steuerhinterzug.* Henzen, in: Sprachleben 154).

117 Auch von dem parallelen femininen Typus auf *-e* gibt es, allerdings nur wenige, schweiz. Sonderbildungen: *Hinterlage, Einvernahme, Aufrichte, Zusprache* sowie (ohne *-e*): *Pintenkehr* (auch m.), *Vorkehr.*

Adjektivabstrakta auf *-e* f.

118 Der Typus, standarddeutsch fast unproduktiv, aber noch gut vertreten (Größe, Breite, Dicke, Länge, Feuchte, Nässe, Güte, Schwäche, Stärke usw.), ist alem. (auf *-i*) noch voll produktiv; trotzdem erscheinen in der schweizerischen Standardsprache nur selten Bildungen über die gdt. Norm hinaus: *Bittere* (*Langenthaler Lagerbier ... hell mit der angenehmen Hopfenbittere.* Bund 14. 10. 68, 31), *Tröckne.*[102]

-[l]er als Kopfform- oder Ableitungssuffix

-er, häufiger *-ler,* bildet mundartnah Kopfformen von Zusammensetzungen oder Zusammenbildungen; der Typus existiert auch bdt. ugs.: *Füller* (Füllfederhalter), *Laster* (Lastkraftwagen) usw.

119 Schweiz. *Pfader* (Pfadfinder), *Trainer* (Trainingsanzug).

120 *Bähnler, Eisenbähnler* (Eisenbahnbeamter, gdt. ugs. *Eisenbahner*), *Bänk[e]ler* (Bankangestellter, -fachmann; bdt. ugs. *Banker*), *Drög[e]ler* (Drogenabhängiger), *Fabrikler* (Fabrikarbeiter), *Fränkler, Ein-, Zweifränkler* (Ein-, Zweifrankenstück), *Handorgeler, -örgeler* (Handorgel-, Handharmonikaspieler), *Kindergärtler* (Kindergartenschüler), *Köpfler* (Kopfsprung, -ball), *Möst[e]ler* (Most-, Obstweintrinker), *Pöst[e]ler* (Postbeamter), *Räppler, Ein-, Zweiräppler* (Ein-, Zweirappenstück), *Töffler* (Töffli-, Mofafahrer), *Träm[e]ler* (Tram-, Straßenbahnbeamter).
Bildungen wie *Bähn[e]ler, Bänk[e]ler* können auch als Ableitungen mit der Bedeutung 'Zugehöriger' aufgefaßt werden. Hier schließen sich an *Außer-, Innerrhödler, Auszügler, Erst-, Zweitkläßler* usw., *Landschäftler, Webstübler,* Gelegenheitsbildungen wie *Oppositiönler* (*die ungewohnt hohe Zahl ausdrücklicher „Oppositiönler".* Bund 15. 12. 68) und das nicht mehr durchsichtige (idiomatisierte) *Stündler.*
Drög[e]ler, Handorgeler, Möst[e]ler, Töffler können auch als Nomina agentis (zu einem denominalen Verb) verstanden werden; daran schließen sich an *Überhöckler, Übernächtler.*

---

[102] Hierher gehört auch das heute nur noch in der alemannischen Lautform gebrauchte *Seegfrörni.*

121 In einigen Fällen steht schweiz. *-er* bdt. [vorherrschendem] *-ler* gegenüber[103]: *Genossenschafter, Gewerkschafter, Wissenschafter* (mit *Betriebs-, Geistes-, Natur-, Sprachwissenschafter* usw.), *Zuzüger.* (Schweiz.. *Betriebs-, Volkswirtschafter* stehen bdt. die Rückbildungen Betriebs-, Volkswirt gegenüber.)

Personenkollektiva auf *-schaft*

122 Der an sich gemeindeutsche Typus (*Bauern-, Lehrer-, Anwohner-, Mitgliederschaft* usw.)[104] hat in zwei Richtungen schweizerisch besondere Bildungen hervorgebracht[105]:

1. Typus *Schuldnerschaft* = die Schuldner ‹Pl.›, die schuldnerische Institution (Amts-, Geschäftssprache): *Bauherrschaft, Käuferschaft* (*bis Sie wieder so eine perfekte Käuferschaft finden, kann es lange gehen.* Guggenheim, Alles in allem 309), *Klägerschaft, Konsumentenschaft* (*die steigende Kaufkraft der sogenannten Konsumentenschaft.* St. Galler Tagbl. 1968, 560, 27), *Mieterschaft* (*zu verkaufen ... Mehrfamilienhaus ... Solvente Mieterschaft.* Bund 1968, 280, 31; Inserat), *Täterschaft.*

2. Typus *Dorfschaft* = Gesamtheit des Dorfes: *Dorfschaft, Landschaft, Talschaft.*

-ation

123 *-ation* f. zur Bildung von Abstrakta aus Verben auf *-ieren* steht gdt. in Konkurrenz zu *-ierung* f.[106], wird aber augenscheinlich in der Schweiz in größerem Ausmaß verwendet: *Annullation, Elektrifikation, Fixation, Fundation, Kollaudation, Nomination, Renovation, Reservation, Signalisation, Taxation.*

Vereinzelte Bildungsvarianten

124 1. Verschiedene Suffixe: *Bahnhofvorstand* (-vorsteher), *Kassier* (Kassierer), *Spitzer* (Spitz), *Stutzer* (Stutzen) m.; *Mange* (Mangel) f. *(An-, Um-)Baute* (Bau), *Beschläg n.* (Beschlag m.), *Bett-, Türvorlage* (-vorleger), *Ausbildner* (Ausbilder), *Gebäulichkeiten* (Gebäude, Baulichkeiten), *Willkomm* m. (Willkommen n.).
Salzstengel m. (-stange), *Schuhbändel* (-band).

2. Nur verschiedene Stammformen: *Bezüger* (Bezieher), *Einzüger* (Einzieher).

---

[103] Gegen die *-ler*-Ableitungen, besonders Gewerkschaftler, gibt es auch bdt. eine gewisse Abneigung (vgl. Sprachdienst 31, 1987, 17). Dahinter steht, daß *-ler* von „manche[n] als leicht abwertend" empfunden wird (Duden Grammatik S. 541 M.). Vgl. A. Müller-Marzohl in Sprachspiegel 10, 1954, 69–74.
[104] Vgl. Duden Grammatik § 830.
[105] Vgl. Kaiser II 75/76.
[106] Vgl. Duden Grammatik § 847.

125 Varianten fremdsprachiger Suffixe: *Dokument/alist* (bdt. -ar), *Kommand/ant* (bdt. -eur), *Kommandit/är* (bdt. -ist), *Kommiss/är* (gdt. -ar); *Instrukt/or, Redakt/or* (bdt. -eur), *Numer/oteur* (bdt. -ator), *Pension/ierte* (bdt. landsch. -är; südd., österr. -ist), *Trass/ee* (bdt. -e), *Zucch/etto* (bdt. -ino).

Verkürzung des adverbiellen ersten Gliedes bei Ableitungen aus zusammengesetzten Verben

126 Der Typus ist gdt.: *Rückfahrt* (zurückfahren), *Rückführung* zu zurückführen, *Rückkehr* (zurückkehren).
Nur schweiz. sind *Rückbehalt, Rückkommen, Widerhandlung* (neben gdt. *Zuwiderhandlung*).

Adjektiv

127 Nach dem Vorbild der Mundart werden nicht selten Adjektive auf *-ig* mit der Bedeutung 'nach Art von ...' gebildet; vgl. das gdt., auch schweiz. gebräuchliche *poppig* (zu *Pop, Pop-art*).
bazarig (*ein junges Mädchen in einem erschütternd bazarigen Pullover.* Humm, Linsengericht 212), *damig* (*eine junge Negerin mit damigem Hütchen.* Frisch, Stiller 187).

128 Von Maß- und Wertbezeichnungen werden Adjektive auf *-ig* mit der Bedeutung 'ein ... alt/dauernd' gebildet (bdt. veraltet): *jährig, minütig, stündig, wöchig.*

129 Suffixvarianten: *altmodig* (-isch), *wünschbar* (-enswert), *kinderliebend* (-lieb).

Adverb

130 Suffixvarianten:
schweiz. *-s: durchwegs* (-weg);
schweiz. *-en: jeweilen* (-weils).

Umlaut als Begleiterscheinung

131 Das Schweizerische neigt stärker als das Binnendeutsche zum Umlaut. Er steht binnendeutscher Umlautlosigkeit gegenüber in
1. Verben auf -[e]n: *aus-, benützen, entlöhnen, pflästern.*
2. Substantiven auf -er: *...tönner.*
3. Adjektiven auf -ig: *...grädig, ...grämmig;* ohne bdt. Entsprechung: *...sekündig.*
4. Adjektiven (bzw. Adverben) auf -lich: *vorbehältlich, weihnächtlich.*

132 Umlautlosigkeit gegenüber gemeindeutscher Umlautform liegt vor in *Sulz[e], Schatzung.*

Zusammensetzung

Verb

Simplex statt Präfixverb

135 Der Mundart entsprechend steht öfter das einfache Verb statt eines präfigierten oder mit Adverb bzw. Adverbiale verbundenen: *füttern* (verfüttern: *Selber ihr* [einer weißen Ratte] *füttern wollte sie* [die Schokolade] *nicht*. Graber, Fährengesch. 72), *einen Riegel schieben* (vorschieben), *sprechen* (zusprechen), *ziehen* (vorziehen); *nehmen* (zu sich nehmen).
Besonders häufig scheint die Tendenz zu solchen Bildungen, auch über das schweizerhochdeutsch Usuelle hinaus, beim jüngeren Max Frisch, vgl. Kaiser I 155 ff.
Hier fügt sich an das Deverbativum *Kleber* (Aufkleber).

Präfixverb statt Simplex

136 *sich auffangen* (s. fangen), *eindämmen* (dämmen), *[sich] abstützen* (stützen); *einbezahlen* (einzahlen), *einvernehmen* (vernehmen).

Abweichendes [Halb-]Präfix

137 *abschießen* (ver-), *abtreten* (weg-), *abziehen* (aus-); *anziehen* (be-); *aufliegen* (aus-); *auskommen* (heraus-); *besammeln* (ver-), *beziehen* (ein-); *dahinfallen* (ent-, weg-); *verdünnern* (ausdünnen), *verhalten* (zu-, an-), *vertragen* (aus-).

Substantiv

Zusammensetzung statt Adjektiv-Attribut-Gruppe

138 *Drittperson* (dritte Person).
Das partizipiale erste Glied wird auf den Stamm oder noch weiter gekürzt: *Fahrhabe* (fahrende Habe), *Laufmeter* (laufender Meter), *Pastmilch* (pasteurisierte Milch).
Umgekehrt aber: *dipl[omierter] Chemiker, Ingenieur* usw. (bdt. Diplom-Chemiker usw.).

Vereinfachung von Zusammensetzungen

139 Bei Doppelzusammensetzungen (dreigliedrigen Zusammensetzungen) fällt allgemein nicht selten ein Glied weg und zwar
1. das mittlere Glied (sog. Klammerbildungen[107]: *Altwohnung* (bdt.

[107] Vgl. Duden Grammatik § 694,3.

Altbauwohnung), *Feuer-, Fleischschau* (bdt. -beschau); umgekehrt *Hausdurchsuchung* (Haussuchung).
2. Das dritte Glied: *Füllfeder[halter].*

140 Bei gewöhnlichen zweigliedrigen Zusammensetzungen wird allgemein häufig im Kontext das erste Glied weggelassen (*Stift* statt Bleistift, *Maschine* statt Näh-, Schreibmaschine usw.). Gelegentlich wird auch umgekehrt das erste Glied allein bewahrt: *Runkel[rübe], Stamm[tisch], Trute* (Truthenne).

Abweichendes erstes Glied vom selben Stamm

141 1. zu Verben: *Auszugstisch* (-zieh-), *Fahrrichtung* (Fahrt-), *Ständerlampe* (Steh-), *Wacht-* (Wach-);
2. zu Substantiven: *Hirnerschütterung, -schlag* (Gehirn-);
3. zu Adverben/Adjektiven: *Innerstadt* (Innen-).

Gestaltung der Kompositionsfuge

142 Der alte obd. Typus mit bloßer Fuge ist weitergehend als im Süddeutschen und Österreichischen erhalten. Ebenso häufig finden sich aber auch andere Verschiedenheiten.

143 Bei verbalem ersten Glied
Bloße Fuge: *-e-* (*: 1. Glied kann auch Substantiv sein): *Ausrufzeichen, *Badanstalt, -gelegenheit (*Zimmer mit Koch- und Badgelegenheit.* St. Galler Tagblatt 4. 10. 68, 13), *-kleid, -kleidung, -meister, -tasche, -tuch, -wanne, -zimmer, Blasbalg, Fegfeuer, Plaggeist, Sägmehl, *Schmiedeisen, Siedfleisch, -wurst, Traggriff, -gurt, -tasche, Wartgeld, -saal, -zeit, -zimmer, *Weidgang, -kuh, -land, -recht, -vieh, Zeigbuch, -finger, -stecken, -tasche.*
Auch in eher ad hoc gebildeten Zusammensetzungen kommt die bloße Fuge neben dem (offenbar als besser standarddeutsch empfundenen) *-e-* vor, z.B. in *Aufräum[e]arbeiten, Bind[e]system, Präg[e]daten* (*alte Münzen, deren Prägdaten vom 13. bis ins 19. Jahrhundert reichen.* (NZZ 20./21. 2. 88, 13), *Schneid[e]maschine, Wart[e]zeit* (*beim Grenzübergang in Chiasso, wo Wartzeiten von bis zu zwei Stunden nötig waren.* NZZ 13. 7. 87, 5).

144 Bei Stammausgang Konsonant + *n*
Gdt. treten Verbalstämme wie *rechn-en, zeichn-en* in der Form *Rechen-*[buch], *Zeichen-*[block] in die Zusammensetzung. Diese zweisilbige Variante macht dem Schweizer Schwierigkeiten; er vermeidet sie gern, indem er statt des Verbalstammes ein Verbalsubstantiv (Nomen actionis) in die Zusammensetzung bringt:
Rechnungs-aufgabe, -buch, -fehler, -stunde; Trocknungs-raum, -ständer, Zeichnungsblatt, -block, -lehrer, -papier, -saal, -stunde; Tröckneraum.

145 *-ungs-* steht auch sonst gelegentlich statt „Null“: *Ausrufungszeichen, Heizungsmaterial, Lieferungswagen, Zündungsschlüssel.*

146 Ebenso steht vereinzelt *-er-* statt „Null“: *Raucherwaren.*

147 Vereinzelt sind ferner *Störefried* (Stören-), *Parkingmeter* (Parko-).

Bei substantivischem ersten Glied

148 Schweizerisch ohne Fugenzeichen:

1. als selbständiges Wort hat das erste Glied der Zusammensetzung dieselbe Form:

a) bdt. tritt in der Zusammensetzung *-e-* in die Fuge (* ohne bdt. Entsprechung): *Mausloch, Tagbau, -blatt, -geld, *-liste, -lohn, -löhner, -reise, *-wache/wacht, -werk, Wegbau, *-macher, -netz, -recht.*

b) bdt. tritt *-s-* in die Fuge: *Hemdärmel, hemdärmelig.*

c) bdt. tritt *-es-* in die Fuge: *Jahrzahl.*

2. das erste Glied ist gegenüber dem selbständigen Wort um *-e* gekürzt:

a) bdt. ist dies *-e-* in der Fuge bewahrt: *Mittelklaßhotel, waagrecht;* früher auch *Preßfreiheit, Preßverein* (die kantonalen Journalistenvereinigungen änderten ihren Namen seit 1968 („Zürcher Preßverein“ wird „Zürcher Presseverein“; siehe NZZ 25. 3. 68, 168, 25; im selben Jahre „Nordwestschweizerischer Preßverein“ zu „Presseverein“).

In Doppelzusammensetzungen: *Erstklaßabteil* (bdt. Erster-Klasse-Abteil). Dazu ohne bdt. Entsprechung *Viertklaßlesebuch, Erstklaßhotel, -wagen.*

b) bdt. steht in der Fuge *-en-: Adreßänderung, -angabe, -kartei, -liste* usw., *Kirchgemeinde, Rebschere, Sonnseite, Tannast, -zapfen, Wiesland.*

c) ohne bdt. Entsprechung: *Nastuch, Nierstück.*

3. das erste Glied ist um *-en* gekürzt; bdt. ist dies in der Fuge bewahrt: *Schattseite.*

149 Schweiz. mit *-[e]s-* als Fugenzeichen:

1a) *-s-* gegenüber bdt. „Null“: *Prachtsbeispiel* usw.

1b) *-es-* gegenüber bdt. „Null“: *Gesetzesentwurf*

2a) *-s-* gegenüber bdt. *-es-: Kindsentführung, -mord, -mutter, -vater.*

2b) *-es-* gegenüber bdt. *-s-: Bestandesaufnahme*

3. *-s-* gegenüber bdt. *-e-: Schweinsbraten* usw.

4. *-s-* gegenüber bdt. *-er-: Rindsbraten* usw.

150 Schweiz. mit *-en-* als Fugenzeichen[108] gegenüber bdt. „Null“: *Hengstendepot, Krebsenmahl, Lastenzug, Maien-, Märzen-, Sternen-*

[108] Der Typus ist gdt.: Duden Grammatik § 818.

himmel, Stierenauge, -halter, -markt, -schau, Uhrenmacher, Wollen-. Bei maskulinen Fremdwörtern auf *-ar, -är, -eur:* *Bibliothekarenkurs, Chauffeurenkurs, Dekorateurenberuf, Importeurenfirma, Jubilarenfahrt, Sekretärenkonferenz.*

151 Schweiz. mit (Plural-)*-er-* als Fugenzeichen gegenüber bdt. *-s-:* *Mitgliederbeitrag*

152 Wortbildungssilbe *-er* in der Fuge.

Mittels der Silbe *-er* werden aus Kardinalzahlen sowie aus Orts- und Gebietsnamen Attribute gebildet, die standardsprachlich teils als erste Zusammensetzungsglieder, teils als unflektierte Quasi-Adjektive gelten: *Zweier-, Viererbob, -kajak* (Bob, Kajak für zwei, vier [Personen], *Zweierbeziehung* (Beziehung zwischen zweien), *Dreierpakt* (Pakt zwischen dreien), *Viererreihe* (Zahlenreihe aus 4 und seinen Vielfachen); *die achtziger Jahre* ('80–'89), *das 1980er Ergebnis, das Basler Klima* (Klima von Basel).

Das Schweiz. kennt einerseits einige Bildungen, die bdt. nicht vorkommen: *Einer-, Dreier-, Sechser-, Viererzimmer* (Zimmer für eine, drei, sechs, vier Personen), *Einer-, Vierer-, Zweierkolonne* (Marschkolonne, in der eine, vier, zwei Personen nebeneinandergehen), *Fünfziger, Hunderter-, Tausender-, Zehner, Zwanzigernote* (Fünfzig-Franken-Schein usw.).

153 Andererseits hat es (wie das Österr.) die Neigung, auch die mit Orts- und Ländernamen gebildeten Fügungen als Zusammensetzungen zu sprechen (Betonung x́[...]x̀[...], nicht wie bei Attributgruppen x̀[...]x́[...]) und zu schreiben (als ein Wort).

Als Zusammensetzungen gelten selbstverständlich gdt. Bildungen mit Einwohnernamen („Personenbezeichnungen") im ersten Glied: *Schweizergarde, Römerbrief.* Hingegen sind nach der Duden-Regel[109] getrennt zu schreiben jene Bildungen, deren erstes Glied „die geographische Lage bezeichne[t]". Zwischen diesen Polen liegen aber Zweifelsfälle, die kaum zwingend zuzuweisen sind: die alten *Bernerfamilien* (Familien der Berner, von Bernern), oder *Berner Familien* (Familien von Bern)? *nach guter Zürcherart* (Art und Brauch der Zürcher) oder *Zürcher Art* (in Zürich üblicher Art)?

Ganz allgemein stellt der Duden a.a.O. fest: „Besonders in Österreich und in der Schweiz wird ... oft zusammengeschrieben."

Dies vage „oft" präzisiert das Österreichische Wörterbuch[110], wenn es konstatiert, man schreibe zusammen, was „als feste Einheit empfunden" werde: zwar *Schweizer Käse,* aber *Schweizerhaus* (im Sinn von Chalet); *Tiroler Loden,* aber *Tirolerknödel, ... Eidamerkäse.* Eine scharfe Grenze ergibt sich natürlich auch hieraus nicht, doch

---

[109] Duden Rechtschreibung R 151.

[110] Österreichisches Wörterbuch 28 (3.2.1); auffälligerweise von der andern Seite her formuliert, so daß Zusammenschreibung als der Normalfall erscheint.

werden wir mit diesen beiden einander ergänzenden Regeln dem – breit schwankenden – schweiz. Sprachgebrauch wohl einigermaßen gerecht.[111]

1. Als Zusammensetzungen mit Personen- (Einwohner)bezeichnungen können aufgefaßt werden: *Berner-, Zürcherfamilien; Schweizerkinder* (*1986 entfielen von 1430 Adoptionen 846 auf Schweizerkinder* NZZ 3./4. 10. 87, 24); *Schweizerknabe; das Zürcher-Bataillon 65, das Zuger-Bataillon 48* (NZZ 14. 6. 88, 22)

2. Als feste Einheiten können gelten (*: *nur* zusammengeschrieben belegt; sonst überwiegend):

a) **Amerikanerwagen, Bernerplatte, Bündnerfleisch, Linzerschnitte, -torte, Pariserbrot, *Wienerschnitzel* (Fülscher, Kochbuch, Nr. 731; Dürrenmatt, Stadt 157);
**Appenzeller-, *Bündner-, *Glarner-, *Urnerland*[112], **Baselbieter-, *Sankt Galler-, *Schaffhauser-, *Solothurner-, *Walliserdeutsch* (neben *Basel-, Bern-, Luzern-, Zürichdeutsch*), *Bündner-, Walliser-* (Vaterland 1968, 229, 13) *Zürcherdialekt* (NZZ 25. 5. 88, 53; aber *Zürcher Dialekt* ebenda 26. 5. 88, 54) usw., *nach Zürcherart* (NZZ 4. 3. 88, 55; 4./5. 6. 88, 53), *das *Bernervolk* (NZZ 30. 8. 88, 19); *die Schweizerarmee* (Oehninger, Kriechspur 452; Wiesner, Schauplätze 105; National-Zeitung 13. 8. 68, 3), *auf *Schweizerboden* (Oehninger, Kriechspur 421. 563); *Schweizerbürger* (so amtlich im Reisepaß, auf der Identitätskarte), **Schweizerdeutsch, die *Schweizerfahne, der Schweizerfranken* (NZZ 10. 6. 82, 7; 24./25. 10. 87, 22; 11./12. 6. 88, 55), *Schweizergeschichte* (Oehninger, Kriechspur 381; Vorlesungsverzeichnis WS 1988/89 der Universität Basel, 180), *die *Schweizergrenze* (Diggelmann, Abel 123; Inglin, Schweizerspiegel 287; Wiesner, Schauplätze 105; NZZ 17. 3. 88, 67; aber: *über die Schweizer Grenzen.* NZZ 20. 5. 88, 21), **Schweizerhaus, *Schweizerhochdeutsch, *Schweizerkreuz, Schweizerpresse* (Bringolf, Leben 395), **Schweizerpsalm, Schweizersoldat* (Blattner, Heimweh 247; Oehninger, Kriechspur 452. 564; Wiesner, Schauplätze 84), *das *Schweizervolk* (Oehninger, Kriechspur 381).

b) Amtlich festgeschrieben sind Ortsnamen wie *Äugsterthal* ZH, *Bottmingermühle* BL, *Brigerbad* VS, *Flumserberg* SG, *Leukerbad* VS, *Riederalp* VS, *Rorschacherberg* SG, *Wauwilermoos* LU, *Zollikerberg* ZH, *Zugerberg* ZG.

---

[111] Als dritte Regel könnte beigefügt werden: wenn das zweite Glied schon eine Zusammensetzung ist, wird nicht zusammengeschrieben: *Berner, Bündner, Zürcher Oberland, Brienzer Rothorn.*

[112] Vgl. – mit demselben Stilwert – *Wienerstadt,* volkstümliche Bezeichnung für Wien.

c) Ebenso auf Gemeindeebene die Straßennamen[113] (Basel:) *Allschwiler-, Dornacher-, Mülhauserstraße,* (Bern:) *Aarbergergasse, Aargauerstalden,* (St. Gallen:) *Rorschacher-, Teufener-, Zürcherstraße,* (Zürich:) *Badener-, Berner-, Winterthurer-, Zollikerstraße* usw.

d) Fest sind auch Berg- und Paßbezeichnungen wie[114] *Kerenzerberg* GL, *Stanserhorn* NW (aber *Brienzer Rothorn* BE[115]), weitgehend auch die Seenamen[116] *Alpnacher-, Baldegger-, Bieler-, Brienzer-, Comer-, Genfer-, Hallwiler-, Klöntaler-, Lauerzer-, Luganer-, Luzerner-, Neuenburger-, Pfäffiker-, Sankt-Moritzer-, Sarner-, Sempacher-, Silser-, Silvaplaner-, Thuner-, Überlinger-, Urner-, Vierwaldstätter-, Wägitaler-, Zugersee* usw. (daneben die „echten" Zusammensetzungen *Ägeri-, Lungern-, Murten-, Schiffenen-, Wohlen-, Zürichsee).*

Schließlich sind geschichtliche Ereignisse zu nennen wie *der erste und der zweite Kappelerkrieg* (1529, 1531), *die Mailänderkriege* oder *-züge* (1500–1516), *der Große Pavierzug* (1512), *der Savoyerhandel* (1860), *Stäfnerhandel* (1794/95), *der erste und der zweite Villmergerkrieg* (1656, 1712) und Gedenkfeiern wie die *Näfelserfahrt* (an die Schlacht bei Näfels 1388).

3. Eindeutig über die durch die genannten Regeln abgesteckte Grenze oder Grenzzone hinaus gehen Schreibungen wie

a) weder auf eine Personenbezeichnung beziehbar noch einen festen Begriff bezeichnend: *Schweizerkino* (*daß von allen Schweizerkinos dies das einträglichste war.* Humm, Mitzudenken 259), *Schweizerstadt* (*aus der Schweizerstadt am grünen Rhein nach Norden gelockt.* Moeschlin, Sommer 23);

b) eindeutig die geographische Lage, dabei keinen festen Begriff bezeichnend: *das Baslerklima* (Schmidli, Schattenhans 270), *auf Großbaslerseite* (ebd. 315), *das Kleinbaslerufer* (ebd. 304), *die ennetbirgischen Bündnertäler* (NZZ); *eine Umfahrung der Freiämterortschaft Oberrüti* (NZZ 10. 6. 82, 34); *die ihnen verständlichen, genossenschaftlichen Vorstellungen der Innerschweizerkantone* (Blatter, Heimweh 208); *einem Dreier Twanner vom Bielersee, einem Cressier aus der Neuenburgergegend* (Bichsel, Jahreszeiten 133); *das Schweizergeschäft, auf das etwa 60 % des ... Umsatzes ... entfallen dürfte* (NZZ 1. 6. 88, 34).

---

[113] Auch in Wien kann man, mindestens inoffiziell, lesen: *Brünner-, Pragerstraße* (Geschäftshinweistafeln), *Nußdorferstraße* (Canetti, Augenspiel).

[114] Auch in der BRD: *Böhmerwald,* in Österreich: *Bregenzerwald, Wienerwald.*

[115] Siehe oben Anm. 111.

[116] Die seit 1941 erscheinende Schweizerische Landeskarte schreibt Alpnacher See usw.; von daher hat sich die dudenkonforme Schreibweise auf weitere Landkarten, nicht aber z. B. auf das Offizielle Kursbuch oder die NZZ, ausgebreitet.

Adjektive

154 Zusammensetzungen statt freier Gruppe
fixfertig entspricht der gdt. kopulativen Gruppe fix und fertig;
sperr[angel]offen entspricht der gdt. Bestimmungsgruppe sperr[angel]weit offen.

Adverb

156 Abweichende Form des ersten Gliedes:
darnach, -nieder (gdt. da-);
hiebei, -durch, -für, -her, -mit, -nach (gdt. hier-);
beidseits (und *beidseitig*) (gdt. beider-).

A

a.: auch Sigle für →**alt** (vor Amts-, Berufsbezeichnungen); →G 092.

Aargau, der; -s: Kanton am Unterlauf der Aare. Der Name wird immer mit dem Artikel gebraucht: *im Aargau, aus dem Aargau.* →G 082. Dazu **Aargauer,** der; -s, -; **aargauisch.**

abbruchreif: auch (von Fahrzeugen) svw. — schrottreif. *Wie durch ein Wunder kam die Autolenkerin mit dem Schrecken davon; ihr neuer VW ist hingegen abbruchreif* (Bund 1968).

abdanken: auch svw. die kirchliche (evang.) Trauerfeier halten. *Und wo getauft, konfirmiert, kopuliert und abgedankt wird, gibt es selbstverständlich auch einen lieben Gott* (Humm, Mitzudenken 113).

Abdankung, die: auch (evang. Kirche) svw. — Trauerfeier, Trauergottesdienst. *Bei der Abdankung waren die Namen ihrer Eltern, das Geburtsdatum, der Ort ihrer Konfirmation, das Datum ihrer Heirat* [usw.] *zu vernehmen* (Bichsel, Jahreszeiten 133). Dazu **Abdankungsfeier, -halle, -kapelle, -rede.**

Abendverkauf, der; -s: Offenhaltung der Ladengeschäfte (der Innenstadt) an einem Abend in der Woche, meist bis 21 Uhr. [Es] *besteht keineswegs die Absicht, für Aarau mit der Einführung des Abendverkaufs die Qualifikation „Großstadt" zu erwerben* (Aargauer Tagbl. 25. 9. 70). *Nach langen und zähen Verhandlungen haben sich die Sozialpartner in Basel geeinigt, versuchsweise einen wöchentlichen Abendverkauf einzuführen* (NZZ 7. 11. 86, 34).

Abendverlesen, das; -s (Militär) // Stubenappell. *Ab 1. Januar 1972 wird das Abendverlesen in Rekruten- und Unteroffiziersschulen ... auf 22 Uhr, für die übrigen Kaderschulen auf 23 Uhr festgesetzt* (NZZ 1971, 609, 10). →**Zimmerverlesen.**

aber eben (mundartnah) — doch wie es so geht/ist. *Es war siegreich anzusehen, und seine Frau hätte vielleicht ihre helle Freude an ihm gehabt, aber eben: die war schon schlafen gegangen* (Kübler, Heitere Geschichten 129). *„Wenn man es gewußt hätte* [daß der Aktienindex so fiele], *hätte man natürlich noch ein wenig zugewartet. Aber eben ..."* (Guggenheim, Alles in allem 802).

aberkennen ⟨trans.⟩: auch (Amtsspr.) svw. einer Sache die amtliche Bewilligung entziehen. *Ein Wohnhaus ... unbewohnt, in baufälligem Zustande, Heizöltank aberkannt,* wird versteigert (NZZ 17. 11. 86, 93, Anzeige). →**abschätzen.**

Aberwille, der; -ns, auch **Aberwillen;** -s (veraltend) — Widerwille, Abneigung: *Aus dem Blick der Frau sprach Aberwillen. Der Mann schien sich nicht darum zu kümmern* (Camenzind, Balz 3).

abfahren: (auch svw.) am Schluß des Sommers mit dem Vieh von der Alp wieder ins Tal ziehen. *Im letzten Spätsommer waren sie mit dem Vieh abgefahren, und nachher hatte hier nichts mehr die große Stille unterbrochen* (Inglin, Graue March 118). →**auffahren, Alpabfahrt.**

abflachen: flacher werden. *Bäume waren in der rechten Stadthälfte kaum zu sehen, nur die bewaldeten Hügel darüber, auch vor ihnen schlossen Hügel die Stadt noch ein: der Laufelberg,*

Schafberg abflachend (Schmidli, Schattenhaus 239). *Der ... Erdölpreiszerfall ließ das Wachstum der Wirtschaft abflachen* (NZZ 16. 4. 87, 5).

ạbgeben: auch svw. **1.** (mundartnah) — zurücktreten (von einem Amt). *„Ich gebe übrigens ab", sagte Abt beim Abschied zu Angst. „Ich habe jetzt mein Alter"* (Guggenheim, Alles in allem 861). **2.** — ergeben, zu etw. führen. *Wenn diese Vorbereitungen keinen gediegenen Anlaß abgeben!* (Kaiser I 126).

ạbgeschlagen: auch ‹nur präd.› svw. — matt, erschöpft, abgespannt. Dazu **Abgeschlagenheit,** die; -. *Die ersten Zeichen vor anderthalb Jahren: Müdigkeit, Abgeschlagenheit, Blutarmut* (Vogt, Wüthrich 95). [Beim] *fließenden Übergang zwischen Erkältung und eigentlicher Grippe, verbunden mit Fieber und dem, was man „Abgeschlagenheit" zu nennen pflegt* (NZZ 18. 2. 68, 107, 25).

ạbhangen ‹st. V.› — abhängen, abhängig sein. *Echte Verhandlungsfähigkeit ... des westlichen Bündnisses ... wird ... von reeller Verteidigungsbereitschaft ... abhangen* (NZZ 28./29. 11. 87, 1). *Diese drei Entwicklungen können nicht durch Willensakte gelenkt werden. Sie hangen ... von den Umständen ab* (Guggenheim, Seldwyla 331). →**hangen.**

ạbhocken ‹sw. V.; ist› (derb) — sich setzen. *„Im Dorf wissen sie schon, daß Ihr die Untersuchung führt, Herr Wachtmeister, und da hat die Sonja mit Euch reden wollen", sagte Frau Hofmann. Und zu dem Mädchen gewandt: Es solle abhocken, Kaffee sei noch da* (Glauser II 63: Wachtmeister Studer). →**absitzen.** →G 065.

ạbhunden, sich (expressiv) — sich abarbeiten, abplagen. *Es gibt aber Leute, für die du dich abhunden kannst, soviel du willst, sie sind doch nicht zufrieden* (Zahn V 57: Menschen). *Daß Mohr sich abgehundet hatte, wie es eigentlich nur die Leute fertigbringen, die sich aus ihrer Jugend noch der Krisenjahre erinnern* (Weltwoche 1960, 10). →**hunden.**

ạbkalten ‹sw. V.; ist› — kalt werden (von Flüssigkeiten, Gegenständen). *Blanc fixe* [eine Tünche] *rührt* [man] *mit sehr heißem Wasser an. Er soll einige Stunden ziehen und ganz abkalten* (Bichsel, Jahreszeiten 124).

ạbklären (Geschäftsspr.; bdt. selten) — (eine Frage) klären, Klarheit über etw. schaffen. *Aus noch nicht abgeklärten Gründen befanden sich unter den Exerzier-Granaten auch scharfe* (Bund 1968, 280, 6). *Die Sanierung* [des Flüßchens] *hängt ... mit der Umfahrungsstraße zusammen, und bevor diese Frage abgeklärt ist, kommen wir nicht weiter* (Inglin, Erlenbüel 136).

Ạbklärung, die; -, -en — Klärung, Untersuchung (eines Problems). *Das Eidgenössische Militärdepartement hat eine genaue Abklärung der Begleitumstände* [eines Unfalls] *eingeleitet* (Bund 18. 10. 68).

ạbklemmen: auch (mundartnah) svw. — (eine Beziehung, Unterredung usw.) abbrechen, abrupt beenden; jmdm. etw. untersagen, verwehren. *Natürlich braucht jeder* [der Jugendlichen] *sein Moped ..., aber sie haben es selber verdient ..., und etwas müssen sie ja haben, alles darf man ihnen nicht abklemmen* (National-Ztg. 1968, 555, 2).

Ạblad, der; -[e]s (Geschäftsspr.) — das Abladen (von Waren). *Wo bei Auf- und Ablad von Gütern mehrere Stellen zu bedienen sind, läßt sich häufig die Bahn nicht benützen, weil der Aufwand für den zweimaligen Umlad zu groß wäre* (NZZ 2. 6. 88, 23). *Es waren eben einige Mannen dabei ... Badewannen vom Lastwagen zu laden ... Voubrasse ... stand dabei und überwachte den Ablad* (Guggenheim, Alles in allem 14). →G 115.

Ạblage, die: auch svw. Zweig-, Annahme-, Auslieferungs-, Verkaufsstelle. *Abonnemente: Zürich am Schalter oder bei Ablagen Fr. ... Durch Austräger ins Haus gebracht Fr. ...* (NZZ, am Kopf, bis 1974). *Aufgehoben* *wurde ein kleiner Filialladen. Nun hat sich eine im untern Dorfteil bestehende Bäckerei entschlossen, den Laden nicht nur als Brotablage, sondern als Lebensmittelgeschäft zu übernehmen* (NZZ 22. 8. 69). *Die Verwalterin einer lokalen Sporttoto-Ablage* (NZZ).

abliegen ⟨st.V.⟩: auch ⟨ist⟩ svw. — sich hinlegen. *Sie bat mich ruhig ... ich solle nur schön abliegen und schlafen* (Inglin, Amberg 131). *„Bei Minenwerferfeuer abliegen!“ lautet eine Aufschrift,* in Vietnam (NZZ 1967, Bl. 3478). →G 065.

abmehren — abstimmen (durch Handerheben). *Nach einem letzten Wort von Bundesrat Bonvin ... wurde abgemehrt: Mit 24:8 Stimmen wurde der Rückweisungsantrag Odermatt abgelehnt* (Basler Nachrichten 18. 12. 64).

Abonnement, das: • ⟨Aussprache, Beugung:⟩ [abɔnə'mɛnt]; -[e]s, -e — [abɔn(ə)mã // *bdt.* abɔnə'mã:]; -s, -s; →G 038 • ⟨Konstruktion:⟩ *Ein Jahresabonnement auf den „Sprachspiegel“* (Sprachspiegel, 1965, 6, innere hintere Umschlagsseite) — (bdt. meist:) des „Sprachspiegels“. →**auf** (2 a).

Abonnent, der: auch svw. // Bezieher (von Wasser, Strom; üblicher ist →Bezüger), (Fernsprech-)Teilnehmer. *Die allgemeinen Bestimmungen umschreiben die Aufgaben der Versorgungsbetriebe, die Grundlagen für die Bestimmung des Rechtsverhältnisses zwischen den Werken und den Abonnenten* (St. Galler Tagbl. 1968, 560, 25). →**Telefonabonnent.**

abpassen, jmdm. ⟨Dat.⟩ // jmdn. ⟨Akk.⟩, der unterwegs ist, erwarten und aufhalten, jmdn. abfangen. [Die Diplomaten] *müßten besser geschützt werden und sollten ihre Fahrwege variieren, so daß man ihnen nicht abpassen könne* (NZZ 7. 4. 70). *Da Baumann ein Schüchterner sei, habe eben er einmal dem Äbi abgepaßt* (Glauser III 372). →G 060.

abreißen ⟨st.V.⟩: auch (salopp) svw. — jmdn. übervorteilen, ausbeuten, erpressen. *Sie raubten, stahlen, und vor allem war es eine ihrer „Spezialitäten“, Homosexuelle „abzureißen“* (NZZ 1961, Bl. 2485). [Was] *sich die PTT* [bei] *der Europarat-Woche in Locarno ... geleistet hat, wird ... als böser Rückfall in Abreißermethoden in die „philatelistischen Annalen“ eingehen* (NZZ 1964, Bl. 3847). Dazu **Abriß,** der // Nepp (schamlose Übervorteilung). *Seine Verachtung gilt den Schnellimbiß- und Abrißbeizen ... vorne an der Küste der Maremma* (NZZ 17. 3. 88, 67).

absägen: *mit abgesägten Hosen [dastehen o. ä.]: abgefertigt und bloßgestellt sein, den kürzeren gezogen haben. *Nach der saftigen Abfuhr, welche die Innerschweiz* [dem Projekt für eine Landesausstellung zum 700-Jahr-Jubiläum der Eidgenossenschaft] *bereitet hat, steht die Stiftung CH 91 zwar mit abgesägten Hosen, aber doch nicht ganz mit leeren Händen da* (Freier Aargauer 28. 4. 87, 1). *Der Doktor soll uns Rede und Antwort stehen. Du wirst sehen, wie hübsch wir den entlarven. Ich sage dir, der geht mit abgesägten Hosen aus diesem Zimmer!* (Humm, Carolin 354).

abschätzen: auch (Amtsspr.) svw. →aberkennen. *Die beiden neuen Tanks ersetzen die bestehende Anlage am Quai, welche wegen Gefährdung des Wassers abgeschätzt worden ist* (St. Galler Tagbl. 1968, 562, 32). →**absprechen.**

Abschied, der: bedeutete im alten eidgenössischen Staatenbund (bis 1798 bzw. 1848) auch: Protokoll der Tagsatzung (Gesandtenkonferenz). Daher ***aus Abschied und Traktanden fallen:** als Verhandlungs-, Diskussionsgegenstand wegfallen, erledigt sein. *Weil das Geschäft mit einem Nichteintretensbeschluß des Nationalrats automatisch aus Abschied und Traktanden fällt* (Aargauer Tagbl. 29. 4. 70). *Nachdem der exterritoriale Korridor aus Abschied und Traktanden gefallen zu sein scheint, bei den Verhandlungen Schweiz/Bundesrepu-*

blik über die Exklave Büsingen bei Schaffhausen (NZZ 1955, Nr. 30, Bl. 289). →**Traktandum.**

ạbschießen: auch (wie südd., österr.) ‹ist› svw. — verbleichen, // verschießen. [Der] *Samichlaus, der an der Südfassade der St.-Niklauskirche abgebildet sei, wegen der Sonne aber immer wieder abschieße und neu gemalt werden müsse* (Schenker, Leider 5). *Die wechselnden Schürzen über dem einst dunkelgrünen, aber schon seit Jahren olivgrün abgeschossenen Wollkleid* (Wechsler, Ein Haus 20).

ạbschlecken (auch südd., österr.) — ablecken. *Das* [junge] *Bärlein ... war voller Honig, der Bär schleckte es ab und schleckte dankbar auch mein Gesicht* (Inglin, Amberg 127).

Absẹnz, die: auch (wie österr.; sonst veraltet) svw. — Abwesenheit, Fehlen (in der Schule, am Arbeitsplatz, bei einer Verpflichtung). *Wegen unentschuldigter Absenz bei den Gemeinderatswahlen mußten 23 Stimmbürger mit einer Ordnungsbuße von Fr. 5.– belegt werden* (St. Galler Tagbl. 1968, 570, 19). Dazu (in der Schule): **Absenzenliste,** älter **Absenzenrodel** // Versäumnisliste.

ạbserbeln ‹sw. V.; ist› — dahinsiechen, (langsam) absterben. *Wenn er mich an diesem trübsinnigen Nachmittag herumstromern sähe wie einer, der am Abserbeln ist* (Landert, Koitzsch 43). *Noch 1901 hatte der Romanist E. Tappolet ... das Abserbeln der Mundarten und den Übergang der deutschsprachigen Schweiz zu einer neuhochdeutschen Umgangssprache als unvermeidlich betrachtet* (Schwarzenbach, Stellung der Mundart 2). →**serbeln.**

absichtlich: ['---] (bdt. nur bei bes. Nachdruck) // [-'--]; → G 021.

ạbsitzen ‹st.V.›: auch ‹ist› (mundartnah) — sich setzen. *Wir erhoben uns immer wieder zum Tanz, saßen ab, tanzten wieder* (Humm, Universität 45). *Schlangenbisse lassen sich vermeiden, indem man ... vor dem Absitzen den Rastplatz mit festem Schritt abschreitet* (NZZ 23. 7. 82, 7). →G 065.

ạbspeisen: ‹stark gebeugt:› spies ab, abgespiesen — ‹sw.:› speiste ab, abgespeist. *Weil sie der Meinung waren, hier doch nur mit der Behauptung abgespiesen worden zu sein, daß diese Variante „nicht durchführbar" sei* (National-Ztg. 1968, 559, 4). →**speisen.**

ạbsprechen: auch (Amtsspr.) svw. →aberkennen. *Der kantonale Beamte* [Lebensmittelinspektor] *entdeckte ... große Mängel. Insbesondere die Restaurantküche sei „baulich in sehr schlechtem Zustand und muß abgesprochen werden"* (Aargauer Tagbl. 4. 4. 87). →**abschätzen.**

ạbstauben: auch ‹intr.› svw. — Staub wischen (bdt. nur ‹trans.›: etw. von Staub befreien). *Seine Frau besorgt das Haus, gibt den Blumen Wasser, staubt täglich ab* (Blatter, Schaltfehler 15).

ạbstehen ‹unr.V.›: auch ‹ist› (mundartnah) svw. — (beim Schwimmen, Klettern o.ä.) den Fuß auf festen Grund, sicheren Boden setzen. *Als ich zum Ufer zurückschwamm ..., ich hoffte schon abstehen zu können: plötzlich kein Boden* (Frisch, Gantenbein 273). →G 065.

Abstimmungsvorlage →**Vorlage** (1).

ạbstützen: auch (Geschäftsspr.) svw. **a)** stützen. *Ein ... Beirat ... wird das ... Pilotprojekt öffentlich abstützen* (NZZ 5. 11. 87, 53). ‹+ sich:› *Eine nach schweizerischem Recht konstituierte Gesellschaft, die sich technisch und finanziell auf eine italienische Unternehmung abstützte* (Bund 1968, 280, 6). **b)** ‹+ sich› auf etw. beruhen. *Vorwürfe, die ... laut geworden sind, stützen sich meistens auf Erfahrungen mit solchen Therapeuten ab* (NZZ 31. 10./1. 11. 87, 25). →G 136.

Ạbtausch, der: wird auch im Grundstückhandel gebraucht (bdt. nur beim Schach, beim Boxen). [Der] *Gemeinderat* [erhält] *die Kompetenz zum Abtausch der* [ehemaligen] *Besitzung Dr.*

Hugi mit einem dem Staat gehörigen Landstück auf dem Niederfeld (Bund 8. 10. 68). Dazu **Bodenabtausch, Gebietsabtausch, Landabtausch, Liegenschaftenabtausch.**

Abteilung, die (Teil einer Organisationseinheit) ['---] // [-'--]; →G 019. (Auch bdt. ['---] i. S. v. das Abteilen, Abtrennen).

abtischen // den Tisch abräumen. *Plötzlich tischte sie ab. Ich half* (Frisch, Homo faber 174). *Angesichts der besonderen Verhältnisse halfen* [die Gäste] *beim Zusammenstellen des abzutischenden Geschirrs* (NZZ 9. 1. 87, 59: Leserbrief). →**tischen.**

abtreten! (militär. Kommando) // wegtreten! Dazu: **Abtreten,** das; -s: Entlassung in den Ausgang oder Urlaub. *Eines Samstags, wir standen wieder zum Abtreten bereit, rief der Kommandant einige Namen auf* ... (Oehninger, Kriechspur 423).

abtun ‹unr. V.›: auch (bdt. veraltet) // (Haustiere) töten. *Das von der Krankheit befallene Vieh mußte am Montag abgetan werden* (St. Galler Tagbl. 16. 12. 68).

abverdienen: bedeutet vor allem (Milit.): den mit der Beförderung zum Unteroffizier oder Subalternoffizier verbundenen Instruktionsdienst (in einer Rekrutenschule) leisten ‹intr. oder mit der Gradbezeichnung als Obj.›. *Und nach der Rekrutenschule ist die Unteroffiziersschule. Man bekommt einen goldenen Streifen um den Kragen. Dann den Korporal abverdienen* (Schenker, Leider 37). *Ein Oberleutnant ..., welcher derzeit seinen Hauptmannsgrad abverdient* (NZZ 17. 2. 87, 31).

abverheien ‹sw. V.; ist› (betont mundartnah, derb) — mißlingen, danebengeraten. [Daß] *mit einer „komplizierten" Kamera zwar hie und da Superbilder, aber leider allzu häufig abverheite Ergebnisse erzielt worden seien* (NZZ 4. 5. 88, 77). *Eine abverheite Stürmerei* [ein mißlungenes Wahlmanöver] (NZZ 1962, Bl. 883; Überschrift).

Abwart, der; -[e]s, -e / (seltener:) ...wärte // Hausmeister, (österr.:) Hausbesorger; wird heute verdrängt durch das „bessere" Wort →**Hauswart.** *Zuverlässiger Chaffeur sucht Stelle in renommierter Firma der Ostschweiz. Würde auch intern arbeiten, evtl. gleichzeitig als Abwart, da handwerklich veranlagt* (St. Galler Tagbl. 1968, 462, 6; Inserat). *Sie hätten* [als Bankangestellter] *eine Million unterschlagen können, ohne daß Sie einen alten Abwart mit der Axt umbringen mußten* (Frisch, Marion 94). Dazu: **Abwartin,** die; **Hausabwart:** svw. →Hauswart; **Schul[haus]abwart** // Pedell; **Abwartwohnung.**

Abwaschmaschine, die; -, -n (veraltend) — Geschirrspüler. *Ab sofort vermieten wir ... 4½-Zimmer-Wohnungen. Lift, moderne Küche mit Abwaschmaschine, Warmwasseraufbereitung* ... (Vaterland 1968, 280; Anzeige). *5-Zimmer-Wohnung mit Gartensitzplatz ... Abwaschmaschine* (NZZ 17. 8. 87, 47; Inserat). →**Geschirrwaschmaschine.**

abziehen: auch (mundartnah) svw. — (Kleider) ausziehen. *Gertrud zog rasch das Nötigste ab, drehte das Licht aus und legte sich hin* (Inglin, Schweizerspiegel 589). Auch **sich abziehen** (mundartnah) — sich ausziehen.

abzonen (Amtsspr.): einen Teil des Gemeindegebietes einer Zone für weniger weitgehende Bebauung zuteilen. →**Zone.**

Achtel: der ≠ das; →G 076.

Achter, der: vor allem svw. **1.** Angehöriger des Jahrgangs (19)08. **2.** (auch bdt. landsch.) **a)** — die Acht (Ziffer 8). *Das Rasenplätzchen hinter dem niederen Zaun zierlicher Achter* (Guggenheim, Alles in allem 583). **b)** // die Acht (Straßenbahn der Linie 8). *Der Achter fährt zum Klusplatz.* →**Dreier, Einer** usw.

Achtertram, das; -s, -s: Straßenbahn der Linie 8. *Das Achtertram führt mich nahe an die Ausgangsstation der Forchbahn heran* (Oehninger, Bestattung 230).

Achtung – steht! (militär. Kommando) // (Bundesrep.:) stillgestanden! // (Österr.:) habt acht! *Der Regimentskommandant warf einen Blick auf die Uhr, zog den Säbel und befahl schallend: Achtung – steht!* (Inglin, Schweizerspiegel 204). *Ich höre Befehle: Batterie, Achtung steht! Schultert Gewehr! Vorwärts, Taktschritt, maaaarsch!* (Frisch, Stiller 228).

Achtungstellung, die; — (Militär) // stramme Haltung, Strammstehen, (österr.:) Habtachtstellung. *Zuerst haben wir das Grüßen gelernt. Dann haben wir die Achtungstellung gelernt. Dann haben wir Gewehrgriff und Taktschritt gelernt* (Wiesner, Schauplätze 189). →**Achtung, steht!**

ACS: (buchstabierte) Abkürzung für Automobil-Club der Schweiz. →**TCS.** →G 028, 093.

Adjunkt, der; -en, -en: • ⟨Beugung:⟩ auch -s, -e. • ⟨Bedeutung:⟩ höherer Beamter, enger Mitarbeiter eines →Magistraten oder eines leitenden Beamten (in Österr. niederer Beamtentitel; in der Bundesrep. veraltet). *Die Besprechung fand ... im Amtszimmer des Stadtpräsidenten* [statt]. *Anwesend waren der Polizeivorstand, ein Adjunkt des Straßenbauamtes, Stadtrat G.* [u. a. m.] (Guggenheim, Alles in allem 105). Dazu: **Direktions-, Kanzlei-, Polizeiadjunkt** usw.

Adjutant-Unteroffizier, der; -en--s, -en--e: höchster Unteroffiziersgrad; entspricht dem Stabsfeldwebel in der Bundesrep., dem Stabswachtmeister in Österr. *Der Adjutant-Unteroffizier mit der Fahne* [....] *marschierte* [...] *im Taktschritt vor die Front* [des Bataillons] (Inglin, Schweizerspiegel 202).

Administration, die: auch svw. — Verwaltung[sabteilung] eines Unternehmens. *Eine 40jährige Buchhalterin ... war ... als Leiterin der Gesamtadministration einer Fabrikations- und Handelsfirma tätig* (NZZ 20. 1. 88, 54). *Verlangen Sie Probenummern* [der Zeitung] *von der Administration der Buchdruckerei Pochon-Jent AG* (Bund 3. 10. 68, 29; Inserat).

Adreßänderung, die // Adressenänderung; →G 148/2b. Ebenso **Adreßangabe.** *Verzogen ohne Adreßangabe.* **Adreßkartei, -liste, -verzeichnis.**

Adrio, das; -s, -s ⟨regionalfrz. *atriau* [atʀio]⟩: Portion Kalbs- oder Schweinsbratwurstmasse, unter Beifügung von Schweinsleber in Schweinsnetz gepackt; wird in Fett gebacken und häufig mit Sauerkraut gegessen. *Er hockte stumm hinter seinem Teller, verschlang sein Adrio und ließ die Pellkartoffeln unberührt* (Bestand und Versuch 212: H. Erny).

Advent, der: [at'fɛnt] — [...'vɛnt]; →G 018.

Advokat, der: • ⟨Aussprache:⟩ [atfo'ka:t — atvo...]; →G 018. • ⟨Geltung:⟩ normalspr., ebenso österr., elsäss.; sonst meist veraltet oder abwertend — Rechtsanwalt. *Advokat, der wäre doch etwas für dich ... Das ist doch ein guter Beruf ... das ist doch das Beste, was man werden kann* (Diggelmann, Harry Wind 115). Dazu **Advokaturbüro.**

Affiche [afiʃə], die; -, -n ⟨frz.⟩ (bdt. veraltet, noch in der Werbespr.) — Anschlag, Plakat. *Joseph blickte auf eine bunte Affiche, auf der ein weißer Raddampfer unter blauem Himmel durch blaue Wogen pflügte* (Wechsler, Ein Haus 116). →(zur Aussprache) G 035/1.

AG: auch Autokennzeichen und allg. Sigle für (den Kanton) Aargau; →G 092.

Agglomeration, die; -, -en ⫽ Ballungsraum. *Die letzte Chance, innerhalb der Agglomeration Zürich mit einer runden Million Einwohner ein Terrain* [für einen Rennplatz] *zu finden* (National-Ztg. 1968, 557, 21). *Nein, das sei zu weit von der Stadt entfernt. Er könne sich mit der Agglomeration nicht befreunden, erklärt er,* bei der Wohnungssuche (Meylan, Räume 72).

Agraffe, die: auch svw. // Krampe (U-förmiger Stift mit 2 Spitzen zum Befestigen von Draht o. ä.).

Ägypten [ɛ'gɪptən] ≠ [ɛ'gʏptn̩]; →G 007.

AHV ['a:hafau̯], die; -: allg. gebrauchte, auch gesprochene Abkürzung für Alters- und Hinterbliebenen-Versicherung: *Nun kamen unten auf dem Kontoblatt noch Abzüge für SUVA und AHV/IV/EO* (Blatter, Schaltfehler 99). →G 028, 093.

à jour [*frz.* aʒuʀ] — auf dem laufenden, auf dem neuesten Stand. *Deshalb ist es für jeden initiativen Menschen wichtig, sich beruflich à jour zu halten* (National-Ztg. 1968, 459, 32). *Die Mutter erledigte ... streng nach einer seit undenklichen Zeiten à jour gehaltenen ... Liste die Neujahrsgratulationen* (Guggenheim, Gold. Würfel 46).

AI: Autokennzeichen und allg. Sigle für (den Halbkanton) Appenzell Innerrhoden; →G 092.

Akklamation, die (auch österr.; bdt. selten) — Beifall. ***durch/mit/per Akklamation wählen** (auch österr.; bdt. selten): durch Beifallsbezeugung (Klatschen, Zurufe) statt durch Abstimmung. *Maurice Zermatten ... wurde durch Akklamation zum Präsidenten* [des Schriftstellervereins] *gewählt* (NZZ 24. 5. 70). *Die Liberale Partei des Kantons Genf hat Nationalrat André Gautier mit Akklamation zum Kandidaten für die Nachfolge der zurückgetretenen Ständerätin Monique Bauer-Lagier bestimmt* (NZZ 19. 2. 87, 34).

Akkordant, der: kleiner Unternehmer (bes. im Bauwesen u. ä.), der Aufträge zu einem Pauschalpreis je Einheit übernimmt (bdt.: jmd., der für Stücklohn arbeitet). *Statt das Holz ... auf dem Stock zu verkaufen ... läßt die Gemeinde es durch Akkordanten rüsten und transportieren* (Schmitter, Waldarbeit 121). Dazu **Unterakkordant.**

Aktion, die: auch svw. vorübergehender verbilligter Verkauf eines Artikels. *Aktion: Landjäger 2 Paar 1.80* (Aufschrift in Lebensmittelgeschäft). *Jetzt Binaca Aktion 2.50 statt 3.– + 30 Silva-Punkte. Profitieren Sie noch heute!* (Inserat).

aktiv ['--] (bdt. seltener) // [-'-]; →G 027.

Aktivbürger, der; -s, -: wer im Besitz des Stimmrechts und der Wählbarkeit ist: *Etwa 1800 Aktivbürger mochten sich im Ring versammelt haben, als Landammann Dr. Alfred Gräni Schlag zwölf die Landsgemeinde eröffnete* (NZZ 28. 4. 69). Dazu: **Aktivbürgerrecht,** das. *Erfordernisse: abgeschlossene kaufmännische Lehre, schweizerisches Aktivbürgerrecht* (National-Ztg. 1968, 558, 10; Stellenausschreibung). →**Stimmbürger:**

Aktivdienst, der; -[e]s, -e (Militär): Dienstleistung der Truppen im Ernstfall (Grenzbesetzung bei Kriegen der Nachbarstaaten, 1870/71, 1914–18, 1939–45; Ggs.: Instruktionsdienst). *Im Aktivdienst hat bei uns immer nur der Zugführer Inspektion gemacht* (National-Ztg. 1968, 553, 2). *„Sie sind nicht zur Weiterausbildung vorgeschlagen worden", sagte der Regimentskommandant, „aber im Aktivdienst gelten bekanntlich andere Maßstäbe als in einer Rekrutenschule"* (Wechsler, Ein Haus 221/22).

Aktivum, das; -s, ...va/...ven: ['akti:vʊm] // [-'--]; →G 025.

Aktuar, der; -s, -e: ≠ Schriftführer eines Vereins o. ä. (bdt. svw. Gerichtsschreiber [veraltet]; wissenschaftl. Versicherungs-, Wirtschaftsmathematiker). *Frau Bader ist Aktuarin des Automobilklubs, sie verschickt die Einladungen* (Erny, Morgen 140). →**Schreiber.**

Albeli ['albəlɪ]:, das; -s, -: verschiedene lokale Arten von — Felchen. *Kleine Fische, die man ganz backen kann wie z. B. Albeli, Egli, kleine Hechte* (Kochlehrbuch 130). →G 105.

Albock, der; -s, ...böcke (Brienzer- und Thunersee) — Blaufelchen. *Da kommt es eben darauf an, ob Sie einen Raubfisch fangen wollen oder etwa eine Äsche oder einen Aalbock* [!], *die Vegetarier sind* (Dürrenmatt, Versprechen 163).

Albula, der; -s: Kurzform für Albulapaß (zwischen Albulatal und Oberengadin GR).

Albula, die; -: rechter Nebenfluß des Hinterrheins GR.

Alet ['a:lət], der; -s, - // Döbel (ein Fluß- und Seefisch). *Gebraten werden: Süßwasser- und Meerfische, z. B. Felchen, Hecht, Zander, Barbe, Brachsen, Aalet[!]* (Kochlehrbuch 127).

Algebra, die: (auch österr.:) [al'ge:bra] ≠ ['algebra]; →G 026.

Algier: ['algi:r // ...ʒi:r]; →G 038.

allesamt ['---/,--'-] ≠ (schweiz. nur expressiv:) ['--'-]; →G 020.

allfällig (österr. [-'--]; bdt. selten) — etwa[ig], eventuell, allenfalls, gegebenenfalls [vorkommend]. **a)** ‹Adj.› *Bekanntlich haftet der Hausbesitzer bei allfälligen Unfällen, die sich wegen nicht instand gehaltener Fassaden, Dachkännel usw. ereignen* (Bund 3. 10. 68). **b)** ‹Adv.› *Allfällig eines Tages nötig werdende Hilfsmaßnahmen* (National-Ztg. 13. 8. 68). ***Allfälliges [und Umfrage]:** stehender letzter Punkt von Tagesordnungen (auch österr.); gleichbed.: Verschiedenes [und Umfrage].

Allgegenwart, die ['----] ≠ (schweiz. nur expressiv:) ['-'---]; →G 020.

allgemein ['---] (auch österr.) ≠ [,--'-] (schweiz. nur expressiv:) ['--'-]; →G 020.

Allheilmittel, das ['----] // [-'---]; →G 020.

alljährlich ['---] // ['-'--]; →G 020.

Allmend /(in GL, SZ:) **Allmeind,** die; -, -en // Allmende • ‹Geltung:› vielenorts nur noch als Flurname erhalten • ‹Bedeutung:› auch (in Basel-Stadt) svw. öffentlicher Grund. *Der* [Basler] *Große Rat* [genehmigte das] *Recht zur Benützung der Allmend für die unterirdische Autoeinstellhalle* (NZZ 9. 6. 71). →G 066.

Alp (selten auch bdt. landsch.), **Alpe** (im Wallis; auch österr.), die; -, Alpen // Alm (Bergweide); →G 029.

Alpabfahrt, die; -, -en // (bair.-österr.:) Almabtrieb (Abzug des Alppersonals mit dem Vieh von der Alp im Spätsommer/Frühherbst). *Frühe Alpabfahrten* [bei] *dem jetzigen Einbruch des kühlen und unfreundlichen Wetters* (NZZ 25. 8. 77, 5). →**Alpabzug, Alpentladung.**

Alpabzug, der; -s, ...züge: svw. →Alpabfahrt. *1 200 Schafe drängten sich am Samstag durch Leukerbad. Von der 2 400 Meter hohen Gemmi zogen sie nach Leuk, wo dann der Alpabzug mit der Teilung sein Ende fand* (NZZ 17. 9. 79, 5).

Alpaufzug, der; -[e]s, ...züge // (bair.-österr.:) Almauftrieb (Zug des Alppersonals mit dem Vieh auf die Alp im Frühsommer; in AP und im Toggenburg fröhlich-festlich begangen. *Selbst in der Schweiz, wo man es eigentlich besser wissen sollte, stellt man sich einen Alpaufzug im allgemeinen als folkloristische Darbietung vor ... Im Appenzellerland und im Toggenburg decken sich Vorstellungen und Wirklichkeit nach wie vor zu einem großen Teil; im Glarnerland ist der Alpaufzug eine sachliche, nüchterne Angelegenheit* (NZZ 12./13. 7. 75, 29). →**Alpfahrt, Auffahrt.**

alpen (auch österr., neben // almen): (Vieh) den Sommer über auf der Alp halten. *Für die Talbauern sind die Bergbauern ebenfalls unentbehrlich. Sie stellen uns fortlaufend gealptes, d. h. widerstandsfähiges Vieh zur Verfügung, sömmern unsere Jungtiere ...* (Nebelspalter 1965, 31, 34). Dazu: **Alpung,** die. →**sömmern.**

Alpentladung, die; -, -en: svw →Alpabfahrt. *Die meisten Alpentladungen erfolgen ... bis in die heimischen Ställe im Tal, wo die Herden auf die Herbstweiden getrieben werden. Seltener werden noch ... sogenannte Vorsassen bestoßen* (NZZ 25. 8. 77, 5).

Alpfahrt, die; -, -en: svw. →**Alpaufzug.**

Älplerchilbi/...kilbi, die; -, ...benen: Fest mit Tanz an einem Mittsommersonntag auf der Alp (mit gymnastischen Spielen, besonders Schwingen) oder im Herbst nach der Alpabfahrt. →**Chilbi.**

Ạlpnachersee, der; -s: Arm des Vierwaldstättersees; der Name wird gewöhnlich zusammen geschrieben; →G 153/2d.

alsbald: • ‹Betonung:› ạls... // ...bạld; →G 019. • ‹Geltung:› normalspr., geläufig // gehoben, veraltend. *Kaum melde ich meine Zahnschmerzen, so soll ich zum Zahnarzt von Herrn Stiller gebracht werden ... Sein Name ist ... alsbald ermittelt* (Frisch, Stiller 246). *So entgehen ihm die beiden nicht, als sie beim Verlassen des Lokals kurz ans Licht treten, um sich alsbald davonzumachen* (Landert, Koitzsch 98). *Er möchte eigentlich ... etwas essen. Daß das ... mitten am Nachmittag gar nicht so einfach ist, erweist sich freilich alsbald mit frustrierender Deutlichkeit* (NZZ 24. 4. 87, 49).

alt ‹unveränderlich vor Amts- und Berufsbezeichnungen›: nicht mehr amtierend, im Ruhestand (vgl. bdt., bei Amtsbezeichnungen: Altbundeskanzler, Altbürgermeister usw.; →G 050). *Morgen ... kann Jakob Leuzinger, alt Schneidermeister, seinen 90. Geburtstag feiern* (St. Galler Tagbl. 1968, 559, 13). *Alt Großrat Hodel; alt Bundesrat Wahlen.* ‹Auch beim Plural:› *Die wirtschaftliche Tätigkeit von alt Bundesräten* (NZZ 12./13. 11. 77, 36).

Ạltersjahr, das; -[e]s — Lebensjahr. *Um eine Ehe eingehen zu können, muß der Bräutigamm das zwanzigste, die Braut das achtzehnte Altersjahr zurückgelegt haben* (ZGB, Art. 96). *Er starb nach längerer Krankheit im 76. Altersjahr* (Vaterland 10. 1. 87, 42; Todesanzeige).

Ạlterssiedlung, die; -, -en // Altenwohnheim (Komplex von Kleinwohnungen für alte Ehepaare und Einzelstehende, mit gewissen zentralen Diensten).

Alters- und Hinterlassenenversicherung, (nicht amtlich meist:) **... Hinterbliebenen...,** die; — (abgekürzt AHV): obligatorische allgemeine Rentenversicherung zugunsten der Bejahrten und der unterstützungsbedürftigen Hinterbliebenen. *Der letzte Jahrgang, der seit Gründung der Alters- und Hinterbliebenenversicherung (AHV) von 1948 unentgeltlich Altersrenten bezieht, wird im kommenden Jahr 100 Jahre alt* (NZZ 7./8. 8. 82, 8). *Schulden betreffend Staatssteuer, Militärsteuer, Alters- und Hinterbliebenenversicherung,* werden Stiller angelastet (Frisch, Stiller 370). →**Hinterlassenen.**

Altja̱hr-, Altja̱hr[e]sabend, der; -s, -e (auch bdt. landsch.) — Silvesterabend (letzter Abend des Jahres). *Die Katholischen gehen am Altjahresabend in die Mitternachtsmesse* (Wilker, Jota 76). *Am Altjahrabend 1974 erlitt er ... auf den Bahamas einen Schlaganfall* (NZZ 14. 11. 75, 2). Entsprechend: **Altjahr[e]stag; Altjahr[e]swoche** (NZZ 29. 1. 87, 31).

Ạltwohnung, die // Altbauwohnung. *3 Studenten suchen 4-Zimmer-Altwohnung per sofort oder nach Übereinkunft* (St. Galler Tagbl. 1968, 463, 18). →G 139/1.

Ambassado̱renstadt, die: Umschreibung für Solothurn (bis 1792 Sitz der prunkvoll residierenden französischen Gesandten, „Ambassadoren", bei der Eidgenossenschaft).

Ambiance [*frz.* ɑ̃bjɑ̃s], die; - ‹o. Pl.›: stimmungsvolle Atmosphäre eines Lokals, eines Gebäudes, einer Veranstaltung; — Ambiente. *Alle Wohnungen und Häuser haben individuelle Grundrisse, Ambiance und Stil* (NZZ 4. 6. 82, Inserat). *Statt der erhofften 10 000 ... Zuschauer erschienen „nur" 7 100, und damit war die in einem gut besetzten Stadion oft faszinierende Ambiance, die das Team ... zu ungewöhnlichen Leistungen anzuspornen vermag, nicht gewährleistet* (NZZ 27. 10. 86, 51). → (zur Aussprache) G 035/1

Amboß, der: ['ambo:s] ⫽ ['ambɔs]; →G 003.

Amerika̱nerwagen, der: Automobil amerikanischer Bauart; →G 153/2.

Ammann, der; -s, ...männer: **1.** kurz für →**Land-, Gemeinde-, Stadtam-**

mann. 2. (in FR, auch amtl.) svw. Gemeindepräsident, // Bürgermeister.

Ampere: [*frz.* ɑ̃pɛr; 'ɑ̃pɛ:r // am'pɛ:ɐ]; →G 037.

Amt, das: auch (in LU und, als Kurzform von amtl. →Amtsbezirk, in BE) svw. Verwaltungsbezirk (entspr. dem Landkreis in der Bundesrep.). *Der Kanton Luzern ist in fünf Ämter eingeteilt. Im bernischen Amt Fraubrunnen.* Ehemals auch in ZH; daher noch die volkstümlichen Namen **[Knonauer] Amt** für den Bezirk Affoltern, **Ämtler** für dessen Bewohner. →**Bezirk.**

Amtei, die; -, -en: der Kanton Solothurn ist eingeteilt in 5 Amteien, deren jede in 2 Bezirke zerfällt. *Amtei-Sängertag in Schönenwerd* (Aargauer Tagbl. 15. 6. 71).

amten (selten auch bdt., bes. südd.) — amtieren. *In Glattfelden, wo sein Vater als Stationsvorstand amtete, wurde Willy Bretscher geboren* (Vaterland 1968, 281, 16). *Als Präsident der Rekurskommission amtete ein Anwalt* (St. Galler Tagbl. 15. 10. 68).

amteswegen / Amtes wegen, von // von Amts wegen; →G 030, 051.

Ämtler: 1. der; -s, -: Einwohner des von altersher Knonauer Amt oder ↑Säuliamt genannten Zürcher Bezirks Affoltern. **2.** ⟨als Quasi-Adj.⟩ zum Bezirk Affoltern gehörig, von dort stammend. *Den Grenzverlauf zwischen den beiden Ämtler Gemeinden,* Knonau und Maschwanden (NZZ 14. 12. 88, 57).

Amtsbezirk, der; -[e]s, -e (in BE): Verwaltungsbezirk (entspr. Landkreis in der Bundesrep.). *Der Amtsbezirk Laupen.* →**Amt.**

Amtsstatthalter, der; -s, - (in LU:) Untersuchungsrichter in Strafsachen in einem der fünf Ämter (Bezirke), auch Einzelrichter mit beschränkter Strafbefugnis. *Der zuständige Amtsstatthalter zeigte sich ... überzeugt davon, daß Brandstiftung vorliege* (NZZ 25. 1. 88, 7). →**Regierungsstatthalter.**

Amtsverweser, der; -s, - (in BE): Stellvertreter des ↑Regierungsstatthalters.

an ⟨Präp.⟩ wird auch in Fügungen gebraucht, wo gdt. bzw. bdt. keine oder eine andere Präp. üblich ist. **1.** an + Dativ steht für **a)** Fügung ohne Präp. *An Weihnachten Karten spielen* (Walser V 273: Der Gehülfe). **b)** auf. *Der brüllende Wecker tanzte am Boden* (Steiner, Strafarbeit 150). *Ohne Sturmgepäck, ohne Karabiner am Rücken* (Frisch, Gantenbein 62). *Zwei Strümpfe lagen an einem Häufchen* (Vogt, Melancholie 92). *Er war an einer Konferenz auf der Rigi* (National-Ztg. 1968, 455, 2). **c)** bei. *Wettkampfbeginn an den Olympischen Sommerspielen* (Bund 14. 10. 68). (Mundartnah:) *Das ließ sich überall ausführen, nicht nur am Tisch* (Oehninger, Kriechspur 294). **d)** in. *Wir wohnten an der Oberdorfstraße* (Diggelmann, Harry Wind 56). *Ein Haus an guter Geschäftslage. Sie ist an einer Klinik tätig. Nach dem Schwimmen lagen wir an der Sonne.* **e)** zu. *Benzinprobleme an Ostern in Spanien* (NZZ 11./12. 4. 87, 7; Überschrift). **2.** an + Akk. steht für **a)** auf. *Die anderthalb Monate, die R. in Hamburg auf die Auslieferung nach Basel warten mußte, können an die Strafe nicht angerechnet werden* (Basler Nachr. 2. 12. 68, 509, 3). **b)** gegen. *An Metzgkuh zu tauschen* (Kaiser I 138). **c)** in. *Ihre alte Maschine wird an Zahlung genommen* (St. Galler Tagbl. 15. 10. 68, 21). **d)** zu. *Sobald ich an einen Vortrag gehe* (Blick 1968, 232, 9). *Die Lehrer können vom Schülerrat an die Sitzungen eingeladen werden* (St. Galler Tagbl. 1968, 565, 3). *Der Verein ... stellt das Gesuch, ihm an die Kosten ... einen Beitrag von 20 Prozent zu gewähren* (St. Galler Tagbl. 1968, 463, 19).

Anbaute, die; -, -n (Geschäftsspr.) — Anbau (angefügter Gebäudeteil). *Beitrag im Sinne des Heimatschutzes an die Neugestaltung des „Adlers". Die Gemeinde ist an dessen Erhaltung und an einer architektonisch guten Gestaltung der Anbaute ... interessiert* (NZZ 25. 12. 69). →**Baute.** →G 075/3, 124/1.

Andacht, die ['anda:xt — 'andaxt]; →G 003.

ander: ***jemand anderer** →G 084.

ändern: auch svw. — anders werden, sich ändern. *Die Szene ändert ohne unser Zutun* (Boesch, Gerüst 132). *Wie doch die Zeiten ändern* (NZZ 12. 1. 87, 37). →G 064.

anerbieten ‹st.V.; anerbietet, zu anerbieten› // anerbieten ‹erbietet an, anzuerbieten›; →G 024. *Dieser Verwandte anerbot sich, mir behilflich zu sein* (Guggenheim, Sandkorn 145).

anerkennen ‹anerkennt, zu anerkennen› (bdt. seltener) // anerkennen ‹erkennt an, anzuerkennen›; →G 024. *Bundesrat Celio anerkannte die Notwendigkeit eines Ausgleichs* (National-Ztg. 4. 10. 68, 2). *Diese Regeln ... haben der Schweiz* [schon] *1949 erlaubt ... Rotchina zu anerkennen* (NZZ 15./16. 3. 80, 33). *Herbert war dabei, sie zu anerkennen,* die Eigenständigkeit seiner Frau (Blatter, Heimweh 440).

anfangs ‹als Präp.:› (er kommt) anfangs des Monats, anfangs Januar (bdt. nur ugs.) // (er kommt) Anfang des Monats. *Seit der Erschließung des Inlandeises anfangs des Jahrhunderts* (NZZ 26. 3. 69). *Seit anfangs letzter Woche.* Bei Monatsnamen und anderen Zeitbegriffen ohne attr. Adj. fehlt das Genitivzeichen: *Sie können anfangs Januar bei uns eintreten* (National-Ztg. 16. 10. 68, 4). *Sie stiegen anfangs Jahr in Kloten auf* (Muschg, Sommer 25). *Der neue Skilift wird anfangs Winter den Betrieb aufnehmen* (Bund 1968, 284, 8).

anfragen, jmdn. (Geschäftsspr.) // bei jmdm. anfragen (jmdn. formell fragen, um Auskunft ersuchen). *Widrig frägt* [im St. Galler Großen Rat] *den Bauchef an, ob gewisse Rheinkorrektions- und -unterhaltsarbeiten vom Bund subventioniert werden könnten* (St. Galler Tagbl. 1968, 559, 15). *Man hat mich angefragt, ob ich das Amt übernehmen würde.* →G 059.

angeben ‹st.V.›: auch (mundartnah) svw. — jmdm. etw. weismachen. *Er, als Deutscher, in Paris? Kaum einen Monat nach dem Waffenstillstand? Das solle er einem anderen, aber nicht ihm angeben* (Guggenheim, Alles in allem 553).

angriffig (bdt. selten): **a)** draufgängerisch, kämpferisch, streitbar, offensiv. *Im 19. Jahrhundert erhielt das von Natur aus unternehmende, angriffige französische Temperament freie Bahn im Kolonialabenteuer* (NZZ 13. 4. 70). *Wie oft sprach er treffend und vielleicht auch ein wenig angriffig, provozierend ... in der Diskussion und brach damit das Eis* (Sprachspiegel 1970, 159). *Für ... einen angriffigen Recherchierjournalismus sollte der aus Zürich geholte G. bürgen* (NZZ 16. 2. 87, 19). *Hanno ... wird angriffig, wenn ich die Fragwürdigkeit unserer Unternehmungen aufwerfe* (Diggelmann, Abel 56). Im Sport: *In dieser Phase spielte KV recht angriffig und zielstrebig und hatte auch mehrere Torchancen* (National-Ztg. 1968, 553, 24). **b)** (Chemie) aggressiv. *Die Gläser* [werden] *matt, wenn sie immer wieder dem Ansturm der angriffigen Partikel in den Automaten-Waschmitteln ausgesetzt sind* (National-Ztg. 4. 10. 68, 11).

anhandnehmen, nahm anhand, hat anhand genommen/**an die Hand nehmen** (Geschäftsspr.) — in Angriff nehmen, ins Werk setzen, anpacken, einleiten. *1936 war die Vorarbeit für die schweizerische Landesausstellung von 1939 anhandzunehmen* (Bund 18. 10. 68, 3). *Die jetzt an die Hand genommene Ausbildung von Spezialisten ... erhöht unsere Disponibilität* (NZZ 27./28. 12. 86, 27).

anhin →**bis anhin.**

Anis, der: ['a:nɪs] (auch österr.) // (bdt. meist:) [a'ni:s]; →G 025.

Anisbrötchen, das; -s, -: rechteckiges, mit einem Model geprägtes Feingebäck mit Anisgeschmack; svw. →**Springerli.** *Großmutter langte jedesmal in den Kastenfuß und gab mir ein Anisbrötchen, das noch von Weihnachten stammte* (Wiesner, Schauplätze 21).

ankehren (veraltend): **a)** — etw. tun, anfangen, anstellen. *Was um Himmels willen sie jetzt wieder ankehren müßten, um den verfahrenen Karren ins rechte Gleis zu bringen* (Nebelspalter 1966, 46, 13). **b)** — etw. auf bestimmte Art anpacken. *Die Männer ... folgten ... rauflustig wie vor einem Kampf ... Swit lächelte über sie und rief, daß man es ohne Lärm und Blut ankehren wolle,* das Eindringen in ein bewohntes Revier (Inglin, Jugend 17).

Anken, der; -s (mundartnah) — Butter. *Der Großvater ... machte daraus in einem Pfännchen mit Anken ein zartes Gemüse* (Inglin, Erzählungen II 155). *Anken schmorte in der Pfanne* (Frisch, Die Schwierigen 198). Dazu **Ankenweggen,** der; -s, -: mit Butter hergestellter feiner Wecken, besonders zu Neujahr; oft in Zopfform: **Ankenzopf;** der; -[e]s, ...zöpfe; →**Weggen, Züpfe.**

ankreuzeln — ankreuzen, mit einem [kleinen] Kreuz markieren. *Horbiger studierte das ... Buch genau, kreuzelte an, schrieb sich Adressen und Telephonnummern auf* (Humm, Komödie 71). →G 097.

ankünden (bdt. nur noch gehoben, veraltend) — ankündigen. *... wo der formelle neue Ausgabenbeschluß noch nicht verabschiedet, sondern erst angekündet ist* (St. Galler Tagbl. 1968, 467, 3). →**künden.**

Anlaß, der: auch svw. — (gesellschaftliche, sportliche, festliche) Veranstaltung. *Wer war das eben? Den Mantel kenne ich. Der ... hing schon irgendwann neben meinem Mantel bei abendlichen Anlässen* (Meier, Stiefelchen 5). *Das Jugendfest, Springkonkurrenzen und andere Anlässe, die bis jetzt ... auf der Schützenmatte stattfanden* (Freier Aargauer 14. 7. 69). Dazu **Familien-, Fest-, Groß-, Monsteranlaß.**

anläuten, jmdm. ‹Dat.› — jmdn. anrufen (landsch. auch bdt.: jmdn. ‹Akk.!› anläuten). *Gestern läutete mir Nationalrat Grimm an und bat mich ...* (Bund 18. 10. 68, 3). *Noch ist es Zeit, ihm anzuläuten* (Dürrenmatt, Verdacht 112). →G 060.

Anlehre, die; -, -n: „durch Vertrag geregelte berufliche Ausbildung für Jugendliche mit fehlenden oder ungenügenden Voraussetzungen für eine [eidgenössisch reglementierte] Berufslehre. Sie unterscheidet sich von [dieser] durch weniger anspruchsvolle oder enger begrenzte Ausbildungsgebiete und kürzere Zeitdauer" (NZZ 22. 1. 87, 85). Dazu: **Anlehrling,** der; **Anlehrtochter,** die.

anmächelig (mundartnah): etwa svw. reizend, anziehend, verlockend. *Warm und mollig blieben auch die weiten Mäntel .... Ganz besonders anmächelig die Lapin-Modelle in Weiß, Schwarz und Rost* (St. Galler Tagblatt 1968, 566, 13). *Die sechs niederländischen Inseln, von denen H. Dennert so anmächelig berichtete* (National-Ztg. 1968, 559, 7). →G 100.

anno (auch österr.) // (bdt. häufiger:) Anno; →G 049. *Das war anno sechzehn, mitten im Weltkrieg.*

Annullation, die; -, -en — Annullierung; →G 123.

anrufen, jmdm. ‹Dat.› (mundartnah) — jmdn. ‹Akk.› (i. S. v. mit jmdm. telefonische Verbindung aufnehmen). *Die Freundin würde mir ihren Pullover leihen ... Ich rief ihr sofort an* (Graber, Fährengesch. 129). *Bitte rufen Sie mir an, um einen Termin zu vereinbaren* (Zeitungsinserat). → G 060.

Anschein, der: ***es macht den Anschein, daß ... / als [ob] ...** — es hat den Anschein, als ob ... *Es macht den Anschein, daß die ... Minderheitsregierung ... keiner ernsthaften Gefährdung ... mehr ausgesetzt sein wird* (NZZ 24. 6. 87, 5). *Lange hatte es den Anschein gemacht, als würde sie sich auf dieser ... Strecke nicht zurechtfinden* (NZZ 2. 2. 87, 45).

ansetzen: ***eine Frist ansetzen** (Recht) // eine Frist bestimmen, festsetzen. *Die zuständige Behörde* [kann] *eine Fristverlängerung gewähren oder eine neue Frist ansetzen* (ZGB, Art.

576). *Der Klägerin wird eine Frist von 10 Tagen ab Mitteilung dieses Beschlusses angesetzt* (National-Ztg. 1968, 453, 2).

ansonst (Geschäftsspr.; auch österr.) — andernfalls, sonst. **a)** ‹nebenordnende Konj.›. *Falls Sie ... nicht warten können, bitten wir Sie, uns dies mitzuteilen ... Ansonst bitten wir Sie, sich noch etwas zu gedulden* (Geschäftsmitteilung 1968). **b)** ‹unterordnende Konj.›. *Übrigens habe ich ... melden lassen, es brauche nicht die allererste Marke* [Whisky] *zu sein, immerhin eine trinkbare, ansonst ich eben nüchtern bleibe, und dann ... wird nichts dabei herauskommen,* beim Verhör (Frisch, Stiller 9).

Anstoß, der: auch svw. das Angrenzen (an ein Gewässer, eine Straße usw.): *Liegenschaft mit Anstoß an See und Seestraße* (Inserat). *Der Anstoß eines Grundstückes an ein öffentliches Gewässer begründet ... keine privilegierte Rechtsstellung* (NZZ 17./18. 4. 82, 49). Meist in Zusammensetzungen: **Rheinanstoß,** →**Grenzanstoß,** →**Seeanstoß,** →**Straßenanstoß.**

Anstößer, der; -s, - // Anlieger, Anrainer (jmd., dessen Grundstück an eine Straße, ein Gewässer o. ä. angrenzt). *Entsteht durch Anschwemmung* [o. ä.] *der Ausbeutung fähiges Land, so gehört es dem Kanton ... Es steht den Kantonen frei, solches Land den Anstößern zu überlassen* (ZGB, Art. 659). *Für den Ausbau ... des Lerchenbühlweges ist ein Kredit von 216 000 Franken zu bewilligen. Die Anstößer werden 20 Prozent der ... Kosten zu bezahlen haben* (Bund 1968, 280, 13). Dazu: **Fluß-, Rhein-, See-, Straßenanstößer; Anstößergemeinde:** *Unter den Einwohnern von Seveso und der Anstößergemeinden Desio, Meda und Cesano* [hat] *aufs neue Alarmstimmung um sich gegriffen* (NZZ 21. 4. 77, 5). →**Anwänder.**

Antifaschismus, der: ['-----] (auch österr.) // (bdt. meist:) [---'--]; →G 025. Ebenso **Antifaschist, antifaschistisch** sowie **antiklerikal, Antikommunismus, -kommunist, Antimilitarist, Antisemit** usw.

Antizyklone, die: ['-----] (auch österr.) // (bdt. meist:) [---'--]; →G 025.

antönen (auch österr.) — andeuten, im Gespräch berühren. *Ich tönte vorsichtig den Sachverhalt an* (Dürrenmatt, Versprechen 188). *Die Regierung* [der Philippinen] *tönte ... an, daß sie in den Verhandlungen mit der National Democratic Front nun eine dezidiertere Haltung einnehmen werde* (NZZ 4. 2. 87, 1).

Antrinket, der; -s; **Antrinkete,** die; -, -n: Willkommenstrunk, kleine Festlichkeit bei (Wieder-)Eröffnung einer Gaststätte oder nach Einzug eines neuen Wirts. [Wir] *laden Freunde und Bekannte zum Antrinket herzlich ein* (Zuger Amtsbl. 29. 10. 76, Inserat). *Hotel Rößli ... Samstag, 10. August Antrinkete. Tanz im Saal und Unterhaltung im Restaurant; Verlängerung bis 04.00 Uhr* (Appenzeller Ztg. 10. 8. 68, Inserat). →G 111, 112. →**Austrinket.**

Antrittsverlesen, das; -s (Militär): Appell vor Beginn des Dienstbetriebes. *Nachdem der Schulkommandant ... die Gäste begrüßt hatte, waren sie auch Zeugen des Antrittsverlesens der Kompanien* (Bund 14. 10. 68, 11). →**Haupt-, Zimmerverlesen.**

anvertrauen ‹anvertraut, zu anvertrauen› (bdt. selten) ≠ anvertrauen ‹vertraut an, anzuvertrauen›; →G 024. *Eines Abends ... anvertraute er Sophie und Jean diese Sehnsucht* (NZZ 1964, Bl. 929). *Es käme ... ein reicher Amerikaner und anvertraute uns eine Kiste mit zwölf Millionen Dollar* (Humm, Carolin 402).

Anwaltspatent, das; -[e]s, -e: kantonale Zulassung als Rechtsanwalt aufgrund eines vorgeschriebenen Studiengangs und einer Prüfung. →**Fürsprecherpatent.**

Anwänder, der; -s, - (in BL, BS): svw. →**Anstößer.** [Daß] *der Meierweg ... für Anwänder nach beiden Seiten befahrbar sein soll* (Basler Nachrichten

18. 12. 64). *Anwänder gestattet* (Aufschrift unter Fahrverbotstafeln).

anwünschen: *jmdm. das neue Jahr anwünschen (mundartnah; auch südd.) — ein gutes neues Jahr wünschen. *Wir reden davon, wie wir ihnen das Neue Jahr anwünschen, und wir, Paul, wir zwei vergessen, es uns selber anzuwünschen* (Schmidli, Schattenhaus 24).

anziehen ⟨st.V.⟩: auch svw. — (ein Bett) beziehen. *Dem Hausbesitzer ... war es nicht eingefallen ..., das Bett frisch anziehen zu lassen* (Inglin, Schweizerspiegel 446). →G 137.

Anzug, der; -[e]s, ...züge: auch svw. **1.** — (Kissen-, Deckbett-)Bezug. *Dralon-Flachdecken extra leicht, mit fast gewichtslosen bügelfreien Anzügen* (NZZ 1967, Bl. 3550; Inserat). **2.** (in BS) schriftlich eingereichter Antrag im Großen Rat (Kantonsparlament). *Im Anschluß an den ... Fall der ausheiratenden Bürgerrätin wurden im Großen Rat Basel-Stadt die Anzüge (Motionen) Dr. W. Zeugin und Dübi zur Abänderung des ... Bürgerrechtsgesetzes eingereicht* (Aargauer Tagbl. 10. 10. 68). Dazu (1) **Duvet-, Kissen-, Pfulmenanzug.** (2) **Anzugsteller,** der; -s, -. *Die Vorschläge des Anzugsstellers sind somit bereits weitgehend berücksichtigt* (National-Ztg. 1968, 561, 8).

aper (auch südd., österr.) — schneefrei. *Dank ihrer ausgeklügelten Konstruktion rollen alle Continental-Winterpneus mit wie ohne Spikes selbst auf aperer Straße sehr weich und mit minimalem Verschleiß* (National-Zeitung 1968, 561, 9; Anzeige). *Wenige Schritte höher lag der Schnee so, daß sie mühsam waten mußten und lieber einem aperen Hang zustrebten, der seitwärts lag* (Inglin, Jugend 12).

Apéritif [*frz.* apeʀitif], der; -s, -s: • ⟨Schreibung:⟩ — Aperitif; →G 032. • häufig in der Kurzform **Apéro/ Apero,** der; -s, -s. • ⟨Bedeutung:⟩ auch svw. vor der Mahlzeit getrunkenes Glas Weißwein.

apern: es apert (auch südd., österr.) — der Schnee schmilzt. →**ausapern.**

Apfelschnitz, der; -es, -e (auch bdt. landsch.): [gedörrtes] Apfelstückchen (meist Viertel, Achtel). *Sie lächelt ... auch jetzt, als sie* [im Krankenhaus] *in ihrer Strickjacke im Bett liegt und Apfelschnitze kaut* (Erny, Neujahr 138). *Seine Nase ... steckte im Seifenschaum wie die Apfelschnitze, die die Mutter beim Sonntagskuchen in den Teig steckte* (Schmidli, Meinetwegen 35). →**Birnenschnitz, Schnitz.**

Apostroph, der: ['apostrɔf, ...strof // apostro:f, apɔ ...]; →G 025.

Appartement, das: [apartə'mɛnt]; -[e]s, -e — [*frz.* apartəmɑ̃ // bdt. apartə'mã:]; -s, -s; →G 038. *Business-Appartemente ... vermieten wir nach Vereinbarung* (NZZ 4. 8. 87, 7; Inserat).

Appellation, die (Recht) — Berufung; **appellieren** — Berufung einlegen. Beide Ausdrücke sind nicht (wie bdt.) veraltet. *Das Urteil, das gerichtliche, wie erwartet ... Verzichte auf ein Schlußwort; verzichte auf die Appellation* (Frisch, Stiller 370). *Giuseppe wurde zu 4 Monaten Gefängnis mit bedingtem Strafvollzug verurteilt. Er hat dagegen appelliert* (National-Ztg. 4. 10. 68, 3). Dazu: **Appellationsgericht,** das; -[e]s (in BS): oberstes kantonales Gericht. →**Kantons-, Obergericht.**

Appenzell: 1. Marktflecken, Hauptort von Appenzell-Innerrhoden. — **2.** Kanton im nordschweiz. Alpen- und Voralpengebiet, zerfällt in die Halbkantone **Appenzell Außerrhoden** und **Innerrhoden.** Dazu **appenzellisch.**

Appenzeller, der; -s: **1.** Einwohner des Fleckens oder des Kantons Appenzell — **2.** ein voll- bis halbfetter halbharter Käse mit kleinen Löchern. *Appenzeller fett* [Fr.] *8.25, Appenzeller räß 5.35, Emmentaler 8.25, Tilsiter 8.25* (Appenzeller Ztg. 10. 8. 68, Marktbericht).

Appenzellerland, das; -[e]s (mundartnah) — [Kanton] Appenzell. *Zu verkaufen im Appenzellerland Gasthof ...* (NZZ 5. 1. 74, Nr. 6, S. 4; Inserat). →G 153/2a. →**Waadtland.**

AR: Autokennzeichen und allg. Sigle für (den Halbkanton) Appenzell Außerrhoden; →G 092.

Araber, der: [a'ra:bər] (auch österr.) ≠ ['arab...]; →G 026.

Are, die; -, -n // Ar, das, auch der; -s, -e (Flächenmaß, 100 m²). →G 077. →**Hektare.**

Armee, die; -: vor allem svw. die Streitkräfte der Schweiz, amtl.: **Schweizerische Armee** (in der Bundesrep. entspricht: Bundeswehr). *Die Dienstverweigerer ... wurden zu Gefängnisstrafen ... verurteilt. Von einem Ausschluß aus der Armee sah das Gericht ab* (Aargauer Tagbl. 29. 3. 69). →**Heeresklasse.**

Ärmel, der: ***es nimmt mir den Ärmel hinein** (mundartnah, salopp) — es packt mich. *Jeden Sommer nimmt es mir den Ärmel hinein. Dann packe ich meine Siebensachen zusammen ..., werfe sie ... in den Wagen und fahre davon* (Nebelspalter 1971, 33, 36). *Als literarisches Happening begann's und ist schön geworden. Es nahm unserem Freund (wenn ich mich auch einmal so keß ausdrücken darf, wie er es in seiner Geburtstagsrede getan) – es nahm ihm den Ärmel hinein. Er stellte Goethen ... in die Ecke ... und je mehr er den Olympier ... herunterholte, desto mehr hob ihn dieser zu sich herauf* (NZZ 1968, 537, 49).

armengenössig (früher): auf Unterstützung durch die Armenbehörde (Fürsorge) angewiesen. *Man hat also in der Sippe beraten ... Man will nicht, daß Ihr Name unter den Armengenössigen figuriert* (Guggenheim, Alles in allem 356).

Armenpflege, die; -, -n (früher, in mehreren Kantonen): Armenbehörde der Gemeinde. *Sie konnte kein Feldgerät mehr führen, weder Karst noch Hacke ... Wie ein von der Armenpflege verdingtes, unglückliches Wesen, weniger geachtet als die elendeste Magd, mußte sie nun den Rest ihres Alters abhaspeln* (Boßhart III 73). *Statt Blumenspenden wolle man der Armenpflege Hedingen gedenken* (Todesanzeige um 1960).

Arve ['arfə], die; -, -n // Zirbelkiefer. *Wir schlugen* [im Engadin] *hauptsächlich Fichten und Arven* (Diggelmann, Abel 132). *Arven und Lärchen könnten nach Ansicht der Forstorgane das Landschaftsbild am Julierpaß wesentlich bereichern und verschönern* (NZZ 5. 9. 70). →G 018. Dazu **Arvenmöbel.**

Asphalt, der: ['--] // (bdt. meist:) [-'-]; →G 025.

Aspirant, (amtl.:) **Offiziersaspirant,** der // Offiziersanwärter (Absolvent der Offiziersschule). *Die Aspiranten ... stehen am Anfang ihrer Offiziersschule* (NZZ 13. 2. 87, 35). *Das war Fred, seit Neujahr Leutnant wie die meisten Aspiranten aus der Schule Hartmanns* (Inglin, Schweizerspiegel 403).

Aspirantenschule, die; -, -n — Offiziersschule (so auch schweiz. amtl.). *Er wollte Offizier werden, aber im Sommer 1916 verweigerte man ihm den Weg zur Aspirantenschule* (Bringolf, Leben 31).

aspirieren: namentlich auch svw. sich als Offizier ausbilden lassen. *Ihre Eltern hatten den jungen Planzeichner Heß, der nicht einmal aspiriert hatte, nicht gerade als idealen Schwiegersohn begrüßt* (Schweizer Spiegel 1961, 9, 48).

Assisen, die ⟨Pl.⟩ (beim Bundesgericht) — Geschworene. *Ein eidgenössisches Schwurgericht, die Bundesassisen, ist nur vorgesehen für seltene und besonders schwere Vergehen wie Aufruhr und Gewalttat gegen eidgenössische Behörden* (Junker/Fenner 101).

Ast, der: ***sich auf die Äste** (seltener: **den/einen Ast) hinauslassen** — vorprellen, sich auf ein Wagnis einlassen: *Man hatte sich in der UN-Abteilung im Staatsdepartement so weit auf die Äste hinausgelassen, daß eine Zerreißprobe nur durch eine Reihe teils grotesker Fiktionen verhindert werden konnte* (NZZ 1965, Bl. 3302). *Die Tagespresse gibt zwar ihre Sympathien für den einen oder anderen Kandidaten zu erkennen, ohne sich jedoch auf* *die Äste von Prognosen hinauszulassen.* (NZZ 1965, Bl. 2230). *Sie unterhielten sich ... vortrefflich ... und Ammann ließ sich schon weit auf den Ast hinaus; auf dem Heimweg im Morgengrauen ... war die Verlobung nicht mehr aufzuhalten* (Frisch, Die Schwierigen 211).

Ätti, der; -s, - (mundartl., familiär) — Vater. *Als heimeliger Ätti eines ebenso gemütlich in die Welt guckenden 9 Monate alten Daniels* (National-Ztg. 1968, 557, 21). *„Jaja!" sagte der Bauer ... „Dieser Tisch wird zu groß für uns. Früher einmal war er fast zu klein, noch zu meines Ättis Lebzeiten."* (Kauer, Schachteltraum 107). →(zur Beugung) G 073.

Attikawohnung, die; -, -en // Penthaus (exklusives Apartment auf dem Flachdach eines Etagenhauses oder Hochhauses). *Zu verkaufen an guter Lage selten große 6½-Zimmer-Attikawohnung mit Cheminée, Dachterrasse, Wohnküche* (NZZ 18. 11. 86, 72; Inserat). Auch **Attikageschoß,** das: *Ein älteres Ehepaar mußte aus dem Attikageschoß über die Drehleiter in Sicherheit gebracht werden* (NZZ 26. 7. 88, 7).

auch ⟨Adv.⟩ auch (mundartnah) svw. — denn. **a)** in Wortfragen, Verwunderung ausdrückend. *„Woher kommst auch du?" fragte er mit einem Blick auf die Lederjacke, „bist auf der Forch gewesen, Pilze zu sammeln?"* (Guggenheim, Alles in allem 943). *„Vati, was machst du?" ... „Vati, was hast du?" ... „Vati, was ist auch los?"* (Kübler, Heitere Geschichten 181). **b)** in rhetor. Wortfragen, die Aussage unterstreichend. *Die Gerechtigkeit ist eine Sache von euch ... Wer soll auch klug werden daraus. Ihr habt ja immer wieder eine andere* (Dürrenmatt, Gespräch 20). *Warum auch nach Brasilien, denke ich, du bist in Paris und da bleibst du* (Nizon, Jahr der Liebe 218). ***auch schon** (mundartnah): etwa svw. — früher einmal, bei früheren Gelegenheiten, in andern Fällen. *Es sei nach den dumpfen Trommelwirbeln der letzten Tage eine gewisse Beruhigung eingetreten und sehe nun eher wieder aus, als werde alles verhallen wie auch schon nach solchen Alarmen* (Guggenheim, Alles in allem 385). *Er bleibt aber die Antwort auf die Frage schuldig, warum seine Partei nicht, wie auch schon, Gewehr bei Fuß blieb* (NZZ 1970, 83, 25).

Auditor, der: vor allem svw. **a)** (auch österr.) Ankläger bei einem Militärgericht. *Müller stand vier Wochen später vor dem Divisionsgericht. Er hatte einen schweren Stand. Der Auditor hatte inzwischen verschiedenes herausgefunden* (Diggelmann, Harry Wind 138). **b)** (in ZH) angehender Jurist, der die vorgeschriebene praktische Ausbildung bei einem (Bezirks-)Gericht absolviert.

auf ⟨Präp.⟩ wird auch in Fügungen gebraucht, wo gdt. bzw. bdt. keine oder eine andere Präp. üblich ist. **1.** auf + Dativ steht für **a)** an. *Augenschein auf der Unfallstelle* (Kaiser I 138). **b)** bei. ***etw. auf sich haben/tragen** (Amtsspr.; auch elsäss.) — bei sich haben. *Horner wurde noch am gleichen Tag verhaftet, doch konnte der Stein weder auf ihm noch in seiner Wohnung gefunden werden* (Doyle, Sherlock Holmes [Übers.] 49). *Die fünf Männer trugen bei ihrer Landung ... Gewehre und Pistolen auf sich* (Blick 16. 8. 68). **c)** in. *Die Aussichtslosigkeit, auf ihrem Beruf Arbeit zu finden* (NZZ 28. 11. 80, 65; veraltend). *Wir suchen ... Chromstahlspengler und Blechschlosser auf Apparatebau* (St. Galler Tagbl. 1968, 462, 4). **2.** auf + Akk. steht für **a)** bloßen Genitiv. *Ein Abonnement auf unsere Zeitschrift garantiert Ihnen ...* (Kaiser I 139). **b)** bloßen Akk. (der Zeit). *Die „Konkordia" zählte auf Ende 1967 323 443 Mitglieder* (Vaterland 3. 10. 68, 4). **c)** für. *Wir suchen auf unser ... Schulsekretariat ... eine intelligente Lehrtochter* (National-Ztg. 1968, 562). *Gesucht auf etwa 6 ... Monate gegen Wechsel ... Fr. 500.–* (St. Galler Tagbl. 1968, 461, 6). *Einstimmig wurden der Präsident so-*

wie der Vorstand auf eine weitere Zweijahresperiode bestätigt (National-Ztg. 1968, 564, 3). *Auf den März des kommenden Jahres ist das Röseligartenfest des Lesezirkels geplant* (Guggenheim, Alles in allem 293). *Pfarrer ... und Vorstand ... laden auf heute 14.30 Uhr zu einem Lichtbildervortrag ein* (Vaterland 3. 10. 68, 10). **d)** gegen. *Es ging auf Mittag* (Brambach, Kaffee 56). **e)** gegenüber (Sport). *Daß die Jurassier ... nun bereits vier Zähler Vorsprung auf Kloten aufweisen* (National-Ztg. 1968, 558, 27). *Der Rückstand auf den Drittletzten beträgt jetzt schon acht Punkte* (NZZ 28. 4. 70). *Bis zur zweiten Ablöse büßte die Urnäscherin auf die Spitze anderthalb Minuten sowie acht Ränge ein* (NZZ 19. 2. 87, 53). **f)** bis. *Wenn ich auf sechs Uhr nicht in mein Gefängnis ginge?* (Frisch, Stiller 319). *Längst war das Häuschen fertig, und eine Weile bestand die Absicht, auf Weihnachten umzuziehen* (Zollinger I 87). **g)** bis zu. *Auf den vollen Bestand fehlen der Garde ... immer noch ein Dutzend Gardisten* (Vaterland 1968, 282, 3). **h)** um. *Auf acht Uhr kommen alle in das „Schützenhaus"!* (Oehninger, Kriechspur 261). **i)** (auch bdt. landsch., bes. südd.; österr.) — zu. *Er sorge dafür, daß das Mittagessen auf die richtige Zeit bereit sei* (Oehninger, Kriechspur 252). *Erfüllen Sie den ... Wunsch ihres Kindes, schenken Sie ihm auf Weihnachten ein Klavier* (St. Galler Tagbl. 1968, 558; Inserat). // zu. *Gesucht auf 15. Oktober freundliche ... Serviertochter* (Vaterland 3. 10. 68, 5). *Auf 1. Oktober ist ... Josef E. in den verdienten Ruhestand getreten* (Vaterland 3. 10. 68, 7). *Diese auf den 1. September in Kraft tretenden Richtlinien* (Vaterland 12. 8. 68, 3).

aufbegehren (bdt. gehoben) — Widerspruch erheben, protestieren, sich auflehnen, empören. *Sie zählte das Geld, verhandelte an den Bankschaltern, begehrte auf, bevor sie ihre Steuern zahlte, befahl. Kurz, sie war die Meisterin* (Zermatten, Maulesel [Übers.] 117). *Die anderen haben weiter getrunken ... Sie schneiden dich, mußte ich mir schließlich sagen, und niemand hat aufbegehrt, als ich mich etwas später ... davonmachte* (Landert, Koitzsch 11).

aufbeigen — aufschichten, stapeln. *Zusammengefaltet und ordentlich aufgebeigt erwarteten sie* [die Zeitungen] *den Altstoffhändler* (Guggenheim, Alles in allem 904). →**Beige, beigen.**

Aufenthalter, der; -s, - (Recht): **a)** Schweizer, der sich in einer Gemeinde über eine längere Dauer die meiste Zeit aufhält, z. B. zur Ausbildung, ohne seinen ständigen Wohnsitz in einer anderen Gemeinde aufzugeben. Dazu **Wochenaufenthalter** (während der Woche dort, übers Wochenende zu Hause). **b)** Ausländer, der eine (stets befristete) **Aufenthaltsbewilligung** hat. Dazu **Jahres-, Saison-, Kurzaufenthalter** (mit Bewilligung für das ganze Jahr oder jeweils nur für 9 bzw. 3 Monate); →**Saisonnier.** →**niedergelassen, Niederlassung.**

auferlegen ‹auferlegt, zu auferlegen› (bdt. seltener) // auferlegen ‹erlegt auf, aufzuerlegen›; →G 024. *Seit 1956 besteht in Zürich eine französische Privatschule. Der kantonale Erziehungsrat ... auferlegte ihr aber, die Schüler in der deutschen Sprache so zu fördern, daß sie nach zwei Jahren in die Volksschule übertreten können* (Sprachspiegel 1966, 137).

auffahren: auch svw. auf die Alp ziehen. *Sobald die Rinder auffuhren und herumglöckelten, kam alles in Ordnung, aber jetzt herrschte hier noch eine verdächtige Stille* (Inglin, Graue March 119). →**Auffahrt.**

Auffahrkollision, die; -, -en — Auffahrunfall. *Auffahrkollision auf der N 1,* Überschrift (NZZ 16. 6. 87, 54).

Auffahrt, die: auch svw. **a)** (auch südd.) // Himmelfahrt (der Feiertag vor Pfingsten). *Die Kehrrichtabfuhr an Auffahrt, Donnerstag, 15. Mai, fällt infolge des Feiertages aus* (Landanzeiger 14. 5. 69). Dazu **Auffahrtstag. b)** Zug des Alppersonals und des

Viehs auf die Alp. *Schotteler, der seit Jahren den Sommer als Knecht auf einer Alp zubrachte, mußte sich vor der Auffahrt beim Rinderhirten im Teuftal melden* (Inglin, Graue March 114). →**Alpaufzug, Alpfahrt.**

auffangen, sich // sich fangen, sein seelisches Gleichgewicht wiederfinden. *Es habe sich hier weniger um einen Fall eigentlicher Kriminalität als um eine „phasenhafte Entgleisung" gehandelt, wie sie vor allem bei jungen Menschen vorkommt. Das zeigen insbesondere die Anzeichen dafür, daß und wie gründlich sich Gusti seither aufgefangen habe* (National-Ztg. 15. 10. 68, 15). *Jeder Verdruß weckte in ihr den vorübergehenden Wunsch zu sterben. Aber sie fing sich gleich wieder auf* (Zermatten, Maulesel [Übers.] 27). →G 136.

Aufgebot, das: auch (Milit.) svw. **a)** Einberufung von Truppenteilen zum Wehrdienst. *Die Pikettstellung der Armee und das Aufgebot des Landsturms auf Samstag, den 1. August* [1914] (Inglin, Schweizerspiegel 173). **b)** svw. Marschbefehl (schriftliche Aufforderung an den Wehrmann, sich zum Dienst einzufinden). *Wehrmänner, die wegen des Militärdienstes ... nicht am Wohnort stimmen können, haben Gelegenheit ... gegen Vorweisung des Aufgebotes ... auf der Gemeinderatskanzlei ... vorzeitig zu stimmen* (St. Galler Tagbl. 3. 10. 68).

aufjucken ⟨sw. V.; ist⟩ (mundartnah) — aufspringen, auffahren. *Oben juckt der auf seiner Couch liegende Knabe auf, tritt in diesen Estrichgang hinaus ...* (Nizon, Im Hause 79). →**jukken.**

Auflad, der; -[e]s (Geschäftsspr.) — das Aufladen (von Waren); →G 115. →**Ablad.**

aufliegen ⟨st. V.; ist⟩: auch svw. **1.** (wie südd., österr.) // (zur Ansicht, zum Lesen) ausliegen. *Im Lesezimmer liegen die neuesten Zeitschriften auf.* **2.** (mundartnah) — auf dem Magen liegen. [Ein Fondue lag russischen Gästen] *über Gebühr auf, was nicht an der Qualität des Fondues, sondern an* [den] *sowjetrussischen Mägen lag. Aber schließlich gibt es soviele russische politische Spezialitäten, die uns sporadisch auf dem Magen liegen, daß ruhig auch einem Russen einmal etwas Helvetisches aufliegen darf* (Nebelspalter 1964, 47, 17).

auflüpfen (auch südd., österr.) — hochheben. *Nachher ist der Kühlschrank dran, dann muß B. nicht jedesmal, wenn sie Butter oder Fett oder Eier braucht, die schwere Falltüre zum Keller auflüpfen* (National-Ztg. 1968, 561, 2).

auflüpfisch, seltener **auflüpferisch, auflüpfig** — aufrührerisch, rebellisch. *Auflüpfische Jugend hat es immer gegeben* (NZZ 11. 6. 1966). *Es hört sich auflüpfisch an, ist aber nichts als die Wahrheit* (Zollinger II 82: Der halbe Mensch). *Nach diesem ersten Kontaktversuch der neuen Kreml-Herren mit den auflüpfigen Pekinger Genossen* (Weltwoche 11. 12. 64: F. R. Allemann). Dazu **Auflüpfigkeit:** *Die Auflüpfigkeit der Studenten* (NZZ 29. 3. 1974, 149, 3).

Aufmarsch, der: auch svw. zahlreicher Besuch einer Veranstaltung. *Zu dieser Aussprache erwartet das Parteikomitee einen großen Aufmarsch* (Vaterland 17. 12. 68). *Fußball-Spitzenkämpfe und Weltcup-Skirennen strapazieren durch den Großaufmarsch motorisierter Zuschauer die Umwelt* (Bund 24. 9. 87, 9).

äufnen — sammeln, zusammenbringen, [ver]mehren. *Zur Deckung der laufenden Kosten des Lawinendienstes ... wird ein Lawinenfonds bis zu 50 000 Franken geäufnet werden* (National-Ztg. 9. 10. 68). *Das Wissen vermehren, den Schatz der Erkenntnisse wie ein Geizhals äufnen* (Guggenheim, Minute 72). *Band für Band der umfangreichen Romane, mit denen sie in Jungmädchenjahren die väterliche Bibliothek geäufnet hatte* (Kopp, Pegasus 29). Vgl. Heuer, Lupe 35/36.

Äufnung, die; - — Anlegung, Bildung (eines Vorrates, einer Reserve),

Sammlung (eines Vorrates), Speisung (einer Reserve). *Vermehrte Schwierigkeiten in der Äufnung der Futtervorräte für den Winter* (Bund 1. 9. 1963). *In der Frage der Schaffung und Äufnung einer Streikkasse* (NZZ 23. 5. 72).

aufpassen, jmdm. ‹Dat.› — auf jmdn. (i. S. v. jmdn. ständig beobachten). *Wo jeder dem andern aufpaßt, was er tut und was er läßt* (Junge Schweizer 91). →G 060.

Aufrichte, die; - — Richtfest. *Am 24. Januar 1968 wurde der letzte Träger versetzt, so daß man im März Aufrichte feiern konnte* (National-Ztg. 7. 10. 68). →G 117. Dazu **Aufrichtbaum,** der; -[e]s, ...bäume // Richtbaum (bändergeschmücktes Tännchen, das bei der Aufrichte auf dem First befestigt wird).

aufrüsten: auch svw. (Holz im Walde) zum Abführen bereitmachen. *Daß im Frühjahr 1968 zusammen mit den noch aufzurüstenden Windwürfen ungefähr 25 Prozent weniger Holz auf den Markt kam* (St. Galler Tagbl. 1968, 558, 17). *Ein 32jähriger Waldarbeiter ... ist beim Aufrüsten von Sturmholz tödlich verunglückt* (NZZ 30./31. 5. 87, 9). →**rüsten.**

aufschnaufen: (mundartnah, expressiv; auch südd., österr.) — (erleichtert) aufatmen. *Brühl II überließ auf eigenem Platz Rheineck einen wertvollen Zähler, so daß die Gäste vorerst aufschnaufen können* (St. Galler Tagbl. 1968, 566, 17).

Aufsehen, das: ***zum Aufsehen mahnen** — die öffentliche Aufmerksamkeit herausfordern. *Die sträfliche Sorglosigkeit, die von gewissen Zeitungsleuten im Umgang mit der Sprache an den Tag gelegt wird, mahnt nachgerade zum Aufsehen* (Sprachspiegel 1965, 120).

aufsitzen ‹st. V.; ist›: auch (mundartnah) svw. — sich aufsetzen. *Berger trinkt den Tee im Zimmer, er liegt auf dem Bett ... zu jedem Schluck muß er aufsitzen* (Erny, Neujahr 128). *Betschart, dem das Reden beschwerlich fiel, schwieg, bis sie wieder in seine Nähe kam, dann sagte er: „Ich möchte aufsitzen." Sie half ihm* (Inglin, Ingoldau 166). →G 065. →**absitzen.**

aufsmal, aufs Mal — auf einmal; und zwar in den Bedeutungsschattierungen **a)** pro Mal. *Sie ... bohrt den Zeigefinger durch die Mitte* [des Mohrenkopfs], *weil so nur ein Finger aufs Mal klebrig wird* (Morf, Katzen 65). **b)** plötzlich. *Als der erste Stern vorbeigegangen war ... entbrannte zwischen Moscardi und Pertugia aufsmal ein heftiger Disput* (Humm, Universität 131). **c)** zugleich. *Einen solchen Stillstand könnten wir uns ja gar nicht anders vorstellen denn als Tod, und zwar als leiblichen und geistigen Tod aufs Mal* (Barth, Predigten 1913, 692).

aufstellen: auch (mundartnah) svw. gute Laune bringen, in frohe, gelöste Stimmung versetzen. *Schon beim Aufstehen ... freue ich mich auf die Arbeit. Es ist so kurzweilig. Alle sind freundlich, sind aufgestellter als in einem normalen Betrieb* (Tages-Anzeiger-Magazin 4. 9. 82, 47).

aufstrecken, auch: ***die Hand aufstrecken** (Schule; mundartnah) — sich melden (durch Hochheben des Armes). *Schließlich mußte man die Hand aufstrecken und sagen: ...* (Morf, Katzen 40). *Ich ... frage die Schüler, ob einer es wisse. Und wirklich, einer streckt auf und sagt: ...* (Nebelspalter).

Aufzahlung, die; - (auch südd., österr.) // Aufpreis, Mehrpreis. *Die Geltungsdauer der Ferienbillette ... kann gegen Aufzahlung von Fr. 9.– ... um 10 Tage verlängert werden* (Amtliches Kursbuch 1978/79, grüner Teil, S. 17).

Auge, das: ***von Auge** — mit bloßem Auge. *Bei B*[oeing]*-737 mit 50 000 Landungen genügt die Kontrolle von Auge nicht mehr. Hier muß man sich ... des Wirbelstrom-Prüfverfahrens bedienen wie auch bei allen B-737, bei denen man auf Spuren von Rissen oder Korrosion stößt* (NZZ 24. 5. 88, 39). →**Hand (*von Hand).**

Augenschein, der: auch (Recht)

svw. // Lokaltermin (Gerichtstermin am Ort des Geschehens; österr.: Lokalaugenschein). *Kann es zur Aufklärung des Sachverhaltes beitragen, ist ein Augenschein anzuordnen* (Aargau, Strafprozeßordnung § 118). *Auch ein Augenschein und die Einvernahme der besagten Zeugin vermochten die Überzeugung der Oberrichter von der Schuld des Fotografen nicht zu erschüttern* (Tages-Anzeiger 10. 1. 87, 21).

Augenwasser, das (bdt. veraltet, dichterisch) — Tränen. *Bei der Durchsicht der Bücher bekommt der Klubkassier aber bestimmt Augenwasser. Für eineinhalb Spiele ... wurde eine Transfersumme in der Höhe der Einnahme eines guten Meisterschaftsspiels bezahlt* (NZZ 1967, Bl. 2529). [Er] *versuchte durch allerlei Grimassen zu verbergen, daß ihn das Augenwasser belästigte* (Guggenheim, Alles in allem 1007).

Augustfeier, 1.-August-Feier, die; -, -n: Bundesfeier am Abend des 1. August. *Feuerwerk, Lampionumzug, Augustfeier und Imbiß für die Dorfjugend sowie einige besinnliche Worte des Gemeindeammanns wären ... nicht wegzudenken* (Aargauer Tagblatt 3. 8. 70). *Die 1.-August-Feier auf dem Rütli wird auch heuer in bewährter Form stattfinden* (NZZ 9. 7. 87, 13). →**Bundesfeier.**

Augustfeuer, das; -s, -: weithin leuchtendes Holzfeuer, das am Abend des 1. August zum Gedenken der Bundesgründung angezündet wird. *Nach dem Essen gingen wir das Augustfeuer auf dem Stein unter dem Höhenkreuz anzünden* (Martini, Nicht Anfang [Übers.] 149). *Augustfeuer zu früh angezündet* (NZZ 2. 8. 88, 39; Überschrift).

Augustrede, auch **Erstaugustrede,** die; -, -n: Ansprache an einer Bundesfeier (am Nationalfeiertag, 1. August). *Mancherorts schienen die Augustreden ... kritischer abgefaßt worden zu sein* (NZZ 2. 8. 88, 13). *Er hat die Erstaugustrede gehalten, von der Belser sagte, das sei einmal eine Rede gewesen* (Wiesner, Schauplätze 113).

ausapern: es apert aus — es wird schneefrei, der Schnee schmilzt weg. *Im vergangenen Winter gerieten 18 Menschen in Lawinen. 12 wurden tot, 2 erst nach den Ausapern gefunden* (NZZ 4. 2. 87, 35). →**apern.**

Ausbau, der: auch svw. // Ausstattung (eines Hauses, einer Wohnung). *Einfamilien-Wohnferienhaus an der rechten Thunerseeseite, guter Ausbau, 4½ Zimmer* (Bund 1968, 280, 31; Inserat). *Zu verkaufen ... Terrassenhaus, 5½ Zimmer, großzügiger Grundriß und Ausbau* (NZZ 7. 11. 86, 103; Inserat). →**Innenausbau.**

ausbeineln (mundartnah): **a)** (auch österr. mundartl.) (Fleisch) von Knochen frei machen. *Einen Hasen ausbeineln.* **b)** etw. gründlich untersuchen, klarlegen. *Und jetzt wollen wir einmal miteinander ausbeineln, wie die SSS-Klauseln* [schweizerische Konsumverpflichtung für Waren aus Ententeländern während des 1. Weltkriegs] *aus den sieben Wagen Reis ... verschwanden, die Sie diesem Herrn verkauft haben* (Guggenheim, Alles in allem 517). →G 098.

Ausbildner, der (jmd., der Menschen ausbildet, Instruktor): • ⟨Wortbildung⟩: Ausbildner (auch österr.) // Ausbilder; →G 124/1. • ⟨Geltung:⟩ (Wirtschaft) // österr.: (Militär), bdt.: (bes. beim Militär). *Starthilfe für EDV-Ausbildner* (NZZ 19. 2. 87, 10; Inserat).

ausbringen (bdt. veraltet) — ausplaudern, unter die Leute bringen. *Zwei* [Masken an der Fasnacht] *brachten aus, daß mein Vater mit dem Wagen in einen Straßengraben gefahren war und von einem Ochsengespann herausgezogen werden mußte* (Oehninger, Kriechspur 368).

ausfällen: auch (Recht) svw. — (eine Strafe) verhängen. *Muß die gegen den ... Transportunternehmer B. P. vor zwei Monaten ausgefällte Haftstrafe wieder aufgehoben werden?* (Tages-Anz. 30. 11. 88, 21). *Die Anträge des*

Staatsanwaltes lagen über dem nun ausgefällten Strafmaß (NZZ 13. 3. 87, 1). Dazu **Ausfällung,** die: *Er forderte die Ausfällung einer Gefängnisstrafe von zweieinhalb Jahren* (National-Ztg. 1968, 553, 2).

ausführlich ['---] (auch österr.) // (bdt. häufig:) [-'--]; →G 021.

ausgeschämt (mundartnah) — schamlos. *Der Garagist hat Arbeiterhände und steht im schönsten Alter, und für Zehnder hat Jota nur ein kurzes Lächeln übrig gehabt. Und seither behauptet Zehnder, Jota sei ein ausgeschämtes Mädchen* (Wilker, Jota 52).

Ausgleichskasse, die; -, -n: rechtlich selbständige Anstalt für die Durchführung (Festsetzung und Einzug der Beiträge, Festsetzung und Auszahlung der Renten) der →Alters- und Hinterlassenenversicherung sowie der Invalidenversicherung (IV) und der Erwerbsersatzordnung für Wehr- und Zivilschutzpflichtige (EO). Es gibt 104 Ausgleichskassen: 26 kantonale, 76 von Verbänden und 2 des Bundes.

aushängen: *es hängt [bei] mir aus (mundartnah, salopp): ich habe genug, ich mache Schluß; ich verliere die Nerven, drehe durch. *Warum können Sie sich mit dieser Partei nicht mehr identifizieren? ... Da schreibt* [sie doch] *in ihrem Wahlmanifest ... die Forderung nach Erhaltung von genügend Lebensraum sei eine Hysterie, die bekämpft werden müsse. Als ich das las, hat es mir endgültig ausgehängt* (Basler Ztg. 25. 8. 87, 8). *Übers Wochenende fahren wir an den Thuner See ... In der ganzen schönen Reihe. Wir denken nicht darüber nach, nicht mehr. Sollen wir etwa nachzudenken beginnen und plötzlich hängt's uns aus und wir schlagen drein? Nur ja nicht* (Walter, Unruhen 172).

Aushebung, die; -, -en: Einberufung der 19jährigen Wehrpflichtigen zur Prüfung ihrer körperlichen Verfassung usw. und zur Einteilung in eine bestimmte Truppengattung. *Mit einer noch nie erreichten Zahl von 53 Stellungspflichtigen trat der Jahrgang 1949 der Militärsektion Beromünster ... am Mittwoch ... zur Aushebung an* (Wynentaler Blatt 9. 8. 68). Dazu: **Aushebungsoffizier.**

ausjassen: a) etw. durch →Jassen entscheiden, um etw. jassen. *Bisher war der Gemeinderat im Hinterstübchen des Ochsens gewählt worden, böse Mäuler behaupteten: ausgejaßt* (Bührer, Das letzte Wort 104). **b)** übertr. (mundartnah) — (ein Problem, einen Konflikt) mit jmdm. ausmachen, austragen. *„Zürich, Europas größtes Dorf", lese ich. Das klingt prima. Bloß habe ich vor zwei Jahren gelesen: „Wien ist eine Weltstadt und das größte Dorf Europas." Die beiden Autoren sollen das miteinander ausjassen* (Nebelspalter 1964, 25, 44). →**jassen.**

auskommen ⟨st. V.; ist⟩: auch svw. — bekannt, ruchbar werden // herauskommen (ugs.). *Der Streich kam natürlich aus* (Walser IV 231: Geschwister Tanner). *Bei der „Toni"-Molkerei mußten, als die Affäre endlich auskam, einige Leute den Hut nehmen* (NZZ 16. 4. 87, 51).

Auslad, der; -[e]s (Geschäftsspr.) — das Ausladen. *Während das Effektivgeschäft einen großen Aufwand mit wirklichen Säcken, mit wirklichem Seetransport, mit Auslad, Umlad, Magazinierung ... erfordert, spielt sich das Börsengeschäft elegant in zwei täglichen Sitzungen ... ab* (Guggenheim, Salz 63). *Rund 750 Tonnen Zürcher Filterstaub ... soll*[en] *zur Entsorgung nach England verschifft werden, doch verweigern die britischen Hafenarbeiter den Auslad* (Bund 7. 10. 87, 10). →G 115.

auslampen, ausplampen (mundartnah) — ausschwingen, auslaufen (allmählich nachlassen und zu Ende gehen). *Am Sonntagvormittag, der früher die Hauptphase des Feldschießens bildete, stieß man vielfach ... bereits auf schwächeren Besuch, ja auf ein richtiges Ausplampen* (NZZ 1961, Bl. 2016). *Ganz oben ... besaßen die Zol-*

lingerschen Erben noch Wald, einige Aren Wiesland und einen Baumgarten ... Aber es war nur noch so ein Auslampen, ein Nach- und Verklingen bäuerlichen Wesens (Guggenheim, Alles in allem 633).

Ausläufer, der: auch svw. // Bote, Laufbursche einer Firma. *Ins Welschland gesucht junger Bursche als Ausläufer ... Offerten an V. B., Bäckerei-Pâtisserie* (Volksztg. 21. 3. 70). *Ich bekam die Stelle nicht ... Ich wurde Ausläufer, bei Blumen-Knoll* (Schmidli, Schattenhaus 121).

Auslegeordnung, die; -: **a)** (Militär) Bereitlegen der persönlichen Ausrüstungsgegenstände zur Inspektion in vorgeschriebener Ordnung. *Der Regimentskommandant ... befahl, die Kompagnien zur Inspektion aufzustellen, die einen mit Sack und Gewehr, die andern nur mit dem Gewehr, und je eine zur Auslegeordnung* (Inglin, Schweizerspiegel 203). **b)** Zusammenstellung von Problemen, Arbeitsergebnissen o. ä. zum Zwecke einer (ersten) Übersicht. *Nun hat der Stadtrat* [in einem Untersuchungsverfahren] *Marschhalt geboten: Er hat einige erste Maßnahmen angeordnet ... und eine Stellungnahme ... in Aussicht gestellt. Damit besteht Gelegenheit zu einer Denkpause ... auch zu einer ersten Auslegeordnung, die allerdings ... noch unvollständig ist* (NZZ 12./13. 11. 76, 49).

ausmarchen (selten): **a)** Grundstücke abgrenzen, mit Grenzsteinen markieren. *Wildheuplätze sind ... meist nicht ausgemarchte Allmend in hoher Lage* (Rätisches Namenbuch I, S. XXXIV). **b)** ‹übertr.› *Erst* [im] *modernen Paragraphenwald wird einem bewußt, was Freiheit wirklich ist, nämlich mehr als nur ein Gefühl ...: ausgemarchte Wirklichkeit. Der Boden der Freiheit muß immer neu abgesteckt und gesichert werden* (NZZ 21. 12. 62). → **March.**

Ausmarchung, die; -, -en: **a)** (selten) Aufteilung. [Es] *findet sich in dem Aufsatz eine prozentuale Ausmarchung der Landessprachen (70 Prozent deutsch, 19 Prozent französisch, 9 Prozent italienisch)* (NZZ 8. 12. 62). **b)** (Politik) Auseinandersetzung [und] Meinungsbildung, Entscheidung. *Die Gemeindeversammlung vom 14. Dezember ... brachte ... eine grundsätzliche Ausmarchung zwischen dem Schutz des privaten Eigentums und dem heute vielfach extensiv interpretierten „öffentlichen Interessen" der Gemeinde* (NZZ 17. 12. 62). **c)** (Sport) — Ausscheidung. *Bei guten Bedingungen traten am Sonntagmorgen im Zug zwölf Schützen zur Meisterschafts-Ausmarchung an* (Aargauer Tagbl. 16. 6. 70).

ausmehren: durch offene Abstimmung (→ Handmehr) entscheiden, bes. an der → Landsgemeinde. *Der neue Ständerat wurde in drei Wahlgängen ausgemehrt,* an der Landsgemeinde von Appenzell Innerrhoden (NZZ 26. 4. 71). *Nach längeren Diskussionen und nach zweimaligem „Ausmehren" gab das Obwaldner Volk ... Dr. W. O. knapp gegenüber Dr. G. C. den Vorzug,* als neuer Kantonsgerichtspräsident (NZZ 27. 4. 87, 17). Dazu **Ausmehrung.** *Bei der Ausmehrung zeigte sich, daß der Rat mit 31:* [...] *Stimmen die 4,6 Prozent den 5,2 Prozent ... vorzog* (St. Galler Tagbl. 1968, 463, 3).

ausmieten: [einzeln, gelegentlich] vermieten. *Vor mehr als 40 Jahren stellte ein ... Schaubudenbesitzer ein Hippodrom auf. Nachmittags konnte man für 50 Rappen zur Musikbegleitung ein paarmal in der kleinen Manege im Kreise herumreiten. Morgens wurden die alten, müden Klepper ausgemietet,* als Reitpferde (Nebelspalter 1967, 28, 45: Ch. Tschopp).

ausnützen (auch südd., österr., weiterhin) ≠ ausnutzen; → G 131/[...] Ebenso **Ausnützung.** → **benützen.**

ausplampen → **auslampen.**

ausreuten (auch südd.) — [aus]roden. *Auf einer waldarmen offenen Hochebene hatten die Bauern alle Hecken ... ausgereutet* (Inglin, Erz. I

153). Dazu **Ausreutung,** die: *Ausreutungen in Schutzwaldungen ... bedürfen der Bewilligung des Bundesrates* (National-Ztg. 1968, 553, 4).

ausrichten: auch (Geschäftsspr.) svw. — (ein Gehalt, eine Entschädigung) zahlen. *Dabei sei der Bund besorgt, den Experten ein* [angemessenes] *Gehalt auszurichten* (National-Ztg. 1968, 560, 2).

Ausrufzeichen (auch österr.), **Ausrufungszeichen** (veraltet), das # Ausrufezeichen. *Von dem Herz* [das ich in den Stamm einer jungen Buche geritzt hatte, blieb] *eine Narbe, die jetzt einem Ausrufzeichen glich* (Bührer, Das letzte Wort 6). →G 143, 145.

Aussand, der; -[e]s, ...sände (Geschäftsspr.) — Aussendung: **a)** das Aussenden. **b)** was miteinander, in einem Mal verschickt wird. *Bei einem normalen Aussand, welcher aus einem Prospekt, einem Begleitbrief, der Geschäftsantwortkarte und dem Briefumschlag besteht* (NZZ Fernausg. 14. 6. 75; Inserat). →G 115.

ausschaffen (Amtsspr.): jmdn. polizeilich zum Verlassen des Landes zwingen. *Schwarzenberger wurde gemäß der seinerzeitigen Verurteilung zu 15 Jahren Landesverweisung unverzüglich aus der Schweiz ausgeschafft* (NZZ 1968, 140, 18).

ausscheiden: auch (Amtsspr.) svw. **a)** vorausschauend für einen besonderen Zweck auswählen, reservieren. *Die Südwestecke des Areals soll als Spiel- und Sportplatz ... ausgeschieden werden* (St. Galler Tagbl. 1968, 463, 19). **b)** auseinanderhalten, sondern, trennen. *Die Kompetenzen sind klar auszuscheiden.*

Ausschießen, das; -s; **Ausschießet,** der; -s: die letzte, gewöhnlich mit Preisschießen und einer Festlichkeit verbundene Schießübung eines Jahres (meist im Oktober). *Das sonntägliche Ausschießen im Schießstand Belpberg hat mit einem tödlichen Unfall ein tragisches Ende gefunden* (St. Galler Tagbl. 15. 10. 68, 5). *Die Schützen von Weißenbach-Boltigen beendeten ihre Schießsaison 1987 mit dem traditionellen Ausschießet* (Berner Oberländer 27. 10. 87, 15). →G 111.

ausschlipfen ‹sw. V.; ist› (mundartnah) — ausrutschen, ausgleiten. *Er schlipfte aus, nichts leichter als das,* auf den Ufersteinen (Frisch, Bin 58). →**schlipfen.**

ausschwingen ‹st. V.›: auch svw. // (Wäsche) schleudern. *Ob die Wäsche dann trocken aus der Maschine komme ... Nein, feucht, aber ausgeschwungen* (Guggenheim, Friede 224).

Ausschwingen, das; -s; **Ausschwinget,** der; -s (Sport): Endkampf, Entscheidungskampf im Schwingen. →G 111. →**schwingen.**

Außenback [...bæk], der; -s, -s ‹dt./engl.› (Fußball) — Außenverteidiger. *Im Zürcher Team spielten einzig Grob, Moser und Botteron in Normalform. Die Rekruten Zappa und Scheiwiler wirkten schwerfällig, von den Außenbacks ging wenig Wirkung aus* (NZZ 26. 9. 77, 38). →**Back.**

Außenquartier, das; -s, -e // Außen-, Vorstadtviertel. *Das Zimmer sah ... aus* [wie] *ein Wohnzimmer in einem Außenquartier der Stadt* (Schmidli, Schattenhaus 184). *Zu verkaufen in einem sehr guten Außenquartier von Zürich sehr gutgehendes Milchgeschäft* (Volksztg. 21. 3. 70, Anzeige).

außerkantonal: außerhalb des (eigenen) Kantons gelegen, aus einem andern Kanton stammend. *Eltern, die ihre Kinder in außerkantonalen Mittelschulen ausbilden lassen* (Vaterland 1968, 279, 21). *außerkantonale Schüler.*

außerorts (Amtsspr.; auch vorarlb.): außerhalb eines geschlossenen Ortskerns; wird gebraucht mit Bezug auf die Geschwindigkeitsbegrenzung innerhalb von Ortschaften (60 km/Std.). *Ich überholte fast nie. Auch außerorts fuhr ich kaum über achtzig* (Frisch, Gantenbein 25). →**innerorts.**

Außerrhoden ‹ohne Art.›: ein Halbkanton, amtlich **Appenzell Außerrho-**

den, eigentlich die „außeren Roden" (äußeren Bezirke, Gemeinden).

Außerrhoder (mundartnah:) **Außerrhödler,** der; -s, -: Angehöriger des Halbkantons Appenzell Außerrhoden; →G 122.

außerrhodisch: zum Kt. Appenzell Außerrhoden gehörig, dorther stammend, sich darauf beziehend.

Ausstand, der: auch svw. vorübergehendes Ausscheiden aus einem Rats- oder Gerichtskollegium, wenn ein Gegenstand behandelt wird, an dem das betr. Mitglied ein persönliches Interesse hat (etwa bei naher Verwandtschaft), namentlich in den Wendungen ***in [den] Ausstand gehen, treten.** *Die Urner Stimmberechtigten haben ... über eine Neufassung des kantonalen Gesetzes über den Ausstand in den Behörden zu befinden. ... Ziel ist eine klarere Umschreibung des Geltungsbereiches und eine andere Gewichtung des Ausstandsgedankens: Amtliche oder behördliche Interessen sollen nicht oder nur ausnahmsweise, eigene Interessen jedoch nach wie vor die Ausstandspflicht begründen* (NZZ 22. 9. 77, 32).

Ausstich, der; -[e]s, -e (Sport): zusätzlicher Wettkampf zwischen zwei oder mehreren Teilnehmern mit der besten Punktzahl, Entscheidungskampf. *Es kommt* [am Zürcher Knabenschießen] *zu einem Ausstich unter den Buben mit 34 Punkten* (NZZ 12. 9. 72). *Am Weltmeisterschaftsausstich* [im Trampolinspringen] *in Ammersfoort* (St. Galler Tagbl. 1968, 561, 29). (Übertr.:) *In den ersten vier Abstimmungsrunden ist ... das absolute Mehr, im Ausstich zwischen den beiden Bewerbern mit den höchsten Stimmenzahlen die einfache Mehrheit erforderlich* (NZZ 8. 10. 87, 1).

Austrinket, der; -s, **Austrinkete,** die; -, -n: Abschiedsfestlichkeit bei Schließung einer Wirtschaft oder beim Wegzug eines Wirtes. *Ende März 1976 schien das Schicksal des Restaurants Auhof ... besiegelt zu sein. Drei Tage lang war „Austrinkete". Der Wirt war drauf und dran, das Mobiliar zu liquidieren* (NZZ 8./9. 1. 77, 39). →G 111. 112. →**Antrinket.**

auswallen (auch bayr.) // (Teig) ausrollen, auswalzen, -wellen. *400 g Blätterteig auswallen; einen runden Kuchenboden blind backen* (Berger, Koch-Bilderbuch 34).

ausweisen ⟨st. V.⟩: auch *** sich über etw. ausweisen** (Geschäftsspr.) // nachweisen, daß man etw. (Kenntnisse, Fähigkeiten) besitzt. 2. Part. **ausgewiesen: a)** nachweislich, nachgewiesen. [Dies] *wird es gestatten, die Abteilung „Sakrale Kunst" auszubauen, wofür in St. Gallen ein ausgewiesenes Bedürfnis besteht* (St. Galler Tagbl. 1968, 463, 9). *Firma ... sucht Werkstatt-Chef mit ausgewiesener Erfahrung in der Führung und Kontrolle eines bedeutenden Maschinenparkes* (Vaterland 1968, 280; Inserat). **b)** mit Zeugnissen, Referenzen versehen. *Zur Erweiterung unseres Kaders ... suchen wir fachlich gut ausgewiesene, selbständige Poliere* (Blick 1968, 232, 5; Inserat).

Ausweisschriften →**Schriften.**

auswinden ⟨st. V.⟩ (auch bdt. landsch., bes. südd.) // aus[w]ringen. *Die Wäsche, die Badehose, den Putzlumpen auswinden.*

Auswindmaschine, die; -, -n (früher) // Wäscheschleuder. *Die Waschküche ist alt und unbrauchbar, zwei mit Zinkblech ausgeschlagene Holzbottiche, ein galvanisierter Kochkessel, eine Auswindmaschine* (Bichsel, Jahreszeiten 34).

auszonen (Amtsspr.): einen Teil des Gemeidegebietes aus der Bauzone [wieder] ausscheiden. →**Zone.**

Auszug, der: auch (Militär) svw. erste Altersklasse der Wehrpflichtigen, bis zum zurückgelegten 32. Lebensjahr. [Das] *Ereignis der kommenden Woche: Landwehr gegen Auszug* [im Fußball] (Frisch, Blätter 94). →**Heeresklasse, Landsturm, Landwehr.**

Auszüger, meist (mundartnah:) **Auszügler,** der; -s, -: Soldat, der dem Auszug angehört. *Hie und da sah man* *auch schon einen einheimischen Auszüger in voller Packung und angehängtem Langgewehr der Kaserne zustreben* (Guggenheim, Alles in allem 394). →G 122.

Auszugtisch, der; -es, -e ⫽ Ausziehtisch. *Günstig abzugeben wunderbarer runder Auszugtisch* (General-Anz. 7. 5. 87, 3). →G 141/1.

Autobus, der: zunächst (wie **Bus**) nur svw. Linienbus im städtischen Verkehrsnetz, doch wird das Wort heute immer mehr (wie bdt.) auch statt →**Autocar/Car** und →**Postauto** gebraucht, womit sich die Unterscheidung verwischt.

Autocar, der; -s, -s ‹frz., engl.› (auch elsäss.) // Ausflugs-, Reisebus. *Ich fahre in einem Autocar mit Engländern, Franzosen und Belgiern nach Vallombrosa* (Bestand und Versuch 578: Max Picard). *Opposition gegen die generelle Zulassung breiterer Lastwagen und Autocars* (NZZ 23. 1. 87, 33). →**Car; Autobus.**

Autolenker, der; -s, - (Amtsspr.; auch österr.) — Autofahrer. *Ein 31jähriger Autolenker aus Martigny VS* [kam] ... *ums Leben* (NZZ 23. 11. 88, 7). →**Lenker; Automobilist.**

Automobilist, der (bdt. selten) — Autofahrer. *Ich halte es für wahrscheinlich, daß der Mann* [der Mörder] *von Zürich aus operiert ... Es wird sich um einen Automobilisten handeln, vielleicht um einen Reisenden* (Dürrenmatt, Versprechen 76). *Bei einem Folgeunfall stieß eine Automobilistin gegen einen weiteren Lastwagen* (NZZ 13. 11. 86, 7).

Autopneu [...pnø:], der; -s, -s — Autoreifen. *Das führte uns den Betreibungsbeamten ins Haus ...: Für eine Kleidung, für einen Autopneu, für eine Bohrmaschine* (Oehninger, Kriechspur 184). →**Pneu.**

Autospengler, der; -s, - (auch südd., österr.): // Karosserieklempner, (fachspr.:) Karosseriebauer.

Avers ['a:fərs], das; -: Hochtal in GR. Der Name wird immer mit dem Artikel gebraucht; →G 082.

Aviatik, die (bdt. veraltet) — Flugwesen, Luftfahrt. *Die Aviatik ist ein wirtschaftliches Flaggschiff Singapurs* (Tages-Anz. 26. 10. 88, 67). *Die Halter propellergetriebener Flugzeuge der Kleinaviatik* (NZZ 12. 9. 88, 31).

avisieren: vor allem svw. — jmdn. benachrichtigen. *Der Arzt stellte fest: ein Verbrechen mußte geschehen sein; die Polizei wurde avisiert* (National-Ztg. 1968, 564, 3). *Ich hätte es völlig verschwitzt, meine Frau zu avisieren, daß ich nicht zum Nachtessen kommen werde* (Guggenheim, Friede 89).

B

bachab: a) einen Bach hinab (schwimmen), einem Bach entlang abwärts (gehen, fliegen). *Am anderen Ufer rätschte ein Eichelhäher, flog bachab und rätschte weiter unten zum zweitenmal* (Inglin, Erz. II 58). **b)** (übertr.) ***bachab schwimmen/gehen** — davonschwimmen, entgehen. [Der] *Vater des Viert- oder Sechstkläßlers, der für seinen Sohn mit dem Nichtbestehen der Aufnahmeprüfung unzählige Berufswahlmöglichkeiten bachab schwimmen sieht* (Schweizer Spiegel 1961, 6, 10). ***bachab schicken** — verwerfen, in einer [Volks-]Abstimmung ablehnen. *Dieses unüberlegte und untaugliche Machwerk schadet der Sache der Arbeitszeitverkürzung. Schickt es* *am 26. Oktober bachab!* (Flugblatt des Schweizerischen Gewerkschaftsbundes, 1958).

Bachbord, das; -[e]s, -e/...börder — Bachufer, -böschung. *Er riß Lehmklumpen vom Bachbord und schmierte die Arme ... damit ein* (Boesch, Fliegenfalle 50). [Beim Ausweichen] *gerieten die ... Räder des Anhängers auf das nicht tragfähige Bachbord, welches wegrutschte* (Aargauer Tagbl. 17. 9. 69). →**Bord.**

bachnaß — tropfnaß. *So frisch und wohlauf wie am Morgen sah er* [ein Jäger] *nicht mehr aus, er war bachnaß und müde* (Inglin, Graue March 18).

Bächtelistag →**Berchtoldstag.**

Back [*engl.* bæk], der ; -s, -s (Fußball, Eishockey usw.; auch österr.) — Verteidiger. *Bei Breaks der Deutschen ... fehlte häufig ein Verteidiger; mitunter wurden sogar beide Backs überspielt* (NZZ 27./28. 12. 86, 41). →(Aussprache) G 006.

Badanstalt, die (auch südd., österr.) — Badeanstalt. *Sanierung der Badanstalt Utoquai* (NZZ 24. 1. 75, 41). [Der] *Bau von Brücken, Straßen, Verwaltungsgebäuden, Schulen, Badanstalten,* ist Aufgabe der Gemeinde (Walter, Unruhen 126). →G 143.

Bäderstadt, die: Umschreibung für Baden AG. *Der Einwohnerrat der Stadt Baden hat ... Stadtammann Max Müller das Ehrenbürgerrecht der Bäderstadt verliehen* (NZZ 7. 4. 73, 163, 4).

Badi ['ba:dɪ, 'badɪ], die; -, Badenen [...dənən]: (mundartnahe) Kurzform für Bad[e]anstalt. *Mit einem Aufwand von rund 2,5 Millionen ... hat Goßau, wie die Einheimischen stolz meinen, „die schönste Badi im ganzen Zürcher Oberland" erhalten* (NZZ 2./3. 7. 88, 57). *Verkehrsampeln bei der Badi Unterkulm?* (Aargauer Tagbl. 25. 8. 88, 17; Überschrift).

Badkleid, das — Badeanzug. *Und ein Badkleid hat sie, so etwas gibt's bei uns nicht* (Inglin, Erzählungen I 40). *An einer Küste, wo man ... ohne alle Badkleider badete* (Frisch, Die Schwierigen 194). →G 143. Ebenso **Badkleidung:** *Das Betreten des Restaurants in Badkleidung ist nicht gestattet* (Zürich, Fischerstube Zürichhorn); **Badhose, -tasche, -tuch, -zeug.**

Badmeister, der; -s, - (auch südd., österr.) // Bademeister. *Für unser modernes Hallen- und Freibad suchen wir ... einen Badmeister* (Tages-Anzeiger 10. 1. 87, Stellenanzeiger 28). *Der Beruf des Badmeisters hat jetzt auch die Anerkennung durch das Bundesamt für Industrie, Gewerbe und Arbeit erhalten* (NZZ 14. 11. 88, 18). →G 143.

Badwanne, die; -, -n — Badewanne. *Kamine sind stehengeblieben, eine Badwanne ganz in der Höhe,* in den Kriegsruinen (Frisch, Tageb. 1946/49, 30). →G 143. Ebenso **Badwasser:** *Um Mitternacht ist es nicht mehr möglich, in einer Blockwohnung das Badwasser laufen zu lassen* (Blatter, Schaltfehler 113).

Badzimmer, das, -s, - (auch südd., österr.) — Badezimmer. *Das Badzimmer ist voll von Zementspuren, vier Steckdosen sind ohne Strom* (NZZ 11. 2. 77, 5). *Machen Sie sich keine Sorge, Herr Biedermann, wegen Badzimmer* (Frisch, Biedermann 53). →G 143.

bähen (veraltend; auch südd., österr.): (Brot) leicht rösten. *Fragen Sie doch beim Bäcker, es gibt so ein dunkles rundes Bauernbrot, knusperig, wenn's noch frisch ist, und sonst bähen Sie mir drei Schnitten davon auf dem Toaster* (Inglin, Erlenbüel 28). *Das Brot in ½ cm dicke Scheiben schneiden ... Toasten (bähen) auf elektrischem oder Gas-Toaster* (Fülscher, Kochbuch 553).

Bahnbillett, das; -s, -e // Eisenbahnfahrkarte. *Auf dem Genfer-, Neuenburger-, Thuner-, Brienzer-, Vierwaldstätter- und Zürichsee ... berechtigen die gewöhnlichen Bahnbillette ... auch zur Fahrt mit dem Schiff* (Amtl. Kursbuch, Winter 1969/70, S. 13 des grünen Teils). →**Billett.**

Bahnbord, das; -[e]s, -e/...börder: Böschung längs einer Eisenbahnlinie. *Dieser Unfug* [Abbrennen dürren Grases] *wird auch noch längs Bahnbördern betrieben* (NZZ 23. 5. 63). *Vom Bahnbord, wo die Farben- und Artenpracht der Wildflora noch groß ist* (NZZ 5. 1. 87, 25).

Bahnhofbuffet [...byfɛ], das; -s, -s // Bahnhofsgaststätte. *Im neuen Berner Bahnhofbuffet* (NZZ 24. 4. 70). *Er parkierte den Wagen und telephonierte seiner Frau: sie verabredeten sich im Bahnhofbüfett* (Bestand und Versuch 249: Jürg Federspiel). →**Buffet.**

Bahnhofvorstand, der; -[e]s, ...stände // Bahnhofvorsteher (österr. Bahnhofsvorstand); →G 124/1.

Bähnler, der; -s, - (mundartnah) — (ugs.:) Eisenbahner. *Matthias weiß auch, daß die Bremsen der Lokomotive bei der Einfahrt knirschen (kreischen) und daß die Bähnler Obacht rufen* (Bichsel, Jahreszeiten 28). *Fast ein ganzes Leben hat sich C. als Eisenbahner und Gewerkschafter für die Bahn und die Bähnler engagiert* (Bund 25. 9. 87, 14).

Balchen, Ballen, der; -s, -: eine Felchenart der zentralschweizerischen Seen. *Jetzt wieder die unvergleichlichen Balchen, immer seefrisch ... im Seehotel und Restaurant Hallwil* (Wynentaler Blatt 22. 11. 1968).

Baldeggersee ['baldɛk'ər...], der; -s: See im Kt. Luzern (Seetal). Der Name wird gewöhnlich zusammen geschrieben; →G 153/2 d.

Balkon, der • ⟨Aussprache:⟩ ['balko:n]/(auch österr., südd.:) [-'-] // [...'kɔŋ]; →G 024. • ⟨Beugung:⟩ -[e]s, -e (auch südd., österr.) // -s, -s/-e. *An den Balkonen flatterte wieder Wäsche* (Loetscher, Kranzflechterin 59).

Balle, die; -, -n →**Butterballe, Handballe.**

Ballon, der: [ba'lo:n]; -s, -e (auch südd., österr.) // [...'lɔŋ]; -s, -s/-e [...'lo:nə]; →G 038. *Er bereiste mit seinen Ballonen rastlos die Länder* (NZZ 12./13. 3. 88, 53).

Band, das: ***durchs Band [weg]** — durchweg[s] ≠ durch die Bank. *Josette hatte bereits eine Frisur, während unsere Mädchen durchs Band noch Zöpfe trugen* (Wiesner, Schauplätze 75). *Nach jahrelangem Krebsgang ... waren ... erstmals wieder Qualifikationen wie „sehr befriedigend" ... zu hören, und das ... durchs Band weg durch den ganzen Konzern* (NZZ 1. 9. 88, 33).

Bändel, der; -s, -: schmales Band, Nestel, Schnürsenkel (vgl. bdt. landsch. Bendel, der/das; bayr., österr. Band[e]l, das). *Ein neues Gebetbuch, mit Goldschnitt, farbigem Bändel* (Schmidli, Meinetwegen 61). *Um ihm die Schuhe besser zu binden, wenn die Bändel sich gelockert haben* (Walser IV 290: Geschwister Tanner). *Wenn ich einen solchen braunen Bändel in diese teuflische Maschine einschlaufe,* ein Tonband (Frisch, Gantenbein 293). * **jmdn. am Bändel haben:** jmdn. leiten können wie man will. *Das fremde Mädchen hatte uns, wie man so sagt, im Nu beide am Bändel* (Frühling der Gegenw., Erz. III 290: Kaspar Freuler).

Bänklein/(seltener:) **Bänkchen,** das ≠ Parkbank, Ruhebank. *Es macht ihr nichts aus, das Interview auf einem Bänklein am Quai des Zürichsees zu geben* (Tages-Anz.: Züri-Tip 6. 5. 88, 42). *Stevy, auf seinem Bänkchen am Straßenrand* (Geiser, Wüstenfahrt 160). →G 106.

Bänkler, (in BE:) **Bänkeler,** der; -s, - (mundartnah) // (ugs.:) Banker (Bankbeamter, Bankfachmann). *Karrierevorschlag für einen jüngeren „Bänkler"* (NZZ 6. 6. 75, 30; Inserat). *Der Hochschulabsolvent* [kann im Praktikum] *in konzentrierter Form die Verarbeitung der verschiedenen Bankgeschäfte on the job erlernen und so seinen Wissensrückstand gegenüber dem „echten" Bänkeler ... aufholen* (Bund 30. 9. 87, 9). *Seit vierzehn Jahren präsidierte er die ... Großbank als ein Bankier, der von der Pike auf gedient hat und alle Sparten „à fond" kennt, ein Allround-Bänkler im wahrsten Sinne des Wortes* (NZZ 30. 3. 77, 17). →G 120.

Bankvieh, das; -s — Schlachtvieh. *Auf dem Sektor des Bankviehs, also jener Tiere, die eigens zum Zweck der Schlachtung aufgezogen werden* (NZZ, Fernausg. 30. 6. 76, 17).

Bann, der: auch (veraltend) svw. — Gemeindegebiet ⫽ Gemarkung. *An einem Sonntagnachmittag* [waren wir] *miteinander durch den ganzen Bann gegangen, er hatte mir sein und anderer Leute Land gezeigt* (Huggenberger, Bauern von Steig 119). →**Gemeindebann.**

Banner, das: auch svw. die Zehn im „deutschen" Kartenspiel (es ist eine Fahne darauf abgebildet).

Bannumgang, der; -[e]s, ...gänge: jährliche Begehung der Gemeindegrenzen durch die Gemeindegenossen, ein noch da und dort geübter Brauch. *Basels „Bergdorf" kennt immer noch den traditionellen Bannumgang. Weil aber ... die Verweichlichung der Menschen auch vor Bettingen nicht haltgemacht hat, wird jedes Jahr nur die Hälfte des Gemeindebannes abgeschritten* (Aargauer Tagbl. 12. 5. 70).

Bannwald, der; -[e]s, ...wälder — Schutzwald. *Informationspfad im Bannwald Altdorf* (NZZ 18./19. 4. 87, 34; Überschrift). *Ungepflegte Bannwälder* [Überschr.] ... *Ein Wald im Berggebiet mit hohen Lawinen- und Wasserschutzfunktionen ... daß in den letzten Jahren ... Nutzung und Pflege selbst in wichtigen Schutzwäldern ...* [z. T.] *sogar ganz aufgegeben worden sind* (Bund 24. 9. 87, 9).

Bannwart, der; -[e]s, -e: Flur-, Waldhüter. *Flink setzten sich hier zwei, drei Bannwarte, Hegemeister oder Waldhüter zu einem Gläschen Holzfusel hin* (Kopp, Forstmeister 109). *Letzten Herbst und dieses Frühjahr sind an die 23 000 Jungbäume gesetzt worden. Eine anerkennungswerte Leistung des Bannwarts bei dem ihm zur Verfügung stehenden Minimum an Hilfskräften* (General-Anz. 8. 5. 1969).

Bären, der (Gastwirtschaftsname) →G 068.

Bärendreck, der; -s (mundartnah; auch südd., österr.) ⫽ Lakritze. *Die alte Frau hatte die größte Mühe, die drei Knaben an ihre Röcke zu fesseln. Weder die Stengel aus Bärendreck ... noch die ... Geschichten, die sie zu erzählen wußte, erwiesen ihre gewohnte Anziehungskraft* (Guggenheim, Alles in allem 128).

Barriere, die: auch svw. ⫽ [Bahn-]Schranke. *Mittlerweile waren sie losgefahren, mußten aber vor einer geschlossenen Barriere wieder stoppen und warten* (Frisch, Stiller 220). [Eine] *Diskussion, ob man den* [Bahn-]*Übergang schließen, unterführen oder durch Barrieren sichern wolle* (Vaterland 3. 10. 68).

Bart, der: ***einen Bart einfangen** (mundartnah): abblitzen, den kürzeren ziehen, sich blamieren. *Die Mannen machten mit der Hand eine Bewegung gegen das Kinn hin und von da an abwärts gegen die Brust, mit dieser wohlbekannten Geste andeutend, sie hätten einen Bart eingefangen* (Guggenheim, Alles in allem, 1 009). ***jmdm. den Bart anhängen** (mundartnah): den schwarzen Peter (die Schuld an etw.) zuschieben. *Kommissionspräsident F. hat gemerkt, daß V. der Staatsrechnungsprüfungskommission den Bart anhängen möchte, wenn etwas schief gehen sollte* (NZZ).

Bärzelistag →**Berchtoldstag.**

Basel: *beide Basel: die [Halb-]Kantone Basel-Stadt und Basel-Landschaft. *Daß ... sich die Regierungen beider Basel ... auf ein weiteres gemeinsames Vorgehen geeinigt haben* (NZZ 9. 2. 87, 14). *Der Expertengruppe ... gehörten ... auch der Lufthygieniker, die Kantonsärzte und die Kantonschemiker der beiden Basel an* (NZZ 4. 3. 87, 33). In offiz. Bezeichnungen: *die Ingenieurschule beider Basel in Muttenz* (NZZ 9. 2. 87, 14). *der Bienenzüchterverband beider Basel* (Basler Ztg. 7. 3. 87, 39).

Baselbiet, das; -[e]s (mundartnah) — [Kanton] Baselland. *Zu verkaufen große, alleinstehende Liegenschaft im*

Baselbiet (NZZ 27. 1. 69, Anzeige). →**Biet.**

Baselbieter: 1. der; -s, -: Bürger, Einwohner von Baselland. *Für die Kommission referierten der Tessiner Gianella und der Baselbieter Tschopp* (Bund 3. 10. 68, 4). **2.** ‹adjektivisch›. *Die Baselbieter Musikveteranen tagten* (National-Ztg. 1968, 455, 11). →**Basellandschäftler.**

baseldeutsch: in der Mundart von Basel(-Stadt). *Er spricht baseldeutsch.*

Baselland ‹ohne Art.›: gewöhnliche Namensform des nordwestschweizerischen Halbkantons, amtl. →Basel-Landschaft. *Den südlichen Teil Basellands begrenzen die bewaldeten und zerklüfteten Bergzüge des Kettenjuras* (NZZ 30. 1. 87, 35). →**Baselbiet.**

Basel-Landschaft ‹ohne Art.›: offizieller Name des Kantons (Halbkantons) Baselland. Dazu **Basellandschäftler,** der; -s, -: Bürger, Einwohner von Baselland. *Dadurch bekamen die starken Basellandschäftler im Mittelfeld freie Hand* (Bund 14. 10. 68, 22). →**Baselbieter. – basellandschaftlich:** *Die Veteranen des Basellandschaftlichen Musikverbandes* (National-Ztg. 1968, 455, 11).

Baselstab, der; -[e]s: das Basler Wappenzeichen (Bischofsstab).

Basel-Stadt ‹ohne Art.›: nordwestschweizerischer Halbkanton, umfaßt die Gemeinden Basel, Bettingen und Riehen.

Baselstädter, der; -s, -: **1.** Bürger, Einwohner des Halbkantons Basel-Stadt. **2.** ‹adjektivisch› zu Basel-Stadt gehörig, sich darauf beziehend. *Unterschiedliche Karenzfristen bei Baselstädter Altersbeihilfe unzulässig* (NZZ 3. 5. 74, 17).

baselstädtisch: zum Kanton Basel-Stadt gehörig. *Der Bundesrat hat ... das generelle Projekt für die baselstädtische Nationalstraße SN2 genehmigt* (National-Ztg. 1. 10. 68).

Basler, der; -s, -: Bürger, Einwohner von Basel. (Nur so, niemals „Baseler", wie bdt. häufig.)

baslerisch: zu (der Stadt) Basel gehörig, sich auf Basel beziehend.

Batzen, der; -s, - (mundartnah, veraltend): Zehnrappenstück (bdt. ugs.: größerer unförmiger Klumpen [aus einer weichen, klebrigen Masse]; sehr viel Geld). *Einer Zeit entstammend, wo man für fünf Batzen den ganzen Tag streng arbeitete* (Vaterland 12. 8. 68, 6). Besonders in Zusammensetzungen auch svw. Geldbetrag, wie bdt. „Groschen": **Notbatzen, Waisenbatzen.** →**Zehner.**

Bätzi[wasser], das; -s (mundartl., vor allem in BE) — Trester // Obstwasser (Schnaps aus Obsttrester). *Gleich wenn du* [in den Keller] *hereinkommst, auf der Hurde links, liegen drei Flaschen Bätzi* (Meier, Verwandtschaften 103). →G 108.

Baubeitrag, der; -[e]s, ...träge // Bauzuschuß (Subvention der öffentlichen Hand an ein gemeinnütziges Bauvorhaben). *Bündner Baubeitrag an die Klinik Balgrist* [in Zürich] (NZZ 3. 3. 88, 24; Überschr.). →**Beitrag.**

Baubeschrieb, der; -[e]s, -e (Geschäftsspr.): Beschreibung eines geplanten Baues. *Daß ... für Eröffnungen oder Umbauten von Lebensmittelbetrieben Pläne und Baubeschriebe vor Erteilung der Baubewilligung dem kantonalen Lebensmittelinspektor vorzulegen sind* (Vaterland 1968, 229, 12). *Ein Raum, der einmal wohl die im Baubeschrieb erwähnte Garage war* (Bichsel, Jahreszeiten 34). →G 117.

Baudepartement →**Departement.**

Baudirektion →**Direktion.**

Baudirektor →**...direktor.**

bauern (auch südwestd.): einen Bauernhof betreiben. *Ich bin der letzte, der so* [ohne Maschinen] *bauert, sagt der Mann* (Helen Meier, Trockenwiese 18). [Die] *Ablehnung der 1985 eingereichten Volksinitiative „für ein naturnahes Bauern – gegen Tierfabriken"* (NZZ 9. 8. 88, 13). →**wirten.**

Bauern... vgl. **Bure...**

Bauernfas[t]nacht, die; -: Sonntag Invocavit, einer beiden eigentlichen Fastnachtssonntage; auch **alte**

Fas[t]nacht genannt. →**Fasnacht, Herrenfastnacht.**

Bauer[n]same, die; - (veraltend): Gesamtheit der Bauern, Bauernstand, Bauernschaft. [Die] *Menge ... die ... Kopf an Kopf, Adel, Pfaffheit, Bauersame, ein ganzes Volk, das geräumige Schiff der Kirche füllte* (C. F. Meyer V 159/60: Plautus im Nonnenkloster). *Die Viehmärkte wurden hauptsächlich von der Bauernsame aus den umliegenden Gemeinden ... besucht* (Aargauer Tagbl. 13. 12. 86). →G 113.

Bauernschübling, der; -s, -e (mundartl.:) **Bu[u]reschüblig** ['bu:rə,ʃʏblɪg, 'burə...]: leicht geräucherte Wurst aus magerem Kuh- oder Bullenfleisch, Gewürzen und Rückenspeck, meist gekocht gegessen. *Sie saßen in einer Wirtschaft mit Einheimischen ... Stiller freute sich auf Rösti und Bauernschüblig* (Frisch, Stiller 399). *Gartenwirtschaft an schönster Aussichtslage ... Selbstgekelterte Zürichseeweine, Beinschinken, Speck und Buureschüblig* (Zeitungsinserat). →**Schübling.**

Bäuert, die; -, -en, **Bäuertgemeinde,** die; -, -n (im Berner Oberland): Unterabteilung einer weitläufigen Berggemeinde, die gewisse Angelegenheiten selbständig verwaltet. →**Fraktion, Viertelsgemeinde.**

Baugespann, das; -[e]s, -e: Stangen, welche die Ausmaße eines geplanten Gebäudes anzeigen. *Das Gasthaus zur Krone, das mit seinen drei Stockwerken sich unauffällig in die Zeile der übrigen Giebelhäuser fügte, aber jetzt ... ein Baugespann trug, das ohne Rücksicht die ganze maßvolle Umgebung überragte* (Inglin, Erlenbüel 101). →**Bauprofil.**

Bauherrschaft, die; -, -en: Personengruppe oder Firma bzw. Firmengruppe, die einen Bau errichten läßt und finanziert (bdt. auch hierfür einfach „Bauherr"). [Der Architekt R. B.] *ging als Sieger aus einem Wettbewerb hervor, den die Bauherrschaft (die Bührle-Familiengesellschaft Exwo ... und, mit geringeren Beteiligungen, die Erbengemeinschaft Dr. J. L. sowie Dr. F. R.) ... durchgeführt hatte* (NZZ 6. 5. 87, 51). →G 122/1.

Baulinie, die // Bauflucht[linie] (Grenze, über die hinaus eine Bebauung nach dem Bebauungsplan ausgeschlossen ist).

bäumig (mundartnah): **a)** (veraltet) groß und stark (von Menschen). *Unser sechs Geschwister sind wir, immer eins bäumiger als das andere* (Spitteler IV 122: Conrad der Leutnant). **b)** (expressiv) großartig. *Dominik, ein frischer, lauter Bursche ... hatte sich zum Leiter des Unternehmens aufgeschwungen und immer wieder beteuert, es müsse eine großartige, eine „ganz bäumige Sache" werden* (Inglin, Amberg 50). *Das Stadtberner Arbeitsamt ...: „Unsere Arbeitslosen verhalten sich mehrheitlich einfach bäumig"* (NZZ 19. 2. 76, 33).

Baumnuß, die — Walnuß. *Es fanden sich in verborgenen Zeinen und Hurden Äpfel und Baumnüsse* (Frühling der Gegenw., Erz. III 290: Kaspar Freuler). *Mussoorie ist bekannt für Obst, Baumnüsse und Honig, Produkte, die in den heißen gangetischen Ebenen nicht gedeihen* (NZZ 17./18. 1. 87, 7).

Bauprofil, das: svw. →Baugespann. *Peter G. hat miterlebt, wie auf dem Klooshof zu Rheinfelden Bauprofile in die volle Frucht gesteckt wurden* (Weltwoche 22. 1. 87, 39).

Baute, die; -, -n (Geschäftsspr.) — Bau, Gebäude (bdt. nur Pl. Bauten zum Sg. der Bau). *Gesuch zur Errichtung eines Dreifamilienhauses ... Beilagen: Grundriß ..., Querschnitt* [usw.]. *Dazu eine kurze Beschreibung der Baute* (Bichsel, Jahreszeiten 19). *Ein zweigeschossiges Parkhaus ... über den Perrons* [des Bahnhofs Winterthur] *soll* [nur] *11,95 m hoch werden ... damit die Baute hinter dem Aufnahmegebäude nicht sichtbar wird* (NZZ 1. 12. 78, 51). →G 075/3, 124/1.

BE: Autokennzeichen und allg. Sigle für (den Kanton) Bern. →G 092.

beantragen, jmdm. ⟨Dat.⟩ etw.

(Amtsspr., im Verhältnis zwischen Exekutive und Legislative) // bei jmdm. *Der Regierungsrat beantragt dem Kantonsrat, den kantonalen Siedlungs- und Landschaftsplan ... zu ändern* (NZZ 13. 2. 87, 51). *Der Verwaltungsrat beantragt der Generalversammlung, die Dividende ... auf 16 Franken zu erhöhen* (Aargauer Tagbl. 26. 3. 87, 7). *Der Große Gemeinderat von Muri beantragt den Stimmberechtigten, die Steueranlage um zwei Zehntel ... zu senken* (Bund 21. 10. 87, 48). →G 060.

Bébé [*frz.* bebe], das; -s, -s — Säugling, Baby. *Alles fürs Bébé und Kleinkind* (Landanzeiger 5. 12. 68, Anzeige). *Puppe, Bébé und Papa, diese drei Worte erschöpfen den Lebensinhalt des Weibes* (Spitteler IV 398: Imago). [Eine Achtzigjährige] *liebt es, alle Altersgruppen durcheinanderwimmeln zu sehen und findet es „so herzig, wie die heutigen Väter ihre Bébés herumtragen"* (Bund 3. 10. 87, 33). Dazu **Bébéwaage, Bébéwäsche.** →**Buschi.**

Becher, der: auch svw. **a)** becherförmiges Bierglas. **b)** 3 Deziliter offenes Lagerbier, im becherförmigen Glas serviert. *Wo sonst bestandene Männer aus dem Quartier ... bei einem Becher hell zu sitzen pflegten* (Guggenheim, Alles in allem 578). *Fräulein, noch zwei Becher!* →**Große, Stange.**

Bechtelistag →**Berchtoldstag.**

bedingt: auch (Recht; ebenso österr.) svw. // mit Bewährungsfrist. *Und doch ist Giuseppe ... zu vier Monaten Gefängnis bedingt verurteilt worden* (National-Ztg. 4. 10. 68, 3). *So kann denn manchmal zwar auf den Strafvollzug bedingt verzichtet, aber in keinem Falle das Verhängen und das Aussprechen der Strafe umgangen werden* (Wirz, Gewalten II 311/12). (Bdt. nur: *bedingte Strafaussetzung, *bedingter Straferlaß). →**unbedingt.**

beelenden: schmerzlich berühren, traurig stimmen. *Diese ritterliche, aber nicht lebenslustige Maxime und der unnatürlich glückliche Ton, in welchem der Knabe sie aussprach, beelendete die gute Gräfin* (C. F. Meyer V 248: Das Leiden eines Knaben). *Ihre Abwesenheit war unbemerkt geblieben, was sie froh machte und zugleich beelendete, weil es ihr zeigte, wie überflüssig sie ihrem Manne geworden sein mußte* (Welti, Lucretia 182).

befahren: auch svw. (eine Alp) mit Vieh besetzen. *Die der Gemeinde Engi in Sernftal gehörende dreistaflige Alp Mühlebach ... konnte in diesem Sommer erst nach dem längsten Tag – rund zwei Wochen später als üblich – vom Tal aus befahren werden* (NZZ 26. 7. 78, 21). →**bestoßen.**

beförderlich (Amtsspr.) — rasch. *Der Große Rat hat laut Gesetz die Pflicht, das Initiativbegehren beförderlich zu behandeln* (St. Galler Tagbl. 1968, 570, 21). *Er wünscht beförderliche Sanierung der gefährlichen und unübersichtlichen Niveau-Übergänge* (Vaterland 1968, 282, 7). →**speditiv.**

befragen: auch (Recht) svw. — verhören. *Bezirksgerichtspräsident Dr. Eduard Müller befragte vorerst die fünf Angeklagten einzeln zu den Vorkommnissen* (NZZ 17. 11. 76, 7). Dazu **Befragung,** die: *Die Befragung einer Zeugin aus der Bundesrepublik ... die Verlesung von Zeugenaussagen und die Befragung* [des Angeklagten] *zu einer Reihe von Diebstählen ... füllten den zweiten Verhandlungstag aus* (NZZ 28. 10. 76, 5). →**einvernehmen, Einvernahme.**

Begehren, das: auch (Recht, Amtsspr.) svw. — Verlangen, Gesuch // Antrag. *Einer mündigen Person kann auf ihr Begehren ein Vormund gegeben werden, wenn ...* (ZGB, Art. 372). *Jost Müller ... hat beim Polizeidepartement das Begehren eingereicht, das kleine Hotel mit 36 Betten ausstatten zu dürfen* (National-Ztg. 1968, 456, 3).

begrüßen: auch (Geschäftsspr.) svw. an jmdn., an eine Instanz herantreten, um einen Wunsch o. ä. vorzubringen, namentlich aber, um ihm/ihr Gelegenheit zu geben, sich zu einer geplanten Maßnahme zu äußern. *Polen* *ist ... mit einem dringenden Kreditgesuch ... an europäische Regierungen herangetreten. Wie ... verlautete, sollen die Regierungen der Bundesrepublik, Großbritanniens* [u. a.] *von Polen begrüßt worden sein* (NZZ 24. 6. 81, 15). *Daß der General um die Jahreswende 1942/43, ohne den Bundesrat zu begrüßen, die Flabbatterien entlang der Nord- und Westgrenze zurückzog* (NZZ 26. 4. 70).

behaften, jmdn. auf/bei etw. — jmdn. für etw. beim Wort nehmen, zur Rechenschaft ziehen. *Besonders dort, wo man mit seinen Meinungsäußerungen Anstoß erregen oder wo man persönlich behaftet werden könnte, flieht man gern ins Sprichwort* (Weiß, Volkskunde 278). *Ich lasse mich bei dieser Behauptung behaften* (NZZ 1967, Bl. 3 174). *Du hast Dein Jawort einem hörenden Manne gegeben, und der taubgewordene darf Dich nicht darauf behaften* (Bestand und Versuch 719: G. Thürer).

behändigen (Geschäftsspr.) — an sich nehmen, in Empfang nehmen. *Er ... schlich sich in Köniz in eine Metzgerei ein und behändigte aus der ... Ladenkasse einen größeren Geldbetrag* (Bund 14. 10. 68, 32). *Es fehlt an Lagerräumen, weshalb die Hafenbehörden den Importeuren nicht mehr als 15 Tage nach der Löschung einräumen, um die Waren zu behändigen* (NZZ 26. 3. 76, 5). *Das Fotobuch behändigend, setzt man sich hin* (G. Meier, Kanal 54).

Behind [*engl.* bɪ'haɪnd] (Fußball): der Raum hinter der Torlinie (also außerhalb des Spielfeldes). *Der Ball ging um Zentimeter am rechten Pfosten vorbei in Behind* (NZZ 16. 11. 70). Dazu **Behindlinie,** die — Torlinie. *Dieser lief bis beinahe zur Behindlinie, zog dann einen weiten Flankenball auf die andere Seite* (Sport 26. 4. 71, 2).

beidseitig (bdt. selten): **1.** ⟨Adj.⟩ **a)** (räumlich) auf beiden Seiten liegend. *Die Seestraße wird ... mit beidseitigen Trottoirs ... versehen* (St. Galler Tagbl. 1968, 560, 27). **b)** (übertr.) von beiden Seiten (Parteien) erfolgend, — beiderseitig. *Dies brachte ein wenig Ablenkung, überdeckte das beidseitige Schweigen und Annas Betroffenheit* (Blatter, Heimweh 302). **2.** svw. →beidseits. **a)** ⟨Adv.⟩ *Beidseitig wurde zugestimmt.* **b)** ⟨Präp.⟩ *Beidseitig der großen Toreinfahrt reichten die Flügel des Baus ... auf die Straße hinaus* (Guggenheim, Seldwyla 23). →G 156.

beidseits (bdt. selten): **1.** ⟨Adv.⟩ auf beiden Seiten. **a)** (räumlich) // beiderseits. *Fleisch beidseits anbraten* (Berger, Koch-Bilderbuch 148). **b)** (übertr.) — beiderseits. *Ein Lernprozeß ist also beidseits vonnöten* (NZZ 10. 6. 88, 56). **2.** ⟨Präp.⟩ // beiderseits. *Beidseits eines schmalen Ganges standen zwei gepolsterte Bänke* (Boesch, Fliegenfalle 34). *Gewisse Leute beidseits der Saane,* d. h. in der deutschen und der welschen Schweiz (NZZ 1967, Bl. 2 520). →G 156.

Beige, die; -, -n (auch südd.) — Stoß, Stapel. *Wovon ich träume? Von einem Sofa in dämmrigem Raume. Links daneben Flaschen und Tabak, rechts Beigen von Reisebüchern* (Trottmann, Nachts 29). *Der Äschlisbach war über die Ufer getreten und riß beim Äbimoos eine Bretterbeige mit* (Vaterland 12. 8. 68, 22). Dazu **Holzbeige.** →**Scheiterbeige.**

beigen (auch südd.) — schichten, stapeln. *Die* [Wurzel-]*Stöcke waren schwer und ungebärdig ... vom zehnten an mußte er den Steinblock ersteigen, um sie beigen zu können* (Guggenheim, Riedland 111). *Der schön gebeigte Ster Buchenspälten* (NZZ 21./22. 3. 87, 51).

Beilage, die: auch (wie österr.) svw. // Anlage (etwas einem Brief, Aktenstück Beigelegtes). *Am 17. Februar 1927 reichten Bauherr und Architekt ein Gesuch zur Errichtung eines Dreifamilienhauses ein. Beilagen: Grundriß ..., Querschnitt und eine Situation* (Bichsel, Jahreszeiten 19).

Bein, das: auch svw. — Knochen (beim Schlachtfleisch). *Schweinefleisch: Schulter, zum Braten, ohne*

Bein: Kilo nur 10.80 (Aargauer Tagbl. 6. 2. 70, Anzeige). ****kein Bein** (mundartnah) — kein Mensch, niemand. *Es war Werktag, kein Bein hier* (Frisch, Die Schwierigen 220). ***jmdm. das Bein stellen** ⫽ jmdm. ein Bein stellen. *Jemand hat mir das Bein gestellt* (Frisch, Andorra 117).

beineln ⟨ist⟩ (mundartnah): mit kurzen Schritten [eilig] gehen. *Der Pfleger beinelte zum Telefon und rief den Nachtarzt an* (Vogt, Melancholie 204). *Fliegenschwärme beinelten an der Scheunenwand* (Helen Meier, Trockenwiese 111). →G 098.

Beitrag, der: auch svw. — Subvention // Zuschuß (der öffentlichen Hand). *Gemeinderat. Die Tagliste der Sitzung ... weist folgende Geschäfte auf: Beitrag an die Volkshausstiftung für den Umbau der Wirtschaftsräumlichkeiten ..., Erhöhung des Beitrages an den Verein für Mütterberatung* (NZZ). →**Bau-, Bundes-, Staatsbeitrag.**

Beiz, die; -, -en (mundartnah; abwertend oder salopp-gemütlich; in diesem S. oft Dim.:) **Beizli, Beizlein, Beizchen,** das; -s, - — Kneipe, Schenke, Wirtschaft, [kleines] Restaurant (österr. Beis[e]l). *Gastlich war die Aufnahme in den vielen von der modernen Zivilisation noch unberührten Dorfbeizlein des Val Bavona* (Bund 17. 10. 68). →G 106. Dazu **Freßbeiz[lein].**

Beizer, der; -s, - (mundartnah, salopp) — [Schenk-]Wirt. *Die Marmortische in der Beiz waren ... mit gerillten Papierservietten gedeckt ... Die große Kaffeemaschine summte auf dem Schanktisch, und der Beizer ... servierte eigenhändig* (Glauser II 303: Die Fieberkurve).

beiziehen ⟨st. V.⟩ (auch südd., österr., sonst selten) — hinzuziehen, heranziehen. *Zahlreiche Mexikaner sind verschnupft über Isaak, weil er 180 Kameraleute aus England für die Filmarbeit beigezogen hat* (National-Ztg. 15. 10. 68, 13). *Zur Deckung der ... Verluste* [sollen] *neben den bisher schon beigezogenen Reserven ... inskünftig auch die Konsumenten ... beigezogen werden* (St. Galler Tagbl. 1968, 567, 3). Dazu **Beizug,** der; -[e]s. [Gegen die] *Rattenplage ... hat die Gesundheitskommission unter Beizug eines Spezialisten Vorkehrungen getroffen* (St. Galler Tagbl. 13. 12. 68). [Der Christliche Holz- und Bauarbeiterverband] *verlangt ... noch intensivere Bemühungen* [um die Arbeitssicherheit] ... *und vermehrt den Beizug der Gewerkschaften* (NZZ 26. 10. 87, 17). →G 121.

belehnen: vor allem svw. ⫽ beleihen (bdt. nur hist.: jmdn. mit etw. als Lehen ausstatten). *Wäre es nicht einfacher, du ließest deine Lebensversicherungspolice belehnen?* (Guggenheim, Friede 96). *Wer belehnt mir Nachgangs-Hypothek* (NZZ 28. 1. 87, Inserat). →**entlehnen.**

belieben: auch (Papierspr.) svw. — gewählt werden. *Als neuer Kassier beliebte Verwalter Ernst Amstad, als neuer Schreiber wurde Josef Kälin, Versicherungsinspektor, gewählt* (Vaterland 13. 12. 1968). *Als Ort der nächsten Zusammenkunft beliebte Teufen.*

bemühen: auch svw. peinlich berühren. *Daß ich ... ihn, so sehr es den Leser auch bemühen wird, ...* [objektiv] *beschreiben will* (Humm, Linsengericht 71/72). Meist im 1. Partizip **bemühend** — unerfreulich, peinlich. *Daß seine klaren Stellungnahmen nicht überall auf Gegenliebe stoßen würden, war zu erwarten. Bemühend wird es aber, wenn seine Kritiker bloß mit längst widerlegten Behauptungen auffahren* (Bund 18. 2. 88, 9; Leserbrief). *Nun, da sein Sohn diese bemühenden Aufzeichnungen* [über seine Eheschwierigkeiten] *zu machen gezwungen war* (Kopp, Pegasus 116).

Benefiz, das: bes. auch (veraltend) svw. — Überschuß (der Einnahmen über die Ausgaben), Plus (in Abrechnungen der öffentlichen Hand, von Vereinen usw.). *Hohes Benefiz in St. Gallen* [Überschr.]. *Die Staatsrech-*

nung 1974 des Kantons St. Gallen schließt ... mit einem Einnahmenüberschuß von 13 Mio. Franken ab (Aargauer Volksblatt 13. 3. 75). →G 004.

Bengel, der: ***den Bengel hoch werfen** — hoch greifen, weit gehen, viel auf eine Karte setzen. *Daß Splittergruppen den Bengel in der Konkurrenz immer etwas höher werfen können als Parteien mit Regierungsverantwortung* (NZZ 30. 12. 86, 21). *„270 Franken Mitgliederbeitrag und 250 Franken Weihnachtsgeschenke ... das finde ich eine Unverschämtheit ..." „Der Junge rechnet das alles ganz naiv zu seinen Karrierespesen. Er hätte den Bengel ja viel höher werfen können!"* (Humm, Komödie 20).

Benne, die; -, -n (mundartnah) — Schubkarre[n]. *Er säbelte das delikate Fleisch in ... Brocken, die er dann einhändig in seinen Mund gabelte, lieblos, sachlich wie der Bauer den Mist in die Benne* (Sprachspiegel 21, 140).

benützen (wie südd., österr.) ≠ benutzen. *Zum Aufsuchen eines Fahrplans benütze man die Übersichtskarte oder das Ortsverzeichnis* (Amtl. Kursbuch 1980, grüner Teil, S. 6). →G 131/1. Ebenso **benützbar; Benützer; Benützung.**

Berchtoldstag, der; -[e]s, -e: „So wird der 2. Januar in schweizerischen Kalendern genannt, aber nicht nach einem heiligen Berchtold, den es gar nicht gibt; der Name ist nur eine Verhochdeutschung der mundartlichen Formen **Berchtelis-, Bertelis-, Berteli-, Berzelistag**" (Hoffmann-Krayer, Feste und Bräuche 104). *Wie am ... Neujahrstag ist das ... Säli des „Hirschen" auch ... am Freitag, den 2. Januar, gut besetzt, da der 2. Januar, der Berchtolds- oder Bärzelistag, im sonst eher arbeitsbeflissenen Kanton Bern ebenfalls noch ein Feiertag ist* (E. Y. Meyer, Trubschachen 186). *Neujahr, Berchtoldstag und Freitag, 3. Januar ... geschlossen* (Landanzeiger 30. 12. 68, Anzeige).

Béret, Beret [*frz.* beʀɛ], das; -s, -s (auch luxemb.) — Baskenmütze. *Sie trug ein kleines Knötchen im Nacken, eine Baskenmütze über das rechte Ohr gezogen. Das blaue Béret war staubig* (Glauser II 42: Wachtmeister Studer). *Ein Oberleutnant in grau-blauer Uniform ... mit schwarzem Béret* (NZZ 17. 2. 87, 31). →(zur Aussprache) G 037.

Berg, der: ***am Berg sein** — ratlos sein, nicht weiter wissen. *In einer Klinik hier macht man bei Lungenentzündungen jetzt Injektionen von Pneumokokken-Serum. Der Erfolg ist unsicher ... wir sind ganz einfach am Berg, ehrlich gesagt* (Inglin, Schweizerspiegel 582). *Am Berg nicht ‚am Berg' zu sein (wie der Ochse), das heißt ... auch in dieser Welt ... mit der gewohnten Sicherheit und Raschheit operieren zu können, das ist für unser Land von entscheidender Wichtigkeit* (Schumacher, Rost 142).

Bergell, das; -s: der Name dieses südlichen Bündner Tales (ital.: Val Bregaglia) wird immer mit dem Artikel gebraucht; →G 082.

Berggänger, der; -s, - — Bergsteiger. *Silvia war eine tapfere Berggängerin. Schon etliche Gipfel hat sie mutig bezwungen* (Vaterland 1968, 229, 12). *Während du schweigend aufstiegst, stetig und lautlos, ein guter Berggänger* (Geiser, Wüstenfahrt 57).

Bergheimen, -heimet, ⟨oft im Dim.:⟩ **-heimetli,** das; -s, — (mundartnah): kleines Bauerngut im Bergland. *Es gibt einen oberen und einen unteren Schwandwald, dazwischen liegt das Bergheimen Schwand* (Inglin, Verhexte Welt 32). *Auf dem Emmentaler Bergheimet „Untere Hollern" lebt die junge Familie des Samuel H. zusammen mit Großeltern und einem ledigen Onkel ... Das Gelände ist steil* (NZZ 23. 1. 79, 29). →G 106. →**Heimen.**

berichten: auch (mundartnah) svw. — sich unterhalten. *Ob man sich nicht vielleicht einmal abends ... zusammensetzen und weiter berichten könne, wenn man noch mehr über diese Gegend wissen wolle* (E. Y. Meyer, Trubschachen 40). *Gäste sind bei ihnen* *stets gerne gesehen, da läßt es sich so schön über alles berichten* (Aargauer Tagbl. 30. 4. 87, 23). ****falsch/recht berichtet** — unterrichtet. *Bin ich falsch berichtet, wenn ich annehme ...?*

Bernbiet, das; -s (mundartnah) — Kanton Bern. *Neue Telefonnummern im Bernbiet* [Überschrift] (NZZ 19. 9. 75, 7). →**Biet.**

berndeutsch: in der Mundart des Kantons Bern. *Er spricht berndeutsch.* **Berndeutsch,** das; -[s], **Berndeutsche,** das; -n: die Mundart des Kantons Bern, genauer: die sich deutlich, besonders auch durch Tonführung („Akzent") und Tempo von den nordwest-, zentral- und ostschweizerdeutschen Mundarten abhebende Mundartengruppe, die im Kt. Bern, namentl. in dessen nördlichen und mittleren Teilen, gesprochen wird. *Fragen, die vom Sportchef in einem wohltuend gemächlichen Berndeutsch beantwortet werden* (Blick 18. 10. 68).

Bernerplatte, (auch:) **Berner Platte,** die; -, -n. *Diese ... bekannten behäbigen Landgasthöfe ..., die am berühmtesten immer noch für ihre Berner Platten seien, bei denen man meist zwischen einer kleineren ..., bestehend aus gesottenem Fleisch vom Rind ..., Zunge vom Kalb, Speck, Rippli, Berner Zungenwurst und rezenten Emmentalerli, alles hübsch auf gedörrten ...* [oder] *frischen Bohnen oder auf Surchabis ausgelegt, und einer größeren ..., die zusätzlich mit Sauschwänzchen, Ohr und Gnagi vom Schwein, Hamme und Markbein auffahre, wählen könne* (E. Y. Meyer, Trubschachen 67). →G 153, 2.

Bernhardin, der; -s: kurz für Bernhardinpaß, Bernardinopaß (ital.: Passo San Bernardino) in GR. *Neuer Rekord am Bernhardin: 16214 Fahrzeuge* (NZZ 1. 8. 74, 352, 9).

Bernina, der; -s: kurz für Bernina paß (zwischen Oberengadin und Puschlav) in GR.

bernisch: zum Kanton Bern gehörig. *Die Delegierten des Verbandes bernischer Tierschutzvereine* (Bund 3. 10. 1968). →**stadtbernisch.** ***im Bernischen** — im Kanton Bern. *Er habe ... an einem solchen Baum, nur eben im Bernischen, ein paar stümperhafte Versuche gemacht, sich das Leben zu nehmen* (Amann, Verirren 120).

Beruf, der: ***stiller Beruf:** ruhiges, keinen Lärm verursachendes Gewerbe. *Zu vermieten Lagerräume ..., geeignet auch für stillen Beruf* (St. Galler Tagbl. 1968, 467, 4).

Berufskleid, das; -[e]s, -er: Berufskleidung, Arbeitsanzug. *Am freien Walzenende bügeln Sie die kompliziertesten Einzelstücke wie Herrenhemden, Damenblusen, Berufskleider usw.* (St. Galler Tagbl. 3. 10. 68, 9; Inserat). *In der Nähe des Tatortes* [sah man] *einen Mann in blauen Berufskleidern, wie sie von Monteuren getragen werden* (NZZ 5. 2. 87, 45). →**Kleid, Überkleid.**

Berufslehre, die; -, -n — Lehre, Berufsausbildung. *Voraussetzungen sind abgeschlossene Schulbildung und Berufslehre als Metallbauschlosser oder Metallbauzeichner* (Bund 1968, 282; Inserat). *In den kommenden vier Jahren soll die Zahl der Eintritte in eine Berufslehre um 14 bis 18 Prozent zurückgehen* (NZZ 28. 1. 87, 34).

Berufsmann, der; -[e]s, ...**leute:** jmd., der in einem [handwerklichen, kaufmännischen] Beruf ausgebildet ist und arbeitet. *Mit ... Erfolg absolvierte er die Käserlehre, worauf er ... in die Fremde zog ... Im Savoy[i]schen übernahm der junge Berufsmann verschiedene Lohnkäsereien* (Vaterland 1968, 281, 16). [Eine Firma] *beschäftigt handwerkliche Berufsleute, welche sie bei Bedarf anderen Unternehmen ausleiht* (Beobachter 1987, 1, 21). *Die Durchführung von zwei weiteren Sonderkursen zur Umschulung von Berufsleuten zu Primarlehrern* (Bund 1968, 281, 4). *Das gilt natürlich auch für weibliche Berufsleute* (Vaterland 4.10.68, 13).

besammeln: (Menschen) zu einem bestimmten Zweck zusammenrufen, versammeln. *Die Mannschaft war besammelt worden, ächzend verrichtete* *das Lager seine Arbeit* (Steiner, Strafarbeit 133). Häufig **sich besammeln:** in größerer Zahl an einem Treffpunkt zu einem bestimmten Zweck zusammenkommen // sich versammeln. *Läufer besammeln sich in Bern zum wehrsportlichen Distanzmarsch* (St. Galler Tagbl. 1968, 561, 29). Dazu **Besammlung,** die. *Eine Schulklasse ist* [zur Betriebsbesichtigung] *angesagt. Besammlung halb zehn, Hauptportal* (Erny, Neujahr 213). *Abdankung ... auf dem Friedhof Buchen. Besammlung beim Leichenhaus, anschließend Kremation* (St. Galler Tagbl. 1968, 567; Todesanzeige). →G 137.

beschlagen ⟨st.V.⟩: auch (veraltend) svw. — betreffen, angehen. *Ein Kredit von 551 000 Franken beschlägt die neue Kanalisation in der Neustraße* (St. Galler Tagbl. 31. 12. 68).

Beschläg, das; -[e]s, -e // der Beschlag (Metallstück zum Zusammenhalten, zum Schutz, zum Schmuck an Türen, Fenstern, Schubladen, auf Buchdeckeln); →G 124/1.

Beschrieb, der; -[e]s, -e (Geschäftsspr.) — Beschreibung. *Senden Sie gratis den Beschrieb der 6 Spezialaussteuern* (St. Galler Tagbl. 4. 10. 68; Inserat). [Die Aufgaben des „Kontaktbeamten" der St. Galler Stadtpolizei sind] *nach eigenem Beschrieb ... Vorurteile abbauen, das Verhältnis Bürger – Polizei verbessern und festigen ..."* (NZZ 3. 6. 82, 33). →G 117. →**Baubeschrieb.**

besorgt: *für etw. besorgt sein (Geschäftsspr.) — für etw. sorgen. *Die Familie Emmenegger vom Hotel Rößli wird für eine vorzügliche Bewirtung besorgt sein* (Vaterland 1968, 229, 12). *Ich habe das Büro des Herrn Bundesrats von Moos gebeten, dafür besorgt zu sein, daß mich Herr von Moos unverzüglich anruft* (National-Ztg. 1968, 455, 2).

bessern: auch svw. — besser werden, sich bessern. *Was diese letzteren* [die Unterkünfte für ausländische Arbeiter] *betrifft, so hat es seit einigen Jahren gebessert* (NZZ 1970, 429, 16). *Mit der Schlaflosigkeit hat es gebessert* (Guggenheim, Unser vier 68). *Das Wetter bessert langsam.* →G 064.

bestanden ⟨Adj., nur attr.⟩ — älter, bejahrt, in vorgerücktem Alter stehend. *Unter den ehrbaren und bestandenen Töchtern der Stadt ... Umschau zu halten* (Keller IX 272: Der Landvogt von Greifensee). *Ist doch jeder Straffall mit einer menschlichen Tragik verbunden, die auch einen bestandenen Richter nicht unberührt läßt* (NZZ 23. 12. 86, 34). →**gestanden.**

Bestandesaufnahme, die // Bestandsaufnahme; →G 030, 149/2b.

bestellen, jmdm. ⟨Dat.⟩ etw. (Geschäftsspr., veraltend) — bei jmdm. *„Das soll ein Seifenplakat werden", sagte er. „Alice Reist hat es mir bestellt"* (Humm, Komödie 107). →G 060.

bestoßen: bedeutet auch (wie österr.): (eine Alp, einen Markt) mit Vieh beschicken. *Eine jener obertoggenburgischen Alpen ... die ... vom Rheintal aus bestoßen wurden* (Sprachleben 299). *In den dreißiger und vierziger Jahren waren besonders die Frühlings- und Herbstmärkte recht gut bestoßen* (Aargauer Tagbl. 13. 12. 86). Dazu **Bestoßung, Alpbestoßung.** →**Alpaufzug.**

Betracht (Geschäftsspr.): ***in/außer Betracht fallen** — [nicht] in Betracht kommen. *Weil nicht Amtssprache des Bundes, fällt das Rätoromanische ... hier außer Betracht* (Sprachspiegel 1972, 185). ***in diesem, manchem, jedem Betracht** (bdt. veraltet) — in dieser ... Hinsicht. *Wir würden also nicht nur zu einem europäischen Unikum, das wir in manchem Betracht schon sind ... sondern ... recht eigentlich zu einem europäischen Schilda* (Weltwoche 26. 3. 65, 11).

Betreffnis, das; -ses, -se — Teilbetrag. **a)** — Anteil, Quote (soviel auf einen Partner entfällt). *Etliche Gemeinden haben ihr Betreffnis bereits bewilligt, und man darf annehmen, daß auch der Staatsbeitrag ... glatt durchgehen werde* (NZZ 20. 10. 61). **b)**

— Rate (soviel auf einen bestimmten Zeitraum entfällt). *Beim Teuerungsausgleich sind ... die ersten sechs Monatsbetreffnisse ... in die Pensionskasse einzulegen* (NZZ 8. 11. 66). →**treffen, Treffnis.**

betreiben ⟨st.V.⟩: auch (Recht) svw. jmdn. zwangsrechtlich (durch das Betreibungsamt) zur Zahlung einer Schuld veranlassen. *Er wurde für über tausend Franken betrieben.*

Betreibung, die; -, -en: vor allem kurz, auch amtl., für Schuldbetreibung, zwangsrechtliches Verfahren, jmdn. zur Zahlung einer Schuld zu veranlassen. *Haben wir viele Schulden, Polybios? Madame, wir werden von Gläubigern belagert. Von den Betreibungen will ich gar nicht sprechen. Wir stehen vor dem Konkurs, Madame* (Dürrenmatt, Hörspiele 166). Auch (ungenau) für: Zahlungsbefehl. *Die Familie [geriet] in finanzielle Bedrängnis ... Betreibungen flogen ins Haus* (National-Ztg. 1968, 553, 2). Dazu **Betreibungsamt,** das; -[e]s, ...ämter. *Der junge Mensch sollte nicht mit der ... Vorstellung heranwachsen, daß der ständige Kontakt mit dem Betreibungsamt einfach zum Unvermeidlichen im irdischen Daseinskampf gehöre* (Heß-Haeberli, Jugendfürsorge 72). **Betreibungsbeamte,** der; -n, -n. *Das Ansehen der Familie* [war] *durch das häufige Erscheinen des Betreibungsbeamten völlig dahin* (Oehninger, Kriechspur 115).

betreten ⟨st.V.⟩: auch (Amtsspr., veraltend; ebenso österr.) svw. ertappen, ergreifen. *Hat der Täter in der Schweiz weder Wohn- noch Heimatort, so ist der Gerichtsstand an dem Orte, wo der Täter betreten wird, begründet* (StGB, Art. 348[1]).

Betriebswirtschafter, der; -s, - // Betriebswirt. *Die Hauptaufgaben eines Ökonomen (Betriebswirtschafter/Volkswirtschafter) in unserer zentralen Abteilung* (NZZ 14./15. 2. 87, 45; Inserat). →G 115.

Bettag, der: gängige Kurzform für: **eidgenössischer Dank-, Buß- und Bettag,** am dritten Sonntag im September von allen Konfessionen begangen.

Bettanzug, der; -[e]s, ...züge — Bettbezug. *Ab Fabrik 130 schöne Bettanzüge mit je 2 Langkissen, normale Größe* (Schweizer Familie, 1977, 29, 53; Anzeige). →G 137.

betten: auch svw. — das Bett machen, richten. *Nordisch Schlafen ... Zwischen Duvet und Fixleintuch schlafen Sie kuschelig warm ... und am nächsten Morgen brauchen Sie keine Zeit fürs Betten* (Jelmoli, Katalog Herbst/Winter 1982, 324).

Bettflasche, die; -, -n (auch bdt. landsch.) — Wärmflasche. [Sie lag] *in ihrem weißen Bett, schlotternd trotz aller Bettflaschen* (Frisch, Stiller 133).

Bettmümpfeli, das; -s, -: Kleinigkeit, Leckerei, die man vor dem Schlafengehen noch genießt oder den Kindern gibt (// bdt. landsch. Betthupferl). *Bettmümpfeli von Sprüngli: ein Praliné, zwei oder drei Carrés ...* (Nebelspalter 1968, 26, 4; Inserat). →G 105. →**Mümpfeli.**

Bettstatt, die; -, -en (auch südd., österr.) — Bettstelle, Bettgestell. *Antike Möbel: 1 Bauernbuffet; 1 Truhe, eingelegt; 1 Bettstatt, repariert* (Bund 18. 10. 68, 14; Anzeige). *Das Bett ist im Grunde ein altmodisch-bäuerliches Frauenbett mit hoher, am Kopf- und Fußende geschwungener Bettstatt* (Nizon, Im Hause 128).

Bettüberwurf, der; -[e]s, ...würfe ⫽ Tagesdecke (Decke, die tagsüber über das Bett gelegt wird). *Bettüberwurf im dichten, molligen Lammfell-Look* (Jelmoli, Katalog Herbst/Winter 1982, 374). *Sie breitet den Regenmantel über den schmuddeligen Bettüberwurf* (Morf, Katzen 36). →**Überwurf.**

Bettvorlage, die; -, -n // Bettvorleger; →G 124, 1. →**Türvorlage.**

Betzeitglocke, die; -, -n: Glocke, die morgens, mittags und (besonders) abends zum Gebet läutet. *Die Betzeitglocken begleiten den Zug,* bei der

Heimfahrt am Abend (Guggenheim, Riedland 57).

bevogten (mundartnah, veraltend) — bevormunden. *Jetzt aber saß er da, rechtlos und bevogtet, bekam niemals einen blutigen Batzen zu sehen* (Hesse I 812: Diesseits). *Um zu verhindern, daß die alte Person armengenössig werde, wurde sie von Amtes wegen bevogtet* (Humm, Komödie 46). →**vogten.**

beziehen ‹st.V.›: auch (Amtsspr.) svw. (Steuern) erheben, einziehen. *Die im Jahre 1 geschuldete Steuer wird* [in BS] *auf den Grundlagen des Jahres 1 bemessen, aber erst im nachfolgenden Jahr bezogen* (NZZ 11. 8. 88, 15). →**Bezug.**

Bezirk, der: auch svw. **a)** (in den meisten Kantonen; ebenso in Österr.) Der Gemeinde übergeordnetes Verwaltungsgebiet (vgl. den „Kreis" in der Bundesrepublik). Dazu **Bezirksamt, Bezirksrichter, Bezirksspital.** →**Amt, Amtei, Amtsbezirk.** — **b)** (in AI) Gemeinde.

Bezirksammann, der; -(e)s, ...männer (in SG, SZ): Vorsteher der Verwaltung eines ↑Bezirks. →**Ammann, Amtsstatthalter.**

Bezirksamtmann, der; -(e)s, ...männer (in AG): Vorsteher der Verwaltung eines ↑Bezirks. →**Amtsstatthalter.**

Bezirksanwalt, der; -(e)s, ...wälte (in ZH): Untersuchungsrichter und öffentlicher Ankläger der 1. Instanz (Bezirksgericht). →**Staatsanwalt; Bezirksprokurator.**

Bezirksgemeinde, die; -, -n: **1. a)** (in AR [auch **Bezirksversammlung**] und SZ) jährliche Versammlung der Stimmberechtigten eines Bezirkes. *Die Bezirksgemeinde des alten Landes Schwyz, bei naßkaltem Wetter verfassungsgemäß am ersten Maisonntag durchgeführt, hat alle 18 Sach- und Wahlgeschäfte genehmigt* (NZZ 4. 5. 70). **b)** (in AI) svw. ↑Gemeindeversammlung (stets eine Woche nach der Landsgemeinde abgehalten). **2.** (in NW) svw. Einwohner-, politische Gemeinde. →**Gemeinde.**

Bezirksgericht, das; -[e]s, -e (in AG, AR, AI, BL, FR, GR, SG, SZ, TG, ZH): Gericht erster Instanz, namentlich in Zivilsachen. →**Amts-, Kreis-, Landgericht.**

Bezirkshauptmann →**Hauptmann.**

Bezirkslehrer, amtlich **Bezirksschullehrer,** der; -s, - (in AG und SO): Lehrer an einer →Bezirksschule.

Bezirksprokurator, der; -s, -en (in BE): Staatsanwalt der unteren Instanzen, überwacht die Voruntersuchung und vertritt die Anklage vor Amts- und Geschworenengericht. →**Generalprokurator; Bezirksanwalt.**

Bezirksrat, der; -[e]s, ...räte: **1. a)** (in SZ, TG, VS, ZH:) Aufsichts- und (in SZ, VS:) Vollzugsbehörde, (in ZH auch:) Rekurs- und Beschwerdeinstanz im Bezirk. **b)** (in AI:) Gemeinderat (Exekutive). **2.** Mitglied des Bezirksrates (in Bed. 1 a, b).

Bezirksschule, die; -, -n (in AG, SO): an die Primarschule anschließende Schule (6.-9. Schuljahr) mit den höchsten Ansprüchen, gewährleistet den Anschluß an die →Mittelschule. →**Real-, Sekundarschule.**

Bezirksstatthalter, der; -s, — (in BL): Vorsteher der Bezirksverwaltung. →**Amtsstatthalter.**

Bezug, der: auch (Geschäftsspr.) svw. **1.** — das Beziehen (eines Hauses, einer Wohnung), der Einzug (in ein Haus ...). *Bis zum Bezug des neuen Schulhauses wird ... ein Notschulzimmer eingerichtet* (National-Ztg. 1968, 553, 11). **2.** das Erheben, Einziehen von Steuern, Beiträgen. *Zur Frage der* [ein- oder zweijährigen] *Bemessungsperiode gesellt sich ... die Frage des Steuerbezuges, der post- oder praenumerando erfolgen kann* (NZZ 11. 8. 88, 15). *Den pünktlichen Bezug der Mitgliederbeiträge* (Heimann, Antoni 103). →G 115. →**beziehen.**

Bezüger, der; -s, - // Bezieher (von Gas, Wasser, Elektrisch, von Lohn, Rente usw., [Abonnent] von Zeitungen und Zeitschriften. *18 Bezügern* *mußte der* [Gas-]*Hahn zugedreht werden* (National-Ztg. 22. 4. 63). *Die Bezüger kleiner, aber lebenslänglicher Renten* (Guggenheim, Gold. Würfel 181). *Die Neugestaltung ... dieser Vierteljahrsschrift wird gewiß von allen Bezügern und Lesern ... gutgeheißen werden* (NZZ 23. 10. 69). →G 124/2. Dazu **AHV-Bezüger, Energie-, Lohn-, Renten-, Strombezüger.**

BGB: (buchstabierte) Abkürzung für **B**auern-, **G**ewerbe- und **B**ürgerpartei (bis 1971), jetzt →**SVP;** →G 028, 093.

Bibeli, das; -s, - (mundartl.) — Pickel, Pustel, Mitesser. *Bibeli sofort unsichtbar. Der hautfarbene ... Stift hilft sofort bei Akne, Mitessern, Ekzemen und andern Hautunreinheiten* (Blick 25. 9. 1968; Anzeige). →G 105.

[3]**Biber, Biberfladen,** der; -s, -: Art Lebkuchen mit figürlicher Prägung und marzipanähnlicher Füllung, Spezialität von St. Gallen und Appenzell.

Bidon [frz. bidɔ̃], der/das; -s, -s: trag- und verschließbarer Behälter aus Blech oder Kunststoff für Flüssigkeiten; Kanne, Kanister. *Der Räuber hatte ... den Kassenraum der Tankstelle ... betreten und ... nach leeren Bidons gefragt* (NZZ 30. 11. 87, 32).

Bielersee, der; -s: See im Kt. Bern. Der Name wird gewöhnlich zusammen geschrieben; →G 153/2d.

Bierstengel, der; -s, - // Salzstange.

Bierteller, der; -s, - // Bierfilz, -dekkel, -untersatz. *Er drehte einen Bierteller in den Händen* (Muschg, Mitgespielt 51).

Biet, [bi:t, (mundartl.:) bɪ̯ət], das; -s: Gebiet; nur noch in volkstümlichen Bezeichnungen einiger Kantone: →**Baselbiet, Bernbiet, Luzernbiet, Züri[ch]biet.** →G 029.

Bieter, der; -s, -: eine der zahlreichen Spielarten des Kartenspiels →Jaß. *Er setzte sich zu den ... Kollegen ..., bestellte ein Helles und begann das Spiel auszuteilen für einen Bieter* (Guggenheim, Alles in allem 738).

Biga, das; -s: Initialwort für **B**undesamt für **I**ndustrie, **G**ewerbe und **A**rbeit. *Die Biga-Umfrage über die Mitbestimmung der Arbeitnehmer* (NZZ 27. 7. 72). →G 094.

Bijouterie [*frz.* biʒutʀi; biʒutəʀi:], die; -, -n (bdt. veraltet) // Schmuckwarengeschäft. *In Lugano-Paradiso ist in eine Bijouterie eingebrochen worden, wobei die Diebe mit Uhren und Schmuck im Wert von mehreren zehntausend Franken entkamen* (Vaterland 3. 10. 68, 5). →(zur Aussprache) G 035/2.

Bijoutier [*frz.* biʒutje], der (bdt. veraltet) // Schmuckhändler. *Der Saphirring, ... den ich bei unserem alten Kunden, dem Uhrmacher und Bijoutier Laden, zu einem Freundschaftspreis erstanden hatte* (Guggenheim, Gold. Würfel 37).

Bikini: das — der. *Wählen Sie hier Ihr individuelles Bikini!* (Jelmoli, Katalog Frühling/Sommer 1983, 199). →G 076.

Billet →**Billett.**

Billeteur ['bijɛtœ:r, 'biljɛ..., ...tø:r], der; -s, -e ⟨frz., nicht Standard⟩ (früher, bes. in Basel) // [Straßenbahn-, Bus-]Schaffner (österr.: Platzanweiser im Theater, Kino, der die Eintrittskarten überprüft). *Nach wie vor leiden die Basler Verkehrs-Betriebe unter dem Mangel an ... Wagenführern, Auto- und Trolleybus-Chauffeuren und natürlich auch an Billeteuren* (National-Ztg. 9. 10. 68). *Der Billeteur wurde durch den Automaten ersetzt* (Guggenheim, Zusammensetzspiel 48). *An dieser Bushaltestelle wartete ich schon, als es noch Billeteure, nicht bloß Automaten gab* (Geiser, Wüstenfahrt 176).

Billeteuse ['bijɛtøz(ə), bilj...], die; -, -n ⟨frz., nicht Standard⟩ // Straßenbahn-, Autobusschaffnerin (um 1960 mit dem Kondukteurmangel eingeführt, um 1970 mit Einführung des kondukteurlosen Betriebs wieder verschwunden). → (zur Aussprache) G 035/1.

Billett [bɪl'jɛt], das; -s, -e, (veraltet:) **Billet** [*frz.* bijɛ; 'biljɛ], -s, -s; →G 033, 037 (bdt. überhaupt veraltet): **1.** — [Eintritts-]Karte, // [Fahr-]Karte, Fahrschein. *Vor knapp drei Monaten* *wurde die Billett-Zentrale (BZZ) des Verkehrsvereins in Betrieb genommen ... Heute* [werden] *bereits Karten für 17 Veranstalter ... verkauft ... Es wäre begrüßenswert, wenn ... vermehrt Billette für große Fußballspiele ... angeboten werden könnten* (NZZ 27. 12. 78, 23). *Alle Billette vorweisen, bitte!* ruft der Eisenbahnkondukteur. **2.** (salopp) — Führerschein. *„Billett weg" wegen Fahrfehler* [Überschrift]. *Im vergangenen Jahr haben 31805 Fahrzeuglenker in der Schweiz ihren Führerschein für kürzere oder längere Zeit abgeben müssen* (Weltwoche 19. 3. 87, 20). Dazu (1) **Bahn-, Frei-, Gratis-, Kino-, Theater-, Trambillett.**

Billẹttsteuer, die; — Vergnügungssteuer (Steuer auf öffentlichen Veranstaltungen, vom Betrag der verkauften Eintrittskarten erhoben).

Billio̱nstel, der ⫽ das; -s, -; → G 076.

Binden[fleisch] → **Bündner Fleisch.**

Birn[en]schnitz, der; -es, -e: [gedörrtes] Birnenstückchen (meist Viertel). [In der Kammer des Berggasthauses] *ein großes Bett mit rot gewürfelten Überzügen, ein Schrank, ein Kruzifix, ein Weihwasserschälchen, Duft von gedörrten Birnschnitzen, frischer Wäsche und sonnewarmem Tannenholz* (Inglin, Amberg 120). → **Schnitz.**

Bịrn[en]weggen [...vɛk'ən], der; -s, -: Gebäck mit Füllung aus gedörrten Birnen, Nüssen, Gewürz und Kirschwasser, namentlich auf Weihnachten und Neujahr gebacken.

bis: in den Fügungen ***bis an: a)** — bis auf, außer, ausgenommen. *Alle bis an die Kommunisten haben zugestimmt* (Kaiser I 137). **b)** // bis zu. *Der Car-Parkplatz „Inseli" ist bis am 22. Oktober durch die Budenmesse besetzt* (Bund 3. 10. 68, 10). ***bis ạnhin** — bis jetzt, bisher. *Der bis anhin punktelose Basler HC traf ... auf den bis heute ungeschlagenen Tabellenführer aus Zürich* (National-Ztg. 7. 10. 68). *Bis anhin hatte sie sich über ihr Aussehen keine Gedanken gemacht* (Hugo, die Elenden [Übers.] 856). ***bis und mit** // bis [einschließlich]. *Das Gastspiel dauert noch bis und mit Samstag* (Vaterland 3. 10. 68, 11).

Biscuit, das; -s, -s: • ⟨Aussprache:⟩ [*frz.* biskųi; 'bɪskųi // bɪs'kvi:t]; → G 032 • ⟨Schreibung:⟩ ⫽ Biskuit • ⟨Bedeutung:⟩ auch svw. // Keks (Stück trockenes, haltbares Kleingebäck).

Bise ['bi:zə], die; - ⟨frz.⟩ — (kalter) Nord[ost]wind. *In der zweiten Hälfte des Samstags stößt mit einsetzender Bise die Kontinentalluft gegen unser Land vor* (Tages-Anzeiger 10. 1. 87, 16). *Die Bise, die vor Weihnachten aufkam, rieb das Gerüst gegen die Pfeiler, sirrte in den Drahtschlaufen und riß Staub aus allen Ritzen* (Boesch, Gerüst 29). → (zur Aussprache) G 035/1.

bisher: (häufig:) bịs... — ...he̱r; → G 019.

Bi̱swind, der; -s — (kalter) Nord[ost]wind. *Der Biswind hatte ein feines, trockenes Gekörn über den Schnee hin gestreut* (Inglin, Amberg 153). *Er zitterte im Biswind, wartete, bis die Leute gingen* (Schmidli, Schattenhaus 16). → **Bise.**

BL: Autokennzeichen und allg. Sigle für (den Halbkanton) Baselland; → G 092.

Blạche (auch bdt. landsch.)/**Plạche** (auch österr.), die; -, -n // Blahe, Plane (größeres Stück festen Gewebes als Zeltbahn, Wagenbedeckung, Marktbudendach o. ä.). *Anderntags ... sah man zwei Lastträger ein altes Möbelstück ... transportieren. Sie hatten es am Karren festgebunden und sorgsam mit einer Blache zugedeckt* (Kopp, Pegasus 220). *Er blickte ... auf die unter grauen Plachen an einem Stege vertäuten Boote* (Wechsler, Ein Haus 70). Dazu **Wagenblache.** → **Zeltblache.** → G 029.

blagi̱eren ⟨frz.⟩ (mundartnah; bdt. veraltet), auch **plagi̱eren** — prahlen, aufschneiden, großtun. *Erstens sind die Leute sofort bei der Hand mit dem Worte „blaguieren", und zweitens glauben sie sowieso höchstens die Hälfte von dem, was ihnen irgendeiner* *erzählt* (Frühling der Gegenw., Erz. III 92: O. Wirz). *Schon ... im November 1932 plagierte ein Nazi, wie die NSDAP nach ihrem Sieg mit Gegnern ... aufräumen werde* (Schweizer Spiegel 1962, 7, 33). *Blagieren kannst du, aber beweisen kannst du gar nichts* (Inglin, Wendel 79).

Blasbalg, der; -[e]s, ...bälge # (bdt. häufiger:) Blasebalg; →G 143.

Blätz →Plätz.

Bleichschnabel, der; -s, ...schnäbel: bleich aussehender Mensch (besonders von Kindern). *Ei ei, was ist das für ein Bleichschnabel, für ein Milchgesicht? Warte, du sollst nicht mehr fort, bis du so rote Backen hast wie dein seliger Vater!* (Keller I 200: Der Grüne Heinrich).

blochen // bohnern (südd.: blocken).

Blocher, der; -s, - // Bohner (südd.: Blocker). *Sie ... sahen zu, wie zwei blonde Burschen die Diakonissin auf den Blocher setzten und mit dem Blocher den Korridor auf und ab rannten* (Boesch, Fliegenfalle 190).

blöd: auch svw. — fadenscheinig (abgenutzt, dünn und durchscheinend, von Geweben u.ä.). *Zuerst würde der Teppich seine Molligkeit, dann seine Dichte ... verlieren, die Fäden würden sichtbar werden ..., dann würde es blöde Stellen geben* (Guggenheim, Friede 187).

BLS: (buchstabierte) Abkürzung für **B**ern - **L**ötschberg - **S**implon(-Bahn), Thun-Brig mit Nebenlinien, gewöhnlich Lötschbergbahn genannt; →G 028, 093.

Bluff, der [blœf, *engl.* blʌf] (wie österr.; bdt. veraltend) // [blʊf]; →G 040/2. Ebenso **bluffen** ⟨sw. V.⟩.

Blühet, der; -s — das Blühen, die Blütezeit von Obstbäumen, Weinreben. [Doch] *zeigte es sich schon kurz nach dem Blühet, daß die* [Kirschen-]*Ernte 1973 nur 55 bis 65 Prozent einer Großernte ausmachen wird* (Freier Aargauer 19. 6. 73). *Der Blühet wurde durch warmes ... Wetter begünstigt, und auch das Wetter der folgenden Wochen war den Reben wohlgesinnt* (NZZ 6. 9. 79, 41). →G 111. Dazu: **Baumblühet.**

Blust [blu:st], der/das (auch südd., sonst veraltet): **a)** die Blüten der Obstbäume, der Reben. *Das Gold des Himmels wob in der Kühle, mit einem Geruch von Maikäfern öffnete sich das Blust* (Zollinger II 54: Der halbe Mensch). *Die ersten Kirschbäume stehen im Blust* (Wilker, Jota 126). **b)** das Blühen der Obstbäume, der Reben. *Nach dem erfreulichen Weinjahr 1973 hat in diesem Jahr der Frost dreimal das Rebgut stark dezimiert. Der Blust ist schlecht verlaufen* (NZZ 1. 11. 74, 480, 50). Dazu **Apfel-, Kirsch[en]blust; Blustbummel, -fahrt** (Ausflug über Land zur Zeit der Baumblüte).

blutt (mundartnah, expressiv) — nackt. *Viel zu blutt. ... Ein sittenstrenger Gemeinderat der Calvinstadt war entsetzt über die jungen amerikanischen Artisten, die sich halbnackt in Genfs Straßen produziert hatten* (Blick 7. 10. 68). *Dahier ... ging sie in der ersten schwülen Sommernacht mit blutten Beinen im Bach herum ... Sie lüpfte den Rock und machte Faxen gegen die Fluh hin* (Inglin, Verhexte Welt 92).

blütteln (mundartnah): sich [weitgehend] nackt zeigen. *Zielbewußt steuerst du ... den mit blüttelndem Liebreiz nicht geizenden Kiosk an* (Landert, Koitzsch 32). →G 099.

Bock, der: auch (im Kartenspiel Jaß) svw. Karte, die nicht gestochen werden kann. *Er rückte jedesmal, wenn er eine Karte auf den Tisch haute, mit dem Oberkörper nach vorn und schrie seine Bock, Bock und Schiltenbub, Schellenbub, Eichelsau und Rosensau durchs Haus* (Boesch, Fliegenfalle 85). *Hier liegt Trumpf Sieben, der Rest lauter Böcke* (Brambach, Wahrnehmungen 50).

Boden, der: ***jmdn. unter den Boden bringen** — ins Grab bringen. *„Sire, dieser Bösewicht hat einen edeln Knaben gemordet." „Ich bitte dich ...", sagte der König, „welch ein Märchen!" „Sagen wir: er hat ihn unter den Boden gebracht"* (C. F. Meyer V 221: Das

Leiden eines Knaben). ***etw., mit jmdm. zu Boden reden** — etw. gründlich besprechen, sich mit jmdm. gründlich aussprechen. *Diese Dinge müssen einmal zu Boden geredet werden* (Lenz, Fahrerin 254). *Wir müssen einmal miteinander zu Boden reden!* ***durch alle Böden [hindurch]** — um jeden Preis, bis zum letzten (etw. durchsetzen, an etw. festhalten). *Aus diesem Grunde appelliert der Beobachter an die Behörden, ihren Standpunkt den Schulen nicht durch alle Böden hindurch aufzuzwingen* (Beobachter 1987, 1, 26).

Bodenkohlrabi, der; -s, -, auch: **...kohlrabe,** die; -, -n // Kohlrübe, Steckrübe. *Erwähnenswert* [aus dem Gemüseangebot] *sind weiter Endiviensalat, Bodenkohlrabi, Chinakohl, roter Cicorino ...* (NZZ 7.10. 87, 22).

Bodenwichse, die; -, -n // Bohnerwachs. *Es riecht nach Staub und Bodenwichse* (Frisch, Gantenbein 21).

bodigen: (urspr.: beim ↑Schwingen zu Boden werfen) besiegen; erledigen, verwerfen. *Servette* [Genfer Fußballklub], *von Lausanne im Derby deklassiert, will bei einer Lausanne-Niederlage lächeln. Zuerst muß allerdings Basel gebodigt werden* (Blick 28. 9. 68). *Es war schon immer leichter, eine* [Gesetzes-]*Vorlage zu bodigen, als eine zu schaffen* (NZZ 1. 12. 87, 23).

Bogen, der: • ⟨Plural:⟩ Bögen (auch südd., österr.) ≠ Bogen. *Ohne Zwischenfälle verliefen ... die Galopp-Rennen, auch wenn es in den engen Bögen einige brenzlige Situationen ...* gab (NZZ 13. 6. 88, 48). *Firmen kauften am Ausgabetag zum Teil ganze Bögen,* einer Sonderbriefmarke (Luzerner Neueste Nachrichten 8. 9. 87, 3). **Die Bögen** heißen die Arkaden am Zürcher Limmatquai. *Sie kommen sich nicht besser vor als die andern, die unter den Bögen stehen und schwatzen* (Frisch, Marion 139).

Bögg → **Böögg.**

Bombardement, das: [bɔmbardəˈmɛnt]; -[e]s, -e — [*frz.* bõbaʀdəmɑ̃ // bdt. bɔmbardəˈmɑ̃ː]; -s, -s; → G 038. *Am 16., 19. und 21. Juli* [1944] *wurden die Tagesbombardemente* [von München] *fortgesetzt* (Zurlinden, Betrachtungen 85).

Bonbon: • ⟨Aussprache:⟩ [*frz.* bɔ̃bɔ̃] // [bɔŋˈbɔŋ], auch: [bɔ̃ˈbɔ̃] (österr. nur so); → G 030. • ⟨Geschlecht:⟩ das // (bdt. meist:) der; → G 076.

Bonneterie [*frz.* bɔnɛtʀi], die; — ⟨o.Pl.⟩ (veraltend) // Mützen- und Strumpfwaren. *Zu jener Zeit, da sie noch ihr kleines Bonneterielädelchen an der Selnaustraße führte* (Guggenheim, Alles in allem 591).

Böögg, der; -en, -en [bøːkʼ] (mundartl.): **a)** vermummte Person an der Fastnacht. *Ein kleines ... einsames Bööglein, ein weißer Pierrot* (Guggenheim, Alles in allem 616). **b)** Popanz, der verbrannt wird: an der Fastnacht. *Auf dem Marktplatz wird am Aschermittwoch der Böögg verbrannt* (Schenker, Leider 87). Am Zürcher → Sechseläuten, auf einer Stange über großem Holzstoß stehend, einem Schneemann gleichend, mit einem Weidenkorb als Hut und einem Besen im Arm. *Mitten auf der ... Wiese des Sechseläutenplatzes stand bald der Böögg auf hoher Stange ... Schon rollte hochbeladen die erste Holzfuhr an* (NZZ).

Bord, das; -[e]s, -e/Börder (bdt. veraltet) — Rand (im Gelände), Böschung, Abhang. *Das Geländer am Bord dieses Kanals* (Walser IV 278: Geschwister Tanner). [Ein Tankwagen] *geriet auf einer verschneiten Straße ins Rutschen und purzelte ... ein etwa zehn Meter hohes Bord hinunter* (Aargauer Tagbl. 6. 3. 87, 13). *Neben dem Schopf stieg er ins Bord. Er ging den Hügel hinauf gegen den Wald* (Boesch, Fliegenfalle 57). → **Bachbord, Bahnbord.**

Bösewicht, der; -[e]s: • ⟨Plural:⟩ -e (auch österr.; bdt. seltener) // -er. *Die Missetäter seiner* [Glausers] *Kriminalgeschichten sind ... nicht einfach Bösewichte* (Salis, Müßiggänger 201). *Fehden ... werden auf dem Eis durch eigens für solche Angelegenheiten unter Vertrag gehaltene „Bösewichte" angeheizt* *und ausgeprügelt,* in den USA (Tages-Anz. 7. 4. 88, 51). →G 072.

Boskoop // Boskop (eine Apfelsorte; nach dem niederländischen Ort Boskoop; →G 043.

Botschaft, die: auch (Amtsspr.) svw. Bericht und Stellungnahme einer Regierung (Exekutive) zu einer dem Parlament überwiesenen oder dem Volk zur Abstimmung unterbreiteten Vorlage. →**Ratschlag, Weisung.**

Bott, das; -[e]s, -e (in traditionsbewußten Vereinigungen): jährliche (auch halbjährliche) Mitgliederversammlung; meist in Zusammensetzungen: **Frühjahrs-, Herbst-, Jahresbott.** *Gesellschaft zu Schuhmachern. Großes Bott, Freitag, 2. Dezember ... Zunftsaal. Traktanden: 1. Begrüßung. 2. Protokoll des Frühjahrsbottes ...* (Stadtanz. Bern 22. 11. 88, 2). *Zum Herbstbott 1896 der Gottfried-Keller-Gesellschaft hat Präsident Prof. H. W. ... im Rathaus ... Mitglieder und Gäste begrüßt* (NZZ 28. 10. 86, 40). *Am 27./28. Mai fand in Freiburg und im Greyerzerland das Jahresbott des Schweizer Heimatschutzes statt* (NZZ 31. 5. 61). *Im Rahmen des Herbstbottes, zu dem der Zürcher Kantonalschützenverein traditonsgemäß die besten Schützen aus den kantonalen Matchmeisterschaften* [usw. zu Schlußwettkämpfen] *einlädt* (NZZ 28. 10. 86, 56). →G 029.

Boulevard [*frz.* bulvaʀ // bulə'va:ɐ̯], das — der; -s, -s. *Die Cannebière, Marseilles großes Boulevard* (Hohl, Nächtl. Weg 29). *Das breite Boulevard hinab, das durch die Fassade des Bahnhofs abgeschlossen wurde,* die Zürcher Bahnhofstraße (Guggenheim, Alles in allem 87). →G 076.

Bouquet [*frz.* bukɛ], das; -s, -s (auch österr.): **a)** — Bukett [bʊ'kɛt] i. S. v. Blumenstrauß. **b)** ≁ Bukett i. S. v. Blume des Weines.

Brachsmen, der; -s, - // die Brachse, Brasse, der Brachsen, Brassen (in Seen und langsam fließenden Gewässern lebender Karpfenfisch). Drittgrößte *Erträge weist ... die Gruppe der Weißfische (Rotaugen, Brachsmen, Schleien usw.) aus* (NZZ 7. 4. 88, 23). →G 029.

Brandalarmanlage, die — Feuermeldeanlage.

Brandassekuranz, die; -, -en (veraltend) — Feuerversicherung, (staatliche) Gebäudeversicherung. *Die Munizipalgemeinde ... hat vornehmlich Aufgaben zu lösen, die ihr vom Staat übertragen sind: Durchführung von Wahlen und Abstimmungen, Steuerwesen, Gesundheitswesen ... Arbeitsamt, Gebäudeschätzungs- und Brandassekuranzwesen* (Gruner/Junker, Anhang TG 15).

brandmager (affektiv): sehr mager, stark abgemagert. *Letzthin fiel ein Schafbock in eine solche Felsgrube; erst nach drei Wochen wurde er entdeckt und heraufgeholt, brandmager, doch noch lebend* (Radio-Ztg. 1961, 41, 59).

Brandwache, die; - (in verschiedenen Städten) — ständige Feuerwehr. *Obwohl die Brandwache Winterthur kurz nach Ausbruch des Feuers ... eingriff, wurde die Ladung vollständig zerstört* (NZZ 28. 9. 87, 34).

Brät, das; -s (bdt. nur landsch., fachspr.): feingehacktes Kalbs- oder Schweinefleisch, Bratwurstfüllung. *Für die Leberfüllung Kalbsbrät, Madeira und Zitronensaft ... mischen* (Schweizer Familie 7. 3. 79, 95).

Brauch, der: ***das ist [nicht] der Brauch:** ist [nicht] Brauch: *Weniger überzeugt war er ... von Ricos Leidenschaft für Gedichte. Gedichte zu lesen war in Mondanina nämlich weniger der Brauch* (Humm, Greif 78). *Ob es wohl oft vorkommt, daß achtjährige Buben ... mit ihrem verwitweten Vater Gewaltverbrechen diskutieren? Ich glaube, es ist sonst nicht der Brauch, bei uns aber wurde es zur Regel* (Gosse, Vater und Sohn [Übers.] 133). →G 083.

brauchen: auch **es braucht etw.: a)** — etw. ist notwendig. *Was es aber in einer Region von der ... Ausdehnung Zürichs braucht, sind einerseits gute*

Zubringer ... und anderseits gute Feinverteiler (NZZ 10./11. 1. 87, 49). **b)** es dauert (eine Zeitspanne). *24 Stunden braucht es, bis unsere Austern vom Meer ins Mövenpick gelangen* (Bund 3. 10. 68, 31; Inserat).

Brennhafen, der; -s, ...häfen: [holzbefeuerter] Destillationsapparat, in dem nach hergebrachter Weise Branntwein aus Obst hergestellt wird. →**Hafenbrand.**

Brente, die; -, -n (im Westen) // Tragbütte (Rückentraggefäß für Milch, Trauben, Wein, Most, Wasser). *Wo früher Karst, Halskorb und Brente auf schmalsten Weglein getragen worden seien, müßten nun* [im Rebberg] *auch motorisierte Geräte eingesetzt werden können* (Bund 21. 9. 87, 24). →**Tanse.**

Bretzel, die; -, -n, ⟨Dim.:⟩ **Bretzeli,** das; -s, -: • ⟨Aussprache, Schreibung:⟩ Bretzel ['brɛtsəl] — Brezel ['bre:tsl]; →G 029. • ⟨Bedeutung:⟩ auch (meist in der Dim.-Form Bretzeli) svw. eine Art Waffel: dünnes, knuspriges, im Waffeleisen hergestelltes süßes oder salziges, auch mit Kümmel gewürztes Gebäck. Dazu **Bretzel-, Brezeleisen,** das — Waffeleisen.

Brevet, das; -s, -s: • ⟨Aussprache:⟩ [*frz.* bʀəvɛ // bre've:]; →G 037. • ⟨Bedeutung, Geltung:⟩ Prüfungsausweis für Flieger, Bergführer, Skilehrer, Rettungsschwimmer u. a., Ernennungsurkunde für Offiziere (bdt. veraltet: Schutz-, Verleihungs-, Ernennungsurkunde). *Auf dem Gipfel des Alalinhorns ... haben 53 neue Walliser Skilehrer ... ihr Brevet erhalten* (NZZ 24. 5. 73, 237, 24). Dazu **Bergführer-, Fallschirm[ab]springer-, Flieger-, Flug-, Rettungsschwimmerbrevet.**

brevetieren [brəvɛ'ti:rən]: **a)** jmdm. ein →Brevet zuerkennen. *Achtzehn Polizeiaspiranten sind nach einjähriger Ausbildung ... von Polizeidirektor Dr. Victor Rickenbach brevetiert worden* (Aargauer Tagbl. 20. 3. 87, 13). **b)** ein →Brevet erwerben. *An der Artillerie-Aspirantenschule, welche kürzlich ... zu Ende ging, brevettierte* [!] *Werner P. mit vorzüglicher Qualifikation zum Leutnant der Artillerie* (Vaterland 1968, 281, 15). Dazu **Brevetierung.**

Bride ['bri:də], die; -, -n ⟨frz.⟩ // Kabelschelle (→Duden Bildwörterbuch **127** 40). →(zur Aussprache) G 035/1.

Briefkastendomizil, das; -s, -e: rechtsgültiger Sitz einer Firma, der aber aus nicht viel mehr als einem Briefkasten besteht, wegen steuerrechtlicher Vorteile in gewissen Kantonen (und im Fürstentum Liechtenstein). *Einen Hinweis auf die Vielzahl solcher Tarnunternehmen geben das Handelsregister des Kantons Tessin und die Postliste der Briefkastendomizile bei Tessiner Anwälten* (St. Galler Tagbl. 3. 10. 68, 5).

Brienzersee ['brɪəntsər..., 'bri:ntsər...], der; -s: See im Berner Oberland. Der Name wird gewöhnlich zusammengeschrieben; →G 153/2d.

Brigadier [*frz.* bʀigadje], der: auch (Milit.) svw. // Brigadegeneral (hoher Offiziersgrad) *Ich habe nicht umsonst dafür gesorgt, daß Divisionäre, Brigadiers und einflußreiche Industrieführer im Vorstand der Wehrgesellschaft sitzen* (Diggelmann, Harry Wind 143).

bringen, brachte, gebracht ['bra:xtə, gə'bra:xt — 'braxtə, gə'braxt]; →G 003.

Brissago, die; -, - oder -s // Virginia (lange, dünne, schwere Zigarre mit Strohmundstück; nach dem Herstellungsort am Langensee). *Sie saßen in einer Wirtschaft mit Einheimischen, mit Eisenbahnern, die feierabendlich jaßten, jeder mit Brissago im Gesicht* (Frisch, Stiller 293).

Brockenhaus, das, **Brockenstube,** die: Stelle, die gebrauchten Hausrat, Kleider, Wäsche, Bücher und dgl. entgegennimmt, um sie zu wohltätigen Zwecken weiter zu verwenden oder zu verkaufen. *Ein Lehnsessel, dereinst im Brockenhaus der Heilsarmee gekauft, war leider damals schon nicht mehr zu benutzen* (Frisch, Stiller 336).

Brösmeli, das; -s, - // Brösel **a)** (mundartl.) — Krümel. **b)** geriebene

Brötchen, Semmelbrösel. *Zwetschgenstrudel ... Füllung: etwas flüssige Butter, 100g Haselnüsse, 50g Brösmeli oder Paniermehl ...* (Aargauer Tagbl. 14. 9. 68). →G 105.

Brotsack, der; -[e]s, ...säcke: Tasche aus starkem Tuch, Bestandteil des Militärtornisters, kann auch einzeln getragen werden. *Blätter aus dem Brotsack* (Titel eines Büchleins von M. Frisch, „geschrieben im Grenzdienst 1939").

Brünnlein / (seltener:) **Brünnchen,** das: einfaches Waschbecken (und Wasserhahn, an der Wand eines Zimmers, Korridors, Aborts). *In diesem Zimmer, wo wir zum Brünnchen gehen, um uns zu waschen* (Nizon, Jahr der Liebe 85). *Es patschte sich Wasser ins Gesicht, am Brünnlein in der Toilette* (Helen Meier, Trockenwiese 109). →G 105.

brüsk: auch svw. — plötzlich, unvermittelt, jäh (bdt. nur: barsch, schroff). *Ein unvermittelt zwischen zwei Häusern auf die Straße hinausfahrender jugendlicher Velofahrer zwang ... einen Autofahrer zu einem Ausweichmanöver und zum brüsken Bremsen* (Bund 3. 10. 1968, 7). *Kurz vor der Ausfahrt Oftringen war die Fahrt des 20jährigen* [Autobahnrasers] *brüsk zu Ende* (Aargauer Tagbl. 8. 5. 87, 13).

Brüsseler, der: auch kurz für // Brüsseler Salat, — Chicorée. *Chicorée oder Brüsseler gehört heute zu den beliebtesten Gemüsearten in Westeuropa* (NZZ 17./18. 1. 87, 36). *Verschiedene Salate, Brüsseler, Randen, Sellerie* (Schmidli, Schattenhaus 324).

BS: Autokennzeichen und allg. Sigle für (den Halbkanton) Basel-Stadt; →G 092.

Bub, der; -en, -en (auch südd., österr.) ⫽ Junge. (Gegenüber →**Knabe** ist Bub gefühlswärmer; es gehört auch, doch nicht nur, der mundartnahen Schicht an). *Daß er sich ... erinnere ... wie er als kleiner Bub vor dem Haus ... gestanden habe* (G. Meier, Kanal 51). *Pfiff er wie ein Bub und freute sich wie auf einer Schulreise* (Frisch, Homo faber 59). *Im kommenden Frühling beginnen zwölf Mädchen und Buben eine Berufslehre* (Diggelmann, Freispruch 243). *Zwei zehnjährige Knaben sind ... in einer Kiesgrube begraben und getötet worden ... Die Buben hatten in der Wand der Kiesgrube eine Höhle vergrößert* (NZZ 23./24. 4. 88, 11). →**Schnuderbub, Schulbub.**

Buch, das: ***über die Bücher gehen** — die Lage überdenken. *1987 schikken wir uns an, über die Bücher zu gehen und wo nötig Konsequenzen zu ziehen,* aus den Umweltkatastrophen (Beobachter 1987, 1, 3). *Brigitte Örtli ... belegte den 11. Schlußrang* [in den alpinen Ski-Weltmeisterschaften] *und wird nach dieser Saison wohl endgültig einmal über die Bücher gehen müssen. Die Verzettelung der Kräfte auf alle Prüfungen* [hat sich bei ihr negativ ausgewirkt] (NZZ 6. 2. 87, 53). ***wie es im Büchlein steht** // wie es im Buche (österr.: im Büchl) steht (wie man es sich vorstellt, daß es sein muß). *Der Verweigerer und der Unterwanderer. Wie's im Büchlein steht* (Morf, Katzen 86). In freierer Fügung: *Es ist in Vietnam so ziemlich alles nach dem Büchlein gelaufen, und manche haben es erwartet, gewußt, daß es so laufen würde* (NZZ 8./9. 1. 77, 1).

Bücherschaft, der; -[e]s, ...schäfte — Büchergestell, Bücherschrank. *Einmal, als sie wie ein Mädchen vor dem Bücherschaft kniete, nach einer Sache kramte* (Frisch, Die Schwierigen 53). *Der Bücherschaft aus rohem Holz, selbstgebastelt* (Meylan, Räume 26). →**Schaft.**

budgetieren: nur svw. ins Budget, in den Haushaltsplan aufnehmen (bdt.: ein Budget aufstellen). *Wie im privaten Haushalt muß auch die Gemeinde ihre Einnahmen und Ausgaben budgetieren* (Wohler Anz. 4. 11. 88, 5). *Das budgetierte Defizit von 12, 14 Millionen Franken sei in einen Überschuß ... verwandelt worden* (National-Ztg. 1968, 557, 27).

Büez [byǝts], die; - (mundartl., salopp)

— [schwere, heikle] Arbeit, Plackerei. *So nebenbei hatte das Personal der Waldenburgerbahn in siebenjähriger Büetz* [!] *von Grund auf einen Wagen gebastelt* (National-Ztg. 5./6. 10. 68).

Büezer ['byətsər], der; -s, - (mundartl., salopp) — Arbeiter. *Nicht die „Zürichbergleute" ... müßten* [es] *in erster Linie ... als Ungerechtigkeit empfinden, wenn ... rare billige Wohnungen zum Nutzen von ganz wenigen noch zusätzlich verbilligt werden, sondern der krampfende Büezer, der auch für eine Genossenschaftswohnung in der Regel etliches mehr blecht* (NZZ 29. 9. 88, 53).

Buffet, das: • ‹Aussprache:› [*frz.* byfɛ // by'fe:, by'fɛt]; →G 037. • ‹Schreibweise und Beugung:› Buffet; -s, -s // Büfett; -[e]s, -e; →G 031. • ‹Bedeutung:› auch svw. // Bahnhofsgaststätte. *Der Wachtmeister* [ließ sich] *sein Lederetui am Bahnhofkiosk frisch* [mit Brissagos] *füllen* [und] *begab sich ins Buffet, wo er z' Morgen aß* (Glauser II 317). *Primus Bon ... der von 1923 bis 1955 das Buffet im Hauptbahnhof Zürich geleitet und zu einer der größten Gaststätten Europas ausgebaut hatte* (NZZ 7. 11. 74, 485, 37). →**Bahnhofbuffet**

Buffettochter, die; -, ...töchter (Gastgewerbe) // Büfettfräulein (Mädchen hinter dem Schanktisch). *Gesucht tüchtige, freundliche Bufettochter oder Bufettdame. Restaurant Goldener Ochsen* (Wirte-Ztg. 6. 9. 68). *Gesucht per sofort Buffettochter oder Schenkbursche. Hotel Merkur* (Bündner Tagbl. 10. 8. 68). *Eine Buffettochter jugoslawischer Herkunft, die in einem Café in Zürich arbeitet* (NZZ 8. 10. 75, 5).

Bühne, die; -, -n: auch kurz für →**Heubühne. *Das Heu nicht auf derselben Bühne haben →Heu.**

Bulletin [*frz.* byltɛ̃], das: auch svw. — Mitteilungsblatt. *aarau. Offizielles Veranstaltungsbulletin der Stadt Aarau* (Titel, Untertitel).

Bund, der: auch svw. **1.** ‹Gen. -es› die Eidgenossenschaft (der schweiz. Bundesstaat, im Gegensatz zu den Kantonen). *Die Höhe der Subventionen ... die wir für Kanalisation und Kläranlage vom Bund erwarten dürfen* (Inglin, Erlenbüel 136). *Außerdem kann der Bund die Kantone ... ermächtigen, Vorschriften zu erlassen auf Gebieten, die keiner allgemeinen Regelung durch den Bund bedürfen und für welche die Kantone nicht kraft eigenen Rechts zuständig sind* (Bundesverfassung, Art. 31ter). →**Bundesanwalt** usw., **Eidgenossenschaft, Eidgenössische Technische Hochschule, Landesbibliothek, Landesmuseum, Nationalbank, Nationalstraße. 2.** ⫽ das Bund (etw. zu einem Bündel Zusammengebundenes). *Maiglöckchen aus dem Tessin (der Bund zu 5 Franken)* (NZZ 9./10. 5. 87, 51). *Je ein Pfund* [Spargeln] *gibt einen Bund, gibt eine Portion* (NZZ 7. 5. 87, 53). →G 076. →**Schlüsselbund.**

Bündelitag, der; -[e]s, -e: der schulfreie Samstag vor den [großen] Ferien; →G 109.

Bünden; -s ‹ohne Art.›: (seltener gebrauchte, leicht gehobene Kurzform für:) Graubünden. *Gemeindeabstimmungen in Bünden* [Überschrift] (NZZ 20. 6. 83, 13). →**Bündner, bündnerisch, Bündnerland.**

Bundesanwalt, der: eidgenössischer Staatsanwalt in Bundesstrafsachen und Chef der politischen Polizei.

Bundesbahn, die; (amtlich:) **Schweizerische Bundesbahnen** (abgekürzt →**SBB,** heute die üblichste Bezeichnung): die schweizerische Staatsbahn

Bundesbeschluß, der; ...schlusses, ...schlüsse (Staatsrecht): durch das Bundesparlament erlassene Verordnung; es wird unterschieden zwischen **allgemein verbindlichen, [allgemein verbindlichen] dringlichen** und **einfachen Bundesbeschlüssen.**

Bundesbrief, der; -[e]s: Urkunde über den Anfang August 1291 zwischen Uri, Schwyz und Unterwalden geschlossenen ewigen Bund (im Bundesbrief-Archiv in Schwyz aufbewahrt). *Einige der Pergamente, die auf*

lateinisch verfaßt waren und von Alpkäufen handelten, waren älter als der Bundesbrief (Humm, Carolin 257).

Bundesfeier, die; -, -n: Feier am Abend des 1. August zur Erinnerung an die Gründung des eidgenössischen Bundes Anfang August 1291.

Bundesgericht, das; -[e]s: oberster Gerichtshof, mit Sitz in Lausanne (vgl. Bundesgerichtshof in der Bundesrep.). →**Bundesrichter.**

Bundeshaus, das: Parlaments- und zentrales Verwaltungsgebäude der Eidgenossenschaft in Bern, Sitz des Bundesrates (in der Bundesrepublik: Gebäude des Bundestages). *Aus dem Bundeshaus verlautet ...*

Bundeskanzlei, die: zentrale Sekretariatsstelle des Bundesrates und der Bundesversammlung (in der Bundesrepublik: Behörde für Kanzleigeschäfte der Bundesversammlung). →**Kanzlei.**

Bundeskanzler, der; -s, -: Vorsteher der Bundeskanzlei, „Stabschef" des Bundesrates (in der Bundesrepublik und in Österr.: Leiter der Bundesregierung).

Bundespolizei, die; -: Organ der Bundesanwaltschaft zur Fahndung und Information in Sachen der Staatssicherheit, meist in Zusammenarbeit mit der kantonalen Polizei. *Natürlich weiß er, wer er ist: ein Beamter der Bundespolizei. Und er weiß, daß jedermann vor der Bundespolizei weit mehr Achtung hat als vor der* [kantonalen] *Kriminalpolizei* (Diggelmann, Harry Wind 227/28).

Bundespräsident, der: Vorsitzender des Bundesrates (der Bundesregierung), von der Bundesversammlung auf ein Jahr gewählt (in der Bundesrep.: von der Bundesversammlung auf 5; in Österr.: vom Volk auf 6 Jahre gewähltes Staatsoberhaupt).

Bundesrat, der; -es, ...räte: **a)** Regierung der Eidgenossenschaft, besteht aus sieben Mitgliedern, die einzeln von der Vereinigten →Bundesversammlung gewählt werden und von denen jedes einem →Departement vorsteht (in der Bundesrep. und in Österr.: zweite Kammer des Bundesparlaments, durch welche die Bundesländer zur Geltung kommen; vergleichbar dem →Ständerat). *Nationalrat Ch. (rad., Waaddt) hat den Bundesrat ... in einer Kleinen Anfrage angefragt ...* (National-Ztg. 1 10. 68). **b)** Mitglied der eidg. Regierung (Minister). *Im Rahmen einer ... Feier empfing Bundesrat Flavio Cotti die wohl erfolgreichste Schweizer Skinationalmannschaft aller Zeiten* (Aargauer Tagbl. 25. 3. 87, 489).

Bundesrichter, der; -s, -: Mitglied des obersten Gerichtshofes; →**Bundesgericht.**

Bundesstadt, die; -: Bern als Sitz des Parlaments (Bundesversammlung), der Regierung (Bundesrat) und der Bundesverwaltung (eine „Hauptstadt" hat die Schweiz nach offiziellem Sprachgebrauch nicht). *Bei den Rekrutenprüfungen kann ein Flybacher die Frage nicht beantworten, wie die Bundesstadt heißt* (Bührer, Das letzte Wort 97).

Bundesversammlung, die: das schweizerische Parlament, bestehend aus den beiden Kammern →**Nationalrat** und →**Ständerat,** die zu bestimmten wichtigen Aufgaben als **Vereinigte Bundesversammlung** zusammentreten.

Bundesweibel, der; -s, -: Amtsdiener der Eidgenossenschaft, bei hochoffiziellen Gelegenheiten in die Bundesfarben rot-weiß gekleidet. →**Staatsweibel, Weibel.**

Bündner, der; -s, -: Angehöriger des Kantons Graubünden. (Während „Bünden" für „Graubünden" eher selten gebraucht wird, ist „Bündner", „bündnerisch" das Gewöhnliche, „Graubündner", „graubündnerisch" selten).

Bündner Fleisch (meist **Bündnerfleisch** geschrieben, von den Bündnern selbst **Binden[fleisch]** genannt), das; -es: luftgetrocknetes mageres Rindfleisch, eine Spezialität aus Graubünden. *Guillaume, einen Teller*

Bündnerfleisch! (Dürrenmatt, Komödien II 234). →G 153/2.

bündnerisch: zum Kt. Graubünden gehörig, aus Graubünden stammend. *Die bündnerische Regierung.*

Bündnerland, das; -[e]s (mundartnah) — Graubünden. *Wir suchen auf 1. Oktober ins Bündnerland ein aufgewecktes, fröhliches Mädchen zu unseren vier Kindern* (Wynentaler Blatt 13. 8. 68). *Heinrich W., aus dem Bündnerland stammend, besuchte die Kantonsschule in Chur, studierte anschließend in Freiburg, Bern, Genf, München und Zürich* (NZZ 4. 3. 70). →G 153/2a

Bünt[e], Pünt, die; -, -en: Stück Pflanzland, kleiner Nutzgarten am Dorf- oder Stadtrand, auch svw. Schrebergarten. *Zu Beginn* [der Sitzung des Aarauer Einwohnerrates] *wurde die Anfrage K. Landis nach mehr Bündten* [!] *(auch Pflanzplätze oder Schrebergärten genannt) beantwortet* (Aargauer Tagbl. 27. 9. 77, 37). *Bedrohte Pünten in Winterthur* [Überschrift]. ... *Das Schicksal der Schrebergärten im Mattenbach, wo 129 Pünten dem ... Schulhaus zum Opfer fallen* (NZZ 6. 10. 70).

Bünzli, der; -s, -: ein Familienname; steht seit etwa 30 Jahren (salopp) für — Spießer. *Selbstinserentin ... sucht gebildeten Partner ..., der über dem Allgemeinbild des Schweizer „Bünzlis" steht* (NZZ 7./8. 2. 87, 10). →G 107.

Bürdeli, das; -s, - (mundartl.) — Reisigbündel (zum Heizen der alten Kachelöfen). *Zu verkaufen einige Hundert Tannen-Bürdeli* (Landanzeiger 8. 12. 69). *Am Samstag vor der Bauernfasnacht fahren die Buben mit einem Brückenwagen ... von Haus zu Haus, um die erbettelten Bürdeli zu behändigen. Da diese immer mehr zur Mangelware werden, ist man auch für andere Brennmaterialien dankbar,* für das Fastnachtsfeuer (NZZ 6./7. 3. 76, 47). Auch: **Heizbürdeli.** →G 105. Dazu **Bürdelibock,** der.

Bure..., Buure... (mundartl.) — Bauern...; wird in Ankündigungen gern in dieser Form geschrieben, da sie „urchiger" klingt: **Burebrot, Bure-Fleischkäse, Bure-Metzgete, Bureschüblig** [→Bauernschübling), **Burespeck.**

Burger, der; -s, - (in BE, FR, VS): alteingesessener Angehöriger einer Gemeinde, Mitglied der **Burgergemeinde** (→Gemeinde 1b); in anderen Kantonen (so AG) **Ortsbürger** genannt. Eine besonders stolze Tradition bewahren die **Bernburger** (Burger der Stadt Bern): *Die alten Berner sagten, Gott selber sei Burger worden zu Bern.*

Bürger, der: auch (Staatsrecht) svw. jmd., der das Bürgerrecht einer (Einwohner-, politischen) Gemeinde ererbt oder erworben hat und aufgrund davon auch Kantons- und Schweizer Bürger (Staatsangehöriger) ist. →**verbürgert**

Bürgerammann, der; -s, ...männer (in SO): Präsident der Bürgergemeinde. *An der Feier* [in Luterbach zur Wahl des dort wohnhaften W. Ritschard zum Bundesrat] *entboten der Ammann der Einwohnergemeinde, A. K., und Bürgerammann A. L. die Grüße der Einwohnerschaft* (NZZ 11. 12. 73, 576, 15).

Burger-, Bürgergemeinde →**Gemeinde.**

Bürgerrecht, das: zunächst svw. →Gemeindebürgerrecht, die rechtliche Zugehörigkeit zu einer Gemeinde (als Grundlage und Voraussetzung des Kantons- und des Schweizer Bürgerrechts). *Herr A. J. G., geboren 1934, ungarischer Staatsangehöriger, Laborant, wohnhaft ..., stellt für sich und seine Ehefrau ... das Gesuch um Aufnahme in das Bürgerrecht der Einwohnergemeinde Suhr. Die kantonale und die eidgenössische Einbürgerungsbewilligung liegen vor. Über das Einbürgerungsgesuch werden die Stimmbürger an der nächsten Dezember-Gemeindeversammlung zu entscheiden haben* (Landanzeiger 11. 9. 69). →**Landrecht.**

Bürgerrechtsgesuch, das; -[e]s, -e — Einbürgerungsgesuch (Gesuch um

Erteilung des Bürgerrechts in einer Gemeinde als Voraussetzung des Kantons- und des Schweizer Bürgerrechts).

Bürgerrodel, der; -s, ...rödel: Verzeichnis der Gemeindebürger. *Die Teufner Bürger haben über die Aufnahme zweier schon lange in der Gemeinde ansäßiger* [!] *Ausländer in ihren Bürgerrodel zu befinden* (St. Galler Tagbl. 13. 12. 68).

Burgund, das; -s: wird gerne mit dem Artikel gebraucht (bdt. nur ohne). *Bootsfahrten im Burgund* (NZZ 5. 6. 80, 63; Überschrift). →G 082.

Bürli, Büürli, das; -s, -: derbes Brötchen mit krosser Rinde, zu vieren [zu einem „Schild") zusammengebacken und dann auseinandergebrochen. *Der Pilot kennte sich nicht aus im Essen. Er hätte weder eine Härdöpfelsuppe* [Kartoffelsuppe] *noch ein Büürli jemals gegessen* (Widmer, Schweizer Geschichten 62). →G 105.

Burma ['bʊrma] // Birma (Staat in Südostasien); die englische Schreibweise – in deutscher Aussprache! – ist in der Schweiz allein üblich.

Burmese, der; -n, -n // Birmane.

burmesisch // birmanisch.

Büro, das: ['byro, ...ro:] (auch südd.) // [by'ro:], →G 025.

Bürolist, der; -en, -en (veraltend) — Büroangestellter. *Gesucht jüngere, selbständige Bürolistin in Fabrikationsbetrieb* (National-Ztg. 1968, 554). *Die 690 Bürolisten, die gegenwärtig in dem* [Zeitungs-]*Betrieb arbeiten* (NZZ 8. 3. 82, 3).

Bus →Autobus.

Büschel, der — das; -s, -. *Der beinahe enganliegende Haarbüschel über dem linken Ohr* (G. Meier, Kanal 24). →G 076.

büscheln: zu einem Büschel oder Strauß zusammenfassen; zierlich ordnen, zurechtmachen. *Es war keine Kleinigkeit, die steifen Gladiolen einigermaßen zu büscheln* (Frisch, Stiller 244). *Während sie ihren Schal um den Hals büschelte* (Frisch, Gantenbein 72). →G 098 →**zusammenbüscheln.**

Buschi, das; -s, - (mundartl., vor allem in Basel) — Säugling, Baby. *Vor anderthalb Jahren wurde die Klinik St. Joseph ... abgerissen. Patienten und Personal zogen provisorisch ins Felix-Platter-Spital, wo seither gut 1400 Buschi sozusagen „im Exil" geboren wurden* (National-Ztg. 1968, 559, 5). →G 073. 108. →**Bébé.**

Büsi ['byzɪ], (in Bern:) **Büßi** das; -s, - (mundartl., familiär) — Katze // Mieze. *Der Mieter konnte bleiben, das Büsi mußte gehen.* [Untertitel:] *Hausbesitzer kündigt wegen einer Katze / Streit geht bis vor Bundesgericht* (National-Ztg. 26. 1. 63). *Die wohlausgewogene Vollnahrung ... enthält alles, was Ihr Büsi für die Gesundheit ... braucht* (St. Galler Tagbl. 1968, 463, 12; Anzeige). →G 073, 108.

Buße, die: auch (Recht; bdt. selten) svw. // Geldstrafe. *33 Schwarzsender ... mußten auf Intervention der PTT-Betriebe ihre illegale Sendetätigkeit einstellen und haben saftige Bußen zu gewärtigen* (Bund 15. 12. 68). →**Polizeibuße.**

büßen auch (Recht) svw. jmdn. mit einer Geldstrafe belegen. *Es mußten rund 300 Fahrzeuglenker wegen verbotenen Überholens gebüßt werden* (National-Ztg. 1968, 559, 4). *Nebukadnezar: Das Betteln ... habe ich verboten. Ist meinem Befehl Folge geleistet worden? Erzminister: ... Nur ein Bettler will bei seinem armseligen Gewerbe bleiben. Nebukadnezar: Wurde er gebüßt? Erzminister: Vergeblich* (Dürrenmatt, Komödien I 171).

Butterballe, die; -, -n (früher) // Butterklumpen (von Hand kugelförmig geformt; die Form, in der Butter aufbewahrt und gehandelt wurde). *Er geht an Seilen, Stöcken, Eßwaren ... wollenen Strümpfen, Würsten, Butterballen und Käsebrettern vorüber* (Walser I 179: Kleist in Thun).

Buure... →Bure...

BV: Sigle für: **B**undes**v**erfassung (der Schweizerischen Eidgenossenschaft vom 29. Mai 1874); →G 092.

C

Cabaret [*frz.* kabaʀɛ], das; -s, -s (auch österr.; bdt. seltener) — Kabarett [kaba'ʀɛt]; →G 033, 037.

Cabriolet [*frz.* kabʀijɔlɛ] (auch österr.; bdt. seltener) ⫽ Kabriolett; →G 031.

Cachet [*frz.* kaʃɛ // ka'ʃe:, ka'ʃɛ], das; -s, -s (bdt. veraltet) — Eigenart, Gepräge, Eigentümlichkeit (eines Innenraums). *Das APÉRO-CAFÉ mit besonderem Cachet* (Bund 19. 12. 68; Anzeige). *Aus dem eher muffigen, dunklen Gotteshaus, das im Verlauf der Jahrhunderte mehr und mehr seines Cachets beraubt wurde ...* (National-Ztg. 1968, 459, 19). →(zur Aussprache) G 037).

Cafard [*frz.* kafaʀ], der; -s ‹o. Pl.› — Unlust, Überdruß. *Es kam immer wieder vor, daß Andres Cafard hatte, besonders nach der Schule: dann überfiel ihn das Vakuum .... Was sollte diese Traurigkeit im Juni* (Muschg, Mitgespielt 75). →**Verleider.**

Café complet [*frz.* kafe kɔ̃plɛ], der; --, -s -s (Gastgewerbe): Kaffee, heiße Milch, Brot, Butter und Konfitüre, als Frühstück oder als Zwischenmahlzeit. →(zur Aussprache) G 037.

Café crème [*frz.* kafe kʀɛm], der; - -, -s - (Gastgewerbe) // [Tasse, Kännchen] Kaffee (mit Rahm in kleinem Gefäß oder Aufreißpackung). *Der Mann wendete sich an die Serviertochter. „Drei Café Crème* [!], *Fräulein!“* (Meylan, Räume 126). →(zur Aussprache) G 035/1.

Café mélange [*frz.* kafe melɑ̃ʒ], der; - -, -s - (Gastgewerbe): Kaffee mit Schlagrahm. *Jenen Café mélange ... den er mir einst anbot und von dem ich mit zagem Löffelchen den geschwungenen Nidel abhob und die Süße des Daseins schmeckte* (Guggenheim, Alles in allem 276).

Cake [*engl.* keɪk; ke:k], der; -, -s, auch **Cakes,** der; -, -: eine Art Sandkuchen, in länglicher Backform gebacken. Dazu **Fruchtcake.** (Bdt. Keks [ke:ks], das: trockenes, haltbares Kleingebäck, ist ungebräuchlich; dafür →Biscuit.)

Calvinismus, Calvinist, calvinistisch // (bdt. vorwiegend:) Kalvinismus usw.; →G 042.

Calvinstadt, die: Umschreibung für Genf. *Gerade in der Calvinstadt, wo jede zweite Frau – mehr als überall sonst in der Schweiz – berufstätig ist* (Weltwoche 10. 9. 87, 27). →**Rhonestadt.**

Camion [*frz.* kamjɔ̃], der/(seltener:) das; -s, -s — Lastwagen // Lkw. *Offene Kastenwagen, kleine Camions oder auch nur mit Tüchern gedeckte Handkarren* (Steiner, Strafarbeit 31). *Überfuhr die Stopplinie und stieß gegen das linke Hinterrad eines durch die Konradstraße ... fahrenden Camions* (NZZ 8. 5. 72). →G 076.

Camionnage [*frz.* kamjɔnaʒ; ...a:ʒə], die; -: Lastwagentransportdienst. →G 035/1.

Camionneur [*frz.* kamjɔnœʀ], der; -s, -e — Spediteur, Transportunternehmer. [Daß] *die Schweizer Behörden mit Vergeltungsmaßnahmen drohen, falls die Italiener weiterhin den Schweizer Camionneuren die Bewilligung für den Dreiländerverkehr verweigern sollten*

Was Sie unter C... vermissen, suchen Sie bitte auch unter K ..

(NZZ 15. 5. 87, 21). →(zur Aussprache) G 035/3.

campieren (auch österr.) // campen (Camping machen, zelten). *Mit diesem für 15 Zelte reservierten Platz sollte dem wilden Campieren ein Ende bereitet werden* (NZZ 25./26. 10. 86, 49). →G 101.

Canapé [*frz.* kanape], das; -s, -s — (feines) belegtes Brötchen, // Schnittchen. →**Sandwich.**

Caquelon [*frz.* kaklɔ̃], das; -s, -s (Küche): feuerfeste irdene Pfanne.

Car [*frz.* kaʀ], der; -s, -s (kurz für →Autocar) // Reisebus. Meist wird noch „Car" von „Bus" i. S. v. Linienbus und „Postauto" i. S. v. Postbus unterschieden, doch wird auch schon unterschiedslos „Bus" gebraucht. *Dieser Abstellstreifen ist signalisiert und ... für Cars reserviert* (Vaterland 3. 10. 68, 10). *Daß es ziemlich viel Verkehr hatte, Autos, einen parkierten Car, Mopeds* (Walter, Der Stumme 134). Dazu **Carfahrt, Car-Parkplatz.**

Caramel [*frz.* kaʀamɛl]; -s, -s: • ‹Schreibung:› Caramel — Karamel; →G 032. • ‹Geschlecht:› das — der. • ‹Bedeutung:› auch ‹nur: das C./K.› svw. // die Karamelle (Karamelbonbon).

Caramelköpfli / Karamel- / -köpfchen, das; -s, - : Karamelpudding in kleinen Formen angerichtet; →G 105.

Carnotzet [*frz.* kaʀnɔtsɛ], das; -s, -s ‹regionalfranz.›: gemütlicher kleiner Kellerraum, in dem man mit Freunden eine gute Flasche trinkt (seit Ende 19. Jhs. bes. im Waadtland, heute auch in der Deutschschweiz). *Modern eingerichtetes Einfamilienhaus* [mit] ... *Sitzplatz, Garage, Carnotzet und Bastelraum* (NZZ 24. 7. 87, 63; Inserat). →(zur Aussprache) G 037.

Carrosserie / Karosserie [*frz.* kaʀɔsʀi; karɔsəri:], die: • ‹Schreibung:› Carrosserie — Karosserie; →G 032, 035/2. • ‹Bedeutung:› auch svw. Karosseriebau-, -reparaturwerkstatt. *Eine Karosserie in der Genfer Gemeinde Meyrin ist ... abgebrannt* (NZZ 20. 5. 88, 9).

Cassis [*frz.* kasis], der; -, -: **a)** ‹Pl.› schwarze Johannisbeeren. *Cassis-Cocktail. 2 Tassen schwarze Johannisbeeren zerdrücken ...* (Fülscher, Kochbuch, Nr. 113.5). **b)** Saft, Sirup von schwarzen Johannisbeeren.

Ceinturon [*frz.* sɛ̃tyʀɔ̃n], der, /seltener: das; -s, -s (Milit.) // Koppel (Uniformgürtel). *Tschudy kritisierte Vaters Tenue. Vater hatte während der Arbeit Ceinturon und Bajonett abgelegt* (Wiesner, Schauplätze 77).

Center [*engl.* 'sɛntə; ...ər], der; -s, -[s]: auch (Eishockey) svw. — Mittelstürmer. *Angenehm überraschten die eingesetzten Youngsters, vor allem Lang als Center der dritten Linie* (NZZ 26. 9. 88, 55). *W. und C. werden wohl als Center ab und zu tauschen* (Sport 9. 4. 87, 37).

Centime [frz. sɑ̃tim], der; -[s], -s (im Westen [Basel, Bern, FR, VS], sonst veraltet): svw. →Rappen.

Cervelat / Servela ['sɛrvəla], der; -s, -s/(seltener:), die; -, -s ‹frz. le cervelas, älter ...at›: eine Brühwurst aus Rindfleisch mit Schwarten und Speck, sehr verbreitet, wird entweder kalt oder in siedendem Wasser gewärmt oder gegrillt gegessen. *Einen Schluck Bier mußte er noch haben, einen Cervela, ein Stück Ruchbrot; das Birchermüslein war nichts für ihn* (Guggenheim, Alles in allem 1049). [Der Gefängniswärter, der] *mir jedesmal, wenn sie die Häftlinge mit ihrem überfälligen Schweizerkäse füttern, eine Cervelat bringt* (Frisch, Stiller 31). *10 Paar Servelas* (Blick 26. 10. 88, 9; Inserat). →G 032. Dazu **Cervelatsalat.**

CH: (Abkürzung von nlat. Confoederatio Helvetica = Schweizerische Eidgenossenschaft) Autokennzeichen, internationales Landeskennzeichen vor Postleitzahlen (und allg. Sigle) für die Schweiz; →G 092.

Chabis →**Kabis.**

Chalet [*frz.* ʃalɛ], das; -s, -s // Schweizerhäuschen, Ein- oder Zweifamilienhaus ganz aus (meist dunkel gebeiztem) Holz, mit flachem Giebeldach, nach dem Muster des Berner Oberländer Bergbauernhauses. *Das Haus selbst, ein Chalet, war ... von viel Efeu überwuchert* (Frisch, Stiller 384). *Zu verkaufen ... bei Estavayer-le-Lac ... neues Chalet* (Bund 3. 10. 68, 29; Inserat). → (zur Aussprache) G 037.

Chaos, das: ['xa:ɔs ⫽ k...]; →G 013.

Charạkter, der: [xa... ⫽ k...]; →G 013.

Charcuterie [*frz.* ʃaʀkytʀi; ...təri:], die; - ⟨o.Pl.⟩ ⫽ Wurstwaren. *Es wird so unglaublich viel Charcuterie gekauft, und es bedeutet für berufstätige und alleinstehende Frauen eine ständige Versuchung, sich mit dieser statt mit Frischfleisch zu begnügen* (Schweizer Frauenblatt 30. 10. 70). Dazu **Charcuterieverkäuferin:** *Wir suchen freundliche Charcuterie-Verkäuferin ... Metzgerei K.* (Aargauer Tagbl. 22. 4. 72; Inserat).

chargé [*frz.* ʃaʀʒe] (Post, veraltet; noch mundartnah) — eingeschrieben (frz.: recommandé). **Chargé,** der; -s, -s: kurz für **Chargébrief,** der — eingeschriebener Brief. *Ich* [Emil als Postbeamter] *notierte 14 Chargés statt 15* (Tages-Anz. 6. 5. 88, 2). *Sie wohnten ... auf eigenem Boden ... und bei uns bedarf es nur eines Chargébriefes, und streunenden Hunden gleich waren wir vom Hof gejagt* (Guggenheim, Zusammensetzspiel 191).

Chäs-Chüechli ['xæ:s ..., 'xɛ:sxʏəχlɪ], (seltener:) **Käseküchlein,** das; -s, -: kleines rundes Törtchen aus geriebenem o. ä. Teig und Belag aus (geriebenem, geschmolzenem) Hartkäse, warm als Zwischenmahlzeit genossen. *Für einen guten Café* [!] *ist es immer Zeit. Jetzt servieren wir Ihnen wieder die herrlichen, heißen Chäs-Chüechli* (Bund 3. 10. 68, Inserat).

Chauffeuse [*frz.* ʃoføz; ...ø:zə], die; -, -n // (berufsmäßige) Fahrerin. *Gesucht sofort ehrliche Tochter als Chauffeuse in Bäckerei-Konditorei. Fünftagewoche* (Vaterland 3. 10. 68, Inserat). Dazu **Taxichauffeuse.** *Mord an einer Taxichauffeuse im Aargau* (NZZ 30. 1. 87, 7). →(zur Aussprache) G 035/1.

Check [ʃɛk], der; -s, -s ⟨amerik.⟩ // Scheck (bargeldloses Zahlungsmittel). *Und die Ware Kassa bezahlt, mit einem Check* (Humm, Kreter 127). →(zur Schreibung) G 040/3.

Chẹckbüchlein ['ʃɛk...], das; -s, - ⫽ Check-, Scheckbuch. *Wiederholt schüttete sie ihm starke Beruhigungsmittel in den Morgenkaffee und machte sich dann über sein Checkbüchlein her* (NZZ 29. 2. 88, 5). →G 040/3, 106. →**Spar[kassen]büchlein.**

Chẹfbeamte, der; -n, -n ['ʃɛf...] // der leitende Beamte. *Eine Untersuchungskommission, bestehend aus Chefbeamten der Generaldirektion der SBB* (Bund 1968, 284, 6).

Chẹfredaktor, der; -s, -en // Chefredakteur; →G 120. →**Redaktor.**

Cheib / (stand., veraltet:) **Keib,** der; -s, -e[n] (mundartl.): ein charakteristisch schweiz. grobes Kraftwort (urspr. Bed.: Aas). **a)** als Schimpfwort, etwa: Lump, Schurke, Kerl. *Einmal ... warf ich ihm alle schweizerdeutschen Schimpfnamen ... an den Kopf. Es regnete nur so von ‚Cheib' und, ‚Galöri' und ‚Fötzel'* (Lenz, Fahrerin 162). **b)** als Fluch. *Verdammte Cheib,* verdammt nochmal! Dazu **cheibe:** affektgeladenes Attribut (urspr. erstes Zusammensetzungsglied), etwa svw. verdammt, Scheiß... *Wie oft verpaßte ... Tobler seine Züge ...* [Dann] *pflegte er jedesmal zu brummen: „Jetzt ist mir das cheibe Züglein schon wieder an der Nase vorbeigefahren!*" (Walser V 151: Der Gehülfe).

Chemie, die: [xe'mi: ⫽ ç...; südd., österr.: k...]; →G 013.

Cheminée [*frz.* ʃ(ə)mine; 'ʃmine:], das; -s, -s ⫽ (offener) Kamin. *Exklusives Einfamilienhaus. Wohn-/Eßraum ca. 40 m² mit Cheminée, große Küche ... gedeckter Sitzplatz mit Außencheminée ...* (NZZ 7. 11. 86, 104; Inserat). *Man hatte festgestellt, daß der in das Cheminée eingebaute Gasofen, die*

Leitungsrohre und Anschlüsse absolut dicht waren (Ganz, Abend 72). →(zum Geschlecht) G 078. →**Kamin.**

Chilbi / (stand., veraltet:) **Kilbi,** die; -, ...benen ['xɪlbɪ, ...bənən] (mundartl.) ≠ Kirchweih. *Die Musikgesellschaft Perlen-Buchrain führt am 13. Oktober anläßlich der Buchrainer Kilbi ein großes „Chilbi-Fäscht" mit verschiedenen Attraktionen durch* (Vaterland 3. 10. 68). *Vielleicht daß auf dem Lande, in den Außenquartieren, in der guten Laune der Kilbenen und Märkte, die Stücke von der Stange gingen* (Guggenheim, Alles in allem 690). →(zur Beugung) G 074).

China ['xi:nɑ] ≠ [ç...; südd., österr.: k...]; →G 013.

Chinin, das: [xi'ni:n ≠ ç...; südd., österr.: k...]; →G 013.

Chirurg, der: [xi... ≠ ç...; südd., österr.: k...]; →G 013.

Cholera, die: ['xo:lera ≠ k...]; →G 013.

cholerisch: [xo'le:rɪʃ ≠ k...]; →G 013.

Chor, der: [xo:r ≠ k...]; →G 013.

Choral, der: [xo'ra:l ≠ k...]; →G 013.

chri̦stkatholisch // altkatholisch. *St. Gallen war am 16. und 17. Juni Tagungsort der 89. Session der Nationalsynode der Christkatholischen Kirche der Schweiz* (NZZ 28. 6. 63).

Chri̦stkindlein, das; -s (auch südd., österr.) ≠ Christkind[chen]; →G 106.

Chrom, das [xro:m ≠ k...]; →G 013.

Chronik, die: ['xro:nɪk ≠ k...]; →G 013.

Chronometer, das: ['xronome:tər ≠ krono'me:tɐ]; →G 013, 025.

Chu̦chichäschtli ['xʊxɪ,xæʃtlɪ], das; -s, - (mundartl.) — Küchenschrank. Das Wort mit seinen 3 gutturalen *ch* und dem „breiten" *ä* gilt als charakteristisch schweizerdeutsch und wird gerne Ausländern als Sprechübung aufgegeben: *Ein Liebhaber des Engadin offenbar, Ausländer, aber Kenner... Sein beharrliches Bedürfnis, immer wieder einmal unsere Landessprache nachzuahmen... Anbiederung ohne Begabung für den andern Tonfall... Er wußte sogar, was Küchenkasten heißt: „Chuchichäschtli"* (Frisch, Gantenbein 59). →G 106.

Chüechli ['xʏəɣ̊lɪ], **Kü̱chlein,** das; -s, - // (südd.:) Küchel (Schmalzgebackenes). *Kilbi im Löwen Baldegg. Metzgete, Chüechli und Chrapfen. Ab 16.00 Uhr Tanz* (Wynentaler Blatt 6. 9. 68). →G 105. →**Chäs-Chüechli, Ofenküchlein**

chü̦schtig, chüstig ['xʏʃtɪg̊] (mundartl.) — schmackhaft, appetitlich (gern in Inseraten und andern Anpreisungen gebraucht). *Käseplatte, Apfelsaft... Salat dazu und chüschtiges Brot... fertig ist der schönste Oktober-Znacht* (NZZ 1961, Bl. 3797). *Eine Kleinigkeit zu essen, zum Beispiel Trockenfleisch oder eine chüschtige Walliser Hauswurst* (NZZ 20. 11. 87, 54).

Cinéma [*frz.* sinema], das; -s, -s (veraltet) — Kino. Fast alle Kinos sind nach wie vor so angeschrieben, sonst wird das Wort aber nicht mehr gebraucht. Vgl.: *Meine Bekehrung zum Cinéma,* Titel eines Feuilletons von 1916 (Spitteler IX 573).

Clevner →**Klevner.**

Cliché [*frz.* kliʃe], das; -s, -s — Klischee; →G 032.

Clique [k'lik'ə, k'lɪk'ə], die: auch (in Basel) svw. Vereinigung, welche an der Fasnacht mit einer Trommler- und Pfeifergruppe teilnimmt. →(zur Aussprache) G 035/1.

Code [k'o:d], der; -s, -s (auch bdt., bes. in der Technik) // Kode; →G 031.

Cognac [*frz.* kɔɲak], der ≠ Kognak; →G 031.

Coiffeur [*frz.* kwafœʀ; ...fø:r], der (bdt. gehoben) // Friseur. *Aber eines Tages wurde das Ladenlokal nebenan frei; ein Coiffeur gab sein Geschäft auf* (Schmidli, Schattenhaus 255). →(zur Aussprache) G 035/3. Dazu **Damencoiffeur, Herrencoiffeur.**

Coiffeuse [*frz.* kwaføz; ...ø:zə], die; -, -n // Friseuse. →(zur Aussprache) G 035/1.

Collier [*frz.* kɔlje], das // Kollier; →G 031.

Comersee, der; -s See in Oberitalien, nahe der Schweizer Grenze. Der Name wird gewöhnlich zusammen geschrieben; →G 153/2d.

Comestibles [*frz.* kɔmɛstibl(ə)], die ⟨Pl.⟩ (in Firmenbezeichnungen, als Ladenaufschrift) — Delikatessen, // Feinkost. Dazu **Comestiblesgeschäft, -händler.**

Communiqué [*frz.* kɔmynike], das // Kommuniqué; →G 031.

Concierge [*frz.* kɔ̃sjɛʀʒ(ə)], der; -s, -s: auch svw. — (Hotel-)Portier. *Ich hatte eben den Koffer mit dem Mantel dem Concierge hinter die Theke gereicht* (Muschg, Mitgespielt 215).

Confiserie, (selten:) **Konfiserie** [*frz.* kɔ̃fizʀi; k'ɔfizəri:, kɔnf...], die; -, -n: **1. a)** Herstellung von Konfekt (feinen Süßigkeiten). **b)** Geschäft, wo Konfekt hergestellt und verkauft wird, feine Konditorei. *Ihr Haus von außen ... Im Parterre befindet sich eine Confiserie, die mich überrascht* (Frisch, Gantenbein 145). **2.** Konfekt (i. S. v. feine Süßigkeiten: Pralinés, Fondant usw.). *Brach ist ... einer der größten Hersteller von Zucker- und Schokoladeconfiserie in den USA* (NZZ 26. 11. 86, 17). →G 035/2.

Confiseur [*frz.* kɔ̃fizœʀ; ...ø:r], der; -s, -e: Hersteller von Konfekt i. S. v. feine Süßigkeiten aus Zucker, Schokolade; auch (vornehmer) svw. Konditor. *Die Schokoladenproduzenten und Confiseure* [haben] *die Launen des Aprils mit Genugtuung verfolgt. Ihre Hasen und Eier fanden ... reißenden Absatz* (NZZ 9. 4. 80, 7). →(zur Aussprache) G 035/3.

Corner [*engl.* 'kɔ:nə; 'kɔrnər], der; -s, -s (Fußball; auch österr.; bdt. veraltet): **a)** // Ecke. *Als der Linksaußen H. frei zum Schuß kam, den aber S. mit blitzschneller Parade in Corner ablenkte* (NZZ 15. 9. 69, 565, 35). **b)** kurz für **Cornerball** ⫽ Eckball. *Zwei Luzerner Tore nach Eckbällen* [Zwischentitel] ... *Das 1 : 0 durch den Isländer im Anschluß an einen Corner* (NZZ 13. 4. 88, 59). Dazu **Cornerflanke.**

Cornet [*frz.* kɔʀnɛ], das; -s, -s: **a)** // Schillerlocke (tütenförmiges Blätterteiggebäck mit Schlagrahm- oder Cremefüllung). **b)** (auch **Eiscornet**) // Eistüte (Waffel in Form einer Tüte, mit Speiseeis gefüllt). *Er streckte mir bloß sein Eis-Cornet hin. Ich mußte einfach mithalten* (Geiser, Wüstenfahrt 268). →(zur Aussprache) G 037.

Cortège [*frz.* kɔʀtɛʒ], der // Kortege [kɔr'te:ʒə, auch: ...'tɛ:ʒə], das; →G 031.

Couch, der; -s, -[e]s — die C. *Zu verkaufen guterhaltener Doppel-Couch* (General-Anz. 2. 4. 70, Inserat). *Dieser Lättli-Couch ‚Practico' wird im Handumdrehen zum Doppelbett* (Jelmoli, Katalog Herbst '87, 531). →G 076.

Coupe [*frz.* kup], die; -, -s/-n, der; -s, -s/-n // Eisbecher (in einem kelchartigen Gefäß angerichtete größere Portion Eis mit Sahne und anderen Zutaten). *Im Tea-Room ... kann man sich nun wieder mit leckeren Törtchen, hausgemachten Glacecoupen* [usw.] *verwöhnen lassen* (Bund 5. 3. 87, 31). *Je öfter Sie schlemmen, desto schneller gibt's eine Belohnung, denn jeder 6. Coupe ist gratis* (Coop-Ztg. 26. 3. 87, 52; Inserat).

coupieren ⟨*frz.* couper⟩ ⫽ kupieren. *Auf diese Weise wird das Risiko des Zusammenbruchs ... coupiert* (NZZ 24. 7. 87, 16). *Hoflandschaft (coupiertes Gelände) der „Gräben" und „Eggen"*, im Emmental (Weiß, Volkskunde, Abb. 21). →G 036.

Couvert, das: • ⟨Aussprache:⟩ [*frz.* kuvɛʀ; (auch bdt. landsch.:) ku'vɛrt] • ⟨Schreibung:⟩ — Kuvert; →G 033 • ⟨Geltung:⟩ i. S. v. — Briefumschlag gebräuchlich (auch österr.); bdt. veraltend.

Crawl [*engl.* krɔ:l; kraul] ⟨meist o. Art. u. ungebeugt⟩; **crawlen** ⟨engl.⟩ (Schwimmsport) // Kraul, kraulen; →G 040/1.

Credo, das // (bdt. vorwiegend:) Kredo; →G 042.

Crème/Creme [*frz.* kʀɛm; k'rɛ:mə], die; -, -n // Krem [kre:m], die; -, -s; →(zu Schreibung, Aussprache) G 031, 035/1.

Crêpe [*frz.* kʀɛp; k'rɛ:p], die; -, -s // der Krepp (weich fallendes genarbtes oder fein gekräuseltes Gewebe mit rauher Oberfläche); →(zu Schreibung, Aussprache) G 031, 035/1; (zum Geschlecht) G 076.

Crevette [*frz.* kʀəvɛt; ...vɛtə], die; -, -n // Krevette [kre'vɛtə]; →G 031, 035/1.

CVP: (buchstabierte) Abkürzung von: Christlich-demokratische Volkspartei; →G 028, 093.

D

Dạchkännel, der; -s, - (auch bdt. landsch.) # Dachrinne. *Bekanntlich haftet der Hausbesitzer bei allfälligen Unfällen, die sich wegen nicht instand gehaltener Fassaden, Dachkännel usw. ereignen* (Bund 3. 10. 68, 25). *Wenn blecherne Dachkännel von Schmelzwasser überliefen* (Guggenheim, Alles in allem 574). →**Kännel.**

Dạ̈chlikappe, die; -, -n — Schirmmütze. *Junge Leute tanzten im Schein der Flammen, kleine Buben schwenkten Fahnen, und betrunkene Männer in Dächlikappen ereiferten sich laut an den Straßenecken,* in Belfast (NZZ 13. 7. 70). *Vor uns, am Steuer ... eine dunkelblaue Dächlikappe auf dem Kopf ... der Chauffeur Heeb* (Guggenheim, Friede 7). →G 109.

Dạchzinne, die; -, -n: umfriedete waagrechte Fläche auf oder an Dächern von (Stadt-)Häusern, die im 19. Jh. gebaut (oder umgebaut) wurden, zum Wäscheaufhängen benutzt, heute z.T. als Dachgarten. *Hausfrauen, die auf Dachzinnen flatternde Wäsche vom Seil zupfen* (Morf, Katzen 94). *Ferry Cimax filmte ... von einer benachbarten Dachzinne aus das ganze Haus, mit im Hintergrund dem Petersturm* (Humm, Kreter 181). →**Zinne.**

Dactylo →**Daktylo.**

daheim (auch südd., österr.) — zu Hause. *Daß ich das väterliche Geschäft niemals übernehmen würde, stand fest, auch wenn wir daheim kein Wort darüber gesprochen hatten* (Diggelmann, Harry Wind 115). Auch **Daheim,** das; -s — das Zuhause. *Es geht hier nicht um einen Ferienaufenthalt, sondern um ... ein neues Daheim* (Bund 15. 10. 87, 13).

dahịnfallen ⟨st.V.; ist⟩ (Geschäftsspr.) — (als unnötig, erledigt) wegfallen, entfallen. *Die Züge von und nach Winterthur verkehren ab Fahrplanwechsel bis Stein, so daß das Umsteigen in Etzwilen dahinfällt* (Bund 17. 12. 68). *Bei grobem Selbstverschulden fällt die Haftpflicht der Bahn dahin.*

dahịnserbeln: langsam von Kräften kommen, (geh.:) dahinsiechen. *Seither hat's zu hapern angefangen ... er würde jetzt so dahinserbeln, nicht wahr ... und man behält einen Hund nicht, bis er selber ...* (Inglin, Graue March 156). *Der „Nebelspalter", dieses „illustrierte humoristisch-politische Wochenblatt, stand damals im 47. Lebensjahr; aber [er] serbelte dahin* (Weltwoche 26. 10. 62). →**serbeln.**

Dähle, die; -, -n (im Westen) — Föhre, # Kiefer. *Eine Blautanne oder eine Dähle aus Finnland?* (Meier, Stiefelchen 62).

Dạktylo, Dạctylo, die; -, -s ⟨franz., Kurzform für: dactylographe⟩ (veraltet) — Maschinenschreiberin. *Flinken, fleißigen Dactylos ... bieten wir einen angenehmen Arbeitsplatz* (Freier Aargauer 19. 9. 69, Anzeige). *Ein langer Kerl ... grüßt unverschämt durch alle Scheiben hindurch, sobald er eine der beiden Daktylos erblickt* (Welti, Puritaner 301).

Dampf, der: ***Dampf aufsetzen** // (ugs.:) Dampf aufmachen (das Tempo beschleunigen, mit mehr Energie dahintergehen). *Der Bundesrat ist nach den Vorstößen der ... Nationalräte K. und W. bereit, in dieser Frage Dampf aufzusetzen* (Bund 19. 12. 68).

dank ⟨Präp. m. Dat.⟩ -//- ⟨m. Gen.⟩ (bdt.: Subst. im Sg. Dat./Gen., im Pl. gewöhnl. Gen.). *Dank den besseren Einzelleistungen ... der St. Galler feierten diese einen 4:2-Sieg* (St. Galler Tagbl. 3. 10. 68, 19). *Wer ihn nie auf dem Podium erlebt hat, kann sich dank seinen Schallplatten ... ein Bild machen* (NZZ 27./28. 2. 88, 27). →G 090.

dannzumal (Geschäftsspr.) — dann (in jenem [zukünftigen] Augenblick). [Die] *Diktatur des Proletariates ... hat bis zur Entstehung des neuen Sowjetmenschen und dem dannzumal möglichen Absterben des Staates zu bestehen* (Bund 1968, 282, 7). *Die Folgen ... werden für Bevölkerung und Wirtschaft unangenehm sein. Dannzumal wird es am Vorwurf nicht fehlen, die PTT-Betriebe hätten nicht rechtzeitig geplant* (NZZ 24. 3. 74, 37).

dannzumalig (Geschäftsspr.): dann (in jenem zukünftigen Zeitpunkt existierend). *Die Ortsbürgergemeinde ... hat beschlossen, 20 ha im Baurecht auf 99 Jahre ... anzubieten. Nach einem Jahrhundert hat die dannzumalige Generation wieder Gelegenheit, den Boden nach ihrem Gutdünken zu verwenden* (National-Ztg. 1968, 557, 31).

darnach (auch österr.; bdt. veraltet) — danach. *Darin ist der Kernpunkt von Kayserlings Kultur*[...]*philosophie enthalten, und darnach richtet sich sein ganzes kritisches Denken und Wollen* (Aargauer Tagbl. 24. 7. 70). *Nicht genug damit, daß sich die Mitglieder des Vereins in Aktive und Passive trennten ..., spalteten sich diese beiden Gruppen wieder in Religiös-Orthodoxe, Sozialistische* [usw.]. *Es ging denn auch an solchen Diskussionsabenden darnach zu und her* (Guggenheim, Alles in allem 402). →G 156.

darniederliegen (auch österr.) — daniederliegen. *Ein ... neugewählter Verwaltungsrat ... hatte sich zum Ziel gesetzt, die wirtschaftlich darniederliegende zweite bündnerische Tageszeitung zu sanieren* (NZZ 18. 3. 87, 34). →G 156.

darob (bdt. veraltet, noch altertümelnd, scherzh.) — deswegen. *Alle, die sich die Zeit nahmen, den Vortrag anzuhören, waren darob sehr erfreut* (Vaterland 14. 12. 68). *Die Frage ... nach seinen Bundesratsambitionen (H. verwarf darob die Hände) ...* (Bund 19. 10. 87, 23).

Dauerparkierer, der // Dauerparker (jmd., der [mangels Garage] sein Auto ständig an derselben Stelle auf öffentlichem Grund parkt).

Décharge / (bdt. veraltet:) **Decharge** [*frz.* deʃaʀʒ(e)], die; - (Geschäftsspr.) — Entlastung (der für die Rechnungsführung verantwortlichen Instanz von Firmen und Vereinen). *Die ... Generalversammlung ... genehmigte die Gewinn- und Verlustrechnung und erteilte Verwaltungsrat und Geschäftsleitung Décharge* (Vaterland 1968, 231, 7). →G 032, 035/1.

Décolleté [*frz.* dekɔlte], das (bdt. seltener) // Dekolleté; →G 031.

Décor [*frz.* dekɔʀ]: • ⟨Schreibung:⟩ — Dekor; →G 032. • ⟨Geschlecht:⟩ das (bdt. seltener) -//- der; →G 076.

Defaitismus, der, **Defaitist,** der [defɛ'tɪs...] ⟨frz. défaitisme, -tiste⟩ // Defätismus, Defätist; →G 036.

Degustation, die; -, -en (bdt. selten): das Prüfen, Probieren, Kosten von Genußmitteln. *Die Degustation der verschiedenen Sauser-Stadien ... ist sehr überzeugend ausgefallen* (Bund 3. 10. 68, 6). →**Weindegustation.**

degustieren (bdt. selten): (Genußmittel) kosten, auf Geschmack und Duft prüfen. *An den Hunderten von Ständen* [der Mustermesse], *an denen bestaunt, erklärt, demonstriert, verhandelt und auch etwa degustiert wird* (NZZ).

Dekret, das; -[e]s, -e (in AG, BL, BE, FR, LU, SH, VS): spez. svw. vom Kantonsparlament erlassene Verordnung („Verordnung" heißt dort nur die vom Regierungsrat erlassene). *Die vom Großen Rat im Februar beschlossene und auf Anfang Juli in Kraft getretenen Neuerungen des Dekrets über die politischen Rechte* (Bund 22. 10. 87, 35).

Delsberg: deutscher Name der Stadt Delémont JU.

Demissionär, der; -s, -e: Behördemitglied, das seinen Rücktritt erklärt hat (bdt. veraltet: entlassener, verabschiedeter Beamter). *Der Gemeindeammann von Spreitenbach, R. L., will ... endgültig von der politischen Bühne abtreten. Der 58jährige Demissionär macht gesundheitliche Gründe geltend* (Aargauer Tagbl. 14. 1. 88, 1).

demissionieren — zurücktreten (von beliebigen Behörden, Vereinsvorständen usw. bzw. deren Mitgliedern; bdt. nur von Regierungen und Ministern). *Herr K. Wildi teilt mit, daß er als Mitglied des Wahlbüros demissioniert* (National-Ztg. 1968, 453, 7). *Die Exekutive der Academia, der* [Studentenvereinigung] *der Freiburger Universität, hat nach sechsmonatiger Tätigkeit demissioniert* (Bund 13. 12. 68).

denk (mundartnah) — doch wohl, ja eben. *Ein Schreckruf: „Halt! es tröpfelt!" „Torheit! Was noch gar! Woher denn?" „Wenn ichs aber spüre, ists denk wahr!"* (Spitteler II 500: Olympischer Frühling). *„Wo ist ihre Frau jetzt?" „Jetzt?" fragte er verdutzt ... Denk zu Hause. Wo sie hingehört"* (Morf, Katzen 149). *Das hat er denk wollen, daß du dich ärgerst!*

denken, dachte, gedacht ['da:xtə, gə'da:xt — 'daxtə, gə'daxt]; →G 003.

Departement, das: • ⟨Aussprache, Beugung:⟩ [departə'mɛnt]; -[e]s, -e ⧣ [*frz.* depaʀtəmɑ̃]; -s, -s; →G 038. • ⟨Bedeutung:⟩ auch svw. **a)** Sektor der Bundes- oder (in der Hälfte der Kantone) der Kantonsverwaltung, dem ein Mitglied der Regierung vorsteht, // Ministerium; so (beim Bund:) **Departement des Innern, für auswärtige Angelegenheiten, Finanz-, Justiz- und Polizei-, Militär-, Verkehrs- und Energiewirtschafts-, Volkswirtschaftsdepartement. b)** (bdt. veraltet) Abteilung, Geschäftsbereich. → (zu a): **Direktion.**

Depeschenagentur, die; -: kurz für **Schweizerische Depeschenagentur,** Name des schweizerischen Nachrichtenbüros. *Irgendwo piepste* [aus dem Radio] *das Zeitzeichen von Neuenburg, und dann hörte ich die monotone Stimme des Sprechers der Depeschenagentur* (Guggenheim, Gold. Würfel 92).

Depot [*frz.* depo], das; -s, -s: auch svw. — Pfand für Entliehenes. →(zur Aussprache) G 034. →**Flaschendepot.**

der, die, das ⟨best. Art.⟩ →G 079–083.

Dessert [*frz.* desɛʀ], der; -s, -s — das D., ⧣ Nachspeise, Nachtisch. *Der verschüttete Dessert* (Oehninger, Kriechspur 361). →G 076.

Detachement, das: • ⟨Aussprache, Beugung:⟩ [detaʃə'mɛnt]; -[e]s, -e // [...'mã:]; -s, -s; →G 038 • ⟨Geltung:⟩ geläufig (bdt. veraltet) i. S. v. für besondere Aufgaben abkommandierter Truppenteil. *Für den Sicherheitsdienst ...* [mußten] *zusätzlich zur Kantonspolizei auch Truppendetachemente aufgeboten werden* (National-Ztg. 1968, 553, 3).

Detailgeschäft [*frz.* detaj...; 'detail...], das (bdt. veraltet) // Einzelhandelsgeschäft. *Zwei weibliche Angestellte eines Detailgeschäftes sind am Freitag abend ... von zwei maskierten und ... bewaffneten Männern überfallen worden* (NZZ 23. 2. 87, 5). →G 030.

Detailhandel [*frz.* detaj...; 'detail...], der (bdt. veraltet) ⧣ Einzelhandel; →G 030.

Detaillist [deta'ɪst, ...taj'lɪst], der; -en, -en — Einzelhändler. *Die italienische Polizei stellte fest, daß 162 566 Schweizer Uhren nach Italien geschmuggelt wurden, von denen lediglich 5 725 bei Detaillisten in Mailand, Rom, Genua* [usw.] *sichergestellt werden konnten* (Bund 3. 10. 68). *In der ganzen Schweiz sind 1 100 Lebensmittel-Detaillisten der Toura-Organisation angeschlossen* (Vaterland 1968, 281, 4).

Deutschschweiz, die; - — die deutsche Schweiz (der deutschsprachige Teil der Schweiz). *Die „Gazette Littéraire" hatte unter Leitung Franck Jotterands ein intellektuell anspruchsvolles Publikum im Welschland, aber auch in der Deutschschweiz und in Frankreich erobert* (NZZ 7. 1. 1972). *Die Verständigungsschwierigkeiten zwischen Welsch- und Deutschschweiz* (NZZ 18. 4. 88, 33). →**Welschschweiz.**

Deutschschweizer, der; -s, -: Schweizer deutscher Muttersprache, Angehöriger der deutsch[sprachig]en Schweiz. *Die Deutschschweizer machen zwei Drittel der schweizerischen Bevölkerung aus.* →**Welschschweizer.**

deutschschweizerisch: die deutsch[sprachig]e Schweiz betreffend. Man unterscheidet dies Wort von der Verbindung **deutsch-schweizerisch** (Deutschland und die Schweiz betreffend: *die deutsch-schweizerischen Handelsbeziehungen)* und von →**schweizerdeutsch.**

Dezi, der; -s, -: Kurzform (mundartnah) für: Deziliter. *Sie schenken aus jeder Flasche in das ihr entsprechende Glas einen halben Dezi ein ...* (NZZ 27. 5. 75, 240, 5; Inserat: Blind-Degustation zu Hause). *Am besten bestellt man dazu eine Flasche Rotwein und schüttet einen Dezi hinein,* in die Kartoffelsuppe (Widmer, Schweizer Geschichten 63). →G 096.

Deziliter, der (auch österr.; bdt. seltener:) ['----] // [--'--]; →G 025. Ebenso **Dezimeter** usw.

Dienst, der: vor allem kurz für — Militärdienst. *Leistest du Dienst?* (Bist du wehrdienstpflichtig?) *Er ist im Dienst. – Ein Fall, der uns täglich begegnet, nicht nur im Dienst: daß jemand kommt und ...* (Frisch, Blätter 77).

Dienstbüchlein, das; -s, -: Dokument, das Angaben über Musterung, Einteilung, geleisteten Militärdienst, Beförderungen usw. enthält (in der Bundesrep.: Wehrpaß). *Und dann kommt der Stempel ins Dienstbüchlein: Diensttauglich* (Schenker, Leider 25). →G 105.

Diensten, die ⟨Plur.⟩ (veraltet) — Dienstboten. *Tagebücher – sie handeln von Alltäglich-Persönlichem: Sorge ums Hotelbett, Kummer wegen der Gesundheit, Ärger mit den Diensten* (Weltwoche 25. 3. 66). *Es ist ein Elend heutzutage mit den Diensten!* (Glauser III 288: Der Chinese).

Dienstenzimmer, das; -s, - (veraltend) — Dienstbotenzimmer. *Landhaus ... sep*[arate] *Dienstenzimmer mit Lavabo* (NZZ 19. 12. 86, 73; Inserat). *Ferdinand Lion ... den ich einmal in Arosa traf, wo er als Gast eines Hoteliers in einem langen Schlauch von einem Dienstenzimmer ... hauste* (Humm, Rabenhaus 28).

Dienstverweigerer, der // Wehrdienstverweigerer. *Ein Parlamentarier ... mit seinem Anliegen, für Dienstverweigerer aus Gewissensgründen einen Zivildienst einzuführen* (St. Galler Tagbl. 1968, 560, 3) →G 139/2.

Ding, das: ***in dem Ding sein:** in eine (umstrittene, zweifelhafte) Sache verwickelt sein (nach einem immer wieder zitierten Landsgemeindebeschluß der Appenzeller von 1426, „Daß man nit welt im ding sin"; vgl. Id. XIII 493 M.). *Er erreichte* [bei der Wahl in den Bezirksrat] *nur etwa 20 Stimmen über dem absoluten Mehr. Dennoch: Andereggen senior war nun in dem Ding* (Bührer, Das letzte Wort 118). *Sag mir was du gesehen hast ... Sonst muß ich annehmen, daß du mit in dem Ding bist, und ich kann keine Rücksicht mehr auf dich nehmen* (Muschg, Mitgespielt 317).

Dinkel, der; -s (auch südwestd.)

// Spelt (anspruchslose, winterharte Weizensorte, bei der sich die Spelzen beim Dreschen nicht vom Korn lösen).

diplomieren: auch ‹intr.› svw. die Diplomprüfung ablegen. *Werner U. ... studierte in Zürich und diplomierte 1945 an der ETH in Elektrotechnik* (NZZ 6. 1. 87, 25). **diplomiert** ‹Part. prät.› steht in Titeln wie dipl. Chemiker, dipl. Ingenieur ETH // (Bundesrep.:) Diplom-Chemiker, -Ingenieur). →G 138.

Directrice [*frz.* diʀɛktʀis], die; -, -n // Direktrice [dirɛk'tri:sə]; →G 031, 035.

Direktion, die; -, -en: auch (in der Hälfte der Kantone, so in BE, ZH) svw. Verwaltungssektor mit bestimmtem Aufgabenbereich, dem ein Mitglied der Regierung vorsteht, Ministerium; vor allem in festen Bezeichnungen wie **Bau-, Erziehungs-, Finanzdirektion, Direktion des Innern.** *Die* [Geschäfts-]*Berichte einzelner Direktionen, so etwa jene der Militärdirektion, der Volkswirtschaftsdirektion und der Erziehungsdirektion,* [werden] *ohne große Diskussionen abgenommen* (NZZ 3. 11. 87, 53). →**Departement.**

...direktor, der; -s, -en: in Zusammensetzungen wie **Erziehungs-, Finanzdirektor:** Vorsteher einer kantonalen Erziehungs-, Finanzdirektion (bzw. eines Erziehungs-, Finanzdepartements), kantonaler Erziehungs-, Finanzminister.

Dislokation, die; -, -en (Geschäftsspr.; bdt. nur Fachspr. [milit., mediz., geolog.]) — Verlegung an einen andern Ort, in einen andern Raum. *Die Festrede des Rektors fand diesmal im Münster (statt in der Martinskirche) statt. Die Dislokation ... erwies sich als gerechtfertigt. Das Münster war bis auf wenige Plätze besetzt* (St. Galler Tagbl. 1968, 565, 3).

dislozieren: auch svw. **a)** an einen andern Ort, in einen andern Raum verlegen (bdt. nur in bezug auf Truppen). *Die neue Werkstätte ist so konzipiert, daß sie auch in einen Gewerbeschulneubau disloziert werden kann* (St. Galler Tagbl. 1968, 558, 15). **b)** den Ort wechseln, umziehen (nicht von Privaten). *Stellte er klar, daß der Hochschulrat in Zürich bleiben und nicht nach Bern dislozieren werde* (National-Ztg. 1968, 454, 2).

Divisionär, der; -s, -e (Militär): **a)** (bdt. selten) Befehlshaber einer Division. **b)** (in Friedenszeiten) zweithöchster Offiziersgrad (entspricht dem „Generalmajor" anderer Heere, in Frankreich „Général de Division"). *Was wohl aus mir geworden wäre, dachte ich ... wenn ich seinerzeit und seither immer richtig im Soldatenkleid hätte stecken dürfen? Vielleicht ein Hauptmann wie der unsrige? Oder gar ein Divisionär?* (Kübler, Heitere Geschichten 105).

doch: auch (als Antwort auf eine positive Frage) svw. — oh ja, gewiß. *Begreifen Sie ... welch ungeheuere Erlösung das für ihn ist? Doch, ja ... das kann ich nun wirklich sehr gut verstehen* (Inglin, Excelsior 150). *Ich nehme an, daß ... die Eltern Ihrer Schüler, die Schulpflege, der Schulinspektor wissen, daß Sie nebenbei noch schreiben. Bekommen Sie das irgendwie zu spüren?* Wiesner: *Doch, sehr. Und zwar in positivem Sinne* (Bucher/Ammann 457/58).

Dokumentalist, der; -en, -en // (bdt. vorwiegend, amtlich:) Dokumentar; →G 125.

dokumentieren: auch **sich dokumentieren:** sich mit den nötigen Unterlagen versehen. *Der Fragesteller hat sich offensichtlich für seinen Vorstoß sorgfältig dokumentiert* (Bund 4. 10. 68, 9).

Dole, die; -, -n // Gully (Abwasserschacht in Straßen, auch in Kellern u. ä.). *Das Blut lief ... in die Rinne und von dort in die Dole,* beim Geflügelmarkt auf dem Augustinerplatz (Guggenheim, Alles in allem 387). *Über den Hauptplatz schoß ein schmutzig brauner Bach, die Dolen überflossen gurgelnd, ein eiserner Dolendeckel lag weggeschwemmt neben* *dem runden Loch* (Inglin, Amberg 250). Dazu: **Abwasserdole, Drainagedole; Dolendeckel.** →**eindolen.**

domiziliert (Amtsspr.) — wohnhaft, niedergelassen, ansässig. *Ausschüttung für nicht in der Schweiz domizilierte Personen mit Bankenerklärung: Fr. 4.-* (National-Ztg. 1968, 553, 22). *Die in Basel domizilierte Charterfluggesellschaft Phoenix Airways* (NZZ 15. 3. 74, 125, 13).

Domleschg, das; -s: der unterste Teil des Hinterrheintales, von Thusis bis Bonaduz GR; der Name wird stets mit dem Artikel gebraucht; →G 082.

Donator, der; -s, ... oren (bdt. veraltet) — Schenker, Stifter. *Der Regierungsrat dankt ... Dr. oec. h. c. H. Wachter für die Errichtung einer Stiftung zur Förderung der wissenschaftlichen Forschung an der Hochschule St. Gallen. Der Donator hat der Stiftung ein Vermögen von einer Million Franken übergeben* (St. Galler Tagbl. 1968, 570, 21).

Donner, der; -s: auch (mundartnah) **a) [zum] Donner!:** (gelinder) Fluch. *Na, Sie brauchen deshalb nicht zu verzagen, zum Donner!* (Zollinger II 67: Der halbe Mensch). **b)** Scheltwort für Menschen oder Dinge. *Sogar den Ofen angeheizt ..., den Donner, der nie recht ziehen wollte* (Glauser II 369: Die Fieberkurve).

Donnerhagel, der; -s (mundartnah): ein Fluch. *Donnerhagel, was schert mich der da vorn ...!* (Landert, Koitzsch 85).

[1]Doppel, das; -s, -: ***im Doppel** — in doppelter Ausfertigung. *Das Gesuch ist im Doppel einzureichen.*

[2]Doppel, der; -s, -: Einsatz des Schützen für eine bestimmte Anzahl Schüsse. *Ein Vorstandsmitglied des Hermelinger Feldschützenvereins ... stellte mir ... sein Ordonnanzgewehr zur Verfügung, falls ich Lust hätte, einen Doppel zu lösen* (Guggenheim, Friede 262). →**nachdoppeln.**

Doppelmeter, der: 2 m langer zusammenklappbarer Zollstock. *Zum Handwerkszeug* [eines Mitarbeiters der Liegenschaftsverwaltung] *gehören Schreibmaschine ebenso wie Doppelmeter, Block und Bleistift* (NZZ 5. 3. 74, 107, 7; Inserat). →**Meter.**

Doppelspur, die; - ⟨o. Pl.⟩: zweigleisige Eisenbahnlinie, zweites Gleis auf einer Linie. *Man müsse großzügig denken: eine durchgehende Doppelspur bis Rapperswil brauche man so oder so* (NZZ 12./13. 9. 87, 53).

doppelspurig ⫽ zweigleisig. *Nach Auskunft der Kreisdirektion II der SBB ... ist der doppelspurige Verkehr* [auf der Gotthardlinie, die nach dem Unwetter eine Zeitlang nur eingleisig befahrbar war] *angelaufen* (NZZ 26./27. 9. 87, 9). ⟨Übertr.:⟩ *Die Ausmittlung der Ergebnisse erfolgt doppelspurig, damit Fehler möglichst ausgeschaltet werden* (Bund 1968, 279, 15).

Dorfschaft, die; -, -en: Dorf als Ganzes, als bauliche Einheit, als Lebensgemeinschaft. *Grafiker Karl Iten ... hat mit 28 Linolschnitten alle Urner Dörfer und Weiler verewigt und diese prächtigen Bilder unserer Dorfschaften herausgegeben* (Vaterland 13. 12. 68). *Die Dorfschaft Thörishaus bildet für den Automobilisten eine Einheit, und auch die Bewohner fühlen sich als Glieder eines Ganzen,* obwohl die Siedlung zu zwei Gemeinden gehört (Bund 1968, 280, 13). *Die zwei Bärenswiler zottelten* [von einem außerhalb des Dorfes gelegenen Haus] *in ihre Dorfschaft und engere Heimat zurück* (Walser V 259: Der Gehülfe). *Schon oft hat Ruswil ... den Turnern Gastrecht geboten, und jedesmal ... konnten durch vorbildliches Wirken der starken Turnsektion „Fides" und unter Mithilfe der ganzen Dorfschaft neue Impulse ins Leben des kath. Turn- und Sportverbandes getragen werden* (Vaterland 1968, 282, 17). →G 122/2.

Doublé [*frz.* duble], das // Dublee; →G 031.

Drain [*frz.* dʀɛ̃], der; -s, -s // Drän [drɛːn]; -s, -s/-e (Entwässerungsgraben, -rohr). **Drainage** [*frz.* dʀɛnaʒ; ...ɑːʒə, ...ˈɑːʒə] // Dränage, Dränung.

drainieren [drε...] ‹frz. drainer› // dränieren; →G 031, 036.

drausbringen (mundartnah; auch österr.) — aus dem Takt, aus dem Konzept bringen. *Ihr dürft nicht lachen, sonst bringt ihr mich draus!* beim Gedichtaufsagen.

drauskommen ‹st. V.; ist› (mundartnah): **1.** (auch südd., österr.) aus dem Takt, aus dem Konzept geraten. *Warum lacht ihr auch so; jetzt bin ich ganz drausgekommen!* **2.** aus etw., jmdm. klug werden, etw., jmdn. begreifen. *Die Rechnung ist zu schwer für mich, da komm ich nicht draus! – Aus dem kommt man nicht draus! Sein Blick gefällt mir nicht* (Schmidli, Schattenhaus 33/34).

Dreier, der: auch svw. **1.** // die Drei. **a)** (auch österr., bdt. landsch.:) Ziffer, Zeugnisnote 3. *Er hat einen Dreier in Mathematik.* **b)** (auch bdt. landsch.:) [Wagen der] Straßenbahnlinie 3. *Nehmen Sie den Dreier und dann den Bus.* **2.** Angehöriger des Jahrganges [19]03. **3.** drei Deziliter (Wein). *Er trinkt Weißwein, einen Dreier Twanner* (Bichsel, Jahreszeiten 133). →**Einer, Zweier.**

Dreierzimmer, das // Dreibettzimmer; →G 152.

Dreingabe, die; -, -n (auch bdt. landsch.) — Zugabe. *Nach der zur Belohnung für lang anhaltenden Beifall freundlich gespendeten Dreingabe* (National-Ztg. 1968, 553, 17). [Sie] *versprach ihm als Dreingabe, mit ihm in den Zirkus zu gehen* (Frisch, Stiller 263). **dreingeben** ‹st. V.›: auch svw. [da]zugeben, darüberhinaus geben. *Nachher faltete er die Hände und sprach von Gottes unergründlichem Ratschlusse, wobei er ... auch einmal nach der Uhr sah und noch ein paar Worte dreingab* (Moeschlin, Sommer 69).

Dreißigste, der; -n (kath. Kirche) // Dreißigeramt, Amt vom dreißigsten Tag (Totengedenkmesse nach [ungefähr] 30 Tagen). *Trauergottesdienst: Samstag, 10. August ...; Siebenter: Samstag, 17. August ...; Dreißigster: Montag, 9. September* (Todesanzeige). →**Siebente.**

Dreitannenstadt, die: Umschreibung für Olten SO (nach dem Stadtwappen).

Dreizehner, der; -s, -: **a)** (auch bdt. landsch.) Wagen, Zug der Straßenbahnlinie 13. *Um 6 Uhr 40 vergaß der Wagenführer eines ... Tramzuges der Linie 13* [eine] *Weiche zu stellen. ... Beim seitlichen Zusammenprall entgleisten das vorderste Drehgestell des Dreizehners und das hinterste des Siebners* (NZZ 22. 10. 74, 41). **b)** Angehöriger des Geburtsjahrgangs 1913.

Drilch, der; -[e]s, -e (auch bdt. landsch.) ≠ Drillich; →G 029.

Drittel, der ≠ das. *Die Renten werden somit um einen Drittel erhöht* (Vaterland 4. 10. 68, 4). →G 076.

drittinstanzlich →**erstinstanzlich.**

Drittkläßler, der; -s, - (auch südd.): Schüler der dritten Klasse; →G 118.

Drittperson, die; -, -en — Dritter, dritte Person (außer den beiden zunächst Beteiligten). *Indem er mehr und mehr zur Annahme neigte, das seltsame Mädchen habe es ganz einfach von einer dritten Person erfahren ...* [Doch] *eine Drittperson, wie er sich selber wiederum zugeben mußte, war platterdings unmöglich* (Frisch, Die Schwierigen 19). *Unser Institut behandelt Ihre Bewerbungsunterlagen ... absolut diskret und nimmt irgendwelche Kontakte mit seinem Auftraggeber oder Drittpersonen nur mit Ihrer Einwilligung auf* (Bund 4. 10. 68, 7; Anzeige). →G 138.

Drög[e]ler, der; -s, - (mundartnah) — Drogenabhängiger. *Immer mehr Drögler werden durch den Maßnahmenvollzug in die Heime eingewiesen* (NZZ 19. 7. 83, 19). *Lauter Erstmalige: besoffene Autofahrer, Drögeler, kleine Betrüger ...* (Geiser, Wüstenfahrt 80). →G 120.

Dromedar, das: ['drɔmeda:r // drome'da:ɐ̯, 'dro:meda:ɐ̯]; →G 004, 025.

drum: auch (mundartnah) svw. — eben (als erklärendes Adv.). *Es* *wäre besser, Liesel, du hättest geschwiegen. Liesel: Ich war drum selber erschrocken* (Frisch, Frühe Stücke 92).

Dünkli, das; -s, - (Küche): dünnes, leicht geröstetes Brotschnittchen als Suppeneinlage. →G 105. Dazu **Dünklisuppe.**

durch: *durchs Band [weg] →Band.

durchgehen ⟨unr. Vb.; ist⟩: auch (mundartnah) svw. in der Volksabstimmung angenommen werden. *Wenn ein Gesetz durchging, dem ich zugestimmt hatte, oder wenn ich als Vereinspräsident die Rede eines Regierungsrates verdanken durfte, dann erlebte ich einige erhabene Momente* (Humm, Mitzudenken 115).

durchstieren: gegen Widerstand durchsetzen, durchdrücken, oft mit dem Nebenbegriff des Sturen: *Der vorwurfsvolle Blick der Bonner Offiziellen gilt ... den Berliner Stellen, die in ungeschickter Weise ... eines ihrer Projekte hätten durchstieren wollen* (NZZ). *Ludendorff hatte Verstand und Willen für zehn, und er hat vermutlich mehr angeordnet und durchgestiert, als wir wissen* (Inglin, Schweizerspiegel 631).

durchwegs (auch südd., österr.) // durchweg. *Die Bilder ... aus Moskau zeigen die Teilnehmer fast durchwegs bei bester Stimmung* (Bund 18. 10. 68, 2). →G 130.

durchzogen // durchwachsen (vom Speck). *500 g Speck, geräuchert, durchzogen, 1 große Zwiebel ... dämpfen, bis der Speck leicht glasig ist* (Kochlehrbuch 206). *Siedfleisch, durchzogen* (Berner Ztg. 5. 3. 87, 43; Inserat).

dürr: auch (mundartnah) svw. gedörrt. *Die Küche mit Rauchwürsten, Speck, dürren Bohnen, Mais, Kartoffeln ... versorgt* (Brambach, Wahrnehmungen 53). *Lauter dürre Zwetschgen!* (Humm, Mitzudenken 351).

Dusel, der; -s: namentl. (auch bdt. landsch.) svw. leichter Rausch. *Wenn er in einem harmlosen Dusel ein wenig zu spät heimkomme, lärme sein unbändiges Satansweib wie besessen* (Inglin, Erz. II 132).

düster ⟨Adj.⟩ ≠ düster; →G 004.

Duvet [*frz.* dyvɛ], das; -s, -s — Federbett, Federdecke. *Darin liegt, peinlich geschüttelt und sauber, also bergrund und weiß, das Federbett. Das weiße Duvet im nußbaumenen Gestell* (Nizon, Im Hause 128). *Ein magerer, nackter Arm, unter dem Duvet hervor ausgestreckt* (Geiser, Wüstenfahrt 264). →(zur Aussprache) G 037. Dazu **Duvetanzug.**

Duzis machen mit jmdm. (mundartnah) — jmdm. das Du antragen. *Mit deinem Bruder hab ich auch Duzis gemacht* (Inglin, Ingoldau 309). →G 114/2.

E

Ecken, die ⟨Plur.⟩ — Karo (Farbe im französischen Kartenspiel). →**Eicheln, Kreuz, Rosen, Schaufeln, Schellen, Schilten.**

écru [*frz.* ekʀy] // ekrü; →G 031.

Efeu, das (auch österr.) ≠ der E. *Sind Sie auf der Suche nach einem blühenden Balkon-Gitter als Ersatz für das langweilige Efeu?* (Annabelle). *Die ... Molina del Brumo, an deren Außenwänden das Efeu sich immer höher rankte* (Häsler, Außenseiter 42). →G 076.

Egg, die; -, -en [ek', ek'ən]: ein Typus

der Geländeform, etwa: Ende eines Hügelzuges, Ausläufer eines Berges, langgestreckte Anhöhe; meist nicht mehr als eigentliches Gattungswort, sondern mindestens im Übergang zum Örtlichkeitsnamen. *Trotz langer, anstrengender Spaziergänge dem Tal entlang oder über die umliegenden Talhänge und Eggen (Hügelrücken)* (E. Y. Meyer, Trubschachen 25).

Egli ['eglı, 'e:glı], das; -s, - // Flußbarsch. *Während im ersten Halbjahr 1967 noch 192 000 kg Egli (Barsche) von den schweizerischen Berufsfischern im Bodensee* [...] *gefangen wurden ...* (NZZ 20. 8. 68). *Ich werde es jetzt mit einem Egli versuchen,* als Köder, um einen Hecht zu fangen (Inglin, Erz. I 41). →G 105.

Eheverkünd[ig]ung, -, die; -, -en (Amtsspr.) — Aufgebot (amtliche Bekanntgabe einer bevorstehenden Heirat im „Kästchen“ [Anschlagbrett beim Gemeindehaus] in Wohn- und Bürgergemeinde[n] der Brautleute, oft auch in der Zeitung). *Eheverkündungen* [Überschrift]. *Dößegger Paul, Feinmechaniker, von Seon AG in Schaffhausen, und Früh Ruth, von Mogelsberg SG ...* (St. Galler Tagbl. 3. 10. 68, 13). *Daß Seline das „Tagblatt und städtische Amtsblatt“ abonniert hatte und jeden Tag eine Stunde damit zubrachte, die Geburts- und Todesanzeigen, die Eheverkündigungen, die Konkurse und Nachlaßstundungen, die Inserate* [usw.] *... einläßlich zu studieren* (Guggenheim, Friede 247).

Ehre, die: ***zu Ehren ziehen** (veraltend): ans Licht ziehen, zur Geltung bringen. *In seiner Privatgalerie ... zog Bankier Ernst Brunner einen Maler zu Ehren, der zu den sympathischsten Erscheinungen in der Luzerner Kunstwelt gehört* (Vaterland 1968, 229, 9).

Eidgenosse, der; -n, -n: **1.** (geschichtliche Bezeichnung für) Schweizer; auf die Gegenwart bezogen mit dem Nebenton des typisch Schweizerischen, Aufrechten, Soliden (heute selten): *Armin Meili ... ist ein Eidgenosse besonderer Art, ein typischer, ein bewußt patriotischer, auch ein sehr eigenwilliger, kritischer, angriffiger und daher, so möchten wir sagen, alles in allem ein vorbildlicher Eidgenosse* (Bund 18. 10. 68). Heute eher scherzh.-iron. gebraucht. Oder als bloße Ausweichbezeichnung: *Bei den Junioren vertreten ... C. G., B. B., R. P. und Th. F. die Schweizer Farben. Für die Eidgenossen könnte es sich als Vorteil erweisen, daß ...* (Sport 23. 1. 87, 23). ***die alten Eidgenossen** — die alten Schweizer, bes. zur Zeit der Gründung und Ausdehnung des Bundes (Ende 13.–16. Jh.). **2.** (früher; mundartnah auch:) **Eidgenoß:** der Eidgenossenschaft gehörendes Kavalleriepferd, das der Soldat bei sich zu Hause hatte. *Beide Beine hat der Eidgenoß mir zerschmettert* (Kübler, Öppi von Wasenwachs 174). →**Miteidgenosse.**

Eidgenossenschaft, die, - — die Schweiz (als Ganzes, als Bundesstaat); amtl. **Schweizerische Eidgenossenschaft.** *Die Schweizerische Eidgenossenschaft legt ... eine Anleihe von rund 150 Mio Fr. zur öffentlichen Zeichnung auf* (NZZ 28. 8. 87, 33; nachher: *Daß die Eidgenossenschaft ... wieder an den Kapitalmarkt tritt*). *Daß sich die Persönlichkeit des Juras besser behaupten würde im Schoße der Eidgenossenschaft, wenn er einen Kanton bildete* (NZZ 23. 6. 74, 285, 33). Mit historischem Hintergrund: [Die älteste Glocke im Thurgau] *erinnert ... jeweils am 1. August mit* [ihrem] *hellen Klang an die Gründung der Eidgenossenschaft und an* [ihr] *eigenes Entstehungsjahr,* 1291 (Aargauer Tagbl. 24. 7. 70). *Das Recht, sich im Walde frei zu bewegen, steht allen Menschen zu ... Darin offenbart sich ein uraltes demokratisches Recht, ein Stück altüberlieferter Eidgenossenschaft* (Aargauer Tagbl. 12. 5. 70). →**Bund.**

eidgenössisch, (Abk.:) **eidg.: 1. a)** zum schweiz. Bundesstaat gehörig (oft im Ggs. zu nur Kantonalem). *Am nächsten eidgenössischen und aar-*

gauischen Urnengang (Freier Aargauer 9. 2. 71). *„Pro Familia“* ... [hat] *beschlossen, die eidgenössische Initiative „Recht auf Wohnung“ zu unterstützen* (Aargauer Tagbl. 15. 7. 70). *Der Bundesrat unterbreitet den eidgenössischen Räten* [National- und Ständerat] *eine Botschaft betreffend* ... (NZZ 16. 7. 70). *Das Langgewehr, die leicht veraltete, gute eidgenössische Waffe* (Kübler, Heitere Geschichten 102). *„Daß wir allein in unserer Stadt* ... *damit* [den Unruhen des Generalstreiks] *fertig werden* ...“ *„Nicht unter Ausrufung einer eidgenössischen Intervention, das wollen Sie sagen?“* (Guggenheim, Alles in allem 527). In der amtl. Bezeichnung vieler Bundesbehörden und -anstalten: *Eidgenössisches Finanz-, Militärdepartement* usw., *Eidg. Steuerverwaltung, Eidg. Amt für Meßwesen, Eidg. Technische Hochschule* usw. **b)** gesamtschweizerisch. *Ein Nein* [zum Kredit für den Neubau der franz. Schule in Bern] *würde sich negativ auf die eidgenössische Verständigung auswirken* (NZZ 7. 4. 87, 35). *So ergibt sich wenigstens in dieser Sparte eine wahrhaft eidgenössische Studiengemeinschaft, wird* ... *überholter Kantönligeist im Bildungswesen* ... *überwunden* (National-Ztg. 1988, 453, 3). In Bezeichnungen gesamtschweiz. Organisationen und Veranstaltungen, bes. solchen aus der 1. Hälfte des 19. Jhs. *Eidg. Sängerverein* (gegr. 1842), *Eidg. Schützenverein* (1824), *Eidg. Turnverein* (1832), *Eidg. Musikverband* usw.; *Eidg. Schwing- und Älplerfest, Eidg.* →*Feldschießen.* **2.** typisch, charakteristisch schweizerisch. *Offenbar erwartete er nun* [nach einem Zusammenstoß] *die üblichen eidgenössischen Rechthabereien oder Anschuldigungen* (Kübler, Heitere Geschichten 256). *Den Ausflug in die Hallen des Ruhms von eidgenössischer Tüchtigkeit* [d.h. einen Besuch der Landesausstellung in Bern 1914] (Guggenheim, Alles in allem 395). →**freundeidgenössisch, guteidgenössisch, helvetisch.**

Eierschwamm, der; -[e]s, ...schwämme (auch österr., bdt. landsch.) # Pfifferling. *Die feinsten und teuersten* [Speisepilze] *sind: Champignons* ..., *Morcheln, Steinpilze, Eierschwämme (Pfifferling), Riesenbovist* ... (Fülscher, Kochbuch 121). *In Laub- und Nadelwäldern erfreut der Pfifferling das Sammlerherz (bei uns Eierschwamm genannt)* (NZZ 5./6. 9. 87, 54).

einbezahlen — einzahlen (auf ein Konto). *Einbezahlt von/Versés par/ Versati da* (Vordruck auf dem →Einzahlungsschein der schweiz. Post). *Seither sind Hunderte von Beiträgen auf unser Postkonto einbezahlt worden* (Vaterland 1968, 281, 4). →G 136.

Einbezug, der; -[e]s (Geschäftsspr.; bdt. selten) — Einbeziehung. *Schwierigkeiten bietet der Einbezug der Lohnerhöhung in die Versicherung* (National-Ztg. 1968, 557, 27). →G 115.

eindämmern: auch svw. — ⟨unpers.⟩ dämmern, dunkeln. [Die] *Hügel, die sonst die Stadt einschlossen, einschnürten, traten jetzt zurück, da es eindämmerte* (Schmidli, Schattenhaus 238). →G 136. →**eindunkeln.**

eindolen: (einen Bach) in Röhren oder in einen unterirdischen Kanal verlegen. *Fortschreitende Biotopzerstörungen (Trockenlegen von Naßstandorten, Auffüllen von Tümpeln und Riedwiesen, Ausstocken von Hecken und Feldgehölzen, Eindolen oder Verbetonieren natürlicher Bachläufe)* (NZZ 13. 1. 78, 37). **Eindolung,** die; -, -en: *Gegen übertriebene Meliorationen und Eindolung von Bächen* (NZZ 1962, Nr. 276). →**Dole.**

eindrücklich (bdt. selten): tief und nachhaltig ins Bewußtsein dringend, eindrucksvoll. *Ein eindrückliches Zeugnis für die Leistungssteigerung der schweizerischen Landwirtschaft* (St. Galler Tagbl. 1968, 558, 3). *Das eindrücklichste Schauspiel-Erlebnis der diesjährigen Berliner Festwochen* (Bund 4. 10. 68, 36). *Vor dem eindrücklichen Gemälde von Karl Ägerter fand* *sich ... eine prominente Gesellschaft ein* (National-Ztg. 1968, 453, 7).

eindunkeln ⟨unpers.⟩ (bdt. gehoben) — dunkeln, dämmerig werden. *Nur das eine ... beherrschte ihn: fertig zu werden, bevor es eindunkelte* (Guggenheim, Alles in allem 51). *Sobald es eindunkelt, ziehen wir die Vorhänge* (Wilker, Jota 56). *Vom frühen Morgen bis zum Eindunkeln schneite es ununterbrochen,* am 21. 11. (NZZ 22. 11. 88, 53). →**eindämmern, einnachten.**

Einer, der: auch svw. **1.** // die Eins. **a)** (auch österr., bdt. landsch.) — Einser (Ziffer, Zeugnisnote 1). **b)** (auch bdt. landsch.) [Wagen der] Straßenbahnlinie 1. **2.** Angehöriger des Jahrgangs [19]01. →**Achter.**

Einerkolonne, die; - (Militär, Turnen): Marschordnung, wobei einer hinter dem andern geht („Gänsemarsch"). *In Einerkolonne stiegen wir mit Vollpackung und Zutaten den steilen Weg zum Gottschalkenberg hinauf* (Oehninger, Kriechspur 450). →G 152. →**Vierer-, Zweierkolonne.**

Einerzimmer, das ≠ Einzelzimmer, Zimmer für eine einzelne Person. *Zu vermieten Einerzimmer, neuzeitlich möbliert. Nähe Post Lachen* (St. Galler Tagbl. 1968, 463, 18). *Als die dicke Wirtin ... den Veltliner brachte, erkundigte sich Stiller nach einem Zimmer. „Einerzimmer oder Doppelzimmer?" fragte die Wirtin* (Frisch, Stiller 293). →G 152. Ähnlich **Einerschlafzimmer:** *Zu vermieten per sofort in Bauernhaus schöne, sonnige 4-Zimmer-Wohnung (3 Einerschlafzimmer)* (St. Galler Tagbl. 13. 12. 68). →**Dreierzimmer.**

einfangen (mundartnah) — sich (eine Verletzung, einen Rüffel) zuziehen. *Als ich mit gespreizten Beinen eine Abwehr vornehmen wollte, muß ich eine Muskelzerrung eingefangen haben* (Vaterland 3. 10. 68, 13).

Einfränkler, der; -s, - (mundartnah) — Einfrankenstück. *Die Trinkgelder ... eine Handvoll Münzen, auch Einfränkler* (Schmidli, Schattenhaus 135). →G 120. →**Fränkler, Zweifränkler.**

eingeben ⟨st. V.⟩: auch (Geschäftsspr.) svw. bei einer Submission ein Angebot machen. [Eine ausländische Firma] *erhielt ... den Auftrag für die Umfahrung der Tremolaschlucht, weil sie um 4,6 Prozent billiger offerierte. In drei weiteren Fällen gab sie für Nationalstraßenlose um 2 bis 4 Prozent niedriger ein als die niedrigste einheimische Offerte* (St. Galler Tagbl. 1968, 462, 3).

einhagen — einzäunen. *Die Plazas der Hauptstadt ... sind gepflegt und die Blumenbeete und der Rasen meist ordentlich eingehagt* (NZZ 25. 2. 76, 5). *Zwei Straßenarbeiter hagen mit Latten einige Quadratmeter Straße und Randstein ein* (Morf, Katzen 57). →**Hag.**

einhängen: auch **jmdm. einhängen** — (südd., österr.:) sich bei jmdm. einhängen, // sich bei jmdm. einhaken. *Vermutlich hat sie dem Mann eingehängt* (G. Meier, Kanal 68). *Sie war eingehängt an seinem Arm neben ihm gelaufen* (Blatter, Heimweh 237). →G 060, 064.

Einheitsgemeinde →**Gemeinde.**

einkaufen, sich: als Ausländer ein Gemeindebürgerrecht (als Voraussetzung für das Kantons- und Schweizer Bürgerrecht) erwerben, was nur gegen Erlegung einer (in manchen Gemeinden beträchtlichen) →Einkaufsgebühr, Einkaufssumme möglich ist.

Einkaufsgebühr, die; -, -en; **Einkaufssumme,** die; -, -n: Betrag, der für die Erteilung des Gemeindebürgerrechts zu entrichten ist: *NN, geb. 1928 in A., Prokurist ..., staatenlos, seit 1964 in S. wohnhaft. Seine Ehefrau ... ist Bürgerin von Wohlen BE. Die Einbürgerung soll sich auch auf diese und die gemeinsamen beiden Kinder ... beziehen. Unter Beachtung der Normen der Justizdirektion hat der Gemeinderat aufgrund der Einkommens- und Vermögensverhältnisse die Einkaufssumme auf Fr. 2 450.– festgelegt* (Einladung zu einer Einwohnergemeindeversammlung 1970).

Einlad, der; -[e]s (Geschäftsspr.)

— das Einladen (von Waren); →G 115.

einladen (i. S. v. zu einem Besuch, zur Teilnahme o. ä. bitten, auffordern): • ‹Beugung:› auch (wie bdt. landsch.) du ladest, er ladet ein — lädst, lädt ein; →G 056. *Freundlich ladet ein: Schwingerklub Zürich* (Tages-Anz., Züri-Tip 6. 5. 88; Inserat) • ‹Bedeutung:› auch (Politik) svw. — (eine Behörde) auffordern (etw. zu tun). *Das Postulat von Nationalrat H. L. ... in welchem der Bundesrat eingeladen wird, eine eidgenössische Kommission zur Abklärung der Stellung der Schweizer Frau ... einzusetzen* (National-Ztg. 15. 10. 68, 3).

einläßlich — eingehend, ausführlich, gründlich. *Finanzverwalter X. F. ... beantwortete die gestellten Fragen und nahm zu den verschiedenen Voten einläßlich Stellung* (Vaterland 14. 12. 68).

einlegen: auch (mit Bezug auf das Einwerfen des Stimmzettels in die Urne:) ***ein Ja, ein Nein einlegen.** *Deshalb empfehlen wir den Bürgern, am 1. und 2. Dezember an die Urne zu gehen und ein Ja einzulegen* (Bund 1968, 280, 33).

einlösen: auch svw. (die Kontrollschilder für ein Motorfahrzeug) beim Straßenverkehrsamt abholen; (das Fahrzeug) zum Verkehr anmelden (womit die Verkehrsabgaben fällig werden). *Ein 20jähriger ... raste mit seinem BMW wie wild auf der N 1 ...* [Doch] *das erst vor knapp einem Monat eingelöste Fahrzeug begann nach einem ... Abbremsmanöver ... zu schleudern ...* (Aargauer Tagbl. 8. 5. 87, 13). *Elektrisches Dreirad der* [Firma N.]: *Superleicht, stark genug, schnell genug, als Kleinmotorrad einzulösen* (Weltwoche 5. 3. 87, 89; Bildunterschrift).

einnachten ‹unpers.› — Nacht werden, dunkeln. *Die Sonne wird rasch kühler, unten ... beginnt es schon einzunachten* (Weltwoche 19. 2. 87, 79: Dres Balmer). *Wir saßen ohne Licht im Zimmer ... und das leise Einnachten nahm uns in sich auf* (Humm, Greif 263). *Das gelbe Petrollicht ... warf ein paar grelle Flecken in die Blässe des Einnachtens* (Welti, Lucretia 257). *Ich traf mit dem Zug erst beim Einnachten ein* (Dürrenmatt, Versprechen 7). *Täglich geöffnet von 10 Uhr bis zum Einnachten* (Blick 26. 9. 68, Anzeige). →**eindunkeln, nachten.**

Einräppler, der; -s, - (mundartnah) — Einrappenstück (Kupfermünze im Wert von 1 Rappen). *Die kleinen Knirpse mit ihren Sparkäßlein* [voll] *von kleinen Münzen, selbst roten Ein- und Zweiräpplern* (Guggenheim, Gold. Würfel 45). →G 120. →**Räppler.**

Einsitz, der; -es (Geschäftsspr.): **a)** Eintritt (als neues Mitglied) in ein Gremium; meist ***Einsitz nehmen.** *Zum erstenmal werden drei Frauen Einsitz in den Großen Gemeinderat nehmen* (Vaterland 1968, 282, 4). **b)** Sitz und Stimme in einer Behörde. *Prof. Dr. J. Ziegler, der ... einen Verzicht* [der SPS] *auf den Einsitz im Bundesrat forderte* (NZZ 29. 6. 70). *Landwirtschafts- und Gemeindedirektor R. H., der während fünfzehn Jahren in der Regierung* [von AR] *Einsitz hatte* (NZZ 25. 4. 77, 14). →G 117. Dazu (a) **Einsitznahme,** die.

Einsprache, die; -, -n (Recht; auch österr.) // Einspruch (als Rechtsmittel). *Der Einzelne* [hat] *die Möglichkeit der Einsprache bei der verfügenden Behörde* (NZZ 28. 5. 63). *Bei der Verkehrsbeschränkungsverfügung ... zählte man in Bern vier Einsprachen, in Basel eine, in Zürich deren dreizehn* (NZZ 30. 1. 87, 53).

einstellen: auch (Recht) **jmdn. in seinem Dienst einstellen** — vom Dienst suspendieren. *Daß ein ... Religionslehrer ... wegen sittlicher Vergehen in seinem Dienst eingestellt werden mußte* (National-Ztg. 30. 11. 70).

Eintel, der // das; →G 076.

eintreten ‹st. V.; ist›: auch **auf etw. eintreten** — auf ein Angebot, einen Vorschlag, ein Gesuch, überhaupt ein Problem eingehen. *Angenommen, sie hätte mir ... so unmißverständlich in* *die Augen geschaut, wäre ich darauf eingetreten? Ich spürte doch eher Angst vor den Mädchen* (Oehninger, Kriechspur 259). *Auf den Vorschlag des Quartiervereins habe die ICZ allenfalls eintreten wollen, aber nicht bedingungslos* (NZZ 13./14. 12. 86, 51). *Auf eventuelle Verschiebungsgesuche kann nicht eingetreten werden* (National-Ztg. 1968, 456, 3). *Warum wir hier überhaupt auf diese Sprachfragen eintreten?* (Sprachspiegel 1965, 58). ***in etw. eintreten** — sich in eine Diskussion, in Verhandlungen usw. einlassen. *Ich trete mit Ihnen in keine Diskussion mehr ein!* (Richardson, Clarissa [Übers.], 357).

Eintretensdebatte, die (Parlament) // Eröffnungsaussprache (erste Aussprache über eine Vorlage der Regierung, wobei es darum geht, ob überhaupt darauf eingegangen oder ob sie an die Regierung zurückgewiesen werden soll). *In der Eintretensdebatte sprachen die Redner aller Fraktionen für Eintreten* (Bund 3. 10. 68, 7). *Fazit der Eintretensdebatte: Übernahme* (der Lausanner Ecole Polytechnique durch den Bund) *ist notwendig und zu begrüßen* (National-Ztg. 1968, 453, 3). Dazu: **Eintretensreferat.**

Einvernahme, die; -, -n (auch österr.; bdt. selten) — Verhör, ⫽ Vernehmung (polizeiliche oder gerichtliche Befragung). *Zwei Mitglieder dieses Ausschusses, die ... wegen einer strafbaren Tat zu einer polizeilichen Einvernahme eingebracht worden waren* (National-Ztg. 1968, 455, 24). *Die Einvernahme der sogenannten allgemeinen Zeugen dauert noch bis Ende nächster Woche* (NZZ 10. 11. 70). →G 117. Dazu **einvernahmefähig** // vernehmungsfähig.

einvernehmen ⟨st. V.⟩ (auch österr.; bdt. selten) — verhören, // vernehmen (polizeilich, gerichtlich befragen). *Der Täter konnte erst einen Monat nach dem Brand ... erstmals einvernommen werden* (NZZ 8. 2. 85, 7). *Der Notfallarzt ... nahm sich Zeit zu einer gründlichen Aussprache, ehe er den einvernehmenden Polizisten einließ* (Landert, Koitzsch 44). →G 136.

einwintern ⟨unpers.⟩ (bdt. selten): Winter werden. *Wenn man schon das ganze Jahr nie einen Feuersalamander sieht – jetzt, vor dem Einwintern trifft man gelegentlich auf einen, der flach wie ein Buchzeichen auf der Straße liegt,* überfahren (NZZ 27. 10. 87, 9).

Einwohner, der: auch (Amtsspr.) svw. jmd., der in einer Gemeinde seinen Wohnsitz hat, ohne dort das →Bürgerrecht zu besitzen (→Bürger zu sein). *Einwohner und Ortsbürger von Aarau, die sich ... um ein Stipendium bewerben möchten ...* (General-Anz. 16. 10. 69).

Einwohnergemeinde → Gemeinde.

Einwohnerkontrolle, die // Einwohnermeldeamt. *Wer in Gränichen Wohnsitz nehmen will, hat sich innert 10 Tagen bei der Einwohnerkontrolle anzumelden* (Landanzeiger 3. 4. 69). **→Kontrollbüro, Schriftenkontrolle.**

Einwohnerrat, der; -[e]s, ...räte (in einigen Kantonen, so AG, AR, BL): **a)** Gemeindeparlament (besteht nur in größeren Gemeinden; die Normalform der Legislative ist die Gemeindeversammlung). **b)** Mitglied des Gemeindeparlaments. **→Gemeinderat, Großer Gemeinderat, Stadtrat.**

Einzahlungsschein, der // (BRD, DDR:) Zahlkarte // (Österr.:) Erlagschein.

einzonen (Amtsspr.): einen Teil des Gemeindegebietes im Zonenplan einer bestimmten Bebauungszone (z. B. Kernzone, Landhauszone und andere Wohnzonen; Industriezone) zuweisen. *Das Land soll nächstens eingezont werden und kann später ein Satellitenstädtchen aufnehmen* (NZZ 25. 3. 65). *Dieses Vernehmlassungsverfahren soll verhindern, daß Flächen eingezont, d. h. zur Überbauung freigegeben werden, welche für zukünftige Anlagen von regionaler Bedeutung* [...] *beansprucht werden* (National-Ztg. 1968, 557, 31). **→Zone.**

Einzug, der; -[e]s (Geschäftsspr.): auch svw. ⫽ Einkassierung, // Einziehung (von Steuern, Gebühren u. ä.). *Sie ... sparen, wenn Sie die Abonnementsgebühr ... für den Beobachter ... mit dem Einzahlungsschein ... bald regulieren. Nachher erfolgt der Einzug per Nachnahme* (Beobachter 31. 1. 61, 61). →G 115. Dazu **Steuereinzug.**

Einzüger, der; -s, - // Einzieher (jmd., der geschuldete Geldbeträge einzieht). *Die blühende Stadt Dreux war ausgestorben. Es gab keinen Handel mehr, keinen Verkehr ... keine Behörde. Die Salzsteuer und die Bodensteuer konnten nicht mehr eingezogen werden, die Einzüger waren geflüchtet* (Guggenheim, Hl. Komödiant 86). *Er mußte Rechnungen, die von den Geldeinzügern nicht eingetrieben werden konnten, zur Mahnung an die Buchhaltungsabteilung weiterleiten* (National-Ztg. 1968, 453, 5). →G 124/2.

Eiscornet →**Cornet** (b).

Eisenbähnler, der; -s, - (mundartnah) — (ugs.) Eisenbahner. *Lorenz zog seine Eisenbähnler-Uhr* (Guggenheim, Riedland 81). →G 120. →**Bähnler.**

Elast, der/das; -s, -e ≠ Elastik (Gewebe, Band aus elastischem Material). *Cocktail-Kleid ... Taillen-Elast mit Stoffgürtel* (Jelmoli, Katalog Frühling '87, 178). *Herrenslip ... Bund angenähter Elast* (Prospekt). →G 095. Dazu **Elastband.**

Elektrifikation, die; - — Elektrifizierung; →G 123.

Elementbau, der; -[e]s, **Elementbauweise,** die; - ≠ Fertigbau[weise]. *Für die Gestaltung ist Elementbau kein Handicap!* (Vaterland 3. 10. 68, 17). *1966 ... entstanden in vorfabrizierter Elementbauweise Großüberbauungen* (NZZ 26. 11. 87, 57).

Elftel: der ≠ das; -s, -; →G 076.

ellbögeln ⟨ich ellbögle⟩ (mundartnah) — seine Ellbogen brauchen, sich rücksichtslos durchsetzen. *Die SP befürchtete, daß eine eigentliche Leistungszulage ... unter dem Staatspersonal ... das „Ellbögeln" und die Vetternwirtschaft fördere* (NZZ 2. 2. 88, 22). →G 098. Dazu: **Ellbögler,** der; -s, -. *Wir schätzen Ihre berufliche Tätigkeit, Ihre Zuverlässigkeit ... Und daß Sie bescheiden sind, kein Ellbögler* (Guggenheim, Gold. Würfel 35).

Email, der ⟨frz. émail⟩: • ⟨Aussprache:⟩ [*frz.* emaj; 'email] // [e'mai, e'ma:j], südd., österr.: [e'mail]. • ⟨Nebenform:⟩ // Emaille [e'maljə, e'mai, e'ma:j], die.

Emballage [*frz.* ɑ̃balaʒ; ...a:ʒə], die; - (mundartnah) — Sackleinen (bdt. Kaufmannsspr.: Sammelbez. für Verpackungen wie Kisten, Fässer, Säcke o. ä.). *Man spannt keine Emballage mehr um Faustballveranstaltungen* (National-Ztg. 1968, 459, 29). →(zur Aussprache) G 035/1.

EMD ['e:ɛmde:], das; -[s]: (buchstabierte) Abkürzung für **E**idgenössisches **M**ilitär**d**epartement; →G 028, 093.

Emd [ɛ:md], das; -[e]s // Grummet, (südwestd.:) Öhmd (Heu aus dem zweiten, dritten Schnitt des Jahres). *Ist der Heuet vorbei, so sieht man dem Emd entgegen* (Spitteler V 153: Gustav). *Die Scheune enthielt Emd, das sich wahrscheinlich selbst entzündet hat* (NZZ).

emden: Grummet machen. *Zum Heuen und Emden schönes, sonnseitig gelegenes Stück Land, maschinell bewirtschaftbar* (Urner Wochenblatt 10. 7. 68).

Emdet, der; -s // Grummeternte. *Der Weg dehnte sich in der Mittaghitze, und die Bremsen stachen. Es waren die Bremsen, die zum Sommer gehörten und zum rechten Emdet* (Kübler, Öppi der Narr 243). →G 111.

Emmentalerli, das; -s, -: Brühwurst aus (zur Hälfte) mittelfein gehacktem Kuh- oder Bullenfleisch, (zur anderen) feingehackter Schwarte und grobgehacktem halbmagerem Schweinefleisch und Speck, gewürzt mit Pfeffer, Muskat, Knoblauch und Zwiebeln. [Die Berner Platte besteht u. a. aus] *gesottenem Fleisch ..., Zunge ..., Speck, Rippli, Berner Zungenwurst und rezenten Emmentalerli*

(E. Y. Meyer, Trubschachen 67). →G 106.

Empa, die; -: Initialwort für **E**idgenössische **M**aterial**p**rüfungs- und Forschungs**a**nstalt; →G 094. *Bis zu diesem Unglück war laut Gutachten der Empa das ... Phänomen der Spannungsrißkorrosion unter Baufachleuten nicht bekannt* (NZZ 5./6. 12. 87, 53).

Endalarm, der; -[e]s // Entwarnung (Sirenenzeichen, das das Ende eines Fliegeralarms anzeigt). *Nächsten Samstag ... werden mittags 13 Uhr die Alarmsirenen einer Prüfung unterzogen. Es wird das Zeichen „Endalarm", ein Dauerton von einer Minute, durchgegeben* (St. Galler Tagbl. 1968, 558, 15).

Engadin, das; -s: der Name dieses längsten Bündner Tales wird immer mit dem Artikel gebraucht – und auf der Endsilbe betont. →G 082.

ennet ‹Präp. mit Dat., auch Gen.› — jenseits. *Ein Fahrzeug auf der Autobahn ... durchbrach den Wildzaun.* [Es] *raste dann – ennet dem Wildzaun – parallel zur Fahrbahn weiter* (Aargauer Tagbl. 3. 2. 69). *Im Ausland, beim großen Rivalen ennet der Grenze* (NZZ 12. 1. 87, 37). *Quartierbewohner ... wie die Kleinbasler ennet des Rheins* (Tages-Anz. 6. 5. 88, 6).

ennetbirgisch: jenseits des Gebirges, d.h. auf der Südseite der Alpen gelegen (Kt. Tessin und drei Täler von Graubünden). Zunächst historisch: ***die ennetbirgischen Vogteien:** der größte Teil des heutigen Tessins als Untertanengebiet der alten Eidgenossenschaft (bis 1798). – *Von der wirklichen Situation der ennetbirgischen Schweiz* (NZZ 21. 8. 87, 22). *Seit 26 Jahren redigiert Zendralli ..., selbstlos das Erbe der ennetbirgischen Bündnertäler mehrend, die kulturell-literarische Vierteljahresschrift „Quaderni Grigioni Italiani"* (NZZ).

ennetrheinisch: jenseits des (Hoch-)Rheins gelegen, d.h. bundesdeutsch.

Entlad, der; -[e]s (Geschäftsspr.) — das Entladen. *Der Verlad und Entlad der Autos* [im Huckepackverkehr der Eisenbahn] *ist nur in Zürich-Altstetten und Burgdorf nach Avignon und umgekehrt möglich* (NZZ 1960). →G 115.

entlang: wird auch bei Nachstellung mit dem Dativ gebraucht (bdt. selten, gewöhnlich mit dem Akkusativ). *Das dehnte sich in die Ebene hinaus ... und den Kanälen entlang* (Walser V 130: Der Gehülfe). *Trotz langer, anstrengender Spaziergänge dem Tal entlang* (E. Y. Meyer, Trubschachen 25). →G 091.

entlassen ‹2. Part.›: ***der Schule entlassen** ‹attr.› (Geschäftsspr.): nach Erfüllung der Schulpflicht von der Schule abgegangen. *Ein der Schule entlassener Knabe könnte sofort ... als Ausläufer eintreten* (Sprachspiegel 1967, 121).

Entlebuch, das; -[e]s: der Name dieses Luzerner Voralpentales wird immer mit dem Artikel gebraucht; →G 082.

entlehnen (auch österr.; bdt. veraltet) — entleihen. *Der Kassier hatte ... begonnen, aus der Schulkasse unrechtmäßig Geld zu entlehnen* (NZZ 7. 12. 87, 5). *Er war noch immer fiebrig und schwach, sah dem Gesellen zu, den man vom Nachbardorf hatte entlehnen müssen* (Boesch, Fliegenfalle 158). →**belehnen.**

entlöhnen // entlohnen. *Ihr Einsatz wird entsprechend entlöhnt. Fortschrittliche Sozialleistungen ...* (Vaterland 1968, 280, Anzeige). *Infolge der Vollbeschäftigung gab es kaum mehr Bewerber für Staatsstellen, die geringer entlöhnt wurden als ähnliche private Stellen* (Loetscher, Noah 70). →G 131/1.

Entlöhnung, die; - // Entlohnung. *Nun erwarte man aber auch von Herrn Tobler eine angemessene Entlöhnung* (Walser V 180/81: Der Gehülfe). *Wir bieten gute Entlöhnung, Personalfürsorge, Fünftagewoche, Sorgfaltsprämie* (National-Ztg. 4.10. 68, Inserat). →G 131/1.

entplafonieren (Amtsspr.): aus der →Plafonierung (Zulassungsbegrenzung für ausländische Arbeitnehmer) entlassen. *Nur Schweizer Bürger oder entplafonierte Ausländer* (Schweizer Stellenanz. 13. 12. 69).

Entrecôte [*frz.* ɑ̃tʀəkot], das ≠ Entrecote; →G 031.

Enziane, die; -, -n — der Enzian. *Bis ihm eines Abends der vermeintliche Apotheker eine Enziane für ein Vergißmeinnicht heimbrachte* (Spitteler V 126: Gustav). *Im Sommer hat der Jup eine Enziane im Knopfloch* (Schenker, Leider 58). →G 077.

Equerre ['ek'ɛrə], die; -, -n ⟨frz.⟩ (Schulspr. in einem Teil der Kantone, so ZH) — Dreieck, // Zeichenwinkel, Winkellineal (Gerät in Form eines rechtwinkligen Dreiecks für geometr., techn. Zeichnen). *Während er aus seiner Tasche ... einen kurzen Maßstab, einen Zirkel und eine aus durchsichtigem Material verfertigte Equerre ... herauszog* (Guggenheim, Gold. Würfel 10). →G 021.

erdauern ⟨trans.⟩: **a)** (Politik) über der Prüfung, Beratung und Entscheidung einer Sache Zeit hingehen lassen, sie „reifen" lassen. *Der vom* [USA-]*Kongreß seit über einem Jahr erdauerte Steuerabbau ist unter Dach* (NZZ 4. 3. 64). **b)** (allg.) durch Warten verdienen. *Visum für Frankreich muß erdauert werden* [Überschrift; nachher:] *Die Beschaffung eines Visums für Frankreich ist in Genf zur Geduldsprobe geworden* (NZZ 25. 9. 86, 7). Dazu **Erdauerung,** die. *Nach reichlich langer Erdauerung hat der Regierungsrat dem Kantonsrat ... einen Gegenvorschlag unterbreitet* (NZZ 23. 7. 62).

Erdschlipf, der; -[e]s, -e — Erdrutsch. *Die Bäche würden über die Ufer treten, und die Folge wären Erdschlipfe mit Steinschlägen* (Bund 8. 10. 87, 15). →**Schlipf.**

erdünnern // ausdünnen (zu dicht stehende Pflanzen vereinzeln, Saat lichten). *Bei Orvino erdünnert Waldhüter Borsa mit seinen Leuten den Bürstenwuchs* (Kopp, Forstmeister 45). →G 137.

erhältlich: *etw. erhältlich machen (Geschäftsspr.) — erlangen, sich verschaffen. *Der Regierungsrat hat nichts unterlassen, bereits für diese erste Etappe das Maximum an Bundesbeitrag erhältlich zu machen* (St. Galler Tagbl. 1968, 559, 15). *Obwohl praktisch kein Geld durch seine Hände ging ... gelang es ihm, auf unredliche Weise größere Beträge erhältlich zu machen* (National-Ztg. 1968, 453, 5).

erheblich: *eine Motion [für] erheblich erklären (Parlament): eine →Motion durch die Mehrheit des Parlaments bestätigen und als verpflichtenden Auftrag an die Regierung überweisen. *So ist im Großen Rat des Kantons Aargau eine Motion von Kantonsrat Hohl erheblich erklärt worden, die ... den Schutz der Reuß verlangt* (Beobachter 1961, 450).

erklären: *erheblich/obligatorisch/ungültig/verbindlich/schuldig erklären (Amtsspr.) — für erheblich usw. erklären, schuldig sprechen. *A. F. wird schuldig erklärt: a) der fortgesetzten Verletzung militärischer Geheimnisse ...,* Urteil des Bundesstrafgerichts (NZZ 24. 4. 71). →G 062. Dazu **Erheblich-, Ungültig-, Verbindlicherklärung.**

ersorgen — etw. mit Sorge erwarten. *Unterdessen verdüsterte sich Evas Lage. Sie war glücklich, ihn* [Öppi] *gerettet zu sehen, und ersorgte bei sich* [sein] *nahes Entschwinden* (Kübler, Öppi der Narr 340).

erst noch (mundartnah) — zudem, obendrein [noch]. *Ehrlich gesagt, die Bilder sind nicht hübsch und erst noch teuer* (National-Ztg. 13. 8. 68, 6). *Eine Arbeit zu verrichten, die gut bezahlt ist und einem erst noch Spaß macht, dazu braucht es wahrscheinlich ein besonderes Talent* (Jent, Ausflüchte 148).

Erst-August-Feier, Erstaugustrede →**Augustfeier, -rede.**

erstinstanzlich (Recht): von einem Gericht der ersten Instanz ergangen. *Das Obergericht ... verschärfte das* *erstinstanzliche Urteil dahin, daß ...* (National-Ztg. 30. 9. 68). Entsprechend: **zweit-, drittinstanzlich.**

Erstklaßabteil, das; -[e]s, -e // Erster-Klasse-Abteil, Eisenbahnabteil erster Klasse; →G 148/2a. Ebenso **Zweitklaßabteil:** *In einem Wagen mit Zweitklaß-Abteilen stand ein Engländer am Fenster des Korridors* (Dürrenmatt, Stadt 157).

Erstklaßhotel, das; -s, -s — Hotel erster Klasse; →G 148/2a. Ebenso **Zweit-, Drittklaßhotel.** →**Mittelklaßhotel.**

Erstkläßler, der; -s, - (auch südd.): Schüler der ersten Klasse; →G 122.

Erstklaßlesebuch, das; -[e]s, ...bücher: Lesebuch für die erste Klasse (der Primar-, der Sekundarschule usw.); →G 148/2a. →**Viertklaßlesebuch.**

Erstklaßwagen, der: Eisenbahnwagen erster Klasse; →G 148, 2a. Ebenso **Zweitklaßwagen.**

erstrecken: auch (Amtsspr.; ebenso österr.) svw. — (eine Frist o. ä.) verlängern, hinausschieben. *Mit der Verlängerung der Frist zur Einreichung der Steuererklärung wird die Frist zur Geltendmachung des Verrechnungssteueranspruches nicht erstreckt* (Basler Ztg. 7. 3. 87, 35; amtl. Mitteilung). Dazu: **Fristerstreckung,** die.

ertrügen ⟨st. V.⟩ (Recht) — durch Betrug erlangen. *Bei der Verhafteten handelt es sich um eine bekannte Großbetrügerin, die z. B. im Kanton Tessin für über 70 000 Fr. Waren ertrogen hatte* (Bund 17. 12. 68). *Drei ... im Autohandel tätige Schweizer ... haben ... bei Leasinggeschäften über eine Million Franken ertrogen* (NZZ 24. 3. 88, 57).

eruieren: auch (wie österr.) svw. — jmdn. ermitteln, ausfindig machen. *Flüchtiger Autofahrer eruiert* (St. Galler Tagbl. 1968, 568, 7; Überschrift). Dazu: **Eruierung,** die. *Die Mehrzahl der der Körperverletzung beschuldigten Demonstranten ... sind namentlich nicht bekannt; ihre Eruierung wird sehr schwierig und zeitraubend sein* (National-Ztg. 13. 8. 68, 3).

erwachsen ⟨st. V.; ist⟩: ***in Rechtskraft erwachsen** — rechtskräftig werden. *Das Urteil ist in Rechtskraft erwachsen.*

erwahren: 1) ⟨trans.⟩ **a)** als wahr erweisen. *Der Mörder sollte ... heftige gegen F. gerichtete Anklagen zu Protokoll gegeben haben. Als dessen Freund ... mußte der Abbé nun befürchten, mehr erwahrt zu finden, als er zu vermuten ... gewagt hatte* (Welti, Lucretia 211). **b)** (Amtsspr.) Das Ergebnis einer Wahl oder Abstimmung amtlich bestätigen. *Der Rat erwahrt auf Grund des ... eingereichten schriftlichen Berichtes das Ergebnis der eidgenössischen Volksabstimmung vom 14. September 1969* (NZZ 1969, 719, 21). **2)** ⟨refl.⟩ sich als wahr, richtig erweisen, sich bewahrheiten. *In der Nacht ... hatten ihn auf einmal Gewissensbisse geplagt, es möchte mit dem ... im heißen Estrich lagernden Kaput etwas nicht in Ordnung sein und es sich beim Einrücken erwahren, daß er ein unzuverlässiger Soldat sei, der seine Ausrüstung verludern lasse* (Guggenheim, Alles in allem 1013). Dazu (1b) **Erwahrung,** die.

Erziehungsdepartement →**Departement.**

Erziehungsdirektion →**Direktion.**

Erziehungsdirektor →**...direktor.**

Erziehungsdirektorenkonferenz, die: entspricht ungefähr der „Ständigen Konferenz der Kultusminister" in der Bundesrepublik. *Seitens der Studentenschaften sollte deshalb das Gespräch insbesondere auch mit den Erziehungsdirektoren und der Erziehungsdirektorenkonferenz aufgenommen bzw. weitergeführt werden (Bund 3. 10. 68, 6).*

Erziehungsrat, der; -[e]s, ...räte (in vielen Kantonen) **1.** gewähltes Gremium, das über Fragen des Unterrichtswesens beschließt oder vorberät. *Um dem zunehmenden unentschuldigten Fernbleiben vom Schulbesuch ... entgegenzuwirken, hat der Erziehungsrat des Kantons Schaffhausen eine* *massive Erhöhung der Bußen für unentschuldigte Versäumnisse beschlossen* (NZZ 10. 6. 63). **2.** Mitglied des Erziehungsrates. *Herr N. N., Kölliken, Erziehungsrat.*

erzwängen: (durch Machenschaften, Winkelzüge) erzwingen. *Der ... „Fall Thörishaus", wo ein Initiativkomitee die bisherige Schulzusammenarbeit mit der Gemeinde Neuenegg offensichtlich auffliegen lassen will, um ein eigenes Schulhaus auf Könizer Boden zu erzwängen* (Bund 1968, 281, 25). →**zwängen.**

Esel, der: ***dastehen wie der Esel am Berg** // wie der Ochs am/vorm Berg(e).

Eßmantel, der; -s, ...mäntel; **Eßmäntelchen,** das; -s, -: **a)** Schürzchen [mit Ärmeln], das kleinen Kindern zum Essen angezogen wird. **b)** — Eßlatz, Lätzchen.

Estrich, der: ausschließlich svw. ≠ Dachraum, // Dachboden (bdt.: fugenloser Fußboden, Unterboden aus einer erhartenden Masse). *Am späteren Sonntagnachmittag ... brach im Estrich des NZZ-Gebäudes ... Feuer aus* (NZZ 28. 4. 69). *Sie lagen, zusammen mit dem andern Baumschmuck, das Jahr hindurch auf dem Estrich* (Schmidli, Schattenhaus 241).

Etablissement, das: [etablısə'mɛnt]; -[e]s, -e — [*frz.* etablismɑ̃ // bdt. etablıs(ə)'mã:]; -s, -s; →G 038. *Eine stattliche Klavierfabrik nebst einigen andern Fabriken und Etablissementen* (Walser III 269: Der Spaziergang).

Etat [*frz.* eta], der: auch svw. Verzeichnis der einer Verwaltung, Behörde o. ä. angehörenden Personen. *Offiziersetat; Verwaltungsetat der Stadt Zürich,* (Untertitel:) *Verzeichnis der Behörden und Arbeitnehmer, einschließlich Lehrerschaft.* →(zur Aussprache) G 034.

ETH: (buchstabierte) Abkürzung für **E**idgenössische **T**echnische **H**ochschule: **ETHL** in Lausanne, **ETHZ** in Zürich; →G 028, 093.

Etikette, die; -, -n: steht auch (ebenso österr.; hingegen bdt. veraltet) für // Etikett (Schildchen für Aufschrift). *Während Gantenbein, als Cognac-Kenner, es nicht lassen kann, die fragliche Flasche zur Hand zu nehmen, um die Etikette zu lesen* (Frisch, Gantenbein 40). →G 077.

etwa: auch svw. — bisweilen, manchmal, hie und da. *Ich schätzte die Besuchssonntage. Sie ... brachten Abwechslung ..., neue Gesichter und etwa ein Gespräch* (Oehninger, Kriechspur 474). *Das Bild* [der überfluteten Quaianlagen in Locarno] *hat freilich nicht eben Seltenheitswert, tritt doch der Langensee immer etwa wieder über die Ufer* (NZZ 17. 10. 79, 7).

etwelch[er usw.] (Geschäftsspr.; auch österr., sonst veraltet) — einig[er usw.]. *Die 15- bis 16jährigen hatten mit dem unruhigen See etwelche Mühe* (Vaterland 1968, 229, 19). *Die Klausel ... bereitet der Regierung noch immer etwelches Kopfzerbrechen* (NZZ 16. 10. 87, 5). *Auch die Steueramnestie gibt zu etwelchen Hoffnungen Anlaß* (St. Galler Tagbl. 1968, 561, 23). *Seit der Kremlchef ... eine Strafrechtsreform angekündigt hat, gibt es darüber etwelche Spekulationen* (Aargauer Tagbl. 30. 4. 87, 2).

Eulachstadt, die: Umschreibung für Winterthur (nach der Eulach, dem sie durchfließenden Flüßchen). *Die Zahl der Stellungnahmen zum ablehnenden Entscheid ... betreffend ... Tempo 80 auf der Nationalstraße 1 (Stadtumfahrung Winterthur) hat sich ... auch in der Eulachstadt ... in Grenzen gehalten* (NZZ 20. 5. 88, 57).

Evangelium, das [efaŋ'ge:liʊm — evaŋ...]; →G 018.

EVP: (buchstabierte) Abkürzung für **E**vangelische **V**olks**p**artei; →G 028, 093.

Expedition, die; -: auch (veraltend) svw. Geschäftsstelle (Versand, Anzeigenvermittlung) einer Zeitung.

Expreßstraße, die; -, -n // Schnellstraße (in großen Städten). *Der ACS* [Automobil-Club der Schweiz]/ *-Zentralvorstand würde eine Überprüfung, Aufwertung und bessere Finanzierung* *gewisser Kategorien des Hauptstraßennetzes, namentlich der städtischen Expreßstraßen, begrüßen* (National-Ztg. 1968, 558, 3).

Ẹxtrafahrt, die (bdt. selten) // Sonderfahrt (eines öffentlichen Verkehrsmittels).

Ẹxtratram, das; -s, -s // Sonderwagen, -zug der Straßenbahn.

Ẹxtrazug, der; -[e]s, ...züge (früher auch bdt.) // Sonderzug. *Im Zürcher Hauptbahnhof sind über die Weihnachtstage 142 Extrazüge abgefertigt worden* (NZZ 27./28. 12. 86, 37). ***ein Extrazüglein fahren:** eine Extratour unternehmen, auf eigene Faust vorgehen. [Gegenüber] *dem Anspruch der EG nach Einordnung in gesamteuropäische Regelung ... müssen wir es uns in jedem Einzelfall sehr wohl überlegen, ob das Fahren eines „Extrazügleins" wirklich unabdingbar ist* (NZZ 2. 3. 88, 23). →G 106. →**Sonderzug.**

F

Fabrịkler, der; -s, - (mundartnah) — Fabrikarbeiter. *Die Fabrikler* [Kapitelüberschrift]. *Es gab auch in Wasenwachs neben den richtigen, eingewurzelten Dorfbewohnern ... eine Anzahl anderer Leute, die irgendeinmal erst hergezogen waren ... Die Männer sah man allemal in die Schar jener Frühaufsteher sich einreihen, die mit dem Morgenzug nach Wittudaderdur zur Arbeit fuhren* (Kübler, Öppi von Wasenwachs 202). *Einige jener Männergestalten, die seit Monaten zum Bilde dieser Stadt gehörten: kragenlose Burschen, halb sonntäglich gekleidete Fabrikler, Mechaniker und Bauleute* [Arbeitslose] (Guggenheim, Alles in allem 606). →G 120.

fad ⟨Adj.⟩: • ⟨Stammform:⟩ fad (auch südd., österr.) ≠ (bdt. meist:) fade; →G 087 • ⟨Bedeutung:⟩ auch (wie südd., österr.) svw. reizlos, geistlos, langweilig. *Wenn ich für eine Weile abstinent, vernünftig, fad und blöd wie ein ... Duckmäuser zu leben versuche* (Morgenthaler, Woly 153). *Mal ist ein Theater zu fad, mal zu schockierend* (Weltwoche 15. 1. 87, 45).

Fa̲den, der: ***zu Faden schlagen: a)** — heften (mit locker und in weiten Abständen geführten Stichen vorläufig zusammennähen). **b)** ⟨übertr.⟩ (einen Text, ein Projekt) in den Hauptzügen ausarbeiten. *Das „Gesetzgebungsteam" Schürmann hat seinerseits bereits einen ersten Gesetzesentwurf zu Faden geschlagen* (Aargauer Tagbl. 28. 3. 70). *Die Geschichte des Domes, die er im Kopf zu Faden schlug* (Schaffner, Dechant 74).

Fa̲denschlag, der; -[e]s: **1. a)** lockere Heftnaht. **b)** Heftfaden. **2.** ⟨übertr.⟩ Ausarbeitung in den Hauptzügen. *Er ... brach zur Alpe auf, um die ganze im Fadenschlag fertige Bahnlinie bis zum Gipfel nochmals abzugehen* (Federer, Berge u. Menschen 376).

Fa̲hrausweis, der: auch svw. — Führerschein. *Eine Garage? Auch Adelheid hatte davon gesprochen. Sie besaß den Fahrausweis, jedoch keinen eigenen Wagen* (Inglin, Erlenbüel 133). *In Saudiarabien gibt es für Frauen* (auch Ausländerinnen) *überhaupt keine Fahrausweise* (NZZ 24. 3. 87, 5). →**Führerausweis.**

Fa̲hrhabe, die; - (Rechts-, Geschäftsspr.) — beweglicher Besitz, fahrende Habe, Fahrnis. *Infolge Aufgabe der Landwirtschaft läßt der Un-*

terzeichnete ... öffentlich versteigern: Lebware: 5 prima Milchkühe [usw.]. *Fahrhabe: 1 Einachstraktor, dazu Pflug, Kartoffelgraber; 1 Jauchepumpe* [usw.] (Landanzeiger 6. 3. 69). *Am Gebäude entstand sehr großer Sachschaden; weder Vieh noch Fahrhabe wurden aber in Mitleidenschaft gezogen* (NZZ 17. 3. 88, 7). →G 138.

Fahrrichtung, die — Fahrtrichtung. *In der betreffenden Nacht war in der Fahrrichtung Winterthur der N1* [Nationalstraße = Autobahn] *der sogenannte Schwamendinger-/Winterthurertunnel ... gesperrt* (NZZ 9. 2. 87, 26). →G 141/1.

Fahrzeuglenker, der; -s, - — Fahrzeugführer. *Rund 140 000 Fahrzeuglenker in der Schweiz sind älter als 70 Jahre* (Coop-Zeitung 26. 3. 87, 33). →**Lenker.**

Faktura, die; -, ...ren (Geschäftsspr., auch österr.; bdt. veraltet) — Rechnung. *Nach dem neuen Leistungsauftrag hätte[n] die SBB keine Sorgen mehr; sie brauchten nur noch die Fakturen an die Bundeskasse zu senden* (NZZ 11./12. 4. 87, 33).

Falken, der (Gastwirtschaftsname), →G 068.

Falle, die: auch svw. ⫽ [Tür-]Klinke. *Wir hatten die Türe nicht verschlossen, und so konnte er mit seinen Tatzen die Falle niederdrücken und hereinspringen* (Dürrenmatt, Stadt 28). →**Türfalle.**

fallieren ⟨sw. V.; ist⟩: ausschließlich (mundartnah) svw. — schiefgehen, mißlingen (bdt.: in Konkurs gehen). *„Wenn du mit dieser Schule fertig bist, willst du dann selber etwas anfangen?" „Das weiß ich noch nicht genau. Eigentlich sollte ich dann am Poly weitermachen ... Aber wie's dann später wird ... weiß der Teufel, es kann auch fallieren!"* (Inglin, Schweizerspiegel 539).

Familienbüchlein, das; -s, -: amtliches Dokument, in dem vom zuständigen Zivilstandsamt Eheschließung und Personalien eines Ehepaars sowie deren Kinder verzeichnet werden.

Familiengarten, der — Schrebergarten, // Kleingarten. *Der große Bedarf an Familiengärten ist heute in der Stadt nur rund zur Hälfte gedeckt. Berücksichtigt man, daß verschiedene bestehende „Schrebergärten" in der Bauzone liegen, so fehlen heute rund 5 000 bis 7 000 Gartenparzellen* (NZZ 21./22. 2. 87, 49).

Fasnacht, die (auch bdt. landsch.) ⫽ Fastnacht. *Nicht zuletzt hat der neue Gesetzestext* [Luzerner „Gesetz über das Tanzen und die Fasnacht" von 1986] *auch bezüglich Rechtschreibung für regierungsamtliche Klarheit gesorgt: Bevorstehende Fastenzeit hin und katholische Mehrheit her, wird nunmehr ... das ursprüngliche Wort Fas-t-nacht zugunsten der zeitgenössischen Schreibweise aufgegeben* (NZZ 26. 2. 87, 7). →**Bauern-, Herrenfastnacht.** →G 029.

Fasson, die: [*frz.* fasɔ̃/(wie südd., österr.:) fa'so:n // fa'sɔ̃]; -, -en (auch südd., österr.) // -, -s, auch **Façon:** nur [*frz.* fasɔ̃]; -, -s. →G 038.

Fauteuil [*frz.* fotœj], der; -s, -s (auch österr.; bdt. veraltend) — Polstersessel. [Im „Salon"] *sah ich den Tisch und die hochlehnigen Stühle, den schweren Plüschfauteuil und das große Sofa* (Oehninger, Kriechspur 49). *Wieder daheim. Sie macht ihm sein Fünf-Uhr-Teeli. Dann richtet sie sich im Fauteuil ein. Du, die Soraya hat schon wieder einen neuen ...* (Junge Schweizer 22: Jürg Weibel).

FDP: (buchstabierte) Abkürzung von **F**reisinnig-**d**emokratische **P**artei; →G 028, 093.

Federkohl, der // Grünkohl, Krauskohl, Winterkohl. *Federkohl, die dritte winterharte Kohlart, hat in der Schweiz praktisch keine Bedeutung mehr* (NZZ 10. 12. 87, 26).

Federstück, das; -s, -e // Spannrippe (Teil des Vorderviertels beim geschlachteten Rind; zwischen Brust und Rücken). *Federstücke o*[hne]

B[ein] $\frac{1}{2}$*kg* [Fr.] *4.25* (Tagbl. der Stadt Zürich 20. 11. 63, Inserat).

Fegbürste, die; -, -n # Scheuerbürste. *Der wiederentdeckten Wohnküche setzt ein Auslegeteppich, den man mit der Fegbürste bearbeiten kann, die Krone auf* (National-Ztg. 4. 10. 68, 11). *Sie lag auf den Knien, die Fegbürste in der Rechten* (Inglin, Schweizerspiegel 605).

fegen, vor allem (mundartnah; auch südd.) svw. — scheuern (wobei für gdt. fegen →**wischen** gilt). *Jeden Freitag ... mußte der Klinkerfußboden mit Schmierseifenwasser und Bürste gefegt werden* (Schmidli, Schattenhaus 217). *Die Tische, die nie recht gefegt werden, haben einen schwarzen Schmutzüberzug* (Glauser IV 385). • Achtung: Mißverständnisse möglich! •

Fegfeuer, das # (bdt. häufiger:) Fegefeuer. *Daß er solche Redensarten ... im Fegfeuer werde verbüßen müssen* (Humm, Greif 69). →G 143.

fehlbar ⟨nicht präd.⟩ (Recht): einer Übertretung schuldig. *Nach dem Unglück ... fuhr der fehlbare Automobilist, ohne anzuhalten und ohne sich um seine Opfer zu kümmern, weiter* (NZZ 20. 12. 82, 5). *Drunten in der Höhle war der düstere Ulf bereit, Unheil über den fehlbaren Riesen heraufzubeschwören* (Inglin, Erz. II 276).

fehlen: *es wird/kann nicht fehlen — fehlschlagen, mißlingen. *Die verlorenen Jahre? Das geopferte Geld? Kein Wort fiel darüber. Der Vater stellte keine Rechnung an ... Wir sind Schaffer! Wenn Öppi zu einer solchen Sippe gehörte, konnte es ihm ja nicht fehlen* (Kübler, Öppi und Eva 17).

Feldmauser, der; -s, -: Mäuse-, Maulwurffänger (der auf den Feldern Fallen stellt). *Wir suchen noch tüchtige Feldmauser. Guter Nebenverdienst. Auch größere, zuverlässige Schüler können sich melden. Offerten ... an Feldmauserei Schöftland* (Landanzeiger 13. 8. 80). →**Mauser.**

Feldschießen, das; -s: Das **Eidgenössische Feldschießen,** an einem Wochenende im Mai/Juni dezentralisiert in den Gemeinden (in den Schießständen oder in improvisierten Anlagen draußen im Feld) durchgeführtes Gratis-Wettschießen; seit 1899 regelmäßig veranstaltet, gilt es als das größte Schützenfest der Welt. *In einer Deckung, wie wir sie als Zeigermannschaft in einem Feldschießen kennen* (Frisch, Tageb. 1946–49, 160).

Feldweibel, der; -s, - (Militär): **a)** höherer Unteroffiziersgrad (etwa gleich dem Hauptfeldwebel in der Bundesrep.). **b)** für die Unterkunft und den innern Dienstbetrieb einer Einheit verantwortlicher Unteroffizier. *Mit dem Widerling von Feldweibel, der mich schon wieder auf die Wache kommandieren wollte* (Frisch, Gantenbein 62). →G 029.

Fendant [*frz.* fɑ̃dɑ̃], der; -s: bekannter Weißwein aus dem Wallis. *Von Zeit zu Zeit schenkte sich Vater ein, Most, von dem er behauptete, er wäre wie Fendant zu trinken* (Wiesner, Schauplätze 59).

Ferien, die ⟨nur Plur.⟩: nicht nur (wie bdt.) die Wochen, da Schulen, Hochschulen, Gewerbebetriebe usw. jährlich geschlossen sind, sondern auch die Wochen, auf die jeder Arbeitnehmer zur Erholung Anrecht hat (bdt. meist: Urlaub; dieser Ausdruck beginnt auch bei uns einzudringen). *Der Personalchef ... nannte Altersgrenzen, ... Verdienst, soziale Leistungen, Pensionskasse, Versicherungen, Ferien ...* (Schmidli, Schattenhaus 181). *Er ... arbeitete zweiundvierzig Stunden in der Woche, hatte Aufstiegsmöglichkeiten und vier Wochen Ferien im Jahr* (Junge Schweizer 13: Jürg Moser). *„Bleiben Sie, solange es Ihnen gefällt.". „Solange ich Urlaub habe", sagte Franziska. „Sie haben Ferien", sagte Heinzens Mutter, „wie gut"* (Muschg, Fremdkörper 185). →**Urlaub.** →Heuer, Lupe 44.

Fernsehkonzessionär, der; -s, -e (Amtsspr.) // Fernsehteilnehmer. →**Konzession.**

fest: auch svw. — gedrungen, beleibt, rundlich, // stark. *Ein stattlicher*

Mann ... groß und fest (Dürrenmatt, Versprechen 224). *Der vierte Täter ... ist 40- bis 45jährig, 160 cm groß, von fester Statur* (NZZ 21. 12. 82, 38). *Ihr ... jüngerer Bruder war dagegen schon ein großer, fester Bursche* (Inglin, Amberg 314). *Endlich ein geschmeidig leichter Büstenhalter für die feste Figur* (NZZ 1. 11. 79, Inserat). *Sie war fest geworden, wie man hierzulande sagte* (Guggenheim, Alles in allem 670).

fẹsten (bdt. selten) — (ein Fest) feiern. *Ein 17jähriger Bursche, der am „Stadtfäscht" sein Taschengeld restlos verbraucht hatte, gerne aber noch weiter festen wollte, riß ... einer Frau die Handtasche weg und flüchtete* (NZZ 30. 6. 71). *Schützengesellschaft Safenwil 125 Jahre: Am 22. August wird gefestet* (Aargauer Tagbl. 27. 2. 87, 15).

Fẹsthütte, die; -, -n // Festzelt (worin bei Volksfesten Erfrischungen gereicht werden). *Paul und Fred saßen am offiziellen Tag* [des Schützenfestes] *in der Festhütte wieder nebeneinander* (Inglin, Schweizerspiegel 151).

fe̱ten ['fɛ:tən] (mundartnah): ein kleines Fest feiern, sich einen lustigen Tag, Abend machen. *Sie sollten aber etwa auch ein bißchen aufs Maß schauen und mit Trinken und Feten nicht allzu hoch über die Schnur hauen* (Walser V 286: Der Gehülfe).

fe̱uchteln: nach Feuchtigkeit riechen (von Mauern, Kellern, Gebäuden). *Die feuchtelnde Königsgruft erweist sich als von besonderer Anziehungskraft,* auf der Prager Burg (NZZ 17. 5. 77, 5). →G 100.

Fe̱uerschau, die; -, -en: **a)** (auch vorarlb., sonst österr. Feuerbeschau; →G 139/1.) // Brandschau (regelmäßige behördliche Überprüfung der Feuersicherheit von Gebäuden). **b)** Behörde, welche die Feuerschau (a) durchführt. *Einer alten Frau, die ... nur von einem ungenügenden Einkommen lebt, wurde der Kachelofen von der Feuerschau total abgesprochen* (Beobachter).

Fe̱uerschauer, der; -s, -: Beamter, welcher die →Feuerschau durchführt. *Beim Ausbrennen eines Kamins muß laut Gesetz ein Feuerschauer mit anwesend sein. Es wäre denkbar, daß auch ein Kontrollorgan anwesend sein müßte bei der Versenkung von Öltanks* (NZZ).

Fe̱uerwehrkorps, das; -, - (auch elsäss.) — Feuerwehrmannschaft. *Was geschieht bei einem Brand in Windisch, wenn ein Großteil des Feuerwehrkorps ... sich auswärts auf Reisen aufhält?* (Aargauer Tagbl. 3. 9. 70).

Fe̱uerwehrpikett, das; -[e]s, -e: einsatzbereite [kleinere] Feuerwehrmannschaft. →**Pikett.**

FHD ['ɛfhade:] (Milit., bis 1988; jetzt →MFD): (buchstabierte) Abkürzung für **a)** ⟨der; -⟩ Frauen**h**ilfs**d**ienst; →G 028, 093. **b)** ⟨die; -, -⟩ Angehörige des Frauenhilfsdienstes. *Ein graues Schneiderkleid, das ... an die Uniform der Stewardessen oder jene unserer FHD erinnerte* (Guggenheim, Friede 134).

Fide̱li, das; -s, - // Fadennudel (meist als Suppeneinlage). →G 105. Dazu **Fide̱lisuppe,** die // Nudelsuppe.

Fina̱l, der; -s, -s ⟨engl. final, frz. la finale⟩ (Sport) // das Finale (Endkampf, Endspiel, Endrunde). *Dem Final der 15. Schweizerischen Jaßmeisterschaften, der am Samstag in Meiringen über die Bühne gegangen ist* (NZZ 28. 11. 83, 5). *Morgen ... beginnt auf den Curling-Rinks ... die neue Saison mit dem traditionellen Eröffnungsturnier, wobei die Finals am Sonntagnachmittag ausgetragen werden* (Bund 3. 10. 68, 20). →G 077. Dazu: **Achtel[s]-, Halb-, Viertel[s]final.**

Financier [*frz.* finɑ̃sje], der; -s, -s (bdt. veraltend) // Finanzier [finan'tsie:]; →G 031, 037. *Der 57jährige Zürcher Financier W. H. B. ist verhaftet worden* (NZZ 26./27. 3. 88, 55). *Thomas Dieterle, der große Financier* (Guggenheim, Gold. Würfel 195).

Finanzdepartement →**Departement.**

Finanzdirektion →**Direktion.**

Finanzdirektor →**...direktor.**

Fink, der; -en, -en: auch (mundartnah, verächtlich) svw. — Schuft, Lump. *Der sonderbare Unmensch versuchte ... sich ebenfalls Zutritt zu verschaffen ... Dem Wirt blieb nichts anderes übrig, als zwei Schutzleute zu holen und den Fink auf die Wache bringen zu lassen* (Hogg, Widersacher [Übers.] 39). *Hätte ich platsch heraussagen sollen, dein Alter sei ein trauriger Fink, saufe herum, kotze den Straßengraben voll, schlage dich ...?* (Landert, Koitzsch 131).

Finken, der; -, - (mundartnah): warmer Hausschuh. *Eigentlich dürfen wir Kinder nicht in sein* [Großvaters] *Zimmer kommen, aber einmal mußte ich ihm die Finken bringen, und da habe ich alles gesehen* (Loos, Mond 29). *Ein Maler in lautlosen Finken, ein guter Mann* (Frisch, Die Schwierigen 240). ***die Finken klopfen:** sich aus dem Staub machen.

Finkenstrich, der: ***den Finkenstrich nehmen:** sich (heimlich) davonmachen: *Willst du jetzt nach deinem Amerika? ... Dann ade, dann nehme auch ich meinen Finkenstrich – aber nicht nach Jamaika!* (Zollinger II 205: Der halbe Mensch).

fischeln (auch österr., sonst selten): nach Fisch riechen. *Hier fischelt es abscheulich.* →G 100.

Fischenz, die; -, -en (Amtsspr.) — Fischpacht. *Wegen totaler Verschmutzung der Bünz können die Fischenzen bis zur Erstellung der Kläranlage nicht verpachtet werden* (NZZ 29. 8. 69). *Fischenz-Steigerung. Die Pachtsteigerung über die Talbach-Fischenz für eine neue 8jährige Pachtdauer findet statt: ...* (Landanzeiger 9. 5. 68).

Fixation, die; -, -en — Fixierung, Befestigung. [Die Trockenhaube] *SATRAP lady besitzt ... als einzige Haube eine seitliche Fixation, so daß sie nicht mehr mit dem Rücken gegen den Tisch sitzen müssen* (National-Ztg. 1968, 553, 9; Inserat). →G 123.

fixfertig ⫽ fix und fertig. *Schon nach zwei Minuten sind die tiefgekühlten Pommes frites aus der Frisco-Packung fertiggebacken. Denn sie sind bereits fixfertig gerüstet und vorgebacken* (St. Galler Tagbl. 1968, 467, 26; Anzeige). *Der Schriftsteller kann nicht immer fixfertige Lösungen anbieten. Seine Aufgabe ist es, Geschichten als Muster für das Leben zu erfinden* (Junge Schweizer 263). →G 154.

fixieren (bdt. nur landsch., fachspr.): (an einer Stelle) befestigen, festmachen, -heften. *Pulli anprobieren und kontrollieren, ob jedes Motiv am richtigen Platz sitzt ... Dann Motive mit Heftfaden ... fixieren* (Meyers Modebl. 1987, 11, 68). *Die neue Brücke ist an ihrem Standort eingeschoben worden und wird nun fixiert* (St. Galler Tagbl. 1968, 56, 27).

Flab, die; - (Militär): Kurzwort für **Flieger**ab**wehr**. *Und man erzählt sich* [nach der Musterung], *wo man eingeteilt ist: bei der Flab oder der Infanterie* (Schenker, Leider 25).

Fladen, der; -s, -: ausschließlich svw. flacher Kuchen (bdt.: in der Pfanne gebackene [süße] Mehlspeise u. ä.). *Der Zuckerbäcker ... schenkte seiner Base* [zum Trost] *einen kohlschwarzen Schokoladekuchen mit einem ... Zukkerkränzlein: ‚Verzage nicht!' Oben auf dem Fladen steckten bittere Mandeln ... auf dem Grunde kandierte* (Spitteler V 117: Gustav). **Appenzeller Fladen:** kreisrund (etwa 25 cm ∅), lebkuchenartig, mit oder ohne marzipanähnliche Füllung: *Lächelnd schritten die Brüder an den ersten Bretterständen vorbei, wo man Türkenhonig, Magenbrot, Appenzeller Fladen und dergleichen kaufen konnte* (Inglin, Schweizerspiegel 126).

Flädlisuppe, die (südwestd. Flädlesuppe): Fleischbrühe mit in schmale Streifen geschnittenen dünnen Eierkuchen als Einlage (österr.: Frittatensuppe). →G 109.

Flaschendepot, das; -s, -s — Flaschenpfand. →**Depot.**

flattieren (bdt. veraltend) — schmeicheln. [Die] *„vins du Lavaux"* [sind im] *Bouquet etwas voller und blumiger,* *und sie flattieren dem Gaumen stärker als der Vully und der Cheyres* (NZZ 26. 8. 88, 25).

Flaumer, der; -s, - // Mop. *Stehend auf dem Gesimse eines Fensters ... den Flaumer in der Hand* (Guggenheim, Schanzengraben 61).

Fleischschau, die; -, -en // Fleischbeschau; →G 139/1.

Fleischschauer, der; -s, - // Fleischbeschauer.

Fleischvogel, Kalb-, Rindfleischvogel, der; -s, ...vögel (Küche): kleine Roulade, gebraten (österr.: Rindsvögerl, spanisches Vögerl).

Flirt, der: [*engl.* flə:t; flœ:rt (auch österr.), flœrt (auch bdt.) // flɪrt]; →G 040/2. Ebenso **flirten.**

Flüela ['flʏəla], der; -s: kurz für Flüelapaß (zwischen Davos und dem Unterengadin) GR.

Flugwaffe, die; -: Luftwaffe (mit Bezug auf die schweiz. Streitkräfte wird amtl. nur, sonst überwiegend „Flugwaffe" gebraucht; mit Bezug auf das Ausland meist „Luftwaffe"). *Drei Unfälle der Schweizer Flugwaffe* (NZZ 23. 1. 87, 7). *Er kam auf unsere Flugwaffe zu sprechen, fragte, ob wir soweit seien, daß unsere Flugwaffe mit dem Freedom-Fighter ausgerüstet werden könnte* (Diggelmann, Harry Wind 20). *Ende 1944, Anfang 1945 steigerten sich die Überfliegungen seitens der Alliierten erneut, während von der deutschen Flugwaffe nichts mehr festzustellen war* (Bringolf, Leben 394).

Fluh, die; -, Flühe (mundartnah): Felswand; mächtiger Felsblock (das Wort lebt besonders noch in zahllosen Örtlichkeitsnamen). *Eine einsame heiße Felsenkammer, deren jähe Mauern von stillem Buchenwald überwachsen waren, empfing sie; hoch über Fluh und Wald kreiste ein leises Raubvogelpaar* (Spitteler IV 17: Die Mädchenfeinde). *Die magere Weide war mit Steinen übersät ... Ringsum sah man nichts als Geröllhalden, steile Tannenwälder, Runsen und Flühe* (Inglin, Erz. II 166).

Flysch (Geol.): • ‹Aussprache:› [fli:ʃ // flɪʃ, österr.: fly:ʃ]; →G 039. • ‹Geschlecht:› der (auch österr.) // das. (Das Wort ist schweiz.-mundartl. Ursprungs: aus dem Simmental BE, von Berhard Studer 1827 in die Geologie eingeführt).

FMH: (buchstabierte) Abkürzung von Foederatio Medicorum Helveticorum = Verbindung der Schweizer Ärzte. *Dr. med. Hans Frei, Spezialarzt für innere Medizin FMH.* →G 028, 093.

Föhre, die; -, -n (auch österr., südd. und weiter landsch.) ≠ Kiefer.

Fondue [*frz.* fɔ̃dy], das; -s, -s, selten: die; -, -s: aus der welschen Schweiz stammendes Käsegericht, flüssige Masse in Tongefäß über kleinem Feuer, die man mittels an Gabeln gespießter Brotwürfel ißt. *Sie gingen zusammen in eine kleine, aber erlesene Wirtschaft, wo Hinkelmann zum erstenmal in seinem Leben eine Fondue aß* (Frisch, Die Schwierigen 40). *Wer möchte von sympathischer, disting[uierter] Dame gesetzten Alters hin u. wieder zu einem gemütlichen Fondue eingeladen werden?* (Nebelspalter 18. 11. 64, Inserat). *Man muß tolerant sein gegen diejenigen, welche das göttliche Gericht, der Vernunft und dem Geist der französischen Sprache zuwider, neutralisierend „das Fondue" nennen. (Sie sind in der Mehrzahl.) Solche Dinge gehören in die Neutralität und sind keine Kriege wert* (Werner Bergengruen laut Nebelspalter 18. 11. 64). →(zum Geschlecht) G 078.

föppeln — necken, verspotten, aufziehen. [Einmal] *begegneten wir ... einer Wärterin, und da sagte die Barbara, jetzt wolle sie nicht mehr heimgehen in die Anstalt, denn alle würden sie sonst föppeln, weil sie mit mir gegangen sei* (Glauser III 301: Der Chinese). →G 097.

förscheln: vorsichtig etw. zu erfahren suchen, auf den Busch klopfen. *„Das ist ein böser Sonntag", ächzte sie ... Dann hub sie an zu förscheln: „Wie ist es denn eigentlich gekommen?" „Das wird sich vor Gericht er-*

weisen!" erwiderte Cathri barsch (Spitteler IV 260: Conrad der Leutnant). →G 097.

Forsythie, die: [fɔr'zi:tsi̯ə (auch österr.) // ...'zy:...]; →G 007.

Forward [*engl.* 'fɔ:wəd], der; -s, -s (Fußball, Eishockey) — Stürmer. *In den ersten Minuten wurden die Gäste von den schnellen Forwards der Lausanner förmlich überrannt* (Aargauer Tagbl. 27. 4. 70). *Von den beiden Klotener Forwards Wäger und Celio* (NZZ 4. 5. 87, 51: Eishockey-WM).

Foto, älter: **Photo,** die; -, -s ⫽ das; -s, -s. *Den Führerschein nahm er zu sich, nachdem er die Foto daraus entfernt hatte* (Vaterland 1968, 280, 26). *Für die Porträtphoto hatte sie sich damals eine Bluse ... genäht* (Meylan, Räume 51). →G 076.

Fötzel, der; -s, - (mundartnah) — Lump, Taugenichts. *„Sehen Sie", rief mir die Frau zu, „dort ist der Fötzel, der säuft und nicht arbeitet und mich schlägt"* (Oehninger, Kriechspur 475). *Das Bergheimen Schwand ... gehörte damals dem traurigsten Fötzel, dem man auf der Jagd begegnen konnte* (Inglin, Verhexte Welt 32). ***fremder Fötzel:** Fremder (verächtlich), Reminiszenz an die Zeit des extremen Föderalismus, als jeder, der nicht aus dem eigenen Kanton oder noch engeren Bezirk stammte, als verdächtiger Fremder, der nichts mitzureden hatte, abgelehnt wurde (heute meist ironisch oder scherzhaft gebraucht): *Nationalräte ... dürften sich auch mit Fragen anderer Kantone befassen, man dürfe diese nicht als „fremde Fötzel" betrachten* (Bund 19. 12. 68). *Das Stimmenhören habe ihn* [Walser] *am Schreiben gehindert ... denn von fremden Fötzeln lasse er sich doch nicht dreinreden und ins Handwerk pfuschen* (Amann, Verirren 77).

Fotzelschnitte, die; -, -n (Küche) // armer Ritter, verlorenes Brot, Goldschnitte (in Milch eingeweichte, in Ei und Zucker gewendete, in Fett gebackene Weißbrotscheibe).

Foulard [*frz.* fulaʀ], -s, -s: • ⟨Geschlecht:⟩ das // der. • ⟨Bedeutung:⟩ quadratisches oder rechteckiges Halstuch aus beidseitig bedrucktem leichtem, weichem (Kunst-)Seidenstoff (bdt.: ein beidseitig bedruckter, leichter, weicher Seidenstoff). *Sie wird Einkäufe gemacht haben. Ein neues Kleid ..., ein Foulard, etwas für die Haushaltung, ein Buch* (Meylan, Räume 31). *Seine Komplizin kam und erdrosselte ... die Frau mit dem Foulard* (NZZ 6. 2. 87, 49).

Foulpenalty ['fau̯lpɛnəltɪ; engl. 'faʊlpɛnəltɪ], der; -s, -s/...ties (Fußball) — Foulelfmeter. *Prytz schlug Mutter nach 55 Minuten mit einem Foulpenalty* (NZZ 9. 6. 87, 53).

Fourier [fu'ri:r], der; -s, -e ⟨frz. fourrier⟩ (Milit.): **a)** für die Verpflegung und das Rechnungswesen einer Einheit verantwortlicher Unteroffizier (= bdt. veraltet Furier). **b)** dritthöchster Unteroffiziersgrad (zwischen Feldweibel und Wachtmeister). (Bdt. ist Fourier [bes. Landw.] svw. Buchhalter).

foutieren [fu'ti:rən], sich um etw. ⟨frz. se foutre⟩: sich um etw. nicht kümmern, einer Sache gleichgültig/ablehnend gegenüberstehen, auf etw. pfeifen. *Allzulange hat man sich um eine vernünftige Planung foutiert* (Aargauer Tagbl. 14. 10. 69). *Daß man sich fast bis zum Schluß im Bündnerland um die Verhandlungen foutiert hat* (NZZ 22. 7. 88, 17).

FR: Autokennzeichen und allg. Sigle für (den Kanton) Freiburg; →G 092.

Fr. ⟨Sg./Pl.⟩: Sigle für Franken, die schweiz. Währungseinheit; in der deutschen Schweiz niemals „fr.", „frc." bzw. „frs.", „frcs.". Zur Unterscheidung vom französischen und anderen Franken: **sFr.** (nicht „sfr.", „sfrs."). →G 092.

frägeln: vorsichtig, berechnend fragen (um hinter ein Geheimnis zu kommen). *Gesima versuchte mit Frägeln ein Gespräch anzubahnen: wie lange sie Ferien gehabt hätten und ob es schön gewesen sei in Sentisbrugg*

(Spitteler IV 34: Die Mädchenfeinde). →G 097.

Fraktion, die; -, -en: auch (wie westösterr.) svw. Ortsteil innerhalb einer weitläufigen ländlichen Gemeinde, bes. (in GR:) Unterabteilung einer Gemeinde, die gewisse Aufgaben selbständig erledigt. →**Bäuert, Viertelsgemeinde.**

Franken, der; -s, -: Name der schweiz. (sowie der franz., belgischen usw.) Währungseinheit. Der Schweizer Franken wird in der Deutschen Schweiz nur so, niemals „Franc", genannt und **Fr.**, wenn nötig **sFr.**, abgekürzt.

Frankfurterli, das; -s, - // Frankfurter [Würstchen]. →G 106. →**Wienerli.**

...fränkig, z. B. **zwanzigfränkig, hundertfränkig:** 20, 100 Franken kostend, wert. *Bei den ... Einlagerennen gewannen ... Beghetto/Rancati ... ein Pony und Fritz Pfenninger einen 5 000 fränkigen Pelzmantel* (Vaterland 1968, 281, 25). *Die erste, rund 700 000 fränkige mobile Splitt-Recycling-Anlage* [wurde] *vorgestellt* (NZZ 5. 11. 87, 55).

Fränkler, der; -s, - (mundartnah) — Einfrankenstück. →G 120. →**Einfränkler, Fünfliber.**

Frappé (*frz.* fʀape), das; -s, -s: eisgekühltes Milchmischgetränk (bdt.: mit kleingeschlagenem Eis serviertes alkoholisches Getränk). *Brombeerfrappé: 200 g Brombeeren, 8 Kugeln Vanille- oder Brombeerglace, 8 dl Milch, 4 Eßlöffel Zucker ... Die Brombeeren im Mixer pürieren, durch ein Sieb streichen. Mit den weiteren Zutaten nochmals mixen, sofort servieren* (Betty-Bossi-Ztg. 1986, 7, 9).

Frauenspital, das; -s, ...äler — Frauenklinik.

Fräulein, die; -, - (veraltet; auch österr.) — das. *Was nun Ihren andern Schützling angeht, die Fräulein Amschachen* (Welti, Puritaner 301). *Die Giehse war die Fräulein Dr. von Zahnd der Zürcher Uraufführung,* von Dürrenmatts „Die Physiker" (NZZ 6. 3. 68, Abend, 20). →G 076.

frei: *frei haben // freihaben (arbeitsfrei sein, Freizeit haben). *Wenn ich frei habe und im Restaurant etwas trinke* (Basler Ztg. 13. 1. 87, 11). *Nicht jeder konnte daherkommen und Yvette fragen, wann sie frei habe* (Kloter, Didier 84). →G 051.

Freiamt, das; -s: historischer Teil des Kantons Aargau, die heutigen Bezirke Muri und Bremgarten in den Tälern der Reuß und der Bünz. Einwohner: **Freiämter.**

Freiberge, die ‹Plur.›: wellige Hochebene auf rund 1 000 m ü. M. im Südwesten des Kantons Jura, zieht sich über 25 km von der Neuenburger Grenze dem Doubs entlang nach NO; reizvolle Parklandschaft, Pferdezuchtgebiet (frz.: Franches Montagnes).

Freibillett, das; -s, -e (bdt. veraltend) — Freikarte.

Freiburg: Stadt und Kanton an der Sprachgrenze (mit je einem Drittel deutschsprachiger Einwohner), frz. Fribourg; zur Unterscheidung von Freiburg i. Br. wird die Stadt Freiburg im →Üechtland (i. Ü.) oder Freiburg/Schweiz genannt.

freiburgisch: aus Stadt oder Kanton Freiburg stammend, dazu gehörig.

Freierwerbende, der/die; -n, -n // Freiberufler, Selbständiger (wer auf eigene Gefahr und Rechnung, nicht als Arbeitnehmer, seinen Lebensunterhalt verdient); häufiger: der →**Selbständigerwerbende.**

Freinacht, die; -, ...nächte: Nacht ohne Polizeistunde, ausnahmsweise durchgehender Betrieb in einem Restaurant. *Drinnen* [im Wirtshaus] *war Freinacht, lautes Menschengetümmel* (Hesse IV 273: Steppenwolf). *Heute Freitag, Samstag und Sonntag Metzgete. Morgen Samstag Freinacht. Freundlich ladet ein ...* (St. Galler Tagbl. 4. 10. 68, Anzeige).

Freisinn, der: meist kurz für Freisinnige (offiziell: Freisinnig-demokratische) Partei. *Der Freisinn macht alle Anstrengungen, den Verlust von 1966 wieder aufzuholen* (NZZ 30. 4. 70, 198, 13).

freisinnig: heute nur noch svw. die (polit.) Richtung des Freisinns, Freisinnig-demokratische (kurz: Freisinnige) Partei betreffend. *In den Regierungsratswahlen streben wir ... die Bewahrung der beiden freisinnigen Sitze und ... die Sicherung des bürgerlichen Regierungskurses an* (NZZ 20. 3. 87, 51). *Es gab die Schwarzen, die Weißen und die Roten ... Die Schwarzen waren die KK, die Katholisch-Konservativen, die Weißen die Freisinnigen und die Roten die Sozis* (Wiesner, Schauplätze 65).

[2]**Freitag,** der; -[e]s, -e — [arbeits]freier Tag. (Das Wort lautet gleich wie der Wochentagsname, ist aber dennoch recht gebräuchlich, da in der Mundart deutlich unterschieden ['frɛɪta:g – 'fri:tɪg]). *Als Freitag ist für die Lebensmittelbranche der Mittwochnachmittag und für die Coiffeurgeschäfte der Montag festgelegt worden* (Vaterland 3. 10. 68, 7). *Celia ... am Arm einer Freundin lustwandelnd in der Abendfrische, ihren Freitag genießend* (Jent, Ausflüchte 78).

fremden // fremdeln (in fremder Umgebung, vor Fremden ängstlich, schüchtern sein). *Ein herziges Kind, es fremdet kein bißchen!* →G 103.

freundeidgenössisch (gehoben): wie es sich unter Freunden und Eidgenossen geziemt und die „Einheit in der Verschiedenheit" fördert. *Der Bundesrat* [erwartet], *daß die staatlichen Organe ... des Kantons Jura „alles tun werden, was die Spielregeln der Demokratie, das freundeidgenössische Einvernehmen unter den Gliedstaaten, die Bundestreue und die Wahrung des inneren Friedens von ihnen verlangen* (NZZ 21. 12. 78, 21). *Das Sprachraumbild der ... Gegenwart mit den für das freundeidgenössische Zusammenleben als unverletzlich geltenden Grenzen seiner verfassungsmäßig anerkannten Landessprachen* (Zinsli, Ortsnamen 26). *Graubünden* [werde] *drei große Staatsaufgaben nicht aus eigener Kraft zu erfüllen in der Lage, sondern dabei auf freundeidgenössische Hilfe angewiesen sein* (NZZ). *Schon „eine Welsche" zu sein kann genügen, auf wenig freundeidgenössisische Art mit deutschschweizerischer Hausfrauentüchtigkeit konfrontiert zu werden* (Schweizer Spiegel 1961, 7, 16). *Der Genfer Staatsrat hat am Donnerstag ... die Regierungsräte des Kantons Zürich ... zu einem zweitägigen Besuch in freundeidgenössischem Rahmen empfangen* (NZZ 10. 6. 88, 54). →**guteidgenössisch.**

Frevel, der: auch (Recht) svw. Diebstahl (oder Zerstörung) stehenden Holzes oder nicht eingesammelter Feld- oder Gartenfrüchte; i. a. als geringes Vergehen eingestuft. Meist in den Zusammensetzungen **Feld-, Waldfrevel.**

freveln: vor allem (veraltend) svw. in Feld und Wald stehlen, Schaden anrichten. *Im Forstbezirk Sargans werden schätzungsweise alljährlich über 200 Christbäume im Werte von 1 000 bis 1 500 Franken gefrevelt ... Die Polizei wird mit den Forstorganen ein wachsames Auge besonders auf die motorisierten Christbaumfrevler halten* (Vaterland 1968, 282, 4).

Friaul, das; -s: der Name der nordostitalienischen Landschaft wird gewöhnlich mit dem Artikel gebraucht (bdt. ohne Art.). *Der Schmiergeldskandal im Friaul* (NZZ 28./29. 7. 79, 7). →G 082.

Fricktal, das; -[e]s: historischer Teil des Kantons Aargau, nördlich des Jura-Hauptkammes bis zum Hochrhein, die Bezirke Laufenburg und Rheinfelden umfassend.

Friedensrichter, der; -s, - (Recht; in vielen Kantonen): Laienrichter für Bagatellstreitigkeiten, dessen Aufgabe ist, einen Vergleich zwischen den Parteien zustande zu bringen. In einigen Kantonen heißt er →**Vermittler.**

Frist, die: ***innert nützlicher Frist: a)** (Recht) innerhalb der üblichen oder vorgeschriebenen Frist. *Weder gegen die Fußwegverlegung ... noch gegen die Aufhebung des Fußweges ist innert* *nützlicher Frist Einsprache erhoben worden* (St. Galler Tagbl. 13. 12. 68). **b)** (allg.) in absehbarer Zeit, ohne [zu] große Verzögerung. *Eine andere Lösung war zu jenem Zeitpunkt innert nützlicher Frist nicht möglich* (NZZ 21. 1. 87, 37). →**innert.**

Fristerstreckung →**erstrecken.**

froh: *froh um etw. (auch österr.; bdt. landsch., so südd.) — froh über etw. *Bis wir wieder in Neuyork sind ..., einigermaßen erledigt, froh um die Dusche, ... und froh um ein frisches Hemd, froh um ein kühles Kino* (Frisch, Stiller 177).

Fronarbeit, die, **Frondienst,** der: vor allem svw. freiwillige, unbezahlte Arbeit für Vereins- oder gemeinnützige Zwecke. *Das hübsche und malerisch gelegene Schwimmbad Walde ... wurde auf Privatinitiative und zum größten Teil in Fronarbeit erbaut* (Freier Aargauer 11. 7. 69). *Bald mit Volldampf über die* [1982 stillgelegte] *Furka-Bergstrecke? Instandstellung der Furkabahn in Fronarbeit* (NZZ 29. 6. 88, 14; Überschrift).

Frotté, das (auch österr.) — Frottee (auch // der). →G 032.

Frucht, die: auch (wie bdt. landsch.) svw. Getreide. *Weil ... die Weizenernte auf Hochtouren läuft, können die Bauern die Frucht trotz allfälligen Hagelschäden abschneiden. Zur Schadenaufnahme genüge ... jeweils eine Are als Probestück* (NZZ 3. 8. 88, 41).

Fuder, das: ***das Fuder überladen** — zuviel des Guten tun, zuviel auf einmal wollen. *Dem Zuschauer soll* [anläßlich der eidgenössischen Wahlen] *ein optimaler Service geboten werden, ohne das Fuder zu überladen* (NZZ 9. 9. 87, 22).

Führerausweis, der; -es, -e (amtl. Bezeichnung) — Führerschein. *Dem fehlbaren Lenker, der die Verkehrsvorschriften erheblich mißachtete, wurde der Führerausweis abgenommen* (National-Ztg. 1968, 459, 36). *NN sucht für Lieferdienst ... einen bestausgewiesenen Chauffeur mit Führerausweis Kat. D* (Blick 21. 9. 68). →**Fahrausweis.**

Führerflucht, die; - — Fahrerflucht. *Ein 28jähriger Autofahrer, der* [...] *bei Vuippens einen Fußgänger angefahren und Führerflucht begangen hatte* (St. Galler Tagbl. 3. 10. 68, 2).

Füllfeder, die; -, -n (auch südd., österr., sonst selten) — Füllfederhalter. *Ich schreibe mit meiner Füllfeder. Das ist veraltet, aber es steckt etwas anderes dahinter. Ich kaufte die Füllfeder, als ich 21 Jahre alt war, aus meinem ersten Lohn* (Oehninger, Kriechspur 13). →G 139/2.

Fundation, Fundierung, die; -, -en (Bauwesen). — Gründung, Fundamentierung. *Auf Grund der Untersuchungsergebnisse kam, wollte man bauschädliche Setzungen vermeiden, nur eine Pfahlfundation in Betracht* (Vaterland 3. 10. 68, 14). *Der Beton für die Fundation* [der Brücke] *auf Seite der Gemeinde Posat* (NZZ 27. 7. 87, 17). →G 123.

Fünfer, der: **1.** // die Fünf. **a)** (auch österr., bdt. landsch.) Ziffer, Zahl, Note 5. *Er ... würfelte nochmals. „Vier Fünfer, vier verfluchte Fünfer!“* (Schumacher, Rechnung 95). **b)** [Wagen der] Straßenbahnlinie 5. **2.** Angehöriger des Jahrgangs [19]05. **3.** Fünf-Rappen-Stück (bdt. Fünfpfennigstück). ***den Fünfer und das Weggli wollen/bekommen:** unbescheidene, ungehörige Ansprüche machen, verwöhnt werden. *Auf der einen Seite ein gewalttätiger Revolutionär zu sein und dann anderseits zu erwarten, von seinen Gegnern entschuldigt und milde behandelt zu werden, das heißt doch sicherlich, den Fünfer und das Weggli haben zu wollen* (NZZ 1971, 23, 23).

Fünfliber, der; -s, - (mundartnah) — Fünffrankenstück (urspr. „5 Livres“). *In der Rechten hielt er eine Handvoll Münzen, darunter sogar einen Fünfliber* (Trottmann, Nachts 30).

Fünfplätzer, der; -s, - // Fünfsitzer (Auto mit fünf Sitzplätzen). *Ein Familienwagen mit sportlichem Motor. Der bequeme Fünfplätzer ist ausgestattet* *mit einem 1,6-l-Motor* (Blick 23. 9. 68). →**Sechs-, Vier-, Zweiplätzer.**

Fünftel, der # das. *Die Jahresbeiträge werden ... auf einen Fünftel der bisherigen Ansätze reduziert* (Bund 1968, 284, 8). →G 076.

Fünftkläßler, der; -s, - (auch südd.): Schüler der fünften Klasse. →G 118.

Fünfziger, der; -s, -: auch (mundartnah) svw. — Fünfzigrappenstück (in Deutschland: Fünfzigpfennigstück). *Der Gemeindepräsident klaubte einen Zweifränkler aus dem Geldbeutel ..., Kägi gab vier Fünfziger* (Guggenheim, Riedland 228). →**Fünfer, Zehner, Zwanziger.**

Fünfzigernote, die — Fünfzigfrankennote, -schein. *Staal sammelt die Münzen ein und zückt eine Fünfzigernote* (Meier, Stiefelchen 19). →G 152.

Funken, der: auch (in der Nordostschweiz) svw. Holzstoß, der am 1. Fastensonntag entzündet wird, Fastnachtsfeuer; z. T. verbunden mit dem Verbrennen eines →Böögg. *Am nächsten Sonntag wird auf dem Spelteriniplatz* [in St. Gallen] *wiederum der „Bögg" verbrannt werden; für den Funken wird noch brennbares Material gesucht* (St. Galler Tagbl. 18. 2. 88). Dazu **Funkensonntag,** der (auch südwestd.).

Funktionär, der: auch svw. — Beamter. *Am Unfallort bemerkte man hohe Funktionäre der Polizei und Angehörige der Direktion und der Betriebsleitung der VBZ* [Verkehrsbetriebe der Stadt Zürich] (NZZ 29. 4. 71). *Der Anteil der Chefbeamten und leitenden Funktionäre* [des Kantons Basel-Stadt liege] *bei 1 000* (NZZ 16. 7. 87, 15).

für: *für einmal: a) [ausnahmsweise] einmal. *Der herbstliche Dunst nimmt das Kleinliche der Übersiedelung, die nicht Stadt und nicht Dorf ist, für einmal weg* (Frisch, Stiller 338). *Verschwinden wird ... ein bauliches Kuriosum, das für einmal nicht aus dem Mittelalter stammt: die deutschen Hofbräuhäusern nachgebildete Fassade des leerstehenden Brauhauses* (NZZ 19. 7. 79, 165, 32). **b)** fürs erste, einstweilen. *Die Kuchen sind ... in den Öfen; man kann mit dem Eieraufschlagen für einmal etwas pausieren* (Weber, Figuren 30). ***für ganz** (mundartnah) — für immer, endgültig. *„Bist du wieder zurück?" „Wie du siehst", sagte er ... „Für ganz?" fragte ich interessiert* (Oehninger, Kriechspur 495).

Fürio ⟨groß geschrieben⟩ // feurio, feuerjo (alter Alarmruf bei Brandausbruch; noch in übertr. S.). *Ein Haus brennt. Du hast das Feuerhorn gehört, und jemand hat Fürio gerufen* (Inglin, Amberg 32). *Das Rezept ist billig: Wieder einmal versucht hier einer, denjenigen, der Fürio gerufen hat, zum Brandstifter zu stempeln* (Beobachter 31. 3. 74, 12). →G 029.

Furka, die; -, auch **Furkapaß,** der: Paß zwischen dem Oberwallis und dem Urserental UR.

Fürsprech, der; -s, -e: vor allem svw. — Rechtsanwalt. *Es handelt sich um den bekannten Fürsprech Sager* (Meier, Stiefelchen 7). *Ein paar so studierte Räte oder Fürspreche oder Pfarrherren* (Keller XII 110: Martin Salander). *Trautweiler Hans Dr. iur. Fürsprech Advokaturbüro* (Telefonbuch).

Fürsprecher, der: auch (amtl. in AG, BE, SO) svw. — Rechtsanwalt. *Fürsprecher Hans Steiger* [...] *wurde zum Adjunkten der Direktion des BfGA befördert* (Bund 1968, 280, 6). →**Fürsprech.**

Fürsprecherpatent, das; -[e]s, -e: kantonale Zulassung als Rechtsanwalt, aufgrund eines vorgeschriebenen Studiengangs und einer Prüfung. *Nach dem Besuch der Mittelschule studierte der Verstorbene an den Universitäten Bern und Berlin die Rechte und schloß seine Studien mit dem Berner Fürsprecherpatent ab* (Bund 18. 10. 68, 245, 4). →**Patent, Anwaltspatent.**

Fürstenland, das; -[e]s: herkömmliche Bezeichnung des nördlichen Teils des Kantons St. Gallen, zwischen Wil und Rorschach.

Füsilier, der; -[e]s, -e (bdt. veraltet): Soldat der (leichten) Infanterie. *„Fü-*

silier Ammann!" schrie er schon vor der Tür wie ein rabiater Wachtmeister und drang in das Zimmer ein (Inglin, Schweizerspiegel 196).

Fußgängerstreifen, der; -s, - — Zebrastreifen, // Fußgängerüberweg. *Eine neunjährige Schülerin wurde auf dem Fußgängerstreifen von einem ... Personenwagen erfaßt und fortgeschleudert* (NZZ 1. 6. 87, 5).

G

Gabe, die: auch svw. Gewinn, Preis bei einem Wettschießen, -kegeln o. ä. *Auf den Gabentischen in der Eingangshalle des Schießstandes prunkt eine ... Musterschau der gewichtigeren Gaben. Zuoberst auf dem Gabenberg thront ein gewaltiger, voll bestückter Werkzeugschrank* (NZZ 14. 9. 70, zum Zürcher → Knabenschießen).

Gabentempel, der; -s, -: Ausstellung der für einen Wettkampf gestifteten Preise bzw. diese Preise selbst. *Das Prunkstück eines jeden Schwingfestes ist der Gabentempel. Mit Bewunderung stellte man fest, daß der Gabentempel einen Wert von rund 30000 Franken darstellt* (NZZ 5. 11. 74, 483, 54; Überschrift: *Der überladene Gabentempel*).

Gabon ['ga:bo:n; *frz.* gabõ] (zentralafrikanischer Staat; auch österr.) // Gabun. Dazu **Gabonese,** der // Gabuner; **gabonesisch** // gabunisch.

Gaden, der/das; -s, Gäden (mundartnah; auch bdt. landsch. in ähnl. Bed.): auch svw. **a)** (in der Zentral- und Ostschweiz:) freistehende Hütte, Stall und Heuboden umfassend. *Der pfiffigere* [Landstreicher] *hielt ... auf einen kleinen Gaden zu, fand dort eine offene Tür ... dann deckte er sich mit Streue und schlief ein* (Inglin, Erz. II 141). **b)** (in BE:) Schlafkammer für Kinder, Knechte, Mägde (im alten Bauernhaus). *Hans erhielt Anweisung, mich in sein Gaden mitzunehmen. Mir sei das Bett neben ihm angewiesen* (Kauer, Schachteltraum 147).

Galerie, die: auch (wie österr.; selten bdt.) svw. Tunnel an einem Berghang mit fensterartigen Öffnungen auf der Talseite. *Wünschbar wäre ... eine wintersichere Lukmanierverbindung. Auch hier müßten große Straßenstücke mit kostspieligen Galerien versehen werden* (St. Galler Tagbl. 1968, 559, 7).

Gallusstadt, die: Umschreibung von St. Gallen (nach dem Hl. Gallus, der dort im Jahre 612 seine Einsiedlerzelle errichtete).

Gamelle, die; -, -n ⟨frz.⟩: Koch- und Eßgeschirr des Soldaten im Felde. *Überhaupt, das Essen ist tadellos; es kommt vor, daß einer mit voller Gamelle stehen bleibt, dich brüderlich am Arm nimmt und dir den Rat gibt, du sollst noch einmal fassen, das sei ja großartig* (Frisch, Blätter 47).

Gand, das/der; -s, Gänder; auch: die, -, -en (auch westösterr.) — Geröllhalde, mit Steinen und Gestrüpp bedecktes, unbebautes Land im Alpengebiet. *Zur Versickerung tragen ...* [vor allem] *„unrentable Flächen" wie Wald, Brachen und Ganden* [bei] (NZZ 4. 9. 87, 93).

Gant, die; -, -en (bdt. veraltet) — Versteigerung. *Die Verwertung geschieht freihändig oder durch die Gant* (St. Galler Tagbl. 1968, 463, 19). *Wenn der Vater das* [geschuldete] *Geld ... nicht ablieferte, würde es zur Versteigerung der gepfändeten Stücke kommen ... Die unfreiwillige Gant würde in der Zeitung ausgeschrieben werden*

(Oehninger, Kriechspur 185). Dazu **Gantamt, Gantanzeige, Gantbeamtung, Gantlokal, Gantrufer.**

Gänze, die: nur in der Fügung **zur Gänze** (auch österr., sonst selten) — vollständig, ganz. *Solches läßt sich ... nicht durch bloßes Herumreißen des Steuers auf Sparkurs ... zur Gänze „aufarbeiten"* (NZZ 24. 4. 87, 17). *Lebkuchen, an denen man sich weder sattsehen noch sattessen kann, was nicht nur zur Hälfte, sondern zur Gänze als Kompliment zu verstehen ist, weil sie zum Aufgegessenwerden nämlich zu schade sind* (NZZ 22. 12. 87, 43).

gar: auch (mundartnah) svw. — [gar] zu, allzu, überaus. *Es herrschte auch eine gar verzweifelte Stimmung im Haus* (Oehninger, Kriechspur 186). *Der auf das gar generöse Verhalten des Gastes aufmerksam gemachte Chef des Lokales orientierte einen ... Polizisten* (NZZ 2. 2. 87, 30).

Gartenhag, der; -[e]s, ...häge — Gartenzaun // Gartenhecke. *Daß die sadistischen Quäler das Tier mit einem Stück Fleisch angelockt hatten durch ein Loch im Gartenhag* (Blick 1968, 235, 16). *Wahrscheinlich, daß das bewußte Gefährt noch immer dort am Gartenhag stand* (Welti, Lucretia 115). →**Hag.**

Garagist, der; -en, -en ‹frz.› (bdt. selten): Inhaber einer Autohandlung, -vermietung, -service- und -reparaturwerkstätte. *Nimmt mich nur wunder, was der Motor wohl hat. Was verstehe ich schon davon. Garagisten ist man ausgeliefert wie einst den Raubrittern* (Dürrenmatt, Hörspiele 249).

Gartensitzplatz, der; -es, ...plätze: ebenerdige, mit Platten belegte [überdachte] Fläche auf der Gartenseite eines Hauses für den Aufenthalt im Freien, Terrasse. *4½-Zimmer-Maisonnettewohnung mit eigenem Hauseingang, Gartensitzplatz ...* (NZZ 12. 12. 86, 104; Inserat). *Der dritte Räuber machte sich durch die Tür zum Gartensitzplatz ... aus dem Staub* (NZZ 20. 12. 82, 5). →**Sitzplatz.**

Gaster, das; -s: zum Kt. St. Gallen gehörige Landschaft am rechten Ufer der Linth zwischen Walen- und Oberem Zürichsee; der Name wird immer mit dem Artikel gebraucht; →G 082.

Gäu, das; -s (Bezirk, Landschaft): nur noch **a)** in der Redensart ***jmdm. ins Gäu kommen** (auch österr.) — ins Gehege kommen. **b)** Name der Gegend zwischen Önsingen und Olten (Kt. Solothurn, amtlich: Bezirk Balsthal-Gäu).

GE: Autokennzeichen und allg. Sigle für (den Kanton) Genf; →G 092.

Gebäulichkeiten, die ‹Plural› (auch südd.) — Gebäude, Baulichkeiten. *Wer eine Ahnung hat, wo ungefähr sich die Gebäulichkeiten der Schweizer Mustermesse befinden* (St. Galler Tagbl. 68, 467, 7). *Der Unternehmer pflegt auch nicht gerade ein Liebesverhältnis mit der Wirtschaftskrise ... Hält er seine Gebäulichkeiten nur so zum Spaß geschlossen?* (Zollinger II 423: Die große Unruhe). →G 124/1.

geben ‹st. V.›: auch in den Fügungen **1. a) Hunger, Durst geben** (mundartnah) — Hunger, Durst machen. *Tanzen und Fröhlichsein sollen bekanntlich sehr Durst und Hunger geben* (Vaterland 3. 10. 68, 7). **b) warm geben** — wärmen, warm halten. *Der Komfort-Anzug ... gibt schön warm, ist aber trotzdem nicht dick* (National-Ztg. 4. 10. 68, 7; Inserat). *Sein Mantel hing offen, und die Sonne gab warm* (Frisch, Die Schwierigen 68). **2. zu wissen geben** — bekanntgeben. *Bundesrat Tschudi gab zu wissen, daß die Landesregierung auch weiterhin die Entwicklung der AHV sorgfältig überprüfen wird* (St. Galler Tagbl. 1968, 463, 3). **3. es gibt nichts daraus** — daraus wird nichts. *Die Frau fing an, von der letztjährigen Sommerfrische ... zu reden. Dieses Jahr gebe es ... leider nichts aus so etwas* (Walser V 27: Der Gehülfe).

gebrannte Wasser ‹Pl.› (Amtsspr.) — Branntwein (alkoholreiche Getränke, die durch Destillation gegorener Flüssigkeiten gewonnen werden).

Der Bund ist befugt, ... Vorschriften über die Herstellung, ... den Verkauf und die fiskalische Belastung gebrannter Wasser zu erlassen. Die Gesetzgebung ist so zu gestalten, daß sie den Verbrauch von Trinkbranntwein ... vermindert (Bundesverfassung, Art. 32 bis). *In der ersten Hälfte des Jahrhunderts gingen die gebrannten Wasser von 230 000 auf 99 000 Hektoliter zurück* (NZZ 29. 7. 76, 19).

gebụ̈rtig: vor allem svw. das (ererbte) Bürgerrecht besitzend (bezieht sich auf die Gemeinde, den Kanton, wo jmd. durch die Geburt Bürger geworden ist; bdt.: auf den Geburtsort, doch auch den Staat, dessen Heimatrecht man mit der Geburt erlangt hat). *In Genf ist ... Professor Paul Guggenheim gestorben. Der gebürtige Aargauer wurde 1899 in Zürich geboren* (NZZ 3./4. 9. 77, 34). *Er ist von Mosnang SG gebürtig.*

Gedächtnis, das: • ⟨Aussprache:⟩ [gəˈdɛːçtnɪs — gəˈdɛçt...]; →G 003. • ⟨Bedeutung:⟩ auch (kath. Kirche) svw. — Gedächtnismesse. *Aufrichtigen Dank der Käsereigenossenschaft Hetzligen, den lieben Nachbarn und Freunden und der Schützenbruderschaft für die gestifteten Gedächtnisse* (Vaterland 1968, 282, 9; Danksagung).

gefịtzt (mundartnah) — durchtrieben, aufgeweckt, hell. *Christen hatte gegen seinen gefitzten Gegner einen schweren Stand* (Vaterland 1968, 281, 22; Sportbericht).

gefreut (mundartnah) — erfreulich, befriedigend, angenehm, sympathisch. *Die billigste Occasion muß nicht die günstigste sein. Die schönste nicht die gefreuteste* (Vaterland 4. 10. 68, 17). *Jeder Rebbauer weiß, daß im Rebbau gefreute und weniger gute Jahre wechseln ... Dieses Jahr ... waren beinahe alle Voraussetzungen für einen gefreuten Herbst gut* (NZZ 3. 12. 86, 52). *Die Maturanden waren nach dem Urteil des Rektors „34 nette, gefreute junge Leute", doch waren die Leistungen ... nicht überwältigend* (NZZ 24. 9. 62).

Gegenmehr, das; -s // die Gegenstimmen (bei offener Abstimmung). *Die Stimmbürger sahen das ein und stimmten ohne Gegenmehr diesem Landerwerb zu* (National-Zeitung 9. 10. 68). *Präsident: Ich lasse abstimmen. Wer ist für den Antrag des Vorstandes? Eins, zwei, drei, fünf ... 27 Stimmen. Gegenmehr? 3 Stimmen. Der Antrag des Vorstandes ist angenommen.*

Gegrạmsel, das; -s (mundartnah) — Gewimmel. *Das* [Café] *„Odeon" ... war noch in Betrieb, aber schon von einem seinem Ruf abträglichen Gegramsel von Langhaarigen bevölkert* (Humm, Kreter 179).

gehen ⟨unr. V.⟩: auch (mundartnah) svw. **1.** — geschehen. *Die Leute haben keine Geduld ... mehr ..., sie verlangen nach sofortigen Lösungen. Es muß etwas gehen, coûte que coûte* (Guggenheim, Alles in allem 522). *1971 ... wurde der Erweiterungsbau eingeweiht ... Seither ist nichts mehr gegangen, nicht einmal die nötigsten Reparaturen wurden durchgeführt* (Freier Aargauer 25. 3. 87, 7). **2.** — dauern. *Als es am Zoll sehr lange ging, kam ... eine kleine Verärgerung* [auf] (Frisch, Stiller 264). [Es] *könnte sehr wohl sein, daß es bis zum nächsten Ordnungsdienst nicht mehr lange geht* (NZZ 12. 12. 88, 15). →(zu 1) **laufen.**

Gehịlfenschaft, die; - (Recht) — Beihilfe (zu einem Vergehen oder Verbrechen). *Ein Autohändler und ein Garagechef erschienen vor den Schranken des Berner Strafamtsgerichts. Der erste wurde des Betruges bezichtigt, der zweite der Gehilfenschaft* (Bund 1968, 282, 9). [Dem] *früheren Chef der Steuerverwaltung wird ... mangelndes Fachwissen und Gehilfenschaft zur Steuerhinterziehung vorgeworfen* (Bund 9. 10. 87, 15).

Geiß, die; -, -en (mundartnah; auch westmd., südd., österr.) — Ziege. *Das Feuer hatte bereits auf ... den Stall übergegriffen, in dem sich zwei Kälber,* *eine Geiß und ein Pferd befanden, die gerettet werden konnten* (St. Galler Tagbl. 1968, 461, 17). ***das [schl]eckt keine Geiß weg:** das steht fest, daran ist nicht zu rütteln. *Nun, daß ein gewaltiges Personalproblem besteht ... das schleckt keine Geiß weg! Aber dieses Personalproblem existiert, egal, ob nun der Abendverkauf kommt oder nicht* (Aargauer Tagbl. 25. 9. 70). *Wir haben's getan. Basta. Keine Geiß leckt diese Mitschuld von unserer Weste* (Diggelmann, Hinterlassenschaft 123).

Geißbock, der; -[e]s, ...böcke (mundartnah; auch südd., österr.) — Ziegenbock. *Spinti hatte bei der ersten Begrüßung Öppis den Kopf wie ein angriffiger Geißbock gesenkt* (Kübler, Öppi der Narr 16).

Geißel, die; -, -n: auch (mundartnah; auch bdt. landsch.) svw. — Peitsche. *Ein Fuhrmann hat Gülle gefahren ... Am Knall der Geißel war er zu erkennen* (Meier, Verwandtschaften 69). *Am urtümlichen „Greiflet" am Dreikönigstag in Schwyz wird seit je mit Geißeln geknallt und mit Treicheln geschellt* (NZZ 7. 1. 87, 4).

Gelafer, das; -s: (mundartnah) — leeres Gerede, Geplapper, Geschwafel, Blabla. *Unsere ernste Zeit braucht keine sich immer wieder umarmende* [so!] *Politiker, die angeblich in ihrem feuchtfröhlichen Gelafer das politische Leben entgiften, unsere Zeit braucht nüchterne ... Männer* (Schweizer Spiegel, Januar 1961). *Ganz dumm saß ich auf dem Stuhl. Mein Dasitzen konnte ja nicht weniger töricht sein als das laute Gelafer der drei Freier* (Oehninger, Kriechspur 257). →**lafern.**

gelangen: auch **an jmdn. gelangen** (Geschäftsspr.) — sich an jmdn. wenden. *Der Verwaltungsrat gelangte mit einem Gesuch an den Stadtrat um Gewährung eines einmaligen Beitrags* (St. Galler Tagbl. 4. 10. 68, 29). *So gelangte die Gesellschaft mit einer Orientierung und einer fixfertigen neuen Police* [...] *schriftlich an ihre Kunden* (Bund 3. 10. 68, 13).

Gelée [*frz.* ʒ(ə)le], der/das — Gelee; →G 032.

Geleise, das; -s, - (überwiegend; österr. nur so) ≠ (bdt. meist) Gleis. *Noch sah er Wiesen, Gehöfte ..., kurz darauf einen Bahnhof mit Geleisen* (Frisch, Gantenbein 274). [Dann] *wurde das Schotterbett in den Brükkentrog eingebaut und das Geleise neu verlegt. Am Abend rollte der erste Zug über die neue Brücke* (St. Galler Tagbl. 1968, 560, 27). *Auf Geleisen alle Weisen südwärts reisen* (Werbeslogan der SBB 1986). →G 030.

gelt? (mundartnah) — nicht wahr? Wird (im Unterschied zum Südd., Österr.) verbal als 2. Person Singular empfunden und also nur gegenüber Personen gebraucht, die man duzt. Deshalb ist der Schweizer befremdet, wenn ihn Fremde mit „gelt?" anreden.

Gelte, die; -, -n: kleineres, nicht sehr tiefes geküfertes Holzgefäß mit zwei Handgriffen, kleine Bütte. *Wenn in Vorlese und Hauptlese die Winzerinnen lustig scherzend ihre Geltlein in die Tansen leerten* (Kopp, Damaris 61).

Gemarchen/Gemarken, die ‹Pl.› (gewählt) — [Gemeinde-]Grenzen, [Gemeinde-]Gebiet. *Ein Werbedatumstempel* [der Gemeinde Heiligkreuz SG] ... *zeigt ... eine historische Kapelle und gibt ... einen Hinweis auf das Weinbaugebiet in den Heiligkreuz-Gemarchen* (NZZ 3. 6. 88, 91). *Die Einladung ... wies die Delegierten ... in die Gemarken des schmucken Luzerner Dorfes Ruswil* (Vaterland 1968, 282, 17). →**March.**

Gemarchung, die: • ‹Lautform/Schreibweise:› Gemarchung — Gemarkung; →G 029 • ‹Numerus:› meist im Pl., aber in singular. Bed. *Über die Gemarkungen der Stadt hinaus* (NZZ 4. 11. 88, 53) • ‹Bedeutung:› auch svw. Gebiet eines Kantons o. ä. Weil er [der Kt. Aargau] in seinen Gemarkungen über drei Nuklearanlagen ... verfügt (NZZ 28. 6. 88, 21). • ‹Geltung:› gewählt (bdt. normalspr.).

Gemeinde, die: **1.** im wesentlichen

wie gdt., doch werden, mit Unterschieden von Kanton zu Kanton, z. T. mehrfach nebeneinander bestehende, für verschiedene Aufgaben zuständige Gemeinden unterschieden: **a)** die Hauptrolle spielt die **Einwohnergemeinde,** (in GR, SG, ZH:) **politische Gemeinde,** (in NW:) **Bezirksgemeinde,** (in GL, TG:) **Ortsgemeinde** (in TG daneben die oft umfangreichere **Munizipalgemeinde** für die vom Kanton übertragenen Aufgaben) für die allg. Verwaltung. **b) Bürgergemeinde,** (in BE, FR, VS:) **Burger-,** (in AG, LU, ZG:) **Ortsbürger-,** (in SG:) **Orts-,** (in GL:) **Tagwens-,** (in ZH:) **Zivilgemeinde** für die alten Gemeindegüter und besondere Aufgaben (Fürsorge, Kultur usw.). **c) Schulgemeinde** bzw. **Primar-, Sekundarschul-, Oberstufengemeinde** für das Volksschulwesen. **d) Kirchgemeinde.** Besonders (c) und (d) umfassen oft das Gebiet mehrerer Gemeinden i. S. v. (a), während umgekehrt oft mehrere Zivilgemeinden (b) auf dem Gebiet einer Gemeinde (a) bestehen. Es gibt auch andere territoriale Unterabteilungen von Gemeinden, die gewisse Aufgaben selbständig verwalten: →**Bäuert[gemeinde], Fraktion, Viertelsgemeinde**; auch →**Korporation. 2.** (mundartnah) svw. **Gemeindeversammlung** (Urversammlung der stimmfähigen Einwohner[innen]. *Heute abend ist Gemeinde* (häufiger in mundartl. Form: **Gmeind**). →**Bezirks-, Landsgemeinde.**

Gemeindeammann, der; -[e]s, ...männer: **1.** (in AG, FR, SG, SO, TG) Gemeindevorsteher, // Bürgermeister. →**Gemeindehauptmann, -präsident; Stadtammann. 2. a)** (in LU) Mitglied des Gemeinderates (Exekutive) und dessen „ausführendes Organ, ausgenommen im Vormundschafts- und Sozialwesen; ... leitet insbesondere den Finanzhaushalt und verwaltet ... das Vermögen der Einwohnergemeinde; ... erläßt die rechtlichen Zustellungen (Kündigung usw.)“ (Kt. Luzern, Gemeindegesetz vom 9. 10. 1962). **b)** (in ZH) Gemeindebeamter für rechtliche Zustellungen, Zwangsvollstreckung und andere zivil- und strafrechtliche Maßnahmen. →**Stadtammann.**

Gemeindebann, der; -[e]s — Gemeindegebiet. *Ein im Gemeindebann von Adliswil gelegenes, im Eigentum der Stadt* [Zürich] *befindliches Areal* (NZZ). *Die Freiämter Gemeinde war verpflichtet ... für den Naturschutz rund 100 Hektaren Land abzutreten. Das waren etwa 10 Prozent des gesamten Gemeindebannes* (Aargauer Kurier 26. 3. 87, 3).

Gemeindebürgerrecht, das: svw. →Bürgerrecht (i. e. S.). *Der ungarische Staatsangehörige Herr Imre H., geb. 1936, Dachdeckervorarbeiter, wohnhaft in Aarau ..., hat für sich, seine Ehefrau ... und seinen Sohn ... das Gesuch um Aufnahme in das Gemeindebürgerrecht der Stadt Aarau gestellt* (Aargauer Tagbl. 30. 12. 68, amtl. Anzeige).

Gemeindehauptmann → **Hauptmann.**

Gemeindekanzlei, die; -, -en (in den meisten Kantonen): [Zentrale der] Gemeindeverwaltung. →**Gemeinderatskanzlei, Gemeindeschreiberei.**

Gemeindepräsident, der; -en, -en (in einer Reihe von Kantonen) // Gemeindevorsteher, Bürgermeister. →**Gemeindeammann, Gemeindehauptmann; Stadtpräsident.**

Gemeinderat, der: **1.** (fast allg.) **a)** Gemeinderegierung (Exekutive). **b)** Mitglied von a. **2.** (in Chur, Frauenfeld, Olten, Zürich) **a)** Gemeindeparlament. **b)** (auch in Winterthur, Zug) Mitglied des Gemeindeparlamentes. →**Einwohnerrat, Generalrat, Große Gemeinderat, [Große] Stadtrat.**

Gemeinderatskanzlei, die; -, -en (in NW, SG, SH, TG tw., ZH): svw. →**Gemeindekanzlei.**

Gemeindeschreiber, (in ZH amtl.:) **Gemeinderat[s]schreiber,** der; -s, -: Sekretär des Gemeinderates und der Gemeindeversammlung, leitender (früher einziger) Verwaltungsbeamter der Gemeinde.

Gemeindeschreiberei, die; -, -en (in BE, FR, SO tw.): svw. →**Gemeindekanzlei.**

Gemeindeversammlung, die; -, -en: Versammlung der stimmfähigen Einwohner[innen] einer Gemeinde zur Erledigung von Wahlen und zur Beschlußfassung in Gemeindeangelegenheiten (ein Gemeindeparlament [→Einwohnerrat, Großer Gemeinderat] steht nur größeren Gemeinden zu).

Gemeinwerk, das; -[e]s: unbezahlte (in Gemeinschaft geleistete) Arbeit für die Gemeinde, für eine Genossenschaft, einen Verein. →**Fronarbeit, Frondienst.**

General, der; -s, ...äle: Oberbefehlshaber der Armee, von der Bundesversammlung gewählt im Falle eines Krieges oder der Grenzbesetzung (bei Krieg in Nachbarstaaten) (in der Bundesrep. und in bezug auf andere Heere: oberster Offiziersgrad). *Die moderne Schweiz hatte bisher vier Generäle: 1848/49 (Sonderbundskrieg) Guillaume Henri Dufour, 1870/71 Hans Herzog, 1914–18 Ulrich Wille, 1939–45 Henri Guisan.* →**Brigadier, Divisionär, Korpskommandant.**

Generalprokurator, der; -s, -en (in BE): // Generalstaatsanwalt. →**Bezirksprokurator.**

Generalrat, der; -[e]s, ...räte: Gemeindeparlament (wörtliche Übersetzung der frz. Bezeichnung „conseil général"; gebräuchlich in FR und VS sowie mit Bezug auf die französischsprachige Schweiz). *Das Problem* [der Einführung] *des Generalrates stellt sich heute ... überall in größeren Gemeinden, da es an den notwendigen Räumlichkeiten fehlt, um eine geordnete Urversammlung durchzuführen* (NZZ 3. 11. 72, 514, 27; betr. Kt. Wallis). →**Einwohnerrat.**

generalrevidiert // gesamtüberholt. *Wir haben laufend preisgünstige generalrevidierte Occasionen* [Autos] (Vaterland 1968, 229, 6).

Generalrevision, die; -, -en // Gesamtüberholung.

genferisch: Stadt oder Kanton Genf betreffend, dazu gehörend, daher stammend.

Genfersee, der; -s # Genfer See; →G 153/2d.

Genie: auch (Milit.) svw. technische Truppe. Als einfaches Wort nur jargonhaft (das; -s/die; -) sowie in **Bundesamt für Genie und Festungen;** sonst in Zusammensetzungen wie **Geniebataillon, -chef, -dienst, -korps, -schule.** Dazu **Genietruppen,** die ⟨Pl.⟩ // Pioniertruppe (als Waffengattung).

Genossenschafter, der // (bdt. häufiger:) Genossenschaftler; →G 115.

Genoßsame, die; -, -n (in einigen Innerschweizer Kantonen): Alp- oder Allmendgenossenschaft öffentlich-rechtlichen Charakters, mit meist sehr bedeutendem, seit alters im Gemeineigentum befindlichen Grundbesitz. *Den Gemeinden, Korporationen, Teilsamen und Genoßsamen wird die Verwaltung ihres Vermögens und die ... Verfügung über dessen Ertrag gewährleistet* (Obwalden, Verfassung, Art. 57). *Gemeinde und Genoßsame Lachen SZ haben in Zusammenarbeit mit dem Regierungsrat, dem Heimat- und Naturschutz ... ein Erholungsgebiet am oberen Zürichsee geschaffen* (NZZ 15./16. 10. 76, 33). →G 113.

Gerant [ʒe'rant], der; -en, -en ⟨frz.⟩: Geschäftsführer eines Gastwirtschaftsbetriebs (bdt., veraltet: Geschäftsführer; Herausgeber einer Zeitung oder Zeitschrift). *Gesucht Stelle als Gerant ... in alkoholfreien Betrieb der Stadt Bern* (Wirte-Ztg. 6. 9. 68).

geräucht (mundartnah) — geräuchert. *Kamingeräuchter Beinschinken* (NZZ; Inserat). →G 103.

Gerichtsschreiber, der; -s, -: Jurist, der für die Kanzleigeschäfte eines Gerichtes verantwortlich ist, der das Protokoll führt und die Urteile redigiert; in den Gerichtssitzungen hat er beratende Stimme.

Gerichtsstatthalter, der; -s, - (in

SO): Stellvertreter des Amtsgerichtspräsidenten.

Gertel, der; -s, - // Hippe (Messer mit geschwungener Klinge, im Garten und Rebberg verwendet).

Gesamtarbeitsvertrag, der; -[e]s, ...träge (Recht) // (Bundesrep.:) Tarifvertrag. *Es bestehe heute ein Gleichgewicht zwischen betrieblichen Regelungen, Gesamtarbeitsverträgen und Gesetzgebung, das nicht gestört werden sollte* (NZZ 14. 9. 87, 35).

gesamthaft: a) ‹Adverb› (auch in Vorarlberg) insgesamt. *Die Beanspruchung des Notenbankkredits hat sich gesamthaft um 1,6 Mio. Fr. gesenkt* (Bund 17. 10. 68). *De Gaulle hat ... die gesamte Regierung ohne Ausnahme zur Demission veranlaßt. Sie führt gesamthaft die laufenden Geschäfte weiter* (NZZ 3. 4. 67). **b)** ‹Adjektiv, selten› gesamt, ganz, gänzlich. *Doch erwies sich ein grundlegender Umbau und eine gesamthafte Modernisierung als immer dringlicher* (National-Zeitung 1968). *Weil der Arbeiter, welcher oft nur einen Teil eines Ganzen herstellt, beim Basteln die Gelegenheit findet, etwas Gesamthaftes aufzubauen* (St. Galler Tagbl. 1968).

Geschäft, das: auch svw. Verhandlungs-, Abstimmungsgegenstand. *Vor der Streitfrage wurden* [an einer Bezirkslandsgemeinde] *ein paar friedliche Geschäfte behandelt, die Reden tönten ruhig* (Inglin, Amberg 116). *Zu Beginn der Sitzung hatte der Ständerat noch eine Reihe kleinere Geschäfte zu erledigen: zwei Abkommen mit Schweden und Brasilien, eine Konzessionserneuerung für die Straßenbahn der Stadt Bern und Differenzbereinigungen* (St. Galler Tagbl. 3. 10. 68, 3). →**Traktandum.**

geschäften: a) ein Geschäft, Gewerbe betreiben. *Daß es nun bereits 130 Jahre her sind* [!], *seit ... der legendäre Metzger „Süberli" im Lädeli an der Engelgasse zu geschäften anfing* (St. Galler Tagbl. 3. 10. 68, 13). *Im Luzernbiet ... geschäften einzelne Schweinemäster zuweilen nach ihren eigenen Gesetzen. Amtliche Kontrollen werden behindert* [usw.] (Beobachter 1987, 7, 13). **b)** mit jmdm. Geschäfte machen, geschäftlich verkehren. *Er komme zu ihm ..., sagte der junge Zollinger, weil ihre Väter seinerzeit miteinander geschäftet hätten* (Guggenheim, Alles in allem 714).

Geschäftsliste, die; -, -n // Tagesordnung (Liste der in einer Sitzung oder Versammlung zu behandelnden Gegenstände). *An der Spitze der nationalrätlichen Geschäftsliste standen am Mittwoch sozialpolitische Vorstöße* (Vaterland 3. 10. 68). →**Tagliste, Traktandenliste.**

Geschenklein, das; -s, - ≠ [kleines] Geschenk. *Gemeindeamman A. S. begrüßte ... namens des Tagungsortes, Redaktor Dr. K. H. präsentierte Geschenklein aus Untertoggenburger Firmen* (St. Galler Tagbl. 15. 10. 68, 15). *Schließlich schenkte ich Woly ... ein kleines silbernes Medaillon, das ich ... aus Siam mitgebracht hatte. Und während ich ihr das Geschenklein um den Hals legte, dachte ich ...* (Morgenthaler, Woly 161). →G 106.

Geschirrwaschmaschine, die — Geschirrspüler, Geschirrspülmaschine. *Sämtliche Wohnungen sind mit allem Komfort ausgestattet (Geschirrwaschmaschine, Spannteppiche, Lift etc.)* (NZZ 12. 12. 86, 103; Inserat). *Die Geschirrwaschmaschine war eine neue Anschaffung, an der Julius noch die größte Freude hatte* (Humm, Komödie 61).

Geschlechtsname, der (veraltend) — Familienname, // Zuname.

Geschnetzelte, das; -n: kurz für **geschnetzeltes Kalbfleisch:** Kalbfleisch in Streifchen geschnitten, kurz überbraten, mit Weißwein und Bouillon abgelöscht, kurz gedämpft. *Sie aßen Geschnetzeltes mit Röschti* (Glauser III 304). →**schnetzeln.**

Geschoß, das: [gəˈʃoːs]; -es, -e (auch südd., österr.) — [...ˈʃɔs]; ...sses, ...sse; →G 003.

Geschwellte →**schwellen.**

Geschwor[e]nengericht, das (in

AG, BE, ZH): Gericht zur Beurteilung schwerer, nicht eingestandener Verbrechen, aus Berufsrichtern und Laienrichtern (**Geschwor[e]nen, //** Schöffen) zusammengesetzt; Schwurgericht.

Gesetzesentwurf, der // Gesetzentwurf; →G 149/1b.

Gesottene, das; -n (mundartnah; auch bdt. landsch.): gekochtes [Rind-]Fleisch, Suppenfleisch. *Das Menü des Waschtages unterschied sich von jenem anderer Tage. Eintopfgerichte, Gesottenes vorwiegend* (Guggenheim, Zusammensetzspiel 20). →**Siedfleisch.**

Gespan[e], der; ...nen, ...nen (veraltend), ⟨Dim.:⟩ **Gspänli,** das; -s, - — Kamerad, Gefährte; meist mit Bezug auf Kinder: Spiel-, Schulkamerad. *Begegnung mit einstigen Schulgespanen: Zusammenkunft ehemaliger Bezirksschulklassen* (Aargauer Tagbl. 18. 10. 71). *Mit einem Gspänli nahmen Raphael und Olivia vorne im Triebwagen Platz* (Blick 7. 3. 87, 2). ⟨Übertr.:⟩ *Als veraltet gilt heute auch* bis anhin ... *und erst recht seine Gespanen* bis anher ... abhin ... *und* aushingeben (Sprache Sprachgeschichte 51).

gestanden ⟨Adj., nur attr.⟩: reiferen, vorgerückten Alters (das bdt. vorherrschende Bedeutungselement „und erfahren, sich auf seinem Gebiet auskennend" fehlt oder tritt zurück). *Die Leute ringsum: Gutverdiener hemdärmlig, wenig junge Leute ... dafür viele gestandene Paare, die kaum je ein Wort miteinander wechseln* (Frisch, Montauk 114). →**bestanden.**

Gestürm, das; -s (mundartnah): **a)** aufgeregtes, lärmendes Getue. *Gegen das Ende der Taufzeremonie machte er* [ein Organist] *jeweilen einen gewaltigen Lärm. Als nach meiner Berechnung dies Gestürm auch jetzt bevorstand, stieg ich ab,* vom Blasbalg (Inglin, Amberg 73). **b)** Getümmel, Krawall. *Nachtrag zum Anti-Westmoreland-Gestürm in Bern. Unser Reporter, der den Besuch des amerikanischen Generalstabchefs Westmoreland in der Schweiz teilweise verfolgte, notierte sich über die Berner Demonstration ... noch folgendes* (Aargauer Tagbl. 16. 9. 69). **c)** verworrenes, lästiges Geschwätz. *„Heja!" sagte der Bauer. „Ich nehme dich nicht für einen Ungraden. Aber von dem politischen Gestürm will ich lieber nicht allzuviel hören"* (Kauer, Schachteltraum 109).

Getäfer, das; -s, - ⫽ Getäfel, // Paneel. *Das Lärmen der Mäuse jenseits der Wand. Schlug ich mit der Hand ans Getäfer, blieb es eine Weile still* (Wiesner, Schauplätze 88). *Das braune Getäfer der engen Schlafkammer* (Inglin, Erz. II 309). →**Täfer, täfern.** →G 029.

Gewährleistung, die; -: auch (Staatsrecht) svw. Genehmigung, Bestätigung von kantonalen Verfassungen bzw. von Änderungen derselben durch den Bund. *Die Gewährleistungen von Kantonsverfassungen und deren Revision durch den Bund bilden im eidgenössischen Parlament meist nur Routinegeschäfte* (National-Ztg. 1968, 562, 2).

Gewand, das (Kleidung, Anzug): mundartnah bis normalspr. (auch österr.; bdt. hingegen: gehoben). *„Zieh jetzt das bessere Gewand an!" sagte sie und begann, meine Habseligkeiten in den Rucksack zu packen* (Inglin, Amberg 134). *Industriearbeiter im blauen Gewand* (NZZ 2./3. 5. 87, 33).

Gewerb, der; -s, -e (mundartnah, veraltend) — Bauernhof, -betrieb. *Mein Bruder ... hat vor vielen Jahren im Unterland einen Gewerb übernommen. Wir haben ihm geholfen mit Bürgschaften* (Bührer, Das letzte Wort 70).

Gewerbe, das: auch, gewöhnlich in der Verbindung **landwirtschaftliches Gewerbe,** svw. →**Gewerb.** *Ein Erbe, der das Gewerbe selbst bewirtschaften will ... hat in erster Linie Anspruch auf ungeteilte Zuweisung* (ZGB, Art. 621; unter dem Titel: *Landwirtschaftliche Gewerbe*). *Bestimmungen darüber, wer unter welchen Voraussetzungen landwirtschaftliche Gewerbe und Grund-*

stücke erwerben darf (NZZ 20. 10. 88, 21). *1955 hatte die Zahl der Gewerbe unter 10 Hektaren* [im Kt. Waadt] *9830 betragen; zehn Jahre später waren es noch 5806* (NZZ 22. 8. 72). Dazu (gleichbedeutend) **Bauerngewerbe.**

Gewẹrkschafter, der (auch österr.) # (bdt. meist:) Gewerkschaftler. *Bei den Wahlen für den Gemeinderat ... stehen sich eine Liste der Sozialdemokraten und Gewerkschafter und eine der bürgerlichen Parteien gegenüber* (Bund 1968). →G 115.

gewohnt, gewöhnt ⟨Adj.⟩: ***sich etw. gewohnt sein/*sich [an] etw. gewöhnt sein** — etw. gewohnt sein. *Die Amerikaner sind sich gewohnt, ihr Geld dort zu investieren, wo eine große Wachstumschance besteht* (Bund 1968, 280, 9). *Als eine der berühmtesten Tänzerinnen ist sie sich das viele Reisen gewohnt* (NZZ 11. 12. 87, 55). *Die Katze* [schreit] *um Viertel vor sieben ... Das Biest ist sich gewöhnt, daß ich um diese Zeit herauskomme* (Helen Meier, Trockenwiese 119). *Solche Zwischenfälle können ... den Franzosen nicht aus dem Gleichgewicht bringen, ist man sich doch die Folgen von Arbeitsniederlegung ... seit Jahrzehnten gewöhnt* (Bund 18. 10. 68, 2). *In der Kantonsverwaltung ist man sich ... hinlänglich an Ungemach gewöhnt* (NZZ 6. 12. 88, 53). • Kommentar: Dieser reflexive Gebrauch hat zwar im Alem. eine ganz interessante Entstehungsgeschichte (→reuig), dennoch lohnt es sich nicht, ihn in der Standardspr. beizubehalten. Das „sich" ist ein Überbein; bleiben wir bei **etw. gewohnt sein** und **sich an etw. gewöhnt haben!** •

gịfteln ⟨ich giftle⟩: giftige Bemerkungen machen. *„Ein Leubelfing!" giftelte der alte Herr. „Muß denn jeder Nüremberger und jeder Leubelfing ein Raufbold sein ...?"* (C. F. Meyer V 172: Gustav Adolfs Page). *Weltweit vertreten* [an Cocktailparties] *sind auch die braungepuderte Klatsch-Ziege, die ... giftelnd durchs Gefilde meckert, und der Lustmolch* (Bund 19. 9. 87, 18) →G 098. Dazu **Gịftler,** der.

Gigot [*frz.* ʒigo], der; -s, -s (Küche) — Hammelschlegel, -keule. *Warum hat unser Metzger immer gerade einen alten Schafsbock geschlachtet, wenn ich meinen Gästen einen zarten, auf der Zunge schmelzenden Gigot vorsetzen will?* (Nebelspalter 1966, 3, 27). *Ein Lammgigot ... oder eine Lammschulter ergeben zweifellos einen herrlichen Braten* (NZZ 7. 5. 75, 39).

Gilet, das; -s, -s (auch bdt. landsch., österr. veraltend) [*frz.* ʒilɛ // ʒi'le:] — Weste. *Keller suchte nach seinem Gilet, fand es am Fußende des Bettes* (Guggenheim, Seldwyla 130). *Geknöpftes Gilet mit Rückengürtelchen,* für Damen (Jelmoli, Katalog Herbst/Winter 1982, 28). →(zur Aussprache) G 037.

Gịpfel, der, häufig als Dim. **Gịpfeli,** das; -s, - // Hörnchen, (österr.:) Kipfe[r]l. *Sabine schlich ... wieder in die Stube, wo sie Butter, Konfitüren, Zucker, frische Weggli und Gipfel noch etwas gefälliger anordnete* (Inglin, Erlenbüel 26). *Wie ich so dastehe, fängt es an mich zu frieren und ich bekomme Lust auf eine Wirtschaft mit heißem Kaffee und Gipfeln* (Weltwoche 19. 2. 87, 79: Dres Balmer)

Gịtzi, das; -s, - # Zicklein (junge Ziege). *Jetzt besonders zu empfehlen Bündner Gitzi und dazu Veltliner von ausgesuchter Qualität* (Zeitungsinserat). *Warum die Gitzi dieses Frühjahr so rar und teuer seien, fragten wir einen Gastwirt, er habe doch sonst immer seine Lieferungen aus dem Wallis gehabt* (Nebelspalter 1965, 27, 41). *Während üblicherweise wöchentlich rund 250 Gitzi geschlachtet werden, sind es in* [der Oster-]*Woche 950* (NZZ 15. 4. 87, 37). →G 073, 108.

GL: Autokennzeichen und allg. Sigle für (den Kanton) Glarus; →G 092.

Glạce ['glasə], die; -, -n ⟨frz.⟩ # Speiseeis, Eis, Gefrorenes. *Fremde Chemikalie in deutscher Glace* [Überschrift]. *In Deutschland ist laut einer Fernsehmeldung ... eine fremde Chemikalie in*

Speiseeis gefunden worden (NZZ 8. 8. 85, 5). *Die Töchter ... in Kleidern von ähnlichem Schnitt und Stoff, aber von verschiedener Farbe wie eine gemischte Glace* (Inglin, Amberg 290). *Relativ oft mußte auch Glace gerügt werden, die samt Eiscrème und Softice laufend* [von der Lebensmittelkontrolle] *untersucht wird* (National-Ztg. 13. 8. 68, 5). →(zur Aussprache) G 035/1.

glänzen: auch svw. zum Glänzen bringen, polieren. *Reinigt schonend und glänzt alle abwaschbaren Flächen* (Aufschrift auf Schmierseifepackung 1986). *Er ... stellte sich im Geist das Haus seiner Träume vor: Des meubles luisants/Polis par les ans ... [Schimmernde Möbel, von den Jahren geglänzt ... Baudelaire]* (Valloton, Corbehaut [Übers.] 72). *Sie glänzte Ostereier* (Frisch, Die Schwierigen 195).

Glarner, der; -s, -: Bürger, Einwohner von Stadt oder Kanton Glarus.

glarnerisch: zum Kanton Glarus gehörig, von dort stammend, sich darauf beziehend.

Glarnerland, das; -[e]s (mundartnah) — Kanton Glarus. *Besuch des Bundesrates im Glarnerland* (NZZ 13. 7. 70). →G 153/2a.

Glast, der; -[e]s (auch südd.; sonst nur dichterisch): blendendes, flirrendes Licht. *Ein heißer Tag, Glast über den Dächern,* von Paris (Frisch, Tageb. 1946–49, 272). Dazu **Sonnenglast.**

glatt: auch (mundartnah, salopp) svw. lustig, fidel. *Sie hätten noch eine glatte Ehefrau gegeben, Schwester Pia, fügte er nach einer Weile aus seinen Kissen heraus hinzu* (Guggenheim, Riedland 174).

Glätteisen, das — Bügeleisen, // Plätteisen. *Schließlich fand noch ein Glätteisen aus Messing für 70 Franken ... einen Abnehmer* (Vaterland 1968, 280, 33).

glätten: auch svw. — bügeln, // plätten. *Erst wenn das Glätten anging, griff eine größere Heiterkeit Platz* (Keller VII 277: Kammacher). Dazu **Glättebrett, Glätteisen, Glätteraum.**

Glätterei, die; -, -en: Betrieb, wo Wäsche gebügelt wird, // (nordd.:) Plätterei. *Ich, ein Mangler in der Glätterei der Anstalt ... stehe an der ... Mangel und lasse die Bettücher durchrollen* (Helen Meier, Trockenwiese 56). *Wäscherei und Glätterei Karl Ackle ...* (Telefonbuch Aarau 1987, 25; Inserat).

Glätterin, die; -, -nen — Büglerin, // Plätterin. *Offene Stellen für: Büroangestellte, Verkäuferin, Ferggerin ... Haushälterin, Glätterinnen* (St. Galler Tagbl. 1968, 570, 9). *Falls dir der Haushalt zuviel zu tun gibt, können wir uns auch eine Hilfe leisten, eine Putzfrau oder eine Glätterin* (Junge Schweizer 195).

gleichentags (Geschäftsspr.; bdt. selten) — am selben Tag. *Der Einbrecher, der gleichentags aus der Untersuchungshaft entlassen worden war* (NZZ 22. 5. 87, 54).

Gleichschwer, der; -s: ein Kuchen aus einem Rührteig, zu dem gleich viel („gleich schwer") Butter, Zucker und Mehl verwendet werden, meist in einer länglichen Form gebacken. *Ich habe dir etwas mitgebracht, sagte Sibylle, ich habe gebacken! Und sie zeigte ihm einen frischen Kuchen, einen sogenannten Gleichschwer* (Frisch, Stiller 274).

Gletschermannli/-mandli, das; -s, -: mannshohes aus Steinen aufgeschichtetes Wegzeichen am Rande eines Gletschers. →**Steinmannli.** →G 105.

Gluscht, der (mundartl.): Gelüste, Appetit auf bestimmte Speisen, Lekkerbissen; ein in der Werbung gern verwendetes Wort. *Jetzt können Sie nach Herzenslust Ihrem Gluscht nachgeben ... Ihrem Gluscht nach zarter, milder Rindszunge an Sauce Madère!* (St. Galler Tagbl. 1968, 563, 11; Inserat). *Chocoletti in der Taschenpakkung. Richtig fein für den kleinen Gluscht so zwischendurch* (Inserat 1979). →G 029.

gluschtig (mundartl.) — appetitlich, lecker. *Csemege Kukorica ... Süßmaiskolben ... Bei uns jetzt eine besonders* *lustig-gluschtige Sommer-Spezialität!* (NZZ 19. 8. 82; Inserat). *Sie* [Bundesrätin Kopp] *glaube nicht daran, daß man Konsumenten predigen könne, im Supermarkt das umweltfreundlichere Produkt zu kaufen, wenn das herkömmliche „gluschtiger", besser verpackt und erst noch billiger sei* (NZZ 22. 1. 87, 49).

Gnagi ['gna:gɪ, 'gnagɪ], das; -s ⟨o. Pl.⟩: gepökelte Teile von Kopf, Gliedmaßen, Schwanz des Schweines; gekocht, meist warm gegessen (ähnlich bdt. „Eisbein"). *Die Kellnerin setzte mir ... ein sogenanntes Gnagi vor, das Gnagi war warm, und es bestand aus einem Schweinsmund* (Walser VIII 43). *Einmal ein Gnagi bei dunkelm, malzduftendem Kulmbacher im „Kropf" in Gassen ...* (Guggenheim, Alles in allem 221). →G 108.

Goal [*engl.* goʊl; go:l], das; -s, -s (Fußball usw.; mundartnah; auch österr., sonst veraltet) — Tor, Treffer. *Das entscheidende Goal gelang Webb in der 104. Minute* (NZZ 30. 4. 70). Dazu: **Eigengoal; Goalchance, Goallinie.**

Goalie, auch **Goali** [*engl.* 'goʊlɪ; 'go:lɪ], der; -s, -[s] (Fußball usw.) — Torhüter. *Entsetzen spricht aus den Mienen Goalie Brunners und Captain Eglis* (NZZ 27. 10. 86, 51). *Die Aarauer Verteidigung deckte jetzt aber weit enger und Goali Nickelsen hielt hervorragend* (Aargauer Tagbl. 22. 4. 70). →(zur Form Goali) G 096, Fußnote 2.

Gof, der, auch das; -s, -en (salopp) — Kind, // Göre. *Diesem Schreiber kann man nur einen Rat geben: stellt euren Gof in einen Glaskasten* (National-Ztg. 1. 10. 68). *Der Speisesaal, morgens um halb acht ... Die Tische sind spärlich besetzt: hier ein Gast, dort einer, eine Mutter mit zwei Gofen* (Glauser II 280: Der Chinese).

Goldvreneli [...fre:nəlɪ], das; -s, - (mundartnah): Goldmünze zu 10 oder 20 Franken, mit Mädchenkopf (nicht mehr im Kurs). *Maximale Preise* [bei einem Wettbewerb]: *Saloutischli, Pendulen ... Alpenrundflüge, Goldvreneli, elektr. Rasierapparate* (Blick 1968, 235, 7; Inserat). →G 105.

Göller, das; -s, - // Schulterpasse (eingesetzte Schulterpartie an einem Kleidungsstück). *Im langen königsblauen Homedreß ... mit den drei schmalen Silberstreifen am Göller und am Langarm-Abschluß* (Prospekt). *Karo-Bluse mit Uni-Göller* (Jelmoli, Katalog Herbst/Winter 1982, 24). *Alle* [Nachthemden] *hatten denselben Schnitt, unten einen langen weiten Hemdenteil, oben ein mit einem Knopf hochzuschließendes Göller* (Helen Meier, Trockenwiese 34).

Gommer, der; -s, -: **a)** Einwohner des →Goms. **b)** Käse (auch Raclette-Käse) aus dem Goms.

Goms, das; -: der Name dieser Walliser Talschaft (Rhonetal oberhalb von Brig) wird immer mit dem Artikel gebraucht; →G 082. Bewohner →**Gommer.**

Gondelbahn, die; -, -en: Bergbahn für den Personentransport, bei der mehrere (kleine) Kabinen durch ein endlos umlaufendes Drahtseil bewegt (und entweder auch dadurch oder durch ein besonderes Seil getragen) werden. Mit dem Fachausdruck heißt sie Kabinen-Umlaufbahn; sie steht zwischen der Kabinen-Pendelbahn mit nur zwei sich (wie bei der Standseilbahn) gegenläufig bewegenden (großen) Kabinen und der Sessel-Umlaufbahn (ugs. Sesselbahn, Sessellift).

gönnen: *gönnen mögen →mögen.

Gotte, die; -, -n (mundartnah bis normalspr.) — Patin. *Gerda, die Gotte, war eine Frau von ungefähr vierzig Jahren* (Frisch, Die Schwierigen 194). *Dazu lädt er alle Buben und Mädchen ein. Und alle Mütter, Tanten, Großmütter, Gotten und Göttis* [!] (St. Galler Tagbl. 1968, 463, 16; Inserat). Dazu die kinderspr. Deminutive (Koseformen) **Gotti, Gotteli,** das; -s, -. *Die Ferien bei seinem Gotti verbringen zu dürfen* (Vaterland 31. 12. 68).

Gọtti, der; -s, - (mundartnah bis normalspr.) — Pate; →G 073.

Gọttibatzen, der; -s, - (mundartnah) — Patengeschenk (auch im übertr. S.).

Gọttibub, der; -en, -en (mundartnah) ⫽ Patensohn. *Ich habe drei Göttibuben.*

gouvernemental (bildungsspr.; bdt. veraltet): von der Regierung ausgehend; regierungsfreundlich. *Bundesrat von Moos ... hieß die Delegierten aus rund 40 Staaten sowie die als Beobachter anwesenden Vertreter verschiedener internationaler gouvernementaler und nicht gouvernementaler Organisationen willkommen* (Vaterland 3. 10. 68, 3). *Die NZZ wird von manchen als gouvernementales Blatt abgelehnt.*

GR: Autokennzeichen und allg. Sigle für (den Kanton) Graubünden; →G 092.

...grädig ‹mit Zahlw.› (auch österr.) ⫽ ...gradig. [Das Badewasser des Regionalbads Zurzach] *ist 30grädiges Kühlwasser aus der nahen Sodafabrik* (Aargauer Tagbl. 25. 5. 88, 1). →G 131/3.

...grämmig // ...grammig. *850grämmiger Meteorit schlug auf Hausdach ein* (Freier Aargauer 20. 9. 69). →G 131/3.

Grạmmophon, der/das; -s, -e • ‹Betonung:› ⏑́ – – // – – ⏑́; →G 025 • ‹Geschlecht:› der — das. *Wenn ich in mein Zimmer gehe und den Grammophon laufen lasse* (Junge Schweizer 106: Christoph Geiser). *Zu verkaufen schöner Trichtergrammophon* (General-Anz. 8. 1. 87, 11). →G 076.

Grạmper, der; -s, -: Arbeiter, der mit dem Pickel den Schotter unter den Eisenbahnschwellen festschlägt.

grạmseln (mundartnah) — wimmeln, krabbeln. *Jetzt ging eine Ameisenstraße über das rote Gewebe; es gramselte und wimmelte* (Meier, Verwandtschaften 134). *Eines verschlafenen Landstädtchens, das nur an bestimmten Markttagen zu einem ... gramselnden Leben zu erwachen pflegt* (Welti, Lucretia 6). →G 097. →**Gegramsel.**

Gratisanzeiger, der; -s, -: regelmäßig erscheinende Zeitung, die [fast] nur Inserate enthält und umsonst allen Haushaltungen zugestellt wird.

Grätsche, die, **grätschen** ‹sw. V.› ⫽ Grätsche, grätschen; →G 004.

Graubündner, der; -s, - (wenig gebr.): Einwohner des Kantons Graubünden. →**Bündner.**

graubündnerisch (wenig gebr.): zum Kanton Graubünden gehörend, von dort stammend. Dürrenmatt braucht die unübliche Form **graubündisch:** *Eigentlich hätte ich graubündische Polizei nehmen müssen* (Dürrenmatt, Versprechen 185). →**bündnerisch.**

Grenadier, der; -s, -e (Milit.): Infanteriesoldat mit besonderer körperlicher Leistungsfähigkeit und Ausbildung für besondere Kampfaktionen. (Es gibt 1 Grenadierkompanie je Infanterieregiment.) →**Füsilier.**

Greyerz ['graiərts]: altes Bergstädtchen und Schloß im Süden des Kantons Freiburg; frz. Gruyère.

Greyerzer, der: **1.** Einwohner des Städtchens Greyerz oder des →Greyerzerlandes. **2.** ein vollfetter Hartkäse, rezenter und mit kleineren Löchern als der →Emmentaler, hergestellt im Greyerzerland und dessen Nachbarschaft; frz. Gruyère.

Greyerzerland, das; -[e]s: gebirgige Gegend im Südosten des Kantons Freiburg; frz. la Gruyère.

Grien, das; -s — Kies. *Die Baudirektion hat der Bürgergemeinde die Bewilligung erteilt, die bestehende Griengrube hinter der Eremitage aufzufüllen* (National-Ztg. 1968, 453, 7).

Grießköpfli, -köpfchen, das; -s, - // Grießflammeri, in kleinen Formen gestürzt; →G 105. →**Caramelköpfli.**

Grießplätzli, das; -s, - — Grießschnitte. *Meist gab es Grießbrei mit Kompott, nie meine Leibspeise: Grießplätzli, gebacken in gerührtem Ei* (Wiesner, Schauplätze 127). →G 105. →**Plätzli.**

grillieren // grillen (auf dem Grill rösten). →G 101.

Grimsel, die; -, auch **Grimselpaß,** der: Paß zwischen dem obersten Aaretal (BE) und dem obersten Rhonetal (VS).

Grind, der; -[e]s, -e: vor allem svw. (mundartnah, derb) — Kopf. *Mußt dem Bälzeli nicht den Grind noch ganz verdrehen* (Inglin, Graue March 144). *Daß man einander auf den Grind gebe* (die Köpfe zerschlage) (Humm, Carolin 155). Dazu **Grindweh.**

Grittibänz, der; -en, -en: Brotmann mit Augen und Knöpfen aus Rosinen, zum Sankt-Nikolaus-Tag in den Bäckereien verkauft.

Großätti, der; -s, - (mundartl., familiär) — Großvater. →**Ätti.**

Große, das; -en, -en: ein halber Liter offenes Lagerbier, meist im Humpen serviert: *Fräulein, noch ein Großes!* →**Becher.**

Große Gemeinderat, der (in BE [außer den Städten Bern, Biel, Thun, wo dafür Stadtrat], St. Gallen, Zug, ZH [außer der Stadt Zürich, wo einfach Gemeinderat]): Gemeindeparlament. *Bereits in der zweiten Hälfte der sechziger Jahre zeigte sich ... der Wunsch nach Einführung des Großen Gemeinderates, besuchen doch ... nur 1 bis 2,5 Prozent der Stimmberechtigten die Gemeindeversammlung,* in Adliswil bei Zürich (NZZ 20. 9. 73, 436, 25). →**Einwohner-, Gemeinde-, General-, [Große] Stadtrat.**

Große Rat, der; -n -[e]s (in AG, AI, BS, BE, FR, GR, LU, SG, SH, TG, VS, auch [als Übersetzung von franz. Grand Conseil] mit Bezug auf GE, NE, VD, [von ital. Gran Consiglio] auf TI): Kantonsparlament. (In den andern Kantonen:) →**Kantonsrat, Landrat).** →**Großrat, großrätlich.**

Große Stadtrat, der; -n -[e]s (in Luzern, Schaffhausen; früher in der Stadt Zürich): Stadtparlament. →**Einwohner-, Gemeinde-, Große Gemeinderat; Großstadtrat.**

Großhans, der; -es, -e — Großtuer, Prahlhans. *Von vielen* [Männern] *erfährt man ... in der ersten Stunde ein ganzes Leben. Aber ... das sind meistens Schwätzer oder Großhanse oder solche, die Mitleid erwecken wollen* (Kloter, Didier 87). Dazu **Großhanserei,** die: [Dann] *konnte sie ... fuchsteufelswild werden und mich der Großhanserei beschuldigen* (Guggenheim, Friede 104).

Großkind, das; -[e]s, -er: Enkelkind (Enkel, Enkelin). *In stiller Trauer: Töchter, Sohn, Großkinder und Anverwandte* (St. Galler Tagbl. 1968, 463, 6; Todesanzeige). *Wir müssen dafür Sorge tragen, daß unsere Großkinder und deren Kinder auch noch glücklich leben können* (NZZ 18. 3. 87, 51). Dazu: **Urgroßkind.**

großmehrheitlich (Geschäftsspr.): mit großer Mehrheit. *Diese vom Parlament großmehrheitlich gutgeheißene Vorlage* (NZZ 7. 12. 87, 31). *Schließlich wird großmehrheitlich beantragt, das Kreisforstamt möge Werbung und Ausbildung der Forstkadetten ... neu durchdenken* (Kopp, Forstmeister 255).

Großrat, der; -[e]s, ...räte: Mitglied eines Kantonsparlamentes, sofern dieses →**Großer Rat** heißt (außer in SG). *Man muß freundlich lächeln, wie ein Großrat vor den Wahlen* (Glauser IV 267). *Der Präsident der Aufsichtskommission, alt Großrat Hodel* (Vaterland 3. 10. 68).

großrätlich: zum →Großen Rat gehörig, vom Großen Rat ausgehend. *Die großrätliche Kommission ... welche die Vorschläge zu begutachten hatte* (Vaterland 3. 10. 68). *In einer Antwort auf eine großrätliche Anfrage betreffend ... unterstreicht der freiburgische Staatsrat ...* (ebd. 14. 12. 68).

Großstadtrat, der; -[e]s, ...räte: (in Luzern, Schaffhausen) Mitglied des Großen Stadtrates (Stadtparlaments). *Noch kein Entscheid in der Luzerner Stadtratswahl* [Überschrift]. *Es bedeutet nicht einmal eine Überraschung, daß Großstadtrat Bruno Heutschy ... in Führung liegt* (NZZ 20. 5. 74, 11).

Großzahl, die; - — Großteil, große

Zahl; auch: Mehrzahl. *Viel schlimmer als Sukarno kann doch wohl auch Tshombé nicht sein – abgesehen davon vielleicht, daß er zwar ein Farbiger, aber kein Kommunist und daher bei der Großzahl der UN-Mitglieder unpopulär ist* (NZZ 1962, Bl. 3095). *Er hatte ... die Stadt Bern als attraktiven Arbeitsort für eine Großzahl der in der Stadt und den 25 Außengemeinden Lebenden im Auge* (Bund 23. 10. 87, 23).

grüezi! ['grʏə̯tsɪ] (mundartl.): Grußformel (wörtlich „grüß Euch!"), gilt im Ausland als typisch schweiz. und verbreitet sich tatsächlich immer mehr über sein ursprüngliches Gebiet (Nordostschweiz bis und mit ZH) hinaus. Doch hält BE an seiner Lautform **grüeßech** ['grʏə̯səx] fest. In der Innerschweiz und in Basel gilt herkömmlich „guten Tag"/„guten Abend" (im alten grüezi-Gebiet nur für die Randstunden des Tages, bis 9/10 Uhr und ab 16/17 Uhr).

Grụmpel, der; -s (mundartnah) — das Gerümpel, // der Krempel. →G 029.

Grụmpelkammer, die; -, -n (mundartnah) — Rumpelkammer.

Grụmpelturnier, das; -s, -e: Fußballwettkampf zwischen ungeübten, nur für diesen Anlaß gebildeten Mannschaften. *Falkensteiner Grümpelturnier des FC Niedergösgen ... Anmeldungen ... noch bis zum 23. Mai ... Kategorien: Damen, Dorfmannschaften, Aktive* (Aargauer Tagbl. 25. 5. 70). *War er vor Jahren noch eine populäre Sportkanone gewesen, spielte er jetzt höchstens noch an Grümpelturnieren Fußball* (Honegger, Schulpfleger 73). →**Plauschmatch.**

Grụ̈nhag, der; -[e]s, ...häge — Hecke. *Ursula kletterte auf den Sockel, hielt sich an den Stäben fest und verbarg das Gesicht im Grünhag* (Kübler, Heitere Geschichten 161). *Politik ließ man in den Stadthausanlagen Politik sein. Lediglich die linksextremen Gruppen veranstalteten an der Bahnhofstraße, vom Volksfest durch einen Grünhag getrennt ... ihren politischen Flohmarkt* (NZZ 3. 5. 76, 23). →**Hag, Lebhag.**

Gruyère [*frz.* gʀyjɛʀ], der; -s: svw. →**Greyerzer.** *Auf dieselbe Weise kann man* [im Fleischsalat] *auch Leberkäse, Cervelatscheiben, Emmentaler oder Gruyère servieren* (Beobachter 31. 12. 80, 48).

Gụ̈dismontag, der; -s, -e (vor allem in Luzern) // Rosenmontag (Montag nach der →Herrenfasnacht, Estomihi). *Mit der Tagwacht des Schmutzigen Donnerstags greift ein Spuk um sich, der am folgenden Güdismontag seine Fortsetzung und in der Nacht auf den Aschermittwoch ein abruptes Ende findet* (NZZ 11. 2. 88, 21).

Guets[l]i, Güets[l]i (auch **Guez[l]i, ...üe...** geschrieben) [gʊə̯ts..., gʏə̯ts...], **Gutzi** ['gutsɪ] (mundartl.) // Plätzchen, Stück Kleingebäck. *Traditionsgemäß zog ... wieder der Weihnachtsesel durch die Altstadtgassen. Die „Güetzli"* [!] *verteilenden ... Studenten hatten teilweise Mühe, sich der kleinen Bettler zu erwehren* (Bund 16. 12. 68). *Aus diesem Teig stach Margrit mit Blechförmchen Herzen und Kreuze und Männchen aus. Darauf hatten sie das Blech ... bestrichen und die „Guezli" daraufgelegt* (Blatter, Heimweh 444). →G 073, 105, 108. Dazu **Weihnachtsguets[l]i.**

Gụgelhopf, (seltener wie südd., österr.:) **Gụgelhupf,** der; -[e]s, ...höpfe, ...hüpfe // Napfkuchen.

Güggel, der; -s, - ['gʏk'əl] (mundartl.) — Gockel, Hahn. *Einer der beiden* [Mexikaner in Zürich, die ihr Hotel nicht mehr fanden] *wußte aber, daß nicht weit vom Hotel ein großer, zwei Meter hoher Papagei stehe ...* [Sie] *hatten den großen Güggel vor der Grütfarm mit einem Papagei verwechselt!* (Aargauer Tagbl. 13. 9. 69). *Das Hähnlein, das in der schmutzigen Wasche herumgepickt ... hatte, fiel um ... Wie überraschend schnell war der Güggel verendet!* (Glauser III 324/25).

Güggeli ['gʏk'əlɪ], das; -s, - // [Brat-] Hähnchen. *Es gibt Infrarotgrills samt Drehspießen, an denen man gleichzei-*

tig vier Güggeli automatisch braten kann (National-Ztg. 4. 10. 68, 13). →G 105.

Guggenmusik/Guuggen..., (mundartl.:) **...musig** ['gu:k'ən...], die; -, -en: **a)** Gruppe, die verkleidet fastnächtliche Katzenmusik macht. *Die in früheren Jahren* [an der Luzerner Fasnacht] *dominierende Einzelmaske ist nach dem Zweiten Weltkrieg ... vom Kollektiv der Guggenmusig zusehends bedrängt worden* (NZZ 11. 2. 88, 21). *Daß in der Guggenmusik auch Frauen waren, auf die Pauken schlagend* (Helen Meier, Trockenwiese 75). **b)** mißtönende Musik von Fastnachtzügen. *Es hallt von den nächtlichen Fassaden der Altstadt: Guggen-Musik mit grunzenden und quakenden Bässen, mit verstiegenen Klarinetten, dazwischen mit Pauken* (Frisch, Transit 60).

Gụlle, die; - (auch südwestd., vorarlb.) — Jauche. *Gülle im Boniswiler Reservatsgebiet machte Gemeinderat gallig* (Aargauer Tagbl. 9. 1. 87, 1; Überschrift). Dazu **Güllenbenne, -faß, -loch** (Jauchegrube), **-pumpe, -rohr, -schlauch, -schöpfer, -wagen, -werfer.**

gụllen (auch südwestd.) // jauchen. *Besonders im Winter, wenn die Gülle nicht leicht einsickert, darf nie zu nahe an ein Forellengewässer heran gegüllt werden* (NZZ 1961, Nr. 424). *Andere Bauern habe er nicht dazu verleitet ... Parzellen im Reservatsgebiet zu güllen* (Aargauer Tagbl. 9. 1. 87, 1).

Gült, die; -, -en: grundpfandrechtlich gesicherte Forderung, bei der nur das Grundpfand haftet unter Ausschluß jeder persönlichen Haftbarkeit des Schuldners; vgl. ZGB, Art. 847. (Bdt. veraltet Gült[e]: Grundstückszinsen in Geld oder Naturalien; das diese bezahlende Gut.)

Gupf, der; -[e]s, Güpfe (auch südd., österr.): abgerundeter [oberer] Teil von etw.; Bergkuppe; stumpferes Ende des Eies (Gegs.: Spitz). *Nach knapp zehn Minuten ist der Ausblick über die beiden Hügelgüpfe von Chli- und Groß-Güslen hinweg noch eindrücklicher* (NZZ 22. 10. 87, 67). *Der San Salvatore, Wahrzeichen Luganos* ... [gleicht einem] *großen Panettone ...; jedoch im Schiff von Porlezza zurück*[kommend, sieht man:] *dem Gupf ist ein langer Rücken angehängt* (NZZ 10. 3. 88, 65).

Gurt, der: • ⟨Plural:⟩ -en (auch bdt. landsch., fachspr.) // -e • ⟨Nebenform:⟩ **Gụrte,** die; -, -en; →G 077. *Gurten tragen,* beim Autofahren. [Der Reitlehrer] *ging rasch von Pferd zu Pferd und riß dem ersten, dessen Gurte zu lose saß, ... den Sattel unter den Bauch herab* (Inglin, Schweizerspiegel 377). *Sie ... stieg ... in den schwarzen „Admiral"* [und] *legte sich die Sicherheitsgurte ... über die Brust* (Guggenheim, Zusammensetzspiel 8).

Gụsel, der; -s (mundartl.) — Abfall, ≠ Müll. *Papier bleibt hier – weil Altpapier nicht einfach „Güsel" ist, sondern ein echter, wertvoller Rohstoff* (NZZ 19. 8. 82; Inserat). *Mottfeuer im Kehrichtlager: Die Feuerwehr muß den brennenden Güsel abspritzen* (Tages-Anz. 30. 1. 88, 21). *Wer viel Güsel produziert, soll bei der Abfuhr auch mehr zahlen* (Weltwoche 29. 10. 87, 47).

gụteidgenössisch: der guten schweizerischen Tradition des Einvernehmens entsprechend. *Daß man auch zu ideellen Zwecken nicht ersprießlich filmwirtschaftlich tätig sein kann, ohne nach bewährter guteidgenössischer Regel mit den auch zu andern Zwecken filmwirtschaftlich tätigen Kreisen zusammenzuwirken* (NZZ 1953, Nr. 2). *Schweizerischer Wesensart entspricht viel eher der guteidgenössische Kompromiß* (NZZ 20. 4. 78, 33). →**freundeidgenössisch.**

Gụ̲terregulierung / Gụ̲terzusammenlegung, die // Flurbereinigung (Zusammenlegung und Neueinteilung von zersplittertem landwirtschaftlichem Grundbesitz). *Dank der Güterregulierung stünden der Landwirtschaft „gut erschlossene, maschinell bewirtschaftbare Fruchtfolgeflächen" zur Verfügung* (Aargauer Tagbl. 30. 4. 87).

Gu̲tfinden, das; -s (veraltet) — Gutdünken. *Er hatte bescheiden bei Binda angeklopft, der sich bereit zeigte, dem Öppi ein neues Untersuchungsgebiet nach seinem Gutfinden zuzuweisen* (Kübler, Öppi der Student 332). *Der Bischof von Rom hält die Schlüssel des Himmelreichs in seiner Gewalt und kann öffnen und schließen nach seinem Gutfinden* (Barth, Predigten 1913, 394).

Gutzi →**Guetsi.**

Gwächte, die; -, -n (mundartnah) — Wächte. *Die Täler im Schatten, violett, die letzte Sonne auf einer Gwächte, grünlich durchschimmert* (Frisch, Marion 68). *Auf schmalen Gräten zu schreiten, den Fuß vorsichtig auf die Gwächten zu setzen, in Abgründe zu schauen* (Kübler, Öppi der Narr 499). →G 029.

Gymnasium, das [gɪm'na:zi̯ʊm # gʏm...]; →G 007.

Gymnastik, die [gɪm'nastɪk # gʏm...]; →G 007.

H

Haab, die; -, -en, (auch:) **Ha[a]be;** -, -n (am Zürich- und Walensee) — Bootshafen. *Ein solch ausgezeichnetes Dorfbild ... ist das Seedorf Ötikon-Stäfa mit seiner Haabe ... Aus der Bucht ist eine viereckige Haabe, ein Hafen, entstanden, der in der Zeit, als der See eine bevorzugte Wasserstraße war, von zahlreichen Booten und geschäftigem Treiben belebt war* (NZZ 14. 12. 56). Auch **Bootshaab, Schiffshaab.**

Habe →**Haab.**

haben ⟨unr. V.⟩: auch (mundartnah) svw. **a)** — (eine Zeitspanne) brauchen, benötigen. *Die Feuerwehr ... hatte wegen des dichten Verkehrs volle 35 Minuten, bis sie auf dem Brandplatz* [eintraf] (St. Galler Tagbl. 1968, 558, 2). **b) **es hat** (auch bdt. landsch., bes. südd.; österr.) — es gibt, da ist/sind. *Wenn die smarten Orsat-Brüder Geld brauchten, gingen sie dorthin, wo es welches hat: zu den Banken!* (Weltwoche 22. 1. 87, 23). *Werktags ist man hier ganz allein, sagte Stiller, doch hatte es auch damals nicht viel Leute* (Frisch, Stiller 402). *Ganz unten am Hang hatte es diese Wälle aus altem Bergrutschmaterial* (Walter, Der Stumme 94). **c) *jmdm. etw. haben** — für jmdn. etw. haben, jmdm. etw. geben. *Mir wird übel, hast du mir nicht einen Schluck Wein?* (Inglin, Erz. II 208/9). *Haben Sie mir ein Aspirin?* (Tauber, Silbermöwe 117). →G 060. **d) **ich habe kalt/warm** — mir ist kalt/warm. *Haben Sie denn nicht kalt?* (Frisch, Homo faber 123). **e) *ich habe es auch so** — ich empfinde ebenso, (ugs.:) mir geht es genauso. *Daß sie das Berndeutsch nicht gerne und leichten Herzens preisgeben, verstehe ich; ich hätte es auch so!* (Sprachspiegel 1967, 3).

Haber, der; -s (auch südd., österr.) — Hafer. *Nachdem er in dieser Weise die Welt mit Gefühl erfüllt, stach ihn der Haber, die Hölle zu locken* (Zollinger II 166: Der halbe Mensch). Dazu **Habermus, -suppe.** →G 029.

hablich — wohlhabend. *Gerade diese wenig hablichen Schichten der Schweizerkolonien sind an den Sozialwerken des Gastlandes und der Schweiz brennend interessiert* (NZZ 9. 5. 72). *Auf Lichtungen stehen Bauernhäuser, die einen hablichen Eindruck machen* (NZZ 30. 4. 87, 65).

Hafenbrand / Häfelibrand, der; -[e]s: Branntwein aus Äpfeln, Birnen,

Kirschen, Zwetschgen, Pflaumen, in hergebrachter Weise im (holzbefeuerten) Brennhafen destilliert, mit 55–75 Volumenprozent Alkohol. Dazu **Hafen-/Häfelibrennerei.** →G 109. →**Brennhafen.**

Hafner, der; -s, - (auch südd., österr.) // Ofensetzer. *Manser Alois, Hafner und Plattenleger* (Telefonbuch). *Der Jakob Pfister, Hafner in Stäfa, war also gestorben* (Oehninger, Kriechspur 26). *Der Hafner, der seit unserem Hang zur Nostalgie, zumindest aber seit der Ölkrise in den siebziger Jahren wieder ein sehr gesuchter Handwerker ist* (NZZ 10. 8. 87, 25).

Hag, der • ‹Plural:› Häge // Hage; →G 072 • ‹Geltung:› normalspr. // dichterisch veraltend • ‹Bedeutung:› nicht nur — Hecke (Einfriedung aus Gebüsch), sondern auch svw. — Zaun (aus Holz- oder Metallstäben, Draht[geflecht]). *Dann ... geht Reinhart schräg über die weite offene Wiese hinunter; einmal kommt er an einen Hag, bleibt stehen* (Frisch, Die Schwierigen 226). *Die Gittertür war mannshoch und so auch der Drahthag um den Velostand* (Graber, Fährengesch. 34). ****am Hag sein** (mundartnah) — nicht weiter wissen, ratlos sein. *„Ah, der Studer!" Herrn Rosenzweigs Begrüßung war herzlich, und dann fragte er im selben Atemzug, ob die Polizei wieder einmal am Hag sei* (Glauser II 357). ***unter dem Hag hindurch/über den Hag fressen:** sich etw. nehmen, das einem nicht zusteht, sich in etw. einmischen, für das man nicht zuständig ist. *Die ... Erziehungsdirektion hat ... zu unserem 1.-April-Schulversuchsprojekt* [und Aprilscherz!] *die Auffassung vertreten, daß die Redaktion der NZZ* [dafür] *einen Experten aus ihrer Mitte bezeichnen müßte. Wir ... möchten aber doch diese pädagogischen Gefilde Berufeneren überlassen und uns damit begnügen, gelegentlich unter dem Hag hindurch zu fressen* (NZZ 2. 4. 76, 51). *Es war in dieser Ehe offenbar von beiden Partnern ohne viel Hemmungen über den Hag gefressen worden* (Heuer, Darf man 57). →**Garten-, Grün-, Lebhag.**

Hahn, der (als Vorrichtung an Rohrleitungen, Schußwaffen); -en, -en (auch bdt. fachspr., landsch. [so südwestd.]), **Hahnen,** der; -s, - // Hahn; -[e]s, Hähne. *Hahnen und Leitungen* [können] *verrostet sein,* in Hotels in Asien (NZZ 4. 6. 80, 5). *Wenn wir es wagen, den Hahnen zu öffnen, es fließen, strömen zu lassen* (Guggenheim, Alles in allem 1044). Dazu **Bier-, Gas-, Wasserhahn[en];** (übertr.:) **Geldhahn[en].** →G 067.

Halbamt, das; -[e]s: Beamtung, die nur die halbe Normalarbeitszeit in Anspruch nimmt. *Der Große Rat hat ... eine zusätzliche halbe Gerichtsschreiberstelle bewilligt, womit ein bestehendes Halbamt in eine vollamtliche Gerichtsschreiberstelle umgewandelt werden kann* (NZZ 2. 12. 77, 35). →**Nebenamt, Vollamt.**

halbamtlich: auch svw. ein Amt ausübend, das nur die halbe Arbeitszeit beansprucht, einer Beamtung mit halber Arbeitszeit entsprechend. *Die Wahl fiel ... auf lic. iur. Thomas M. ..., der bisher nur halbamtlich und als außerordentlicher Bezirksgerichtsschreiber tätig war* (NZZ 2. 12. 77, 35). →**nebenamtlich, vollamtlich.**

halbbatzig: a) (mundartnah, veraltet) einen halben Batzen (5 Rappen) kostend. *Rechts lagen die besseren* [Törtchen], *die einen Batzen kosteten, zehn Rappen, links die billigeren zu fünf Rappen, die halbbatzigen* (Inglin, Amberg 62). **b)** halbherzig [durchgeführt], unzulänglich, unbefriedigend. *Wie zögernd und lustlos ändern sie den Maßstab ihrer wachsenden Städte, wie wehmütig, wie widerspenstig und halbbatzig* (Frisch, Stiller 242). *Die halbbatzige Regelung des Arztrechtes anläßlich der letzten Teilrevision habe das Verhältnis Kassen/Ärzte in keiner Weise gelöst* (National-Ztg. 5./6. 10. 68).

Halbe, der; -n, -n (mundartnah) ≠ halber Liter (Wein). *Helbling saß noch eine Weile in der kühlen Gast-*

stube und nahm einen Halben Roten zu sich (Guggenheim, Riedland 131). *„Das ist einen Halben wert, Jean", warf ich hin und bestellte neuen Wein* (Kloter, Didier 113).

Halbkanton, der; -[e]s, -e: Kanton, der, aus einer Kantonsteilung hervorgegangen (Unterwalden 1340, Appenzell 1597, Basel 1833), in den Ständerat nur einen (statt zwei) Vertreter schickt und bei eidgenössischen Abstimmungen nur eine halbe Standesstimme hat, sonst aber über alle Rechte eines Kantons verfügt. *Es gibt sechs Halbkantone: Ob- und Nidwalden, Appenzell Inner- und Außerrhoden, Baselstadt und Baselland.*

Halbtaxabonnement, das; -s, -e oder -s: Abonnement, das zum Bezug von Fahrkarten zum halben Preis berechtigt. →**Abonnement, Taxe.**

Hallwilersee, der; -s: See in den Kantonen Aargau und Luzern (im Seetal); der Name wird gewöhnlich zusammen geschrieben; →G 153/2d.

Halt, der: auch (Geschäftsspr.) svw. Flächeninhalt, -umfang (von Grundstücken). *48 dieser* [landwirtschaftlichen] *Betriebe weisen einen Halt von bis zu einer Hektare ... auf* (Bund 16. 7. 61, 5). Meist ***im Halte von ...:** *Man sollte den Platz im Halte von etwa 25 000 Quadratmetern vorsorglich für die Schule erwerben* (NZZ 2. 5. 65).

halt (auch südd., österr.): ein „Füllwort", etwa svw. — eben, nun einmal; der Gefühlston schwankt zwischen **a)** Resignation. *Sie hätten in Ascona ... russische Filme gezeigt, aber es seien nur pelzverbrämte Baroninnen und Bankiersgattinnen im Saal gewesen, und da sei ihm die Sache halt verleidet!* (Humm, Rabenhaus 12). *Da der Kanton für sein Land keine längerfristigen Verträge mehr abschließen wollte, hat man sich halt auf die notwendigsten Investitionen beschränkt* (NZZ 25./26. 10. 86, 49). **b)** Bestätigung. *Zu Hause ist's halt doch am schönsten!*

Hamme, die; -, -n (mundartnah) — Schinken, bes. als Ganzes, mit dem Knochen. *Maximale Preise: Salontischli, Pendülen, Kühlschränke ... Teppiche, Speckseiten, Schüfeli, Hammen usw.* (Blick 1968, 235, 7). *Schinken gab es heute* [am heiligen Abend] *noch nicht ..., aber der Vater holte die große Pfanne ... und maß vorerst die Hamme darin* (Oehninger, Kriechspur 198).

Hand, die: auch in den Wendungen **a) *Hand bieten/reichen zu etw.** (Geschäftsspr.): sich bereit erklären, bei etw. mitzuwirken. *I. B. weigerte sich, dazu Hand zu reichen* (NZZ 1965, Bl. 2231). *Nachdem bis jetzt Westdeutschland zu einer die schweizerischen Begehren befriedigenden Regelung noch nicht Hand geboten hat* (NZZ). **b) *die Hand ändern/wechseln** (Geschäftsspr.) — in anderen Besitz übergehen. *Wenn der gemeinsame Haushalt aufgelöst wird oder der Betrieb die Hand ändert* (NZZ 13. 9. 77, 30). *Vor etwa zwei Wochen hat die Villa die Hand gewechselt; der neue Besitzer will sie erhalten ... und sanieren* (NZZ 29. 5. 80, 49). →**Handänderung, -wechsel. c) *an [die] Hand nehmen** →**anhandnehmen. d) *von Hand** # mit der [bloßen] Hand (ohne Werkzeug, Maschine o. ä.). *Der Enkel ... lernte* [den Reifen] *von Hand und mit dem Stekken lenken* (Loetscher, Kranzflechterin 213). *Die in feinen Druckbuchstaben von Hand geschriebenen Texte,* eines Bilderbuches (NZZ 28./29. 12. 87, 113). **e) *zu Handen von jmdm.** // zu Händen von. **f) *zu Handen nehmen** (veraltend) — an sich nehmen. *Er selber habe ... meinen Koffer zu Handen genommen ... ich könne ihn bei ihm ... abholen lassen* (Inglin, Erz. II 174).

Handänderung, die; -, -en: Besitzerwechsel bei Grundstücken, Wertpapieren u. ä. *Zu einem artigen Haus oder gar einem mäßigen Landgute zu kommen, ergebe sich die vorteilhafteste Gelegenheit ... bei Anlaß von Konkursabsteigerungen, Erbverkäufen und andern Fällen von Handänderungen* (Keller XII 157: Martin Salander). *In der sogenannten Lokalpresse ... inter-*

essieren vor allem die Lokalnachrichten, die Todesanzeigen, Handänderungen, Ganten, Märkte [usw.] (Weiß, Volkskunde 296). *Das mit Sicherheit zu erwartende behördliche Schnüffeln in privaten Verhältnissen ... bei jeder Handänderung eines Grundstückes* (Weltwoche 3. 2. 61, 18). Dazu **Handänderungsabgabe, -steuer.** →**Handwechsel.**

Handballe, die; -, -n — der Handballen. *Sie war damit beschäftigt, mit der Handballe über das Schienbein zu streichen* (Guggenheim, Alles in allem 930). *Ausschalten: mit dem Daumen, dem Zeigfinger, der Handballe, dem Arm* (Blatter, Schaltfehler 38). →G 077.

Handelsmatur/(auch österr.:) **...matura,** die; - /**...maturität,** die; -: Reifeprüfung an einer Handelsschule. *In Hinsicht auf das Universitätsstudium ist die Handelsmatur im Augenblick also gleich gestellt wie die Maturität der Oberrealschule* (NZZ 1968, 65, 13).

handgewoben // handgewebt. *Kleider, handgewoben, handgefärbt, handgeformt,* auf dem Weihnachtsmarkt (NZZ 22. 12. 87, 43). *Mit handgewobenen Kleiderstoffen* (Blatter, Heimweh 221). →**weben.** →G 054.

handkehrum, älter auch **im Handkehrum:** im nächsten Augenblick, unversehens. *Indes das Wahnbild, das uns so bedrohlich deucht, der Tag mit seiner Klarheit handkehrum verscheucht* (Spitteler II 584: Der Olympische Frühling). *Sie zeigten Gutes bis Hervorragendes, um handkehrum wieder vollends zu versagen* (National-Ztg. 1968, 558, 27; Sportbericht). *Dann wieder, handkehrum, trinkt er* (Frisch, Gantenbein 260). *Ich hatte mich gerühmt, daß ich mit den Hausaufgaben im Handkehrum fertig sei* (Bührer, Das letzte Wort 27).

Handicap [*engl.* 'hændıkæp], das; -s, -s // Handikap; →G 040/3.

handicapieren [hændıkæ'p...] ‹engl.› // handikapen (behindern, benachteiligen). *Sercu stieß 150 Meter vor dem Ziel unwiderstehlich vor und gewann sicher eine Radlänge vor dem handicapierten Fritz Pfenninger* (St. Galler Tagbl. 1968, 570, 23). →G 101.

Handmehr, das; -s: offene Abstimmung durch Handerheben. *Die Konferenz verwarf ... eine Resolution, die scharfe Kritik an der Wirtschaftspolitik übte ... Sie lehnte mit Handmehr eine Entschließung zugunsten von Importbeschränkungen ab* (NZZ 1968, 604, 1). *Wahlen an der Landsgemeinde geschehen durch das freie Handmehr* (Gruner/Junker, Anhang GL 9). *Durch offenes Handmehr beschloß die Versammlung, den Appell Albert Schweitzers zu unterstützen ... weitere Experimente mit Kernspaltungen zu vermeiden* (NZZ).

Handorgel, die; -, -n (bdt. veraltet) — Handharmonika. *Am Tage des kleinen Winzerfestes, das alljährlich mit Tanz, mit Baßgeige, Handorgel, Klarinette und Bratwürsten begangen wird* (Frisch, Die Schwierigen 288).

Handorgeler, Handörgeler, der; -s, - (mundartnah) — Handharmonikaspieler. *Um ... im freien Raum ... zu Füßen eines Handorgelers und eines Klarinettisten, auf die hier gebräuchliche Art zu tanzen* (Inglin, Graue March 92). *Ein Handörgeler und ein Alphorntrio ... umrahmten den Anlaß ... musikalisch* (NZZ 5. 4. 88, 31). →G 120.

Hands [*engl.* hændz] (Fußball; auch österr.) // Hand (fehlerhaftes Berühren des Balles mit der Hand). Dazu **Hands-Penalty:** *Er ... verwandelte ... mit herrlichem Hocheckschuß ... einen Foulfreistoß und nach weiteren 15 Minuten einen Hands-Penalty* (NZZ 19. 11. 87, 59); **Handsvergehen.**

Handwechsel, der; -s, -: svw. →Handänderung (Besitzerwechsel bei Liegenschaften, Wertpapieren). *Das Heimwesen ... hat vor einiger Zeit die Hand gewechselt. Und mit dem Handwechsel kamen derart horrende Forderungen, daß die* [Pächter-]*Familie nicht mehr mithalten konnte* (Coop-Zeitung 23. 3. 78, Nr. 12). *Was* *den Handwechsel des gewichtigen Aktienpaketes anbetrifft* (NZZ 5. 4. 88, 9).

hangen ‹st. V.: ich hange, du hängst, er hängt, wir hangen usw.; hing, gehangen› (auch bdt. landsch., sonst veraltet) — hängen ‹ich hänge usw., wir hängen usw.; hing, gehangen›. *Ich hange am Leben* (Frisch, Tageb. 1946/49, 432). *Die dressierten Elefanten ... hangen dem Publikum zum Halse heraus* (Dürrenmatt, Hörspiele 191). *Boston habe schon ein Portrait George Washingtons ... das seit 1876 im Museum hange* (NZZ 11. 4. 79, 7). →G 057. →**abhangen.**

hangenbleiben (auch bdt. landsch., sonst veraltet) — hängenbleiben. *Wenn auch nur halb soviel Böses an ihnen gewesen und halb soviel Geschwätz an ihnen hangengeblieben war* (Inglin, Erz. II 179).

hangenlassen (auch bdt. landsch., sonst veraltet) — hängenlassen. *Wenn jetzt einer etwa für untauglich befunden worden sei, so solle er den Kopf nicht hangenlassen* (Schenker, Leider 26).

hängig // anhängig, unerledigt. [Der Mann] *der hier das Rezept für den Weltfrieden, dort die Lösung sämtlicher Wirtschaftsprobleme und anderwärts das Patent für den Rest hängiger Fragen ... anbietet* (Nebelspalter 1962, 14, 6). *Ein noch hängiges Strafverfahren und ein gleichfalls pendentes Disziplinarverfahren verunmöglichen dies* (NZZ 1967, Bl. 3578). *Große Zahl hängiger Volksbegehren* (NZZ 1970, 219, 25). →**pendent.**

Haraß, der; ...sses, ...sse (bdt. nur fachspr.) / **Harasse,** die; -, -n // Lattenkiste (für Äpfel, Kartoffeln o. ä.), // Kasten, (österr.) Kiste (für Getränke in Flaschen). *Pro Harasse à 25 kg können auch zwei Sorten* [Äpfel] *bestellt werden* (General-Anz. 16. 10. 69). *Beim Ausweichmanöver des Lastenzugs kippte dessen Anhänger um, wobei sich die aus Harassen mit Mineralwasserflaschen bestehende Ladung ... auf die Straße entleerte* (NZZ 5. 12. 86, 49). →(zur Nebenform) G 077.

Harst, der; -[e]s, -e — Schar, Haufen (urspr. Kriegsschar, Vortrab eines altschweiz. Heeres). *Nun hat sich wieder wie vor Jahresfrist ein Harst von reformierten Schweizer Pfarrern in die politische Arena geworfen* (NZZ 24. 5. 63). *Die* [Tante] *wohnt ein paar hundert Meter den Berg hinauf ... ich eß mit ihr zu Abend, dann stoß ich wieder zum Harst,* der Schulreise (Muschg, Mitgespielt 73). *Nur wenige dieser Passagiere reisten Richtung Österreich weiter. Der große Harst verbringt die Weihnachtsfeiertage ... in der Schweiz* (NZZ 27. 12. 78, 23). *Die Kursbildung beim großen Harst der vorbörslich ... gehandelten Titel* [blieb] *dem Zufall überlassen* (NZZ 13./14. 2. 88, 33). →**Hauptharst.**

harzen: auch (wie bdt. landsch.) svw. schwer, schleppend vonstatten gehen, Schwierigkeiten machen. *Auch beim jüngsten Anerkennungsverfahren, das auf ein neuerliches Gesuch ... hin aufgenommen wurde, harzte es zunächst* (NZZ 9. 1. 73, Mittagsausg. 19). *Verstocktheit bedeutet: wenn es irgendwo harzt, wo es fließen sollte, wenn es irgendwo tot ist, wo es lebendig sein könnte* (Barth, Predigten 1913, 436).

harzig: auch (wie bdt. landsch.) svw. schwierig, mühsam, schleppend vonstatten gehend. *Dem* [Fußballklub] *St. Gallen ... geht es nach seinem harzigen Start besser* (Bund 1968, 280, 23). *Harziger Rückreiseverkehr auf der Gotthardstraße* (NZZ 15. 9. 70).

Haslital, das; -[e]s: volkstümlicher Name des →Oberhasli, des obersten Aaretales BE.

hässig (mundartnah) — übellaunig, mürrisch, verdrießlich. *Aber dann sei der große Bankkrach gekommen und die Eltern hätten alles verloren. Und dann sei es aus gewesen. Die Mutter sei hässig geworden und der Vater sei reisen gegangen* (Glauser II 71). *Es soll ... Föhntage gegeben haben, an denen hässige Gäste das Trinkgeld bis auf den Rappen genau ausrechneten und* *hinwarfen* (National-Ztg. 1968, 557, 27). *Noch einmal hässige Töne zum Kongreßhaus* (NZZ 25. 9. 86, 53; Überschrift; nachher: *mit gehässigen Äußerungen*).

hätscheln ⟨sw. V.⟩ // hätscheln; →G 004.

Hauptharst, der; -[e]s — Hauptschar, Hauptmasse, Gros. *Die andern, der eigentliche Hauptharst* [der bei der Generalmobilmachung Einrückenden] *wird erst in der Morgenfrühe erwartet* (Frisch, Blätter 8). *Heute leben rund 1400 Asylbewerber im Aargau, davon der Hauptharst in den Zentren Aarau, Baden, Wettingen* [usw.] (Aargauer Tagbl. 19. 1. 87, 9).

Häuptli, das; -s, - (mundartl.) — Kopf einer Gemüsepflanze (südd., österr. Häuptel). *Das Angebot an einheimischem Kopfsalat* [hat sich] *mehr als verdoppelt. Die rund 600000 Häuptli stammen hauptsächlich aus Genfer und Walliser Gewächshäusern* (NZZ 19. 3. 87, 34). →G 105.

Hauptmann, der; -[e]s, ...leute: auch (in AR, AI) svw. // Gemeindevorsteher, Bürgermeister (amtl. in AI **Bezirks-,** in AR **Gemeindehauptmann**). *Am letzten Donnerstag führten die Hauptleute des Kantons Appenzell A. Rh. ihre diesjährige Jahrestagung in Schönengrund durch* (Appenzeller Ztg. 10. 8. 68). →**Gemeindeammann, -präsident.**

Hauptverlesen, das; -s (Milit.): Appell einer Einheit, bevor sie in den Ausgang oder Urlaub entlassen wird. *Abends in Samaden, beim Hauptverlesen, stellte ich mich ins hintere Glied, doch vergebens; ich wurde auf die Wache kommandiert* (Frisch, Gantenbein 64). →**Abend-, Antritts-, Zimmerverlesen.**

Häuschen, das; -s, -: auch (mundartnah) svw. **1.** Klosett. *Ich habe nichts gehört, sagte er ... Vielleicht mußte eines der Mädchen aufs Häuschen* (Schmidli, Junge 190). **2.** Karo (auf kariertem Papier). *Manchmal erinnert ihn dies ... an den Lehrer, bei dem er besonders glücklich war, weil er immer alles genau erklärte und angab, wieviele Häuschen er auslassen müsse und welche Farbe zu nehmen sei* (Blatter, Schaltfehler 96).

Hausdurchsuchung, die (Recht; auch österr.) // Haussuchung; →G 139/1.

Hausgang, der; -[e]s, ...gänge (auch südd., österr.) // Hausflur.

Hausier[er]patent, das; -[e]s, -e // Hausiergewerbeschein, Wandergewerbeschein. *Von Gesetzes wegen bietet sich ... keine Möglichkeit, diese unwillkommene Hausiererei zu unterbinden. Das Kantonale Patentamt erteilt das Hausiererpatent aufgrund des Leumundes und des Zentralstrafregisters* (Badener Tagbl. 12. 5. 78, 25).

Hausmeister, der; -s, -: vor allem (mundartnah, veraltend) svw. — Hausbesitzer. *Der Hausmeister will den Boiler reparieren lassen* (Bichsel, Jahreszeiten 35; ebd. 113: *der Hausbesitzer [Hausmeister]*). *Die Aussicht des Hausmeisters auf einträglichere Nutzung der Liegenschaft vertrieb die Firma* (Tages-Anz. 18. 2. 88, 17). (Bdt. svw. →Hauswart; beginnt bei uns einzudringen.)

Hausräuke, die; -, -n: Einladung, kleines Fest, das man nach dem Einzug in ein neues Haus, eine neue Wohnung den Nachbarn (heute vor allem den Freunden und Bekannten) gibt. *Heute morgen hat der LVZ-Supermarkt Bahnhofbrücke seine Pforten ... geöffnet. Tags zuvor wurde eine Hausräuke inszeniert. Dazu gebeten war eine stattlliche Gästeschar, darunter mehrere Vertreter der städtischen Behörden* (NZZ 4. 12. 68).

Hauswart, der; -[e]s, -e (seltener: ...wärte) // Hausmeister (Mann, der in einem Mietshaus oder öffentlichen Gebäude für Ordnung und Sauberkeit sorgt). *Bitte melden Sie jeden Wohnungswechsel ... Hauseigentümer wie Mieter sind dazu verpflichtet. Mehrfamilienhausbesitzer und Hauswarte verwenden dazu am besten unsere rote Meldekarte* (Landanzeiger 9. 12. 71; amtl. Bekanntmachung).

Dort ließ er sich von den Hauswärten bedienen und gab sich für einen Rentner aus, der ... in der Stadt ein Absteigequartier hatte (Hugo, Die Elenden [Übers.] 847).

Hauszins, der; -es (mundartnah): **a)** ‹Pl. -en› — Hypothekarzins (auf einem Haus). **b)** (auch südd.) ‹Pl. -e› — Mietzins (für eine Wohnung, ein Haus). →**Zins.**

HD (Milit.): (buchstabierte) Abkürzung für **a) Hilfsdienst**; →G 028, 093. **b)** Hilfsdienstpflichtiger. *Die blaue Binde am linken Oberarm zeichnete ihn vor aller Welt als HD* (Wiesner, Schauplätze 116).

Heeresklasse, die; -, -n: eine der drei Altersstufen, in welche die Angehörigen der schweiz. Armee eingeteilt sind: →**Auszug,** →**Landwehr,** →**Landsturm.** („Heer" ist sonst – außer noch in der Zusammensetzung **Heerespolizei** – im schweiz. Militärwesen nicht üblich.)

Heft, das: ***darüber sind die Hefte geschlossen:** darüber sind die Akten geschlossen, der Fall ist abgeschlossen, erledigt. ***die Hefte sind noch/bleiben offen:** die Angelegenheit bleibt in Behandlung, ist (noch) nicht abgeschlossen. *Wie die Beratungen ... gezeigt haben, bleiben die Hefte für die nächste Revision* [der AHV] *offen, denn es wurde vielfach bereits die 8. Revision anvisiert* (Bund 3. 10. 68, 4). ***seine Hefte revidieren [müssen]:** seine Meinung, Stellungnahme ändern. *Eine liberalere Niederlassungspraxis wird sich aufdrängen zwecks Sicherung derjenigen Fremdarbeiter, die für die Landwirtschaft und die Exportwirtschaft notwendig sind. Hier werden auch die Gewerkschaften wohl oder übel ihre Hefte zu revidieren haben* (NZZ 1961, Bl. 4454).

heften: auch svw. (eine Wunde) nähen. *Selbst bei Stockschlägen von hinten ins Gesicht wurden die Pfeifen* [der Schiedsrichter] *nicht in Funktion gesetzt. So wurde Schaub verletzt, und die Wunde mußte geheftet werden* (National-Ztg. 1968, 558, 27).

Heftli, Heftlein, das; -s, - (mundartnah): Familienzeitschrift, Vereinsmitteilungsblatt o. ä., auch Mode-, Romanheft o. ä., ≠ Heftchen. Bestimmte weitverbreitete Zeitschriften werden (wurden) nach der Farbe des Umschlags „das gelbe Heftli", „das blaue Heftli" genannt. *Wir sind Ihnen dankbar, wenn Sie das Altpapier (Heftli, Zeitungen) wie gewohnt ... zum Abholen bereithalten* (Landanzeiger 29. 8. 68). *An der Schwelle, die gastlich war, über die wir traten, Most zu trinken, Mais zu schälen, über die wir die Zeitung trugen und das Gelbe Heftli* (Boesch, Fliegenfalle 68). *Er blätterte in den Nachrichten eines Radfahrerbundes, im Heftlein eines Sängervereins* (Frisch, Die Schwierigen 215). →G 105.

heimatberechtigt: (in einer Gemeinde) das Bürgerrecht besitzend. *Der 1924 in Bern geborene und im Kanton St. Gallen heimatberechtigte B. trat 1945 in die Dienste des Eidgenössischen Departements für auswärtige Angelegenheiten* (NZZ 18. 8. 87, 19). *Zuerst aber wollten sie* [zwei Landstreicher] *nach Glarus, wo der Backpfiff heimatberechtigt war, und dem erschreckten Armenvater noch ein Weggeld entlocken* (Guggenheim, Riedland 162). →**heimatgenössig.**

Heimatgemeinde, die; -, -n: diejenige Gemeinde, in der jemand das Bürgerrecht besitzt. →**Heimatort.**

heimatgenössig: svw. →**heimatberechtigt.**

Heimatort, der; -[e]s, -e: svw. →**Heimatgemeinde.**

Heimatschein, der; -[e]s, -e: amtliches Schriftstück, das den Schweizer als Bürger seiner Heimatgemeinde ausweist; jeder, der nicht in dieser selbst wohnt, hat den Heimatschein bei seiner Wohngemeinde zu hinterlegen. *Die in die Gemeinde zurückgekehrten Bürger und Bürgerinnen haben den Heimatschein innert 10 Tagen an die Gemeindekanzlei zurückzugeben* (Landanzeiger 3. 4. 69).

Heimen, Heimet, das; -s, -, ‹oft im

Dim.:) **Heimetli,** das; -s, - (mundartnah) — kleines Bauerngut. *Gesucht ... in Waldnähe älteres Häuschen oder Heimetli, welches sich als Weekend-Haus eignet* (Landanzeiger 19. 12. 68). *Zu verkaufen Heimet, Nähe Weinfelden, mit 5-Zimmer-Bauernhaus, Stall, Scheune und 1 Schopf* (NZZ 27. 8. 87, 72; Inserat). →G 106. →**Bergheimen, Heimwesen.**

heimlichfeiß, heimlichfeist (mundartnah): seinen Reichtum, seine Gaben nicht zeigend, damit hinter dem Berge haltend, verschlossen, heimtückisch: *Die Bärenswiler ... sind ein gutmütiger, aber zugleich etwas heimtückischer oder, wie vielleicht der richtige Ausdruck lautet, heimlichfeißer Menschenschlag* (Walser V 156: Der Gehülfe). *Nicht die Großen, die Photographierten sind die Beneidenswerten, sondern die Unscheinbaren, Unbeachteten, die Heimlichfeisten, die Gesicherten, die Bezüger kleiner, aber lebenslänglicher Renten, die an keine Zeit, keine Pflicht mehr gebunden sind und denen niemand mehr etwas zu befehlen hat* (Guggenheim, Gold. Würfel 181).

heimtun (mundartnah) / **heimweisen** // jmd., etw. unterbringen (ugs.), d.h. herausfinden, wer jemand ist, der uns zwar bekannt vorkommt, von dem wir jedoch nicht sagen können, wer er ist oder woher wir ihn kennen; (auch von Sachen:) an die gehörige Stelle weisen, einordnen, erklären. *Monate später, wenn man das Mädchen in einem Restaurant sieht und es erkennt und nicht mehr weiß, woher man es kennt, es nicht heimtun kann* (Bichsel, Jahreszeiten 135). *Wenn sie* [Züs Bünzlin] *zufrieden und nicht zu sehr beschäftigt war, so ertönten unaufhörliche Reden aus ihrem Munde und alle Dinge wußte sie heimzuweisen und zu beurteilen, und jung und alt, hoch und niedrig ... mußte von ihr lernen und sich ihrem Urteile unterziehen* (Keller VII 279/80: Kammacher).

Heimwesen, das; -s, - — Bauernhof, // Anwesen. *Die Hecke grenzte das Heimwesen auf der Längsseite gegen Norden von der Wiese des Nachbars ab* (Inglin, Erz. II 153). *Heimwesen im Unteremmental zu verkaufen.* $4^1/_2$ *Juch*[arten] *Land und Wald an schöner Lage* (Bund 14. 10. 68, 9). *Landwirtschaftliche Heimwesen werden aus Gründen der Kapitalanlage gekauft* (NZZ 10. 4. 87, 37).

heimzünden — jmdm. heimleuchten, jmdn. heimschicken, fortjagen. *Dem Frechling wollen wir einmal heimzünden!*

Heinze, die; -, -n (südd. der Heinze): etwa mannshohes Holzgestell (Bock) oder zwei Böcke, durch Latten verbunden, worüber das Heu zum Trocknen gehängt wird. *1 Schweinegatter ... Milchgeschirr; 50 Heinzen; 1 Sackkarren; 1 Mistbähre; Glocken und Treicheln; 1 Wagenblache,* usw., an einer Versteigerung (Landanzeiger 6. 3. 69). *Zu ihren Füßen die Welt voll vergangenem Sommer, Felder mit gespreizten Heinzen, Gehöfte mit Rauch, Seen und Städte, Türme* (Frisch, Die Schwierigen 226).

Heinzenberg, der; -[e]s: der flache, besiedelte Hang im Westen des Hinterrheintales zwischen Thusis und Bonaduz; →**Domleschg.**

heiterhell: *am heiterhellen Tag — am hellichten Tage. *Wenn aber einen „das Leben vernachlässigt" ... so muß man gegen diese in der Tat unwürdige Vernachlässigung ankämpfen und nicht am heiterhellen Tag und an Abenden voll wehmütigen Sonnenuntergangscheines mit alten Freundinnen über das „Vergangene" reden* (Walser V 138: Der Gehülfe). *Noch nie hatte Anna so viele Männergesichter am heiterhellen Tage gesehen,* wie nach Ausbruch der großen Arbeitslosigkeit (Loetscher, Kranzflechterin 87).

Hektare, die; -, -n // das Hektar. *Schweres Hagelwetter in Deutschland. 400 Hektaren Getreide vernichtet* (Der Bund 12. 8. 1968). →G 077.

Hektoliter, der ['----] // (bdt. meist:) [--'--]; →G 025. Ebenso (doch kaum gebraucht) **Hektogramm, Hektometer.**

Helgen, der; -s, - (mundartnah, abwertend): Bild (urspr.: Heiligenbild). *Liebe Bildredaktion, dieser Helgen gibt vielleicht kein Bild der Woche* (National-Ztg. 16. 10. 68, 5). *Ammann ... verlangte sein Konterfei natürlich auf eine unmögliche Zeit ... Er mochte im übrigen seine wirklichen Gründe haben, warum er den Helgen auf einen bestimmten Tag haben mußte* (Frisch, Die Schwierigen 91).

Heli, der; -s, -: Kurzwort für Helikopter (# Hubschrauber). *Wale in Eisfalle: Letzte Chance ist Rettung per Heli!* (Blick 26. 10. 88, 1; Überschrift). *Als die Heli-Crew* [der Rettungsflugwacht] *eingetroffen sei* ... (NZZ 17. 10. 88, 7). →G 096.

Hellebarde, die // ...barde (alte Hieb- und Stoßwaffe). →G 019.

Helvetia: **1)** neulateinischer Name der Schweiz (nach dem keltischen Volk der Helvetii, das den größten Teil der heutigen Schweiz innehatte), steht z. B. auf den Briefmarken. **2.** allegorische weibliche Figur, die Schweiz verkörpernd, war im 19. Jahrh. beliebt (wie die Germania, die Britannia usw.), ist z. B. noch auf den meisten Münzen zu sehen.

Helvetien; -s: **a)** das Land der Helvetier (eines keltischen Volkes zur Römerzeit), das ungefähr der heutigen Schweiz entspricht; die Schweiz zur Römerzeit. **b)** (gehobene, iron. Alternativbez. für:) Schweiz. *Zwei, die so füreinander bestimmt wären, daß keine anderen in Frage kämen, gibt es nicht. Unter sämtlichen Töchtern Helvetiens wären für jeden Hans und Heiri sicher Hunderte geeignet* (Inglin, Erz. I 67/8). *Ein Schweizer Künstler braucht nicht zu hungern ... aber sein einheimisches Publikum hat permanente Zweifel am kulturellen Selbstwert des eigenen Landes, also auch an den eigenen Künstlern, und die leiden darunter. War es nicht immer so in Helvetien?* (Aargauer Tagbl. 25. 3. 87, 11).

helvetisch: (gehobene, auch iron. Alternativbez. für:) schweizerisch. *Viele ... entdeckten* [erst] *hinterher ihren antifaschistischen Mut und versetzten dem toten Naziriesen noch ihre lächerlichen helvetischen Fußtritte* (Oehninger, Kriechspur 568). Oft (z. T. abwertend) svw. typisch schweizerisch. *Die bisweilen subtile Kunst der helvetischen Verständigungspraxis* (NZZ 4./5. 8. 79, 13). *Diese Ziele zu erreichen ist nur über einen helvetischen Kompromiß und mit staatlicher Hilfe möglich* (NZZ 25. 9. 85, 37). *Zu den helvetischen Konstanten des Verdrängens gehören die Berichte über Separatismen, die sich angeblich regen* (Weltwoche 5. 2. 87, 39).

Hemdärmel, der; -s, - (auch österr.) # Hemdsärmel. *Isidor ... krempelte die Hemdärmel herunter* (Frisch, Stiller 44). →G 148/1b.

hemdärmlig, (seltener:) **...ärmelig** (auch österr.) # hemdsärmelig. *Irgendein gemischter Chor brach in die Lichtung ein, lärmend, schwitzend, hemdärmlig* (Dürrenmatt, Versprechen 186). *Ab und zu gehen junge Männer hemdärmlig durch den Korridor,* des Weißen Hauses (Frisch, Tageb. 1966/71, 292). *Auf seinem wippenden Rad fuhr der Gemeindepräsident, hemdärmlig und barhäuptig* (Guggenheim, Riedland 160). *Im Spiegel ... prallte er auf seine eigene Erscheinung, kragenlos, hemdärmelig, übernächtig* (Frisch, Die Schwierigen 164). →G 148/1b.

Hengstendepot, das; -s, -s // Hengstdepot. *Gegenwärtig ziehen noch etwa 15 Schweizer Bauern Maultiere auf. Jedes Frühjahr werden ihre Stuten mit den Eseln aus dem Hengsten-Depot in Avenches gedeckt* (NZZ 15. 6. 88, 9). →G 150.

Herausgeld, das — Wechselgeld. *Adele scherzt mit dem Milchmann und zählt das Herausgeld nach* (Bichsel, Frau Blum 13). *Die Zeche betrug für jeden Fr. 1.10 ohne Service. Der Kollege zahlte 1.50 und ließ das Herausgeld als Service liegen* (National-Ztg. 4. 10. 68, 3). →**Retourgeld.**

herauskommen ⟨st. V.; ist⟩: auch svw. — ausgehen, sich in bestimmter Weise gestalten. *Wie wäre es wohl herausgekommen, wenn ich dich nicht geweckt hätte? – Womit nicht gesagt sein soll, daß Vernunftehen glücklicher herauskommen als die romantischen.*

herausschauen ⟨sw. V.; hat⟩ (auch österr., bdt. landsch. ugs.): als Gewinn zu erwarten sein. *Am Seilerweg* [ist] *viel Geld für die Planung ausgegeben worden. Herausgeschaut hat noch gar nichts* (Bund 30. 9. 87, 26). *Am Schluß schaute für die 27jährige St. Moritzerin aber nur der 14. Rang heraus,* im Skilanglauf an der Olympiade (Tages-Anz. 18. 2. 88, 49).

Herrenfas[t]nacht, die; -: der erste eigentliche Fastnachtssonntag (urspr. Fastnacht der Geistlichen), Sonntag Estomihi, acht Tage vor der →**Bauernfas[t]nacht.**

Herrschaft, die; -: auch svw. der Kreis Maienfeld, nördlichster Teil des Kantons Graubünden, am rechten Ufer des Rheins nördlich der Einmündung der Landquart; bekannte Weingegend.

Herrschäftler, der; -s, -: **1.** Einwohner der „Herrschaft". **2.** Wein aus der „Herrschaft" (Jeninser, Maienfelder, Malanser).

herumpröbeln, an etw. — an etw. herumprobieren, mit etw. Versuche anstellen, experimentieren; auch: an etw. herumpfuschen. *Die Lichtquelle hattest du arrangiert, irgendwann, mit einem raschen ... Handgriff, nachdem ich immer wieder ... an dem Lampenschirm ... herumgepröbelt hatte* (Geiser, Wüstenfahrt 215). *Darum zieht ein Trainer die Arbeit mit noch nicht angerittenen Einjährigen vor, „an denen noch keiner herumgepröbelt" hat* (NZZ 27. 7. 88, 43). →**pröbeln.**

Heu, das: ***jetzt ist genug Heu drunten** (mundartnah): jetzt langt's aber! jetzt reißt mir die Geduld! ***sein Heu nicht auf derselben Bühne haben** o. ä.: nicht die gleichen Ansichten haben. *Daß Schweizer Fernsehen und Bundesrat ihr Heu nicht immer auf der selben Bühne haben, hört man auch offen hinter den Kulissen des Bundesratsbetriebes* (Schweizer Illustrierte 1. 6. 70, 31). *Solche, die ihr politisches Heu auf einer anderen Bühne haben* (Bucher/Ammann 242: W. M. Diggelmann).

Heubühne, die; -, -n / **Heudiele,** die; -, -n — Heuboden. *Sie ging um den Stall, stieg an der Hangseite hoch und sah zwischen den Balken auf die Heubühne* (Boesch, Fliegenfalle 61). *Der Blitz* [traf] *in Schönenberg eine Scheune ... Glücklicherweise brach kein richtiger Brand aus, wurden auf der Heubühne doch lediglich einige Balken angesengt* (NZZ 13. 7. 71).

heuer (auch südd., österr.) — dies Jahr, in diesem Jahr. *Heuer wird zum erstenmal ein Juniorenlauf gestartet* (NZZ 27. 2. 87, 48).

Heuet, der; -s (auch südd.) ≠ [Zeit der] Heuernte. *Im Heuet weckte mich Vater oft schon um vier, weil ich am Abend keine Zeit mehr für Aufgaben hatte* (Wiesner, Schauplätze 89). *Der späte Heuet mit überaltertem Heugras brachte ... gegenüber dem Vorjahr schlechtere Erträge* (NZZ 5. 1. 87, 15). →G 111. Dazu **Bergheuet:** *Während in den Niederungen die Heuernte bereits abgeschlossen ist, hat man in Höhenlagen über 1000 m mit dem Bergheuet begonnen* (NZZ 1. 7. 88, 7).

Heuschochen, der; -s, -: kleiner Heuhaufen. *Es zirpt hier von Grillen. Ich will über die Heuschochen grätschen* (Zollinger II 279: Die große Unruhe).

Heustadel, der; -s, - (auch südd., österr.): alleinstehende Scheune oder Hütte zur Aufbewahrung von Heu. *Ich ging ... auf den Piz Kesch. Übernachtet hatte ich in einem Heustadel, wo es hundekalt war, kein Heu, Durchzug, eine sternklare Nacht* (Frisch, Gantenbein 57). →**Stadel.**

Heustock, der; -[e]s, ...stöcke (auch österr.): das auf dem Heuboden gelagerte Heu. *Wegen einer Heustockübergärung ist es in der Scheune eines Bauernhofes in Freienwil (Aargau) ... zu einem Brand gekommen* (NZZ 23. 9. 87,

9). *Dort, wo ein Gaden im Winter sieben Kühe und den Heustock geborgen hatte, diente jetzt eine Garage mit Tankstelle dem Verkehr* (Inglin, Verhexte Welt 8).

hiedurch (auch südd., österr.) — hierdurch. *Bourguiba* [sollte] *auf eine Anrufung der Vereinigten Nationen ... verzichten, da hiedurch eine Normalisierung der französisch-tunesischen Beziehungen weiter erschwert würde* (NZZ). →G 156.

hiefür (auch südd., österr.) — hierfür. *Der neue Ofen und das hiefür notwendige neue Gebäude kosten gesamthaft rund 3,5 Millionen Franken* (National-Ztg. 13. 8. 68, 4). →G 156.

hiemit (auch südd., österr.) — hiermit. *Freunde der Klosterkirche Muri seien hiemit zu diesem Orgelkonzert herzlich eingeladen* (Vaterland 1968, 229, 13). →G 156.

hienach (auch südd., österr.) — hiernach. →G 156.

himmeltraurig: verstärktes „traurig" i. S. v. sehr betrüblich, bedauerlich, tadelnswert. *Es ist himmeltraurig, was sich da abspielt, in jeder Beziehung unwürdig* (Vaterland 1968, 282, 1).

Hinschied, der; -[e]s, -e — Tod, ⫲ Ableben, // Hinscheiden. *In tiefer Trauer erfüllen wir die schmerzliche Pflicht, Ihnen den plötzlichen Hinschied unseres hochverehrten N. N. mitzuteilen* (Todesanzeige). *Die Stadt Solothurn hatte innert weniger Tage den Hinschied zweier profilierter Persönlichkeiten zu beklagen* (Bund 1968, 282, 7). *Als er wieder einmal heimwärts flog ... las er in einem heimatlichen Morgenblatt zufällig seine eigene Todesanzeige. Niemand hatte ihm seinen Hinschied mitgeteilt; niemand hatte gewußt, wo er sich in diesen Tagen befand* (Frisch, Gantenbein 274). →G 115.

hinsitzen ⟨st. V.; ist⟩ (mundartnah) — sich hinsetzen. *Ich mußte ihm das Lied geben, und da er mein Mietklavier im Zimmer sah, wollte er es sogleich singen. Ich mußte hinsitzen und begleiten* (Hesse II 39: Gertrud). *Sie bestand so entschieden auf ihrem Wunsch, daß er ... sich von ihr in einen Söller ziehen ließ, wo sie ihn neben sich hinzusitzen nötigte* (Weltli, Lucretia 202). *Manchmal ... müsse er einfach hinsitzen und zeichnen* (Aargauer Tagbl. 1. 5. 87, 29). →G 065.

hinstehen ⟨unr. V.; ist⟩ (mundartnah) — sich hinstellen, hintreten. *Die Mutter ... brachte mir bei, schön hinzustehen, die Leute anzuschauen und laut und deutlich zu sprechen* (Oehninger, Kriechspur 22). *Eines innerlich Unsicheren ... der ... die Nerven nicht hatte, hinzustehen und einen ... Konflikt anzunehmen, durchzustehen und auszufechten* (NZZ 6. 10. 87, 22). →G 065.

Hinterlage, die; -, -n — Kaution. *Ausländer und Schweizerbürger, die nicht auf Stadtgebiet wohnen,* [haben] *einen Barbetrag von Fr. 5.– zu hinterlegen. ... Die Bibliothekleitung behält sich vor, auch in anderen Fällen eine Hinterlage in bar zu verlangen* (Benutzungsordnung einer öffentlichen Bibliothek). →G 117.

Hinterland, das; -[e]s: auch Bezeichnung für Teile der Kantone Appenzell Außerrhoden (Bezirk; das Gebiet westlich von Innerrhoden), Glarus (das Haupttal oberhalb von Schwanden) und Luzern (im Nordwesten, am und nördlich vom Napf).

Hinterlassenen, die ⟨Pl.⟩ — die Hinterbliebenen. *Heute durfte unsere liebe Mutter, Schwiegermutter, Großmutter, Schwester und Tante Frau Louise M.-K. nach langer Krankheit ... zur ewigen Ruhe eingehen. Die trauernden Hinterlassenen: ...* (Aargauer Tagbl. 12. 12. 70, Todesanzeige). →**Alters- und Hinterlassenenversicherung.**

hintersinnen, sich ⟨st./sw. V.: hintersann/-sinnte, hintersonnen/-sinnt⟩: grübeln, sich schwere Gedanken, Vorwürfe machen, schwermütig werden. *Die Woche darauf hatte er ... einen halben Hunderter verspielt, und darüber hatte er sich beinahe hintersonnen* (Weltwoche). *Daß dies seit zwölf Jahren das erstemal ist, daß man einem Staatsschreiber einen Verweis* *erteilen mußte, und jener, der ihn damals erhielt, hat sich fast hintersinnt deswegen* (Guggenheim, Seldwyla 131). [Doch] *schicken die Berner Eltern ihre zehnjährigen Kinder nicht* [ins Ferienlager], *damit sie sich dort über Nitrat im Trinkwasser oder die Zustände in Südafrika hintersinnen* (Bund 8. 10. 87, 9; Leserbrief).

Hirnerschütterung, die (auch elsäss.) — Gehirnerschütterung. *S. wurde in das Spital von Siders eingeliefert, wo die Ärzte eine Hirnerschütterung und einige Verletzungen leichter Art feststellten* (NZZ 1968, Bl. 4941). *Mein Vater war* [bei einem Verkehrsunfall] *mit einer Hirnerschütterung davongekommen* (Diggelmann, Harry Wind 61). →G 141/2.

Hirnschlag, der // Gehirnschlag. *Im Supermarket, heute nachmittag – ein Hirnschlag – Nein, nein! Gottseidank, nur ein kleiner* (Ganz, Abend 83). *Schweren Herzens nehmen wir Abschied von unserem lieben P. F. ... Er verstarb heute abend völlig unerwartet an den Folgen eines Hirnschlages* (NZZ 20. 1. 87, 39; Todesanzeige). →G 141/2.

Hirschen, der (Gastwirtschaftsname) →G 068.

Hochschein, der: ***keinen Hochschein [von etw.] haben** (mundartnah) — keinen Schimmer, keine Ahnung. *„Ich sehe mir das Programm eigentlich nie an. Es übermüdet die Augen, und überdies ist das meiste mittelmäßig." Beno pflichtete ihr bei, ohne einen Hochschein von der Qualität der Fernsehprogramme zu haben* (Vogt, Melancholie 82).

[1]**Hochzeit,** die (Vermählung[sfeier]): ['ho:x... ≠ 'hɔx...]; d. h. das Wort wird meist von [2]Hochzeit (hohe Zeit, Blütezeit, Höchststand einer Entwicklung) lautlich nicht unterschieden; →G 003.

Hock, Höck, der; -s, Höcke (mundartnah): gemütliches Beisammensitzen. *Die Kolonie traf sich anschließend noch zu einem gemütlichen Hock* (Bund 13. 8. 68). *Siebental gehörte einer angesehenen Verbindung an, nahm am Samstagnachmittag am Verbindungshock teil, stellte sich mit Band und Mütze vor dem Abendbrot im Anstaltshof ... auf, sang Lieder aus dem Kantusprügel* (Wiesner, Schauplätze 131).

höckeln ‹ist› (mundartnah): bequem, behaglich sitzen. *Im jemenitischen Basar, wo die Händler ... geduldig ... im Schneidersitz höckeln* (NZZ 12. 3. 76, 65). *Im Quittenbaum höckelt eine blaue Grille, äugelt und reibt* das Bein (Spitteler II 59: Olymp. Frühl.). →G 097. →**über-, zusammenhöckeln.**

hocken: vor allem ‹ist› (derb) svw. **a)** (auch südd.) — sitzen. *Noch am Sonntag war Trainer J. S. verärgert in seiner Wohnung gehockt und hatte gegrübelt* (Tages-Anz. 26. 10. 88, 51). **b)** ‹mit Richtungsadverbiale› — sich setzen; →G 065. *Als ich zu Nacht aß, hockte sie mir auf die Knie,* die Katze (Helen Meier, Trockenwiese 116). →**ab-, überhocken.**

Höckli, das; -s, - (mundartl., nordostschweiz.): kleines, behagliches Wohnhaus, Landgütchen, Ruhesitz. *Im Rheintal zu verkaufen altes Höckli ... 3-Zi.-Wohnung ... kleiner Garten* (NZZ 2. 2. 87, 52; Inserat). →G 105.

Höfe, die ‹Pl.›: Gegend und →Bezirk des Kantons Schwyz am Zürichsee, umfassend die Gemeinden Feusisberg, Freienbach und Wollerau.

höfeln (mundartnah) — schmeicheln. *Und Madame Casanova ereiferte sich: „... Der Mann will wohl, daß man ihm höfelt und die Füße leckt"* (Blick 30. 9. 68). →G 098.

Hofstatt, die; -, -en: das zunächst um das Bauernhaus gelegene Land, Hauswiese, Baumgarten. *Hinter Klara ging ich gegen das Dorf ... Der Weg führte zwischen Scheunen durch. Eine Hofstatt lag offen da* (Boesch, Fliegenfalle 197). *Wenn ich in der Hofstatt von Baum zu Baum das Wäscheseil spannte* (Meier, Verwandtschaften 69).

Höhere Technische Lehranstalt →**HTL.**

Hohrücken, der; -s, - // Hochrippe (ein Teil des Vorderviertels beim geschlachteten Rind).

Holder, der; -s (auch süd[west]d.) — Holunder. *Er rollt die verkohlte Wurst aus der Asche und schabt sie mit einem Holderzweig sauber* (Morf, Katzen 136). →G 029.

Holzschopf, der; -[e]s, ...schöpfe — Holzschuppen (Schuppen, in dem Brennholz aufbewahrt wird). *Das war eines jener komplizierten Höfchen ... jähe Winkeltreppen, darum herum drei Lauben, eine zu ebener Erde, zwei im ersten Stock, wovon die vordere am Hause selbst, die hintere am Holzschopf entlang lief* (Spitteler V 137: Gustav). →**Schopf.**

Hornisse, die // (bdt. meist:) ...nisse; →G 019.

Hörnli, die ⟨Plur.⟩: Teigwaren in Form kurzer, leicht gebogener Rohre (in Österr.: Hörnchen). *Wenn sie ihre Hörnli mit Haché untermischt in den Mund gabelten* (Guggenheim, Alles in allem 578). *Die Wohnung ist ein besonderes Gut. Sie ist nicht mit mobilen Konsumgütern wie einem Pack Hörnli oder auch einem Auto zu vergleichen* (NZZ 22./23. 11. 86, 33). →G 105.

Hornuß ['hɔrnu:s], der; -es, -e: eiförmige Holz- oder heute Hartgummischeibe, beim →Hornußen als Schlagkörper benutzt (eig. „Hornisse", nach dem surrenden Geräusch beim Fliegen).

hornußen ['hɔrnu:sən]: ein ländliches, vom Kanton Bern aus verbreitetes Spiel, bei dem auf abgeernteten Feldern eine Partei den „Hornuß" von einem kleinen Bock weg weit durch die Luft schlägt und die andere ihn mit einem holztafelartigen Gerät auffängt. (Klassische Beschreibung bei J. Gotthelf, Uli der Knecht, Sämtl. Werke, hg. von Hunziker/Bloesch, IV 50 ff.)

Hors-d'œuvre [frz. ɔʀdœvʀ(ə)], das; -s, -s // Horsdœuvre; →G 031.

Hose, die: ***mit abgesägten Hosen** →**absägen.** ***in die Hosen steigen: a)** sich zum Schwingen (→schwingen 2) bereit machen (wozu man besondere Schwingerhosen überzieht, an denen die Gegner sich packen). **b)** (übertr.) sich zum Kampf bereitmachen.

Hosenlupf, der; -[e]s, ...lüpfe: **a)** Ringkampf nach altem Älplerbrauch, →Schwinget. *Sieger des berühmtesten aller Bergschwinget wurde ... Ernst Schläpfer ... Am vom Wetterglück begünstigten Hosenlupf war Schwingerkönig H. K. nicht teilnahmeberechtigt, da er unerlaubt Werbung betrieb*[en hatte] (NZZ 3. 8. 87, 40). **b)** (übertr.) Kräftemessen, Auseinandersetzung, Kampf. *Voraussichtlich wird ein bernisch-freiburgischer Hosenlupf in der kommenden* [Nationalrats-]*Session mit dem erwünschten Kompromiß enden* (Weltwoche 10. 2. 61, 7). *Über die eigenen Kräfte wissen wir am wenigsten Bescheid ... Sie haben erst die Möglichkeit, sich zu zeigen ... wenn wir angefangen haben. Eben im Kampf! Während des Hosenlupfes stellen sie sich ein, vorher sind sie gar nicht da* (Guggenheim, Alles in allem 1068).

Hosensack, der; -[e]s, ...säcke (auch bdt. landsch.) — Hosentasche. *Ein unverhofftes Niesen, ein zum Hosensack heraushängendes Schnupftuch ... brachte in der Kirche Mädchen und Knaben ... zu einem Kichern, das nicht mehr enden wollte* (Inglin, Amberg 170). *Daß ... eingesetzte Gelder nicht in den Hosensäcken korrupter Funktionäre verschwinden* (NZZ 13./14. 3. 76, 5).

Hosenstoß, der; -es, ...stöße (veraltend): unterer Teil des Hosenbeins. *Die Taschen schaukeln wie Schiffslampen, Hosenstöße und Mantelschöße flattern* (Schmidli, Meinetwegen 91). *Rötliche Bartstoppeln bedeckten sein mageres Kinn, die Hosenstöße waren ausgefranst, die Socken hingen ihm über die Schuhe hinab* (Guggenheim, Alles in allem 264). *Endlich ... stapft er auf den Weg zurück; der Schnee ist schon tief, die Hosenstöße platschnaß* (Frisch, Tagebuch 1946/49, 440).

Hospiz, das: • ⟨Aussprache:⟩ [hɔs'pits — ...'pi:ts]; →G 004 • ⟨Bedeutung:⟩

auch svw. Unterkunftsstätte, Gasthaus auf einer Paßhöhe, ursprünglich von Mönchen geführt (so noch auf dem Großen St. Bernhard von Augustiner-Chorherren).

HTL, die; -, - (auch österr.): (buchstabierte) Abkürzung für **Höhere Technische Lehranstalt** (Technikum, technische Fachschule); →G 028, 093.

Huft, die; -: Teil des Hinterviertels beim geschlachteten Rind, Kalb und Schwein. Dazu: **Huft[beef]steak:** *Er ... bestellte ein Huftsteak, Salat, dazu Rotwein* (Diggelmann, Harry Wind 175); **Huftbraten; Huftplätzchen:** *Wenn von Fleisch die Rede ist, denken viele Leute an Entrecôtes, Huftplätzchen oder Steaks, an Stücke also, die ... der großen Nachfrage wegen, viel Geld kosten* (NZZ 7. 5. 75, 39).

Hühnerhaut, die; - (auch österr.) — Gänsehaut.

hunden (expressiv) — rackern, sich abplagen. *Die Mutter hundet sich krumm und lahm, und doch geht fast alles drauf, was sie auf der Seite hat* (National-Ztg. 1968, 553, 2). →**abhunden.**

Hunderternote, die; -, -n — Hundertfrankennote, -schein. *Wenn es dann soweit ist ... sehe ich keine Büstenhalter und keine Strümpfe mehr, einmal vielleicht eine Hunderternote neben dem Cognac, einmal eine männliche Armbanduhr* (Frisch, Gantenbein 125). →G 152.

Hundertstel, der // das; -s, -; →G 076.

Hüpe, Hüppe, die; -, -n: dünn gepreßtes und gerolltes knuspriges Gebäck aus Mehl, Rahm und Zucker, eine alte Zürcher und Ostschweizer Spezialität. *Maja spitzte ihren Mund, steckte den Halm in das Glas, und über die Hüpen hinweg, die sie knabberte, forschten ihre Augen nach allem* (Frisch, Bin [1. Aufl., Zürich 1945, S. 97; in der Ausg. Bibliothek Suhrkamp 1965, S. 104 fälschlich „Hülpen"]). *Gefüllte Gottlieber Hüppen, die feine Spezialität* (Aufschrift auf Verpackung). Dazu **Hüp[p]enbäcker[ei].**

Hurde, die; -, -n (auch südwestd.) // Horde (Lattengestell, mehrstöckiger Rost zum Aufbewahren von Obst und Kartoffeln. *Ratten ... laufen nachts behend über Kuhrücken, Apfelhurden* (Wiesner, Lapidare Geschichten 81). *Gleich wenn du* [in den Keller] *hereinkommst, auf der Hurde links liegen drei Flaschen Bätzi* (Meier, Verwandtschaften 103). →G 029.

hüst! (Zuruf an Zugtiere: nach links!): • ⟨Aussprache:⟩ [hy:st // (bdt. landsch.:) hʏst]; →G 003 • ⟨Redewendung:⟩ ***hüst und hott:** bald so, bald so; ohne feste Richtung, wankelmütig. *Ihre Inkonsequenz hat zu einer folgenschweren Hüst-und-Hott-Politik geführt* (NZZ 4. 12. 87, 93).

Hütet euch am Morgarten! Geflügeltes Wort aus der Schweizer Geschichte: Ritter Heinrich von Hünenberg soll die Schwyzer 1315 mit dieser Warnung über die Angriffsrichtung Herzog Leopolds von Österreich orientiert haben, worauf sie ihn am Morgarten erwarteten und besiegten. *Waldrodung im Bergsturzgebiet von Goldau? Hütet euch am Morgarten!* (NZZ 1967, Bl. 3119; Überschrift). *Sie sollen jetzt schon Bescheid wissen ... Aber hüten Sie sich am Morgarten! Ganz unter uns* (Muschg, Mitgespielt 194).

Hutte, die; -, -n (im Westen) — Rükkentragkorb, // Kiepe (südwestd.: Hotte). *Jul wußte, draußen in der Tenne schichtete Papa Laibe in die Hutte* (Boesch, Fliegenfalle 41). *Zwei Bäckerausläufer mit ihren Hutten auf dem Rücken* (Kauer, Schachteltraum 307). →**Kräze.**

Hütte, die; -, -n: auch (mundartnah) svw. Milchsammelstelle, Molkerei. *Mit Pferd und Wagen fährt ein junges Mädchen die Milch von drei Gehöften ... in die Milchsammelstelle Samstagern.* [Nachher:] *... fährt Heidi E. ... die sechs vollen Milchkannen zur Hütte* (NZZ 10. 11. 88, 53). *Einen Mann, der des Abends mit dem Milchkesselchen zur Hütte ging, um Milch zu holen* (Guggenheim, Friede 211).

I

Identitätskarte, die; -, -n (amtl. und allg.; in Österr. veraltet) — Personalausweis. *Zu Fuß gingen sie bis zur Grenze, zeigten die Pässe, Gottfried seine Identitätskarte* (Schmidli, Meinetwegen 219).

IKS: (buchstabierte) Abkürzung für **I**nterkantonale **K**ontroll**s**telle für Heilmittel; →G 028, 093.

immatrikulieren: auch (Amtsspr.) svw. (ein Motorfahrzeug, ein Boot) // [zum Verkehr] zulassen. *Von den insgesamt 746 Motorfahrzeugen, die im vergangenen Jahr an Unfällen beteiligt waren, waren nur 189 im Kanton Uri immatrikuliert* (NZZ 1961, Bl. 348).

in ⟨Präp.⟩ wird auch in Fügungen gebraucht, wo bdt./gdt. eine andere Präp. üblich ist. **1.** in + Dat. steht für **a)** an. *Der Triebzug, der normalerweise in der Station Letten nicht anhält* (Vaterland 3. 10. 68, 3). *Mindestens Fr. 4.80 und höchstens 15 Fr. im Tag* (St. Galler Tagbl. 3. 10. 68, 3). *Er lebte in einer kleinen Pension ... und bezahlte 120 Peseten im Tag* (Bichsel, Jahreszeiten 127). **b)** auf. *Sein Gepäck lag noch im Flughafen* (Frisch, Gantenbein 279). **c)** mit. ***im Karacho** →**Karacho. d)** zu. *Im jetzigen Zeitpunkt* (Kaiser I 140). **2.** in + Akk. steht für **a)** an. *Dann ging er noch einmal fort, in eine Lehrerstelle* (Walser IV 236: Geschwister Tanner). **b)** auf. *Hanswalter hatte das Mädchen mitten in den See gerudert* (Frisch, Die Schwierigen 294). **c)** für. *Erneuerungswahlen in das Amtsgericht* (Kaiser I 140).

Indianerlis machen / spielen (mundartnah) — Indianer spielen. *„Wo kommst du denn her?“ fragte Paul. „Machst du hier Indianerlis?“* (Inglin, Schweizerspiegel 397). →G 114.

Initiant, der: auch svw. **a)** — Initiator, Urheber, Anreger. *Dank an den Initianten des Konzertes, Etienne K.* (St. Galler Tagbl. 1968, 463, 17). **b)** Urheber einer →Initiative. *Das von den Initianten am 19. September eingereichte Volksbegehren setzt sich für die Variante Ost* [eines umstrittenen Schulhausstandortes] *ein* (Bund 1968, 280, 13). →**Initiativkomitee.**

Initiativbegehren, das; -s, - (Amtsspr.): dafür meist kurz →**Initiative.**

Initiative, die: auch (Staatsrecht) svw. Begehren nach Erlaß, Änderung oder Aufhebung eines Gesetzes oder Verfassungsartikels; das Antragsrecht besitzen: eine vorgeschriebene Zahl von Stimmberechtigten **(Volksinitiative, →Volksbegehren),** das einzelne Mitglied eines Parlaments **(Einzelinitiative),** gegenüber dem Bund auch ein Kanton **(Standesinitiative).** *Zu beraten war die Initiative der Sozialdemokratischen Partei ... auf Einführung der Volkswahl des Bundesrates* (Bringolf, Mein Leben 232). *Es bestehe kein Anlaß, den hängigen dirigistischen Vorstößen, die ..., wie die Initiative „Recht auf Wohnung“, eine totale Wohnungsmarktreglementierung anvisieren, Gehör zu schenken* (Vaterland 3. 10. 68). *Der Stadtrat von Zürich wünscht die Einreichung einer Standesinitiative auf Abänderung des Straßenverkehrsgesetzes. Danach soll die Innerortsgeschwindigkeit 50 km/h nicht übersteigen* (NZZ 6. 2. 73, 59, 19:

Verhandlungen des Zürcher Kantonsrates).

Initiativkomitee, das; -s, -s: Ausschuß, der die Vorbereitung (→**Lancierung)** einer Volksinitiative (Formulierung des Vorschlages, Sammlung der vorgeschriebenen Zahl von Unterschriften usw.) unternimmt. *Diese Lösung ... erfüllt auch die Begehren, die seinerzeit vom Initiativkomitee für den Schulhausbau Thörishaus gestellt worden waren* (Bund 1968, 280, 13).

Innenausbau, der; -[e]s // Ausstattung eines Hauses, einer Wohnung. *5-Zimmer-Reiheneinfamilienhaus mit schönem Innenausbau* (NZZ 20. 11. 86, 81; Inserat). →**Ausbau.**

innerorts (auch vorarlb.): innerhalb eines geschlossenen Ortskernes, wo die Geschwindigkeitsbegrenzung auf 60 km/Std. gilt. *Es war innerorts, ich sah's, obschon ich ... an anderes dachte, und mein Fuß ging weg vom Gas* (Frisch, Gantenbein 25). Dazu **Innerortsverkehr.** →**außerorts.**

Innerrhoden ⟨ohne Art.⟩: der kleinere „innere" Halbkanton von Appenzell, amtl. **Appenzell Innerrhoden;** →**Außerrhoden.**

Innerrhoder, (mundartnah:) **Innerrhödler,** der; -s, -: Angehöriger des Halbkantons Appenzell Innerrhoden; →G 122.

innerrhodisch: zum Kt. Appenzell Innerrhoden gehörig, dorther stammend, sich darauf beziehend.

Innerschweiz, die; -: die fünf bzw. sechs Kantone Uri, Schwyz und Unterwalden (NW und OW), Luzern und Zug. →**Urkantone.**

Innerstadt, die (veraltend) — Innenstadt. *Und wie er ausschritt, fröhlich, der Innerstadt zu* (Schmidli, Meinetwegen 38). *Seither sind die Muslime von Westen nach Osten auf die Innerstadt hin vorgestoßen,* in Beirut (NZZ 26. 3. 76, 1). →G 141/3.

innert ⟨Präp. mit Gen., auch mit Dat.⟩ — innerhalb, binnen. **a)** zeitlich. *Vier Raubüberfälle innert dreier Stunden* (NZZ 4./5. 8. 84, 38). *Nach dem Ersten Weltkrieg wurde der Käfer ... in Bordeaux eingeschleppt und hat ... innert zwanzig Jahren Frankreich besetzt und die Schweiz erreicht* (Wiesner, Schauplätze 94) ***innert nützlicher Frist** →**Frist. b)** (seltener:) räumlich. *Der Kanton Schwyz* [stößt] *an zwei natürliche Seen, und innert seiner Grenzen liegen der Stausee im Wägital und der Sihlsee* (NZZ 20. 12. 62). *Die Parks innert der Ringstraße* (NZZ 26. 8. 72). **c)** (selten:) unsinnlich. *Bei gestörter Ordnung ... hat die Regierung des bedrohten Kantons dem Bundesrate sogleich Kenntnis zu geben, damit dieser innert den Schranken seine Kompetenz ... die erforderlichen Maßregeln treffen ... kann* (Bundesverfassung, Art. 16).

inskünftig (bdt. veraltet) — künftig, in Zukunft, fortan. *Die mittlere Gesamtproduktion dieser Dreiergruppe beträgt inskünftig etwa 206 Millionen Kilowattstunden im Jahr* (National-Ztg. 1968). *Daß es vielleicht zeitgemäß wäre, entweder das Fest erheblich zu kürzen oder es inskünftig nur noch jedes zweite oder dritte Jahr abzuhalten* (Hesse VI 326: Glasperlenspiel).

Inspektion, die: auch (Militär) svw. Überprüfung der persönlichen, zu Hause aufbewahrten Ausrüstungsgegenstände (Waffe, Uniform usw.), amtl. **Waffen- und Ausrüstungsinspektion,** zu der der Wehrmann in jedem Jahr, wo er keinen Dienst leistet, einen Tag einzurücken hat. *Vor mir lief ein Soldat mit voller Packung ... Offenbar rückte er zum Wiederholungskurs oder zur Inspektion ein* (Guggenheim, Zusammenspiel 69).

instand stellen — instand setzen. *Mit der Verlegung des Kanals wird auch die Straße instand gestellt und den heutigen Anforderungen des Verkehrs angepaßt* (St. Galler Tagbl. 31. 12. 68).

Instandstellung, die — Instandsetzung, Ausbesserung, Wiederherstellung. *Hier bedarf es einer dringenden Instandstellung und Asphaltierung des Trottoirs* (Vaterland 3. 10. 68). *Die Instandstellungsarbeiten an dieser für den in- und ausländischen Verkehr* *wichtigen Straße werden nächstens beginnen* (Bund 1968, 282, 4).

Instruktionsoffizier, der: Berufsoffizier, der militärische Schulen und Kurse leitet. *Nach 45 Soldatenjahren ist Oberstbrigadier Peter Dirgiai auf Jahresende 1969 in den Ruhestand getreten. Den Zürcher Infanteristen ist der ehemalige Instruktionsoffizier in bester Erinnerung* (NZZ 6. 1. 70).

Instruktor, der; -s, ...oren (auch österr.) // Instrukteur (Kursleiter, Ausbilder), in der Armee, bei der Feuerwehr, der Entwicklungshilfe usw. *Der Instruktor und Tambourmajor des Drumskorps der Knabenmusik* (St. Galler Tagbl. 1968, 462, 11). →G 125.

interkantonal, auch ...al: mehrere Kantone betreffend, von mehreren Kantonen getragen. *Interkantonaler Fachkurs für Kochlehrlinge in Interlaken* (Wirte-Zeitung 6. 9. 68). *Doch ganz kurz vor ihrer Abreise konnte eine interkantonale Polizeiaktion den Export nach Afrika noch verhindern* (Blick 8. 10. 68).

intern: auch svw. // Anschluß, Apparat, (österr.:) Klappe (bei einer zentralen Telefonanlage). *Gebrüder Sulzer Aktiengesellschaft, 8401 Winterthur, Personalstelle Konzernstäbe, Tel. 052/81 11 22, intern 4820* (Weltwoche 12. 3. 87, 46; Inserat).

intrigieren: auch (in Basel) svw. an der Fastnacht als Maske in witzig-frecher Weise [unbekannte] Personen ansprechen.

IV: (buchstabierte) Abkürzung für Invalidenversicherung; →G 028, 093.

J

ja gern! wird viel häufiger zur Antwort gegeben als im übrigen deutschen Sprachgebiet, besonders auch anstelle von // ja bitte. *„Wollen Sie das Buch lesen? Ich werd's Ihnen leihen, sobald ich selber damit fertig bin." „Ja gern!"*

Jagd, die — Jagd; →G 004.

Jagdpatent, das; -[e]s, -e (in den Kantonen mit →Patentjagd): jährlich zu lösende Bewilligung, während der Jagdzeit auf dem Gebiet des Kantons (mit Ausnahme der Bannbezirke) die Hoch- oder Niederjagd auszuüben. [Ein Bergbauer] *hatte eine Doppelflinte, aber nie ein Jagdpatent, und er wilderte drauflos* (Inglin, Erz. II 99).

Jahrgang, der; -[e]s, ...gänge: auch svw. — Geburtsjahr, bes. in der Wendung ***er hat den Jahrgang ...:** [Der neugewählte] *Vizedirektor Pochon hat den Jahrgang 1920 und ist Bürger von Chavannes-le-Chêne und Denezy VD* (St. Galler Tagbl. 1968, 559, 7). *Er hat denselben Jahrgang wie ich.*

Jahrgänger, der; -s, - (auch südd., westösterr.): Person, die im selben Jahr geboren ist. *Es ist mein Jahrgänger; wir sind Jahrgänger.*

Jahrgängerverein, der; -[e]s, -e: Vereinigung von in demselben Jahr geborenen Personen (vorgerückten Alters) zur Pflege der Geselligkeit. *Abends bei letzter Sonne stehen wir am hölzernen Waschkännel, seifen uns ein. Immer ungefähr die gleichen, die es wieder nötig haben. Das reicht für eine besondere Gemeinschaft, wie ein Jahrgängerverein* (Frisch, Blätter 47).

jährig (mundartnah; bdt. veraltet) — einjährig (i. S.v. ein Jahr alt). *Die junge Frau ... sucht ... einen Pflegeplatz für ihren noch nicht jährigen Sohn* (NZZ 21. 3. 88, 31). *Das zarte Köpf-*

chen eines etwa jährigen Mädchens (Inglin, Ingoldau 26). →G 128.

Jahrzahl, die — Jahreszahl. *Auf einer schmalen Kuppe stand eine weiße Kapelle mit einer imposant alten Jahrzahl* (Fux, Wundernase 33). *Man wird dannzumal die Jahrzahl 1990 oder 1995 schreiben* (NZZ 1969, 711, 1). →G 148/1c.

Jahrzeit, die; -, -en (kath. Kirche) // Jahrgedächtnis (jährlich wiederkehrende Meßfeier zum Gedächtnis Verstorbener, Anniversar). *Hl. Jahrzeiten: Montag für Josef Anton F., Gonten. Dienstag für Maria Theresia Sch.-R., Schwende* (Appenzeller Volksfreund, um 1960). *Am historischen Mittwoch vor St. Othmar feierten die Stände Zug und Schwyz die Jahrzeit der Schlacht am Morgarten. Nach der Stiftsmesse in der Pfarrkirche zu Sattel begaben sich Geistlichkeit, Behörden und Volk im tradititionellen Festzug zur Schlachtkapelle* (NZZ 1967, Bl. 4889).

Ja-Parole, die, -, -n: Aufforderung von seiten einer Partei- oder Verbandsleitung, bei einer bevorstehenden Volksabstimmung ja zu stimmen. *Fast alle Parteien haben ... mit eindeutigen Mehrheiten die Ja-Parole ausgegeben und sie hatten fast alle Verbände auf ihrer Seite. Trotzdem erlitten sie eine Niederlage. Was haben sie aber getan, um die Ja-Parole zu popularisieren? Nichts* (NZZ 1961, Bl. 889).

Jaß, der; Jasses: das in der deutschen Schweiz meist verbreitete Kartenspiel, wird mit 36 („deutschen" oder — namentlich im Westen — „französischen") Karten gespielt und zerfällt in viele Unterarten. *Beim Wirt habe ich noch einen Zweier getrunken, Zeitungen gelesen (es war grad niemand da, der einen Jaß hat klopfen wollen)* (Glauser IV 264). →**Bauer, Nell, Stich, Stöck, Wis; Bieter, Schieber; Kaffeejaß.**

jassen: das Kartenspiel Jaß spielen. [Dann] *ging er sogar mit in die Krone hinüber, wo ein paar Unermüdliche, die nachmittags geschossen und abends gekegelt hatten, jetzt noch jassen wollten* (Inglin, Erlenbüel 117). Dazu **Jasser,** der: *Die beiden Sektierer konnten halbe Tage damit verbringen, einander bekehren zu wollen, wobei sie Bibelstelle gegen Bibelstelle ausspielten wie geübte Jasser ihre Trümpfe* (Moeschlin, Sommer 54).

Jaßkarte, die — Spielkarte (wie sie zum Jassen gebraucht werden).

Jaßteppich, der: kleiner Teppich, der, namentlich im Wirtshaus, zum →Jassen auf den Tisch gelegt wird. *Ich war froh, daß der Wirt bereit war, einen mitzuklopfen. Ich holte den Jaßteppich.* (Boesch, Fliegenfalle 156). *Das Gespenst ... würde ihm ins Geschäft, an den Jaßteppich und bis auf den Fußballplatz nachgelaufen sein* (Frühling der Gegenw., Erz. III 419: A. J. Welti).

jemand: ***jemand anderer** →G 084. ***jemand Netter** o. ä. →G 085.

jeweilen (bdt. veraltet) — jeweils. *An erster Stelle ... befaßte er sich ... mit den jeweilen im Frühjahr sich wieder häufenden Baustellen auf den Autobahnen* (NZZ 22. 4. 88, 21). *Sie schreibt jetzt an Berger: Erinnern Sie sich noch an den schwarzen Schäferhund, der uns jeweilen zähnefletschend umkreist hat?* (Erny, Neujahr 182). →G 130.

jödeln (leicht abwertend) — jodeln. *Aus dem Lautsprecher in der Ecke jödelte es,* im Bergrestaurant (Muschg, Mitgespielt 167). →G 097.

jovial: [ʒo'vi̯a:l] (auch österr.) ≠ [jo...]; →G 037.

JU: Autokennzeichen und allg. Sigle für (den Kanton) Jura; →G 092.

Juchart[e], die; -, ...ten (auch südwestd.): altes Feldmaß, // Joch, Morgen; heute zu 36 a gerechnet. *An sonniger Lage über dem Vierwaldstättersee ... zu verkaufen kleiner Bauernhof mit 12 Jucharten Umschwung und Wiesland* (NZZ 14. 8. 87, 84; Inserat). *Auf diese Weise kann ein Weibchen in einem einzigen Sommer eine Million Nachkommen haben, die ein Kartoffelfeld von zehn Jucharten Land kahlfres-*

sen können (Wiesner, Schauplätze 94).

juchzen ['ju:xtsən // 'jʊxtsn̩]; →G 003.

jucken: auch ⟨mit Richtungsangabe⟩ (mundartnah) svw. # schnellen (sich federnd, mit einem Schwung, mit einem schnellen Ruck bewegen). *Bei jedem neuen Lauf der väterlichen Stimme ... juckte er empor* (Spitteler IV 223: Conrad der Leutnant). *Er trällerte Liedchen, trommelte mit den Fingern auf den Tisch, juckte auf seinem Stuhl hin und her, als ob er Flöhe hätte* (Humm, Kreter 143). →**aufjukken.**

Jugendanwalt, der; -[e]s, ...wälte (in vielen Kantonen): Beamter, dem im Strafverfahren gegen Jugendliche v.a. die Durchführung der Untersuchung, die Überweisung und die Antragstellung an die Gerichte sowie die Überwachung des Vollzugs der von den Gerichten ausgesprochenen Strafen und Maßnahmen obliegen.

Jugendfest, das; -[e]s, -e: in verschiedenen Städten jährlich im Frühling oder Frühsommer stattfindendes Fest der Schuljugend (und der Bevölkerung) mit Umzug, sportl. Veranstaltungen, Tanz usw.; z.T. bestehen dafür örtlich besondere Namen: **Kinderfest** (Zofingen), **Maienzug** (Aarau), **Rutenzug** (Brugg), **Solennität** (Burgdorf).

Jugi ['jugɪ, 'ju:gɪ], die; -, Jugenen [...ənən]: Kurzform (mundartnah, Jugendspr.) für: Jugendherberge. →G 074, 096.

juhe! (bdt. selten) // juchhe! *Juhe, morgen gehen die Ferien an!* →G 029.

Jüngling, der (bdt. gehoben oder abwertend, iron.). *Die zwei Soldaten waren, trotz ihrer graugrünen Wehrhaftigkeit, noch in jener ... Schwebe zwischen Jüngling und Mann* (Lenz, Fahrerin 153). *Vom Säuglingsgesicht, vom Gesicht des Kleinkindes, des Jünglings oder Mädchens, vom Gesicht des bestandenen, des ... gealterten Menschen* (G. Meier, Kanal 36). *Als Jüngling wollte ich Pianist werden* (Bund 29.10. 87, 2).

Jupe [*frz.* ʒyp], der/(seltener:) das; -s, -s ⟨frz. la jupe⟩ # Rock (Kleidungsstück für Frauen und Mädchen, von der Taille abwärts). *Die Mitglieder der Schweizer Olympiadelegation ... in einer leuchtend roten Jacke und eierschalenfarbenen Hosen, respektive einem entsprechenden Jupe* (Bund 13.8. 68, 9). *Sie trug eine weiße Bluse, einen meergrünen Jupe* (Schmidli, Schattenhaus 157). →(zum Geschlecht) G 078.

Jupon [*frz.* ʒypõ], der; -s, -s // Halbrock (Unterrock von der Taille abwärts).

Jura, der; -s: **1.** Gebirgszug im Nordwesten der Schweiz, von Genf bis zum Hochrhein und zum Unterlauf der Aare. **2. a)** Kanton (seit 1978), franz. Sprache, umfaßt die Bezirke Delsberg (Delémont), Freiberge (Franches Montagnes) und Pruntrut (Porrentruy). **b) Berner Jura,** Teil des Kantons Bern, umfaßt die französischsprachigen Amtsbezirke Courtelary, Moutier, Neuenstadt (Neuveville) und den deutschsprachigen Amtsbezirk Laufen.

Jurassier, der; -s, -: Einwohner des Kantons Jura und des Berner Juras.

jurassisch: zum Jura (als Gebirgszug; als Teil des Kantons Bern von 1815 bis 1978 und seither in engeren Grenzen [Südteil]; heute vor allem als eigener Kanton) gehörig, sich auf ihn beziehend. *Die Kritik der jurassischen Kantonsregierung am Vorgehen der Bundesbehörden* (NZZ 7./8. 88, 21).

jurieren [ʒy'ri:rən // ju'r...]; →G 037.

[1]Jus, das; - ⟨meist o. Art.⟩ (auch österr., sonst veraltend) — Jura (Rechtswissenschaft als Studienfach). *Ich habe schließlich einmal zwei Semester Jus studiert* (Dürrenmatt, Meteor 35).

[2]Jus [*frz.* ʒy]: • ⟨Geschlecht:⟩ der/(auch südd., sonst selten:) das; -, - // die; →G 076 • ⟨Bedeutung:⟩ auch svw. Frucht-, Gemüsesaft. Dazu **Orangen-, Tomatenjus.**

K

Kabine, die: auch kurz für →**Telefonkabine.**

Kabis ['kabıs, 'ka:bıs] (mundartl.:) **Chabis,** der; — (auch südd.; vgl. westd. Kappes, Kappus // Weißkohl (brassica oleracea capitata); zur Unterscheidung vom Rotkohl (→Rotkabis, -kraut) auch **Weißkabis** genannt. *Rund drei Dutzend „Einschneidebetriebe" ... bemühen sich, die alljährlich anfallenden acht Millionen Kilo Kabis in Sauerkraut zu verwandeln* (Vaterland 1968, 280, 4). Dazu: **Einschneid[e]kabis:** zur Herstellung von Sauerkraut bestimmter Weißkohl.

Kadaver, der [ka'da:fər — ...vər]; →G 018.

Kadett, der: namentlich svw. Schüler des unteren Gymnasiums oder der →Bezirksschule als Angehöriger einer (früher obligatorischen) vormilitärischen Organisation **(Kadettenkorps);** heute an den meisten Orten abgeschafft oder nur noch in Resten erhalten (z. B. **Kadettenmusik**). *Mit Patronentasche und Säbel werden hoffentlich ein paar zwölfjährige Kadetten keine Kindsmagd mehr nötig haben* (Spitteler IV 11: Die Mädchenfeinde). *Zu einem hübschgelegenen Städtchen, worin ich damals als Kadett diente und als Progymnasiast Lesebücher mit mir trug* (Walser IX 11). (Das schweizerische Kadettenwesen geht auf das Ende des 18. Jhs. zurück und hatte seine Blüte im 19. Jh.; vgl. die klassische Schilderung eines Kadettenmanövers und -festes in Keller II 111 ff. (Der Grüne Heinrich, 1. Bd., 13. Kap.).

Kaffee → **Café complet, crème, mélange.**

Kaffeejaß, der; ...sses: Jaßpartie beim Kaffee nach dem Mittagessen; wer verliert, muß den Kaffee bezahlen: *Langsam begannen ... die Straßen sich wieder mit Leuten zu füllen ... gesättigt strebte das Fußvolk der Angestellten wieder seinen Arbeitsstätten zu. Die exotischen Räuchlein würziger Zigarren wehten an Aaron vorbei: die betreffenden Herren hatten gerötete Wänglein und gingen zum Kaffeejaß* (Guggenheim, Alles in allem 939).

Kaffeelöffel, der; -s, - (auch bdt. landsch.) ⫽ Teelöffel. *Ein Kaffeelöffel, als hätte sich das Ding selbständig gemacht, ... springt ihm aus den Händen* (Geiser, Wüstenfahrt 288).

Kalb: *das Kalb machen (mundartnah): ausgelassen sein, sich närrisch gebärden. *Da mir doch scheinbar nichts übrigbleibt, als das „Kalb" zu machen, worunter ich dieses fortlaufende Gutaufgelegtsein verstehe ...* (Walser IX 137). *„Mach nicht länger das Kalb, Schwendt!" stellten sich einige dazwischen* (Wirz, Gewalten I 388).

Kalberei, die; -, -en (mundartnah) — dummer Streich, Dummheit. *Eine größere Kalberei habe ich mein Lebtag nie gemacht, als mich in diese Bauerei einzulassen. Verlumpen werde ich* (Bührer, Das letzte Wort 100)

kalbern: ausschließl. svw. ⫽ kalben (ein Kalb zur Welt bringen) (bdt. [umg.]: albern lachen, albern sein; dummes Zeug treiben). *Der Bauer Schranz stand auf. Er müsse daheim nachschauen gehen, eine Kuh soll diese Nacht kalbern* (Glauser III 347). →G 103.

Kalbfleischvogel →**Fleischvogel.**

Kamin: • ⟨Geschlecht:⟩ das — der; →G 076 • ⟨Bedeutung⟩ vor allem (wie bdt. landsch., bes. südd.) svw. // Schornstein (bdt. offene Feuerstelle in Wohnraum; →Cheminée). *Das Kamin, das mitten durch mein Zimmer ging, war von oben bis unten mit Figuren bemalt* (Dürrenmatt, Stadt 113). *Das Hochkamin der ehemaligen Zementfabrik ... ist am Samstag vormittag gesprengt worden* (NZZ 28. 5. 84, 5). ***etw. ins Kamin schreiben** (mundartnah) // (ugs.:) in die Esse (den Schornstein, österr.: den Rauchfang) schreiben (als verloren betrachten).

Kaminfeger, der; -s, — (auch bdt. landsch.) // Schornsteinfeger.

Kännel, Kennel, der; -s, - (auch bdt. landsch.): hölzerne oder metallene Wasserrinne, Dachrinne; auch das senkrechte Regenabfallrohr. *Dann kann ich auch ... fassadenklettern ... Es war ein Kinderspiel ... Den Kännel hinauf und einen Mauervorsprung entlang* (Dürrenmatt, Verdacht 27). →**Dachkännel.**

Kanti, die; - ⟨o. Pl.⟩: Kurzform (mundartnah, Jugendspr.) für →Kantonsschule. *Daß es einem geradezu Spaß macht, von der Wirtschaft in die Kanti zu fahren* (Schenker, Leider 41). *Zusatzkredit für Aarauer Kanti-Mensa ... bewilligt* (Aargauer Tagbl. 2. 2. 72). →G 074, 096.

Kanton, der; -[e]s, -e (in Verbindung mit einem Namen meist auf der 1. Silbe betont: Kanton Aargau, im Kanton Zürich): schweiz. „Bundesland"; Abk.: **Kt.** — ***der große Kanton** (scherzh., veraltend): Deutschland. *Er stammt aus dem großen Kanton.* ***du schlechter Kanton!:** du schlechter Kerl!

kantonal: den Kanton betreffend, zu ihm gehörig: *Stimmzettel zur kantonalen Volksabstimmung* (Blick 21. 9. 69). *Im Beisein lokaler, kantonaler und internationaler Gäste* (National-Ztg. 1968, 553, 17).

kantonal-: in Zusammensetzungen wie **kantonalbernisch, kantonalzürcherisch:** sich auf den Kanton (nicht auf die Stadt) Bern, Zürich (usw.) beziehend. *der kantonalbernische Metzgermeisterverband* (NZZ); *die kantonalzürcherische Volksinitiative „für eine klare Gewaltentrennung"* (NZZ 3. 1. 79, 25).

Kantonal-: eine kleinere Reihe von Wortzusammensetzungen beginnt so; sie bezeichnen Einrichtungen und Ämter, die sich auf das Gebiet des Kantons beziehen, aber nicht direkt vor ihm (als Staat) abhängen, z. B.: **Kantonalbank,** die; -, -en: *Zürcher Kantonalbank; Kantonalbank von Bern; Aargauische Kantonalbank.* **Kantonalpräsident,** der; -en, -en: *Im Hotel N. tagten die Delegierten des Verbandes bernischer Tierschutzvereine unter dem Vorsitz von Kantonalpräsident Dr. Markus D.* (Bund 3. 10. 1968). **Kantonalturnfest,** das; -[e]s, -e: *Das Aargauische Kantonalturnfest 1970 liegt hinter uns* (Aargauer Kurier 24. 6. 70). →Kantons-.

Kantönligeist, der; -[e]s (veraltend): kantonaler Partikularismus. *So ergibt sich wenigstens in dieser Sparte eine wahrhaft eidgenössische Studiengemeinschaft, wird heute überholter Kantönligeist im Bildungwesen zumindest auf dem Gebiete der technischen Wissenschaften überwunden* (National-Ztg. 1968).

Kantonnement, das: • ⟨Aussprache, Beugung:⟩ [kantonə'mɛnt]; -[e]s, -e // [...'mã:]; -s, -s; →G 038 • ⟨Geltung:⟩ (Milit.) geläufig // veraltet. *Lärmend und singend suchten sie gegen halb zehn Uhr ihr Kantonnemente auf, und noch im Strohlager mußten sie vom Offizier, der die Runde machte, zur Ruhe gemahnt werden* (Inglin, Schweizerspiegel 245).

Kantons-: Ämter, Beamte und Einrichtungen der Kantone werden meist durch Zusammensetzungen mit „Kantons-" bezeichnet, doch nicht einheitlich (Entsprechungen in Klammern): **Kantonsapotheker, -archiv** (Landes-, Staats-), **-arzt, -baumeister, -bibliothek** (Landes-),

-chemiker, -ingenieur, -oberförster, -polizei, -rechnung (→Landes-, →Staats-), **-schule, -spital, -straße** (Staats-), **-tierarzt.** →**Kantonal-.**

Kantonsgericht, das: **a)** (in FR, GR, NW, SZ, VS) oberstes kantonales Gericht, Appellationsgericht. →**Appellations-, Obergericht. b)** (in AR, AI, OW, SH, ZG) Gericht erster Instanz namentlich in Zivilsachen. →**Bezirks-, Landgericht.**

Kantonskanzlei, die; — (in AR): svw. →Staatskanzlei.

Kantonsrat, der; -[e]s, ... räte (in AR, OW, SZ, SO, ZG, ZH): **1** Parlament des Kantons. **2.** (auch in SG) Mitglied des Kantonsparlaments. →**Große Rat, Großrat, Landrat.**

Kanzlei, die (auch südd., österr., sonst veraltet): **a)** — Büro eines Rechtsanwalts. [Es] *standen ... Anwälte größerer, oft international tätiger Kanzleien ... Rechtsanwälten kleinerer Büros aus eher ländlichen Regionen gegenüber* (NZZ 29. 6.87, 17). **b)** Sekretariat einer Gerichtsbehörde, einer Universität. *Kanzlei des Obergerichts, des Bezirksgerichts.* In Zusammensetzungen svw. zentrale Stabstelle einer öffentlichen Körperschaft, →**Bundes-, Gemeinde[rats]-, Landes-, Staats-, Stadt-, Standeskanzlei.**

Kanzleidirektor, der: auch (in GR, UR) svw. Vorsteher der Standes- (GR), Landeskanzlei (VR), svw. →**Staatsschreiber.**

Kanzler, der (nur in FR): svw. →**Staatsschreiber.**

Kanzlist, der; -en, -en (Amtsspr., veraltend; bdt. veraltet): Büroangestellter in einer öffentlichen Verwaltung. *Bei der Städtischen Liegenschaftsverwaltung ist die Stelle einer/eines Kanzlistin/Kanzlisten ... zu besetzen* (Bund 23. 9. 87, 31; Inserat).

Kappe, die: ***jmdm. die Kappe waschen:** jmdn. tadeln, ihm die Meinung sagen. *Du hast ... mich von mir selbst befreit. Ich kann jetzt gleichsam neben mir hergehen und diesem Kerl da, falls er abermals kneifen möchte, die Kappe waschen* (Landert, Koitzsch 115).

Kaput, der; -[e]s, -e (Milit.) // Soldatenmantel. *Indessen wurde er abgelöst ... Er ging zur Hütte, zog vor der Tür den Kaput aus und schüttelte ihn, blies den Schnee vom Käppi und trat ein* (Inglin, Schweizerspiegel 290). *Aaron hatte nach der letzten Inspektion im Frühjahr den gerollten Kaput auf dem Tornister belassen* (Guggenheim, Alles in allem 1012).

Kapuze, die — Kapuze; →G 004.

Karacho (mundartnah, bdt. ugs.): • ⟨Geschlecht:⟩ der; -s // das; -s; →G 076 • ⟨meist in der Wendung:⟩ **im Karacho** // mit Karacho.

Karamel →**Caramel.**

Karosserie →**Carrosserie.**

Karotte, die: auch (Fachspr.) einfach svw. // Mohrrübe. Da dieses Wort völlig ungebräuchlich ist und →**Rüebli** oft als zu mundartl. empfunden wird, tritt Karotte in die Lücke, obgleich es auch schweiz. zunächst die kleine, zarte kugelförmige Sorte bezeichnet. [Jetzt] *wird der Markt von den Lagergemüsen beherrscht. Es sind dies Rot- und Weißkabis, Karotten, Wirz, Zwiebeln, Knollensellerie und Randen ... Die Karotten sind ... die Gesundheits- und Vitaminspender ersten Ranges* (Aargauer Tagbl. 9. 1. 87, 5).

Karrette, die; -, -n ⧣ Schubkarren (Duden Bildwörterb. 118, 37). *Vater pickelte und schaufelte. Orazio stieß die Karrette und brachte die vorgesehene Erdbewegung im großen und ganzen zustande* (Wiesner, Schauplätze 58). *Insgesamt brachten die jungen Leute über hundert Tonnen Beton mit Schaufel und Karrette ein,* beim Bau einer Brücke in einem Lehrlingslager (NZZ 27. 6. 87, 17).

Karst, der; -[e]s, Kärste (auch bdt. landsch., ⟨Pl.: Karste⟩): zwei- bis vierzinkige Hacke zum Aufbrechen des Bodens.

Kartätsche, die // Kartätsche; →G 004.

Kartoffelstock, der; -[e]s ⧣ Kartoffelpüree, // Kartoffelbrei. *Gestern war Sonntag. Es gab Kalbsbraten mit Kar-*

toffelstock, dazu ein Glas Wein (Diggelmann, Harry Wind 224).

Käsbissen, der; -s, - (Architektur): Kirchturmspitze mit [steilem] Satteldach (eig.: aus einem Käselaib herausgeschnittenes spitzwinkliges Stück). *Der ... kraftvolle Glockenturm mit filigranartigen romanischen Schallöffnungen ..., der in einen steilen Käsbissen ausläuft* (Felder, Aarg. Kunstdenkmäler 93). Dazu: **Käsbissendach, -turm.**

Käsekuchen, der; -s, — (Westen, Innerschweiz, auch Nordosten): runder Teigboden mit Auflage von (Emmentaler, Greyerzer) Käse (bdt. svw. Quarkkuchen). →**Chäs-Chüechli.**

Käsewähe, die; -, -n (in Zone Basel-Zürich-Sargans): svw. →**Käsekuchen.**

Kasperli, der; -s, - // Kasperle, (österr.:) Kasperl; →G 107. Dazu **Kasperlitheater,** das: *Der Krieg ist doch kein Kasperlitheater* (Inglin, Schweizerspiegel 371).

Kassa, die; -, ...ssen (auch österr., sonst veraltend) — Kasse. *Zu verkaufen: 100jährige Möbel, alte Uhren ... gegen Kassa* (General-Anz. 29. 8. 68). *Und die Ware Kassa bezahlt* (Humm, Kreter 127). →G 069/1. Dazu: **Kassabüchlein** (veraltend) // Sparbuch. *Was ist damit gewonnen, wenn die Zahl der Kassabüchlein in Flyburg verdoppelt wurde?* (Bührer, Das letzte Wort 182). **Kassasturz,** der (veraltend) — Kassensturz. *Der Kassasturz lag hinter ihnen; sie kannten den Tagesverdienst und mochten lachen* (Trottmann, Nachts 155).

Kässeli ['kɛsəlɪ, 'kæ...], **Kässelein, Käßlein,** das; -s, - (mundartnah): **a)** — Sparbüchse. **b)** — Sammelbüchse. *Daß manche ... weggehen, wenn die jungen Schauläufer mit dem Kässeli vorbeikommen, um ... für das Kinderdorf Pestalozzi ... zu sammeln* (NZZ). **c)** kleine Kasse für laufende Ausgaben; [kleinere] Kasse für besondere Zwecke. *Die Äufnung des ... „Wollishoferfonds", eines Kässelis, das zur Finanzierung von Veranstaltungen dient* (NZZ 7. 9. 87, 30). →G 105. Dazu (a) **Sparkässeli, -kässelein, -käßlein.**

Kassier, der; -s, -e (auch südd., österr.) // Kassierer. *Nahezu eine halbe Million Franken unterschlug der seit einem Jahr pensionierte Kassier des Kurvereins Arosa* (Blick 16. 8. 68). →G 124/1.

Kasten, der: auch (wie südd., österr.) svw. — Schrank. *An den Wänden entlang die Möbel, vor mir das Bett, links der Kasten, hinter mir das Büchergestell, rechts ein kleiner Kasten* (Bichsel, Jahreszeiten 160). *„Sie können Ihre Sachen dort in den Kasten legen." Sie meinte: in den Schrank* (Muschg, Fremdkörper 181). Dazu: **Kastentür,** die. →**Kleiderkasten, Wandkasten.**

Kastenfuß, der; -es: der unterste Teil, das unterste Fach eines Schrankes. *Ich hatte die rote Reisedecke aus dem Kastenfuß geholt* (Guggenheim, Gold. Würfel 101). *Großmutter langte ... in den Kastenfuß und gab mir ein Anisbrötchen* (Wiesner, Schauplätze 21).

kauern: auch ‹mit Richtungsadverbiale› (mundartnah) svw. — sich kauern. *Das Mädchen kauert an den Wegrand, schau, eine Schnecke, sagt es* (Helen Meier, Trockenwiese 180). →G 065.

Keeper [*engl.* 'ki:pə; 'ki:pər], der; -s, - (Sport; auch österr.) — Torhüter. *In der 65. Minute zielte schließlich S. aus etwa 25 m so präzis in M's rechte obere Torecke, daß dem Keeper keine Abwehrchance blieb!* (NZZ 27. 4. 70).

Kefe, die; -, -n // Zuckererbse (mit der Schote gegessen). *Zarte, frische Kefen sind bis fingerlang und gleichmäßig grün ... und lassen sich leicht brechen* (Fülscher, Kochbuch, Nr. 491).

Kehr, der; -s: **1. a)** Rundgang, Runde. *Studer hatte ... nicht gemerkt, daß er schon siebenmal um die gleiche Baracke geschritten war ... Beim achten Kehr stieß er mit einem Menschen zusammen* (Glauser II 478: Die Fieberkurve). **b)** Runde durch die Kneipen. *Wenn er einen Kehr mit Weibern gemacht hat und so besoffen ist, daß ...*

(Welti, Martha 267). **c)** tägliche Runde der Hausfrau durch die Wohnung (mit Aufräumen, Abstauben usw.). **2.** ***im Kehr** — im Turnus. *Die Einberufung und Leitung der* [Tagsatzung] *sowie die Führung der Geschäfte in der Zwischenzeit besorgte weiterhin ein Vorort, wobei nur noch Zürich, Bern und Luzern in zweijährigem Kehr wechselten* (Meine Heimat 115). →G 115. →(zu 1b) **Pintenkehr;** (zu 2) **Kehrordnung.**

kehren: auch svw. **a)** [um]wenden. *Honegger ... stellte resigniert fest, daß es wohl politisch unmöglich wäre, den Karren heute noch zu kehren* (St. Galler Tagbl. 1968, 463, 3). **b)** sich wenden, kehrtmachen (bdt. selten). *Das Auto kehrte, fuhr ins Dorf zurück* (Glauser II 165: Wachtmeister Studer). *Der Wind hat gekehrt* (hat gedreht). *Der Trend hat gekehrt: Seit 1985 profitieren wir von der Einführung des Katalysators und von den verschärften Vorschriften für die Heizanlagen* (NZZ 30./31. 1. 88, 53).

Kehricht, der (bdt. gehoben) — [Haushalts-]Abfall, # Müll. (Dies Wort war noch vor 20 Jahren ganz ungebräuchlich; seither ist es, bes. in Zusammensetzungen wie Atommüll, Sondermüll, eingedrungen). *Die Beseitigung des Kehrichts bildet auch im Thurgau ein Problem* (St. Galler Tagbl. 18. 10. 68). Dazu **Kehrichtabfuhr, -ablagerung, -beseitigung, -deponie, -eimer, -verbrennung.**

Kehrichtkübel, der; -s, - // Mülleimer: *Ich holte den eisernen Kehrichtkübel aus der Küche, füllte ihn mit dem Haufen von ... halbverkohlten Papieren und stellte ihn bereit, um ihn herunterzunehmen auf die Straße, denn heute war Abfuhrtag* (Guggenheim, Gold. Würfel 151).

Kehrichtsack, der; -[e]s, ...säcke // Mülltüte.

Kehrordnung, die; -: festgelegte Abwechslung mehrerer Teilnehmer, Turnus. *Ich war beim Wässern, habe ... die ganze Nacht gewässert. Die ganze Nacht, Ihr Herren Richter. Seht nur die Kehrordnung nach* (Fux, Erzählungen 21). *Das Nachtdienstsystem* [der Apotheken] *basiert auf der Kehrordnung* (NZZ 2. 4. 76, 23).

Kehrplatz, der; -es, ...plätze # Wendeplatz, Wendeschleife für Fahrzeuge. *Die Frau wollte ihren Personenwagen ... auf einem Kehrplatz am Ende einer Quartierstraße wenden* (NZZ 2. 11. 88, 54). *Für die Erstellung eines Autobuskehrplatzes im Tannenbach auf dem Gebiet der Gemeinde Oberrieden* [werden] *15 000 Fr. bewilligt* (NZZ).

Keib →**Cheib.**

Kelle, die: ***mit der großen Kelle anrichten:** großzügig, nicht sparsam wirtschaften. *Vielleicht würden sogar einige Gemeinwesen, die dank anhaltend hohen Fiskalerträgen mit der große Kelle anrichten ... zu einem sparsamen Vorgehen bewogen* (NZZ 26. 9. 1968). *Tatsächlich gibt es im Tessin ... noch kein Beispiel, wo ... mit ebenso großer Kelle angerichtet worden wäre wie im Straßenbau* (NZZ 28. 1. 87, 37).

Kennel →**Kännel.**

Kessel, der: auch svw. # Eimer. *Die Alte fragte ... nach der Milch und dem Kessel, erhielt aber keine rechte Antwort und ging selber auf die Suche nach den Geißen* (Inglin, Graue March 117). Dazu **Milchkessel, Putzkessel.**

Kick-off, der; -s, -s ‹engl.› (Fußball) — Anstoß. *Die Partie ... begann ... mit einstündiger Verspätung, da die Scheinwerfer vor dem Kick-off zweimal ihren Dienst versagt hatten* (Aargauer Tagbl. 23. 4. 70, 19). *Vom außergewöhnlichen Spannungsgehalt, durch den die Begegnung auf der Malachière schon lange vor dem Kick-off gekennzeichnet ist* (NZZ 25./26. 4. 87, 55).

Kies, (mundartnah:) das — der; -es. *Auf den Friedhöfen ... verrechen sie das Kies* (Frisch, Marion 204; Tageb. 1946/49, 171 verändert in: *den Kies*). *Aus dem hintersten Keller, wo das Kies lag* (Helen Meier, Trockenwiese 89). *Das Kies abbauen soll wiederum die*

Firma J. P. in B. (Bund 17. 10. 87, 13). →G 076.

Kilbi →**Chilbi.**

Kilogramm, das ['ki:logram // --'-]; →G 025. Ebenso **Kilovolt, -watt** usw.

Kilometer, der; -s, -: • ⟨Betonung:⟩ ['---- // --'--]. • ⟨Geschlecht:⟩ der // (bdt. auch:) das.

Kinderfest →**Jugendfest.**

Kindergärtler, der; -s, - (mundartnah) — Kindergartenschüler. *Das Pensum für die fünfjährigen Kindergärtler umfaßt im Schuljahr 1988/89 wieder vier Halbtage* (Aargauer Tagbl. 15. 2. 88, 15). →G 120.

Kinderlehre, die; — (ref. Kirche): Jugendgottesdienst (für das Oberstufenalter, 12–14 Jahre). *Nach der Kinderlehre, die um zwölf Uhr des Mittags zu Ende ging, begab sich der Pfarrherr in das Zimmer der Toten* (O. Wirz, Gewalten II 402).

kinderliebend ≠ kinderlieb. *Gesucht kinderliebende Hausangestellte* (Vaterland 1968, 229, 5). →G 129.

Kinderspital, das; -s, ... äler — Kinderklinik, // Kinderkrankenhaus. *Die drei Kinder jedoch mußten im Kinderspital Winterthur in Brutkästen gelegt werden* (Blick 1968, 235, 2).

Kinderzulage, die; -, -n // Kindergeld.

Kindsentführung, die (Amts-, Rechtsspr.) ≠ Kindesentführung. *Zur Behandlung internationaler Kindsentführungen* (NZZ 9. 12. 87, 25). →G 149/2a. Ebenso **Kindsmord, -mutter, -vater** (diese beiden seltener auch bdt.).

Kirchenpflege, die; -, -n (in mehreren Kantonen, so AG, ZH): Vorstand (Exekutivbehörde) der reformierten, z. T. auch der römisch-katholischen, christkatholischen Kirchgemeinde. →**Kirchgemeinderat.** →**Schulpflege.**

Kirchenpfleger, der: ausschließlich svw. Mitglied der →Kirchenpflege (bdt.): Verwaltungsangestellter in der evangelischen Kirche). *Andere führen* [für den Austritt aus der Kirche] *persönliche Gründe an, ein ungerechtes Wort des Pfarrers oder eines Kirchenpflegers ...* (Oehninger, Kriechspur 241).

Kirchenrat, der; -[e]s, ...räte (in ZH und weiteren Kantonen): **a)** Exekutivbehörde einer kantonalen reformierten Landeskirche. **b)** Mitglied von (a). *In einer ausführlichen Interpellationsbeantwortung ... verwies der Kirchenrat Pfarrer H. H. auf die freundschaftlichen Kontakte, die schon lange zwischen dem Kirchenrat* [Bed. a] *und der Israelitischen Cultusgemeinde ... bestehen* (NZZ 16. 11. 88, 57). →**Synodalrat.**

Kirchgemeinde, die // Kirchengemeinde. *Der alte Sitz des Landvogts von Unterseen ... ist letztes Jahr aus dem Besitz der Hoch- und Tiefbau AG ... an die Kirchgemeinde Unterseen übergegangen* (Bund 19. 12. 68). Dazu **Kirchgemeindehaus.** →**Gemeinde.** →G 148/2b.

Kirchgemeinderat, der (in BE, SO): **a)** Vorstand (Exekutivbehörde) einer Kirchgemeinde. *Die Tätigkeit deiner Frau: in der Schulkommission, dem Kirchgemeinderat, dem Landfrauenverein des Bauerndorfes* (Geiser, Wüstenfahrt 242). **b)** Mitglied von (a). →**Kirchenpflege, -pfleger.**

Kirchmeier, der; -s, - (in BE, LU): Finanzverwalter einer Kirchgemeinde, svw. (in anderen Kantonen:) Kirchengutsverwalter.

Kittel, der: vor allem (wie südd.) svw. // Jacke, Jackett (als Teil des Herrenanzuges). *Seinen leichten Kittel hatte er ausgezogen; die Tasse in der Hand, saß er auf dem besonnten Fenstergesims* (Frisch, Die Schwierigen 48). *Der Täter ... trug eine hellgraue Hose, einen blauen Kittel und ein beiges Leibchen ohne Kragen* (NZZ 8. 7. 71). →**Rock, Veston.**

KK: (buchstabierte) Abkürzung für die **K**atholisch-**K**onservativen, Angehörige der Katholisch-konservativen Volkspartei (veraltet; seit 1971 →CVP, Christlich-demokratische Volkspartei). *Es gab die Schwarzen, die Weißen und die Roten, erklärte der Vater. Die Schwarzen waren die KK,* *die Katholisch-Konservativen, die Weißen die Freisinnigen und die Roten die Sozis* (Wiesner, Schauplätze 65). →G 028, 093.

Klägerschaft, die; - (Recht): die [Partei der] Kläger; →G 122/1.

Klapf, der; -[e]s, Kläpfe (mundartnah; auch südd.) — Knall. *Der Onkel hielt inne, bis die Rakete mit einem Klapf im Dunkel versprüht war* (Wiesner, Schauplätze 110).

kläpfen →**klepfen.**

Klassement, das: [klasə'mɛnt]; -[e]s, -e // [...'mã:]; -s, -s; →G 038.

Klaus, (mundartl.:) **Chlaus,** der; -s, ...äuse: **1.** St.-Nikolaus-Gestalt, wie sie am 6. Dezember, manchenorts auch an anderen Tagen zwischen Anfang Dezember und Neujahr, einzeln oder in Zügen umgehen. *Mein erster Gang mit dem Sankt Nikolaus, unserem Samichlaus. Ich begleitete den Klaus eines frühen Dezemberabends als Engel zur Rechten; zu seiner Linken ging als Engel mein Schulkamerad Josef* (Inglin, Amberg 71). **2.** (salopp) komischer Kerl, Trottel. *ein alter Klaus. Was ist das für ein Klaus?* →**Niklaus.**

Klaviatur, die; **Klavier,** das [klaf... — klav...]; →G 018.

Kleber, der; -s, -: auch svw. // Aufkleber. *Im Wald der Wahlplakate, Poster und Kleber ist das Propagandamaterial der Nationalen nur schwach vertreten* (NZZ 4. 5. 87, 3). →G 135.

Kleid, das: auch svw. — [Herren-] Anzug. [Der Arzt] *war nicht im Berufsmantel ... sondern in einem dunklen, gestreiften Kleid mit weißer Krawatte* (Dürrenmatt, Verdacht 124). Dazu **Herren-, Knabenkleid.** →**Berufs-, Über-, Wehrkleid.**

Kleiderkasten, der; -s, ...kästen (auch südd., österr.) — Kleiderschrank. *Ins Schlafzimmer gehen, im Kleiderkasten wühlen, einen anderen Rock anziehen* (Helen Meier, Trokkenwiese 144). →**Kasten.**

Kleiderschaft, der; -[e]s, ...schäfte (im Westen) — Kleiderschrank. →**Schaft.**

Kleidung, die: auch (veraltend) svw. — [Herren-]Anzug. *„Wo ist meine graue Werkstagskleidung?" fragte er heftig ... „Ich habe sie verschenkt ... du kannst dir eine neue machen lassen!"* (Inglin, Schweizerspiegel 325). *Mein Vater holte aus dem Kasten ein Hemd und eine Kleidung sowie ein paar Schuhe hervor. Im Korridor draußen zog sich Gerber um* (Oehninger, Kriechspur 70).

klepfen / kläpfen (auch südd.) / **klöpfen** (mundartnah) — knallen. [Der Reitlehrer] *kehrte ... in die Mitte der Bahn zurück, kläpfte mit der Geißel und ließ die Zöglinge nun aufsitzen* (Inglin, Schweizerspiegel 377). *Der alte Kracher gibt mir keinen Bescheid ... Am liebsten hätt ich ihm eine geklepft* (Glauser IV 266). *„Ihr wollt also einfach, daß es zum Klöpfen kommt?" fragte Neidhart* (Guggenheim, Alles in allem I [1954], 260; in der Gesamtausgabe 249: *daß es zum Knallen kommt).*

Klevner, Clevner ['kle:fnər], der; -s: **a)** blaue Burgundertraube. *Auf 180 Aren wächst der Blauburgunder oder „Clevner", wie er hierzulande heißt* (NZZ 10. 10. 74, 461, 37). **b)** Wein aus der blauen Burgundertraube. *Lori, die ... Horoskope studierte, dann und wann einen Dreier Klevner trank* (Diggelmann, Rechnung 60). — Nach Cleven, dem kaum mehr gebrauchten dt. Namen der nordital. Stadt Chiavenna.

Klientele, die; -, -n — Klientel. *Nach dem ersten Weltkrieg, als die internationale Klientele* [der Grand-Hotels] *ausblieb* (NZZ 18. 6. 87, 65). →G 066.

klingeln, (mundartnah:) jmdm. ⟨Dat.⟩ — nach jmdm. *Klingeln Sie der Nachtschwester!* (Frisch, Tageb. 1966/71, 243). →G 060.

Klöntalersee, der; -s: Bergsee in GL; der Name wird gewöhnlich zusammen geschrieben; →153/2d.

klöpfeln: leicht klopfen. *Einmal in der Woche ... nahm ich den Geigenkasten unter den Arm, klöpfelte im Gang, wo verschiedene Professorenzimmer la-*

gen, an eine gewisse Türe ... (Inglin, Amberg 158). →G 097. Ebenso **beklöpfeln:** *beklöpfelte Vater beschwörend das Barometer* (National-Ztg. 5./6. 10. 68).

klöpfen →**klepfen.**

Klöpfer, der; -s, - (in Basel): svw. →**Cervelat.** *Wo man am Lagerfeuer eigenhändig einen Klöpfer braten konnte* (National-Ztg. 7. 10. 68).

Klotz, der; -es: auch (salopp) svw. — Geld. *Wirt: ... und schon gar nicht, wenn es eine Dame ist. Geselle: Und wenn sie Klotz hat!* (Frisch, Andorra 69).

Klus, die; -, -en: enger Taldurchbruch durch eine Gebirgskette, bes. im Jura.

Knabe, der (bdt. gehoben, veraltend) # Junge. (Gegenüber →Bub ist Knabe distanzierter, sachlicher; so wird es auch [wie südd., österr.] in der Amts- und Geschäftsspr. gebraucht). *Was man* [sonst] *kaum belächelte ... brachte in der Kirche Mädchen und Knaben reihenweise* [zum] *Kichern* (Inglin, Amberg 170). *Stiller ... schon ein Mann über Dreißig ... war ... irritiert wie ein Knabe* (Frisch, Stiller 106). [Das] *Lächeln ... eines verwöhnten, eigensinnigen Knaben* (Helen Meier, Trockenwiese 152). *Sechsjähriger Bub ... schwer verletzt* [Überschrift]. *Auf der Glattalstraße ... ist ... ein sechs Jahre alter Knabe von einem Auto angefahren ... worden* (NZZ 10. 3. 88, 54). Dazu (Jelmoli, Katalog Frühling 1987:) **Knaben-Hose, -Jeans, -Leibchen, -Slip.**

Knabenschießen, das; -s, -: Wettschießen für 13- bis 16jährige Jungen in der Stadt Zürich (2. Wochenende im September) und an einigen andern Orten, verbunden mit einem Volksfest. *Seit wann kenne ich Stupsi? Letzten Herbst, am Knabenschießen, da fiel sie mir auf, und da haben wir miteinander getanzt* (Landert, Koitzsch 11)

Knopf, der; -[e]s, Knöpfe: auch (mundartnah; auch südd., österr.) svw. **1.** — Knoten. *Der Mir ist ein schwerer, aus hochwertiger Wolle dicht geknüpfter Teppich (ca. 250 000 Knöpfe pro m²)* (Aargauer Tagbl. 19. 10. 68; Inserat). **2.** — Knospe. ***den Knopf auftun:** (von Kindern, jungen Leuten) einen merklichen Fortschritt in der geistigen Entwicklung machen. *Mit Zehn tat ich den Knopf auf, wurde umgänglich und mitteilsam* (Gosse, Vater und Sohn [Übers.] 195: I certainly unfolded). Dazu (1) **Krawattenknopf.**

Knöpfli, die ‹Pl.› // Spätzle. *Immer mehr Frauen ... finden die vorfabrizierten Knöpfli, Ravioli und andere Menü-Beilagen aus dem Säckli mindestens ebenso gut wie hausgemachte* (Blick 1968). →G 105. →**Spätzli.**

knorzen (mundartnah): sich mit etw. abmühen, sich mühsam [und lustlos] durch etw. hindurcharbeiten. [Für die Jugendkultur] *passiert* [von Seiten der Stadt Bern] *einfach nichts. Man knorzt von einem Problem zum andern* (Weltwoche 29. 10. 87, 49). *Geknorzt – auch noch beim Ja am Schluß. Der Verfassungsrat hat nach 6 Jahren seinen Entwurf* [einer neuen aargauischen Kantonsverfassung] *abstimmungsreif gemacht* (Freier Aargauer 14. 12. 78; Überschrift).

Knorzerei, die; - (mundartnah): kleinliches Verhalten, Knauserei. *Ein Postulat zielt darauf ab, den in die eidgenössischen Räte gewählten Mitgliedern der zürcherischen Regierung die Entschädigung für ihre Parlamentstätigkeit abzuzwacken und der Staatskasse zuzuführen ... aber die große Mehrheit des Rates lehnt es ... ab, Knorzerei zu einer staatspolitischen Grundsatzfrage zu deklarieren* (NZZ 26. 2. 80, 45).

knutschen ‹sw. V.› — knutschen; →G 004.

Köhli, der; -s (in BE, SO, mundartnah): Wirsingkohl, Brassica oleracea capitata bullata. *Weißkabis per Kilo 65 Rp., Rotkabis 75 Rp., Köhli 80 Rp., Rübkohl 80 Rp.* (Der Schweizer Bauer 9. 8. 1968). →G 107. →**Wirz.**

Kohlrabe [auch -'--], die; -, -n ‹meist Pl.› — Kohlrabi. *Die Krautstiele oder* *die knackigen Kohlraben, von denen riesige „Hiesige" für Fr. 2.– das Stück zu haben sind* (NZZ 30.4./1.5.88, 55). [Von] *Gemüse ... verstehe sie etwas; sie wisse, wann ein Rettich holzig ist und wie eine Kohlrabe ausschaut* (Loetscher, Kranzflechterin 19). →G 025, 069/3.

Kollaudation, die; -, -en (Amtsspr.): amtliche Prüfung und Schlußgenehmigung, namentlich eines Bauwerkes. *Als drittes und letztes Berner Kraftwerk unterhalb der Stadt Bern erhielt am Freitag die Zentrale Bannwil ... durch die im Gesetz vorgesehene Kollaudation vom Regierungsrat die definitive Betriebsbewilligung* (NZZ 3. 11. 70). →G 123.

kollaudieren (Amtsspr., auch österr.): ein Werk (meist Bauwerk) amtlich prüfen und die Übergabe an seine Bestimmung genehmigen. *Ferner wurde eine Serie von Kurzfilmen kollaudiert, die vom Schweizerischen Fernsehen in Zusammenarbeit mit der Polizeikommandantenkonferenz ... gedreht worden sind und in nächster Zeit ausgestrahlt werden* (St. Galler Tagbl. 1968, 462, 13).

Kollekte, die: Sammlung von Geldspenden (nicht nur, wie bdt., im oder nach dem Gottesdienst, sondern) auch (mit Sammelbüchse, Sammeltopf) auf der Straße oder von Haus zu Haus. Dazu: **Topfkollekte** (der Heilsarmee, in den Tagen vor Weihnachten).

Kollektivbillett, das; -s, -e // Sammelfahrschein (für Gruppen von mindestens 5 Personen). *Schon in den frühen Morgenstunden trafen sich ... Pfadfindergruppen, Ferienkolonien, Jugendvereine und Grüppchen, die mit einem Kollektivbillett reisen* (Ruhiger Auszug in die großen Ferien, NZZ 8. 7. 74, 310, 17).

Kollokationsplan, der; -[e]s, ...pläne (Recht): von der Konkursverwaltung angefertigtes Verzeichnis der Konkursforderungen.

Kölsch, der; -es: rot- oder blau-weiß gewürfeltes Baumwollstoff. *Kölsch-Bettwäsche wie in alten Zeiten, aus 100% reiner Baumwolle* (Versand-Katalog 1957).

Komfort, der [kɔm'fɔrt // ...'foːɐ̯]; →G 038.

Kommandant, der: auch (Militär, Polizei) svw. // Kommandeur (Befehlshaber eines größeren Truppenteils). *Er war Dr. H., der ehemalige Kommandant der Kantonspolizei Zürich* (Dürrenmatt, Versprechen 9). *Eine ganze Artillerieabteilung zum Beispiel trat in den Ausstand ... Sie hatten nichts gegen ihren Kommandanten.* (Diggelmann, Harry Wind 118). →G 125.

Kommanditär, der; -s, -e // Kommanditist (Gesellschafter einer Kommanditgesellschaft, dessen Haftung auf seine Einlage beschränkt ist); →G 125.

Kommissär, der; -s, -e (auch südd., österr.) ≠ Kommissar. *Durch Professor Carl J. Burckhardt, den Völkerbundskommissär in Danzig* [1937–39] (Bund 1968, 245, 3). [Daß] *die Nachlaßstundung bewilligt wird ... Die Firma wird dann einem Kommissär unterstellt, welcher den Finanzhaushalt überwacht* (Tages-Anz. 16. 12. 87, 31). [So] *wirft sich Lee Evans nach dem 400-m-Weltrekordlauf ins Zielband ... Präzis stich- und hiebfest können die Kommissäre die Zeit auf dem Zielfoto ablesen* (Blick 1968, 232, 9). *„Bist du denn wieder in Rußland gewesen?" „Mein Geschäft, Kommissar." „Kommissär," verbesserte Bärlach. „Im Bernischen gibt's nur Kommissäre"* (Dürrenmatt, Verdacht 26). →G 125.

Komposition, die: auch (Amtsspr.) svw. Eisenbahnzug, Wagenfolge. *Eine in Richtung Zürich fahrende Komposition der Pendelzüge Zürich-Rapperswil-Zürich rammte gestern ... einen Rangiertraktor* (Bund 3.10. 68).

Kondukteur, der; -s, -e: • ⟨Betonung:⟩ ['--- // --'-]; →G 025 • ⟨Geltung:⟩ normalspr. (bdt. veraltet) // Schaffner in der Eisenbahn (früher auch in Straßenbahn und Bus). *Der*

Kondukteur stieß die Türe auf und sagte ...: „Zürich – Alles aussteigen!“ (Trottmann, Nachts 175).

Konfiserie →**Confiserie.**

Konfitüre, die: • ‹Betonung:› ['---- ⫽ --'--] • ‹Bedeutung:› auch svw. // Marmelade. Das heißt: die bdt. Unterscheidung zwischen Marmelade (Brotaufstrich aus mit Zucker eingekochten Früchten) und Konfitüre (aus nur einer Obstsorte hergestellte Marmelade [mit ganzen Früchten oder Fruchtstückchen]) wird nicht gemacht. *Es erstaunte sie* [junge Deutsche], *daß es zum Frühstück Butter aufs Brot gab, mit Rösti, Käse und Konfitüre. „Konfitüre heißt Marmelade,“ erklärten sie* (Wiesner, Schauplätze 7).

Konkordat, das; -[e]s, -e: auch (Amtsspr.) svw. Staatsvertrag zwischen Kantonen. *Dem Beitritt* [von Obwalden] *zum Konkordat betreffend den Betrieb des Laboratoriums der Urkantone in Brunnen wurde ... zugestimmt* (Aargauer Tagbl. 27. 4. 70). *Der Kanton St. Gallen, der an 116 von 311 interkantonalen Verträgen (Konkordaten) beteiligt ist, die zwischen 1828 und 1980 abgeschlossen wurden, ist der am meisten „verflochtene“ Kanton unseres Landes* (NZZ 14. 8. 81, 37). →**Verkommnis.**

konkurrenzieren, jmdn. (auch südd., österr.) — jmdm. Konkurrenz machen. [Es] *war befürchtet worden, die neuen Bildungsstätten würden das Lehrerseminar Kreuzlingen konkurrenzieren, d. h. es würden sich weniger Interessenten für das Seminar melden* (St. Galler Tagbl. 13. 12. 68). *Die Urteile, die Wagner über Gottfried Keller, und jene, die der Zürcher über Wagner fällte ... laufen so nebenbei: Sie wären vielleicht schärfer ausgefallen, wenn sich die beruflichen und künstlerischen Tätigkeiten der beiden konkurrenziert hätten* (Guggenheim, Seldwyla 64).

konkursit [auch ...it] ‹Adj.› (Geschäftsspr.) — bankrott. *Seines großbürgerlichen, jedoch ... geschäftlich konkursiten Elternhauses* (NZZ Fernausg. 9. 3. 78). *Das Unternehmen wurde nämlich, obwohl konkursit, ... weitergeführt* (NZZ Fernausg. 28. 4. 83, 13).

Konkursit [auch: ...it], der; -en, -en (Amts-, Geschäftsspr.) — Bankrotteur.

Konsumation, die; -, -en (auch österr.): in einer Gaststätte Konsumiertes, Verzehr, Zeche *Im Grunde genommen, dachte Aaron, habe ich ihm nur die Konsumation, jenen Café mélange, mit Zinsen zurückgezahlt, den er mir einst anbot* (Guggenheim, Alles in allem 276).

Konsumationszwang, der; -[e]s (auch österr.): Verpflichtung, bei einer Veranstaltung etwas [zu essen und] zu trinken zu bestellen. *Kein Konsumationszwang!*

Kontrollbüro, das; -s, -s (in Basel) // Einwohnermeldeamt. →**Einwohnerkontrolle.**

Konvertit, der — Konvertit; →G 004.

Konvikt, das [kɔn'fɪkt — ...'vɪkt]; →G 018.

Konzession, die: auch (Amtsspr.) svw. Genehmigung zum Radio-, Fernsehempfang. Dazu **Konzessionsgebühr.** →**Fernseh-, Radiokonzessionär.**

Kopf, der: ***den Kopf machen** (mundartnah): nicht nachgeben wollen, trotzig, bockig sein, schmollen. *Wissen Sie aber, was ich Ihnen im Sinn habe zu machen? Den „Kopf“ mache ich Ihnen!* (Walser IX 276).

köpfeln (Fußball; auch südd., österr.) // köpfen (den Ball mit dem Kopf stoßen). *Den dritten Corner ... köpfelte Fimian aus vier Meter Distanz knapp über die Latte* (Bund 14. 10. 87, 35). →G 098.

Köpfler, der; -s, -: **a)** (mundartnah; auch österr.) — Kopfsprung (ins Wasser). **b)** (Fußball; auch südd., österr.) // Kopfball. ... *lenkt Rufli den Köpfler von Biaggi rückwärtshechtend noch an den Pfosten* (Aargauer Tagbl. 27. 4. 70). *Mit einem Hechtköpfler wie aus dem Lehrbuch bringt Santillana* *die Spanier in Führung* (NZZ 3. 10. 86, 53). →G 120.

Kopfweh, das (bdt. nur ugs.) ≠ Kopfschmerzen.

korben — Körbe flechten. *Im Zeitalter der Plasticgefäße scheint das Korben oder Zainen heute kaum mehr aktuell zu sein. Doch trifft man – wenn man Glück hat – im windgeschützten Winkel eines Bauernhofes noch den früheren Fachmann, der es versteht, mit den Weidenruten umzugehen* (NZZ 14. 4. 78, 51).

Korber, der; -s, - — Korbmacher, Korbflechter. *„Die Aufträge sterben nicht aus, wohl aber die Korber." Der 73jährige ist denn auch einer der wenigen, die dieses Handwerk in der Schweiz heute noch ausüben* (Aargauer Tagbl. 17. 12. 82).

Korporal, der; -[e]s, -e oder ...äle (Militär, Polizei): niedrigster Unteroffiziersgrad (entspricht dem „Unteroffizier" in der Bundesrepublik und der DDR, dem „Zugführer" in Österr.). *Er folgte mit zwei Kameraden einem Korporal auf die Straße und löste dort eine Schildwache ab* (Inglin, Schweizerspiegel 224). *Wir nehmen noch die* [lies: *den*] *Adjutanten Cattaneo, den Sergeant Schützendorf und zwei Korporäle* (Glauser II 488).

Korporation, die: besonders auch svw. öffentlich-rechtliche oder privatrechtliche gemeindeähnliche Körperschaft zur Verwaltung althergebrachten gemeinsamen Grundeigentums (Wald, Allmenden, Alpen o. ä.) oder zur Bewältigung bestimmter Bedürfnisse (Wasser-, Elektrizitätsversorgung, Straßenunterhalt, Feuerwehr o. ä.) Dazu **Allmend-, Alp-, Straßen-, Wald-, Wasserkorporation; Korporationsbürger/-genosse** (Mitglied einer Korporation). →**Genoßsame, Teilsame.**

Korps, das ‹frz. corps›: [*frz.* kɔʀ; k'ɔ:r // ko:ɐ]; →G 034.

Korpskommandant ['k'ɔ:r...], der; -en, -en (Militär): **a)** Befehlshaber eines Armeekorps. **b)** zweithöchster (in Friedenszeiten höchster) Offiziersgrad (dem [Armee-]General od. Generalleutnant anderer Heere entsprechend). *Ich sagte, wir hätten eine Wehrgesellschaft, deren Vorsitzender Korpskommandant Sturzenegger sei* (Diggelmann, Harry Wind 20).

Korpus, der; -, -se: vor allem svw. Schrank, dessen Deckfläche als Arbeitstisch oder Ablage benutzt wird; Ladentisch. *Als eine Art von Traumküche wurde ... eine Lösung gelobt, bei der sich in der Küchenmitte ein runder oder ovaler Korpus befindet, an dem gekocht, gerüstet und gespült wird* (National-Ztg. 4. 10. 68, 11). *Kurz nach 15 Uhr betraten die Männer die Schalterhalle. Einer der beiden Räuber schwang sich über den Korpus in das Postbüro* (NZZ 5./6. 9. 87, 54). Dazu **Ladenkorpus.**

Korrektion, die: auch (Amtsspr.) svw. Ausbau (Verbreiterung, Begradigung) einer Straße, eines Baches oder Flusses. *Zusammen mit Brückenbauten, Kreuzungskorrektionen und Anpassung der Zufahrten kommt die Korrektion der Seestraße in diesem Abschnitt auf etwa 1,9 Millionen Franken zu stehen* (St. Galler Tagbl. 1968, 560, 27). Dazu **Straßenkorrektion.**

Krachen, der; -s, Krächen (mundartnah): enges, abgelegenes Seitental. *Sie kennt: Gallensteine, Herzwassersucht, Krebs – die großen tödlichen Leiden, für die man in ihrem Krachen den Arzt aufsucht* (Vogt, Wüthrich 103). *In einem verlotterten Bauernhaus irgendwo im Emmental, in einem Krachen voll Finsternis und Schnee* (Dürrenmatt, Verdacht 150). ***im hintersten Krachen:** — wo Füchse und Hasen einander gute Nacht sagen.

Kraft, die: ***in Kraft stehen** (Amtsspr.) — in Kraft sein. *Daß die neue Maturitätsordnung wohl kaum wiederum 40 Jahre in Kraft stehen werde* (National-Ztg. 1968, 563, 2).

Kragen, der • ‹Plural:› Krägen (auch südd., österr.) — Kragen. *Kleider, Krägen, Schals und Mützen* (Tages-Anz.-Magazin 4. 9. 82, 42). →G 072.

Krampf, der; -[e]s, Krämpfe: auch

(mundartnah, salopp) svw. schwere (ungern geleistete) Arbeit, Anstrengung. *Sich* [im Schnee] *vorzuarbeiten, ist ein verdammter Krampf: wie eine schwere Walze liegt vor Schultern, Brust und Kopf der zusammengepreßte Schnee.* (Schumacher, Rost 64). *Sie überlasen abends, wenn sie müde ... zurückkamen, die Aufgaben ihrer Kinder ... „Kein kleiner Krampf", sagten sie; schon daraus sieht man, daß heute mehr verlangt wird als früher* (Jaeggi, Wohltaten 14). ****einen Krampf drehen** — ein Ding drehen (eine Straftat begehen).

krampfen: auch (mundartnah, salopp) svw. hart arbeiten, schuften. *Wenn wir einen Sohn hätten, dann vielleicht, aber für einen Schwiegersohn krampfe ich mich nicht krumm. Der soll selber schauen, wie er vorwärtskommt* (National-Ztg. 1968, 561, 2). *Mit Aufrichtigkeit kommst du hier nicht ... weit. Ellenbogen, Krampfen, Beziehungen, nur das hilft!* (Schmidli, Schattenhaus 217).

Kran, der • ⟨Beugung:⟩ -en, -en (auch bdt. landsch.) — -s, Kräne. *Er ... verdeckte ... ein Hochhaus, einen Kranen, ... ein Fabrikgebäude und stellte so das Bild her, das er wollte* (Schmidli, Schattenhaus 238). *Über dem Gestrüpp der Fernsehantennen wuchsen die roten Kranen* (Guggenheim, Zusammensetzspiel 69). *Vom Anblick der Minengebiete ..., deren Riesenkranen und Schlackenhalden nur als Umrisse am Horizont* [erscheinen] (NZZ 27. 9. 79, 55). →G 067.

Kranz, der: auch (an den Schwing-, früher auch den Turn- und Schützenfesten) als Siegeszeichen (wie die Medaillen an der Olympiade); heute bei Schützen und Turnern durch →Kranzabzeichen ersetzt. Dazu **Kranzschütze, -schwinger, -turner. *in die Kränze kommen:** Siegerehren erlangen; ⟨übertr.⟩ (mundartnah) in die ersten Ränge gelangen, ernsthaft in Betracht kommen. *Das kommt nicht in die Kränze:* das hat keine Aussicht auf Erfolg, auf Berücksichtigung, das scheidet aus.

Kranzabzeichen, das; -s, -: Abzeichen für die Besten beim Schützen- oder Turnfest. *Silvester ... schoß mit gutem Erfolg weiter und steckte sich gegen Abend das silberne Kranzabzeichen an, das er für sein Resultat im Sektionsstich erhielt* (Inglin, Erlenbüel 116).

Kratten, der; -s, -/Krätten (auch südd.): (kleinerer) verhältnismäßig enger und tiefer Korb, namentlich zum Kirschen- und Beerenpflücken verwendet: *Frag Sabine, ob sie noch ein Beerenkrättchen hat, sonst nimm den Obstkratten, der hängt drüben beim Gartengerät* (Inglin, Erlenbüel 152). ***ein Kratten [voll]:** eine ganze Menge. *Mit einem Kratten Sorgen. Portugal–Schweiz am Mittwoch in Lissabon* (Aargauer Tagbl. 15. 4. 69, Überschrift). *Bei diesem Kratten ... zweifellos berechtigter Anliegen* (NZZ 24. 6. 87, 53). Dazu **Beeren-, Obstkratten.**

Kräuel, der; -s, - (auch bdt. landsch.): leichte Hacke mit etwas gebogenen dünnen Zinken (zum Lockern des Bodens).

Kräuter, der; -s: kurz für Kräuterschnaps, -likör. →**Trester.**

Krautstiele, die ⟨Pl.⟩: **a)** Mangoldrippen (als Gemüse). **b)** Rippen- oder Stielmangold, Beta vulgaris L. var. flavescens. *Bei den Krautstielen ist das inländische Angebot nun bereits so groß, daß ... der Import gestoppt werden kann* (NZZ 20. 5. 87, 25).

Kräze, die; -, -n (im Osten, veraltend) — Rückentragkorb, // Kiepe. →**Hutte.**

Krebs, der — Krebs; →G 004.

krebsen →**rückwärtskrebsen, zurückkrebsen.**

Krebsenmahl [auch: ˈkrɛps...], das; -[e]s, ...mähler: aus Krebsen bestehendes [festliches] Essen. *Ein Krebsenmahl! Viel Plage mit der Schale und kein Fleisch!* (Kopp, Damaris 84). →G 150.

Kreisgericht, das; -[e]s, -e (in GR

und VS): Gericht erster Instanz, namentlich in Zivilsachen. →**Bezirksgericht.**

Kreislandsgemeinde →**Landsgemeinde** (b).

Kreisschreiben, das; -s, -: Rundschreiben einer Behörde an (untergeordnete) Amtsstellen. *Die Schrift enthält ... den vollen Wortlaut des Bundesgesetzes und der dazu ergangenen Kreisschreiben der Eidg. Steuerverwaltung* (St. Galler Tagbl. 1968, 463, 14). *Der Kanton Aargau macht Ernst mit dem Vollzug des eidgenössischen Umweltschutzgesetzes. Gegenwärtig erhalten sämtliche Gemeinderäte ein Kreisschreiben, das sie über ihre Aufgaben ... aufklärt* (Aargauer Tagbl. 5. 8. 87, 9).

kremieren (bdt. veraltet) // einäschern. *Freitag, den 29. November 1968, wurde auf dem Friedhof Feldli kremiert ...* (St. Galler Tagbl. 1968, 563, 23; amtl. Anzeige).

Krete, die; -, -n ‹frz. crête› — Geländekamm, Grat. *Israelische Flugzeuge flogen ... mehrere Angriffe gegen syrische Stellungen auf den Kreten des Golan-Gebirges* (NZZ 1967, Bl. 2556). *Am linken Zürichseeufer in Kilchberg, an oberster Kretenlage, befindet sich dieses moderne Landhaus* (NZZ 7. 11. 86, 104; Inserat).

krüppeln (mundartnah, derb): hart arbeiten. *„Habt ihr es immer noch so streng? Müßt ihr immer noch um sechs Uhr aufstehen?" „Das Aufstehen macht mir nichts ... Aber sonst ... Manchmal müssen wir ja gehörig krüppeln"* (Inglin, Schweizerspiegel 537). →G 098.

Kt.: Abkürzung für →**Kanton.**

Kubatur, die: namentl. (Architektur; auch österr.) svw. Rauminhalt, umbauter Raum.

Kübel, der; -s, -: bes. auch (mundartnah, familiär) svw. — Kehrichteimer, // Mülleimer. *Emilie ... sah beim Kartoffeleinkaufen oder beim Kübeltragen immer so aus, als ob sie zum Fünfuhrtee ginge. Schick* (Kübler, Heitere Geschichten 142).

küecheln (mundartnah; auch südd.): Fettgebackenes bereiten. *Bereits wird in vielen Küchen geküchelt* (Federer, Berge und Menschen 369). →G 098.

Küchlein →**Chüechli, Chäs-Chüechli, Ofenküchlein.**

Küfer, der; -s, - (auch südwestd.) // Böttcher.

Kulturkanton, der; -s: umschreibende Bezeichnung für den Kanton Aargau; heute einfach ein hergebrachter Name, oft ironisch gebraucht (geht wohl auf die im philanthropischen Geist der Aufklärung 1810/11 gegründete „Gesellschaft für vaterländische Kultur" zurück, die eine rege Tätigkeit entfaltete und – in Bewunderung und Haß – über den jungen Kanton hinaus ausstrahlte; man nannte sie kurz die „Kulturgesellschaft", ihre Träger die „Kulturmänner").

Kulturschaden, der; -s — Flurschaden. →**Landschaden.**

Kummet, der; -s, -e // das Kummet, Kumt. →G 029, 076.

kumulieren: namentl. svw. einen Kandidaten auf dem Wahlzettel doppelt aufführen. *Wichtige Wahlregeln für die Gemeinderatswahlen ... Kumulieren ... ist nicht gestattet* (St. Galler Tagbl. 1968, 462, 11).

künden: auch (veraltend; bdt. seltener) svw. — kündigen. *Die Stimmung in der Armee scheint nicht gut zu sein. Viele Offiziere künden den Dienst* (Bund 3. 10. 68, 2). *Die ... Delegierten beschlossen ..., den Buchbindervertrag auf Ende Oktober zu künden* (NZZ 24. 10. 88, 17). *Man will uns die Wohnung künden* (Frisch, Blätter 33). →**ankünden.**

Kunkel, die: ***[viel] Werg an der Kunkel haben:** viel Arbeit vor sich haben. *Viel Werg an der Kunkel ... Zur Interpellation der Gewerbegruppe des Einwohnerrates* (Aargauer Tagbl. 14. 10. 68; Überschrift). *Er war gewohnt, nach Belieben umherzustreifen, die Polizei zu fürchten, kleine Geschäfte und Streiche an der Kunkel zu haben und von jedem lieben Tag etwas Neues zu* *erwarten* (Hesse I 826: Diesseits: In der alten Sonne).

Kunst, die; - ‹o. Pl.›: auch svw. von der Küche aus geheizter Kachelofen mit Ofenbank. *Ich ginge auch in den Gasthof Zum Kreuz ... Der Gastraum wäre aus alten Holz, hellbraun, und eine grüne Kunst stünde in der Ecke* (Widmer, Schweizer Geschichten 61). *5½-Zimmer-Einfamilienhaus ... Gehobener Ausbaukomfort, Cheminée und Kunst ...* (Aargauer Tagbl. 2. 12. 86, 19; Inserat).

Kutte, die; -, -n: auch (wie südd.) svw. (Arbeits-)Kittel, bes. in Zusammensetzungen: **Bauern-, Sennenkutte.**

Kutteln, die ‹Pl.› (auch südd., österr.) // Kaldaunen. ***jmdm. die Kutteln putzen:** jmdn. tadeln, ihm die Meinung sagen. *Ein paar* [Kunden] *haben reklamiert, der Reisende sei nicht zur rechten Zeit vorbeigekommen ... Der Direktor hat mir die Kutteln geputzt und mir einen andern Rayon gegeben* (Glauser IV 262).

Kuvert →**Couvert.**

KV ['ka:fau], der; -: (buchstabierte) Abkürzung für Kaufmännischer Verein (Berufsverband der kaufmännischen Angestellten); auch (salopp) i. S. v. kaufmännische Berufsschule (geführt vom Kaufmännischen Verein); →G 028, 093. *Die Tante hatte auch eine Tochter, und nach dem Kavau* [!] *ging dieselbe nach Genf und kam dann ... zu einem Chefsekretärinnenposten* (Junge Schweizer 46). *Angst vor der KV-Prüfung?* (Stadtanz. Bern 18. 11. 88, 26; Inserat). *Vor ... 40 Jahren hat er am KV Zürich als Hilfslehrer seine Laufbahn begonnen* (NZZ 28. 9. 88, 56).

L

Labor, das (auch österr.) // Labor; →G 025.

Lädelisterben [auch 'lɛdəlı..., 'lædəlı...], das: Schließung vieler kleiner Einzelhandelsgeschäfte (Tante-Emma-Läden), verursacht durch die Supermärkte und die veränderten Einkaufsgewohnheiten. *Das Lädelisterben fordert weitere Opfer* (Tages-Anz. 26. 10. 88, 25). →G 109.

Ladentochter, die; -, ...töchter (veraltend) — (junge) Verkäuferin. *Wir suchen auf 1. Oktober freundliche, tüchtige Ladentochter, evtl. auch zum Anlernen ... Fam*[ilie] *B., Metzgerei, R.* (Aargauer Tagbl. 24. 8. 68; Inserat). *Die Schneeschuhläufer kamen wieder, die Stenotypistinnen und Ladentöchter behielten den Kopf von diesen Schneeferien voll* (Zollinger II 426: Die große Unruhe).

lafern (mundartnah) — plappern, inhaltsleer daherreden. *Landauf, landab wird übertrieben, verharmlost, verallgemeinert oder schlicht und einfach gelafert* (NZZ Fernausg. 23. 1. 81, 40; Eigeninserat). →**Gelafer.**

Laffe, die; -, -n // Bug (Schulterstück vom Rind, Schwein, Reh usw.). *Der echte Schinken gehört zum Teuersten, viel günstiger sind die Stücke vom vorderen Teil der Sau – Laffe, Stotzen oder gar Wädli. Diese ... dürfen, einfach in eine Schwarte gepackt und zusammengebunden, ebenfalls als „Rollschinkli" angeboten werden* (NZZ 31. 12. 87, 11).

Laffli, das; -s, - ‹Dim.›: spez. svw. Schulterstück des Schweines. *Einer ... sah sich mit Vertilgen eines Lafflis beschäftigt, das ein Stück oder Teil vom*

Schwein ist (Walser IX 191). →G 106. →**Schüfeli.**

Lamellenstoren, der; -s, -, auch: **...store,** die; -, -n: svw. →Storen (1), aus Leichtmetall- oder Kunststofflamellen, // Jalousette. *Die Pflanzen ... werden durch eine Lamellenstore vor zu intensiver Sonnenbestrahlung geschützt* (Sie und Er 1961, 47, 7). *Das Fenster bot nichts: ein Lamellenstoren versperrte den Ausblick in das Fabrikareal* (Schmidli, Schattenhaus 184). →**Storen.**

lancieren: auch (Politik) svw. (ein Volksbegehren, eine Petition o. ä.) in die Wege leiten. *Im Aargau ist ein Volksbegehren lanciert worden, das den Schutz der vier aargauischen Heilbäder ... vor künftigen Beeinträchtigungen aller Art anstrebt* (NZZ 16. 1. 73, Morgenausg. 23).

Land-, Land[e]s-: Zusammensetzung mit dem Bestimmungswort „Land" beziehen sich **1.** meist auf den Kanton, bes. auf die alten Landkantone AR, AI, GL, NW, OW, SZ, UR, auch ZG sowie BL: →**Landammann, -rat, -schreiber, -statthalter, -steuer, Landesbibliothek** (1), **-kanzlei, -kirche, -rechnung, -statthalter, Landsgemeinde. 2.** seltener auf die ganze Schweiz wie **[Schweizerische] Landesausstellung** (1883 in Zürich, 1914 in Bern, 1939 in Zürich, 1964 in Lausanne), **[Schweizerische]** →**Landesbibliothek** (2), **[Schweizerisches] Landesmuseum** (in Zürich). →**Bund, National-, Staat.**

Landammann, der; -[e]s, ...männer: **a)** (in den Urkantonen NW, OW, SZ, UR sowie in AG, AR, AI, GL, SG, SO, ZG:) Präsident der Kantonsregierung (und, wo vorhanden, der Landsgemeinde; in AI **regierender L.,** daneben **stillstehender L.** = Stellvertreter; sie wechseln gewöhnlich ab). **b)** (in GR:) Präsident des Kreisgerichts und des Kreisrates (in Davos, wo Kreis und Gemeinde zusammenfallen: Gemeindepräsident).

Lände (auch bdt. landsch.; in BE:) **Ländte,** die; -, -n: Landungsplatz, -steg für Schiffe, Boote. *Obwohl sie nicht hoffen konnten, übergesetzt zu werden, zog es sie unwiderstehlich zur Lände hinunter. Von hier aus sahen die Ordways zum erstenmal Texas* (NZZ 4. 5. 67). →**Schifflände.**

länden (auch bdt. landsch.) — an Land spülen. *Seit dem 17. Mai wurde in Emmen (Kanton Luzern) der zweijährige Hans-Peter A. vermißt ... Am Montag vormittag wurde nun die Leiche bei der Einmündung der Reuß in die Aare geländet* (NZZ 7. 6. 67).

Landeskanzlei, die; -: **a)** (in BL): svw. →**Staatskanzlei. b)** (in AI) kantonales Notariat und Grundbuchamt.

Landeskirche, die: evangelisch-reformierte, römisch-katholische oder →christkatholische Kantonalkirche, soweit sie in dem Kanton öffentlich-rechtlichen Status (und die dafür vorgeschriebene Organisation) hat.

Landesrechnung, die; -, -en (in AI, GL): Abrechnung über die Einnahmen und Ausgaben des Kantons in einem Rechnungsjahr. →**Kantons-, Staatsrechnung.**

Landesstatthalter (in GL, NW, SZ, UR), (in AG, OW:) **Landstatthalter,** der; -s, -: Vizepräsident des Regierungsrates, Stellvertreter des Landammanns. *Als Landstatthalter wird turnusgemäß der bisherige Landstatthalter Arnold Durrer (fr*[eisinnig], *Giswil) zum Zuge kommen* (NZZ 23. 4. 71). →**Statthalter.**

Landesverweis, der; -es, -e, (auch österr.; bdt. selten:) **-verweisung,** die; -, -en (Recht): Ausweisung einer Person aus dem Gebiet eines Staates (als Nebenstrafe). *Das Kriminalgericht von Morges VD hat ... einen Iraner wegen dreifachen Mordes ... zu 20 Jahren Zuchthaus und 15 Jahren Landesverweis verurteilt* (NZZ 11. 2. 87, 7). →G 115.

Landjäger, der; -s, -: **1.** (veraltend) Gendarm, Kantonspolizist. *Man habe wahrscheinlich bei uns einzubrechen versucht, verschiedene Nachbarn wollten es gehört haben, die Polizei sei be-*

nachrichtigt ... Nach dem Essen kam ein Landjäger [und] *betrachtete alles genau* (Inglin, Amberg 222). *Am Donnerstagmorgen wollte ihn der Landjäger verhaften, aber Schlumpf war geflohen* (Glauser II 11: Wachtmeister Studer). *Schließlich kam sie heraus und übergab der Polizei den Karabiner ... mit dem Landjäger Favre verletzt worden war* (NZZ 1969, 58, 2). **2.** (auch: **dürrer Landjäger:**) eine schmale, flachgepreßte Rohwurst aus 3 Teilen Kuhfleisch und 1 Teil kernigem Rückenspeck, gewürzt mit Kümmel, Knoblauch und Rotwein, kalt geräuchert. *Prima Landjäger per Paar* [Fr.] *1.30* (Volksztg. 1973, 32, 83). *An der ersten Quelle packte er sein Aluminium-Kochzeug aus und braute sich eine jener Brühen, wie sie nur der Bergwanderer liebt, Erbssuppe mit einem dürren Landjäger drin* (Welti, Puritaner 358). Dazu (1) **Landjägerkorporal, -korps, -posten.**

Landrat, der; -[e]s, ...räte: ausschließl. svw. **1.** (in BL, GL, NW, UR) **a)** Kantonsparlament. **b)** Mitglied des Kantonsparlaments. **2.** (in der Landschaft [= Gemeinde] Davos) **a) Großer Landrat:** Gemeindeparlament. **b) Kleiner Landrat:** Gemeindeexekutive. (Bdt. svw. oberster Beamter eines Landkreises, Leiter der Kreisverwaltung).

Landrecht, das; -[e]s (in AR, AI, GL, OW, UR): svw. Kantonsbürgerrecht. *Die Gesuche eines Österreichers und eines Italieners um Aufnahme ins Landrecht, also in das appenzellische Bürgerrecht* (NZZ 30. 4. 73, 196, 25). *Neun Gesuche von ausländischen Staatsangehörigen für die Erteilung des Landrechtes* [werden der Landsgemeinde von OW] *vorgelegt* (NZZ 24. 4. 80, 34).

Landschaden, der; -s — Flurschaden. →**Kulturschaden.**

Landschaft, die: auch svw. **a)** Landgebiet, „Provinz" (ehemaliges Untertanengebiet) der alten Stadtkantone, namentlich Zürich, Basel (seit 1833 selbständiger Halbkanton →Basel-Landschaft), Luzern, Schaffhausen. *Vergessene Bäder auf der Zürcher Landschaft* (NZZ 16. 11. 69; Überschrift). *Noch sein Vater war auf der Landschaft aufgewachsen ... Er selbst aber war in der Stadt geboren* (Kopp, Pegasus 8). **b)** ein Gebiet als räumliche und politische Einheit: *Landschaft Davos,* althergebrachte Bezeichnung des Hochtals und Kreises Davos. *Ein schweres Unwetter ... hat bei Monstein in der Landschaft Davos eine gewaltige Rufe ausgelöst* (NZZ 31. 7. 71). →G 122/1.

Landschäftler, der; -s, - (mundartnah; kurz für: Basellandschäftler): Angehöriger, Einwohner des Kantons Basel-Landschaft. *Rueger war Landschäftler, von Reinach* (Schmidli, Schattenhaus 272). →G 122.

Landschreiber, der; -s, -: **1.** (in BL, NW, OW, ZG) svw. →**Staatsschreiber. 2.** (in AI) Vorsteher der →Landeskanzlei, Protokollführer der Landsgemeinde, außerdem öffentlicher Notar und Grundbuchverwalter.

Landsgemeinde, die; -, -n: **a)** (in AR, AI, GL, NW, OW) jährliche Versammlung der Stimmbürger und -bürgerinnen des Kantons zur Entgegennahme eines Berichtes über die Landesverwaltung, zum Entscheid über Gesetzgebung und Finanzfragen und zur Wahl der obersten Behörden. **b)** (in einem Teil der 39 Kreise von GR) alle zwei Jahre am 1. Maisonntag stattfindende Versammlung der Stimmbürgerinnen und Stimmbürger zur Wahl der Mitglieder des →Großen Rates, der Kreisrichter (erste Instanz in Strafsachen) und der →Vermittler sowie deren Stellvertreter. **c)** im übertr. S. [Auf] *der Stüßihofstatt* [in der Altstadt von Zürich] *wimmelte es von ... jungen Leuten ... die hier unter dem nächtlichen Himmel eine Landsgemeinde abzuhalten schienen* (Guggenheim, Alles in allem 440/41). *Der Präsident des Berner Forums für Demokratie, Dr. P. K., eröffnete mit einigen kernigen Worten diese macht-*

volle Landsgemeinde für Friede und Freiheit (NZZ 1961, Bl. 4188).

Landstatthalter → **Landesstatthalter.**

Landsturm, der; -[e]s: dritte und letzte Altersklasse der Wehrpflichtigen, heute vom 43. bis zum zurückgelegten 50. Lebensjahr (früher bis zum 60.). → **Auszug, Landwehr.**

Ländte → **Lände.**

Landwehr, die; -: zweite Altersklasse der Wehrpflichtigen, vom 33. bis zum zurückgelegten 42. Lebensjahr. *Alles tritt zurück hinter dem Ereignis der kommenden Woche: Landwehr gegen Auszug* [Fußballspiel in einer Kompanie] (Frisch, Blätter 94). → **Auszug, Landsturm.**

Langensee, der; -s: deutscher Name des Lago Maggiore. *Bauprogramm zur Sanierung des Langensees* (NZZ 7. 10. 75, 29).

Langezeit, die; - ⟨o. Pl.⟩ (mundartnah, veraltend) — Sehnsucht, Heimweh. *Die Mutter ... hielt es in der großen Stadt vor Langezeit und Sehnsucht nach guter Blumenluft und windumflogenen Bäumen kaum aus* (Walser X 371). *Wir werden schrecklich Langezeit nach dir haben* (Kübler, Öppi der Narr 509).

langfädig — weitschweifig, langatmig. *Sehr empfehlenswert ist das Büchlein von Theodor Wieser mit dem Titel „Günter Graß". Nach einer etwas langfädigen Einleitung ... folgen eine Auswahl der besten Gedichte und einige kurze Prosastücke* (National-Ztg. 1968, 556). *Die Sorge des Postulanten, der die kaum zu bewältigende Geschäftslast, langfädige Debatten und einen schlecht besetzten Ratssaal bemängelt hatte* (NZZ 10. 3. 87, 33).

large [*frz.* larʒ] — großzügig, freizügig sorglos. *Der äußerst large Schiedsrichter hätte bereits zu Beginn ... verwarnen müssen* (Bund 14. 10. 68, 22). *Der PLO-Mann* [habe] *... auch seinen Chef Yassir Arafat als zu large gescholten* (Weltwoche 26. 2. 87, 39). *Obwohl die I[nterkantonale] K[ontrollstelle für] H[eilmittel] wesentlich largere ... Zulassungsbestimmungen für den Schweizer Markt kennt,* als das amerikanische FDA (Weltwoche 26. 3. 87, 21).

lärmig (bdt. veraltet) — lärmend, voll Lärm, laut. *Wir hörten überhaupt nichts, keine Schritte, kein Schluchzen, nur draußen die lärmigen Vögel* (Frisch, Stiller 424). *Er tat das ... ohne Pomp und ohne laute und lärmige Festfreude* (Vaterland 14. 12. 68). Eine lärmige Straße.

Lastenzug, der # Lastzug (Lastwagen mit Anhänger[n]). *Ein Lastenzug rammte ein Postauto* (Vaterland 1968, 282, 4; Überschrift). *Verunglückter Lastenzug blockiert Autobahn* (NZZ 9. 9. 87, 9; Überschrift). → G 150.

Lättlirost ['lɛtlɪro:st], der; -[e]s, -e # Lattenrost. *Auf den sonnenexponierten Lättlirosten und Mauern* [in Badeanstalten], *die immer wieder austrocknen, ist die Überlebenschance für übertragbare Pilze ... kleiner* (NZZ 15. 6. 87, 45). → G 003, 109.

Laubflecken, der; -s, - — Sommersprosse. *Die Andeutung von Laubflekken im Gesicht* (Nizon, Im Hause 55).

Lauerzersee, der; -s: See im Kanton Schwyz; der Name wird gewöhnlich zusammen geschrieben; → G 153/2d.

laufen: auch (mundartnah) svw. — geschehen, (ugs.:) los sein. *Ich ging gerne in Singapur zur Schule, denn es lief immer etwas* (NZZ 15. 12. 87, 23). → **gehen.**

Laufmeter, der; -s — der laufende Meter. ***am Laufmeter** (auch übertr., mundartnah) — am laufenden Band, in einem fort. *Mir gefällt, wie Sie in Ihren Romanen ... mit redseligen Alten aufzuwarten wissen, die am Laufmeter Geschichten ... anbieten* (Bucher/Ammann 134). → G 138.

läuten: • ⟨Bedeutung:⟩ auch (wie bdt. landsch., bes. südd., österr.) svw. # klingeln. *Bitte läuten und eintreten!* (Aufschrift an einer Tür). *Es hat geläutet; das Telefon läutet.* • ⟨Rektion:⟩ auch (mundartnah) **jmdm. läuten** — nach jmdm. *Läute der Schwester!*

(Diggelmann, Freispruch 263). →G 060.

Lavabo [*frz.* lavabo], das; -s, -s — Waschbecken (bdt. Lavabo: Handwaschung des Priesters in der Messe und das dazu verwendete Waschbecken mit Kanne). *Mit diesem* [Waschmittel] *kostet Sie jetzt eine Feinwäsche im Lavabo noch 8 Rappen* (Inserat). *Wir ... gingen der Reihe nach auf das WC, wo es ein Lavabo mit fließendem Wasser gab* (Diggelmann, Rechnung 89).

LdU: Sigle für **L**andesring **d**er **U**nabhängigen (Partei); →G 092.

Leader [*engl.* 'li:də; ...ər], der; -s, - (Sport; auch österr.; bdt. seltener): in den Meisterschaftskämpfen führender Mann oder Klub. *Wenn der jetzige Leader ... Hans Ettlin die Pauschen-Klippe heil umschifft, hat er Chancen,* Schweizer Gerätemeister zu werden (National-Ztg. 1968, 553, 19). *In Kölliken gastiert der ungeschlagene Leader Oftringen* (Aargauer Tagbl. 23. 4. 70, 19). Dazu **Leaderstellung, Tabellenleader.**

Lebhag, der; -[e]s, ...häge — Hecke. *Alle Grundstückseigentümer von Degersheim, deren Grundstücke an öffentliche Fußwege grenzen,* [wurden] *aufgefordert, Bäume, Sträucher und Lebhäge auf die gesetzliche Höhe und Distanz zurückzuschneiden* (St. Galler Tagbl. 3. 10. 68, 15). *Daß ein Iltis nachts dem Lebhag entlang bis vor den Hühnerstall gekommen war* (Inglin, Amberg 153). →**Hag.**

Lebware, die; -: Besitz eines Bauern an Vieh und überhaupt an Nutztieren. *Die Lebware konnte vom Besitzer selber gerettet werden, dagegen blieb das meiste Mobiliar ... in den Flammen* (Bund 12. 2. 61). *Lebware: 5 prima Milchkühe ... 7 Rinder ... einige Leghühner* (Landanzeiger 6. 3. 69; Versteigerungsanzeige). →**Viehhabe, Viehstand.**

Leckerli, das; -s, -: kleines rechteckiges lebkuchenähnliches Gebäck nach verschiedenen lokalen Rezepten; allgemein bekannt sind die **Basler Lekkerli.** →G 105.

Ledischiff ['ledı..., 'le:dı...], das (am Bodensee, Zürichsee): flacher, breiter Lastkahn mit Motor (früher mit Segel). *Früher sind die Ledischiffe mit Segeln den See hinuntergefahren* (Guggenheim, Riedland 135). *Dank einer Fahrt mit zwei Ledischiffen in den oberen Zürichsee ... wies die diesjährige Generalversammlung einen ausgezeichneten Besuch auf* (NZZ 23. 6. 66). →**Nauen.**

leeren: auch (wie österr., bdt. landsch.) svw. — (an eine bestimmte Stelle) gießen, schütten. *Ich steuerte mit zwei Tellern in der Linken und einem in der Rechten vorsichtig ... auf den Tisch los. Dort galt es, den Damen die Suppe nicht in den Schoß zu leeren, sondern auf den Tisch zu stellen* (Inglin, Amberg 291). *Verschlafen werden sie eine Tasse Milchkaffee herunterleeren* (Meier, Stiefelchen 125).

Legi, die; -, Legenen ['legənən] (mundartnah, kurz für:) **Legitimationskarte,** die; -, -n // Studentenausweis. *Golo Mann liest aus seinem Buch ... Eintritt Fr. 7.–/4.– (mit Legi)* (Tages-Anz. 10. 1. 87, 31; Inserat). →G 074, 096.

lehnen: auch svw. — sich lehnen. *Reinhart ... lehnte ans Geländer* (Frisch, Die Schwierigen 31). *Yvonne lehnte zurück, prüfte ihre Nägel* (ebd. 104). →G 064.

Lehrbub, der; -en, -en (auch südd., österr.) — Lehrling, // Lehrjunge. *Da suchte ein Schlosser noch einen Lehrbuben* (Oehninger, Kriechspur 338).

Lehrerpatent, das: Abschlußzeugnis der Ausbildung zum Primar- oder Sekundarlehrer. So **Primarlehrer-, Sekundarlehrerpatent.**

Lehrerseminar, das; -s, -e oder -ien (in Dtl. seit den zwanziger Jahren außer Gebrauch): Lehrerbildungsanstalt (höhere Schule zur Ausbildung von Volksschullehrern). →**Seminar.**

Lehrplätz, der; -es, -e (mundartnah): **a)** Werkstück, an dem der Anfänger lernt; meist übertr. *Früher wurde dem*

Neuling [im →Bundesrat] *mit Vorliebe das Departement des Innern zugewiesen; seit* [dort] *auch die Sozialversicherung beheimatet ist, hat es jedoch eine Aufwertung erfahren, die es über den ... Status eines „Lehrplätzes" erhebt* (NZZ 1966, Bl. 5609). **b)** Erlebnis, Erfahrung, woraus man lernt. *Meisterhafte Konter des Meisters als Lehrplätz* [Überschrift; Bericht über einen Fußballmatch; später:] *Es war ein eigentliches Lehrstück für die Gelb-Schwarzen* (Bund 2. 9. 87, 35). →**Plätz.**

Lehrtochter, die; -, ...töchter // Lehrmädchen, weiblicher Lehrling. *Jetzt schon mangelt es in einzelnen Branchen und Berufen ... an Lehrtöchtern und Lehrlingen* (NZZ 22. 4. 87, 33). *Ein zweites Brot, das mir wieder die Lehrtochter verkaufte, verfütterte ich den Schwänen am See* (Frisch, Gantenbein 124).

Leibblatt, das (oft [leicht] scherzh., iron.): jmds. bevorzugte Zeitung, die er [als einzige] regelmäßig liest, mit der er sich identifiziert. *In einer solchen Medienwelt, die auf Visualisierung, Boulevardisierung und Neutralisierung Wert legt, lösen sich die früher engen Beziehungen zwischen dem Leibblatt und seiner Leserschaft ... rasch auf* (NZZ 20./21. 2. 88, 93). *Das neuentdeckte Leibblatt* (Aargauer Tagbl. 25. 4. 88, Beilage Werbung, 9).

Leibchen, das: vor allem (wie österr.) svw. **a)** svw. →Unterleibchen // Unterhemd für Männer und Kinder, ohne, mit kurzen oder langen Ärmeln (bdt. landsch.: mit kurzem Arm). *Der Täter ... trug eine hellgraue Hose, einen blauen Kittel und ein beiges Leibchen ohne Kragen* (NZZ 8. 7. 71). **b)** — Trikot für Sportler. *Den ausländischen Mannschaften werden Leibchen, mehr oder weniger in deren Klubfarben, zur Verfügung gestellt* (NZZ 29. 12. 86, 29).

Leid, das: auch (veraltend) svw. Trauer (nach einem Todesfall), namentl. in Wendungen wie ***im Leid sein:** in Trauer sein; in Zusammensetzungen wie **Leiddrucksache,** →**Leidzirkular.**

leid ⟨Adj.⟩: vor allem (mundartnah) svw. — übel, ungut, unangenehm. *Yvonne ist doch kein leides Mädchen* (Muschg, Mitgespielt 237). *Leides und Gutes begegnet dir wie Sonne und Regen den Blumen* (Loos, Mond 152). *Es ist allen Verkehrsbetrieben ein Anliegen, dieses leide Problem aus der Welt zu schaffen,* das Quietschen des Trams in den Kurven (NZZ 14. 10. 86, 51).

Leidkarte, die; -, -n — Trauerkarte. *In einer Schaufensterecke einer Papeterie lagen Leidkarten ...* [Ich] *trat in den Laden und ließ mir Trauerkarten zeigen* (Oehninger, Bestattung 214).

Leidmahl, das; -[e]s, ...mähler — Leichenmahl, // Totenmahl.

Leidzirkular, das; -s, -e: Todesanzeige, die mit der Post verschickt wird (i. U. zu der in der Zeitung veröffentlichten). *Leidzirkulare werden nur nach auswärts versandt* (Bund 3. 10. 68, 26; Vaterland 3. 10. 68, 9; NZZ 3. 6. 87, 60; häufig in Todesanzeigen).

Leintuch, das; -[e]s, ...tücher (auch bdt. landsch.) // Bettuch. (Nach herkömmlicher Art hat man zwei Leintücher: eines unter, eines über dem Liegenden, **Ober-, Unterleintuch**). *Die Betten: drei Bretter auf Eisenständern und auf diesen Brettern Matratzen ... Zwei gelbliche Leintücher, eine braune Decke,* im Nachtasyl (Glauser I 111).

Leist, der; -[e]s, -e (in Bern): Verein zur Förderung der Interessen einzelner Stadtviertel. So **Gassen-, Quartierleist.**

Lempen, der; -s, - (Fleischerei) // Dünnung (Bauch des geschlachteten Rindes). *Lempenstücke o*[hne] *B*[ein] ½ kg [Fr.] *4.–* (Inserat).

Lernfahrausweis, der; -es, -e: amtlicher Ausweis, der dazu berechtigt, in Begleitung eines Fahrlehrers oder einer beliebigen Person, die einen Führerausweis besitzt, das Autofahren zu lernen bzw. zu üben. *31 Bewerbern zum Führen eines Motorfahrzeuges* [wurde] *die Abgabe eines Lernfahraus-*

weises wegen Untauglichkeit verweigert (Bund 14. 10. 68, 11). *Der Mann, der lediglich einen Lernfahrausweis besitzt und verbotenerweise allein gefahren war* (NZZ 15./16. 8. 87, 50).

Leset, der; -s (mundartnah, vor allem in AG, BL, BS, BE, SO) — Weinlese. *Enorm ist* [im von der Rauhfäule befallenen Rebberg] *der Arbeitsaufwand beim „Leset", müssen doch die Trauben ... nach dem Schneiden erlesen werden* (Aargauer Tagbl. 12. 10. 68). →**Wimmet.** →G 111.

Leuchtenstadt, die: Umschreibung für Luzern (lat. *lucerna* ‚Leuchte'). *Die Berner können das Fiasko von Glarus kaum verdauen und kommen mit verborgenen Revanchegelüsten in die Leuchtenstadt* (Urner Wochenblatt 10. 7. 68).

Leuen, der (Gastwirtschaftsname) →G 068.

Libyen: ['li:bi̯ən // ...by̆ən]; →G 007.

lic. [lɪts]: Abkürzung für →[1]Lizentiat[in] (lat. licentiatus, -a); nur in Verbindung mit der Bezeichnung der Fakultät: **lic. iur., lic. oec. publ., lic. phil.** usw. *Als Sachbearbeiter für Finanzplanung und Finanzverwaltung wird lic. oec. publ. Markus Bieri ... gewählt* (General-Anz. 30. 12. 69).

Lieferungswagen, der — Lieferwagen. *Am ... 28. November ... fuhr der Lenker eines Lieferungswagens im dichten Nebel* ... (Vaterland 1968, 280). *Der Lieferungswagen einer Mineralwasserfirma* (Guggenheim, Gold. Würfel 113). →G 145.

liegen ⟨st. V.⟩: • ⟨Beugung:⟩ ich bin gelegen (auch südd., österr.) — habe gelegen; →G 058. *Im Sommer 1982 war das Schlachtschiff „New Jersey" vor Beirut gelegen* (NZZ 4. 2. 87, 3). *Vor einem Schragen ... auf dem ich einmal gelegen bin* (Dürrenmatt, Verdacht 149). Ebenso **da-, herumliegen** • ⟨Bedeutung:⟩ auch ⟨mit Richtungsadverbiale⟩ (mundartnah) svw. — sich legen. *Wer bei den ersten Anzeichen einer solchen Erkrankung nicht ins Bett liegen will oder kann* (NZZ 29. 10. 79, 5). *Wollen wir spazieren oder an die Sonne liegen?* (Morgenthaler, Woly 63). →G 065. →**abliegen.**

Ligaerhalt, der; -[e]s (Mannschaftssport): Verbleib in einer Liga (Spielklasse). *Es wird nur möglich sein, den Ligaerhalt ... zu schaffen ... wenn die Saison ohne Verletzungen überstanden wird, Torhüter R. G. der enormen Belastung ... gewachsen ist und ...* (Bund 2. 10. 87, 2). →G 115.

Limite ['limitə], die; -, -n ⟨frz.⟩ — Grenze (im übertr. S.), Grenzwert, // (das) Limit. *103 448* [Schützen] *erreichten die Limite von 72 Trefferpunkten für die Anerkennungskarte* (St. Galler Tagbl. 1968, 567, 15). *Die Ostschweizer Mannschaft* [des FC St. Gallen] *ist gegenwärtig eine optimale Mischung von technisch guten und viel Übersicht besitzenden Spielern. Die Grasshoppers deckten einmal mehr ihre Limiten auf,* und verloren 1:2 (NZZ 4. 6. 87, 59). *Soll ... die generelle Limite für Pflanzenschutzmittel durch produktspezifische Grenzwerte ersetzt werden?* (NZZ 4./5. 7. 87, 19). →(Aussprache) G 035/1.

Limmatathen, [das]; -s: Umschreibung für das Zürich des 18. Jhs.; heute nur noch ironisch gebraucht.

Limmatstadt, die: Umschreibung für Zürich. →**Eulachstadt, Rheinstadt, Rhonestadt.**

Lingerie [*frz.* lɛ̃ʒʀi; lɛ̃ʒəri:], die; -, -n: für die (Bett-, Leib-)Wäsche verantwortliche Abteilung eines Hotels, einer Anstalt. *Ferner fehlen dem Schülerheim genügend Sanitärräume, eine Lingerie und weitere Betriebsräume* (St. Galler Tagbl. 8. 10. 68). *Die ganze Lingerie habe ich unter mir. Du machst dir keinen Begriff, wieviel Arbeit das gibt. Die Bettwäsche, die Tischtücher, und dann die Servietten ...* (Inglin, Excelsior 27). →G 035/3.

Lismer, der; -s, - (mundartnah, veraltet) — Strickjacke, Pullover mit langen Ärmeln. *Die Geschenke wurden sortiert ... Unterkleider, Socken, Lismer, Handschuhe,* vor der Soldatenweihnacht 1914 (Inglin, Schweizerspiegel 292). *Weiber mit roten Kopf-*

tüchern und violetten Händen, die aus einem alten Lismer hervorfrieren (Frisch, Die Schwierigen 288).

[1]**Lizentiat,** das; -[e]s, -e: akademischer Abschlußgrad der geisteswissenschaftlichen und juristisch-volkswirtschaftlichen Fakultäten (bdt. nur im Bereich der kath. Theologie). *Der 30jährige Mitarbeiter hat seine Studien an der Universität Lausanne mit dem Lizentiat in politischen Wissenschaften abgeschlossen und bereitet nun eine Dissertation ... vor* (Vaterland 3. 10. 68, 5).

[2]**Lizentiat,** der; -en, -en: Inhaber eines [1]Lizentiats; abgekürzt →**lic.**

Lohnsäcklein, das; -s, - // Lohntüte. *Verloren Freitag, 27. 9. 68, evtl. im Rest*[aurant] *Hardhof, Lohnsäcklein mit Fr. 600.–* (Blick 1968, 235, 11; Anzeige. *Und er erhält alle vierzehn Tage sein Lohnsäcklein* (Blatter, Schaltfehler 96). →G 105. →**Zahltagsäcklein.**

Loki, die; -, Lokenen ['lɔkənən] (mundartnah) — Lok (Kurzform für: Lokomotive). *Eine neue Loki samt Schneeschleuder wird 500 000 Franken kosten* (Vaterland 4. 10. 68, 19). →G 074, 096. Dazu: **Lokidepot,** das; -s, -s // Lokschuppen.

Lorbeer, der ['lo:rbe:r ⫽ 'lɔr...]; →G 003.

Löß [lø:s], der; -es, -e // (bdt. meist:) [lœs]; ...sses, ...sse; →G 003.

lotterig, lottrig — lose, locker, nicht fest gefügt, klapperig, wackelig. *Daß in seiner Scheune ein lottriger Leiterwagen stehe* (Boesch, Gerüst 13). *Es ist gut, daß eure Macht nicht weiter reicht als eure lotterige Stadtmauer!* (Keller VII 246: Frau Regel Amrain).

Löwen, der (Gastwirtschaftsname) →G 068.

LU: Autokennzeichen und allg. Sigle für (den Kanton) Luzern; →G 092.

Luganersee, der; -s ⫽ Luganer See; →G 153/2d.

Lugnez [lʊ'gne:ts], das; -: Seitental des Vorderrheintals, rätor. Lumnezia (Tal des Glenners, rätor. Glogn). Der Name wird immer mit dem Artikel gebraucht; →G 082.

Lumpen, der: auch (wie bdt. landsch.) svw. — Putzlappen, Scheuertuch. *Er läßt immer ziemlich viel Staub aufsammeln, bis er sich wieder einmal mit Wedel und Lumpen ans Werk macht* (Welti, Lucretia 170). →**Staublumpen.**

lüpfig: (Tanzmusik) die einem die Beine lüpft, einen zum Tanzen reizt. *Vier lüpfige Volkstänze im Polka- und Walzerschritt* (Bund 1968, 282, 29). *Die Oberbaselbieter Ländlerkapelle, die ... einen hübschen Walzer ... auf höchst lüpfige, tänzerische, insgesamt bezaubernde Weise vortrug* (NZZ 29. 8. 88, 7).

Luzernbiet, das; -s (mundartnah) — Kanton Luzern. →**Biet.**

luzerndeutsch: in der Mundart des Kantons Luzern. *Er spricht luzerndeutsch.* Es gibt eine *„Luzerndeutsche Grammatik"* (von Ludwig Fischer, Zürich 1960).

Luzernersee, der; -s: Arm des Vierwaldstättersees; der Name wird gewöhnlich zusammen geschrieben; →G 153/2d.

luzernisch: zum Kanton Luzern gehörig.

Lyoner [Wurst], die: Aufschnittwurst aus 5 Teilen feingehacktem Kalb- und Schweinefleisch mit Speck und 1 Teil grobgehacktem magerem, sehnenfreiem Schweinefleisch (bdt.: Brühwurst aus gepökeltem Schweinefleisch, gewürzt mit weißem Pfeffer, Muskatnuß und Kardamom, heiß geräuchert und gekocht).

Lyzeum, das; -s, ...een (in Kantonen katholischer Tradition): ausschließl. svw. Oberstufe des Gymnasiums (letzte 2 oder 3 Klassen), mit Betonung der Philosophie; so in Freiburg (Kollegium St. Michael), Luzern (Kantonsschule), an den Klosterschulen in Altdorf, Einsiedeln, Engelberg (bdt. [veraltet]: höhere Schule für Mädchen).

M

machen: *[jmdm.] heiß/warm machen: eine Empfindung von Hitze/Wärme verursachen. *Die Sonne machte sehr warm* (Frisch, Stiller 403). *Wo er es an den Leib drückt, breitet sich ein nasser Fleck aus und macht ihm warm* (Muschg, Mitgespielt 371). Sprichwort: *Was ich nicht weiß, macht mir nicht heiß* // ... macht mich nicht heiß. ⟨Unpers.⟩ mit Bezug auf die Lufttemperatur, das Wetter: *Macht das warm, nicht wahr* (Zollinger II 134: Der halbe Mensch) — ist das eine Wärme! ***den Anschein machen →Anschein.**

Magaziner, der; -s, - // Magazinverwalter (österr. Magazineur). *Wir suchen ... einen Mitarbeiter für unser Ersatzteillager als Magaziner für Lagerhaltungskontrolle, Verkauf, Materialausgabe etc.* (National-Ztg. 1968, 456, 6; Inserat). *Bevor er das Geschäft öffnete, erhöhte er die Preise aller Lebensmittel. Seinen Fuhrknecht und Magaziner, einen braven, starken Mann vom Lande, stellte er als Ordner und Überwacher an den Ladentisch* (Inglin, Schweizerspiegel 162).

Magd, die — Magd; →G 004.

Maggi ⟨Firmenname (Familienname)⟩: ['madʒɪ // 'magɪ]; →G 041/1.

Magistrat, der: • ⟨Beugung:⟩ -en, -en // -s, -e • ⟨Bedeutung:⟩ Inhaber eines hohen öffentlichen Amtes, Mitglied der Exekutive des Bundes, eines Kantons oder einer großen Stadt (bdt. [in Berlin und einigen andern Städten]: städtische Verwaltungsbehörde, Stadtverwaltung). *Die Nichtbestätigung von Staatsrat Fulvio Caccia, einem geschätzten, früher mit Spitzenresultaten gewählten Magistraten* (NZZ 10. 4. 87, 35).

Mahd, die; - (auch bdt. landsch.): **a)** — das Mähen. *Diese ... eigens gebaute Maschine ermöglicht die Mahd empfindlicher Streurieder* (Naturschutz, 1987, 5, 3). **b)** das Gemähte. *Die Naturschützer ... haben Mühe, die Rietmahd an den Mann zu bringen* (NZZ 18. 9. 87, 57).

Maien, Meien, der; -s, - (mundartnah) — Blumenstrauß (namentlich von Feldblumen). *Dabei ist auf dem Markt alles auf Sommer eingestellt: Farbenfrohe Maien, knackige Salate, frische Pilze, Beeren und Obst ...* (NZZ 6./7. 6. 87, 54). *Lenzburger Neujahrsblätter: ein bunter Meien lesenswerter Kurzarbeiten* (Freier Aargauer 6. 1. 70).

Maien... ⟨in Zusammensetzungen⟩ (bdt. dichterisch veraltend) — Mai...; so: **Maiennacht:** *Eine freundliche Maiennacht spannte sich über die Limmatstadt* (NZZ 2./3. 5. 87, 51); **Maienregen; Maientag:** *Jener schöne Maientag mit dem blühenden Flieder* (Dürrenmatt, Verdacht 48). →G 150. **→Märzen....**

Maiensäß, das; -es, -e: Voralp, Frühlingsbergweide, auf die das Vieh getrieben wird, bevor die höher gelegenen Alpen zugänglich sind. *Dann rückten oben in den Maiensässen, an der schwarzen Flanke, Lichter aus dem Gehölz* (Boesch, Fliegenfalle 194). *Einer alten Tradition folgend haben diese Woche über 5 000 Schulkinder der Bündner Hauptstadt ihre Ausflüge zu den fünf Maiensäßen auf den Höhen rund um Chur unternommen* (NZZ 10. 6. 72).

Maienzug, der; -[e]s **→Jugendfest.**

Majorz, der; -es: Mehrheitswahlsystem (Majoritätswahl). *Im Gegensatz* *zur Legislative, die nach Proporz gewählt wird, gilt für die Wahl der Exekutive das Majorz-Wahlverfahren. Dies hat zur Folge, daß hier nicht in erster Linie die Partei, sondern die Persönlichkeit des Kandidaten gewählt wird* (Aargauer Tagbl. 16. 8. 68. →**Proporz.**

Mal →**aufsmal.**

Malaise [*frz.* malɛz], das; -s/- // die; -. *Das Gerede vom allgemeinen helvetischen Malaise hat unnötige Zweifel an unserem Staat gesät* (St. Galler Tagbl. 31. 12. 68). *Allerdings bedarf es noch der Lösung des innerstädtischen Verkehrsmalaises* (Bund 6. 10. 68). →G 076.

Malerschloß, das — Vorhängeschloß. *Hier sind drei Türen zu sehen, die erste ist mit einem Malerschloß versehen* (Frisch, Stiller 346).

manch: auch (bdt. veraltet, dichter.) svw. — viel; meist in den Verbindungen ***so mancher** ⟨Sg.⟩ — so viele ⟨Pl.⟩. *Es gab noch so manchen Menschen, der nicht auf dem Platze stand, der ihm gebührte* (Kübler, Öppi der Narr 259). *Die Ausübung eines doppelten Berufes ... ist nicht immer leicht, so manche segensreiche Wirkungen er* [!] *haben mag* (Frisch, Tageb. 1946/49, 281). ***wie mancher** — wie viele. *Wie manches Mal habe ich ... darüber nachgegrübelt* (Guggenheim, Friede 29). *Obschon sie ... keine Ahnung hatten, was ... dahintersteckte, wie manches Gespräch ..., wie manche Zigarre, wie manche Flasche* (Frisch, Die Schwierigen 136). *Wie mancher Großrat verschwindet während den Sitzungen ... aus dem Rathaus* (Bund 1968, 280, 9). ***nicht mancher** — nicht viele. *Ich habe hier nicht manchen ungetrübten Tag erlebt* (Inglin, Ingoldau 251).

manchmal: auch (mundartnah) svw. — oft (viele Male, häufig). *Er war diese Strecke schon manchmal gefahren, fast jeden Samstag und Sonntag seit einem Jahr* (Dürrenmatt, Stadt 152). ***wie manchmal** — wie oft. *Vielleicht würde er gefragt werden, wie manchmal das geschehen sei* (Inglin, Ingoldau 68). *Wer schon zugeschaut hat, wie manchmal eine immer wieder verscheuchte Bremse neu ansetzen muß* (NZZ 15. 7. 87, 45). • Warnung: Das Wort nicht in diesem Sinne gebrauchen! Es bedeutet gdt.: hin und wieder, hie und da – und das ist zwar nichts völlig anderes, aber auch nicht dasselbe. Mißverständnisse, oft unbewußte, liegen auf der Hand. •

Mange, die; -, -n (auch südd.) ⫽ (Wäsche-)Mangel. *In der vom Brand teilweise zerstörten Halle* [der Zentralwäscherei] *sind außer den Bügelmaschinen auch die ... Mangen ... und die Großtumbler installiert* (NZZ 5./6. 6. 76, 45). →G 124/1.

mangen (auch südd.) // (Wäsche) mangeln. →G 103.

Manicure [*frz.* manikyʀ], die // Maniküre [mani'ky:rə]; →G 031, 035/1.

Manifestant, der; -en, -en (auch österr.; bdt. veraltet) — Demonstrant, Teilnehmer an einer Kundgebung. [Die Polizei] *betrachte jeden als Teilnehmer an Demonstrationen, wenn er sich länger als 5 Minuten unter den Manifestanten aufhalte* (National-Ztg. 13. 8. 68).

manifestieren: auch (bdt. veraltet) svw. — demonstrieren, an einer Kundgebung teilnehmen.

Mann, der: die alternative Pluralform **Mannen** hat lobende (u. U. auch [leicht] scherzh.) Bed.: wackere, tüchtige, bewährte Männer (bdt.: Lehns-, Gefolgsleute; auch übertr.: jmds. Mitarbeiter, Mannschaft). *Ein besonderes „Vergelt's Gott" ... allen Mannen der Feuerwehren von Rigi-Kaltbad, Vitznau und Weggis* (Bund 12. 2. 61). *Bestandene Mannen verloren aus lauter Begeisterung den Stumpen oder die Brissago* (NZZ 14. 2. 69). *Der Concierge und der Liftboy ... saßen bei den währschaften Mannen mit den starken Armen, den Schuhputzern und Kofferschleppern* (Inglin, Amberg 317).

Männertreu: • ⟨Geschlecht:⟩ das; -s // die; -; →G 076. • ⟨Bedeutung:⟩ Nigritella nigra, eine in den Alpen und in Skandinavien vorkommende Orchidee (bdt.: volkstüml. Bezeichnung für Pflanzen mit leicht abfallenden Blüten wie Ehrenpreis, Vergißmeinnicht).

männiglich (bdt. veraltet) — jedermann, man allgemein. *Männiglich hatte* [= Man hatte allgemein] *damit gerechnet, daß die größte Schweizer Bank sich zur „Königin der City" aufschwingen würde* (Weltwoche 27. 8. 87, 17). *Der ... stattliche Aufmarsch behördlicher Prominenz* [bei einem gesellschaftl. Anlaß] *schien* [damit] *in Zusammenhang zu stehen, daß männiglich die Wahlen hinter sich hatte* (NZZ 9. 11. 87, 31).

Mano, der; -s (im Westen; salopp) — Mann; meist nur als Anredeform. *Wer sind Sie zum Teufel, Mano? grollte der Dicke* (Dürrenmatt, Richter 44).

Manus ['ma:nʊs, 'manʊs], das; -, - oder ...usse (auch österr.): Kurzwort für Manuskript. →G 095.

[1]**March** / (seltener:) **Mark,** die; -, -en: Grenze, bes. Flurgrenze. *Ich will voran euch schreiten und bis zur March der Unterwelt euch treu geleiten* (Spitteler II 14: Olymp. Frühling). Dazu **Marchlinie,** die; -, -n: *Flurwege instand zu stellen, auf die Marchlinien auszurichten und von überhangenden Ästen zu befreien* (NZZ 11. 11. 69). →G 029. →**Gemarchen, Gemarchung, aus-, über-, vermarchen.**

[2]**March,** die; -: Landschaft am linken Ufer der Linth und des Obersees (Oberen Zürichsees), Bezirk des Kantons Schwyz. Der Name wird immer mit dem Artikel gebraucht; →G 082.

Märchler: 1. der; -s, -: Einwohner der March (Bezirk von SZ). **2.** ⟨als Quasi-Adj.⟩ zur March gehörend, aus der March stammend. *E. B. ... war früher Gemeindepräsident des Märchler Hauptortes Lachen* (NZZ 15. 4. 88, 25).

Marchstein / Markstein, der; -[e]s, -e: • ⟨Lautform, Schreibweise:⟩ Marchstein — Markstein; →G 029 • ⟨Bedeutung:⟩ **a)** — Grenzstein. *Knoblauch setzte sich, nachdem er sich von den Schlingen des Fallschirms befreit hatte, auf einen Markstein* (Junge Schweizer 170). *Jeder Flurweg wird mit Marchsteinen abgegrenzt und muß im Grundbuch eingetragen werden* (NZZ 11. 11. 69). **b)** (wie gdt. Markstein) wichtiger Punkt, Wendepunkt. *Mit den Solidaritätsaktionen* [der Regionalbanken] *sind Marchsteine auf dem Weg zu vermehrter Selbsthilfe gesetzt worden* (NZZ 13. 6. 88, 9).

Marchzins, der; -es, -en (Bankwesen) // Stückzins (beim Verkauf eines festverzinslichen Wertpapiers seit dem letzten Zinstag aufgelaufener Zins). *Vermögenserträge wie Zinsen, Dividenden, Einmalzinsen usw. werden im Zeitpunkt der Fälligkeit besteuert, auch wenn der Steuerpflichtige beim Erwerb der Forderung oder des Wertpapiers Marchzinsen oder ähnliche Entschädigungen bezahlt hat* (Kt. Aargau, Verordnung zum Steuergesetz vom 13. 7. 84, § 8). [Nach dem plötzlichen Tod eines Liegenschaften-Agenten] *war von geschuldeten Provisionen, von Rückvergütungen, Fertigungsgebühren, Marchzinsen und dergleichen Dingen die Rede* (Guggenheim, Alles in allem 675).

Marktfahrer, der; -s, - (auch österr.): Händler, der von Markt zu Markt fährt. *Ceija Stojka, die sich als Marktfahrerin durch das Leben schlug und die auch Lieder und Liedtexte schreibt* (NZZ 30. 11. 88, 97).

Marroni, die ⟨Pl.; ital.⟩ // Maronen, (österr.; bdt. landsch., so südd. auch:) ...oni ([geröstete] eßbare Kastanien, wie sie bes. Tessiner oder Italiener auf der Straße feilbieten und als „heißi Marroni!" ausrufen). *Münz für den Parkmeter wollte ein Automobilist vom Marronihändler an der Börsenstraße. „Kann ich nicht", sagte lakonisch der Mann hinter dem Rost und ... fügte würdevoll hinzu: „Ich habe ein Abkommen mit der Nationalbank da drüben. Ich mache keine Geldgeschäfte, und dafür verkauft die Nationalbank keine Marroni."* (NZZ 22. 11.

66; Inserat). Dazu **Marronibrater, -händler, -stand, -verkäufer.**

Mạrschhalt, der; -[e]s, -e: **a)** (Milit.) // Marschpause (Rast auf langen Märschen). **b)** (übertr.) Unterbrechung einer (fortzusetzenden) Tätigkeit. *Ob Präsident Ortega in Guatemala mit seiner Unterschrift eine wahrhafte Umkehr, eine Wandlung des Sandinismus bekräftigt oder ob er lediglich in einen dringend nötig gewordenen Marschhalt eingewilligt habe* (NZZ 3./4. 10. 87, 1).

Mạ̈rzen... ⟨in Zusammensetzungen⟩ — März...; so: **mạ̈rzenhaft:** *eine Sonne von märzenhafter Kraft* (NZZ 7./8. 2. 87, 7); **Mạ̈rzenschnee:** *In der Nacht auf den Samstag ... fiel Märzenschnee* (NZZ 17. 3. 87, 35); **Mạ̈rzensonne:** *Leuchteten die weißen Buchstaben ... in der Märzensonne* (Guggenheim, Gold. Würfel 91); **Mạ̈rzensonntag:** *An einem milden Märzensonntag* (Muschg, Mitgespielt 282); **Mạ̈rzenwetter** (Titel einer Erzählung des Tessiners Francesco Chiesa, ital. „Tempo die marzo", Übers. Zürich 1939). →G 150. →**Maien...**

Mạ̈rzenflecken, der; -s, - — Sommersprosse. Dazu **mạ̈rzenfleckig** — sommersprossig. *Der Wirt brachte Öppi den ... Schnaps, setzte ihn ... mit märzenfleckigen nackten Armen vor ihn hin* (Kübler, Öppi der Narr 431). →G 150. →**Laubflecken.**

Mạrzipan, das: ['---] (auch österr.) // (bdt. meist:) [--'-]; →G 025.

Mạsche, die: auch (wie österr.) svw. Schleife (als Schmuck). *Kurze schwingende Röckchen mit ... ab und zu einer Masche ober- oder unterhalb des Popos* (NZZ 29. 7. 87, 5). [Wir sahen] *nur den Hinterkopf mit den zwei dünnen schwarzen Zöpfen und einer hellen Masche an ihrem Ende* (Guggenheim, Friede 233). Dazu **Haarmasche.**

Match; -[e]s, -es/-e: • ⟨Aussprache:⟩ [*engl.* mætʃ; matʃ ⫽ mɛtʃ]; →G 006 • ⟨Geschlecht:⟩ der // (bdt. vorwiegend, österr. nur:) das; →G 076. *Jeden Sonntagnachmittag auf dem Fußballplatz zu stehen und den Match zu kommentieren* (Blatter, Heimweh 265).

Matrize, die — Matrize; →G 004.

Mạtte, die; -, -n (mundartnah bis normalspr.; bdt. dichter. veraltend) — Wiese. *Auf dem Sammelplatz, der Matte südlich vom Fußballstadion* (Bund 14. 10. 68). *Er ging auf dem Feldweg ... zwischen Matten und Mostbirnenbäumen* (Humm, Carolin 219).

Matur, Matura, die; -, ...ren: Kurzformen (Matura auch österr.) für →Maturitätsprüfung (Reifeprüfung, // Abitur). *1935 eröffnete ihm die Matura den steilen Weg an die ETH* (Vaterland 3. 10. 68). *Ich stand vor der Matura und wurde mir darüber klar, daß ich die Mathematik nie schaffen würde* (Nizon, Jahr der Liebe 163). Dazu **Matur[a]feier, -reise.** →**Maturität.** →G 095.

Maturạnd, der; -en, -en // Abiturient. *Der Gymnasiast – der Student von morgen – bedarf größerer Selbständigkeit und lebendigeren Interesses, als die Maturanden vielfach mitbringen* (Bund 15. 12. 68).

Maturität, die; -: **a)** Hochschulreife. *Durch die Gleichberechtigung der Maturität vom Typ C ... wird der Zugang zur Hochschule erleichtert* (National-Ztg. 4. 10. 68, 2). **b)** Reifeprüfung. *Ich bestand meine Maturität gerade so mit knapper Not* (Frisch, Stiller 324). →**Matur.**

Maturitätsprüfung, die (amtl.): Reifeprüfung. *Die Schüler und Schülerinnen der obersten Klassen, die ja in diesem Jahr ihre Maturitätsprüfung ablegen werden* (Schenker, Leider 39). →**Matur[a], Maturität.**

Mauser, der; -s, -: Mäuse-, Maulwurfsfänger, der auf den Feldern Fallen stellt. →**Feldmauser, Schermauser.**

Mausloch, das; -[e]s, ...löcher (auch bdt. landsch.) // Mauseloch, (seltener:) Mäuseloch. *Wie die Katze vor dem Mausloch* (Bucher/Ammann 359: P. Nizon). →G 148/1a.

Mehr, das; -s: Stimmenmehrheit. *In Burgdorf wurde mit mehr oder weniger* *großem Mehr allen sechs Gemeindevorlagen zugestimmt* (St. Galler Tagbl. 1968, 566, 3). *Mit einem Mehr von 14 Stimmen* (Bund 3. 10. 68, 4). *Das Mehr* [an der Glarner Landsgemeinde] *wird von Landammann ... nach seinem eigenen Ermessen ermittelt* (Allemann, Schweiz 83). ***absolutes, relatives, qualifiziertes Mehr**: absolute, relative, qualifizierte Mehrheit. *Vorausgesagt wird, daß ... Kantonsrat W. M., der sich mit seiner Partei überworfen hat, das absolute Mehr nicht erreicht* (St. Galler Tagbl. 4. 10. 68, 3).

mehr →**nur mehr.**

Meien →**Maien.**

Meiteli, das; -s, - ⟨Dim. zu Meitli⟩ (mundartl.): kleines Mädchen. *Suche für 3jähriges Meiteli einen guten Wochen-Pflegeplatz* (Landanzeiger 17. 4. 69; Inserat).

Meitli, (im Westen:) **Meitschi,** das; -s, - (mundartl.) — Mädchen, // Mädel. [An einem Brauch] *beteiligten sich heute über 2000 Burschen, Buben und Meitli* (Aargauer Tagbl. 4. 2. 70). *Und die Emma, das ist die Stieftochter vom Notar, ist ein flottes Meitschi* (Glauser IV 263). →G 105.

Melancholie, die [melanxo'li: // ...ko'li:]; →G 013.

Melchter / (veraltet:) **Melkter,** die; -, -n: Melkeimer; landwirtschaftliches Trag- und Schöpfgefäß für verschiedene Flüssigkeiten. *Indessen war Tonio, der Knecht, schon mit einer Melkter schäumender Milch erschienen* (Zahn II 12: Bergvolk). Auch **Milchmelchter.**

Memorial, das; -s, -e (im Kt. Glarus): Tagesordnung für die Landsgemeinde mit den von Bürgern, Gemeinden, Parteien oder dem Regierungsrat eingereichten und vom Landrat auf rechtliche Zulässigkeit und „Erheblichkeit" geprüften Anträgen. Dazu **Memorialsantrag:** *Wichtigstes Geschäft der kommenden ... Landsgemeinde ... bildet die durch vier Memorialsanträge geforderte partielle Änderung des seit 1971 in Kraft stehenden Steuergesetzes* (NZZ 8. 4. 74, 164, 27).

Mendrisiotto, das; -s ⟨ital.⟩: der südlichste Teil des Kantons Tessin, südlich des Luganersees. Der Name wird immer mit dem Artikel gebraucht; →G 082.

menscheln ⟨unpers.⟩ (mundartnah): „nach dem Menschen riechen", menschlich zugehen, wobei die menschlichen Schwächen zum Vorschein kommen. *Was willst du, es menschelt eben überall!* →G 100.

Menu [*frz.* məny], das; -s, -s (bdt. veraltet) — Menü; →G 032.

Mercerie [*frz.* mɛʀsəʀi], die; - ⟨o. Pl.⟩ // Kurzwaren (als Ladenanschrift, sonst meist nur in Zusammensetzungen wie **Mercerieladen,** der: *1968 wurden im Kanton Bern ... in 5192 Unternehmen, beispielsweise ...* [auch] *in einfachen Mercerieläden auf dem Dorfe ... die Maße und Gewichte geprüft* (National-Ztg. 13. 8. 68, 4). **Merceriewaren** ⟨Pl.⟩: *Höhere Preise waren* [im Juni u. a.] *für Möbel ... für Wäsche, Schuhe, Merceriewaren, Strickwolle ... zu verzeichnen* (NZZ 9./10. 7. 88, 17).

merci! [*frz.* mɛʀsi] — danke. Während im Westen (Bern, Basel) *merci* gleichwertig neben *danke* gebraucht wird, verwendet man *merci* weiter im Osten (so in Zürich) meist nur **a)** für die kleinen, unpersönlichen Dankbezeugungen: *Bitte, Herr Briefträger! Falls der Empfänger abgereist ist, würden Sie diese Drucksache an die neue Adresse weiterleiten unter Rückmeldung ... Merci vielmals!* (Aufdruck auf Briefumschlag). **b)** ironisch: *Eigentumswohnungen. Auf ewig an einen unbekannten Nachbarn geschmiedet? Merci, wir sind bedient* (Guggenheim, Zusammensetzspiel 216).

Meringue [*frz.* mərɛ̃g; 'mɛrɛŋ], die; -, -s / das; -s, -s // die Meringe [mɛ'rɪŋə], das Meringel, das Sahnebaiser. *Ausflügler, die in dem Landgasthof üppig zu Mittag gegessen hatten und nun beim Dessert angelangt waren ... verschlagen Meringues Glacé* [richtig: *Meringues glacées,* mit Vanilleeis]

(Blatter, Heimweh 419). *Man war ... bei der Nachspeise, einem mächtigen Turm aus Eis, Schlagrahm und Meringueschalen, angelangt* (Morf, Katzen 116). →G 031, 035/1, 076.

Merkur, der (auch österr.) — Merkur; →G 025.

Mesmer, der; -s, - (nordostschweiz.) ⫽ Kirchendiener, // (südd.:) Mesner, // (nordd.:) Küster. →**Sigrist.** →G 029.

Meter, der; -s, -: • ‹Geschlecht:› der // (bdt. auch:) das; →G 076. • ‹Bedeutung:› auch (mundartnah) svw. Meterstab, // Zollstock. *Ammann, der junge Architekt, klappte gelassen seinen gelben Meter zusammen* (Frisch, Die Schwierigen 236).

Metzg, die; -, -en (mundartnah): **a)** — Metzgerei, // Fleischerei. *Nachdem er beim Metzger ... einmal etwas gestohlen hatte, durfte er nicht mehr in die Metzg hinein* (Inglin, Amberg 20). **b)** — Schlachtbank. *Aber was machst du, wenn du keine siebentausend bekommst? Wenn du die Stiere wieder heimnehmen und zuletzt auf die Metzg geben mußt?* (National-Ztg. 1968, 563, 4).

metzgen (mundartnah) — schlachten. *Und irgend jemand im Haus hat geschrien wie ein Tier, das man metzgen will* (Glauser IV 271).

Metzger, der; -s, - (auch bdt. landsch., bes. westmd., südd.) // Fleischer. *„Die gefüllte Kalbsbrust war wirklich gut". „Ich mache die Füllung immer selber, ... auf die Metzger ist kein Verlaß"* (Diggelmann, Freispruch 174). *Schweizer Metzgermeisterverband* (Berufsorganisation).

Metzgete, die; -, -n: Schlachten im Hause, Schlachtfest, Schlachtplatte. *Gasthof Bären, Bottenwil: Metzgete nach Bauernart* (Landanzeiger 19. 9. 68; Anzeige). *Unser Chef de cuisine versteht es wie kein zweiter, die Metzgete comme il faut ... zuzubereiten* (St. Galler Tagbl. 1968, 562). →G 112.

MFD (Milit.): (buchstabierte) Abkürzung für **a)** ‹der; -› **M**ilitärischer **F**rauen**d**ienst. **b)** ‹die; -, -› Angehörige des Militärischen Frauendienstes; →G 028, 093. →**FHD.**

Mietzins, der; -es, -e (auch südd., österr.) ⫽ (Wohnungs-)Miete (mundartnah auch →**Hauszins, Zins**). *Sonnige, moderne 3½-Zimmer-Wohnung mit allem Komfort zu vermieten. Mietzins 540 Franken, ohne Nebenkosten* (Bund 3. 10. 68; Inserat). *Er plaudert über Mietzins und Teuerung* (Frisch, Gantenbein 37).

Milchbüchleinrechnung, die: laienhafte, zu einfache Rechnung, die der Komplexität der Gegebenheiten nicht gerecht wird. *Der direkte Vergleich der Zinssätze von Spargeldern einerseits und Hypotheken anderseits ist nämlich eine Milchbüchleinrechnung. Relevant ist der Mischsatz der Refinanzierungsseite, und er kann allenfalls in Beziehung gesetzt werden zum Zinsertrag aus Hypotheken* (NZZ 23./24. 1. 82, 17).

Milieu [*frz.* miljø], das; -s, -s: auch (bdt. seltener) svw. Dirnen-, Gaunerwelt. *Nach Mitternacht ... wurden sie auf ein Wortgefecht aufmerksam, das zwischen vier jüngeren Männern und drei oder vier Frauen aus dem Milieu angehoben hatte; den Worten entnahmen sie, daß eine der Dirnen behauptete ...* (NZZ 9. 1. 63). *Buchhalter, die nicht mehr ins Kontor zurück mögen, Zuhälter, die das Milieu nicht mehr anzieht ...* (Loetscher, Abwässer 12).

Militärdepartement →**Departement.**

Militärdirektion →**Direktion.**

Militärdirektor →**...direktor.**

Militärpflichtersatz, der; -es: Ersatzabgabe, die von allen männlichen Schweizer Bürgern erhoben wird, die während des betr. Jahres nicht zu einer minimalen Militärdienstleistung aufgeboten werden. →**Militärsteuer.**

Militärsteuer, die; -, -n (mundartnah): svw. →Militärpflichtersatz. *Daß ich mich im Ausland sofort beim nächsten schweizerischen Gesandten anzumelden habe, damit ich der Militärsteuer nicht entgehe* (Frisch, Stiller 151).

Miliz, die — Miliz; →G 004.

Milizsystem, das: einer der Grundzüge des politischen Systems der Schweiz, der darin besteht, daß die meisten öffentlichen Ämter (wie der Dienst im Milizheer) neben einem privaten Beruf ausgeübt werden: in den Parlamenten **(Milizparlament),** in den Regierungen kleinerer Kantone, den Exekutiven der meisten Gemeinden usw.

Milke, die; - ‹o. Pl.›, auch **Milken,** der; -s ‹o. Pl.› und **Milken,** die ‹Pl. tant.› // Kalbsbries, Kalbsmilch. *Die Milke ist die im vorderen Teil der Brusthöhle sitzende Brustdrüse (Thymusdrüse) der Kälber, die wegen ihrer Zartheit als Pastetenfüllung oder als Krankenkost verwendet wird* (Metzgereigewerbe II 291). Dazu **Milkenpastete; Kalbsmilke[n].**

Milliardstel, der # das; -s, -; →G 076.

Milligramm, das ['--- // --'-]; →G 025. Ebenso **Milliampere, -bar, -liter.**

Millimeter, der; -s, -: • ‹Betonung:› ['---- // --'--] • ‹Geschlecht:› der // (bdt. auch:) das.

Millionstel, der # das; -s, -; →G 076.

Minderertrag, der (bdt. seltener): Differenz zwischen dem erwarteten und dem (geringeren) tatsächlichen Ertrag, — Fehlbetrag, Defizit.

Minderkosten, die ‹Pl.›: geringere Kosten (als veranschlagt); Gegensatz: (gdt.) Mehrkosten. *Als wichtigste Gründe für diese Minderkosten nannte das Tiefbauamt: Der Kostenvoranschlag wurde zur Zeit der höchsten Preise aufgestellt* ... (National-Ztg. 1968, 557, 7).

minim (bdt. veraltet) — geringfügig, minimal. *Das Budget rechnet bei rund 16,8 Millionen Franken Einnahmen und Ausgaben mit einem minimen Ertragsüberschuß von 22600 Franken* (Bund 1968, 280, 13). *Laut Statistik hat sich der Bestand an ... ausländischen Arbeitskräften nur minim zurückgebildet* (St. Galler Tagbl. 1968, 562, 34).

Minimalist, der; -en, -en: jmd., der (in der Schule, am Arbeitsplatz usw.) nur gerade das Minimum dessen leistet, was gefordert wird. *Einige Schüler scheinen nicht mehr gewillt, Protest nur durch ein Minimalisten-Dasein oder unkonventionelle Haar- und Kleidertrachten zu äußern* (National-Ztg. 30. 9. 68). *Der Vorwurf, Pfarrer J. sei ein Minimalist, der seine pfarrherrlichen Pflichten recht large erfülle* (NZZ 9. 12. 87, 54).

Minister, der: auch (innerhalb des schweiz. Staatswesens nur) svw. Titel hoher Beamter im Eidgenössischen Departement für auswärtige Angelegenheiten.

Minne, die; -: vor allem svw. gutes Einvernehmen (bdt. dichter. veraltend i. S. v. Liebe). *Allerdings darf man aus dem* [Abstimmungs-]*Ergebnis auch nicht schließen, zwischen Stadt und Land herrsche eitel Minne* (NZZ 13. 6. 88, 31). Meist in der Wendung ***in Minne** — in Frieden, einvernehmlich, ohne Streit. *Man verzeiht sich, alles in Minne, man lächelt, man scherzt* (Frisch, Frühe Stücke 70: Santa Cruz). *Wer solches liest, der muß eigentlich annehmen, alles sei in Minne verlaufen, es habe weitgehend Einigkeit geherrscht* (NZZ 28. 1. 88, 53).

minütig — einminütig, eine Minute dauernd. *Lokführer hatte minütige Absenz* (Aargauer Tagbl. 24. 7. 82, 1; Überschrift). →G 128.

mischeln (mundartnah): (die Spielkarten) mischen, die Hände im Spiel haben. *Die Karten wurden vom Bundesrat gemischelt, weil er zur Überzeugung gekommen war, es müsse etwas geschehen. Aber es darf dabei nix passieren* (General-Anz. 2. 4. 70). *Das Wahlspiel ist ein ausgeklügeltes Würfelspiel ... in Koalitionsverhandlungen wird gemischelt: „Wenn du mir ..., kriegst du ...“* (Bund 24. 10. 87, 35). →G 097. Dazu **mitmischeln:** *Man kann doch nicht ... vom Überwinden des Finanzskandals reden und dann gleichwohl ... den BKW erlauben, wei-*

terhin bei politischen Abstimmungen mitzumischeln (Bund 7. 10. 87, 21).

Mischlerei, die; -, -en (mundartnah, abwertend) — Mischerei, Panscherei. *Ein Gemisch von algerischen und spanischen Weinen. ... „Wir qualifizieren diese Mischlerei als Warenfälschung", sagt der Bericht* (National-Ztg. 13. 8. 68, 5).

Misox, das; -: das Tal der Moesa, eines linken Seitenflusses des Tessins, ital. Val Mesolcina GR. Der Name wird immer mit dem Artikel gebraucht; →G 082.

Mistkratzerli, (mundartl.:) **Mischtchratzerli,** das; -s, -: sehr junges Huhn oder Hähnchen (als Gericht). *Bei den Fleischgerichten haben das Rindsfilet mit Zwiebeln, Champignons und Peperoni (Fr. 28.–) und das Entrecôte ebenso Vergnügen bereitet wie das Mistchratzerli aus dem Ofen (Fr. 19.–)* (NZZ 8. 5. 87, 50). *Man unterscheidet nach Alter und Qualität: Küken oder Mistkratzerli, Poulet, Poularde und Suppenhuhn* (Luzerner Neueste Nachr. 8. 9. 87, 42). →G 105.

Miststock, der; -[e]s, ...stöcke ⫽ Misthaufen.

Miteidgenosse, der; -n, -n ⟨meist im Plural⟩: Mitschweizer, Mitbürger. *Mit Recht beklagen sich unsere anderssprachigen Miteidgenossen darüber, daß sich selbst unsere Spitzenfunktionäre in der Öffentlichkeit ... bedenkenlos auch dann der Mundart bedienen, wenn es sich ... um nationale Angelegenheiten handelt* (Bund 30. 12. 68). Häufig in patriotischen Ansprachen: *Liebe Miteidgenossen!*

Mitgliederbeitrag, der // Mitgliedsbeitrag. *Daß ich* [für den studierenden Sohn] *auch den Mitgliederbeitrag für den Felberclub und die Weihnachtsgeschenke für seine reichen Freunde bezahlen soll. Zweihundertsiebzig Franken Mitgliederbeitrag ...!* (Humm, Komödie 20). →G 151.

Mitrailleur [*frz.* mitʀajœʀ], der; -s, -e (Militär) // Maschinengewehrschütze. *Da ich den ... Tornister auspacke, fällt alles, was zu Mitrailleur Stiller gehört, auf den Boden* (Frisch, Stiller 148). →(zur Aussprache) G 035/3.

Mittelklaßhotel, das; -s, -s ⫽ Mittelklassehotel. →G 148/2a.

Mittelland, das; -[e]s: **a)** der verhältnismäßig flache Teil der Schweiz zwischen Jura und Voralpen. *Im Laufe des Tages Nachlassen der Niederschläge und im Mittelland Bise* (Wettervorhersage). *Ihr Name war Yvonne, was in der Gegend ihres Herkommens, einer kleinen Stadt unseres Mittellandes, ein ganz alltäglicher Name ist* (Frisch, Die Schwierigen 7). **b)** Teil des Kantons Bern: die Gegend um die Hauptstadt, zwischen Oberland und Seeland, Kt. Freiburg und Emmental. **c)** mittlerer Teil und Bezirk des Kantons Appenzell Außerrhoden, von Teufen bis Trogen.

Mittellehrer, der; -s, - (in Basel): svw. →Mittelschullehrer.

Mittelschule, die // höhere Schule; schließt entweder an die Primarschule oder an die Sekundar- bzw. Bezirksschule oder das Progymnasium an und führt zur Hochschulreife oder zu einem berufsbezogenen Abschluß (bdt.: in Bildungsangebot und Lernziel zwischen Hauptschule und Gymnasium rangierende Schule; Realschule). Dazu: **Mittelschüler.**

Mittelschullehrer, der: Lehrer an einer höheren Schule, // Studienrat. →**Mittellehrer.**

Mocassin [*frz.* mɔkasɛ̃], der; -s, -s // Mokassin [moka'si:n, mɔ...]; →G 031.

Mocken, der; -s, - oder Möcken (mundartnah; auch südd.) — Brokken, dickes Stück. *Ich ... gab Lola* [der Hündin] *einen Mocken trockenes Brot und sonst nichts* (Inglin, Erz. II 102). *Nicht ganz wunschgemäß ... verlief ein zweiteiliger Schwertransport ... Bei den beiden „Mocken", die mit je 50 Tonnen gewichtsmäßig nichts Außergewöhnliches sind, jedoch mit ihren 5,7 m Breite etliche Transportschwierigkeiten bereiten, handelt es sich um Niederdruckzylinder-Unterteile für ein Kraftwerk in*

Amerika (Aargauer Tagbl. 1. 8. 70). ***Saure Mocken** ‹Pl.› — Sauerbraten. *Wie bestrickte mich vor nicht langer Zeit in einem von sonntagvormittäglichen Glocken umtönten Hausgang nasenflügelbetörender Duft von sauren Mocken* (Walser IX 77).

Mode, die; -: wird i. S. v. elegante Kleidungsstücke, die nach der herrschenden, neuesten Mode angefertigt sind, nur im Singular gebraucht (bdt. im Pl.). *Sie trägt stets die neueste Mode* (bdt.: die neuesten Moden). In Anzeigen, Geschäftsaufschriften: *Freizeitmode* (bdt.: ...moden). →G 075/2. So auch in Zusammensetzungen (wo bdt. häufig Moden...) nur: **Modeblatt, Modehaus, Modeschau.**

Modelbrot, das // Kastenbrot.

Mödeli ['mødəlı], das; -s, -: das flach rechteckig (in einem Model) gepreßte Stück zu 100 oder 200 g, in dem die Butter im Einzelhandel verkauft wird. *Artikel 103 der Eidgenössischen Lebensmittelverordnung verlangt, daß Margarine modelliert nur in Würfelform in den Handel gelangen darf. Die Mödeliform wurde ausdrücklich der Butter vorbehalten, um Verwechslungen ... auszuschließen* (NZZ 2. 10. 68). →G 105.

mögen ‹unr. V.›: auch (mundartnah) svw. **1.** — können, in Verbindung mit Verben wie **sich erinnern:** *Magst du dich noch erinnern, wie wir ... in Specks Kinematographentheater saßen?* (Guggenheim, Alles in allem 561). *Reklameberater sei er geworden ... Daran mag ich mich noch erinnern* (Oehninger, Bestattung 233). *Im Aargau mag sich kaum mehr jemand an die Eröffnung eines ... neuen SBB-Bahnhofes erinnern* (Aargauer Tagbl. 8. 5. 87, 13). *Beobachter mögen sich nicht erinnern ... einen Wahlkampf von ähnlicher Intensität erlebt zu haben* (NZZ 15. 10. 87, 25). **leiden:** *Die Kanadier ... fanden die Grenzen heraus, wieviel Girka leiden mochte,* im Eishockeyspiel (Tages-Anz. 18. 2. 88, 47). **erwarten:** *Die Freisinnigen im Großen Rat mögen's kaum erwarten, bis ...* (Freier Aargauer 19. 1. 87). *Basler, die den Montag nicht erwarten mögen, trommeln sich am Sonntag in Zürich ein,* an der Fastnacht (NZZ 22. 2. 88, 29). **2. *gönnen mögen** — gönnen. *Ganiool ... habe so viel Wichtiges vor, neuerdings werde er dazu gedrängt, daß er öffentlich rede, und sie möge es ihm ja gönnen* (Humm, Carolin 397). *Den Sieg mag ich vor allem auch dem Trainer gönnen, sagte Nachwuchschef W. W.* (Bund 28. 9. 87, 29).

Molkerist, der; -en, -en // Molkereifachmann (Berufsbez.).

Moloch, der (auch österr.) // Moloch; →G 026.

Monatssalär, das; -s, -e (bdt. veraltet, iron.) — Monatsgehalt. *Eine Woche später verschwand ich. Das Monatssalär werden sie wohl an Ruth ausbezahlt haben* (Jent, Ausflüchte 193). →**Salär.**

Moos, das; -es, Möser: auch (wie südd., österr.) — svw. Moor, Sumpf. *Dazu ist es im Hinblick auf einen gesunden Wasserhaushalt gegeben, nicht jedes Möslein trockenzulegen* (NZZ 23. 8. 72). *Bedeutende Grundwasservorkommen* [würden durch die geplante Linie der „Bahn 2000"] *gefährdet ...* [so u. a.] *Moosböden beim Burgäschisee* (Bund 29. 10. 87, 29).

Morgarten →**Hütet euch am Morgarten!**

Morgen, der: ***zu Morgen essen** — frühstücken. *Er geht ... über den kleinen Platz zum Café Greiben, wo er zu Morgen ißt, als hätte er kein Zuhause* (Meier, Stiefelchen 8). →**Morgenessen, Zmorgen.**

Morgenessen, das; -s, - — Frühstück. *Das Morgenessen wurde von den Gästen in den umliegenden Cafés eingenommen* (General-Anzeiger 2. 4. 70). *Romulus: Das Morgenessen. Pyramus* [alter Kammerdiener, hält auf Form]: *Das Frühstück. Romulus: Das Morgenessen. Was in meinem Hause klassisches Latein ist, bestimme ich* (Dürrenmatt, Komödien I 14).

→**Morgen** (zu Morgen essen), →**Zmorgen,** →**Nachtessen.**

Morgenstreich, der; -s: Eröffnung der Basler Straßenfastnacht am Montag nach Aschermittwoch früh um 4 Uhr mit Umzügen der „Cliquen". *Der Morgenstreich, die Eigenart der Basler Fastnacht, eröffnete auch dieses Jahr am Montag früh um vier Uhr das Narrentreiben* (NZZ 1961, Bl. 622). *Basel, Fastnacht 1948. Morgenstreich: – wie die bunten, riesenhaften, immer ein wenig wankenden Laternen auf den Marktplatz kommen, aus allen Gassen hört man das Getrommel der Larven, urwaldhaft* (Frisch, Tagebuch 1946/49, 343).

Most, der: vor allem svw. **1.** Apfelsaft (auch mit Beigabe von Birnensaft). **a)** (auch bdt. landsch.:) frischer, trüber, noch nicht oder erst leicht vergorener Saft; oft ***neuer/süßer Most.** *Neuer Most ab Presse ... R. Suter, Mosterei, Gränichen* (Landanz. 18. 9. 69; Inserat). **b)** sterilisiert, (kurz für) →**Süßmost. 2.** (auch südd., österr.:) Apfelwein. *Der junge Bauer lud Gustav ein, ins Haus zu treten und ein Glas Most zu trinken* (Humm, Komödie 67). *Sie betraten den Ausschank ... Drei oder vier Gäste saßen an den Tischen vor einem Krug Most oder einem Schnapsglas* (Valloton, Corbehaut [Übers.] 353). Oft ***saurer Most.** *Hanny und ich sitzen vor dem Kachelofen, trinken sauren Most und essen hausgebackenes Brot* (Frei, Nacht 159). *Wird der „saure Most" wieder salonfähig?* (NZZ 29. 6. 76, 19; Überschrift). **3.** (übertr., salopp) — Benzin. *Testfahrerin Silvia ... spart zwischen 9 und 22 Prozent Most* (Blick 7. 3. 87, 9). Dazu (1,2) **Apfel-, Birnenmost; Mostbirne, -faß, -obst.**

Möst[e]ler, der; -s, - (mundartnah): Gewohnheitstrinker, der sich an den billigen „Most" hält. *Nicht viel umgesetzt* [in der Wirtschaft]. *Seit Franz im Krankenhaus liegt, bleiben sogar die Möstler aus. Und die Schnäpsler* (Diggelmann, Rechnung 54). →G 120.

mosten: Äpfel [und Birnen] zu Obstsaft pressen. *Der moderne Landwirt mostet nicht mehr selber, sondern liefert seine Ernte in der Mosterei ab und bezieht dort in Flaschen abgefüllten Obstsaft und -wein* (NZZ 29. 7. 76, 19).

Mosterei, die; -, -en: Betrieb, wo →Most hergestellt wird. *So wurden am 15. Oktober in der Mosterei Märwil 68 Wagen mit je zehn Tonnen Obst angenommen* (NZZ 1. 11. 70). *Im Keller einer Mosterei fand ich Unterkunft* (Steiner, Strafarbeit 134).

Mostindien: Neckname für den obstreichen Kanton Thurgau (nach *Ostindien;* der Thurgau liegt im Osten der Schweiz). Den Namen hat der Solothurner Zeichner und Karikaturist Martin Disteli (1802–44) geprägt.

Motion, die; -, -en (Parlament): selbständiger Antrag, der die Exekutive auffordert, einen Gesetzes- oder Beschlussesentwurf vorzulegen, oder der ihr verbindliche Weisungen über zu treffende Maßnahmen oder zu stellende Anträge erteilt, und zwar mit Bezug auf Angelegenheiten, welche zur Zeit nicht in Beratung stehen. *Der Schwyzer Diethelm (soz.) forderte mit einer Motion die Heraufsetzung der Einkommensgrenzen, kraft welcher Landwirte Kinderzulagen beanspruchen können* (St. Galler Tagbl. 3. 10. 68, 3). *Bundesrat Tschudi nahm alle vier Vorstöße entgegen, die Motionen aber nur als Postulate* (Bund 3. 10. 68, 4). *Eine im November 1967 im Gemeinderat erheblich erklärte Motion beauftragte den Stadtrat, eine neue Submissionsordnung auszuarbeiten* (St. Galler Tagbl. 18. 10. 68).

Motionär, der; -s, -e (Parlament): jemand, der eine →Motion einreicht. *Der Regierungsrat beantragt die Ablehnung der Motion. Der Motionär schlägt angesichts dieses Ablehnungsantrages eine abgeänderte Motionsfassung vor* (St. Galler Tagbl. 1968, 559, 19).

Motor, der (auch österr.) // (bdt. meist:) Motor; →G 026.

Motorfahrzeug, das (Amtsspr.) // Kraftfahrzeug.

Motorfahrzeugsteuer, die (Amtsspr.) // Kraftfahrzeugsteuer. *Im gegenwärtigen Zeitpunkt könne die massive Erhöhung der Motorfahrzeugsteuern nicht verantwortet werden* (St. Galler Tagbl. 1968, 559, 15).

Motorvelo, das; -s, -s: Fahrrad mit Hilfsmotor, Moped. *Der junge Maler ... hatte mit seinem Auto einen 17jährigen Motorvelofahrer angefahren* (Vaterland 3. 10. 71, 5). *Jota ... die schon um halb fünf am Morgen mit Annas Motorvelo in die Stadt fahren muß* (Wilker, Jota 101).

Motorwagen, der (Amtsspr.) // Kraftwagen. *Abgasvorschriften für schwere Motorwagen* (NZZ 5. 5. 88, 21).

Mottbrand, der ⧣ Schwelbrand. *Der Berufsfeuerwehr gelang es ..., den Mottbrand sofort unter Kontrolle zu bringen* (NZZ 1. 9. 87, 54).

motten (auch südd.) — schwelen, glimmen. *Das Feuer mottete im Giebel des ausgebauten Dachstockes* (NZZ 8. 8. 70). *Der Vorhang brennt nicht, von Lodern keine Spur, es mottet bloß, glimmt, stinkt* (Frisch, Gantenbein 22). ‹Übertr.:› *„Spiegel"-Affäre mottet weiter* (Weltwoche 15. 3. 63, Überschrift). *Die Lösung für ein schwebendes Empfinden, das seit Monaten in ihr mottete* (Guggenheim, Alles in allem 391).

Mottfeuer, das // Schwelfeuer.

Mousseline [*frz.* muslin], die // Musselin [mʊsəˈliːn]. *Ärmel und Schultereinsätze aus hauchfeiner Mousseline* (NZZ 29. 7. 88, 9). →G 031, 035/1.

Muba, die; -: Silbenwort für **Mu**stermesse **Ba**sel. *Jahresabschluß der Muba* [Überschrift]. *1968 war für die Genossenschaft Schweizer Mustermesse ein erfreuliches Geschäftsjahr* (Aargauer Tagbl. 24. 1. 69).

Müesli [ˈmy̆ezlɪ], das; -s, -: häufig kurz für **Birchermüesli:** Rohkostgericht aus Getreideflocken, Obst, Milch [usw.] (nach dem Schweizer Arzt und Ernährungsreformer Dr. Max Bircher-Benner, 1867–1939); →G 105 • Die (bdt. häufige) Schreibung „Müsli" sollte wenigstens in der Schweiz vermieden werden (alem. Müsli = Mäuschen)! •

muff (mundartnah): schlecht gelaunt, verdrießlich. *Lärm macht müde, muff, krank. Auch Sie* (Beobachter 1975, 17, 53; Schlagzeile eines Inserats). *Der Chef war muff wie noch selten, weil du nicht mehr zurückgekommen bist* (Morf, Katzen 161). *Über das Muffsein als Nationaltugend* (Weltwoche 2. 8. 84, 17; Überschrift eines Artikels von Hugo Loetscher).

Multipack, das; -[e]s ‹o. Pl.›: Pakkung, welche zwei oder mehr Einheiten eines Artikels des täglichen Bedarfs (z. B. Zahnpasta, Schokolade) enthält und zu verbilligtem Preis angeboten wird.

Mümpfeli, das; -s, - (mundartl.) ⧣ Häppchen. *Sommereinladung zu erfrischenden Drinks und verführerischen Mümpfeli* (Betty-Bossi-Ztg. 1983, 6, 2). →G 105. →**Bettmümpfeli.**

Mungg [mʊnkʼ], der; -en, -en (mundartnah, in den Urkantonen, GL, GR, SG [Oberland, Toggenburg]) — Murmeltier. *Der Abschuß der Murmeltiere* [wurde] *im Kanton Nidwalden verboten. Die niedlichen Tiere sind immer seltener geworden ... Anscheinend sind viele Jäger auch des Munggen Tod!* (Aargauer Tagbl. 12. 9. 68).

Muni, der; -s, -, ‹Dim.:› **Muneli,** das; -s, - (mundartnah): — Zuchtstier, // Bulle. *Bei rund 1600 Kühen, Muni und Kälbern haben die Tierzüchter der ETH die Fleischleistung untersucht* (Aargauer Tagbl. 20. 1. 87, 3). *Zu kaufen gesucht ½- bis 2jährige Mastrinder und Muneli* (ebendort). *Für die Herstellung von Brühwurst wird das Fleisch von jungen, vollfleischigen, aber nicht mastigen Muni bevorzugt* (Metzgereigewerbe II 117). →G 073. 110.

Munizipalgemeinde → **Gemeinde.**

Munotstadt, die: Umschreibung für Schaffhausen. (Der Munot ist die die Stadt beherrschende Festung.) *Die ...*

Besetzung des Schaffhauser Stadtpräsidiums ist ... auch für die kulturell und wirtschaftlich auf die Munotstadt ausgerichteten Gemeinden ... von einiger Bedeutung (NZZ 2. 9. 88, 25).

Münz, das; -[e]s ‹o. Pl.› (mundartnah) — Kleingeld. *Billett-Automaten sind recht komplizierte Apparate. Links oben befinden sich die Einwurfsschlitze für das Münz, rechts oben die Elektronik, welche die Münzverarbeitung steuert ...* (NZZ 1. 11. 77, 45). *Da die St. Galler nicht das von Lugano geforderte klingende Münz auf den Tisch legen wollen, kam es immer noch nicht zum Abschluß des Transfers* (Blick 25. 9. 68).

mürb (auch bdt. landsch., bes. südd., österr.) — mürbe; →G 087.

Muskat, der: ['mʊska:t] (auch österr.) // [-'-]; →G 025.

Mụsterchen, das; -s, - (mundartnah): bezeichnende Begebenheit, Anekdote. *Auf dem Schiff erzählte er mir Müsterchen von der Arbeitsunlust, der Faulheit und Unzuverlässigkeit der Neger* (Trottmann, Nachts 146). →G 105.

Mutatio̱n, die; auch svw. Änderung im Mannschafts-, Personal- oder Mitgliederbestand. *Mutationen bei der Stadtpolizei* [Überschrift]. *Wie bereits gemeldet, hat der Stadtrat Adjunkt Dr. Richard Zürcher, Chef der Abteilung für Verkehr, zum neuen Stellvertreter des Polizeiinspektors ernannt und Kriminalkommissär Dr. Hans Witschi ... zum Leiter der Abteilung I* (NZZ 20. 7. 70). *Unter Traktandum „Verschiedenes" forderte Obmann Hans Ehrsam alle Veteranen auf, anfallende Mutationen unverzüglich dem Vorstand zuhanden der Mitgliederkontrolle zu melden* (National-Ztg. 1968, 455, 11). *Mutationen im Diplomatischen Korps: Neue Missionschefs in Finnland, Norwegen, Marokko und Südafrika* (NZZ 17. 8. 71, Überschrift).

Mụtschli, Mütschli, das; -s, - # Semmel. *Wieviel wurde am Dorffest konsumiert?* Überschrift. *Käse: 128 kg für Raclette, 5 kg für Fondue. Backwaren: 174 kg Brot; 2 150 St. Sandwiches; 11 900 St. Mutschli* (Wynentaler Bl. 6. 12. 68). *Das offerierte Morgenessen mit dampfender Mehlsuppe und Mütschli vereint die ... jugendliche Schar in den vier Wirtschaften des Friedhofplatzes. Es lebe die richtige, altüberlieferte Solothurner Fasnacht!* (Aargauer Tagbl. 4. 2. 70). →G 105.

Mutz, der; -en, -en (mundartnah): **a)** Bär (als Wappentier Berns). [Nach dem Abzug des bernischen Vogtes aus Oron-la-Ville, 1798] *habe man die Fahnen heruntergeholt, den steinernen Mutz zertrümmert und am Dorfwirtshaus ein neues Schild angebracht* (NZZ 29. 10. 69). Bildlich für Bern. *Die Affäre der „schwarzen Kassen" dient wenig zur Image-Pflege des Berner Mutzen* (Brückenbauer 25. 3. 87, 34). **b)** ‹Pl.› Berner. *Mit Goalie Renato Tosio, Verteidiger Marco Müller* [usw.] *stießen fünf aktuelle Internationale zu den Mutzen* (Bund 2. 10. 87, 2).

Mụtzenstaat, der; -[e]s: humorvolle Umschreibung für den Kanton Bern. *Der Jura ermöglichte es dem Mutzenstaat im Frühling dieses Jahres, das Frauenstimmrecht auf Gemeindeebene freizugeben* (National-Ztg. 1968).

Mụtzenstadt, die: Umschreibung für Bern.

N

N 1 usw.: (buchstabierte) Abkürzung für →Nationalstraße 1 usw. (Autobahn); →G 093.

Nachachtung, die: ***(einer Vorschrift, Forderung) Nachachtung verschaffen** (Amtsspr.:) dafür sorgen, daß sie befolgt wird. [Der Bundesrat wird ersucht] *die nötigen Maßnahmen zu ergreifen, damit dem Artikel 43 des Bundesgesetzes über den Straßenverkehr Nachachtung verschafft wird* (Naturschutz 1987, 5, 11). *Er teilte Carolin auch eine Reihe von Grundsätzen mit, die er befolgte und denen er in der Familie Nachachtung verschaffte* (Humm, Carolin 77).

Nachbar, der ['na:xbar # 'nax...]; →G 003.

nachdoppeln; a) (Schützenspr.) den Einsatz für eine weitere Serie von Schüssen zahlen. **b)** ⟨übertr.⟩ einen weiteren Versuch machen, etwas (mit Nachdruck) wiederholen, in dieselbe Kerbe hauen. *Der Sprecher der liberalen Fraktion kritisierte ..., daß das Budget nicht gleichzeitig mit dem Finanzplan behandelt werden konnte. Der Landesring doppelte nach mit dem Hinweis auf die ständig wachsende Staatsschuld* (St. Galler Tagbl. 1968, 570, 3). *Ohne abzuwarten goß er voll und gab mir den Wein ... Wir stießen an und tranken ... er doppelte nach und hob ein Zweites* (Boesch, Gerüst 21). →G 098. →²**Doppel.**

nachfragen: *jmdm. / einer Sache nachfragen: sich nach jmdm./etw. erkundigen, sich für jmdn./etw. interessieren. *Dieser Tage bekamen wir ... einen Radio. Von einem unbekannten Spender. Und es fragt ihm auch niemand nach, diesem Spender. Alles Erfreuliche ist für unsere Leute ... selbstverständlich* (Frisch, Blätter 44). ***jmdm./einer Sache nichts nachfragen:** nichts von jmdm./etw. halten. *Diese Eltern, von denen viele der Kirche bald nach der Konfirmation nichts mehr nachgefragt ... haben* (NZZ 21. 3. 75, 49). *Noch weniger als dem Mais fragten die* [internierten] *Russen dem Kohl nach, den die Mutter als grünlichen Brei ... auftrug* (Wiesner, Schauplätze 102).

nachher (auch österr.) # (bdt. häufiger:) nachher; →G 019.

nachhinein: *im nachhinein (auch österr.; bdt. seltener) — nachträglich, hinterher. *Diese Schwierigkeiten standen mir anfänglich sehr im Wege und zwangen mich sogar dazu, einen ersten Entwurf im nachhinein wieder zu verwerfen* (National-Ztg. 15. 10. 68, 9). *Als ob es eine Frage des Gedächtnisses wäre, wenn einer im Nachhinein* [!] *die Geschichte seiner Vergangenheit entwirft!* (Diggelmann, Harry Wind 65).

nachkommen: auch (mundartnah) svw. — einem Gespräch, einer Rede folgen können; verstehen, wovon die Rede ist. *Nun, erwiderte Stadtrat Angst über die Köpfe der Anstößer hinweg, von denen nicht alle nachkamen, worum das Gespräch sich drehte, das gehöre eigentlich nicht zum Traktandum* (Guggenheim, Alles in allem 613).

Nachlaßstundung, die; -, -en (Recht): Frist, die einem (vor dem Konkurs stehenden) Schuldner von der [Gerichts-]Behörde gewährt wird, um einen **Nachlaßvertrag** (bdt.: Vergleich) mit den Gläubigern auszuhandeln.

Nachsteuer, die: Steuer, die nachträglich erhoben wird, wenn sich herausstellt, daß die normale Veranlagung zu niedrig war.

Nacht, die: ***zu Nacht essen** (auch südwestd., vorarlb.) — zu Abend essen. *Als ich zu Nacht aß, hockte sie mir auf die Knie,* die Katze (Helen Meier, Trockenwiese 116). →**Nachtessen, Znacht.**

Nachtbuben, die ‹Pl.›: in Gruppen zur Nachtzeit umherschwärmende Burschen. *Weil das Hotel seit dem 4. September gänzlich verlassen war, konnte natürlich die Möglichkeit des Eindringens übermütiger Nachtbuben oder sonstwie neugieriger Besucher nicht vermieden werden* (National-Ztg. 1968, 454, 3). *An der Schifflände haben Nachtbuben alle Geranien aus den Schalen gerissen, ist das nicht eine Schande* (Helen Meier, Trockenwiese 64). Dazu **Nachtbubenstreich.**

nachten ‹sw. V.; unpers.› (bdt. dichter.) — dunkeln, dunkel werden. *Es nachtete bereits, als ich ... das Geschäft verließ* (Guggenheim, Friede 81). →**einnachten.**

Nachtessen, das (auch südd., vorarlb.) — Abendessen. *Doppelrahm-Käse, mild, butterzart ... Sehr beliebt zum Nachtessen, Dessert, Z'nüni, Z'vieri und als Reiseproviant* (Aufschrift auf der Packung). *Jetzt solle er ... sie doch an einem Abend, am liebsten zum Nachtessen, besuchen* (Guggenheim, Alles in allem 678).

nächtigen (auch österr.; bdt. gehoben) — übernachten. *Wir nächtigten in Perpignan* (Guggenheim, Friede 145).

Nähtling, der; -s, -e: soviel Faden, wie man auf einmal in die Nadel nimmt. *Einer stichelte an einer Halfter herum, für die er die Nähtlinge aus einer trockenen Schafshaut schnitt* (Zollinger II 370: Die große Unruhe).

Nastuch, das — Taschentuch. *Freilich vergaß ich das Nastuch und mußte deshalb noch einmal in die Wohnung zurück* (Vogt, Wüthrich 21). *Ein blutbeflecktes Nastuch hat bei einer Versteigerung im Londoner Auktionshaus Christie den Preis von 367 Pfund Sterling erzielt. Laut Überlieferung gehörte* [es] *... dem Stuart-König Karl I., der ... unter Cromwell geköpft wurde* (NZZ 23. 1. 75, 5). →G 148/2c.

national: auch svw. gesamtschweizerisch, oft im Gegensatz zu kantonal: *im nationalen Rahmen; kantonale und nationale Vereinigungen.* Zu den folgenden Zusammensetzungen mit **National...** →**Bundes-, Landes-.**

Nationalbank, die (amtlich: **Schweizerische Nationalbank**): Staatsbank und Noteninstitut der Schweiz (entspricht der Deutschen Bundesbank in der Bundesrep.). →**Kantonalbank.**

Nationalliga, die (auch österr.): oberste Spielklasse im Fußball (entspricht der Bundesliga in der BRD).

Nationalrat, der; -[e]s, ...räte: **a)** (auch österr.) die Volksvertretung, erste Kammer des Parlaments (entspricht dem Bundestag der Bundesrepublik). **b)** Mitglied des Nationalrates (in Bed. a).

Nationalstraße, die (Amtsspr.) — Autobahn, Fernverkehrsstraße für Motorfahrzeuge, numeriert als N 1 bis N 13. *Zum ablehnenden Entscheid des Bundesrates betreffend einen Versuch mit Tempo 80 auf der Nationalstraße 1 (Stadtumfahrung Winterthur) ... In andern an Nationalstraßen gelegenen Orten ist der Grad der Luftverunreinigung bekanntlich zwei- bis dreimal höher* (NZZ 20. 5. 88, 57).

Nauen, der; -s, - (Vierwaldstättersee, Zugersee): großes, flaches Lastschiff. *Der „Uristier", der Schweiz größtes Binnenlastschiff, ist ... im Hafen von Flüelen aus dem Vierwaldstättersee gehoben worden. Der Nauen war in der Nacht auf den 8. Juli aus ... nicht bekannten Gründen gesunken* (NZZ 14. 7. 75, 4). →**Ledischiff.**

NE: Autokennzeichen und allg. Sigle für (den Kanton) Neuenburg (Neuchâtel); →G 092.

nebst (bdt. veraltend): vor allem svw. außer, zusätzlich zu. *Nebst den Strapazen der Umzüge bewies er sich* [seine bewahrte Jugendlichkeit] *mit ausgedehnten Wanderungen* (Mächler, Walser 174). *Nebst natürlichen Führungsqualitäten, Glück und taktischem Instinkt dürfte ... die in einer materiell kaum verwöhnten Jugendzeit geschulte Einsatzbereitschaft für Ogis Erfolgskompaß verantwortlich sein* (NZZ 28./29. 11. 87, 23).

Négligé, das // Negligé; →G 031.

nehmen: auch svw. — zu sich nehmen, einnehmen. *Wir bummelten auf der Uferpromenade nach Chillon ... in Villeneuve, Hotel du Port, nahmen wir das Mittagessen* (Frisch, Stiller 401). →G 135.

Nein-Parole, die; -, -n: Aufforderung an die Stimmbürger[innen], bei einer bevorstehenden Volksabstimmung „nein" zu stimmen. →**Ja-Parole.**

Nell, das; -s, -: Trumpfneun, die zweithöchste Karte beim →Jaß. *Dann sagte eine Stimme: „Fünfzig vom Trumpf-As mit Stöck und Dreiblatt vom Nell"* (Glauser II 84: Wachtmeister Studer).

Nepal (Himalajastaat; so auch österr.) // (bdt. meist:) Nepal.

Neptun, der — Neptun; →G 025.

nervös [nɛr'fø:z — nɛr'v...]; →G 018.

Netzbraten, der: in Schweins- oder Kalbsnetz eingenähter Hackbraten.

netzen (veraltend; bdt.: gehoben) — naß machen. *Überreste und Brandschutt ... darunter ... textile Materialien, ... die sehr stark genetzt worden seien, damit keine Brandgefahr mehr bestand* (NZZ 5. 12. 86, 51).

Neuenburg: deutscher Name der Stadt und des Kantons Neuchâtel. Dazu **neuenburgisch.**

Neuenburger, der; -s, -: **1.** Bürger, Einwohner der Stadt oder des Kantons Neuenburg. **2.** geschätzter Wein aus dem Kanton Neuenburg (vom Ufer des Neuenburgersees). *Er soll eine Flasche Neuenburger aufs Eis legen. Bei dieser Hitze!* (Glauser III 125).

Neuenburgersee, der; -s ≠ Neuenburger See; →G 153/2d.

Neujahr, das ≠ (bdt. meist:) Neujahr; →G 022.

Neuntel, der ≠ das; -s, -; →G 076.

Neuzuzüger, der; -s, -: jmd., der neu zugezogen ist. *Zudem hat es sich ... gezeigt, daß die Volkshochschule vor allem für Neuzuzüger sehr viel Anziehungskraft besitzt* (Aargauer Tagbl. 6. 9. 68).

Nichteintreten, das; -s (Parlament): Ablehnung der Behandlung eines Gegenstandes. *Der Luzerner Muheim beantragt* [im Nationalrat] *Nichteintreten auf die Errichtung von Fallschirmgrenadier-Kompagnien* (St. Galler Tagbl. 1968, 463, 3). →**eintreten, Eintretensdebatte.**

nid (altertümlich): unter[halb]; gebräuchlich nur noch in der amtlichen Bezeichnung des Halbkantons **Unterwalden nid dem Wald** = Nidwalden.

Nidel, der; -s / (im Westen:) die; - ⟨o. Pl.⟩ (mundartnah) — Rahm, // Sahne. *Abends ... gab es Kuchen und Nidel* (Inglin, Ingoldau 40). ***geschwungene[r] Nidel** — Schlagrahm, // Schlagsahne. *Die Kriegsgefahren gehörten zu seinem Weltbild wie die Sparsamkeit im Umgang mit Brot, die sagenhafte Schokolade oder der geschwungene Nidel, von dem die größeren Geschwister noch zu berichten wußten* (Guggenheim, Alles in allem 1058).

Nidelwähe, die; -, -n: flacher runder Kuchen mit Rahmaufguß. →**Wähe.**

Nidelzeltli, das; -s, - (in Zürich, Nordostschweiz) // Sahnebonbon. [Um Geld für eine Hilfsaktion zu sammeln] *haben Pfadfinderinnen innert weniger Stunden 175 selbstgebakkene Zöpfe, etwa 15 kg Nidelzeltli und gebrannte Mandeln an den Mann ... gebracht* (NZZ 26. 8. 68). →**Zeltli.**

Nidwaldner, der; -s, -: Bürger, Einwohner des (Halb-)Kantons Nidwalden. →**Obwaldner, Unterwaldner.**

nidwaldnerisch: zum (Halb-)Kanton Nidwalden gehörig, sich auf ihn beziehend.

Niederamt, das; -[e]s: volkstümlicher Name des östlichsten Teils des Kantons Solothurn, zwischen Olten und Aarau.

niedergelassen ‹Adj.› (Recht): **a)** (von Schweizern:) in einer Gemeinde seinen festen Wohnsitz habend [ohne dort Bürger zu sein]. **b)** (von Ausländern:) die →Niederlassungsbewilligung, d. h. das Recht besitzend, dauernd in der Schweiz zu wohnen und zu arbeiten (und dementsprechend in einer Gemeinde seinen festen Wohnsitz habend). *Gemäß der neuesten Statistik ... machen die niedergelassenen Ausländer ... 31,3 Prozent des gesamten Ausländerbestandes aus* (General-Anz. 14. 8. 69). *Alleinaktionär ... ist der Ägypter Hassan S. K., 50, Sohn eines Ägypters und einer Schweizerin, in Langenthal geboren und in Zürich niedergelassen* (National-Ztg. 1968, 453, 2). Dazu **Niedergelassene,** der: heute wohl nur noch i. S. v. b). →**Niederlassung[sbewilligung].**

Niederlassungsbewilligung, die (Recht), auch kurz (mundartnah) **Niederlassung,** die: Erlaubnis für Ausländer, dauernd in der Schweiz zu wohnen (und zu arbeiten). *Ein Österreicher ... der im Jahre vierzehn nicht eingerückt war und dann die Niederlassungsbewilligung bekommen hatte* (Guggenheim, Alles in allem 635). *Für Schweizer oder Ausländer mit Niederlassung zukunftssichere, interessante Stelle als Maschinist* (Appenzeller Ztg. 10. 8. 68). →**niedergelassen.**

niemand: *niemand anderer →G 084. ***niemand Besserer** o. ä. →G 085.

Nierstück, das; -[e]s, -e: Teil des Rückens beim geschlachteten Rind, Kalb, Schwein oder Schaf, zwischen Rippen und Keule. →G 148/2c.

nigelnagelneu (mundartnah) // [funkel]nagelneu. *Auch im kleinen Luftkurort Vielbrunn* [im Odenwald] *stoßen wir auf nigelnagelneue Bäder* (NZZ 2. 11. 69). *Vielleicht können wir Ihnen nächstes Jahr auch etwas unter den Baum legen: den Vertrag für eine nigelnagelneue Stelle?* (Tages-Anz. 22. 12. 87, Stellenanz. 12).

Nische, die ['nɪʃə # 'ni:ʃə]; →G 004.

Nomination, die; -, -en (bdt. selten) # Nominierung. *Nationalrat Ogi als Bundesratskandidat der SVP. Nomination im ersten Wahlgang* (NZZ 21./22. 11. 87, 21; Überschrift). →G 123.

Note, die: auch kurz für Banknote (bdt. in dieser Bed. nur im Bankwesen, ‹meist Pl.›, // [Geld-]Schein. *Es gibt bei uns jetzt die Zehnfrankennoten* (Steiner, Strafarbeit 159). *7000 Franken, bitte in großen Noten!*

Notfallstation, die // Unfallstation (im Krankenhaus). *Zwei Personen mußten zur ambulanten Behandlung in die Notfallstation des Kantonsspitals Liestal eingewiesen werden* (National-Ztg. 1968, 459, 36).

Notportion, die; -, -en (Militär) // eiserne Ration.

November, der [no'fɛmbər — no'vɛm...]; →G 018.

Nuggi ['nʊk'ɪ], der; -s, - (mundartl.) // Schnuller. *Der richtige Nuggi fördert die gesunde Entwicklung!* (Inserat; s. Schwarzenbach, Stellung der Mundart, 449, Nr. 74). *Zwillingsbuben ... zwei Jahre alt ... jedes* [!] *hat einen blauen Nuggi im Mund* (NZZ 20./21. 12. 86, 35). →G 073, 110.

Nuller, der: auch svw. **a)** (Schießsport) // Fehlschuß. *Ich hob die Hand, winkte wie der Zeiger im Schützenstand mit seiner Kelle, wenn er einen Nuller signalisiert* (Guggenheim, Friede 245). **b)** (Leichtathletik) Fehlsprung.

Numeroteur [nʊmərо'tø:r], der; -s, -e ‹frz.› // Numerator, Numerierungsapparat; →G 125.

nur mehr (auch österr., bdt. landsch.) — nur noch. *Stockmeier ärgerte sich ... über die Lieferanten, die Bestellungen nur mehr unter Vorbehalten entgegennahmen* (Inglin, Schweizerspiegel 162). *Die entwaldeten, oft nur mehr von dornigem Gestrüpp bewachsenen Hügel* (NZZ 2./3. 4. 88, 5).

Nußgipfel, der; -s, - // Nußhörnchen, Gebäck aus Hefeteig mit Haselnußfüllung. *Die Schüler des Instituts Tschulok ... erfrischten sich im Hinter-*

raum der Konditorei Irmiger mit einem Glas Tee und einem Nußgipfel (Guggenheim, Alles in allem 242).

Nụßlisalat, der/(in BE:) **Nụßler,** der; -s // Feldsalat, Rapunzel. *Bei den Salaten dominieren* [im Marktangebot] *Nüßlisalat, Brüsseler und Roter Chicorée* (NZZ 10./11. 1. 87, 51). →G 109.

nützlich: ***innert nützlicher Frist** →**Frist.**

NW: Autokennzeichen und allg. Sigle für (den Halbkanton) Nidwalden; →G 092.

NZZ: (buchstabierte) Abkürzung für Neue Zürcher Zeitung; →G 028, 093.

O

ob ⟨Präp.⟩: **1.** ⟨mit Dat.⟩ (bdt. veraltet) über, oberhalb von. *Wollen Sie einen ruhigen Sitz in Pratteln im Grünen ... ob Dorfzentrum* (National-Ztg. 1968, 562; Inserat). *Die Fassade mit den Relieffiguren ob dem Haupteingang ist stark verwittert* (St. Galler Tagbl. 18. 10. 68). **2.** ⟨mit Dat./Gen.⟩ (bdt. gehoben, veraltend) infolge von. *Angefeuert durch das sachkundige Publikum, das zeitweilig ob allem Staunen das Tanzen vergaß* (National-Ztg. 1968, 558, 17). *Wir sind äußerst besorgt ob der neuen Welle von Verhaftungen,* in Südafrika (NZZ 9. 12. 86, 37).

obenaufschwingen ⟨st. V.⟩ — die Oberhand gewinnen, an der Spitze liegen. *Die hausgemachten Menü-Beilagen schwingen zwar hinsichtlich der Qualität noch obenauf; aber immer mehr Frauen und ... Familien finden die vorfabrizierten Knöpfli* [usw.] *ebenso gut* (Blick 1968). *Ich gratuliere dir, Hamo, daß du einer bist, der obenaufschwingt, der ... fähig ist ... zum wirklichen höhern Leben durchzudringen* (Morgenthaler, Woly 125). →**obenausschwingen.**

obenaus ⟨Adv.⟩ (mundartnah): auf den Höhen. *Ein paar mildere Tage haben dem ... Schnee in tieferen Lagen den Garaus gemacht. Obenaus ist die dünne „Zuckerschicht" geblieben* (Bund 1968, 282).

obenausschwingen ⟨st. V.⟩ — die Oberhand gewinnen, Herr, Meister werden (sein, bleiben), an der Spitze liegen. *So gab es nach dem Ersten Weltkrieg eine Zeit, in welcher auf internationaler Ebene der Grundsatz der Selbstbestimmung obenausschwang* (NZZ 9. 1. 70). *Sechs Malern wurden Aufträge erteilt, Augusto Giacometti schwang obenaus* (NZZ 11. 12. 87, 53). *Diesen Zweikampf, in dem zuletzt dennoch das Individuum, der Mensch, obenausschwingt* (Bucher/Ammann 69: Hans Boesch). →**obenaufschwingen.**

Oberaargau, der; -s: der nordöstliche Teil des Kantons Bern (nicht Aargau!) um Herzogenbuchsee/Langenthal.

Oberalp, die; -, auch **Oberalppaß,** der: Paß zwischen Urseren (Andermatt UR) und dem Vorderrheintal GR.

Oberamtmann, der; -[e]s, ...männer: Vorsteher der Verwaltung eines Bezirks (im Kt. Freiburg), einer Amtei (im Kt. Solothurn). →**Amtsstatthalter.**

Oberauditor, der; -s, ...oren: Chef der Militärjustiz, für Ausbildung und Verwaltung in diesem Bereich verantwortlich, hat die Aufsicht über das Anklageverfahren.

Obergericht, das (in den meisten

Deutschschweizer Kantonen): oberstes kantonales Gericht, Appellationsgericht. *Zur Wahl gelangen alsdann* [an der Obwaldner Landsgemeinde] *zwei Mitglieder und drei Ersatzmitglieder des Obergerichtes* (NZZ 23. 4. 71). →**Kantonsgericht.**

Oberhalbstein, das; -s: das Tal der Julia, südlich von Tiefencastel bis zum Julierpaß GR; der Name wird immer mit dem Artikel gebraucht; →G 082.

Oberhasli, das; -s: das Tal der obersten Aare (oberhalb des Brienzersees), bernischer Amtsbezirk. Der Name wird immer mit dem Artikel gebraucht; →G 082.

Oberland, das; -[e]s: in vier Kantonen wird ein Landesteil als „Oberland" bezeichnet: **a) Berner Oberland** (von Thun an aufwärts); **b) Bündner Oberland** (Tal des Vorderrheins); **c) St. Galler Oberland** (von Walenstadt und Buchs bis zur Bündner Grenze); **d) Zürcher Oberland** (der z. T. voralpine Ostteil, von Uster-Rüti bis gegen Winterthur). →**Mittel-, Unterland.**

Oberrealschule, die (in einigen Kantonen, so LU, SG, ZH; früher auch in Dtl.) mathematisch-naturwissenschaftliches Gymnasium (Maturitäts-Typ C).

Oberrichter, der: Mitglied eines →Obergerichts. *Wir sehen das Arbeitszimmer des verschollenen Oberrichters* (Frisch, Marion 103).

Oberschule, die (in GL, SO, ZH): Schultypus der Sekundarstufe I (7.–9. bzw. 6.–8. Schuljahr) mit den geringsten Anforderungen. (In der Bundesrep. hingegen Bez. für versch. Typen der höheren Schule [schweiz.: Mittelschule].) →**Real-, Sekundarschule.**

Oberstbrigadier (früher) svw. →**Brigadier.**

Oberstdivisionär (früher) svw. →**Divisionär.**

Oberstkorpskommandant (früher) svw. →**Korpskommandant.**

Oberwind, der; -s (mundartnah): **a)** (in Zürich und der Nordostschweiz) — Ostwind. *Die Schiffleute von Schmerikon, bis elf Uhr mußten sie manchmal warten im „Sternen" am Hafen ... bis der Oberwind kam* (Guggenheim, Riedland 135). **b)** (in BE, SO:) — Westwind.

obliegen ‹obliegt, oblag› (bdt. seltener) // obliegen ‹liegt ob, lag ob, hat obgelegen›; →G 024. [Dann] *besuchte er die Schulen in Pruntrut und oblag in der Folge theologischen ... Studien an den Universitäten von Freiburg ... und Rom* (National-Ztg. 1968, 553, 2). *Daneben obliegt die SSF* [Schweiz. Sprengstoffabrik] *auch der Auftragsfabrikation für verschiedene Chemiefirmen* (NZZ 19. 5. 87, 33). *Die Bedingungen festzulegen, unter denen bei Verstorbenen Organe entnommen werden können, obliegt den Kantonen* (Bund 15. 10. 87, 27). *Es obliegt uns, dies zu schildern* (Humm, Carolin 399).

Obligationenrecht, das, Abkürzung: **OR** // Schuldrecht.

Obligatorium, das; -s: gesetzlicher Zwang, gesetzliche Pflicht. *In bezug auf die Einführung des Obligatoriums für die Altersvorsorge im Betrieb* (St. Galler Tagbl. 8. 10. 68). *Es sei ... eventuell auf das bundesrechtliche Obligatorium einer Fahrrad-Haftpflichtversicherung zu verzichten* (NZZ 30. 6. 87, 21).

obsiegen ‹obsiegt, hat obsiegt› (bdt. seltener) // obsiegen ‹siegt ob, hat obgesiegt›; →G 024. *Die 16-Uhr-Variante* [für den Ladenschluß am Samstag] *obsiegte im Parlament* [von LU] *mit 98 gegen 42 Stimmen* (NZZ 2. 6. 88, 25).

Obst, das — Obst; →G 004.

Obwaldner, der; -s, -: Bürger, Einwohner des (Halb-)Kantons Obwalden. →**Nidwaldner, Unterwaldner.**

obwaldnerisch: zum (Halb-)Kanton Obwalden gehörig, sich auf ihn beziehend. *Im obwaldnerischen Kägiswil hat am Wochenende St. Nikolaus Einzug gehalten* (NZZ 2. 12. 74, 506, 15).

Occasion, die; -, -en: • ‹Aussprache:› [*frz.* ɔkazjɔ̃; ˈɔkˈazi̯ɔ̃, ˈɔkazi̯oːn] • ‹Schreibung:› ╫ Okkasion; →G 031

• ⟨Bedeutung:⟩ bes. auch svw. // Gebrauchtwagen, auch anderes Gerät o. ä. aus zweiter Hand. *Mein sehnlichster Wunsch war ein Motorrad, eine Occasion, das Vehikel konnte noch so alt sein* (Frisch, Homo faber 121). *Vervielfältigungs- und Umdruckmaschinen. Sehr günstige Occasionen* (National-Ztg. 1968, 456, 7). Dazu **Occasionsmöbel, -wagen:** *In parkierten Occasionswagen eines Autohändlers* (Walter, Unruhen 156).

Ochsen, der (Gastwirtschaftsname) →G 068.

öd (bdt. nur gehoben; stark emotional) ⫽ öde. *Die Tiere im Zoo ... Finden sie die langen Abende ohne Besucher, die sie anstarren, nicht öd und langweilig?* (NZZ 31. 8. 87, 29). →G 087.

Ofenküchlein, das; -s, - // Windbeutel. →G 105.

offen: auch (wie österr. und südd.) svw. nicht abgepackt. *Milch, Mehl, Zucker offen verkaufen.*

Office [*frz.* ɔfis], das; -, -s (Gastgewerbe): Anrichte[raum]: *Kaum hatte ich die Teller gewechselt, da klingelte es, ich ging rasch ins Office zum Wärmeherd* (Inglin, Amberg 291). *Stadtcafé ...: Wir suchen per sofort Mithilfe für Office und allgemeine Reinigungsarbeiten* (St. Galler Tagbl. 29. 10. 88; Inserat). →G 076.

offside [*engl.* 'ɔfsaɪd] (Fußball, Eishockey) — abseits; **Offside,** das; -s, -s — Abseits. *Das 2:0 für die Berner erfolgte auf krassen Schiedsrichterfehler, standen doch zwei Mann offside* (Aargauer Tagbl. 24. 6. 70). *Treffer Brennas* (56. [Minute]) *infolge Offside aberkannt* (Sport 26. 4. 71, 7). Dazu **Offsidefalle** — Abseitsfalle. **Offsideposition** — Abseitsstellung.

OL, der (Sport): (buchstabierte) Abkürzung für **O**rientierungs**l**auf; →G 093.

Olma, die; -: Initialwort, üblicher Name der jährlich in St. Gallen stattfindenden Schweizer Messe für Land- und Milchwirtschaft (anfänglich **O**stschweizerische **l**and- und **m**ilchwirtschaftliche **A**usstellung); →G 094. *Am Sonntag abend schloß in St. Gallen die Olma ... nach elftägiger Dauer ihre Tore* (NZZ 22. 10. 68).

Omelette [ɔmәlɛtә], die; -, -n ⟨frz.⟩ (auch österr.; bdt. nur fachspr., landsch.) // das Omelett; →G 035/1, 077. *Wie ... sie am liebsten die Pfanne, in der die Omelette brutzelte, an die Wand geschmettert hätte* (Helen Meier, Trockenwiese 95).

OR, das: (buchstabierte) Abkürzung für **O**bligationen**r**echt (vom 14. Juli 1881; revidiert am 1. Januar 1912 bzw. [Art. 24–33] am 1. Juli 1937 als Fünfter Teil des Schweizerischen Zivilgesetzbuches in Kraft getreten). →**ZGB.** →G 028, 093.

Orange, die; -, -n [orãʒә, auch: oraŋʒә] ⟨frz.⟩ (auch südd., österr., sonst seltener) // Apfelsine. →(zur Aussprache) G 035/1.

Orangenschnitz, der; -es, -e // Orangen-, Apfelsinenspalte. *Man dachte* [bei den vier Grundoperationen des Rechnens] *an Äpfel, an Orangenschnitze oder Kuchenschnitten* (Morf, Katzen 39). *Dem goldgelben Halbmond zugewandt, der in den feinen Silberstrichen des Föhngewölks wie ein Orangenschnitz über dem ... Bergrand stand* (Inglin, Ingoldau 335). →**Schnitz.**

Orchester, das [ɔr'xɛstәr ⫽ ɔr'k...]; →G 013.

Ordnungsantrag, der (Parlament): Antrag zur Tagesordnung.

Orient, der (auch österr.) [ɔ'ri̯ɛnt, ori'ɛnt // (bdt. meist:) 'o:ri̯ɛnt]; →G 026.

Ort, der (älter: das); -[e]s, -e: auch (hist.) svw. Kanton, Bundesglied. **Die fünf (innern) Orte:** die Kantone Uri, Schwyz, Unterwalden, Luzern und Zug; die Innerschweiz. **Die 13 alten Orte:** bildeten die Eidgenossenschaft von 1513 bis 1798. →**Vorort.** — ****an Ort: a)** — an Ort und Stelle. *Das* [Brunnen-]*Becken, das an Ort renoviert wird* (NZZ 29. 4. 88, 55). **b) *springen/treten an Ort** (Turnspr.): hüpfen / Gehbewegungen machen, ohne sich von der Stelle zu bewegen.

Ihre Beine traten an Ort, und die Hände der Hebamme gaben dem Bauch das Stichwort, bei einer Gebärenden (Loetscher, Kranzflechterin 15). Im übertr. S.: *Treten an Ort in der Verfassungsfrage* (NZZ 30. 4./1. 5. 88, 7; Zwischentitel). *Wie dem energiepolitischen An-Ort-Treten ein Ende bereitet werden könnte* (NZZ 21./22. 5. 88, 21).

Ortsbürger, der; -s, -: svw. →**Burger.**

Ortsbürgergemeinde →Gemeinde.

Ortsgemeinde →Gemeinde.

Ostern, [die] mit Art. und/oder attr. Adj. als Plural (auch südd., österr.); ohne Art. oder attr. Adj. eher als Sg. // das Ostern (Pl. nur noch in einigen festen Formeln). *Heiße Pariser Ostern* (NZZ 24. 4. 84, 5; Überschrift). *Ringsum läutete es die Ostern ein* (Frisch, Die Schwierigen 193). *Daß Ostern waren, zeigte sich ... nur noch an einem übermäßigen Verkehr auf der Überlandstraße* (Frisch, Stiller 402). →G 075.

OW: Autokennzeichen und allg. Sigle für (den Halbkanton) Obwalden; →G 092.

P

Pachtjagd →**Revierjagd.**

Pack, das; -s, - (mundartnah) — Paket, // der Pack. *Die Wohnung ist ein besonderes Gut. Sie ist nicht mit mobilen Konsumgütern wie einem Pack Hörnli oder auch einem Auto zu vergleichen* (NZZ 22./23. 11. 86, 33). →G 076.

[1]**Päckli, Päcklein,** das; -s, - — Päckchen: **a)** kleine Packung von Zigaretten u. ä. *Unser Korporal ... gab ihm Zigaretten, zuerst einzelne, dann ein ganzes Päcklein* (Frisch, Tageb. 1946/49, 416). **b)** kleines Postpaket. *Die 800 bis 1000 Mitarbeiter* [des Postzentrums] *reichen in der Vorweihnachtszeit nicht mehr aus, um die ... Päckliflut zu bewältigen* (NZZ 15. 12. 87, 53).

[2]**Päckli,** das; -s, - (mundartl., abwertend): geheime, verdächtige Abmachung. *Jene Kritiker, die in der Vereinbarung* [der Schweizerischen Bankiervereinigung über die Sorgfaltpflicht] *ein „Päckli unter den Banken" wittern* (NZZ 28./29. 3. 87, 17). →G 105. Dazu **Päcklipolitik:** *Wegen der bürgerlichen Päcklipolitik waren* [in den vorangegangenen Ständeratswahlen] *die Spieße im Majorzwahlverfahren ungleich lang* (Bund 7. 10. 87, 21; Streitgespräch).

Papagei, der (auch österr.) // Papagei; →G 025.

Papeterie, die; -, ...ien: **1.** // Papierwaren-, Schreibwarengeschäft. *Anmeldungen ... nehmen die Garage Heggli und die Papeterie Holzer, Zeughausstraße 1, entgegen* (Vaterland 3. 10. 68, 8). **2.** // Briefpapierpackung.

Papiersack, der: auch (wie österr.) svw. // Tüte.

Papierschweizer, der; -s, - (verächtlich): Ausländer, der sich in der Schweiz hat einbürgern lassen (aber nicht als echter Schweizer angesehen wird).

Parahotellerie, die; -: Beherbergungsformen neben dem Hotelgewerbe, wie Privatquartiere, Campingplätze, Jugendherbergen. *Die sogenannte Parahotellerie ... scheint sich in der Schweiz einer steigenden Beliebtheit zu erfreuen* (NZZ 29. 7. 82, 5).

Parcours [*frz.* parkuʀ], der; -, - (Sport): Lauf-, Rennstrecke. *An der neu in den Parcours* [der „Züri-Metzgete“, Radmeisterschaft von Zürich] *eingebauten Steigung „Stig“ von Bachs nach Stadel* (NZZ 22. 8. 88, 41). *Muß das Leben ein Hürdenlauf sein? Bestimmen ein paar Auserwählte den Parcours und die Höhe der Hindernisse ...?* (Landert, Koitzsch 73). →**Vita-Parcours.**

Parfum [*frz.* parfœ̃], das; -s, -s (auch bdt.) // Parfüm [par'fy:m]; →G 031.

Pariserbrot, das: französisches Stangenbrot (frz. baguette, flute). *Während die ... Hände ... allerlei Kleinkram wie Servietten, Weinkaraffe, Pariserbrot, Salz- und Pfefferfässer auf Tisch und Nebentisch verteilten* (Nizon, Jahr der Liebe 71). →G 153/2.

Park, der: • ‹Plural:› Pärke, auch Parke, Parks (bdt.: Parks, seltener -e). *Schloßpärke sind am schönsten im November* (Hohler, Idyllen 73). *Im Zentrum versucht man, mit Fußgängerzonen, breitangelegten Alleen und Pärken ... eine wohnliche Atmosphäre zu schaffen* (NZZ 7. 7. 88, 56). →G 072.

parkieren // parken. *Wir umfuhren ein Magazingebäude und parkierten den Wagen zwischen zwei uralten Ahornbäumen* (Diggelmann, Abel 118). *10 Coupons, die je zum einmaligen Parkieren ... im Bahnhof-Parking Bern berechtigen* (Bund 1968, 279, 36). →G 101. Dazu **Parkier(ungs)verbot** (neben Parkverbot), **Parkierungsdauer** usw.

Parkingmeter ['parkıŋ...], der; -s, - — Parkuhr, // Parkometer. *Die Stadt* [Luzern] *hatte bemerkt, daß die Parkingmeter eine bequeme ... Einnahmequelle sind* (NZZ 9. 12. 87, 9). *Das Zentrum* [von Cleveland, USA] *ist tot ... Parkplätze ohne Autos, eine Allee von Parkingmetern, die keine Zeit mehr zählen* (Geiser, Wüstenfahrt 112/3). →G 147.

Passepartout [*frz.* paspaʀtu], der; -s, -s ‹frz. passe-partout; →G 034›: • ‹Geschlecht:› der // das; →G 076 • ‹Bedeutung:› auch (bdt. veraltet) svw. **a)** — Dauerkarte. **b)** ≠ Hauptschlüssel.

Passepoil [*frz.* paspwal], der; -s, -s // Paspel, die; -, -n/(selten:) der; -s, - (schmale, farblich meist abstechende Borte in Form eines kleinen Wulstes, bes. an Nähten und Kanten von Kleidungsstücken). *Deuxpièces ... Ein Modell für die feminine Frau ... Mit oder ohne Passepoile* [!] *denkbar* (Meyers Modebl. 1987, 11, 59). *Tailleurs ... aus Samt schmücken sich durch Passamenterien* [!], *Passepoils oder Perlenstickereien* (NZZ 13. 9. 88, 89).

passepoilieren // paspelieren. [Sessel] *mit paspoilierter* [!] *Lederpolsterung* (NZZ 9. 9. 88, 67). [Soldaten] *in ihren rot passepoilierten dunkelblauen Waffenröcken* (Guggenheim, Alles in allem 250).

Passerelle ['pasə,rɛlə], die; -, -n ‹frz.› // Fußgängerbrücke. *Auf Antrag des Gemeinderates soll nun mit einer Passerelle ... über die Grüningerstraße eine permanente Sicherung der Fußgänger gewährleistet werden* (NZZ 1971, 187, 15). *Wir eilen die Treppe der Passerelle hinunter, die über den Bahnstrang führt* (Bestand und Versuch 560: P. Nizon). →(Aussprache) G 022.

passieren: auch (Politik) svw. die Hürde der Abstimmung nehmen, angenommen, bewilligt werden. *Ebenso unbestritten passierten die 346 Millionen Franken für militärische Bauten, Waffen- und Schießplätze* (Bund 3. 10. 68, 6). →**durchgehen.**

passiv // passiv; →G 027.

Passivum, das; -s, ...va/...ven: ['pasi:vʊm // -'--]; →G 025.

Pastmilch, die: Kurzform für — pasteurisierte Milch. *Freigabe des Pastmilchverkaufs?* (NZZ 21. 3. 63; Überschrift). →G 138.

Patent, das: auch svw. staatliche Bewilligung zum Ausüben einer Tätigkeit (→**Hausier[er]-, Fischerei-,** →**Jagdpatent)** oder eines Berufs (→**Anwalts-,** →**Fürsprecher-,** →**Lehrer-,** →**Wirtepatent;** gdt. nur noch: Kapitänspatent). *Nach Schluß der Hochwildjagd begann nun im Kanton die Niederwildjagd. Rund 290 Jäger ... haben das Patent gelöst* (Vaterland 3. 10. 68, 6).

patentieren: auch svw. (Fürsprecher, Lehrer) nach beendeter Ausbildung und bestandener Prüfung mit dem →Patent versehen (und damit zur Berufsausübung zulassen). Dazu **Patentierung:** *Normalerweise ist ein Luzerner Lehrer nur im ersten Jahr nach der Patentierung diesen Einschränkungen ... unterworfen* (General-Anz. 16. 10. 69).

Patentjagd, die (in AR, AI, GL, GR, NW, OW, SZ, UR, VS, ZG): Jagdsystem, bei dem jedermann nach (jährlichem) Lösen eines Jagdpatents während der Jagdzeit im Herbst auf dem ganzen Gebiet des Kantons (mit Ausnahme der Bannbezirke) jagen darf. →**Revierjagd.**

Patisserie [*frz.* pɑtisʀi; patisəri:], die; - ‹frz. pâtisserie›: **1.** Konditorei. **a)** Kuchenbäckerei. **b)** Gaststätte, die Kaffee, Tee usw. und Kuchen serviert. *Eine hübsche kleine Kirche, die Klosterschule für Mädchen, eine zweite ... für Buben ... und dann die Patisserie, wo die größeren Mädchen immer hinwollten* (NZZ 30./31. 7. 88, 65). **2.** kleine Kuchen wie Mohrenköpfe, Cremeschnitten usw. *Sie futterte Patisserie, so daß sie kaum aufblicken konnte, kaum reden* (Frisch, Homo faber 123). →G 034, 035/2.

²Patron [*frz.* patʀɔ̃], der; -s, -s (vor allem im Gastgewerbe): Betriebsinhaber, Arbeitgeber. *Im Hotel-Restaurant du Cheval-Blanc in St-Blaise bei Neuenburg finden Sie eine reichhaltige Karte und Fischspezialitäten. Der Patron steht selbst am Herd* (Bund 1968, 282; Inserat). *Piccolo trug die ... Toto-Ergebnisse in sein Wachstuchheft ein; wie immer am Sonntag war der Patron ins Kino gegangen* (Steiner, Strafarbeit 67).

Patronne [*frz.* patʀɔn], die; -, -s (vor allem im Gastgewerbe): Meisterin, Betriebsinhaberin, Arbeitgeberin bzw. Frau des Meisters (usw.). *Es machte mir Spaß, mit dem mit Zigaretten, Südfrüchten, Schokolade und Sandwiches beladenen Perronwagen vor den haltenden Zügen auf- und abzufahren, und nach der Aussage der Patronne erzielte ich schon nach zwei Wochen den Umsatzrekord seit Bestehen des Bahnhofrestaurants* (Diggelmann, Abel 130). →(zur Aussprache) G 035/1.

Pavillon [*frz.* pavijɔ̃; 'paviljɔ̃], das — der; -s, -s. *Auf der Hohen Promenade, unter jenem Pavillon, das sie neulich abgerissen haben* (Humm, Kreter 178). →G 076.

PdA: (buchstabierte) Abkürzung für **P**artei **d**er **A**rbeit (Kommunisten); →G 028, 093.

pedalen (leicht scherzh.; bdt. seltener): in die Pedale treten und sich so fortbewegen, radfahren // radeln. *Hartwig ... zog rasch das Überkleid an und schwang sich ... auf sein Fahrrad und pedalte zum Friedhof* (Honegger, Schulpfleger 95). *Einige pedalten mit Fahrrädern von Ort zu Ort, einige ließen sich ... in Oldtimer-Bussen ... herumchauffieren* (NZZ 5. 9. 88, 31).

Pédicure, Pedicure [*frz.* pedikyʀ], die; -, -n // Pediküre [pedi'ky:rə]; →G 031, 035/1.

Penalty ['pɛnaltı; *engl.* 'pɛnḷtı], der; -s, -s (häufig auch beim Fußball [wie österr.]; bdt. meist nur beim Eishokkey) — Strafstoß, Elfmeter. *Der von Öttli an Balmer verschuldete Penalty* (Sport 24. 5. 71, 5). *Und nur ein Penalty verhalf den Zürchern zu diesem Erfolg* (Aargauer Tagbl. 30. 9. 82, 41). →**Foulpenalty.**

Penaltyschießen, das (Fußball) — Elfmeterschießen. *Erst im Penaltyschießen konnte sich Sparta durchsetzen* (NZZ 23. 1. 74, 36, 31).

pendent (Geschäftsspr.) — unerledigt, anhängig. *Aus dem Jahresbericht des Präsidenten ... war ersichtlich, daß das letzte Vereinsjahr verschiedene pendente Aufgaben zum Abschluß brachte* (St. Galler Tagbl. 1968, 565, 15). →**hängig.**

Pendenz, die; -, -en (Geschäftsspr.) — unerledigte Aufgabe. *In einer mehr als 3½ Stunden dauernden Sitzung räumte der Gemeinderat Frauenfeld mit den meisten Pendenzen auf*

(St. Galler Tagbl. 16. 12. 68). *Er nimmt den obersten Brief ... „Ich möchte zuerst die dringlichsten Pendenzen erledigen“* (Wechsler, Ein Haus 221).

Pendule, die; -, -n: • ⟨Schreibung:⟩ // (bdt. meist:) Pendüle • ⟨Aussprache:⟩ [pãdy:lə // pɛn'dy:lə, pã...]; →G 031, 035/1 • ⟨Bedeutung:⟩ Stutzuhr im Stil des 18. Jhs., auch **Neuenburger Pendule** (bdt., veraltet: Pendeluhr). *An den Wänden des Ladens funkelten Kopien antiker Pendulen* (Meylan, Räume 38). *Maximale Preise: Salontischli, Pendulen, Kühlschränke,* an einer Tombola (Blick 1968, 235, 7).

Pensionär [pãs..., auch: pɛnz...], der: ausschließl. svw. (bdt. veraltet:) jmd., der in einer Pension (oder als zahlender Gast in einem Privathaushalt) wohnt (bdt.: Beamter im Ruhestand; [landsch.:] Rentner). →**Pensionierte.**

Pensionierte, der; -n, -n [pãs..., auch: pɛnz...] — Rentner, // Ruheständler, (bdt. landsch.:) Pensionär, (südd., österr.:) Pensionist; →G 125.

Peperoni, die ⟨nur Pl.; ital.⟩ // Paprika. *Peperoni sind äußerst gesund und lassen sich auf vielfältige Weise zubereiten* (NZZ 19./20. 9. 87, 55).

Perimeter, der; -s, - (Geschäftsspr.): Begrenzung, Umfang eines bestimmten Areals. *Der Perimeter des Ideenwettbewerbs ... umfaßte alle zur Neubebauung in Frage kommenden Grundstücke westlich des Bahnhofs* (NZZ 21. 1. 88, 25). Im ganzen *Planungsperimeter werden sämtliche wertvollen Bäume und Hecken unter Schutz gestellt* (Bund 24. 10. 87, 31). Dazu **Perimetergebühren:** Anliegergebühren.

Perron [*frz.* pɛʀɔ̃]; -s, -s: • ⟨Geschlecht:⟩ das — der; →G 076 • ⟨Geltung:⟩ normalspr. (bdt. veraltet, österr. veraltend): — Bahnsteig. *„Bitte, können Sie mir sagen, auf welchem Bahnsteig die Züge aus Richtung Dietikon ankommen?“ ... „Alle Züge von Brugg und Dietikon her fahren auf dem sechsten Perron ein“,* erklärte er (Wechsler, Ein Haus 112/13). *Auf den Stationen des Intercity- und des S-Bahn-Systems sollen die Perrons auf 55 cm erhöht werden* (NZZ 25. 7. 85, 23).

Peterli, der; -s ⟨o. Pl.⟩ (mundartl.; südwestd.: Peterle) — Petersilie. *Frischkäse* ... [wird] *angeboten ... mit den verschiedensten Aromen: Peterli, Knoblauch, Provençale, Schnittlauch und Meerrettich* (NZZ 28. 1. 87, 35). *Gebratene Gänseleber auf Spargeln an einer würzigen Vinaigrette mit Schalotten, Peterli und Tomaten* (NZZ 3. 4. 87, 50). →G 107.

Petrol, das; -s ≠ Petroleum; →G 069/2. Dazu **Petrollampe.**

pfaden: a) einen Pfad durch hohen Schnee bahnen. *Wenn Sie ins Dorf wollen ... jetzt, wo es gepfadet ist* (Frisch, Tageb. 1946/49, 76). **b)** (einen Weg) von hohem Schnee räumen. *Es hatte geschneit. Gepfadet waren weder die Trottoirs noch die Straße* (Guggenheim, Gold. Würfel 41). *Sechs Routen in höheren Regionen* [von Arosa], *die je nach Witterung und Schneeverhältnissen gepfadet werden* (NZZ 3. 12. 87, 71).

Pfader / (mundartl.:) Pfadi, der; -s, -: Kurzformen für — Pfadfinder. *Fakkeln zum 1. August für Behörden, Hotels, Verkehrsverbände, Vereine, Pfadi und Private* (Weltwoche; Inserat). →G 073, 096, 119. Dazu **Pfadilager, Pfadiübung:** *Tödlicher Unfall bei einer Pfadiübung* (NZZ, Fernausg. 9. 3. 76, 4).

Pfäffikersee, der; -s: See im Zürcher Oberland. Der Name wird gewöhnlich zusammen geschrieben; →G 153/2d.

Pfandleihanstalt, die (veraltet), **Pfandleihkasse,** die // Leihhaus, (veraltend:) Pfandhaus, (südd., österr.:) Versatzamt. *Längst hatte Aaron seine Schreibmaschine aus der Pfandleihanstalt wieder einlösen ... können* (Guggenheim, Alles in allem 987).

Pfanne, die: hat (außer der gdt. Bed. Bratpfanne) auch die Bed. ≠ Kochtopf (wobei meist die Form mit Stiel,

Kasserolle, gebraucht wird). *Tiefgekühlte Gemüse ... direkt aus der Verpackung in die Pfanne geben ... Die Kochzeit ist etwas kürzer zu bemessen* (Fülscher, Kochbuch, Nr. 448). *Sie ... goß die Milch nicht aus der Pfanne in die Tasse, sondern wählte den Umweg über einen Krug* (Loetscher, Kranzflechterin 221).

Pfauen, der (Gastwirtschaftsname) →G 068.

Pfingsten, [die]: mit Art. und/oder attr. Adj. als Plural (auch südd., österr.); ohne Art. oder attr. Adj. eher Sg. // das Pfingsten (Pl. nur noch in einigen festen Formeln). *An kommenden Pfingsten* [wird] *zum ersten Mal in der Geschichte der Reformierten Landeskirche des Kantons Aargau ein Kirchentag stattfinden* (Aargauer Volksbl. 23. 1. 87, 13). *Es waren sonderbare Pfingsten* (Frisch, Die Schwierigen 218). →G 075.

Pflanzplätz, der; -es, -e: Stück Land zum Pflanzen von Gemüse [und Blumen] am Dorf- oder Stadtrand, meist von der Gemeinde gegen geringen Pachtzins zur Verfügung gestellt. (Im Bild:) *Immer weniger Bürger und Politiker scheinen willens zu sein, die gesamte politische Allmend zu bestellen, während die Zahl jener, die ihre eigenen Gärtchen und randständigen Pflanzplätze kultivieren, im Steigen ist* (NZZ 31. 7. 87, 1). →**Plätz; Bünte.**

Pflaster, das: auch (noch) svw. — Mörtel. *Er flickte beim Schein einer Kerze im geräumigen Ofenloch die schadhaften Stellen mit Pflaster* (Inglin, Verhexte Welt 54). Dazu **Pflasterkelle** — Maurerkelle.

Pflästerer, der (auch südd. // Pflasterer (Mann, der Straßen mit Pflastersteinen belegt). *Wir suchen tüchtige jüngere Pflästerer, Steinhauer* (Weltwoche 11. 9. 61; Inserat). *Der Pflästererberuf hat eine rosige Zukunft vor sich* (NZZ 25. 9. 85, 52). →G 131/1.

pflästern (auch südd.) // pflastern, doch nur in der Bed.: (eine Straße usw.) mit Pflastersteinen belegen. (In den übrigen Bedeutungen: a) [eine Wunde] mit einem Heilpflaster bedecken; b) mit Mörtel hantieren, gilt wie bdt. die Form pflastern). *Damals wurde eben der nördliche Teil der Rue Saint-Louis neu gepflästert* (Hugo, Die Elenden [Übers.] 1228). →G 131/1.

Pflästerung, die // Pflasterung, [Anbringen einer] Straßendecke aus Pflastersteinen. *Die beste Möglichkeit, solche Belagsschäden* [bei Bushaltestellen] *zu beheben, ist die Pflästerung ... mit einer Betonplatte als Untergrund* (NZZ 25. 10. 74, 474, 50). *Der Hof ist ziemlich groß; Pflästerung mit Moos dazwischen* (Frisch, Stiller 11). →G 131/1.

Pflicht, die: ***jmdn. in Pflicht nehmen:** (ein Ratsmitglied, einen höheren Beamten) ins Amt einsetzen (eine eigentliche Vereidigung muß damit nicht verbunden sein). *Das neue Mitglied wird mit feierlicher Vereidigung, während sich Rat und Tribünenbesucher von ihren Sitzen erhoben haben, in Pflicht genommen* (NZZ).

Pflichtenheft, das; -[e]s, -e: Verzeichnis der mit einem Amt, einer Stellung verbundenen Pflichten (oft auch nur bildlich). *Die Pflichten des Lohnbrenners sind in einem Pflichtenheft, das dreiundzwanzig Artikel enthält, gesammelt* (NZZ 1961). *Soll eine Art „gehobene Fahrkunst" nur auf der Piste von Paris–Montlhéry geboten werden, oder sollte sie ins Pflichtenheft unserer automobilistischen Grundschulung gehören?* (Nebelspalter 1965, 28, 44).

Pflotsch, der; -es (mundartnah) — Schneematsch. *Erst Schnee, dann Pflotsch auf unseren Straßen* (Tages-Anz. 5. 2. 71). *Und dann über Nacht wieder Schnee, der sich knapp zwei Tage hielt, Pflotsch, Regen, und jeder hustete* (Schmidli, Schattenhaus 53). Dazu: **Pflotschwetter:** *Bei Pflotschwetter ist so zu fahren, daß Passanten auf Trottoirs nicht belästigt werden* (Vaterland 27. 12. 68).

pflotschnaß (mundartnah) — tropfnaß. *Ohne Marschhalt preschte die*

Kompagnie bei strömendem Regen heran ... durch sumpfigen, steilen Buschwald emporkeuchend, nach zwei Stunden von innen, von oben, von unten und von außen pflotschnaß (Zeitungsbericht).

Pflụmli, das; -s, - // Pflaumenschnaps. *Man trinkt ein Pflümli unter Männern* (Frisch, Gantenbein 173). *Dessert: Fruchtsalat; Kaffee; Kirsch, Pflümli oder Zwetschgenwasser,* beim Leichenmahl (Honegger, Schulpfleger 100). →G 105.

Pfụlmen, der; -s, -: breites Kissen, auf dem das Kopfkissen liegt. *Wir reinigen Ihre Duvets und Pfulmen innert Tagesfrist* (Reklamezettel). *Die Aussteuer der Mädchen ..., die Leintücher vor allem, die Kissen- und die Pfulmenüberzüge* (Guggenheim, Zusammensetzspiel 17).

Pho̱to, die →**Foto.**

pịckelhạrt ⟨Adj., o. Steig.⟩ (mundartnah): unerbittlich [hart, streng], unnachgiebig, kompromißlos, eisern. *Die pickelharten Schweizer Ambitionen auf die Goldmedaille ... wurden schon nach drei Runden aufgeweicht* (Blick 19. 10. 68). *Er bleibt pickelhart bei seiner Forderung.*

Pièce de résistance [*frz.* pjɛz də rezistɑ̃s], die; - - -, -s - -: harter Brocken, schwieriges Problem, woran man lange zu kauen hat (bes. bei Verhandlungen). *Es ist unschwer abzusehen, daß hier die Pièce de résistance in den bevorstehenden Gesprächen über eine modifizierte Ausländerpolitik steckt* (NZZ 1969, 672, 21). →(zur Aussprache) G 035/1.

Piemọnt, das; -s: der Name der nordwestital. Region wird gewöhnlich mit dem Artikel gebraucht (bdt. ohne). *Einer deiner Vorfahren soll ... irgendwo im Piemont Kastellan gewesen sein* (Wechsler, Ein Haus 51). *Die edelsten Weine aus dem Piemont* (Aargauer Tagbl. 25. 3. 87). →G 082.

Pikẹtt, das; -s, -e: einsatzbereite Mannschaft, Bereitschaftsdienst (der Polizei, Feuerwehr usw.). *Der einstündigen Arbeit der Feuerwehr und des Polizeipiketts gelang es, das Feuer einzudämmen* (Zeitungsnotiz). ***auf Pikett:** in Bereitschaft. *Das befiehlt jeder Gruppenführer selber, je nachdem, ob er mit seiner Gruppe auf Wache, auf Patrouille oder auf Pikett ist* (Inglin, Erz. I 201). *Eine Kompagnie der freiwilligen Feuerwehr wurde auf Pikett gestellt* (NZZ). Dazu: **Pikettchef, -dienst, -mannschaft, -offizier.**

Pikẹttstellung, die; -: Versetzung in erhöhten Bereitschaftsgrad. *Die Pikettstellung der Armee und das Aufgebot des Landsturms auf Samstag, den 1. August* [1914] (Inglin, Schweizerspiegel 173).

Pincette [p'ɛ̃sɛtə], die; -, -n — Pinzette ≠ [pɪn'tsɛtə]; →G 035.

Pịnte, die; -, -n (bdt. selten): einfache Wirtschaft, Schenke, Kneipe. *Natürlich wußte Sibylle ganz genau, welche Art von Wirtschaft er sich gewünscht hatte, irgendeine ländliche Pinte mit Bevölkerung* (Frisch, Stiller 289).

Pịntenkehr, der; -s, -e, auch: die; -, -en: Umherziehen von einem Lokal ins andere, Zechtour. *Der Leutnant hatte ... zusammen mit einem Kameraden und einem Oberleutnant ... einen Pintenkehr bis nach Lugano unternommen* (NZZ 29. 8. 86, 7). *Ein tragisches Ende hat ... eine ausgedehnte Pintenkehr ... genommen* (NZZ 26. 4. 74, 191, 29). *Walser sei, gegen Abend, von seiner Pintenkehr rund um Bern zurückkehrend, im Bahnhofbuffet eingekehrt* (Amann, Verirren 93). →G 115, 117.

Pistache [*frz.* pistaʃ] ≠ Pistazie, doch nur **a)** ⟨o. Art., o. Pl.⟩ (Küche) als Aroma von Speiseeis. *Dann habe ich dir ein Eis gekauft, Pistache mit Haselnuß* (Blatter, Heimweh 224). **b)** das; - (Mode) als Farbton. *Mäntel und Jakken ... Schwarz und Weiß sind ihre Hauptfarben; ein kräftiges Pistache ist als Akzent zum strengen Grau zu verstehen* (NZZ 26. 9. 88, 32). →G 035/1.

Plache →**Blache.**

placieren →**plazieren.**

Plafond [*frz.* plafɔ̃], der; -s, -s: auch (Geschäftsspr.) überhaupt svw. obere

Grenze, über die eine Größe nicht zunehmen darf oder soll (bdt. nur bei der Gewährung von Krediten). *Beim Personal sei ... jetzt der Plafond erreicht. Mehr Personal wäre nur bei einer Erweiterung der Betriebsgebäulichkeiten zu beschäftigen* (Aargauer Tagbl. 24. 3. 87, 5). *Daß ... die anhaltende Vermehrung der Betriebe die Gesellschaft rasch an den Plafond ihrer Leistungsfähigkeit bringen wird* (NZZ 5./6. 9. 87, 24).

plafonieren (Geschäftsspr.; bdt. seltener): nach oben begrenzen. *Die für die Jahre 1967 bis 1970 plafonierten Kredite reichen knapp aus* (Wynentaler Blatt 10. 9. 68). *Kanalisieren, plafonieren und womöglich reduzieren hieß die Devise für den Individualverkehr* (NZZ 24. 3. 87, 49). →**entplafonieren.**

Plafonierung, die; -, -en (Geschäftsspr.): Begrenzung nach oben, Festlegung einer oberen Grenze (in bezug auf Kredite, Beiträge, Zuteilungen). *Der Große Rat wird ... praktisch mit einer Blankovollmacht ausgerüstet, diesen Kredit nach Belieben zu überschreiten, womit die vorgängige Plafonierung im Effekt illusorisch gemacht wird* (NZZ 22. 7. 70). Namentlich i. S. v. Begrenzung des Fremdarbeiterbestandes. *Die Zahl der aus der Plafonierung entlassenen Ausländer* (Tages-Anz., Wochenausg. 5. 3. 68, 5).

Plaggeist, der ⫽ Plagegeist. *Der Herr ... blieb ein Herr. Aber er war ein Plaggeist, und das war das Betrübende am Zusammenwohnen mit diesem Herrn* (Humm, Carolin 320). →G 143.

plagieren →**blagieren.**

Plastic ['plastɪk], das; -s ‹engl.-amerik.› — Plastik; →G 040/3.

platschvoll (mundartnah): ganz (eigentl.: zum Überschwappen) voll. *Die ... Faßmannschaft, deren Schlepper sich zum Wohle der andern von den platschvollen Kübeln die Arme fast ausreißen lassen* (Schumacher, Rost 126). *In der platschvollen „Osteria del Dottore"* (National-Ztg. 7. 10. 68).

plätteln (mundartnah) — kacheln, mit Kacheln, Fliesen belegen. *Sauber geplättelt ist der Raum* (Bichsel, Jahreszeiten 99). *Auf dem rotgeplättelten Korridor des Stadthauses* (Guggenheim, Alles in allem 250). *Der* [kantonale Lebensmittel-]*Inspektor verlangte unter anderm, daß die Wände* [in der Küche eines alten Restaurants] *durchwegs mindestens bis 1,8 Meter zu plätteln sind* (Aargauer Tagbl. 4. 4. 87). →G 098.

Plättli, Plättchen, das; -s, - (mundartnah) — Kachel, Fliese (als Wand- oder Fußbodenbelag), Wandplatte. *Ein Stück der alten Plättliwand aus dem frühern* [Metzger-]*Laden* (Zeitung). *In Küche und Bad die elfenbeinweißen Plättchen* (Frisch, Die Schwierigen 240). *Mein Blick fiel auf den roten Plättchenboden* (Guggenheim, Sandkorn 229). →G 105. →**plätteln.**

Plätz/Blätz, der; -es, -e (mundartnah): **a)** Stück, Lappen, Flicken von Tuch, Leder. *Eine Gabel aus Holz ... Kautschukschnüre ..., zusammengehalten ... von einem Lederstück: In dieses wird ... das Wurfgeschoß gelegt ... Die Rechte läßt den Lederplätz los, das Geschoß fliegt davon* (Glauser III 292: Der Chinese). **b)** Stück ausgewellten Teigs. *Den Teig ca. 2 mm dick auswallen, gut 10 cm große runde Plätze ausstechen* (Fülscher, Kochbuch, Nr. 1614a). **c)** Stück Land. *Für das, was du für den Plätz hier erhältst, kannst du dir ... in der Sonne ein dreimal größeres Stück Gemüseland kaufen* (Guggenheim, Alles in allem 53/54). →**Plätzli, Lehr-, Pflanzplätz.**

...plätzer, der; -s, -: **Zweiplätzer, Vierplätzer** usw. // Zwei-, Viersitzer usw. (Auto mit zwei, vier usw. Sitzplätzen). *Um neun Uhr ist das Auto hier. ... Ich habe einen geschlossenen Sechsplätzer bestellt* (Inglin, Schweizerspiegel 592).

...plätzig: zweiplätzig, vierplätzig usw. // zwei-, viersitzig (mit zwei, vier (usw.) Sitzplätzen, von Autos, Sofas u. ä.). *Der Mazda 1500 ist ein hübscher vierplätziger Reisewagen* (Vaterland 4. 10. 68, 16). *Mit katastrophal abge-*

fahrenen Reifen fuhr ein vollbesetzter 38plätziger Car ... (Blick 16. 8. 68, 3).

Plätzli/Blätzli, das; -s, - ‹Dim. von →Plätz›: **1.** dünnes Stück Fleisch zum Braten oder Grillen, Schnitzel. *Plätzli, vom Stotzen, 100 g nur 1.30* (Aargauer Tagbl. 6. 2. 70; Inserat). *Ob sie den Besuch zum Nachtessen einladen sollte oder nicht ... Reichten die Plätzli für alle? Durfte man diesen Leuten Hörnli offerieren?* (Welti, Puritaner 258). Dazu: **Filet-, Gitzi-, Huft-, Kalbs-, Rinds-, Schweinsplätzli. 2.** flaches [rundes] aus einer flachen Masse ausgestochenes oder -geschnittenes Stück. **a)** — Plätzchen (flaches Stück Kleingebäck). **b) →Grießplätzli.**

Plausch, der; -es (salopp): Vergnügen, Spaß, fröhliches Erlebnis (bdt. landsch., bes. südd., österr.: gemütliche Unterhaltung [im kleinen Kreis]). *Meine jüngste Tochter ist dabei gewesen* [Beginn der Zürcher Unruhen 1968], *aber nicht verprügelt und nicht verhaftet worden. Sie sagt: Es war ein Plausch, alle ganz fröhlich, man saß mitten auf der Straße (Bellevue), das war der Plausch* (Frisch, Tageb. 1966/71, 166/7). ***den Plausch haben:** seinen Spaß haben. *Überhaupt hatten wir den Plausch, wenn Sie* [der Lehrer] *ab und zu vom Thema abkamen und bis zur Pause nicht mehr zum Futurum exactum ... zurückfanden* (Nebelspalter 1965, 36, 7). ***aus/zum Plausch:** aus Spaß, zum Vergnügen. *So meldete ich mich schließlich an* [zur Miß-Schweiz-Wahl], *eigentlich mehr aus Plausch* (Aargauer Kurier 7. 5. 69; Interview). *Wenn ich mich an Ella heranpirschte? Nur so zum Plausch* (Landert, Koitzsch 43). Dazu **Plauschbad, Plausch-Skirennen; Schlittschuh-, Silvester-, Tennis-, Veloplausch** usw.

Plauschmatch, der; -[e]s, -es/-e: Fußballmatch zwischen zwei Gruppen, die sonst nicht Fußball spielen, ohne Preise noch Rangliste. *Attraktion am Sonntagnachmittag: Plauschmatch Gemeinderat–Dorfmusik* (Wynentaler Blatt 13. 8. 68). **→Grümpelturnier.**

plazieren, auch: **placieren** [plas...]: auch svw. jmdn. in einem Heim, Lager, o. ä. unterbringen, jmdm. eine [Lehr-]Stelle verschaffen. *Je nach Herkunft könnten die Patienten in den verschiedenen Paraplegikerzentren placiert werden* (NZZ 17. 3. 88, 23). *Daß es* [bei einer Betriebsschließung] *sehr schwierig sein wird, die große Belegschaft mit etlichen ältern Arbeitnehmern anderweitig zu placieren* (NZZ 16. 2. 88, 51).

Pneu [*frz.* pnø // pnɔy], der; -s, -s (bdt. selten) ≁ Reifen, Luftreifen (an Auto, Fahrrad usw.). *Ich mußte ihn abschleppen lassen ... jemand hat mir die Pneus aufgeschlitzt* (Dürrenmatt, Komödien II 257). *Die Polizei ... ließ zur Sicherheit auch aus zwei Pneus ... die Luft ab* (NZZ 5. 3. 87, 7). Dazu: **Schnee-, Winterpneu; Pneufabrik, -service, -wechsel.**

Poch, die ‹Pl.›: Initialwort für **Pro**gressive **O**rganisationen der **Sch**weiz (**→CH**), eine links außen stehende politische Partei. *Die Straßenbauverbots-Initiative der Poch lehnte der Bundesrat ab* (NZZ 3./4. 9. 88, 24). →G 094.

Pochette [*frz.* pɔʃɛt], die; -, -n, meist ‹Dim.:› **Poschettchen** / (mundartl.:) **Poschettli,** das; -s, - // Einstecktuch, Stecktuch, Kavaliers[taschen]tuch. *Für den Herrn gilt die Devise: schlicht, aber in feinste Qualität gekleidet. Er zeigt sich in Blau oder Grau mit Kravatte und Pochette* (NZZ 25. 8. 87, 50). *Tadellos angezogen, bewirtete er ... Weltleute der eigenen Art, wohlfrisierte Herren mit Poschettchen und Filzgamaschen* (Zollinger II 262: Die große Unruhe). *Das Pochettli im Blazer ist im Preis inbegriffen* (Jelmoli, Katalog Frühling 1988, 64). →G 035, 106.

Policemütze ['polis...], die ‹frz. police, Polizei› // Schiffchen[mütze]. *Bei den Feldküchen ... räuchelte es, und einige Soldaten hantierten schon ohne Kittel und die Policemütze auf dem Kopf* (Guggenheim, Alles in allem 401). *Das Spiel der Infanterierekrutenschule Bern ... Diese Feldgrauen in der*

Policemütze [bestritten] *den Abschluß der gut besuchten Veranstaltung* (NZZ 5. 9. 88, 7). →(zur Aussprache) G 035/1.

politische Gemeinde → **Gemeinde.**

Polizeibuße, die; -, -n: Geldstrafe, welche von Polizeiorganen in eigener Kompetenz verhängt werden kann. *Zuwiderhandlungen haben Polizeibuße zur Folge* (St. Galler Tagbl. 4. 10. 68, 6). *Eine kahle und verlassene Kiesgrube mit einer verrosteten Tafel „Zutritt bei Polizeibuße verboten"* (Frisch, Gantenbein 197). → **Buße.**

Polizeimann, der; -[e]s, ...männer — Polizist, Polizeibeamter. *Er griff zu einem Stuhl als Angriffswaffe und fügte schließlich einem Polizeimann eine Körperverletzung zu* (NZZ 1960, Nr. 11). *Vereidigung von Polizeimännern* (NZZ).

Polizeiposten, der; -s, - // Polizeidienststelle, Polizeirevier. *Personen, die ... sachdienliche Mitteilungen machen können, sind gebeten, sich mit der Stadtpolizei (Tel. 273750) oder mit dem nächsten Polizeiposten in Verbindung zu setzen* (NZZ; stereotype Polizeimitteilung). *Gehen Sie zu Inspektor Stutz ... Oder gehen Sie zu irgendeinem Polizeiposten und lassen Sie sich mit Stutz verbinden* (Dürrenmatt, Verdacht 120).

Poly ['polı], das; -s (mundartnah): noch oft gebrauchte Kurzform für „Eidgenössisches Polytechnikum", die frühere Bezeichnung der „Eidgenössischen Technischen Hochschule Zürich" (ETH[Z]). Dazu: **Polyball,** der; -[e]s. *Am Abend dann der Polyball zum Ausklang des Jahresfesttages unserer obersten eidgenössischen Lehranstalt* (NZZ).

Pomat, das; -s: deutscher Name des Val Formazza, der obersten Talstufe des ital. Val d'Ossola (Eschental) zwischen den Kantonen Tessin und Wallis.

Pontonier, der; -s, -e (Milit.): Soldat einer Spezial- (// Pionier-)Truppe, deren Aufgabe das Übersetzen über Flüsse und Seen mit Booten und Fähren sowie der Bau von festen und schwimmenden Kriegsbrücken ist.

portieren: zur Wahl vorschlagen. *Das bernische Wahlgesetz erlaubt es bei Großratswahlen einem Kandidaten, sich in verschiedenen Wahlkreisen portieren zu lassen* (Nebelspalter 1963, 48, 14). *Ein in letzter Stunde portierter Gegenkandidat ... vermochte 41 Stimmen auf sich zu vereinigen* (St. Galler Tagbl. 1968, 561, 23).

Postauto, das (auch amtl.; bdt. ugs., selten) // Postbus. *Postautoverbindung ab Bahnhof Wiedikon direkt vor unser Haus* (NZZ 23. 7. 82; Inserat). *Das Postauto war ... auf einen gepflasterten Hof eingefahren* (Boesch, Fliegenfalle 185).

Postbüro, das; -s, -s, (veraltet:) **Postbureau,** -s, -x: [kleinere] Dienststelle der Post; amtl. vom (größeren) „Postamt" unterschieden (→ Posthalter). *Raubüberfall auf ein Genfer Postbüro* (NZZ 5. 9. 68). *Auf dem Postbureau war viel Kommen und Gehen, ich mußte vor einem Schalter ziemlich lange warten* (Moser, Erinnerungen 152).

Postcheck, der; -s, -s [...ʃɛk] // Postscheck; → G 040/3.

posten (mundartnah) — einkaufen. **a)** ‹intr.› Einkäufe machen. *Wenn es unten* [im Wohnblock] *nicht gerade einen großen Laden zum Posten gäbe und ein Café mit meinen Zeitschriften, wäre ich schon längst wieder fort!* (Vaterland 3. 10. 68, 18). **b)** ‹trans.› etw. besorgen; [ein]kaufen. *Das Kind, das der Nachbarin ein Pfund Brot postet, erwartet jetzt ... seinen Lohn* (Schweizer Spiegel, Mai 1963, 9).

Posthalter, der; -s, -: Leiter eines Postbüros, d. h. einer kleineren Poststelle (mit höchstens 4 Arbeitskräften im Bürodienst; im Gegensatz zum größeren Postamt, dem ein Verwalter vorsteht). *Am Mittwoch hat ein Unbekannter das Postbüro in Horgenberg überfallen ...* [Er] *bedrohte den Posthalter durch den geschlossenen Schalter mit einer Pistole* (NZZ 13. 8. 87, 43). *Im August 1939 ... Eines Abends* *schnarrte im Postbüro das Telephon. Das Telephon, um diese Zeit, denkt der Posthalter* (Zermatten, Maulesel 138).

Pöstler (in BE:) **Pösteler,** der; -s, - mundartnah — Postbeamter, Postbote (südd., österr.: Postler). *Ausbildung von afrikanischen Pöstlern* (NZZ 24. 5. 63; Überschrift). *Er wird warten, bis er in der Straße einen Polizisten oder einen Pöstler entdeckt,* um nach dem Weg zu fragen (Frei, Nacht 16). →G 120.

Postulant, der; -en, -en: vor allem (Parlament) svw. jmd., der ein →Postulat einreicht. *Der Vertreter des Gemeinderates, M. Laur* (*freis*[innig]), *ging mit dem Postulanten grundsätzlich einig* (NZZ 1961, Nr. 547).

Postulat, das: auch (Parlament) svw. selbständiger Antrag, der sich auf einen vorliegenden Verhandlungsgegenstand bezieht und die Regierung auffordert, Bericht zu erstatten oder Anträge zu stellen. *In den eidgenössischen Räten wurden die Altersprobleme im Nationalrat in Form eines Postulates Dr. E. Jaeckle am 30. September 1952 anhängig gemacht* (Bund 1968, 280, 6). *Bundesrat Tschudi nahm alle vier Vorstöße entgegen, die Motionen aber nur als Postulate* (Bund 3. 10. 68). *Dr. Cadruvi hat im Bündner Großen Rat ein Postulat eingereicht, das den wintersicheren Ausbau der Lukmanierstraße fordert* (St. Galler Tagbl. 1968, 559, 7).

Postur, die; -, -en (mundartnah) — Gestalt, Figur, Statur. *Wenn ihr einer gefiel, nur die Postur, oder auch nur das Gesicht, oder die Art, wie er vielleicht redete* (Diggelmann, Hinterlassenschaft 195). *Keine Spur von vermißtem Bieler Schüler ... V. S. (Bild) ist 145 cm groß, hat eine schlanke Postur und kastanienbraune Haare* (NZZ 16. 10. 84, 5).

Poulet [*frz.* pulɛ // pu'le:], das; -s, -s ⫽ Huhn (als Speise) (bdt.: sehr junges Masthuhn, -hähnchen; →Mistkratzerli). *Frische Poulets. Metzgerei-Wursterei Häfeli* (Landanzeiger 19. 9. 68). *Ich bestellte wenigstens einmal in der Woche bei einem Traiteur gebackenes Poulet oder Gänseleberpastete* (Diggelmann, Rechnung 43). Dazu **Pouletschenkel.** →(zur Aussprache) G 037.

Prachts... ⫽ Pracht... (i. S. v. großartig, alle gewünschten Qualitäten aufweisend), z. B. **Prachtsbeispiel:** *Ein Prachtsbeispiel für ...* (Sprachspiegel 1967, 102); **Prachtswagen:** *Ein Prestige-Hobby ...: drei teure Prachtswagen zu fahren* (National-Ztg. 1968, 558, 17); **Prachtswetter:** *Das Prachtswetter führte ... zu einem großen Ausflugsverkehr* (Bund 14. 10. 68, 36). →G 149/1a.

Praliné [*frz.* pʀaline], das; -s, -s (auch österr.; bdt. veraltend) // Praline [pra'li:nə], die; -, -n; →G 031.

präsentieren: auch svw. Eindruck machen, etw. vorstellen. *Wenn Sie gerne in einem führenden Modegeschäft arbeiten, ... gute Umgangsformen haben und vorteilhaft präsentieren* (National-Ztg. 1968, 456, 7; Inserat). *Polizeigehilfinnen in ihren gut präsentierenden Uniformen* (National-Ztg. 1968, 558, 18).

Präsi, der; -[s], -: Kurzform (mundartnah) für: Präsident. *Nun erhebt sich Präsident Augias, wohl der volkstümlichste unserer Präsidenten, der Präsi, wie wir ihn alle nennen* (Dürrenmatt, Hörspiele 173). →G 096.

präsidieren: ⟨mit Akk.-Objekt⟩ // ⟨mit Dat.-Objekt⟩. *Dr. W. Ausderau, der den Verein seit 1952 mit Auszeichnung präsidierte* (St. Galler Tagbl. 8. 10. 68). *Beide Konferenzen wurden von Robert Grimm präsidiert* (Bringolf, Leben 50). →G 059.

Prättigau, das; -s: Tal der Landquart in GR; der Name wird immer als Neutrum und mit dem Artikel gebraucht; →G 082.

Praxishilfe, die ⫽ Sprechstundenhilfe. *Chiropraktor sucht Praxishilfe für 3 bis 4 Tage pro Woche* (Bund 18. 2. 88, 43; Inserat).

pressant (mundartnah; auch bdt. landsch.) — eilig. *Pressante Briefe nicht erst kurz vor Feierabend zu dik-*

tieren (Nebelspalter 1965, 9, 34). ***ich bin pressant:** ich bin in Eile. ***ich habe [es] pressant:** ich habe es eilig. *Er lehnte es ab, Fragen zu beantworten, und bemerkte lediglich, er habe pressant und müsse seine Arbeit wieder aufnehmen* (NZZ).

pressieren (mundartnah; auch südd., österr.) — **a)** eilen, eilig, dringend sein, drängen (von Sachen od. unpers.). *Die Sache pressierte* (Nebelspalter 1965, 22, 8). *So zögerte Schütz immer lange, und die Folge war, daß es dann immer sehr pressierte* (Guggenheim, Alles in allem 130). **b)** sich beeilen. *Als die Faßmannschaften endlich ... eintrafen ..., rief der hastige Hauptmann bereits: „So, pressieren, pressieren!"* (Inglin, Schweizerspiegel 246). ***pressiert sein:** in Eile sein. *Ich bin frühmorgens immer ganz fürchterlich pressiert* (Nebelspalter).

Primarlehrer, der // Grund-, Volksschullehrer.

Primarschule, die // Grund-, Volksschule. *„Sind Sie", fragte er, „nicht im Linthescher in die Primarschule gegangen?"* (Guggenheim, Alles in allem 153). Dazu: **Primarschulhaus, Primarschulklasse.**

Private, der; -n, -n — Privatmann, -person. *Private wollen in absehbarer Zeit eine Badeanlage erstellen* (Bund 1968, 284, 3).

pro ⟨Präp.⟩: auch (Geschäftsspr.) svw. — für. *Die Detailberatung des Rechenschaftsberichtes des Obergerichtes pro 1967* (St. Galler Tagbl. 1968, 462, 13).

pröbeln: allerlei Versuche anstellen, [aufs Geratewohl] herumprobieren, experimentieren. *Unser Gehirn ist eine junge Dame, die bei der Hergabe ihres geistigen Sekrets noch pröbelt* (Humm, Mitzudenken 130). *Das mir zugängliche Material war ungenügend ... es war wissenschaftlich damit nichts anzufangen, es wäre alles so in ein dilettantisches Werweißen und Pröbeln hineingeraten* (Guggenheim, Zusammensetzspiel 133). →G 097. →**herumpröbeln.**

Probezeit, die: auch (Recht) svw. — Bewährungsfrist (das Strafgesetzbuch kennt diesen Ausdruck nicht). *Schiebt der Richter den Strafvollzug auf, so bestimmt er dem Verurteilten eine Probezeit von zwei bis zu fünf Jahren* (Strafgesetzbuch § 41.1). *Das Basler Strafgericht hat einen 35jährigen Mann wegen versuchter Notzucht ... zu einer bedingten Gefängnisstrafe von fünfzehn Monaten mit vier Jahren Probezeit verurteilt* (NZZ 17./18. 7. 82, 7).

Professor, der: auch (in den meisten Kantonen, aber nicht in beiden Basel und in Bern) Titel des Lehrers an einer höheren Schule, // Studienrat.

Profil, das: auch kurz für →**Bauprofil.** *Bauvorhaben: Erstellen von 5 Mehrfamilienhäusern in 2 Baublocks ... gemäß den aufgelegten Plänen und den aufgestellten Profilen* (Stadtanz. Bern 24. 10. 87, 1; Amtl. Bekanntmachung). Dazu **Profilstange.**

Prokurator →**Bezirks-, Generalprokurator.**

Promille, das: [pro'mıl ⫽ pro'mılə]; →G 037.

Promotion, die: auch svw. **a)** (Schule) // Versetzung in die nächste Klasse. *Der Minimalismus ... besteht bekanntlich darin, daß in vielen Fächern nicht das Beste geleistet wird, sondern nur gerade so viel, daß die Promotion nicht gefährdet ist* (Schweizer Spiegel 1961, 12, 58). **b)** (Sport) Vorrücken in die nächsthöhere Wettkampfklasse. *Die Schweizer Meister A. S. und D. S. setzten sich auch in dieser Saison an die Spitze der Schweizer Tennisranglisten. Die Promotion in die oberste Klasse gelang E. E., F. B., H. B. und R. V.* (Vaterland 1968, 279, 37).

Propädeutikum, das; -s, ...ika, (kurz:) **Prope,** das; -s, - (→G 095): Vorprüfung beim Medizinstudium.

Prophetenstädtchen, das: [scherzh.] Umschreibung für Brugg im Kanton Aargau. *Da* [im 18./19. Jh.] *mehrere bedeutende Persönlichkeiten aus der moralisierenden und anspruchsvollen Kleinstadt hervorgingen (z. B. der Arzt und Philosoph Joh.*

Georg Zimmermann, der helvet. Minister für Künste und Wissenschaften Philipp Albert Stapfer u. a.), wurde Brugg Prophetenstädtchen genannt (Schweizer Lexikon II 68).

Proporz, der; -es: System der Verhältniswahl (auch österr., sonst selten). *Das Staatsrecht kennt zwei voneinander grundsätzlich verschiedene Wahlverfahren: Majorz und Proporz* (Junker/Fenner 110). *Zum erstenmal ist* [1913] *der Große Stadtrat Zürichs nach dem System des Proporzes gewählt worden, und es ist das erste Mal, daß die Katholiken ... eine Vertretung erhalten* (Guggenheim, Alles in allem 270).

Proviant, der [pro'fi̯ant — ...'vi̯ant]; →G 018.

Provinz, die [pro'fınts — ...'vınts]; →G 018.

provisorisch [profi'zo:rıʃ — provi...]; →G 018.

Prozent, der — das. *Um einen oder zwei Prozent höher* (NZZ 12. 1. 83, 9). →G 076.

Pruntrut: deutscher Name der Stadt Porrentruy JU.

Prussien [*frz.* pʀysjɛ̃], das; -s, -s // Schweinsohr (flaches, knuspriges Gebäck in Doppelspiralenform).

PTT, die ⟨Pl.⟩: (buchstabierte) Abkürzung für Schweizerische **P**ost-, **T**elefon- und **T**elegrafenbetriebe; →G 028, 093.

Puff (i. S. v. Bordell), das; -s, -e (auch österr.) // (bdt. meist:) der; Pl. nur: -s; →G 076.

punkt (genau ⟨vor Zeitangaben⟩ auch österr.) // Punkt. *Der Zug fährt punkt 8 Uhr* (bdt.: fährt Punkt 8 Uhr). →G 049.

punkto // in puncto (in bezug auf, hinsichtlich, was ... betrifft); →G 046. *Die Bergbauern befinden sich ... gegenüber ihren Kollegen im Talgebiet nicht nur punkto Einkommen, sondern auch ausbildungsmäßig deutlich im Rückstand* (NZZ 15. 7. 87, 15). *Aber punkto Stimmrecht wäre zu sagen ...* (Morf, Katzen 105). ⟨Mit Gen., veraltet:⟩ *Punkto herrenhaften Auftretens, hochherrschaftlichen Gebarens werde ich mich ... alsbald selber beim Ohr nehmen* (Walser III 219: Der Spaziergang).

Pünt →**Bünte.**

Puschlav [pʊ'ʃla:f], das; -s: das Bündner Tal südlich des Berninapasses bis gegen Tirano, ital. Val di Poschiavo. Der Name wird immer mit dem Artikel gebraucht; →G 082.

pützeln: sorgsam, liebevoll, tändelnd säubern, reinigen, zurechtmachen. *Ihr Vater ... ging mit dem Besen umher, pützelte da und dort den Hintergarten, und die Sträucher waren schon mit bunten Bändern verziert* (Frisch, Stiller 248). *Adrett gekleidet und gepützelt in ihrem blauen Schneiderkleid, bestieg die junge Frau ... das Tram* (Guggenheim, Alles in allem 240/41). →G 097.

putzen: vor allem auch (wie bdt. landsch., bes. rhein., südd.) svw. (eine Wohnung usw.) // saubermachen. *Man muß sich beim Aufräumen und Putzen nicht mehr Arbeit als nötig ist machen* (Junge Schweizer 120).

Putzete, die; -, -n // Hausputz, großes Reinemachen; neuerdings auch: Säuberungsaktion in der Natur (Seeufer, Bachbetten u. ä.). *In Steckborn* [wurden] *40 Lehrlinge ... eingesetzt, die das Ufer erfolgreich säuberten. Die Abschlußklassenschüler säuberten ... die Bäche, die eine Putzete ebenso notwendig haben* (St. Galler Tagbl. 1968, 561, 23). →G 112. Dazu **Bach-, Frühlings-, Hütten-, Samstags-, See-, Waldputzete.**

Putzkessel, der; -s, - // Scheuereimer.

Putzlumpen, der; -s, - // Scheuertuch.

Pyjama: • ⟨Aussprache:⟩ ['piʒama/ (auch österr.:) pi'ʒa:ma/pi'dʒ... // py-'dʒa:ma/py'ʒ...]; →G 039. • ⟨Geschlecht:⟩ das (auch österr.) // der; →G 076 • ⟨Geltung:⟩ einziger Ausdruck (bdt. daneben häufig // Schlafanzug).

Q

q (auch österr.): Sigle für Meterzentner (100 kg); →**Zentner**; →G 092.

Quai [*älter frz.* kɛ], der/das; -s, -s: **a)** // der Kai [kai] (durch Mauern befestigtes Ufer im Bereich eines Hafens). *Port-Vendres ... Auf der einen Seite des Hafens ... steht ein riesiges Hotel ... Der Quai war leer, Gott sei Dank* (Glauser II 438). **b)** (vor allem:) Uferstraße. *Am Quai, längs des Seeufers, spazieren ... eine Menge Menschen* (Walser V 125: Der Gehülfe). *Das dunstige Quai entlang dem Louvre* (Zollinger II 131: Der halbe Mensch). In Straßennamen: (Luzern:) *Alpen-, National-, Schweizerhofquai;* (Zürich:) *General-Guisan-, Limmat-, Sihl-, Utoquai.* Dazu **Quaimauer,** die: *Hinter dem Haus ... eine Quaimauer aus Naturstein, die ungefähr fünfzig Zentimeter über den Rasen hinausragt, während sie etwa zwei Meter abfällt zum Wasserspiegel* (G. Meier, Kanal 9).

Quarantäne, die: [kvaran'tɛ:nə] (auch österr.), auch: [karãtɛ:nə] ≠ [karan'tɛ:nə]; →G 038.

Quartier, das: auch (bdt. seltener, österr. veraltend) svw. — Stadtviertel. *Hemdärmlig und mit einem Stumpen im Gesicht ... stehen die Kleinbürger auf ihren Balkonen ... Reinhart liebte diese Quartiere nicht* (Frisch, Die Schwierigen 198). *Sobald die Zahl der Bewohner einer Siedelung eine gewisse Grenze überschreite, immer neue Leute zuzögen, die Quartiere ihre Eigenart verlören, höre das eigentliche gesellschaftliche Leben auf* (Guggenheim, Alles in allem 722). →**Außenquartier.**

Quästor, der; -s, ...oren: auch svw. Kassenwart, Schatzmeister einer Vereinigung. (Die meisten Vereine haben einen →**Kassier,** die vornehmeren einen *Quästor,* einige betont bodenständige oder dem Herkommen zugewandte (so die Zünfte) einen →**Seckelmeister.**) *In der Ortsgruppe Zollikon* [der Freisinnigen Partei] *war er lange Jahre Quästor, in letzter Zeit dann Vizepräsident gewesen* (NZZ).

Quellensteuer, die: Steuer, die auf Löhnen oder Kapitalerträgnissen direkt, d. h. vor der Auszahlung an den Empfänger, erhoben wird (nur bei Personen ohne [festen] Wohnsitz in der Schweiz; sonst erfolgt die Besteuerung nachträglich auf Grund einer Steuererklärung).

Quorum, das; -s ‹lat.› (auch südd., sonst selten): für das Zustandekommen eines Beschlusses oder einer Volksinitiative vorgeschriebene Zahl der Anwesenden bzw. der Unterschriften. [Zu einer Solothurner Gemeindeversammlung] *erschienen von rund 4 800 Stimmberechtigten ganze 27 Mann! Obwohl nicht einmal ein halbes Prozent der Stimmberechtigten anwesend war, wurde die Versammlung als beschlußfähig erklärt, weil das Gemeindereglement kein Quorum kennt* (Aargauer Tagbl. 16. 6. 70). *Am 7. Oktober hat der Zürcher Kantonsrat ... beschlossen, im Entwurf zu einem Verfassungsgesetz dem Souverän die Erhöhung des Quorums für Volksinitiativen von 5 000 auf 10 000 Unterschriften zu beantragen* (NZZ 6. 12. 68).

R

Räbe, die; -, -n // Herbstrübe, Wasserrübe, weiße Rübe. *Die Herbstrübe oder Räbe hat sehr wenig Kalorien und wird auch zu Sauerrüben verarbeitet. Früher gehörte der „Räbepappe“* [-brei], *ein Gericht aus frischen Räben, zu den alltäglichen Herbstmahlzeiten* (NZZ 17./18. 1. 87, 36).

Raben, der (Gastwirtschaftsname) →G 068.

Räbe[n]liechtli, das; -s, - ['rɛ:bə,liəxtlɪ]: ausgehöhlte weiße Rübe, in deren Oberfläche Gesichter und Figuren geschnitzt sind und aus deren Innerem eine Kerze leuchtet. **Räbe[n]liechtli-Umzüge** finden Anfang November in Zürich und manchen Orten des Kantons Zürich statt: *„Mit viel Stolz trugen Schüler, Kindergartenkinder und kleine bis kleinste Knirpse ihre sorgfältig geschnitzten Lämpchen ... durch die dichtgesäumten Straßen“* (NZZ 12. 11. 69). *Am Freitag, 3. November findet der traditionelle Räbeliechtli-Umzug in Seebach statt* (NZZ 1. 11. 72, II 23). →G 105.

Rache, die ['ra:xə] — ['raxə]; →G 003.

rächen ['rɛ:xən] — ['rɛxn̩]; vgl. G 003.

Raclette [*regionalfrz.* ʀaklɛt], die; -, -s / (meist:) das; -s, -s: (aus dem Wallis stammendes) Gericht, bei dem man (zu heißen Kartoffeln in der Schale und Essiggurken o. ä.) einen Hartkäse an offenem Feuer schmelzen läßt und dann portionenweise auf die Teller abstreift; modern mit elektr. Heizapparat auf dem Tisch und dünnen Käsescheiben, die man darauf schmelzen läßt. *Es hinderte ihn nichts, die oft schon versprochene Raclette herzurichten, also einen geselligen und gemütlichen Abend in Szene zu setzen* (Frisch, Stiller 404).

Radar, das: • ⟨Betonung:⟩ (auch österr.:) ['ra:da:r] // (bdt. meist:) [ra'da:ɐ̯]; →G 025 • ⟨Geschlecht:⟩ das // (bdt. auch:) der.

Radio; -s, -s: **a)** normalspr. (bdt. seltener) für ⫽ Rundfunk, // Hörfunk. **b)** ⟨auch: der; →G 076⟩ kurz für Radioapparat, // Rundfunkgerät, -empfänger. *Dieser Tage bekamen wir ... einen Radio ... Von einem unbekannten Spender* (Frisch, Blätter 43). →**Rundspruch.**

Radiokonzessionär, der; -s, -e (Amtsspr.) // Rundfunkteilnehmer. →**Konzession.**

Räf [rɛ:f], das; -s, -e // Reff: **1.** hölzernes Rückentraggestell. *Wir trugen Lasten bis dreißig Kilo. Man stelle sich vor, mit dem Räf auf dem Buckel oft zwölf Stunden Marsch* (Wiesner, Schauplätze 114). **2.** böses Weib, Reibeisen. *Don Camillo schämte sich beinahe, zu Hause kein eifersüchtiges altes Räf zu haben* (Weltwoche). →G 029.

Raffel, die; -, -n (auch bdt. landsch.) ⫽ Raspel, Reibe (Küchengerät). *Die Zwiebel an der Raffel fein reiben* (Fülscher, Kochbuch Nr. 742).

raffeln — reiben (auf der Reibe), // raspeln. *Zutaten: Geröstete Mandelsplitter/Grobgehackte Erdnüsse/Geraffelte Kokosnuß* (Berger, Koch-Bilderbuch 144). *Moulinette: 3teiliges Set zum Mixen, Raffeln und Schneiden* (Jelmoli, Katalog Herbst '87, 614). →G 098.

Rain, der: ausschließl. (wie südd.) svw. Böschung, Hang, Abhang (bdt.: Grenzstreifen zwischen zwei Äckern).

Über der Kante eines Raines unmittelbar unter dem Himmel liegend (Spitteler V 152: Gustav). *Die Hausdächer der Villen am Rain* (Inglin, Erlenbüel 27).

Rally[e] [*engl.* 'ræli], das; -s, -s (Autosport) // ['rali, auch 'rɛli], die; -, -s; →G 006, 076.

Rande, die; -, -n // rote Rübe, (nordd.:) rote Bete. [Jetzt] *wird der Markt von den Lagergemüsen beherrscht. Es sind dies Rot- und Weißkabis, Karotten, Wirz, Zwiebeln, Knollensellerie und Randen* (Aargauer Tagbl. 9. 1. 87, 5). *Die Wurst nicht zu fett, dazwischen aufgeschnittene Gurken, gesottene Eier, Sülze in Sternform geschnitten, verschiedene Salate, Brüsseler, Randen, Sellerie* (Schmidli, Schattenhaus 324). Dazu **Randensalat.**

Rank, der; -[e]s, Ränke: vor allem (mundartnah) svw. Wegbiegung, Kurve. *Die Kantonsstraße, von der man ... unvermittelt in scharfem Rank um eine Hausecke abbiegen muß, um auf die Autostraße ... zu gelangen* (NZZ 2. 3. 69). ***den Rank finden:** zurechtkommen, den Dreh, den Weg zu etw./jmdm. finden. *Fritz E. war ein Schwieriger. Er hat den Rank in der Welt nicht gefunden* (Schweizer Spiegel 1962, April, 9). *Er Astronom, sie Philologin. Klar, daß sie nicht den Rank zueinander fanden* (Humm, Universität 158).

Rappen, der; -s, -: schweiz. Münze und kleine Währungseinheit, $^{1}/_{100}$ Franken; Abk.: Rp. *Als ob es einen Sinn hätte, wenn jedes Los einen Rappen gewinnt und nicht die meisten nichts* (Dürrenmatt, Verdacht 109). ***keinen roten Rappen** // keinen roten Heller (gar kein Geld). *Vor dem unbedeutenden Mann ... der keinen roten Rappen in der Tasche hatte* (Guggenheim, Gold. Würfel 213). →**Centime.**

Rappenspalter, der; -s, -: Geizhals, Knauser, Pfennigfuchser. *Echter Reichtum ist geheim. Der echte Reiche genießt seinen Reichtum in der Sparsamkeit, im Geiz; er ist knauserig, ein Rappenspalter* (Guggenheim, Gold. Würfel 196). *Einmal Rappenspalter und einmal Millionen-Mäzen. Beides kennt die Migros* (Brückenbauer 17. 8. 88, 30). Dazu: **Rappenspalterei,** die.

...räppig, z. B. **20räppig:** 20 Rappen kostend oder betragend. *Das Türchen* [des Briefkastens] *kann mit einem 50räppigen Schlüssel eröffnet* [!] *werden* (Gratisb. 83: K. Häberli). *Parkingmeterfelder mit der 20räppigen Gebühr* (NZZ 1961, Bl. 4567).

Räppler, der; -s, - (mundartnah): Einrappenstück, auch **Einräppler;** daneben vor allem **Zweiräppler,** auch **Fünf-, Zehn-, Zwanzigräppler.** *Das Finanz- und Zolldepartement beabsichtigt, die Anzahl Einräppler 1968 von 0,25 auf rund fünf Millionen Stück und die Zweiräppler mit diesem Jahrgang von 0,9 auf rund drei Millionen Stück zu erhöhen* (NZZ 1970, 85, 21). →G 120. →**Fünfer, Zehner, Zwanziger.**

räß [rɛ:s, mundartl. auch ræ:s] ⟨Adj.; -er, -este⟩ (mundartnah; auch südd.; bair.-österr. in der Schreibung raß): **a)** scharf [gesalzen, gewürzt]. *Appenzeller Käse, herb und räß* (NZZ 1961, Bl. 3797; Inserat). **b)** (bes. von Frauen) scharfzüngig, resolut, unfreundlich. *Ginge es um den Preis des schnoddrigsten Politikers, würde Farber ... gewinnen und selbst die räße Bella Abzug hinter sich lassen* (NZZ 10./11. 9. 77, 3).

Rat, der: ***die eidgenössischen Räte:** das schweizerische Parlament mit seinen beiden Kammern National- und Ständerat.

Rätien, rätisch ['rɛ:tsi̯ən, 'rɛ:tiʃ] (bildungsspr.) — Graubünden, bündnerisch, z. B. im Namen **Rätisches Museum** (Museum des Kantons Graubünden). *Brücke zwischen Rätien und Bern* (Bund 5. 3. 87; Überschr., Besprechung einer Ausstellung). →**Rhätien, rhätisch.**

rätig werden: beschließen, übereinkommen. *Sie wurden daher rätig, der Graf solle spornstreichs zurückreiten* (Keller IX 120: Hadlaub). *Nach einer*

Weile Warten wurden die beiden Töchter rätig, in ihrem Paddelboot wieder heimwärts zu fahren (Aargauer Tagbl. 17. 5. 69).

Rätsche, die; -, -n (südd.: Rätsche; bes. südd., österr.: Ratsche; →G 004) — Knarre, Rassel (Geräuschinstrument aus einem an einer Stange befestigten Zahnrad, gegen dessen Zähne beim Schwenken eine Holzzunge schlägt).

Ratschlag, der: auch (Parlament, in BS) svw. Bericht und Antrag des Regierungsrates zu Handen des Parlaments. *Schließlich begründete der Baudirektor* [im Großen Rat] *den Ratschlag über die Erstellung von Schulhausneubauten* (National-Ztg. 1968, 554, 24). →**Botschaft.**

Ratskanzlei, die; - (in AI): svw. →**Staatskanzlei.**

Räuberlis: *Räuberlis machen/spielen (mundartnah) — Räuber und Polizei spielen. *Ein Vierzehnjähriger hat versucht, ein Verkehrsflugzeug nach Kuba zu entführen. Früher spielten die Kinder Räuberlis, jetzt machen sie in Piraterie* (Nebelspalter 1971, 15, 42). *„Das ist eine Schweinerei!" sagte er ärgerlich. „Schießen einander die Augen aus. Die machen Räuberlis da vorn ... Wollen die Herren das bitte abstellen!"* im Manöver (Inglin, Schweizerspiegel 283). →G 114.

räucheln: leicht rauchen. *Allenthalben räuchelte es wie aus einer Herrengesellschaft, die Zigarren raucht, und ich sah, wie die Erde ringsum Risse bekam ... und aus diesen Rissen stank es nach Schwefel* (Frisch, Stiller 59). *Louis betrachtete die Pistole; sie räuchelte zart, er zitterte nicht mehr. Dann sicherte er sie* (Muschg, Mitgespielt 372). →G 097.

Raucherwaren ⟨Pl.⟩ // Rauchwaren (Rauchtabak, Zigarren, Zigaretten usw.). *Ein Behälter mit Zigarren ist zwar rußgeschwärzt, die leicht brennbaren Raucherwaren sind aber noch in völlig brauchbarem Zustand,* nach einem Brand (NZZ 17. 2. 88, 54). →G 146.

Rayon [*frz.* ʀɛjõ], der: **a)** (bdt. selten) — Abteilung eines Warenhauses. **b)** (auch österr., sonst veraltet) Bezirk, für den jmd. (als Vertreter o. ä.) zuständig ist.

Rayonne [*frz.* ʀɛjɔn], die; - // Reyon [rɛ'jõ:], der/das (glänzende Chemiefaser aus Zellulose); →G 031. *Der aparte Jupe in Glockenform ... 60% Baumwolle, 40% Rayonne* (Jelmoli, Katalog Herbst '87, 50). →(zur Aussprache) G 035/1, (zum Geschlecht) G 076.

Realersatz, der; -es ⟨o. Pl.⟩ (Geschäftsspr.): Entschädigung durch etw. Gleichartiges, Gleichwertiges (anstelle von Geld); gleichwertiges Tauschobjekt (bes. im Grundstückhandel). *Der Regierungsrat ... unterbreitet dem Großen Rat eine Botschaft über den Erwerb zweier Liegenschaften. Die eine ... ist als Realersatz im Zusammenhang mit Erweiterungsbauten an der Kantonsschule gedacht* (St. Galler Tagbl. 1968, 570, 21).

Realschule, die (in vielen Kantonen): ein (verschieden definierter) Schultypus der Sekundarstufe (5./10., meist 7.–9. Schuljahr). Dazu: **Realklasse, -lehrer, -schüler.**

Rebbau, der — Weinbau. **Rebbauer,** der — Weinbauer. *Dagegen wurden die Rebbauern mit einem Preiszuschlag belohnt, die innerhalb der Norm produzierten* (NZZ 27. 7. 87, 10). **Rebgebiet,** das — Weinbaugebiet. *Bei Spaziergängen im Rebgebiet der Côte sieht man ... große Mengen von Trauben auf dem Boden liegen* (NZZ 13. 10. 87, 22). **Reblaub,** das ⫽ Weinlaub. *Zwischen den engen Mauern der Weinberge ... unter schwarzen Girlanden von Reblaub* (Frisch, Die Schwierigen 109). **Rebleute,** die ⟨Pl.⟩. *Das stürmische Wachstum der Reben nach Mitte Juni erforderte dann den vollen Einsatz aller Rebleute* (NZZ 3. 9. 87, 56). **Rebschere,** die // Rebenschere; →G 148/2b. *Im Sommer und Frühherbst betätigten viele Weinbauern die Rebschere und schnitten einen Teil der Trauben ab* (NZZ 13. 10. 87, 22). **Reb-**

stecken, der (auch südd.), **Rebstickel,** der // Rebpfahl. *Ein Hang voll Rebstickel, die sich jeder Vorstellung, wie hier ein freundliches Landhaus stehen könnte ... widersetzten* (Frisch, Die Schwierigen 234). **Rebwerk,** das: Arbeit im Rebberg. *Gehegt und gehätschelt hatte man die* [Wein-]*Stöcke. Alles andere ließen die Weiber überm Rebwerk dahinten* (Kübler, Öppi von Wasenwachs, Ausg. 1943, 73).

Réception / Reception, die [*frz.* resɛpsjɔ̃] // Rezeption (Empfangsraum, -büro eines Hotels); →G 031.

Réchaud [*frz.* reʃo], das; -s, -s: • ‹Schreibung:› — Rechaud; →G 032 • ‹Geschlecht:› das // (bdt. auch:) der • ‹Bedeutung:› auch (wie südd., österr.) svw. kleines Kochgerät, mit 1–2 Kochstellen, elektrisch oder mit flüssigem, gas- oder tablettenförmigem Brennstoff erhitzt.

Rechnungsbuch, das — Rechenbuch (Schulbuch für das Fach Rechnen). *Margrit stellte sich ihr Kind vor, sitzend über Aufgaben ... Das Rechnungsbuch war dasselbe geblieben* (Blatter, Heimweh 444). →G 144. Ebenso **Rechnungsaufgabe, -fehler, -stunde.**

recht: auch svw. **a)** (von Menschen) rechtschaffen, ordentlich, anständig, solid. *Ich habe ja nie behauptet, daß es nicht auch unter den Ausländern rechte Leute gebe* (Wechsler, Ein Haus 51). *Selbstverständlich habe ich Kinder. Rechte Kinder, wohlerzogene* (Morf, Katzen 150). *Er stammte aus rechter Familie* (Guggenheim, Alles in allem 1011). *Aus Zufall wird man recht und aus Zufall schlecht* (Dürrenmatt, Verdacht 107). *Der Angeklagte machte dem Gericht einen rechten Eindruck* (NZZ 6. 4. 72). **b)** (von Sachen, Zuständen) tüchtig, ordentlich, gut. *Sie sollte ... gute Schuhe und rechte Strümpfe anziehen* (Frisch, Die Schwierigen 67). [Die Landesausstellung von 1939 sollte] *nach hierorts geltender Art etwas Rechtes, Bedeutendes, Solides, Durchdachtes ... werden* (Guggenheim, Alles in allem 910). *Gesucht junge, freundliche Tochter in Laden ... Rechter Lohn, geregelte Freizeit* (Vaterland 3. 10. 68, 5; Inserat). „*Wie geht es dir?*" „*Soweit recht*" (Guggenheim, Alles in allem 154). ****wenn mir recht ist** — wenn ich mich nicht täusche. *Und der junge Mensch erzählte, wenn ihr recht war, von den Tücken des Segelns* (Frisch, Die Schwierigen 34). ****zum Rechten schauen/sehen →schauen, sehen.**

Rechtskonsulent, der; -en, -en: Fachmann für Rechtsfragen bei einer Behörde oder einem Großunternehmen (bdt.: jurist. Sachkundiger, der mit behördl. Erlaubnis fremde Rechtsangelegenheiten besorgt, ohne Rechtsanwalt zu sein [Berufsbez.]). *Auf Anfang 1981 ernannte der Bundesrat* [Botschafter Jean Philippe] *Monnier ... zum EDA-Rechtskonsulenten* (NZZ 9. 4. 87, 34). *Beim kantonalen Steueramt ... wurde die Stelle eines Rechtskonsulenten geschaffen* (NZZ 20. 8. 87, 53).

Rechtsöffnung, die; -: richterliche Beseitigung des →**Rechtsvorschlags.**

rechtsumkehrt: a) (militär. Kommando) // rechtsum kehrt! (ganze Wendung [180°] nach rechts). *Man füllte ihre leeren Stunden mit Drill aus, Gewehrgriffen, Achtungsstellungen links um, rechtsumkehrt, Taktschritt* (Guggenheim, Alles in allem 522). **b)** (übertr.) ***rechtsumkehrt machen:** eine völlige Wendung machen, den entgegengesetzten Weg einschlagen. *Im Effekt bedeutet diese Stellungnahme, daß* [UNO-Generalsekretär] *U Thant auf dem ... eingeschlagenen Weg ... abrupt rechtsumkehrt zu machen scheint* (NZZ 1967, Bl. 1426). →(zur Schreibweise) G 051.

Rechtsvorschlag, der; -[e]s: Rechtseinwendung gegen Zwangsvollstreckung. *Der in Aussicht gestellte Zahlungsbefehl traf ein; er wurde mit Rechtsvorschlag beantwortet* (Beobachter). Meist in der Wendung ***Rechtsvorschlag erheben.**

Redaktor, der: nicht nur (wie bdt.:) jmd., der Texte redigiert, wissenschaftlich ediert, sondern auch svw. // Redakteur (jmd., der für den Text [eines Teils] einer Zeitung oder Zeitschrift verantwortlich ist, Schriftleiter). *F. W., der seit dem Frühjahr in der Redaktion der „Tagwacht" arbeitet, wurde zum zeichnenden Redaktor ernannt* (St. Galler Tagbl. 3. 10. 68, 5). →G 125. →**Chefredaktor.**

Rede, die: um den Endvokal gekürzt (apokopiert) in der Wendung ***Red und Antwort stehen** // Rede und Antwort stehen. *Sandoz steht Red und Antwort. Tragweite eines Großbrandes unterschätzt* (NZZ 14. 11. 86, 33; Überschr.). *Wenn du schon dem Doktor von Wartburg Red und Antwort stehen willst, dann kannst du dich auch an den Podiumstisch setzen* (Honegger, Schulpfleger 177). →G 066.

reden: *zu reden geben — zu Diskussionen führen. *Die Erforschung der Meinung zur Sprachform am Radio, die auch dauernd zu reden gibt* (Sprachspiegel 1972, 187). *In der Schweiz ... wird die Diskussion um die mit der Überfremdung verbundenen Probleme mit besonderer Heftigkeit geführt, und so gab auch die terminologische Nebenfrage hier mehr zu reden als anderswo* (NZZ 8. 9. 74: W[alter] H[euer], Gastarbeiter-Wanderarbeiter). ***auf etw. zu reden kommen** — zu sprechen kommen.

Réduit, das; -s, -s — Reduit; →G 032.

Ref, der; -s, -s ⟨engl.⟩ (Sport): kurz für Referee, (Schiedsrichter). *Es gibt eben sehr wenige wirklich gute Refs* (National-Ztg. 1968, 563, 11). *Ein heikler Match für den Ref* (NZZ 26. 10. 87, 49).

Referendum, das; -s, ...den (Staatsrecht): Entscheid durch Volksabstimmung. Im Bund unterliegen Verfassungsänderungen, in den Kantonen meist auch Gesetze dem **obligatorischen Referendum:** über sie muß abgestimmt werden. Bundesgesetze, allgemeinverbindliche Bundesbeschlüsse und für mehr als 15 Jahre geltende Staatsverträge, in den Kantonen meist alle Beschlüsse über Ausgaben einer bestimmten Höhe, unterstehen dem **fakultativen Referendum:** eine Volksabstimmung kann von einer bestimmten Zahl von Stimmberechtigten (im Bund 30 000) oder beim Bund von 8 Kantonen verlangt werden. ***das Referendum ergreifen:** das Abstimmungsverfahren in die Wege leiten durch Sammeln der nötigen Unterschriften. *Gegen den vom Landrat des Kantons Nidwalden ... gutgeheißenen Beschluß über die Verkehrssteuer ist das Referendum ergriffen worden* (Bund 1968, 280, 7).

reflexiv (im sprachwiss. S.): ['re:flɛksi:f // --'-]; →G 027.

refüsieren (bdt. nur bildungsspr., veraltet) — ablehnen, zurückweisen. *Aber der Kicker ... refüsierte: „Ich will keine Süßigkeiten, nur Fleisch"* (Blick - 21. 9. 68). *Gewöhnung, Anpassung – beides ist bei der Mode nicht zu unterschätzen. Was vorerst refusiert*[!], *wird später geliebt* (NZZ 10. 9. 87, 83). Dazu **Refüsierung,** die: *Die beiden ... waren durch die Refüsierung des Geschenkes ... gekränkt* (Guggenheim, Friede 73).

Regierung, die: oft kurz statt →**Regierungsrat** (Kantonsregierung). *Das zweite Begehren wurde als Postulat akzeptiert, das erste hingegen von Regierung und Rat* [Kantonsrat, Parlament] *abgelehnt* (NZZ).

Regierungskanzlei, die; — (in GL): svw. →**Staatskanzlei.**

Regierungspräsident, der (amtl. in BE, gebräuchlich auch in anderen Kantonen, soweit nicht besondere Bezeichnungen gelten): Präsident des →Regierungsrates (in der Bundesrep.: Leiter der Verwaltung eines Regierungsbezirks). *Zürcher Regierungspräsident in Jerusalem* (NZZ 19. 4. 82, 30; Überschrift). →**Landammann, Schultheiß.**

Regierungsrat, der: ausschließlich (in fast allen Kantonen) svw. **a)** Kantonsregierung. *Namens des luzernischen Regierungsrates wird Baudirektor Dr. F. W. eine Ansprache halten* (Vaterland 3. 10. 68). *Der Regierungs-*

rat mußte damals langsam an meine Pensionierung [als Chef der Kantonspolizei] *denken* (Dürrenmatt, Versprechen 23). **b)** Mitglied einer Kantonsregierung. (Bdt.: höherer Beamter im Verwaltungsdienst unter dem Regierungsdirektor). →**Staatsrat, Standesherr, -kommission.**

Regierungsstatthalter, der; -s, -: (in BE, VS:) Vorsteher von Verwaltung und Polizei in einem Bezirk bzw. Amtsbezirk; (in LU:) Aufsichtsinstanz über die Gemeinden und ihre Behörden sowie über das Vormundschaftswesen eines Amtes (Bezirks). →**Amtsstatthalter, Bezirksammann, Bezirksamtmann, Bezirksstatthalter, Statthalter.**

Regionalzug, der (Eisenb.) // Nahverkehrszug.

Reglement, das: [reglə'mɛnt]; -[e]s, -e // [...'mã:]; -s, -s; →G 038. *Zu den Aufgaben der Regenz gehört die Wahl des Rektors* [u. a.]. *Dann hat sie auch ... Reglemente und Ordnungen zu erlassen* [usw.] (National-Ztg. 1968, 557, 25). [Es] *war geplant gewesen, den Fonds ... zu äufnen* [bis auf eine] *in Aussicht genommene Summe* [und dann] *mit den Vergabungen zu beginnen. Die Reglemente hierüber lagen bereit* (Guggenheim, Alles in allem 929). Dazu z. B. **Bau-, Besoldungs-, Ladenschlußreglement.**

Reinheft, das (Schule; früher): Heft, worein der Schüler seine Aufsätze ins reine zu schreiben hatte. Erhalten in der Wendung ***ein →Tolggen, Tintenfleck im Reinheft** — Schandfleck. *Das ... Bezirks-Verbandsschießen war der Tintenfleck im Reinheft. Letztes Jahr noch Sieger in dieser Konkurrenz, fielen die Safenwiler heuer auf den 11. Rang von 15 ... zurück* (Aargauer Tagbl. 27. 2. 87, 15). *Die direkte Demokratie der Schweiz habe damit einen „Tolggen" in ihrem politischen Reinheft ... auswischen können* (NZZ 6. 4. 87, 18).

Reis[ig]welle, die; -, -n // Reisigbündel. *Zu verkaufen ... ein Quantum Reiswellen* (Landanzeiger 20. 3. 69; Inserat). *Sie waren alle um eine herrliche Einrichtung versammelt: um ein Garten-Cheminée, in dem mächtige Reiswellen brannten* (Nebelspalter 1962, 30, 37). *Zu Hunderten lagerten in den Wäldern die Reisigwellen* (Kübler, Öppi von Wasenwachs 103). →**Bürdeli.**

Reislauf, der; -[e]s, **Reislaufen,** das; -s (früher): Söldnerdienst in fremden Heeren; seit 1848 in der Bundesverfassung verboten, früher ein Haupterwerbszweig der ländlichen Bevölkerung, besonders in den Berggegenden.

Reisläufer, der; -s, - (früher): Söldner in fremden Heeren. *Durch das strenge Verbot aller weiteren fremden Kriegsdienste ... fühlten sich die alten Reisläufer und ihre Rädelsführer hart betroffen* (Keller X 123: Ursula). Übertr.: *G. war aufgefordert worden, seine* [antifaschistische] *Rede auch in andern Städten zu halten ... Abend für Abend fuhren sie durch das verschneite Land, als eine Art Reisläufer der Gerechtigkeit; standen auf blauen und roten Bühnen, in geheizten und kalten Sälen* (Humm, Carolin 486).

Reisläuferei, die; - (abwertend): Eintritt in fremde Kriegsdienste (vor 1848); auch auf moderne Verhältnisse übertragen. *Diesem rasanten, kühnen, draufgängerischen und unternehmungslustigen Tennisspieler steht Thedy Stalder privat als pures Gegenteil gegenüber: als bedächtiger, stoische Ruhe ausstrahlender, sein nettes Heim der ganzen sportlichen Reisläuferei vorziehender Häuslichkeitsfanatiker* (National-Ztg. 1968, 557, 21). *Das Zürcher städtische Podium ... ist eine offizielle Einrichtung unserer Stadtbehörde, die ... versucht, der geistigen Reisläuferei unserer Bevölkerung zu steuern und sie an die in ihrer Mitte gewachsenen literarischen Erscheinungen zu binden und zu fesseln* (Humm, Komödie 113).

Reiste, die; -, -n: natürliche oder künstliche Rinne, in der man gefälltes Holz zu Tal gleiten läßt, Holzrutsche.

reisten: gefälltes Holz [in einer Rinne] zu Tal gleiten lassen. *An Landwirte und Waldbesitzer. Melden Sie uns, wenn Sie in weniger als 50 m Entfernung von elektrischen Leitungen Bäume fällen, Wurzelstöcke und Steine sprengen und Holz reisten* (Vaterland 1968, 280). *Gleichförmig schlichen die Wintertage dahin ... Bei schönem Wetter gingen die Erwachsenen ihren Arbeiten außer dem Hause nach, besorgten das „Reisten" des Holzes, das im Herbst gefällt worden war und holten auf Handschlitten das Wildheu ein* (Zahn, Kämpfe 58).

Reiswelle →**Reisigwelle.**

Reitschule, die; -, -n: auch (mundartnah; wie süd[west]d.) svw. — Karussell. *Schon der Vater von Frau Bollinger zog mit Schifflischaukel und Reitschule von Ort zu Ort ... Nach den Erfahrungen von Frau B. weist die Reitschule auch heute noch den größten Zulauf auf* (NZZ 27. 8. 72). →**Rößlispiel.**

Rekrutenschule, die; -, -n: militärische Grundschulung von 4 Monaten, in der die Rekruten zu Soldaten ausgebildet werden. *Vater hat als Gotthardmitrailleur 1915 in Locarno die Rekrutenschule absolviert* (Wiesner, Schauplätze 9). →**RS.**

rekurrieren (Recht; auch österr., sonst veraltet): Beschwerde, Berufung einlegen gegen Gerichtsurteile oder Verwaltungsakte. *Der Bürgerrat hat gegen die Bewertung ... der 11 ha Hardwald-Areal an das Bundesgericht rekurriert* (National-Ztg. 1968, 555, 23). →**appellieren.**

Rendez-vous, das: • ⟨Schreibweise:⟩ ⫽ Rendezvous; →G 031 • ⟨Geltung:⟩ normalspr. // scherzhaft.

Renditenhaus, das // Mietshaus. *Die Renditenhäuser, die Heniger in den vergangenen drei Jahren gebaut hat* (Diggelmann, Harry Wind 6). *Zu verkaufen Renditenhaus; günstige Mieten, Bruttorendite ca. 6,4 %* (NZZ 2. 6. 82; Inserat). Ebenso **Renditenliegenschaft, -objekt.**

Renovation, die; -, -en (bdt. veraltet) ⫽ Renovierung. *Im nächsten Jahr wird man um eine neuerliche Schließung nicht herumkommen, weil nach der nun erfolgten äußeren Renovation auch das Innere an die Reihe kommen wird* (Bund 1968, 279, 13). *Wegen Renovation geschlossen* (Anschlag). →G 123.

rentieren (bdt. seltener) // sich rentieren. *Für einen alten Spürhund wie ihn sei der Staatsdienst nicht mehr gut. Zuviel kleines Zeug, zuviel Schnüffelei; aber das Wild, das rentierte und das man jagen sollte, die wirklich großen Tiere ... würden unter Staatsschutz genommen* (Dürrenmatt, Verdacht 21). *Daß Leichen bergen besser rentiere als Hechte fangen* (Guggenheim, Riedland 63). →G 064.

Reservation, die; -, -en: auch svw. — Reservierung. *Die Reservation von Plätzen in Speisewagen nehmen entgegen: ...* (Kursbuch 1988/89, 1, 16). →G 123. Dazu **Platz-, Tischreservation.**

Rest, der; -[e]s: • ⟨Plural:⟩ Resten — -e; →G 072. **a)** vor allem i. S. v. noch brauchbare Reststücke, -portionen. [Das] *Tuch, in das man bei der Heuernte die Resten einschlug* (Kopp, Der sechste Tag 99). *Rund ein Fünftel* [der rezyklierten Kunststoffe] *sind saubere Resten aus der verarbeitenden Industrie* (NZZ 3. 12. 87, 26). *Weinresten: Bleibt von einer Flasche Rot- oder Weißwein ein kleiner Rest übrig, kann er aufbewahrt und zum Kochen verwendet werden* (Betty-Bossi-Ztg. 1987, 7, 14). Dazu **Brot-, Fleisch-, Stoff-, Teppichresten** usw. **b)** aber auch i. S. v. Abfälle. *Die Unsitte ... daß Automobilisten die Resten ihrer Mahlzeiten ... aus dem Fenster werfen* (NZZ).

Restanz, die; -, -en (Geschäftsspr.): unerledigter Rest von Aufgaben, Schulden oder dgl. *Am Freitagvormittag als dem Schlußtag der ... Session erledigt der Ständerat noch eine kleine Restanz auf seiner Geschäftsliste* (NZZ).

Restaurateur [*frz.* RESTORATŒR], der;

-s, -e (bdt. veraltet): Besitzer, Leiter eines Restaurants, Gastwirt. *Restaurateur/Hotelfachmann ... sucht neue anspruchsvolle Funktion in gastronomischer Verwaltung* (NZZ 4. 9. 87, 90; Inserat). *Preisträger* [der „Ambassades des vins vaudois"] *sind renommierte Restaurateure* (NZZ 10. 9. 87, 66).

Résumé, das [*frz.* ʀezyme] // Resümee; →G 031.

retablieren (Militär): das Material der Truppe (Waffen, Kleidung, Fahrzeuge usw.) wieder in Ordnung bringen: reinigen, auffüllen, reparieren usw. *„Sonntagsruhe" von 24 Stunden ... die Truppe bleibt in den erreichten Räumen, hält ihre Feldgottesdienste ab und retabliert. Am Sonntagabend nehmen dann die Kampfhandlungen* [des Manövers] *ihren Fortgang* (NZZ). *Vietcong retabliert. Hanoi nutzt Bombenstopp zu Nachschublieferungen* (Aargauer Tagbl. 7. 1. 69; Überschrift).

retour [*frz.* ʀətuʀ; rətu:r] (auch bdt. landsch., österr.; sonst veraltet) — zurück. *Bern retour, bitte!* (Rückfahrkarte; Gegs.: *Bern einfach*). *Mit einem weinenden Auge hat der SC Brühl ... den Leihspieler M. wieder seinem Stammklub Cantonal retourgegeben* (St. Galler Tagbl. 1968, 561). [Auf einer Großbaustelle] *ist ... ein Lastwagen beim Retourfahren in die Grube seitlich von der Baupiste gerutscht* (NZZ 19. 2. 87, 41).

Retourbillett [rətu:r...], das; -(e)s, -e // Rückfahrkarte (BRD) // Retourfahrkarte (Österr.). *Es wäre ja eine Kleinigkeit, in die Schalterhalle zu gehen und ein Retourbillett zu verlangen* (Meylan, Räume 5).

Retourgeld [rətu:r...], das — Wechselgeld, // Rückgeld. *Das Geld hat man bereitzuhalten, denn an der Kasse wird speditiv gearbeitet. Das Retourgeld fällt in eine Schale aus Metall* (Meylan, Räume 88). *Als die Verkäuferin ... das Retourgeld aus der Kasse nehmen wollte ... bedrohte sie* [der Kunde] *mit der Faust* (NZZ 11. 1. 88, 24). →**Herausgeld.**

retournieren (auch österr.; bdt. nur in der Kaufmannsspr. und im Sport, bes. Tennis) — zurückgeben, -senden. *Da wir mit der Sowjetzone Deutschlands und ihrem Spitzbart keine diplomatischen Beziehungen pflegen, wurde das Schreiben an den Absender retourniert* (Nebelspalter 1963, 42, 50). *Man druckte von dem ... namhaften Dichter manches, was einem ganz unbekannten retourniert worden wäre* (Mächler, Walser 186).

Retourspiel [rətu:r...], das (Sport; auch österr.) — Rückspiel. *Etwas möchte der FC Lugano beim Retourspiel ... in Barcelona diesmal für sich gewinnen* (Blick 1968, 232).

reuig: auch präd. (bdt. selten): **a) [einer Tat] reuig sein/werden** — [über eine Tat] Reue empfinden, [sie] bereuen. *Die Anschuldigungen sind zu stark ..., die Angeschuldigte reuig. Gonzáles wagt es nicht, die ... Generaldirektorin ... zu schützen* (Tages-Anz. 26.10. 88, 5). *Planmäßig wurde das Mädchen ... gefügig gemacht und ... mißbraucht, während Ernst seiner anfänglichen Mithilfe bald reuig wurde* (NZZ 28. 11. 73, 554, 19). **b) reuig werden** — seine Meinung ändern, sein bisheriges Verhalten bedauern. *Offenbar muß I. M. nach dem Verlust seines Passes dann aber reuig geworden sein. Er kehrte schwarz über die Grenze nach Basel zurück.* (Freier Aargauer 15. 1. 71). • In Bedeutung b auch reflexiv: **sich reuig werden:** [Er] *verkaufte sie ..., wurde sich dann aber wohl reuig und kaufte sie wenige Wochen darauf wieder zurück* (NZZ 22. 10. 76, 49). *Wenn er sich unterwegs einige Male hatte reuig werden wollen, so hieß er jetzt alles wieder gut* (Zollinger II 231: Die große Unruhe). Dieses „sich" ist überflüssig, entstanden durch Umdeutung von alem. *si* (aus mhd. *sîn* 'seiner' Gen. zu *es*) zu *sich* und formelhaft weitergeschleppt (→gewohnt). Vermeiden! •

reuten (auch südd., österr.) — roden.

Vielleicht auch ahnte er ... wie nahe ihm schon der allmächtige Schnitter sei, ob er auch immer noch wie drei Gesunde im Weltacker säete und pflanzte und reutete (Federer, Sisto e Sesto 76). *Während der schwitzende Schorsch am Reuten wuchernder Brombeeren ist* ... (Nebelspalter 1965, 19, 5).

revidieren: auch svw. — (einen Apparat, eine Maschine) überholen. *Heute wird sie* [eine Gotthard-Dampflok] *über Turgi, Koblenz ... nach Winterthur gelangen, wo sie revidiert wird* (Vaterland 1968, 280, 23). *Das Flugzeug, das der Fluggruppe Pruntrut gehörte, war frisch revidiert* (Blick 30. 9. 68). →**Totalrevision.** ****seine Hefte revidieren** →**Heft.**

Revier, das [re'fi:r — ...'vi:r]; →G 018.

Revierjagd, (amtl.:) **Pachtjagd,** die (in AG, BL, BE, FR, LU, SG, SH, SO, TG, ZH): Jagdsystem, bei dem das Kantonsgebiet in Jagdreviere aufgeteilt ist, die vom Kanton oder von den Gemeinden verpachtet werden. →**Patentjagd.**

rezent: auch (wie bdt. landsch.) svw. angenehm scharf, gut gewürzt (von Speisen). *Krachfrischer Frühjahrssalat ist gesund und gut, wenn er richtig zubereitet ist, mit einer rezenten, rassigen Sauce, mit Thomy Senf gewürzt* (Inserat).

Rezital [retsi'ta:l], das; -s, -e/-s // (meist:) Recital [*engl.* rɪ'saɪtəl] (Musikvortrag mit einem einzigen Instrument, Konzert eines Solisten); →G 040/7. Dazu **Klavierrezital.**

Rhätien, rhätisch: veraltete Schreibweise für →**Rätien, rätisch;** bewahrt im Namen **Rhätische Bahn** (abgek. RhB).

Rheinstadt, die: Umschreibung für Basel. *Der künftige Direktor der Basler Theater F. B. hat der Presse sein Dramaturgieteam vorgestellt und die Namen der Leute genannt, mit denen er ... in der Rheinstadt Theater machen will* (NZZ 28. 3. 88, 21). →**Eulach-, Limmat-, Rhonestadt.**

Rheintal, das; -(e)s: man versteht hierunter ganz überwiegend nur das St. Galler Rheintal bzw. dessen nördlichen Teil (die Bezirke Ober- und Unterrheintal, vom Bodensee bis einschließlich Rüthi).

Rheinwald, das; -s: die oberste Talstufe des Hinterrheins, Kreis in Graubünden. Der Name wird stets mit dem Artikel gebraucht; →G 082.

Rhonestadt, die: Umschreibung für Genf. *Der Genfer Staatsrat hat Le Pen die Bewilligung für einen geplanten Auftritt ... in der Rhonestadt verweigert* (Bund 22. 10. 87, 14). →**Calvinstadt; Limmat-, Rheinstadt.**

richten: auch (wie südd., österr.; sonst selten) svw. **a)** gebrauchsfertig machen, in Ordnung bringen. *Solange mein Vogelschlag gerichtet war, dachte ich nicht ernstlich an etwas anderes,* als Vogelfang (Inglin, Amberg 85). *Vorerst muß sie ihre Haare richten* (Frisch, Gantenbein 67). **b)** vorbereiten. *Ich sah das Frühstück, das Hanna gerichtet hatte* (Frisch, Homo faber 187).

Ried, das; -[e]s (Moor, Sumpf): • ⟨Pl.:⟩ Rieder ≁ Riede. *Nach Mittag spießten sie in den Riedern des kleinen Flusses ... zwei Sauen* (Inglin, Jugend eines Volkes 10). *In den Riedern wuchsen die Pyramiden der Garbenstöcke empor* (Guggenheim, Riedland 58). →G 072.

Riegbau, -haus (in BE): svw. →**Riegelbau, -haus.**

Riegel, der: ***einer Sache**/(seltener:) **jmdm. einen** / (seltener:) **den Riegel schieben** / (seltener:) **stecken, stoßen** // einer Sache einen Riegel vorschieben, vorlegen. *Kinder können bekanntlich ... Kameraden gegenüber sehr grausam sein. Der neue Lehrer ... hat aber seinen Schülerinnen in dieser Beziehung von allem Anfang an den Riegel geschoben* (Beobachter 1961, 472). *Der Spekulation und dem „Ausverkauf der Heimat" sei ein Riegel zu schieben* (NZZ 23./24. 4. 88, 24). →G 135.

Riegelbau, der — Fachwerkbau. *Nicht mehr lange würde es dauern, und* *der alte Riegelbau und die Ställe wären Einsprengsel inmitten von Villen* (Guggenheim, Alles in allem 310). *Zu verkaufen ein älteres Bauernhaus, Riegelbau* (Volkszeitung 21. 3. 70). Ebenso: **Rieg[el]haus.** *Das alte Riegelhaus am Zürichberg, das früher als Forsthaus, dann als Landgasthof diente ... ist abgerissen worden* (NZZ 15. 8. 68). *Zu verkaufen ... Einfamilienhaus-Rieghaus* (Berner Zeitung 5. 3. 87, 47). **Riegelwerk,** das — Fachwerk.

riegeln ‹itr.›: einen Türriegel auf-, zustoßen, den Verschluß des Gewehres betätigen; (ungeduldig) an einem Türschloß o. ä. rütteln. *Natürlich werde er seinen Posten stehen! sagt er* [ein Betrunkener auf der Wache]. *Da solle nur einer kommen! sagt er: riegeln und Schuß* (Frisch, Blätter 25). *Einer hat schon an meiner Sprechzimmertür zu riegeln begonnen* (Schweizer Spiegel 1963, 7, 44). →G 098.

Rieghaus, das (in BE): svw. →**Riegelbau, -haus.**

Rigi ['rɪgɪ], die; - / der; -[s]: bekannter Aussichtsberg östlich von Luzern. In der näheren Umgebung wird der Name weiblich gebraucht, sonst häufig männlich. *Am 9. Oktober an der Schweizer Meisterschaft* [im Orientierungslauf] *auf der Rigi* (NZZ 14. 9. 88, 61). *Der Zustand der ausgedehnten Mischwälder an den Abhängen des Rigi hat sich ... verschlechtert* (NZZ 8. 10. 87, 21).

Rind, das: speziell svw. Färse (junge Kuh, die noch nicht gekalbt hat und noch keine Milch gibt). *Trächtiges Rind auf der Weide gestohlen* (Aargauer Tagbl. 9. 5. 78, 11; Überschr.). *Der Stier Füchsli, die 26 Milchkühe und die 30 Rinder und Kälber,* eines Bauernhofes (Weltwoche 22. 1. 87, 39). [Der Tierbestand einer Viehschau] *wird zunächst in die drei Kategorien Stiere, Kühe und Rinder unterteilt* (NZZ 28. 9. 87, 35). Dazu **Rinderalp, -hirt.**

Rindfleischvogel →**Fleischvogel.**

Rindsbraten, der; -s, - (auch südd., österr., sonst selten) // Rinderbraten; →G 149/4. Ebenso **Rindsfilet, -gulasch, -leber** usw. →**Schweinsbraten.**

Ring, der: auch svw. die ringförmig um die Tribüne mit der Regierung versammelten Stimmberechtigten an einer Landsgemeinde; vgl.: *Nachdem der Bezirksammann und sein Gefolge auf der kleinen Bühne Platz genommen und die stimmfähigen Männer sich im Ring versammelt hatten, wurde ... gebetet und im Namen Gottes die Tagung eröffnet* (Inglin, Amberg 116). *Als Präsident wurde dem bisherigen Amtsinhaber ... erneut das Vertrauen ausgesprochen. Auch hier*[zu] *wurden aus dem Ring noch zwei weitere* [Wahl-] *Vorschläge gemacht, doch vereinigten* [sie] *nur wenige Stimmen auf sich* (NZZ 26. 4. 71).

ringhörig: (von Wohnräumen, Häusern) schalldurchlässig, // hellhörig. *Die Leute scheinen immer noch nicht zu wissen, wie ringhörig die Häuser heutzutage sind* (Schweizer Spiegel 1961, 8, 20). *Sie habe nicht gewußt, daß das Haus so ringhörig sei* (Meylan, Räume 110). Dazu **Ringhörigkeit,** die: *Daß rund 90 Prozent aller Wohnräume nicht geeignet sind für stereophone Musik. Die Ringhörigkeit und der laufend zunehmende Lärm erschweren das Aufstellen einer guten Stereoanlage* (NZZ 1966, Nr. 429).

Rippli, das; -s, - // [Schweins-]Rippchen. *Ich kam mitten in ein Lottospiel, dessen Gewinnste in Enten, Zuckerdüten, Würsten, Rippli, Konserven, Käse, Schokolade ... bestanden* (Walser VIII 16). *Imbiß in der Kantine, Rippli und Wein* (Frisch, Die Schwierigen 268). *Rippli mit Sauerkraut.* →G 105.

Risotto, das (auch österr.) — der; -s, -; →G 076. *Das feinste Risotto* (Brükkenbauer 1988, 33, 24). *Da setzte er sich dann fest, aß ein Risotto oder Fritto, trank Frascati und unterhielt sich mit den Einheimischen* (Inglin, Erz. I 74).

Rock, der; -[e]s, Röcke: auch svw. **1.** — Kleid für Frauen und Mädchen. *Einen brandzündigroten Rock trug sie ... aber natürlich wie immer ohne*

Gestalt noch Gürtel, sondern bauschig wie ein Schlafrock (Spitteler IV 157: Conrad der Leutnant). *Das Bergbauernmädchen ... in seinem unkleidsamen, aber währschaften Rock* (Inglin, Amberg 125). **2.** (auch bdt. landsch.) // Jacke, Jackett als Teil des Anzuges (für Männer). →**Kittel, Veston.**

Rodel, der; -s, Rödel (auch südwestd.) — Verzeichnis, Liste, Register; weithin noch in Zusammensetzungen als (amtl. oder nur ugs.) feststehende Bezeichnung bestimmter Verzeichnisse: **Absenzenrodel** (auch: Absenzenliste): Verzeichnis der Schulversäumnisse. →**Bürgerrodel. Bürgergabenrodel:** *Bürgergabenrodel 1969/70* [Überschr.]. *Das ... bereinigte Verzeichnis der Bürgernutzungsberechtigten liegt ... auf der Gemeindekanzlei zur Einsichtnahme auf* (Landanzeiger 6. 11. 69). **Schuldenrodel. Schülerrodel:** *Schulmeister, die im Verlaufe von neun Volksschuljahren siebenzigmalsiebenmal nach dem Beruf des Vaters fragen, als ob sie ihn nicht längst im Schülerrodel eingetragen hätten* (Nebelspalter 1969, 16, 26).

Röhrlihosen, die ‹meist Pl. tant.› (mundartnah) — Röhrenhose; →G 109. Ebenso **Röhrli-Jeans.**

Rolli, der; -s, -: **a)** zweirädrige // Schubkarre (s. Duden Bildwörterb. 205: 32). **b)** zweirädriger Einkaufswagen (s. ebd. 50: 87). **c)** (auch **Gepäck-, Handgepäckrolli)** // Kofferkuli (im Bahnhof, Flughafen). →G 073, 110.

Romand [*frz.* ʀɔmɑ̃], der; -, -s: frz. Bezeichnung des →Welschschweizers, auch im Dt. gelegentlich gebraucht. *Zum Nachteil der Romands wirkt es sich aus, daß sie in den wirtschaftlichen Zentralverbänden untervertreten sind. Die welsche Schweiz verfügt dagegen über einen gut ausgebauten Dritten Sektor* (NZZ 29. 4. 70). *Viele Romands sind daher gezwungen, nach Deutschland zu gehen, um dort* [ihre] *Deutschkenntnisse zu erweitern* (Sprachspiegel 1972, 177).

Romandie [*frz.* ʀɔmɑ̃di], die; -: frz. Name der →Welschschweiz (neben *Suisse romande*), auch im Dt. gelegentlich gebraucht. *Die Ernte der Schweizer Erdbeeren hat in der Ostschweiz und in der Romandie zaghaft eingesetzt* (NZZ 4. 6. 87, 23).

romanisch: vor allem kurz für rätoromanisch. *Ein Engadiner ... besucht in seinem Tal in einem romanischen Dorf eine Tonbildschau über den Schweizerischen Nationalpark, der in seiner ganzen Ausdehnung nur im romanischen Sprachgebiet liegt ...* [Er] *hört* [die] *Tonbildschau ... in drei Landessprachen, aber nicht in der vierten, der Sprache ... seiner Heimat* (NZZ 1. 10. 76, 55; Leserbrief).

rösch [rø:ʃ] (mundartnah; auch südd.): **a)** — knusperig. [Die Brotschnitten werden durch] *rösten auf der warmen Ofenplatte oder im Toaster wieder herrlich rösch* (Verpackungsaufschrift). **b)** knisternd dürr, spröde. *Sie wendeten das rösche, würzig duftende Heu* (Kilian, Walliser Sagen 58).

Röschti →**Rösti.**

Rosen, die ‹Pl.›: auch eine „Farbe" der „deutschen," im größten Teil der östlichen Deutschschweiz gebrauchten Spielkarten. (Die andern Farben sind: Eicheln, Schellen und →**Schilten**).

Rosenstadt, die: Umschreibung für Rapperswil SG (nach dem Stadtwappen). *Der Stadtrat von Rapperswil beantragt der Bürgerschaft ... den Anschluß des Gaswerkes an die Fernversorgung der Stadt Zürich. Die Behörde der Rosenstadt sieht in einer solchen Lösung den vorteilhaftesten Weg* (NZZ).

Roß, das: • ‹Plural:› Rosse/([leicht] abschätzig:) Rösser • ‹Geltung:› mundartnah bis normalspr. (so auch südd., österr.; bdt. hingegen gehoben); daneben steht **Pferd** als normalspr. bis gehoben. *Ich habe Kühe gemolken, Schweine gefüttert, Rosse geputzt* (Inglin, Schweizerspiegel 537). *Er lag am Strand, braun wie ein Roß* (Frisch, Die Schwierigen 271). *Roß gegen Bus: Wer zahlt?* [Überschrift] *Ich ... habe den Tod meines Pferdes zu beklagen. Der Unfallhergang: ...* (Beobachter 1987, 7, 67).

Roßbollen, der; -s, - // Pferdeapfel. *Eine gesellschaftliche Stellung ... die der eines Roßbollensammlers einigermaßen ebenbürtig ist* (Nebelspalter 1967, 15, 6). *Wo das Geleise ... den Straßenschotter durchquerte, lagen ein paar bräunliche Bollen, an denen ein Huhn und etliche Spatzen herumpickten* (Welti, Lucretia 119).

Rößlispiel, das (mundartnah) — Karussell. *Dann gab es noch die Festwiese mit Rößlispiel, Schaubuden und Autobahn* (NZZ). *Sie setzten sich auf die Pferdchen des Rößlispiels* (Blatter, Heimweh 226). →G 109. →**Reitschule.**

Roßschwanz, der: **a)** Schwanz des Pferdes. **b)** // Pferdeschwanz (als [Mädchen-]Frisur). *Ich konnte ihr Gesicht nicht sehen, nur ihren blonden oder rötlichen Roßschwanz, der bei jeder Bewegung ihres Kopfes baumelte* (Frisch, Homo faber 85). Das blonde Haar trug sie zu einem Roßschwanz gebunden (Blatter, Heimweh 221).

[1]**Rost,** der (gitterartiges Gerät): [ro:st // rɔst]; das heißt während das Wort in der bdt. Aussprache mit [2]Rost (Belag auf Eisen) zusammenfällt, bleibt es schweiz. deutlich davon unterschieden; →G 003.

Rösti/Rö[ö]schti [rø:ʃtɪ], die; - ⟨o. Pl.⟩: Bratkartoffeln nach Schweizer (urspr. Berner) Art: grob geraspelt, mit einer zusammenhängenden gelbbraunen Kruste. *Stiller freute sich auf Rösti und Bauernschüblig* (Frisch, Stiller 399). *Erna hatte für sich lediglich Milchkaffee und „Röschti" bestellt* (Welti, Puritaner 380). →(zur Beugung) G 074.

Röstigraben, der: in jüngster Zeit aufgekommene (scherzh.) Bezeichnung für die Kluft in der Verständigung und dem Verständnis zwischen deutsch- und französischsprachiger Schweiz. (Von einem „Graben" war zuerst während des ersten Weltkriegs die Rede; vgl. Inglin, Schweizerspiegel 342 ff.). [Ein Preis] *wurde dem Westschweizer Korrespondenten der NZZ ... verliehen für seinen Beitrag zur Überwindung des „Röstigrabens"* (NZZ 15. 4. 87, 49). *Emil* [der Luzerner Kabarettist Emil Steinberger] *springt über den Röstigraben* (Aargauer Volksbl. 23. 1. 87, 11; Überschr.). →**Saanegraben.**

Rötel, der; -s, - // Seesaibling (ein Fisch der Voralpenseen), namentlich als **Zuger Rötel** (aus dem Zuger- und dem Ägerisee) ein bekannter Leckerbissen. *Der Zuger Rötel ist das herzige Fischlein, das den Namen des kleinen Zugerlandes in der ganzen Schweizerheimat auf der Zunge köstlich auskosten läßt* (Aargauer Tagbl. 4. 2. 70). *Fischer-Stube Schwert, Gersau, offeriert ab sofort lebend-frische Zuger Rötel* (Zeitungsinserat).

Rotkabis, der; - ## Rotkohl. *Gedämpftes Rotkraut (Rotkabis oder Blaukraut). 1 fester Rotkabis (ca. 1 kg), 80–100 g Fett oder Öl ... Zurüsten: Vom Rotkabis die 2–3 äußersten Blätter entfernen, ihn halbieren oder vierteilen. Den Kabis fein schneiden ...* (Fülscher, Kochbuch, Nr. 481). *Zu Beginn des Monats war Weißkabis für fast zwei Monate vorhanden. Die Vorräte an Rotkabis reichen nur noch für zwei Wochen* (NZZ 20. 5. 87, 25). →**Kabis.**

Rotten, der; -s: so heißt im deutschsprachigen Oberwallis der Haupttalfluß, die Rhone (außerhalb des Wallis ist diese Namensform wenig gebräuchlich). *In Evionnaz wurde eine Leiche aus dem Rotten gezogen* (Walliser Volksfreund 9. 8. 1961). *Uns übrigen Eidgenossen sind alle Walliser sympathisch, auch wenn es im Tal des Rotten mit seinen Gegensätzen zuweilen rauher zugeht als anderswo* (NZZ).

roulieren [ru'li:rən] ⟨frz. rouler⟩ // rollieren (einen dünnen Stoff am Rand oder Saum zur Befestigung einrollen, rollend umlegen [und umstechen]). *handroulierte Taschentücher.*

Rp.: Sigle für →Rappen ($\frac{1}{100}$ Franken); →G 092.

RS: (buchstabierte) Abkürzung für

→**Rekrutenschule.** *Nach drei Jahren Steinbruch habe ich mich in der RS buchstäblich erholt* (Wiesner, Schauplätze 82). →G 028, 093.

Rübchen, das, auch **Rübe,** die: konstruierte standardspr. Formen für →**Rüebli;** wenig gebräuchlich. *Junge gedämpfte Rübchen und Erbsen*/Carottes et pois verts braisés (Fülscher, Kochbuch, Nr. 497). *Rübchen à la Vichy: 1½ kg Rüben ... Die Rüben schaben, waschen ...* (Fülscher, Kochbuch, Nr. 499). *Die Alte sagte, zwei Kartoffeln darf ich essen im Tag und alle Gemüse, außer Rüben, weil die süß sind* (Helen Meier, Trockenwiese 63).

Rübkohl, der; -[e]s (im Westen) — Kohlrabi. *Die Treuhandstelle für Gemüse, Bern, hat Richtpreise für die nachgenannten inländischen Produkte festgesetzt: Weißkabis, per Kilo 65 Rp., Rotkabis ..., Köhli ..., Rübkohl, 80 Rp., ...* (Schweizer Bauer 9. 8. 68).

Ruchbrot, das: das während des 2. Weltkriegs als Normalbrot eingeführte und seither beibehaltene dunkle Brot (mdal. *ruuch:* rauh, grob). *Nach dem Urteil der Ärzte war Ruchbrot gesünder ... Namentlich die äußeren Schalenteile enthielten lebensnotwendige Stoffe. Dank dem Ruchbrot sei die Zahnkaries erheblich zurückgegangen* (Wiesner, Schauplätze 125). *Auf das früher dominierende Ruchbrot entfällt heute im Landesdurchschnitt nur noch rund ein Drittel des Verbrauchs der Hauptbrotsorten* (NZZ).

Ruchfisch, der — Weißfisch, Sammelbegriff für die weniger feinen, wenig begehrten Barsch- und Karpfenarten (Gegensatz: Edelfisch). *Die Hechte ... waren letztes Jahr im Zürichsee nur mit 5,5 Prozent am Fangertrag beteiligt. Etwa ein Viertel entfiel auf Edelfische, vor allem Felchen, weniger auf Seeforellen, der große Rest auf die barsch- und karpfenartigen Ruchfische. Diese werden selbst durch das schmutzige Wasser nicht in ihrer Lebenskraft behindert und vermehren sich lebhaft, während die empfindlicheren, feineren und besseren Edelfische der menschlichen Nachhilfe bedürfen* (NZZ 5. 7. 63).

rücken: auch svw. vorrücken, vorwärtsgehen, sich dem Ziel nähern (von der Zeit oder unpersönlich). *Die Zeit rückte zähe* (Brambach, Kaffee 24). *Ein ... kühler Luftzug machte sich fühlbar, die Fahrerin ... sagte: „Der Paßwind! Jetzt rückt es"* (Welti, Puritaner 370).

Rückkommen, das; -s (Parl.): Wiederaufgreifen eines bereits beratenen [und entschiedenen] Gegenstandes. *Rückkommen auf den Variantenstreit ... um die Linienführung der Nationalstraße 4 im Weinland* (NZZ 7. 6. 88, 53). →G 133.

Rückkommensantrag, der (Parlament): Antrag, auf einen bereits erledigten Gegenstand zurückzukommen. *Zu § 15 stellt Erziehungsdirektor Vaterlaus im Einverständnis mit der Redaktionskommission einen Rückkommensantrag, der vom Rat genehmigt wird.* (NZZ).

Rücksand, der; -[e]s (Geschäftsspr.): **a)** das Zurücksenden, Rücksendung. **b)** das, was zurückgesandt wird. *Obwohl dieser Rücksand von über 30 Prozent* [der Fragebögen] *über Erwarten groß ist* (Bund 1968, 279). →G 115.

Rückschlag, der: auch svw. — Vermögensverminderung, Ausgabenüberschuß, Defizit. *Wird eine Ehe durch Scheidung aufgehoben, so zerfällt das eheliche Vermögen ... in das Eigengut des Mannes und das Eigengut der Frau. Ein Vorschlag wird den Ehegatten nach ihrem Güterstande zugewiesen, einen Rückschlag hat der Ehemann zu tragen, soweit er nicht nachweist, daß die Ehefrau ihn verursacht hat* (ZGB 154). *Der vom Regierungsrat ... des Kantons Obwalden vorgelegte Staatsvoranschlag für 1958 sieht an Einnahmen 6 097 811 Fr., an Ausgaben 6 359 152 Fr. vor, was einen Rückschlag von 261 341 Fr. bedeutet* (NZZ). →**Vorschlag.**

rückwärtskrebsen ⟨sw. V.; ist⟩: rückwärtsgehen, sich zurückwenden.

Es gibt keine schlimmeren Zwickzangen als die der rückwärtskrebsenden, unfruchtbaren Gedanken (Zollinger II 120: Der halbe Mensch). →**zurückkrebsen.**

Rückweisung, die; -, -en: **a)** (Parlament) einstweilige Ablehnung einer Regierungsvorlage mit dem Auftrag, sie abgeändert wieder vorzubringen. *Eine Minderheit der Kommission beantragte Rückweisung der Botschaft an den Bundesrat* (Bund 17. 12. 1968). **b)** (Recht). *Eine Rückweisung der Akten durch das Gericht an die Untersuchungsbehörde zwecks Behebung des Mangels* (NZZ). **Rückweisungsantrag** (zu a). *Müller (Baselland, soz.) begründet folgenden Rückweisungsantrag: „Rückweisung an den Bundesrat mit dem Auftrag, eine neue Vorlage auszuarbeiten mit dem gesetzlichen Vorkaufsrecht der öffentlichen Hand* (NZZ 1961, 857).

Rückzug, der: auch svw. — Abhebung (von einem Bankguthaben). *Kündigungsfreie Rückzüge pro Monat Fr. 1000.–* (Zeitungsinserat einer Bank).

Rüebli ['ryəblɪ], das; -s, - // Möhre, (nordd.:) Mohrrübe. (Da die verschriftsprachlichte Form →**Rübchen** wenig gebräuchlich und „Möhre" kaum bekannt ist, bleiben nur fachspr. →**Karotte** und mundartl. **Rüebli** als Bezeichnungsmöglichkeiten). *Die Karotte, jene sympathische orangerote Pfahlwurzel, die hierzulande bis vor kurzem als „Rüebli" doch eigentlich besser bekannt war* (NZZ 1972, 75, 10). *In den letzten Monaten wurden überdurchschnittlich viel Rüebli gegessen* (NZZ 18. 2. 87, 35). →G 105.

Rüebliland, das; -[e]s: Spottname für den Aargau. **Rüebliländer,** der; -s: Aargauer. *In der Saison 1970 steigerten sich die Aargauer, einige Resultate durften sich wirklich sehen lassen; leider aber verwischten die Rüebliländer ausgerechnet im wichtigsten Wettkampf ... diesen guten Eindruck* (Freier Aargauer 6. 11. 70).

Rüeblitorte, die: Torte aus feingeriebenen Möhren und Haselnüssen oder Mandeln (in den Kochbüchern verhochdeutscht zu „Rübleintorte," „Rübentorte," „Möhrentorte," was aber ganz ungebräuchliche Ausdrücke sind; vgl. Fülscher, Kochbuch, Nr. 1376 und Tafel 46, 4).

Rüfe ['ry:ə], die; -, -n (auch vorarlb.) // Mure, Murgang (herabgeschwemmte Erd- und Gesteinsmassen im Gebirge). [Es] *ging ein Murgang nieder, welcher die Gotthardstraße verschütte ... Diese Rüfe nahm ihren Anfang im oberen Teil des Hundtales ...* (NZZ 5. 11. 68). *Ein schweres Unwetter ... hat bei Monstein in der Landschaft Davos eine gewaltige Rüfe ausgelöst. Durch die vom Krummhörnli gegen die Inneralp niederstürzenden Wasser- und Geschiebemassen sind zahlreiche Wiesen überschüttet, neun kleinere Brücken und Stege weggerissen sowie die Wasserleitung nach Monstein zerstört worden* (NZZ 31. 7. 71). *Ging auf der Südseite des Flüelapasses infolge der starken Regenfälle eine große* **Grund-** *und* **Felsrüfe** *nieder, welche die Flüelastraße verschüttete* (Aargauer Tagbl. 24. 8. 70). Vgl.: *Ein*[!] *Ruffi ist gegangen/im Glarner Land, und eine ganze Seite/vom Glärnisch eingesunken* (F. Schiller, Tell IV 3).

rufen, jmdm./einer Sache ⟨Dat.⟩ — **1.** jmdn. ⟨Akk.⟩ [herbei]rufen. *Ihr Vater stand auf einem leeren Gerüst, rief seinem Kind* (Frisch, Die Schwierigen 150). *Ich dachte, jetzt wird es ernst ... und rief der Schwester, und die Schwester gab Alarm* (Diggelmann, Rechnung 50). **2. a)** nach etw. rufen, etw. verlangen. *Diese Veränderungen rufen neuen* [Tram-]*Verbindungen oder dem Einsatz von Autobussen* (NZZ 22. 6. 87, 31). *Seit langem wird in der Presse ... einer vermehrten Hilfe für unsere Betagten gerufen* (St. Galler Tagbl. 1968, 463, 19). **b)** etw. hervorrufen, zur Folge haben. *Das schöne Sommerwetter rief nach der langen Regenzeit einer besonders ausgelassenen*

Stimmung und Festfreude (NZZ 29. 6. 87, 29). *Die Verlegung der Leitung in den Boden würde kaum größeren technischen Schwierigkeiten rufen* (NZZ 5. 2. 87, 31). →G 060.

Rugel / Rügel, der; -s, -: meterlanges Stück Rundholz. *Unter einem Prügel hat man sich ein rundes Stück Holz mit einem Durchmesser von etwa 7 bis 12 cm vorzustellen, das nun auf die Länge von einem Meter zugeschnitten wird (Prügel und Rugel bedeuten dasselbe)* (NZZ 6. 3. 70, 33). *Die Stämme zersägt er zu Rugeln. Die Rugel, wird er aufschichten* (Meier, Stiefelchen 61). *Endlos dehnten sich an den Waldwegen die Haufen der Rügel und Spälten* (Kübler, Öppi von Wasenwachs 72).

ruhn! (militär. Befehl) // (BRD:) rührt euch! // (Österr.:) ruht! *Der Feldweibel ... meldete im schärfsten Ton die Kompanie zum Hauptverlesen bereit; darauf wandte er sich wieder zur Front und befahl: „Kompagnie ruhn! Gruppenführer Rapport!“* (Inglin, Schweizerspiegel 364).

Rum, der: [ru:m] (auch südd., österr.) // [rʊm]; →G 003.

Rumpf, der; -(e)s, Rümpfe: auch (mundartnah) svw. **a)** Runzel, Falte in zerknittertem Stoff. *Echte TRIS-Hemden ... bekommen keine Rümpfe und werden nie unser angenehmes „cotton-feeling“ verlieren* (NZZ 1965, Bl. 4021; Inserat). **b)** zusammengedrückte, zerknitterte Masse; nur in der Wendung: ***am/an einem Rumpf sein:** erschöpft, am Ende seiner Kräfte sein. *Am Schluß* [des Hindernislaufs] *ist der Ackermann so ziemlich restlos am Rumpf. Ja, nachher kommt er ins KZ* [Krankenzimmer] *und muß dort ... ärztlich betreut werden* (Schenker, Leider 31).

rumpfen (mundartnah) — Falten werfen. *Sein Rücken zeigte eine Neigung, sich zu runden, die Weste rumpfte über dem Bauch, und der nicht mehr frische Kragen war ein wenig angefranst* (Guggenheim, Alles in allem 275).

rumpflig (mundartnah) — zerknittert, faltig. *Ein altes Weiblein ... ihre rumpfligen Schuhe und ihr welker Hut waren schon viel zu groß für sie* (Frisch, Gantenbein 46).

Rundspruch, der; -(e)s (veraltet; bis 1960 amtl.) // Rundfunk (seither nur noch *Radio;* die *Schweizerische Rundspruchgesellschaft, SRG,* heißt seither *Schweizerische Radio- und Fernsehgesellschaft;* einziges Überbleibsel →**Telefonrundspruch**). *Wir ... tauschten die üblichen Ansichten zu den Nachrichten des Rundspruchs aus* (Guggenheim, Gold. Würfel 69).

Runkel, die; -, -n (auch österr.) — Runkelrübe. *Zu verkaufen ca. 5 Tonnen Runkeln* (Landanzeiger 9. 10. 69). →G 140.

Runse, die; -, -n (auch südd., österr.): Rinne an steilem Berghang, wo bei Schneeschmelze und Regengüssen ein Wildbach niedergeht; der Bach mitsamt dem Geschiebe, das er mitführt (→Rüfe); Schuttkegel. *Das nun kaum noch hörbare Wasser lief in einem schwärzlichen Schrund, und von der obersten Höhe der jenseitigen ... Gräte zogen tiefe Runsen zu ihm hinab, die zwar trocken lagen, aber beim ersten Regen von tosenden Bächen durchspült werden mußten* (Welti, Puritaner 367). *Den Durst mir stillend mit der Gletscher Milch/Die in den Runsen schäumend niederquillt* (Schiller, Tell II 2). Übertr.: [In einem Trümmerhaus] *drücke ich auf die verstaubte Klinke, öffne und sehe neuerdings auf die Straße hinaus; eine Runse von Schutt, Balken darin* (Frisch, Tageb. 1946/49, 41).

rußen: auch svw. (das Ofenrohr, den Schornstein) von Ruß säubern. *Das Kamin rußen.*

rüsten: auch svw. **1.** ⟨intr.⟩ Vorbereitungen treffen. *Die ... Strandarbeiter ... rüsten zum Ansturm auf ihre Pedaloboote, Glacevorräte und Liegestühle* (NZZ 11. 7. 88, 19). **2.** ⟨trans.⟩ **a)** — vorbereiten, zurecht machen, bereitstellen, nachfüllen (auch bdt. landsch.). *Freilich wird mancher Abend geopfert, um die verschiedenen*

Masken und Kostüme zu rüsten (NZZ). *Nadja ... ins Bad hinüberzutragen, das von der Mutter gerüstet worden war* (Zollinger II 260: Die gr. Unruhe). *Studer ... fühlte nach seiner Brusttasche. Gut, daß ihm die Frau noch Kognak gerüstet hatte* (Glauser IV 245). **b)** # (Gemüse, Salat) putzen, richten. *Eine Verrichtung, wie man etwa Gemüse rüstet* (Frisch, Stiller 423). Dazu **Rüstarbeit, Rüsttisch;** →**Rüstmesser.**

Rustico [*ital.* 'rustiko], der/das; -s, ...ci [...tʃi]: [Tessiner] Bauernhaus aus unverputztem Bruchsteinmauerwerk, als Ferienhaus umgebaut, auch neugebautes Ferienhaus in diesem Stil. *Im romantischen Verzascatal verkaufe ich an ruhiger, sonniger Lage kleinen Rustico zum Ausbauen* (St. Galler Tagbl. 1968, 463, 6). *Ferienhäuschen, Rustico, in Spiez am Thunersee* (National-Ztg. 1968, 454, 13).

Rüstmesser, das — Küchenmesser. *Pemos ... Tochter vermag den lockenden Klängen nicht mehr zu widerstehen und beginnt, das Rüstmesser in der einen, eine Kartoffel in der andern Hand, durch die Küche zu wirbeln* (Schweizer Spiegel 1963, 12, 81). *Ein 30jähriger Arzt ... ist ... mit einem Rüstmesser erstochen worden* (NZZ 18./19. 1. 86, 7).

Rutenzug →**Jugendfest.**

S

Saaltochter, die; -, ...töchter: Serviererin im Speisesaal. *Ich wurde Saaltochter und mußte den Gästen das Frühstück, das Mittagessen und das Souper servieren* (Diggelmann, Harry Wind 63). *Später bin in Saaltochter geworden, im Rößli* (H. Meier, Verwandtschaften 68).

Saanegraben, der; -s: das z. T. tief eingefressene Tal im unteren Lauf der Saane, das ungefähr die Sprachgrenze zwischen Deutsch und Französisch bildet; (bildl.:) die (immer wieder zu überwindende) Kluft im Verständnis zwischen Deutsch- und Welschschweiz. *Zahlreiche Bindungen über den Saanegraben hinweg wirken integrierend* (NZZ 24. 3. 87, 53). →**Röstigraben.**

SAC: (buchstabierte) Abkürzung für Schweizer Alpenclub; →G 028, 093.

Sack, der: auch (wie südd., österr.) svw. — Tasche in einem Kleidungsstück, vor allem Hosentasche; bes. in festen Wendungen gebraucht (bdt., wo nichts anderes angegeben, gleich mit „Tasche"): ***etw. im Sack haben.** *Seine Eltern waren steinreich, und er hatte immer Geld im Sack* (Humm, Kreter 86). *Kaum das Abitur im Sack, bestieg sie ein Flugzeug nach Kabul* (Weltwoche 5. 2. 87, 77). →**in den Sack langen** — in die Tasche greifen. *Für eine Volkspension müßten Industrie und Finanz wesentlich tiefer in den Sack langen als jetzt* (Blick 19. 9. 68). ***aus dem eigenen Sack bezahlen. *in den eigenen Sack wirtschaften.** *In den Industriebetrieben der Stadt Lausanne sollen Angestellte über mehrere Jahre hinweg in ihren eigenen Sack gewirtschaftet haben* (NZZ 19. 5. 87, 7). ***die Faust im Sack machen** // die Faust in der Tasche ballen. *Man hatte bisher die Faust nur im Sack gemacht* (Blatter, Heimweh 206). *Man müsse den „Beschwerdekanal" unbedingt weiter öffnen, damit niemand die Faust im Sack machen muß* (NZZ 11. 3. 87, 49). →**Hosensack.**

Säckelmeister (auch südd., österr.), (älter:) **Seckelmeister,** der; -s, -: Kassenwart, Schatzmeister; in bezug auf Gemeinde- und Staatskassen bis ins 19. Jh. allg., heute noch in SZ (Mitglied des Gemeinderates, das der Finanzverwaltung und dem Rechnungswesen der Gemeinde vorsteht) sowie in AI und (kurz für **Landsäckelmeister**) in NW (Mitglied der Kantonsregierung, svw. →**Finanzdirektor);** außerdem in traditionsbewußten Vereinigungen (Zünfte, Heimatschutz). Scherzh.: *Der eidgenössische Säckelmeister Nello Celio* [Vorsteher des Eidg. Finanzdepartements, d.h. Finanzminister] (Nebelspalter 1969, 5,5).

Sackgeld, das (auch südd., österr.) — Taschengeld. [Die tschechoslowakischen Flüchtlinge] *sollen auch mit einem Sackgeld versehen werden* (NZZ 27. 8. 68). *Hans und ich aber suchten nun doch, den Mädchen unsere Gesinnung deutlicher zu beweisen, und sparten Sackgeld, um kleine Geschenke zu kaufen* (Inglin, Amberg 99).

Sackmesser, das (auch südd.) — Taschenmesser. *Ob ich ... mein Sackmesser öffne und auf einen Menschen zugehe* (Frisch, Tagebuch 1946/49, 53). *Er suchte in seinen Taschen, zog ein Sackmesser hervor* (Hugo, Die Elenden [Übers.] 969). *Sackmesser für Linkshänder* (NZZ 11./12. 6. 88, 13; Überschrift).

Sackuhr, die (auch südd., österr.) — Taschenuhr. *Das Gesicht zu einer Grimasse verzogen, schaute er auf die Sackuhr, die auf der Platte* [des Schreibtisches] *lag* (Guggenheim, Alles in allem 883). *Meine Sackuhr trage ich in der Westentasche, so daß ich während der Fahrt nicht nach der Zeit sehen kann* (Vogt, Wüthrich 8).

sagen: *jmdm./einer Sache so und so sagen (mundartnah) — jmdn./etw. so nennen, // zu jmdm./e. Sache so sagen. *„Immer derselbe Tisch," sagte der Mann, „dieselben Stühle, das Bett, das Bild. Und dem Tisch sage ich Tisch, dem Bild sage ich Bild, das Bett heißt Bett, und den Stuhl nennt man Stuhl. Warum denn eigentlich?"* (Bichsel, Kindergeschichten 25). *„Wir haben diesen Irakern eben etwas Politik und Religion beigebracht ... Ihr würdet das Gehirnwäsche nennen, wir sagen dem Erziehung"* (NZZ 31. 1./1. 2. 87, 5). →G 060.

Sägmehl, das ≠ Sägemehl. *Das Sägmehl und die vielerlei Klötzchen und Brettchen* [in der Zimmerwerkstatt] *waren sein liebstes Spielzeug* (Bestand und Versuch 90). →G 143.

Saisonnier [*frz.* sɛzɔnje], der; -s, -s — Saisonarbeiter; heute vor allem ein Begriff der Fremdenpolizei, svw. Saisonaufenthalter **(→Aufenthalter),** Fremdarbeiter, der nur eine Aufenthalts- und Arbeitsbewilligung für höchstens 9 Monate im Jahr hat. *Für jene Saisonniers, die entweder dieses Jahr zum erstenmal in die Schweiz kommen oder die ... ihre Saisontätigkeit jetzt wieder aufnehmen, ist als frühestes Einreisedatum der 1. April festgesetzt* (NZZ 1. 2. 73, Mittagsausg. 15).

Salami, der; -s, - ≠ die. *Feinster Salami, ca. 460 g nur Fr. 5.50* (Landanzeiger 12. 12. 1968; Inserat). →G 076.

Salär, das; -s, -e ⟨frz.⟩ (auch südd., österr., sonst veraltet) — Gehalt (eines Angestellten). *Wir bieten: 5-Tage-Woche, englische Arbeitszeit, zeitgemäßes Salär, Altersversicherung ...* (National-Ztg. 4. 10. 68; Inserat). *Die* [Arbeitervertreter] *sind so bürgerlich wie die andern mit ihrem fixen Salär aus den Beiträgen der Arbeiter!* (Guggenheim, Alles in allem 110). →**Monatssalär.**

salarieren (Geschäftsspr.) — besolden, entlohnen, bezahlen. *Reklameberater in Zürich bietet jüngerem Graphiker eine gut salarierte, entwicklungsfähige Stelle* (Inserat). Dazu **Salarierung,** die: *Man bietet eine Tätigkeit in aufgeschlossenem Betriebsklima, mit ... guter Salarierung, Fünftagewoche, Pensionskasse ...* (National-Ztg. 4. 10. 68; Inserat). *Selbstver-*

ständlich zieht der Wegfall der üblichen Kündigungsfrist auch jenen der Salarierung nach sich (Guggenheim, Gold. Würfel 148).

Säli, das; -s, -: besonderer Raum in einer Gastwirtschaft, für kleinere Gesellschaften, Sitzungen usw. *Saal für Anlässe bis zu 80 Personen und separates Säli für kleine Familienfeiern* (NZZ 23. 7. 82; Inserat). *Zum Abendessen wird man von der Wirtin ... nicht in die Gaststube ... sondern an einen Tisch im vorderen Teil des an der Straßenseite gelegenen Sälis geführt* (E. Y. Meyer, Trubschachen 20): →G 105.

Salmen, der (Gastwirtschaftsname) →G 068.

Salsiz [zal'zi:ts, auch: ...'zits], das; -es, -e: flach gepreßte Rohwurst aus Graubünden, hergestellt aus je einem Teil mittelfein gehacktem Kuhfleisch, grob gehacktem Schweinefleisch und Speck.

salü! [*frz.* saly] ⟨frz. salut!⟩: kameradschaftlicher Gruß, beim Zusammentreffen und zum Abschied. „*Was suchst du denn hier?" Ich hatte nichts hier verloren und konnte mich nicht rechtfertigen; nur Salü sagte ich, auf Schweizerdeutsch, vor Schreck* (Geiser, Wüstenfahrt 95). „*So, aber jetzt muß ich gehen. Salü*" (Inglin, Ingoldau 193). →G 034.

Salzstengel, der; -s, - // Salzstange, (österr.:) Salzstangerl, ...stangel (mit Salz bestreutes Gebäck in Stangenform). *Er sah das Bier auf dem Tisch, die Salzstengel* (Frisch, Die Schwierigen 276). →G 124/1.

Samichlaus, Samiklaus, auch [--'-], der; -, ...äuse (mundartl.) — Sankt Nikolaus. *Es ist erfreulich, wie ehrlich kleine Kinder sind, wenigstens dem Samichlaus gegenüber* (NZZ 8. 12. 69). „*Wir haben", erklärte Maly von ihrem Schlitten aus dem Fräulein, „den Samiklaus gesehen mit seinen Hunden." „Es war Professor Heim", erläuterte Karl* (Guggenheim, Alles in allem 104). →**Klaus, Santiklaus.**

Sammet, der; -s: (bdt. veraltet) — Samt. *Unter den weichen Lärchenwaldteppichen und dem Sammet der Alpenwiesen* (Welti, Puritaner 373). *Alois wie immer in seiner braunen Sammetjacke* (Frisch, Die Schwierigen 205). →G 044.

sändeln ⟨ich sändele⟩: mit Sand spielen (von Kindern), // (landsch.:) sandeln. *Weil ich selbst, müßte ich sändeln, lieber eine Burg bauen möchte anstatt stundenlang planlos im Sand herumzuwühlen* (Schweizer Spiegel 1961, 12, 71). →G 098.

sanden (auch bdt. landsch., so bayr.) — Sand streuen, (einen Weg) mit Sand bestreuen (gegen Gleitgefahr).

Sandwich, das: • ⟨Aussprache:⟩ [*engl.* 'sændwɪtʃ]; →G 006 • ⟨Geschlecht:⟩ das // (bdt. auch:) der • ⟨Bedeutung:⟩ auch (wie österr.) svw. — (einfaches!) belegtes Brötchen. *Belegte Brötchen (Sandwiches, Canapés)* (Fülscher, Kochbuch, Nr. 114). →**Canapé.**

sanitarisch: vom (militärischen, grenzpolizeilichen) Gesundheitsdienst ausgehend, ihn betreffend. *Sanitarische Untersuchung* (bei der Aushebung zur Armee); *sanitarische Eintrittsmusterung* (bei Beginn jeder Dienstleistung). – *Im Bahnhof* [Genf-]*Cornavin werden die eintreffenden Spanier zunächst sanitarisch untersucht* (NZZ 20. 1. 61, Bl. 206). *Der Bundesrat hat beschlossen, dem Internationalen Komitee vom Roten Kreuz eine schweizerische ärztliche Equipe zur Betreuung eines Feldspitals in dem dem Imam treu gebliebenen Landesteil Jemens zur Verfügung zu stellen. Die dortige Bevölkerung ... entbehrt jeglicher sanitarischer Betreuung* (NZZ 7. 11. 63).

Sanität, die; - ⟨o. Pl.⟩ (auch österr.): **1.** (Militär) — Sanitätstruppe, // Sanitätsdienst. *Nehle ... war ... Infanterist, wurde dann in die Sanität versetzt, dies auf Antrag eines Sanitätsoffiziers* (Dürrenmatt, Verdacht 61). **2.** Rettungsdienst, Ambulanzdienst. *Beim Eintreffen der Sanität ... sei das Opfer jedoch bereits tot gewesen* (NZZ 19./

20. 9. 87, 9). Dazu **Sanitätsdienst, -polizei, -station.**

Sankt Galler: **a)** Einwohner von Stadt oder Kanton St. Gallen. **b)** zu St. Gallen gehörig. (In der Schweiz ist nur diese Wortform gebräuchlich, niemals die im übr. Sprachgeb. auch verwendete Form „Sankt Gallener".)

sanktgallisch, sankt-gallisch: zu Stadt oder Kanton St. Gallen gehörig.

Sankt Immer: deutscher Name der Gemeinde Saint-Imier im Berner Jura.

Sankt Moritz: der Name des bekannten Kurorts wird von den Bündnern auf der letzten Silbe betont (nach dem rätor. San Murezzan). Viele der übrigen Deutschschweizer, namentlich in der Osthälfte, schließen sich dem an.

Santiklaus, der; -(e)s, ...kläuse (mundartl., in Basel) — Sankt Nikolaus. *Am letzten Santiklaustag machte sich ein Basler Privatmann die Freude, im benachbarten Dorf Reinach die kleinen und großen Kinder zu beschenken* (Beobachter). →**Samichlaus.**

Sappeur [*frz.* sapœʀ; 'zapœ:r], der; -s, -e ⟨frz. sapeur⟩ // Pionier (Soldat der →Genietruppe). *Eines frühen Morgens Ende Januar 1915 marschierten die zweite Kompagnie ... an die Nordwesthänge des Hauensteins, wo sie den Sappeuren bei der Befestigungsarbeit helfen sollte* (Inglin, Schweizerspiegel 297). *Der Vater war heute* [am 2. Sept. 1939] *in aller Morgenfrühe, als Offizier gekleidet, mit seinem Sportwagen ... davongefahren, zu seiner Einheit, den Sappeuren* (Guggenheim, Alles in allem 1009). →(zur Aussprache) G 035/3.

Sarnersee, der; -s: See im Kanton Obwalden. Der Name wird gewöhnlich zusammen geschrieben; →G 153/2d.

satt: auch svw. dicht, fest, kompakt; straff, eng anliegend, knapp. *Den an der letzten* [Ausrüstungs-]*Inspektion mit Hilfe der Kameraden ... satt und vorbildlich aufgerollten Mantel wegzuschnallen* (Guggenheim, Alles in allem 1013). *In der Taille verstellbar,- liegt er immer satt an ... Plus-Mince-Jupe ab Fr. 22.50* (NZZ; Inserat). *Herrlich war der entscheidende Treffer durch den agilen Steiner, der aus gut 30 Meter mit einem satten Schuß via untere Lattenkante den perplexen Feller überraschte* (Bund 14. 10. 68, 22).

sauber: ***sauberen Tisch machen** — reinen Tisch machen. *Da sie* [ein Fußballklub] *den Abstieg nicht verhindern konnten, machten sie wenigstens finanziell sauberen Tisch* (St. Galler Tagbl. 1968, 467, 25).

Sauce ['zo:sə], die; -, -n (bdt. seltener) // Soße; →G 031, 035/1.

Saucisson [*frz.* sosisɔ̃], der; -s, -s: roh verkaufte große Brühwurst aus zwei Teilen magerem Schweinefleisch und einem Teil Speck; man unterscheidet **Neuenburger** und **Waadtländer S.**

Sauergrauech [...grauəx]: eine säuerliche Apfelsorte. *Der Gemeindeschreiber Berger, dem er im Herbst seit vielen Jahren ... je einen Korb von Lederreinetten, Boskoop und Sauergrauech zu Vorzugspreisen lieferte* (Bestand und Versuch 711: H. Tauber).

Säuliamt, das; -[e]s (mundartnah, leicht scherzh.): westlich der Albiskette gelegener Teil des Kantons Zürich, Bezirk Affoltern. →**Amt.** →G 109.

Säuliämt[l]er (mundartnah, leicht scherzh.): **1.** der; -s, -: Einwohner des Bezirks Affoltern. **2.** zum Bez. Affoltern gehörig. *Die Säuliämter Gemeinden Mettmenstetten, Affoltern und Hedingen* (NZZ 18. 12. 87, 54). →**Ämtler.**

²Säumer, der; -s, -: jmd., der mit Saumtieren im Gebirge Lasten transportiert.

Sauschwab, der; -en, -en (derbes Schimpfwort): Deutscher. [Ein Bergbauer, den sie nach dem Weg fragten] *wurde nicht fertig mit dem Nachsehen. Der Sauschwab war seinen Lippen auf große Distanz abzulesen* (Muschg, Mitgespielt 191). →**Schwab.**

Sauser, der; -s (auch bdt. landsch.): frischgepreßter, mehr oder weniger stark gärender Wein, ein beliebter, aber nicht ungefährlicher Herbstgenuß. *Wenn man im Thurgau vom Herbst spricht, so denkt man an Obst und Most und Sauser* (NZZ). *Wenn sie allherbstlich ihren jungen Wein trinken, den gärenden Most, den sie Sauser nennen; wenn er gut ist, so ist man des Lebens nicht sicher unter ihnen* (Keller VII 5: Seldwyla, Einleitung).

SBB ['ɛsbe,be:], die ‹Pl.›: (buchstabierte) Abkürzung für Schweizerische Bundesbahnen; →G 028, 093.

Sbrinz, der; -: ein halb- bis vollfetter, sehr harter Reibkäse. [Die Mitgliedfirmen der] *Schweizerischen Käseunion AG ... haben von Anfang August 1972 bis Ende Januar 1973 insgesamt 34 316 Tonnen Emmentaler, Greyerzer und Sbrinz abgesetzt* (NZZ 21. 2. 73, 86, 17).

Schabe, die; -, -n (auch südd.) — Motte. *„Da – sehen Sie nichts? He?" Schabenlöcher, zugegeben, eine ganze Milchstraße von Schabenlöchern,* im Soldatenmantel (Frisch, Stiller 148). *Daß er in unruhigen Stunden das Treiben der Schaben sich ausmalte ... Mottengänge, die die Rolle des feldgrauen Mantels durchquerten* (Guggenheim, Alles in allem 1013).

Schabziger, der; -s: harter Kräuterkäse, in Form von etwa 10 cm hohen Kegelstümpfen im Kanton Glarus hergestellt. *An der Magd haftete freilich ... die Gewohnheit, Schabziger zu essen, wie eine Art Kräuterkäse genannt wird* (Walser X 155).

Schachen, der; -s, Schächen: [mit Gebüsch, Niederwald bewachsene] Flußniederung. *Aus jedem Schachen trat ein Wässerchen* (Welti, Puritaner 366). *Der junge Melchtaler rennt herum und wirbt so offen, daß ihn keiner mehr herbergen möchte ... und* [sie] *suchen ihn dabei wie Jagdhunde in allen Schächen* (Inglin, Jugend 101).

schad (auch bdt. landsch.) — schade. *Es sei schad um die Zeit* (Frisch, Frühe Stücke 41: Santa Cruz); →G 087.

schaffen ‹sw. V.›: auch (mundartnah; auch bdt. landsch., bes. südd.) svw. arbeiten. *Meine Herrin wäscht, putzt, schafft im Garten, und trotzdem hat sie immer feine, weiße Hände* (Radio-Ztg., Inserat). *Die Mutter habe den Laden eingerichtet und der Vater habe weiter auf der Bahn geschafft* (Glauser II 71: Wachtmeister Studer). *Der Sinn für Ordnung fehlte. Was Pünktlichkeit sei, wußten die guten Leute nicht. Singen und den ganzen Tag spazieren gehen! Nein, was schaffen hieß, verstand hier keiner* (Humm, Greif 153).

Schaffer, der; -s, - (auch bdt. landsch., bes. südd.): jmd., der tüchtig, fleißig arbeitet. *„Er nützt dich aus, mon pauvre Hector." „Das darfst du nicht sagen, er ist sehr loyal. Ein wenig deutsch, einverstanden, aber ein Schaffer und korrekt."* (Guggenheim, Alles in allem 55). *Er ist kein Effekthascher, sondern ein tüchtiger Schaffer und erfahrener Mann. Er treibt nicht mit Ränken und Winkelzügen Politik* (NZZ 1967, Bl. 1279; Wahlinserat).

Schaffhauser, der; -s, -: Einwohner der Stadt, des Kantons Schaffhausen.

schaffhausisch: zum Kanton Schaffhausen gehörig, sich darauf beziehend: *Thurgauisch-schaffhausische Krankenpflegeschule eröffnet* (NZZ 29./30.3.75, 26).

schaffig (mundartnah; auch südd.) — arbeitsam, fleißig. *Die Frau war schaffig, sie hielt den Garten in Ordnung, sie bediente im Laden* (Glauser II 74: Wachtmeister Studer) *Sie war eine herbe, schaffige Frau, aber nicht klüger als er* (Inglin, Verhexte Welt 69).

²Schaft, der; -[e]s, Schäfte (auch südd.) — Regal, Gestell, Schrank. *Schon kehrte der Alte mit der leeren Weinflasche zurück, die er auf den Schaft stellte* (Spitteler IV 138: Conrad der Leutnant). *Zusammen hattet ihr dies ganze Küchenzeug in die Schäfte versorgt* (Walter, Der Stumme 121). *Auch ein Archivraum ist da, aber er ist leer; es fehlen Schäfte und Schränke, um die Dokumente unterzubringen* (National-Ztg. 1968, 557, 41). →**Bücherschaft.**

Schale, die; -, -n, (urspr., doch heute eher selten:) **Schale Gold** (Gastw.): Tasse Kaffee mit ziemlich viel Milch (bis halb und halb), Milchkaffee. *„Eine Schale Gold, bitte", sage ich. Soll ich beifügen: „aber gefälligst ohne Fußbad"?* (Landert, Koitzsch 73).

Schams, das; -: Talstück am Hinterrhein in GR, rätor. Schons, zwischen dem →Rheinwald und Thusis. Der Name wird stets mit dem Artikel gebraucht; →G 082.

Schanfigg, das; -s: das Tal der Plessur im Osten von Chur GR, genauer dessen rechtsseitiger Hang von Maladers bis Peist, i. w. S. bis Langwies und Arosa. Der Name wird immer mit dem Artikel gebraucht; →G 082.

Schankbursche / Schenk..., der; -n, -n (österr. Schankbursch): junger Mann, der hinter dem Schanktisch die Getränke an die Bedienung ausgibt. *Aus allen in Hotellerie, Küche und Restaurant vorkommenden Berufen vom Chef de réception über den Küchenchef bis zur Serviertochter und zum Schankburschen* (NZZ 14. 9. 87, 35). *Gesucht per sofort Buffettochter oder Schenkbursche* (Bündner Tagbl. 10. 8. 68).

Schärmaus →**Schermaus.**

Scharreisen, das: **a)** // Kratzeisen (kleine senkrechte Metallplatte vor der Haustür, an der man sich Schmutz oder Schnee von den Schuhsohlen kratzt). **b)** Rost vor der Tür zum Abstreifen von Schmutz oder Schnee von den Schuhen. *Vor der niedern Haustüre lag eine zerfranste Vorlage auf einem verrosteten Scharreisen* (Guggenheim, Zusammensetzspiel 197).

schättern (mundartnah) — (ugs.:) scheppern. *Als der junge Mann ... auf dem schätternden Velo davonfuhr* (Guggenheim, Alles in allem 305). *Der schottische Schnellzug schätterte wie eine leere Zeltlibüchse* (Kübler, Heitere Geschichten 170).

Schattseite, die; -, -n (auch österr.) — Schattenseite. *Das seien eben die Sonn- und Schattseiten einer Gegend, wie es sie überall gebe* (E. Y. Meyer, Trubschachen). →G 148/3. →**Sonnseite.**

Schatzung, die; -, -en (Geschäftsspr.) — Schätzung (des Geldwerts einer Sache). *Verwertung von Briefmarken ... Beratung, Schatzungen, Ankauf, Verkauf, Auktionen* (NZZ 8. 4. 87, 41; Inserat). *Im Hinblick auf die immensen Umbaukosten ... offerierte der Käufer eine weit unter der Schatzung stehende Summe* (Bund 3. 10. 68, 9). →G 132. Dazu **Schatzungskommission:** *Die Schatzungskommission vom Katasteramt* (Bichsel, Jahreszeiten 70). **-preis:** *Abgabe 50% unter ... Schatzungspreis* (NZZ; Inserat). **-wert.**

schauen: ***zu jmdm./etw. schauen** — sich um jmdn./etw. kümmern, // (südd., österr.:) nach jmdm./etw. schauen. *Sie wird zu den Kindern schauen, während die Schwiegertochter arbeiten geht* (Helen Meier, Trokkenwiese 42). *Der Vater baut ... Gemüse an, züchtet Geflügel, schaut zum Vieh* (St. Galler Tagbl. 29. 10. 88, I 5). ***zum Rechten schauen** — nach dem Rechten sehen, dafür sorgen, daß alles in Ordnung ist. *Anna ... könnte dem Kind Muttersatz bieten und im* [Gasthaus zum] *Löwen zum Rechten schauen* (Schriber, Muschelgarten 235).

Schaufeln, die ⟨Pl.⟩ — Pique, // Pik (eine „Farbe" der französischen Spielkarten). *Unter den drei aufgedeckten Karten befand sich ein Nell und ein Aß von Schaufeln* (Guggenheim, Alles in allem 738).

Scheibenwall, der; -[e]s, ...wälle — Kugelfang (beim Schießstand).

scheiden ⟨st. V.⟩: auch (mundartnah) svw. — sich scheiden lassen. *Gerhard Schürmann ... ist unglücklich verheiratet, es heißt, daß er scheiden möchte* (Inglin, Erlenbüel 162). *Die Eltern schieden, als ich 9 Jahre alt war* (NZZ 1970, 377, 45). →G 064.

scheint's ⟨Adv.⟩ (mundartnah) — anscheinend. *In Amerika fürchtet man scheint's, daß sich die Revivals allmäh-*

lich in den eigenen Schwanz beißen (NZZ 20. 1. 88, 57). *Scheint's hat es ... am Meitlisonntag* [Fest im aargauischen Seetal] *einige Pannen und Enttäuschungen gegeben* (Aargauer Tagbl. 21. 1. 69).

Scheit, das; -[e]s • ‹Plural:› -er (auch österr.) — -e; →G 072 • ‹Geltung/Entsprechung:› (auch südd., österr.) — Holzscheit. *Beno legte frische Scheiter ins Feuer* (Vogt, Melancholie 147).

Scheiterbeige, die; -, -n — Holzstoß. *Ein Maximum an Tarnung bei bescheidenem Aufwand leistete jener* [Soldat], *der Posten bei einer Scheiterbeige stand und sich einen ganzen Kranz Scheitchen in das Gummiband des Helms gesteckt hatte* (Schumacher, Rost 199). →**Beige.**

Scheitstock, der; -(e)s, ...stöcke // Hackklotz, Hauklotz (Holzklotz, worauf man Brennholz spaltet). *Sie trugen den Scheitstock heran und schlangen das eine Ende des Seils drum. Mit dem andern, freien Seilende versteckten sie sich hinter der Scheune, zogen den Klotz vorsichtig hoch* (Boesch, Fliegenfalle 56).

schellen (auch bdt. landsch.) — läuten, klingeln, aber nur von (bzw. mit) kleinen Glocken oder elektrischem Läutwerk (Haus-, Schulglocke, Telefon). *In demselben Augenblick schellte die Hausglocke* (Welti, Puritaner 607). *Mit einem beharrlichen und vergeblichen Schellen am Telefon* (Frisch, Die Schwierigen 50).

Schelm, der; -[e]s, -e: auch (veraltend) svw. — Dieb. *In den Migros-Filialen wurden im vergangenen Jahr 13 828 Ladendiebe auf frischer Tat ertappt. Bei den Untersuchungen zeigte sich ... „daß keineswegs etwa Ausländer das Hauptkontingent der Schelme stellten“* (NZZ 1970, 150, 2). *Autoschelme* [Überschrift]. *Vor dem Bieler Strafamtsgericht hatten sich drei junge Männer ... zu verantworten. Im September 1960 hatten sie ein Auto entwendet und damit eine Reise über Genua nach Salzburg unternommen* (NZZ 1961, Bl. 537).

Schenkbursche →**Schankbursche.**

scherbelig: klirrend, spröde klingend wie zerbrechendes oder zerbrochenes Geschirr, Glas, eine gesprungene Glocke. *Es knistert das Laub, das gefallene, das immer scherbeliger wird* (Frisch, Blätter 55). *Nicht zu verwechseln mit Harsch, dem dünnen, glasigen Überzug von gefrorenem, vorher angetautem Schnee, als scherbeliger Bruchharsch für den Skifahrer recht lästig* (NZZ 1961, Bl. 594). *Zwischen den scherbligen[!] Schlagern, die unermüdlich gespielt wurden* (Frisch, Die Schwierigen 13).

scherbeln: unrein tönen (von Gläsern, Glocken, Musikinstrumenten, der menschl. Stimme), überhaupt: spröde klingen, klirren, rascheln o. ä. *Mit dem Fuß stampfe ich Ziegel, Ketten, Ampeln. Es klirrt und scherpelt*[!] (Meier, Stiefelchen 153). [Der] *Wind, der vom nächtlichen Meere kam und durch den finsteren Garten ging, durch scherbelnde Palmen* (Frisch, Die Schwierigen 9). →G 098.

Schermaus / (auch:) **Schärmaus,** die; -, ...mäuse (auch südd., österr.) — Maulwurf. *Die Feld- und Schermäuse haben nicht auf die ... Sommerzeit gewartet ... Die zarten Wurzeln des sich im ersten Wuchs befindenden Grases wissen sie ... besonders zu schätzen* (NZZ 8. 4. 81, 7).

Schermauser, (auch:) **Schärmauser,** der; -s, -: Maulwurffänger (der auf den Feldern Fallen stellt). *Sie* [die Mangel des Militärdienstes] *machte glattweg aus Philologen und Coiffeuren, Beamten und Kabelziehern, Bürolisten und Schermausern, Lehrern und Straßenwischern ... den brauchbaren helvetischen Soldaten* (Schumacher, Rost 62).

Schermen, der; -s, -: (mundartnah): **a)** Schutzdach, Unterstand. [Der Oberhirte] *nahm mir den Milcheimer aus der Hand, stellte ihn auf die Bank vor der Türe und zog mich in den Schermen, welcher der* [Alp-]*Hütte an-*

gebaut war (Diggelmann, Abel 136). **b)** Schutz vor Regen und Wetter. ***am Schermen:** im trockenen, unter Dach. *Der verkrachte Maler ... kommt nach Hause, arm wie er gegangen ist ... und dann schlüpft er unter im Staatsdienst, an den Schärmen*[!], *mit einer festen Besoldung* (Guggenheim, Seldwyla 127).

schieben ‹st. V.›: auch (beim Kartenspiel Jaß) svw. dem Partner die Bestimmung des Trumpfs überlassen. *Studer sah den Mann nur von hinten. Jetzt hörte er aber auch dessen Stimme: „Ich muß leider, leider schieben ..."* (Glauser II 85: Wachtmeister Studer). *Mit einem einzigen Griff breitete er das Kartenpäckli fächerförmig auseinander: „Geschoben!" schnauzte er* (ebd. 88). Dazu **Schieber,** der: eine Art des Jasses.

schiefern: auch svw. flache Steine über den Wasserspiegel hüpfen lassen. *Dann versuchten wir wie in Bubenzeiten zu schiefern, flache Steinchen über den Wasserspiegel hüpfen zu lassen* (Frisch, Stiller 404).

Schifflände, (im Kt. Bern:) **...ländte,** die; -, -n // Schiffanlegestelle. *Einer Einladung der Basler Schiffahrtsdirektionen zu einer Fahrt von der Schifflände bis zur Schleuse Fessenheim* (NZZ). *Die roten Laternen an einer Schifflände im Nebel* (Frisch, Stiller 339).

Schifflistickerei, die: sog. Okystikkerei, bei der der Faden in einer Art von Weberschiffchen gespult gehalten wird, alte Hausindustrie in der Nordostschweiz. *Mein Vater war Schifflisticker im Rheintal* (Guggenheim, Alles in allem 189). *Rückhalt für die Schifflisticker. Neues Bundesgesetz über die Stickerei-Treuhand-Genossenschaft* (NZZ 1970, 477, 25). →G 109.

Schiffshaab →**Haab.**

Schilten, die ‹Pl.›: eine „Farbe" der „deutschen" Spielkarten. →**Rosen.**

Schlag, der: ***zu Schlag kommen mit etw./jmdm.** # (ugs.:) zu Rande kommen, etw. bewältigen, meistern können, jmdn. zu nehmen verstehen, mit jmdm. auskommen. *Der Dechant ... machte sich Gedanken über eine einige ... deutsche Nationalkirche. Aber er kam nicht zu Schlag damit* (Schaffner, Dechant 115). [Die USA] *kommen vor der eigenen Tür mit einem kleinen Duodezdiktator und dem Aufstand gegen diesen nicht zu Schlag* (NZZ 19. 6. 76, 3). *Phil schien sich gut zu unterhalten; mit diesen Leuten kam sie ausgezeichnet zu Schlag* (Humm, Carolin 188).

Schlagrahm, der; -[e]s (auch bdt. landsch. verbreitet; süd- und westösterr.) // Schlagsahne.

Schlamassel, das (österr. nur so) # (bdt. meist:) der; →G 076.

Schlarpe, die; -, -n ‹meist Pl.› (mundartnah): bequemer, ausgetretener [Haus-]Schuh, // Schlappen; auch (salopp) übh. svw. Schuh. *Die Schuhe oder Schlarpen,* eines Clowns (G. Meier, Kanal 24). *Daß seine* [für den Militärdienst] *nicht anerkannten Privatschlarpen so diensttauglich sind wie er selbst* (National-Ztg. 1968, 553, 2).

Schleck, der: ***das ist kein Schleck** (auch südd.): kein Vergnügen, kein Spaß, keine Kleinigkeit, eine unangenehme, mühsame, schwierige Sache. *Es sei natürlich kein Schleck, die große Heimat fliehen und in einem so kleinen Lande mit kleinlichen Leuten Zuflucht suchen zu müssen* (Guggenheim, Alles in allem 961). *Das Arbeiten in den im Untergeschoß eines Hauses ... befindlichen Werkstätten ist kein Schleck* (NZZ 4./5. 7. 87, 51).

schlecken: auch (wie bes. südd.) svw. naschen, Süßigkeiten essen. *Das Mädchen schleckte seine Zuckerstücke* (Helen Meier, Trockenwiese 112). ****das schleckt keine Geiß weg** →**Geiß.**

Schleckmaul, das; -[e]s, ...mäuler // (ugs. scherzh.:) Schleckermaul (jmd., der gern nascht).

Schleckstengel, der; -s, - // Zuckerstange (mit Stiel). *Eine Gruppe Schulkinder umlagert die Kasse* [des Dorfladens] *und kramt die vorhandenen*

Batzen für ein paar Schleckstengel zusammen (Weltwoche 3. 9. 87, 39).

Schlecksucht, die; -: starkes Verlangen, Süßigkeiten zu lutschen oder überhaupt zu sich zu nehmen, Naschhaftigkeit.

Schleckwaren ‹Pl.›: Süßigkeiten [zum Lutschen]. *Der Konsum von Kindern ... hat sich über den eigentlichen Spielzeugbereich hinaus auf Schleckwaren, Modeartikel, Comics ..., Musikkonserven* [usw.] *ausgeweitet* (Bund 1. 10. 87, 2).

Schlegel, der: auch (wie südd., österr.) svw. — Keule (Oberschenkel des Hinterbeins) beim Kalb, Schaf, Wild. Dazu: **Gems-, Hammel-, Hasen-, Hirsch-, Rehschlegel.** →**Gigot.**

schletzen (mundartnah): (eine Tür) zuschlagen, -werfen. *Ein rassig aussehender, jüngerer Jäger sprang* [aus dem Sportwagen], *schletzte die Tür zu und wandte sich ... an Leuthold* (Inglin, Erz. II 18). *Um wenigstens in den Abend- und Nachtstunden das ... Aufheulen der Motoren und das Türenschletzen zu unterbinden, hat der Winterthurer Stadtrat ... in der Altstadt* [das] *Nachtfahrverbot* [ausgedehnt] (NZZ 29. 7. 72). *Dann sei er ausgeschert und türeschletzend zum Loch hinaus* (Amann, Verirren 47).

(schliefen) ‹st. V.: schloff, ist geschloffen; nur noch in den Vergangenheitsformen gebraucht› (mundartnah; südd., österr. noch vollst.) — schlüpfen. *Die Mädchen schloffen aus ihren Kammern hervor, um ihn zu begrüßen* (Zollinger II 386: Die große Unruhe). *Er schloff in seine braune Kapuzinerkutte* (Inglin, Erz. II 299).

Schlipf, der; -[e]s, -e — Erd-, Fels-, Bergrutsch. *Der provisorisch erstellte Holzsteg über ein kleines Gewässer sowie eine weitere Rutschstelle liegen im Bereich des im letzten Jahr niedergegangenen Erdschlipfes. Da weitere Schlipfe ... möglich sind, sollen diese Provisorien noch bestehen bleiben* (NZZ 6. 1. 64). *„Hier, mitten in den Schlipfen eine Wiese gesund und schön und trocken: die reine Erholung" ... Die Wiese war nichts als eine dünne, trügerische Haut über einem klafterdicken Pudding* (Boesch, Fliegenfalle 91).

schlipfen ‹sw. V.; ist› (mundartnah) — rutschen, ausgleiten. →**ausschlipfen.**

schlitteln ‹ich schlittle› (auch österr.) // rodeln. *Sie wollten das klare Wetter benutzen, um ein Stück den Berg hinauf zu wandern und in der Mondhelle den schon ordentlich verschneiten Weg hinab zu schlitteln* (Inglin, Schweizerspiegel 536). *Ein zwölfjähriges Mädchen* [ist] *beim Schlitteln von einem Landwirtschaftsfahrzeug überfahren ... worden* (NZZ 26. 1. 87, 5). ****etw. schlitteln lassen** — laufen lassen (wie es eben läuft), schlittern lassen. *Ich lasse es gehen, ich bin ein Meister darin, eine Sache schlitteln zu lassen, wie man zu sagen pflegt* (Walser II 71). Dazu: **Schlittelbahn, -fahrt, -weg, -club, -meisterschaft, -sport.**

Schlittler, der; -s, - // Rodler. *Schlittler-Ansturm auf dem Üetliberg* (NZZ 12. 1. 87, 27; Überschr.).

Schlötterling, der; -s, -e (mundartnah): anzügliche Bemerkung, derbes Spottwort. *Da wir schon einmal bei den Frauen waren, ging ich einen Schritt weiter, durchaus in der Erwartung ... eines Walserschen Donnerwetters oder Schlötterlings, und fragte ...* (Amann, Verirren 116). *War niemand, der in Abendröte sich erging/Der keinen Anwurf oder Schlötterling empfing* (Spitteler II 288: Olymp. Frühling). ***jmdm. einen Schlötterling anhängen:** jmdm. Übles nachreden. *Will man unter Demokratie das Recht verstehen, jedem Beliebigen an der Landsgemeinde Schlötterlinge anzuhängen, dann ist das ... ein arger Mißbrauch* (NZZ 1965, Nr. 1804).

schlückeln: a) ein wenig schlucken. *Der Pastor schlückelte milde und sagte, das sei mal originell* (Humm, Carolin 32). **b)** in kleinen Schlucken trinken. *Anna saß zufrieden in der Gaststube ... [und] schlückelte ihren Wein* (Blatter, Heimweh 418). →G 097.

Schlufi ['ʃlʊy̯ɪ], der; -s, - (mundartl.):

liederlicher Mensch, Lump, Schuft. *Da soll man für Freiheit und Gerechtigkeit ... einstehen und eine Gesellschaft hochhalten, die einen zwingt, die Existenz eines Schlufis und Bettlers zu führen, wenn man sich dem Geist verschreibt anstatt den Geschäften* (Dürrenmatt, Verdacht 69). *Ein Schlufi ist nicht wert, die Waffe zu tragen* (Guggenheim, Die frühen Jahre 132). →(zur Beugung) G 073.

Schlüsselbund, der ≠ das; -[e]s, -e; →G 076. *Der Schlüsselbund hing ... noch am ... Kästchen* (Guggenheim, Friede 175). →**Bund.**

Schlüttli, das; -s, - (mundartl.) — Babyjäckchen, // Erstlingsjäckchen. →G 105.

Schmer, der/das; -s (auch bdt. landsch.): Bauch- und Nierenfett [bes.] beim Schwein, // (nordd.:) Flomen.

Schmiedeisen, das; -s ≠ Schmiedeeisen. *Die Öffnung in der Quaimauer ist mit einem Schmiedeisentor abgeschlossen* (G. Meier, Kanal 11). →G 143. Dazu **schmiedeisern:** *Überreichte ... in einem symbolischen Akt den schmiedeisernen Schlüssel des Corso-Theaters* (NZZ 9./10. 7. 88, 51).

schmus[e]lig (mundartnah) — [leicht] beschmutzt, schmierig, (ugs.:) schmuddelig. *Endlich ... flatterte ein Brief auf den Erdboden, ein verstoßener, schon ziemlich schmusliger Umschlag* (Frisch, Die Schwierigen 208). [Schlankheitsgürtel] *deren Gummiteile ... lahm geworden waren und ziemlich schmuselig aussahen* (Guggenheim, Gerufen 105). →G 097.

Schmutziger Donnerstag: Donnerstag in der Fastnacht, an dem besonders üppig gegessen wurde (mundartl. Schmutz: Fett). *In aller Herrgottsfrühe ziehen die jungen und die alten Solothurner, Nachthemd und Schlafmütze übergezogen, am Schmutzigen Donnerstag mit allen denkbaren Lärminstrumenten nach uraltem Brauch zur „Cheßleten" aus* (NZZ).

Schmutzli, der; -s, - (in der Innerschweiz, im Freiamt, in SO): Begleiter des Sankt Nikolaus (→Samichlaus), der die Kinder schreckt. *Ich begleitete den Klaus als Engel zur Rechten ... Der Klaus trug ein Meßgewand, einen weißen Bart, den goldenen Krummstab und auf dem Haupt die hohe Mitra ... Hinter uns ging der finstere Schmutzli in einem schwarzen Kapuzenmantel, mit der Reisigrute für die unfolgsamen Kinder* (Inglin, Amberg 71). →G 107.

Schnauf, der; -[e]s (mundartnah) — Atem, // (salopp:) Puste. *Von einem gewissen Alter an spart man weniger mit der Zeit als mit dem Schnauf* (Welti, Puritaner 527). *Dem Parteiblatt der Union pour la Nouvelle République, „La Nation", ist nach den Wahlen der Schnauf ausgegangen* (NZZ 1967, Bl. 1829). *Das war sein Spiel, denkt Andres: den längeren Schnauf haben als die Kollegen und sie dadurch ins Unrecht setzen* (Muschg, Mitgespielt 53).

Schnaufer, der: ***junger Schnaufer** (mundartnah) — unreifes Bürschchen. *Für die andern Gäste ... ist er ohnehin Luft, für die Serviertochter ein namenloser junger Schnaufer, der seinen Sonntagnachmittag vertrödelt* (Landert, Koitzsch 57). *Macht dir das denn gar nichts aus, so unter dem Befehl eines jungen Schnaufers zu arbeiten?* (Guggenheim, Gold. Würfel 47).

Schnauz, der; -es, Schnäuze — Schnurrbart. *Während der ganzen Schulzeit hatten wir denselben Musiklehrer, einen großen, dicken Mann mit einem Schnauz, der ihm wie einem Walroß über den Mund hinabhing* (Inglin, Amberg 45). *Der Sohn mit den spitzen Lackschuhen, mit dem geschniegelten Haar und seinem Schnäuzchen über den Lippen* (Frisch, Die Schwierigen 273). *Der Täter ... hat ... einen Vollbart mit Schnauz (allenfalls aufgeklebt)* (NZZ 23. 2. 87, 31).

Schneckentänze, die ⟨Pl.⟩ (mundartnah; abwertend): unnötige Schnörkel, überflüssige Komplimente, Umstände, Ausflüchte. *Meistens verfehlt sind die auf -ung auslautenden ... Hauptwörter: Über die Berechnung der Instandstellung der unterbrochenen Verbindungen im Straßenverkehr werden noch Verhandlungen geführt werden. Ohne „Schneckentänze": Man wird noch darüber verhandeln, wer die Kosten für die wieder hergestellte Straße tragen soll* (Sprachspiegel 1970, 103). *Ich halte an meiner Darstellung absolut fest. Was Humbert-Droz jetzt versucht, sind dialektische Schneckentänze* (NZZ).

schnetzeln: mit dem Messer fein zerschneiden. *Heute – es war Sonntag – schnetzelte Christen auf dem Läubli-Tisch Tabak* (Tavel, Bernerland 7). Bes. Fleisch in Streifchen schneiden. *Niere oder Leber schnetzeln, mit der geschnittenen Zwiebel ins heiße Bratfett geben, bei guter Hitze so lange rühren, bis das Fleisch nicht mehr rot ist* (Zürcher Hausbuch 94). →G 097. →**Geschnetzeltes.**

Schnitz, der; -es, -e (auch bdt. landsch.): kleineres geschnittenes Stück [gedörrtes] Obst; // Apfelsinen-, Zitronenspalte. *Zum Nachtisch ein wässeriges Kompott von zu wenig gereiften Birnen ... Bei dem sparsamen Kochen blieben die Schnitze von geradezu harthölziger Widerspenstigkeit* (Welti, Puritaner 462). *Die Orangen sorgfältig schälen, in Schnitze teilen (alle weißen Häutchen entfernen) oder in Scheiben schneiden* (Fülscher, Kochbuch, Nr. 1116). →**Apfel-, Birnen-, Orangen-, Zitronenschnitz.**

schnöd (auch südd., österr.; sonst selten) ≠ schnöde. *Die so schnöd im Stich gelassenen Kameraden* (Humm, Linsengericht 226; Nachwort von E. Streiff). *Die Sightseeing-Tour* [führte] *in den letzten Jahren nicht mehr auf die Plattform ...* [sie] *machte schnöd einen Bogen um die „Pläfe"* (Bund 12. 10. 87, 22). →G 087.

schnödeln: sich [leicht] abfällig oder spöttisch äußern, sich mokieren. *In meiner ersten Skizze habe ich ein ganz klein wenig über die Beschaffenheit des Militärhosenstoffes geschnödelt* (National-Ztg. 7. 10. 68). →G 097.

schnöden: geringschätzig, abfällig über jmdn./etw. sprechen. *Sie schnöden über einen Maler, den ich nicht kenne, sie nennen ihn einen Scharlatan* (Frisch, Tageb. 1946/49, 14).

schnorren (abwertend): [viel, laut, unnütz] daherreden, das große Wort führen, maulen (bdt.: sich [immer wieder] in der Art eines Bettlers an jmdn. wenden). *Schnorr nicht soviel* (Frisch, Andorra 35). *Leutnant Tobler ... schätzte Füsilier Bär und hätte ihn nicht gegen drei Stillere eingetauscht, er sah voraus, daß dieser wohlgelaunte Bursche zwar immer witzeln, schnorren und schimpfen, aber nicht versagen würde* (Inglin, Schweizerspiegel 213).

Schnuderbub, der; -en, -en (derb) // Rotzbengel, -junge. *„Der junge Schnuderbub", sagt der Polizist. Der Ausdruck stößt beim Publikum ... erst auf zögernde Zeichen von Solidarität. „Selber jung", ruft Andres* (Muschg, Mitgespielt 370).

Schnupperlehre, die; -, -n (auch österr.): mehrtägige Mitarbeit eines Schulabgängers in einem Betrieb, vor der Berufswahl; Probelehre. *Wir bieten einer Anzahl* [von] *Jünglingen Gelegenheit ... in eine Feinmechanikerlehre einzutreten. In einer 1–2wöchigen Schnupperlehre lernt der Anwärter Beruf und Betrieb näher kennen* (National-Ztg. 4. 10. 68, 16; Inserat). *1978/79 haben 70 Prozent der Lehrlinge eine Schnupperlehre absolviert* (Aargauer Tagbl. 21. 2. 87).

schnuppern: auch svw. eine →Schnupperlehre absolvieren. *Interessenten, welche einmal in einem neuzeitlichen Kleinbetrieb schnuppern möchten, melden sich bei H. R. J., Kaminfegermeister* (Aargauer Tagbl., Jan. 1987; Inserat).

Schoggi ['ʃɔk'ɪ], die; - ⟨o. Pl.⟩: Kurzform (mundartnah, familiär) für Schokolade; →G 096. *Schoggihasen dank kühler Witterung praktisch ausverkauft* (NZZ 9. 4. 80, 7). *Ein Ge-*

stammel in einer Sprache, die an die Bruchschoggi erinnert, die man jeweils bei der Besichtigung einer Schokoladenfabrik bekommt (NZZ 6. 5. 88, 53).

Schoggitaler, der; -s, -: großer goldener Schokoladetaler, der jedes Jahr vom Schweizer Heimatschutz auf den Straßen verkauft wird.

Schopf, der; -[e]s, Schöpfe: auch (wie [seltener] bdt. landsch.) svw. — Schuppen (kleines [hölzernes] Nebengebäude zum Einstellen von Gartengeräten, Fahrrädern, Brennholz usw.). *Ich gehe in den Schopf und hole Holz* (Loos, Mond 124). *Zu verkaufen* [auf dem Land] *Einfamilienhaus ... mit freistehender Garage, angebautem Schopf, gedecktem Sitzplatz* (Aargauer Tagbl. 27. 2. 87, 46; Inserat).

schöpfen: auch (mundartnah) svw. (sich oder andern Essen aus der Schüssel auf den Teller geben ‹auch intr.› (bdt. nur ‹trans.› mit Bez. auf Flüssigkeiten: Suppe auf die Teller schöpfen). *Darauf* [nach dem Tischgebet] *schöpften wir uns der Reihe nach die Teller voll* (Oehninger, Kriechspur 468). *Anna bringt Besteck, einen Teller, ein Glas und schöpft dem Fremden* (Junge Schweizer 135).

schöppeln ‹ich schöppele› (mundartnah): **1.** (auch bdt. landsch.) gern, gewohnheitsmäßig (einen Schoppen) trinken. **2.** einem Kind die Flasche geben. *Eine „Schnupperlehrtochter" wird von einer erfahrenen Schwester angeleitet, einen ... Säugling zu schöppeln* (NZZ 1969, 256, 25). →G 098.

Schoppen, der: auch (wie südd.) svw. Säuglingsflasche, Säuglingsmahlzeit in der Flasche. *Nie hätte es* [das Puppenkind] *sich zu beklagen gehabt, daß es den Schoppen nicht zur rechten Zeit bekomme* (Beobachter). *In der Sternwarte arbeiten, und zu Hause ein Kind unter der Obhut ihrer Schwester, die sich nach Windelnwickeln und Schoppenwärmen sehnte* (Humm, Universität 32).

Schoß (junger Trieb an Bäumen, Sträuchern): das — der; →G 076.

Schotte, die; - (auch südd.) — Molke, Käsewasser. *Bei der Sennhütte blieb er stehen und schaute dem Senn eine Weile zu, wie er Schotte für die Schweine bereitstellte* (Honegger, Morgen 116). *Die* [Alp-]*Schweine haben Auslauf, werden extensiv gehalten und mit Schotte gefüttert* (NZZ 17. 2. 88, 23).

Schragen, der; -s, - (bdt. geh., veraltend; noch landsch.): Klappbett, Feldbett, Totenbett; heute insbes.: Untersuchungsliege des Arztes, Operationstisch. *Könnt ihr denn nicht warten, bis ich vollends auf dem Schragen liege? Wollt ihr mich bei lebendigem Leibe begraben?* (Spitteler IV 213: Conrad der Leutnant). *„Machen Sie sich bitte frei." ... Ulrich legte sich auf den Schragen. Das Kunstleder übertrug nackte Kühle auf die Haut. Der Arzt maß seinen Blutdruck* (Muschg, Mitgespielt 156). *Da finde ich dich nun wieder ... sitzend vor einem Schragen, der jenem ähnlich ist, auf dem ich einmal gelegen bin in ... Stutthof bei Danzig* (Dürrenmatt, Verdacht 149; vorher: *So lag er da, vor dem Operationstisch*).

Schreiber, der: auch svw. Schriftführer, Sekretär einer Behörde oder eines Vereins; doch häufiger →**Aktuar;** hingegen ganz üblich in Zusammensetzungen wie →**Gemeinde(rats)schreiber, Gerichtsschreiber, Landschreiber, Staatsschreiber, Stadtschreiber.**

Schriften, die ‹Pl.›, (amtl.:) **Ausweisschriften** // Papiere (amtliche Ausweise, Personaldokumente). *Personen, die sich ... nicht länger als 3 Monate in Bern aufhalten, müssen hier keine Schriften hinterlegen* (Stadtanz. Bern 15. 11. 88, 1; amtl. Bekanntmachung). *Seine Schriften gab er* [ein Heimkehrer aus Kalifornien] *mir in der Ordnung ab. Sie müssen wissen, ich war damals auch Sindaco* (Frühling der Gegenw., Erz. III 230: Ad. Haller).

Schriftenempfangsschein, der; -[e]s, -e: ein Personaldokument: Bestätigung der Gemeinde über die

Hinterlegung des →Heimatscheins (wozu alle schweiz. Einwohner verpflichtet sind, die nicht das Bürgerrecht dieser Gemeinde besitzen).

Schriftenkontrolle, die; - // (Einwohner-)Meldeamt. *Walter Sch., der altershalber ... seine Stelle als Angestellter der Schriftenkontrolle verläßt, wurden die jahrzehntelangen Dienste bei der Gemeindeverwaltung verdankt.* →**Einwohnerkontrolle.**

Schrund, der; -[e]s, Schründe (auch österr., sonst selten): Schlucht, Fels-, Gletscherspalte. *Das nun kaum noch hörbare Wasser lief in einem schwärzlichen Schrund, und von der obersten Höhe der jenseitigen ... Gräte zogen tiefe Runsen zu ihm hinab* (Welti, Puritaner 367). *Es ist möglich, daß ihre Leichen in einem der Schründe im untern Teil der Wand in der Gegend der Eigerwandstation liegen* (NZZ). *Der aus den Bergen und Schründen des Glarnerlandes kommende, rauhbeinige Schweizer,* der Schriftsteller Ludwig Hohl (Salis, Müßiggänger 161).

schruppen — scheuern, // schrubben. *Nach dem Ball wollte Henriette ... im Hause Ordnung schaffen, schruppen, spülen, Betten machen und polieren* (Bestand und Versuch 732: G. Trottmann). *Er wusch den Lehm* [von den Armen] *ab und begann wieder zu schmieren. Er war ganz versessen aufs Schruppen, Waschen, auf Nässe* (Boesch, Fliegenfalle 50).

Schrupper, der; -s, - // Schrubber (Scheuerbürste mit langem Stiel). *Wo sie Linde ... dabei fand, mit dem Lumpen um den langen Schrupper den Boden unter dem Bett aufzuwaschen* (Schaffner, Dechant 193). →**Strupper.**

schubladisieren (zunächst ironisch): in einer Schublade verschwinden lassen. *Man ... möchte aber auch der Hoffnung Ausdruck geben, daß die VBZ* [Verkehrsbetriebe der Stadt Zürich] *die Postulate nicht einfach schubladisieren, sondern im Rahmen des Tragbaren berücksichtigen* (NZZ). →G 102. Dazu **Schubladisierung:** *Die Frauen finden, die Verwirklichung der politischen Frauenrechte sei eine staatspolitische Aufgabe ... von höchster Dringlichkeit. Selbstverständlich ist sie das! Der beste Beweis dafür ist doch die Schubladisierung der Motion* (Nebelspalter 1966, 43, 23).

Schübling ['ʃʏblɪŋ] (auch südd.) / **Schüblig** [...lɪg], der; -s, -e: leicht geräucherte Wurst aus Schweinefleisch; bes. bekannt ist der (lange) **Sankt Galler Schübli[n]g.** *Bei Bratwurst, Schüblig oder Wienerli, dem entsprechenden Getränk und bei fröhlicher Geselligkeit,* beschlossen die Schweizer in Rio de Janeiro die Bundesfeier (NZZ 11. 8. 87, 13). *Wir saßen im Degersheimer Sternen und verzehrten einen Sankt Galler Schübling* (Amann, Verirren 114).

Schüfeli ['ʃy:ɣəlɪ], das; -s, - (bdt. alem.: Schäufele): Schulterblatt des Schweines. *Ein gekochtes Rippli, Schüfeli oder geräucherter Speck in der Suppe – das ist Suppen-Lunch!* (Beobachter; Inserat). *Maximale Preise: Salontischli, Pendulen ... Goldvreneli ... Speckseiten, Schüfeli, Hammen usw.* (Blick 1968, 235, 7). →G 105.

Schugger, Tschugger ['ʃʊk'ər, 'tʃ...], der; -s, - (salopp, abwertend) — Polizist. *Die beiden Schugger begrüßten sich, tauschten Schriftstücke aus* (Steiner, Strafarbeit 11). *Da macht man im Grenzdienst jahrelang den ganzen Krampf mit ...; nachher wird man zum Dank dafür aus der Stellung geschmissen, und zuletzt haut einem so ein verdammter Tschugger noch im Namen des lieben Vaterlandes den Säbel ins Gefräß* (Inglin, Schweizerspiegel 533).

Schuh, der: ***neben den Schuhen stehen** — (ugs.:) falsch liegen. *Mit der Kritik an den Helikopterflügen von Maria Walliser steht R. Z. nun wirklich neben den Schuhen* (Bund 5. 3. 87, 35; Leserbrief). ***einen Schuh voll herausziehen** — Haare lassen müssen, gehörig Schaden nehmen. *Der Alte wollte ... seinen Bankerott erklären* [doch ich habe] *ihm bewiesen, daß* *seine Bilanz, trotz aller Börsenverluste, aktiv geblieben ist ... Natürlich haben wir einen tüchtigen Schuh voll herausgezogen* (Guggenheim, Salz 234). ***jmdm. in die Schuhe blasen** (mundartnah, derb) — jmdm. den Buckel hinaufsteigen (als Ausdruck der Abweisung). *Sie hatten nicht die geringste Lust ... Er konnte ihnen, offengestanden, wirklich in die Schuhe blasen, dieser Vetter* (Frisch, Die Schwierigen 189).

Schuhbändel, der; -s, - // Schuhband, Schnürsenkel. *Eine Gamelle, eine Feldflasche ... Schuhbändel, eine Anstreichbürste mit Futteral ...* [persönliche Ausrüstungsgegenstände eines Soldaten] (Frisch, Stiller 149). *Ich verkaufte Schuhbändel, Schwitter, Schuhbändel, bevor ich in der Abbruchbranche landete* (Dürrenmatt, Meteor 27). →G 124/1.

Schulbub, der (auch südd., österr.) — Schuljunge. *Doch schien sie nicht ganz sicher, ob ich als Herrensöhnchen oder noch als Schulbub zu behandeln sei* (Inglin, Amberg 121). *Eine Gruppe Schulbuben übt in der Curlinghalle in W. die Steinabgabe* (NZZ 8. 2. 88, 26; Bildunterschrift). *Ertappt wie ein Schulbub* (Geiser, Wüstenfahrt 234).

Schuldbetreibung →Betreibung.

Schuldbrief, der (Recht) // Hypothekenbrief (vom Grundbuchamt ausgestellte Urkunde über die Rechte aus einer Hypothek). (Bdt. „Schuldbrief" ist svw. Schuldschein.)

Schuldenruf, der; -[e]s, -e (Recht): öffentliche Aufforderung zur fristgemäßen Anmeldung von Forderungen (z. B. im Konkursverfahren).

Schulgemeinde, die; -, -n (in mehreren Kantonen): öffentlich-rechtlicher Verband zur Führung der Volksschule, welcher mehrere politische oder Einwohnergemeinden umfassen kann (bdt.: Gesamtheit der Lehrer, Schüler und Eltern einer Schule); **→Gemeinde.**

Schulkommission, die; -, -en (in AR, BE, SO, VS, ZG): Exekutivorgan der →Schulgemeinde bzw. Aufsichts- und Leitungsorgan der politischen Gemeinde für die Volksschule. *Die Tätigkeiten deiner Frau – in der Schulkommission, dem Kirchgemeinderat, dem Landfrauenverein des Bauerndorfes* (Geiser, Wüstenfahrt 242). **→Schulpflege, -rat.**

Schulpflege, die; -, -n (in AG, BL, LU, ZH): svw. **→Schulkommission.** Dazu **Schulpfleger,** der: Mitglied der Schulpflege.

Schulrat, der; -[e]s, ...räte (in AI, GL, GR, NW, OW, SG, SZ, UR): **a)** svw. **→Schulkommission. b)** Mitglied des Schulrates (a). (Bdt.: Beamter der Schulaufsichtsbehörde).

Schulsack, der; -[e]s, ...säcke: **a)** # Schulranzen. *Matthäi hatte sich gerade ... erhoben, um das Mädchen abzuholen, als es daherkam, den Schulsack auf dem Rücken* (Dürrenmatt, Versprechen 176). **b)** (übertr.) — Schulbildung. *Ich habe als Universitätslehrer jenseits des Atlantik drei Jahre lang mitgeholfen, erbärmliche Lücken im Schulsack der dortigen Maturanden zu stopfen* (Schweizer Spiegel 1961, 6, 20). *Daß ... ihr Schulsack sie* [einzelne Mitarbeiter des Radios] *für ihre Aufgabe und die damit verbundene Verantwortung in keiner Weise legitimiert* (NZZ 31. 7. 85, 25).

Schulterschluß, der; ...sses: enges Zusammenrücken, Zusammengehen. *Der die Forschung kennzeichnende rasante Wandel habe einen Schulterschluß zwischen Forschung, Staat und Wirtschaft unabdingbar gemacht* (NZZ 24. 6. 87, 21). ***im Schulterschluß:** eng beisammen, Schulter an Schulter, in Tuchfühlung. *Man wird sich seine mit Leidenschaft gepflegte Bücherei kaum weitherzig genug vorstellen ... In den hohen Regalen ... stand die Welt im Schulterschluß, Kanonisches und Apokryphes* (Kopp, Pegasus 8).

Schultheiß, der; -en, -en (im Kt. Luzern): Präsident der Kantonsregierung. *Neuer Schultheiß des Standes Luzern* [Überschrift] *... Das Amt des Schultheißen (Regierungspräsident)* *bekleidet im kommenden Jahr Regierungsrat Werner Kurzmeyer* (NZZ 27. 11. 69). →**Regierungspräsident, Landammann.**

Schulthek [...te:k], der; -s, -e (mundartnah) ≠ Schulranzen. *Schulferien. Der Schulthek bleibt zu Hause, das Geplauder und Getuschel geht um ganz andere Dinge* (Freier Aargauer 15. 7. 70). *Katrin, Erstkläßlerin und passionierte Frühaufsteherin, kontrolliert zum xtenmal den Inhalt ihres Schultheks und fragt ... ob sie nun nicht endlich gehen könne* (Nebelspalter 1969, 41, 44). →**Schulsack.**

Schupf, der; -[e]s, Schüpfe (mundartnah; auch südd.) — [leichter] Stoß, // (ugs.:) Schubs. *Um wenn möglich den Gesprächen über die Kanalzone einen Schupf nach vorne zu geben* (NZZ 3. 12. 76, 1). *Um dem anhaltend stagnierenden Konzern mangels eigener Wachstumsimpulse wenigstens einen akquisitorischen „Schupf" zu versetzen* (NZZ 19. 5. 87, 31).

schupfen (auch südd., österr.) / (im Westen:) **schüpfen** — stoßen, anstoßen; jmdn./etw. durch plötzliches Anstoßen in eine bestimmte Richtung in Bewegung bringen; jmdm. einen Stoß versetzen. *Sie ... schoben ihn geschwind in den Hausgang ...* [Dann] *schupfte er die Schwester nach, schmetterte die Türe zu* (Spitteler IV 213: Conrad der Leutnant). *Einem ... haltlosen Vagabunden und Sexualneurotiker, der nie ein rechtes Zuhause ... kannte, vielmehr als Pflegebub mehr oder weniger herumgeschüpft wurde* (Bund 14. 10. 68, 32). →**verschupfen.**

schutten, tschut[t]en ['ʃutən, tʃ..., tʃu:tən] (mundartl.) — Fußball spielen. *Wann tschuttet wer gegen wen wo? Der Wettspielkalender der Aargauer Nationalliga-Vereine* (Aargauer Kurier 14. 8. 68; Überschrift). *Wenn wir nicht mehr siegen wollen, können wir ja aufhören zu tschutten* (Muschg, Mitgespielt 96). *Meinen ... Freunden in Bern möchte ich zeigen, daß ich das Schutten nicht verlernt habe* (Bund 9. 10. 87, 37).

Schüttstein, der; -[e]s, -e // Spülstein, Ausguß. *Unter einer Dachschräge ... muß es so etwas wie eine Küche gegeben haben, Schüttstein aus rotem Terrazzo, Gasherdchen, Schrank mit allerlei kunterbuntem Geschirr* (Frisch, Stiller 337). *Unzweckmäßig ist ein Schüttstein mit nur einem Spülbecken, da man darin nicht gleichzeitig Geschirr waschen und klarspülen kann* (National-Ztg. 4. 10. 68, 13). →**Spültrog.**

Schwab, der; -en, -en (mundartnah): abweisende Bezeichnung für den Deutschen schlechthin. *In der kleinen Schweizerkolonie* [in Holländisch Indien] *hatten wir die größte Mühe, nicht für Schwaben angesehen zu werden, denn durch die Sparsamkeit Berns waren wir bis zu Kriegsausbruch dem Schutz des deutschen Konsulates unterstellt gewesen* (Welti, Puritaner 55). *„Die Schwaben haben im Westen losgeschlagen ... In Belgien und Holland"* (Honegger, Morgen 17). →**Sauschwab.**

schwadern (auch südd.): sich plätschernd und spritzend im Wasser bewegen. *Er geht ins Wasser ... hockt sich schnell nieder ... macht noch zwei Schritte, schwadert mit den Armen, daß es um ihn schäumt* (Frei, Nacht 136).

Schwamm, der: auch (wie südd., österr.) svw. — Pilz. *Er käme aufs Abendessen, und wahrscheinlich brächte er Schwämme* (Frisch, Die Schwierigen 119).

Schwanen, der (Gastwirtschaftsname) →G 068.

Schwarzbub, der; -en, -en: [Spitzname für den] Einwohner der nördlichen Teile des Kantons Solothurn (Amtei Dorneck-Thierstein). *Der Gemeindeschreiber von Meltingen benützte die Gelegenheit, um den Heimatschützlern von „ennet dem Berg" die Anliegen der Schwarzbuben in Erinnerung zu rufen* (National-Ztg. 1968, 453, 6). **Schwarzbubenland,** das: die solothurnische Amtei Dorneck-Thierstein.

Schweinsbrägel, der; -s (in BE) // Schweinsragout. →**Voressen.**

Schweinsbraten, der; -s, - (auch südd., österr.) // Schweinebraten. *Gedämpfter Schweinsbraten* (Fülscher, Kochbuch, Nr. 764). *Sie hatte die Achtuhrmesse besucht und nachher das Sonntagsessen bereitet, den obligaten Schweinsbraten langsam im Schmortopf gar werden lassen* (Blatter, Heimweh 265). →G 149, 3). Ebenso **Schweinscotelette, -filet, -gulasch, -stotzen.**

schweizerdeutsch ⟨Adj.⟩: alemannisch, wie der Deutschschweizer im Alltag allg. spricht, von Gegend zu Gegend verschieden, meist nach Kantonen (und deren Teilen) unterschieden: baseldeutsch, baselbieterdeutsch, berndeutsch usw. *Daß wir natürlich schweizerdeutsch sprachen* (Dürrenmatt, Versprechen 203). →**schweizerhochdeutsch.**

Schweizerdeutsch, das; -s, **Schweizerdeutsche,** das; -n: das Alemannisch der Schweizer; die Mundart = Umgangssprache der deutschsprachigen Schweizer. *Ich hatte nichts hier verloren und konnte mich nicht rechtfertigen; nur Salü sagte ich, auf Schweizerdeutsch, vor Schreck* (Geiser, Wüstenfahrt 95). →**Schweizerhochdeutsch[e].** →G 153/2.

Schweizerhaus, das; -es: auch (Politik) svw. die Schweiz, vorgestellt als Haus, in dem die Schweizer wie eine Familie zusammen wohnen. *Nachdem die schweizerischen Aktivbürger die Zeichen der Zeit nicht verstanden und den fälligen Umbau und Ausbau des Schweizerhauses nicht vorgenommen haben ...* (NZZ). *Eine solche unseriöse und gewissenlose Journalistik ... stört das gute Einvernehmen zwischen Miteidgenossen im schönen Schweizerhaus* ([Entgegnung der] Gemeindeverwaltung Saas Fee, in NZZ 1963, Bl. 3862). *Die Wahlen hätten sich durch eine bemerkenswerte Stabilität und Kontinuität ausgezeichnet. „Das politische Schweizerhaus ist nicht erschüttert worden", meinte der Aargauer Ständerat* (Badener Tagbl. 2. 11. 87, 1). →G 153/2.

Schweizerhochdeutsch, das; - / **Schweizerhochdeutsche,** das; -n: die Spielart der deutschen Hochsprache (Standardsprache), wie sie in der deutschen Schweiz im Gebrauch ist. (Ihre Besonderheiten, namentl. im Wortschatz, behandelt das vorliegende Buch). →G 153/2.

Schweizerknabe, der; -n, -n: iron. für den Schweizer (nach dem Lied: „Ich bin ein Schweizerknabe und hab' die Heimat lieb ..."). *Daß den Rüdlingern ein Punkteabzug zugemutet wurde, weil einer ihrer Sänger ... eine Hand in der Hosentasche behalten hatte, ging uns Schweizerknaben nun doch über die Hutschnur* (Schweizer Spiegel 1962, 7, 33). *Das schließt hoffentlich mit ein, daß bei Empfängen auf den Botschaften der Okkupationsstaaten nicht mit einem Großaufgebot hoch- und höchstgestellter „Schweizerknaben" ihr schändliches Vorgehen honoriert wird* (Bund 4. 10. 68). *Da saß ich also, ein bestandener Schweizerknabe, an der Küste des Mittelländischen Meeres* (Guggenheim, Friede 154). →G 153/1.

Schweizerkreuz, das; -es, -e: das weiße Kreuz im roten Feld des Wappens und der Fahne der Schweiz; →G 153/2.

Schweizerland, das; -[e]s (gemütlich bis feierlich, auch scherzh.): die Schweiz. *Man klagt, daß da und dort im Schweizerlande Häftlinge allzu leicht ausbrechen können* (Nebelspalter 1964, 23, 39). *Es mögen allerdings nicht alle gleich sein in unserem Schweizerlande; doch ...* (Keller IV 191: Gr. Heinrich).

Schweizerpsalm, der; -[e]s: die (seit 1981) offizielle Nationalhymne „Trittst im Morgenrot daher ..." (Text von Leonhard Widmer, 1808–1868, Melodie von Alberik Zwyssig, 1808–1854). *Wir sangen gemeinsam den Schweizerpsalm* (Wiesner, Schauplätze 112). →G 153/2.

schwellen ‹sw. V.›: auch (wie bdt. landsch.) svw. im Wasser gar kochen. *Die Bratwürste schwellen (d. h. ca. 10 Min. in heißes Wasser von ca. 70° legen)* (Fülscher, Kochb., Nr. 741). **geschwellte Kartoffeln,** auch kurz **Geschwellte:** in der Schale gekochte Kartoffeln, // Pellkartoffeln. *Am Abendtisch, der ... mit Zichorienkaffee und geschwellten Kartoffeln gedeckt war* (Guggenheim, Alles in allem 49).

Schwingbesen, der (Küche) // Schneebesen.

schwingen ‹st. V.›: auch svw. **1.** (Küche) (schaumig) schlagen. *Alle Zutaten in einem Pfännchen ... tüchtig verrühren. Die Sauce im Wasserbad schwingen, bis sie dicklich und schaumig geworden ist* (Fülscher, Kochbuch, Nr. 565). **2.** (Sport) ringen, indem man den Gegner durch bestimmte Griffe und Schwünge zu Boden zu werfen sucht; urspr. ein Kampfspiel der Hirten im Alpen- und Voralpengebiet der Innerschweiz und des Kantons Bern. →(zu 1) **Nidel;** (zu 2) **Ausschwingen, obenauf-, obenausschwingen.**

Schwinger, der; -s, -: auch svw. Wettkämpfer im „Schwingen".

Schwinget, der; -s, -e: Wettkampfveranstaltung im „Schwingen". *Aus ... schrie der Schiedsrichter am traditionellen Brünig-Schwinget, welcher am Sonntag vor einer malerischen Kulisse abgewickelt wurde* (Aargauer Tagbl. 27. 7. 70; Bildunterschrift). *Der die Saison abschließende Unspunnen-Schwinget* (NZZ 21. 5. 87, 60). →G 111.

schwyzerdütsch, -tü[ü]tsch ['ʃvi:tsər..., 'ʃvitsərdytʃ, ...tytʃ, ...ty:tʃ]: mundartliche Formen von →**schweizerdeutsch.**

schwyzerisch ['ʃvi:tsərɪʃ]: den Kanton Schwyz betreffend, aus ihm stammend.

Sechseläuten, das; -s: das Stadtzürcher Frühlingsfest im April mit Kinderumzug am Sonntag und Umzug der Zünfte, Verbrennung des →Böögg und abendlichen gegenseitigen Besuchen der Zünfte auf ihren Stuben am Montag; von dann an wird sommersüber um 18 Uhr Feierabend geläutet.

Sechser, der; -s, -: **1. a)** Angehöriger des Jahrgang (19)06. *Er ist ein Sechser, er wird 82.* **b)** Wein des Jahrgangs (19)06. **2.** (auch bdt. landsch.) — die Sechs. **a)** Ziffer 6. **b)** sechs Augen auf dem Würfel. *Zwölf Würfel und nur zwei Sechser!* (Schuhmacher, Rechnung 95). **c)** Zeugnisnote 6 (die beste!). *Ein Sechser in Mathematik.* **d)** [Wagen der] Straßenbahn-, Buslinie 6. *Abschied vom alten Sechser* [Überschr.]. *Wie bereits kurz gemeldet, sind die alten Zweiachswagen der Linie 6 am Freitag zum letztenmal gefahren* (NZZ 10. 7. 72). →**Achter.**

Sechserzimmer, das; -s, - // Sechsbettzimmer. *78 Betten* [eines Krankenhauses sind] *in Sechserzimmern untergebracht* (NZZ 30. 12. 86, 29). →G 152. →**Dreierzimmer.**

Sechsplätzer, der; -s, - // Sechssitzer (Wagen, Auto mit 6 Sitzplätzen). *„du fährst doch mit uns? ... Wir hätten alle so gut Platz! Ich habe einen geschlossenen Sechsplätzer bestellt"* (Inglin, Schweizerspiegel 592).

Sechstel, der # das; -s, -. *Das Wappen der Eidgenossenschaft ist im roten Felde ein aufrechtes, freistehendes weißes Kreuz, dessen unter sich gleiche Arme je einen Sechstel länger als breit sind* (St. Galler Tagbl. 3. 10. 68; Inserat). →G 076.

Sechstkläßler, der; -s, -: Schüler der 6. Klasse (Primarschule, Gymnasium). *Joseph, der Sechstkläßler, ein hochaufgeschossener und breitschultriger Bursche schon* (Guggenheim, Alles in allem 128). →G 118.

Seckelmeister →**Säckelmeister.**

Securitaswächter, der; -s, -/**Securitasmann,** der; -[e]s, ...männer und ...mannen: Wächter der ältesten und bekanntesten schweiz. Wach- und Schließgesellschaft ‚Securitas'. *Der Polizist Gerber und der Securitaswächter Brenneisen, die Bötzinger von der Straße heraufholte, erbrachen die Türe* *mit Gewalt* (Dürrenmatt, Verdacht 124). *Und vor den Türen stehen Securitasmannen und tun ihre Pflicht* (Nebelspalter 1964, 13, 18).

Seeanstoß, der; -es: Anrainerschaft an einen See; Land, das unmittelbar an einen See grenzt. *Zu verkaufen ... modernes Landhaus mit Seeanstoß, ... Bojenplatz und Landungssteg vorhanden* (NZZ 10. 9. 68; Inserat). *Grundsätzlich ist die Notwendigkeit der Schaffung beziehungsweise Vermehrung von öffentlich zugänglichem Seeanstoß im ganzen Ufergebiet unbestritten* (NZZ 9. 12. 75, 15). →**Anstoß.**

Seeanstößer, der; -s, - ⧣ Seeanrainer. *Die deutschen und österreichischen Seeanstößer werden sich an der Aktion ebenfalls beteiligen* (St. Galler Tagbl. 18. 10. 68).

Seebub, der; -en, -en: wer in einer Zürichseeufergemeinde zu Hause bzw. aufgewachsen ist. *Die majestätisch durch den See pflügenden Salondampfer sind stolze Einheiten, deren blitzblanke, stampfende Maschinen jedes Seebubenherz höher schlagen lassen* (Schweizer Spiegel 1963, 9, 100).

Seebutz, der; -en, -en: Einwohner des Berner Seelandes (um den Bielersee).

Seegfrörni, (stand., veraltet:) **Seeg[e]frörne,** die; -, ...rnen: das Zufrieren, Zugefrorensein eines Sees. *Das Ereignis einer totalen „Seegfrörni" – der Dialektausdruck ist durch kein ebenbürtiges Wort der Schriftsprache zu ersetzen – ist in Zürich seit dem Jahre 1233 nur 26mal eingetreten* (NZZ 25. 1. 63). Im Januar 1963, als nicht nur der Zürichsee, sondern zum erstenmal seit 1830 auch der Bodensee vollständig zugefroren war, übernahm auch die deutsche Presse allgemein das ebenso auf der deutschen Seite des Sees geläufige Wort und redete – mit und ohne Anführungszeichen – von der „Seegfrörni" (Kaiser II 32). →(zur Beugung) G 074.

Seeland, das; -[e]s: die Gegend rund um den Bielersee und südöstlich desselben, ein Landesteil des Kantons Bern, umfassend die Amtsbezirke Biel, Nidau, Büren, Aarberg und Erlach.

Seelenschmetter, der; -s (mundartnah; abwertend): Niedergeschlagenheit, Trübsal, Melancholie. *Hat sie mir gestern ihre Hand überlassen, um dem vorzubeugen, daß ich mich wie damals jämmerlich betrank, um meinen Seelenschmetter loszuwerden?* (Landert, Koitzsch 11). *Zu drei Tagen scharfem Arrest ... verurteilte das Divisionsgericht 3 einen Rekruten, der nach dem „Seelenschmetter" in der Folge einer aufgelösten Liebe seinen Sonntagsurlaub um einen Tag ausgedehnt hatte und kurzerhand nach Amsterdam geflogen war* (NZZ 1968, 295, 18).

Seetal, das; -s: das Tal des Hallwiler- und des Baldeggersees zwischen Seon und Hochdorf in den Kantonen Aargau und Luzern.

sehen: *zu jmdm./etw. sehen — nach jmdm./etw. sehen, sich um jmdn./etw. kümmern. *Ab und zu sehe jeweils ein Securitas-Wächter zu den Eingeschlossenen* (Freier Aargauer 10. 2. 70). ***zum Rechten sehen** — nach dem Rechten sehen, dafür sorgen, daß alles in Ordnung ist (und bleibt). *Nachdem ... seine Frau im hinteren Wagen Platz genommen hatte, um dort während der Fahrt zum Rechten zu sehen* (Heimann, Söhne 51). →**schauen.**

Seilziehen, das // Tauziehen. *Seilziehen um die Zürcher Höhenkliniken in Graubünden* (NZZ 5. 12. 77, 27; Überschrift). *Ist ... der vierte Operationssaal ... das Resultat eines erfolgreichen Seilziehens mit der Gesundheitsdirektion?* (NZZ 8./9. 8. 87, 49).

sein ⟨unr. V.⟩: *(er will o. ä.) **sich selber/selbst sein** (bzw. bleiben/werden) — er selber/selbst • Schweiz. sehr gebr., doch ein Verstoß gegen eine zentrale Regel des deutschen Satzbaus: Das Prädikativ (nach der alten Terminologie) steht im Nominativ; neu nennt man das Satzglied denn auch Gleichsetzungsnominativ. Korrekt ist dies *sich* usw. durch *er* usw. zu ersetzen: *Ich muß wieder einmal mich* *selbst sein können* (Guggenheim, Alles in allem 391 – ich selbst). *„Ich bin doch seine Tochter.“ „Und ich sein Bruder. Was geht uns das an? Du bist jetzt dich selbst, Bea“* (Herbert Meier, Stiefelchen 87 – du selbst). *Er ist sich selbst* (Frisch, Gantenbein 79 – er selbst). *Laßt Reagan sich selbst sein, „let Reagan be Reagan“, riefen diese Leute immer wieder* (NZZ 25./26. 6. 88, 1 – er selbst). *Ungeachtet ihrer Gäste bleibt die Konditorei immer sich selbst* (NZZ 2. 4. 87, 67 – sie selbst). *Nichts ist sich selber in dieser Welt, alles ist Lüge* (Dürrenmatt, Verdacht 109 – es selber). *Nur eines müsse Moskau verstehen: „Wir fordern nicht viel. Laßt uns uns selber sein ...“* (NZZ 2. 11. 88, 5) – wir selber). *Hier ist ihr lebendiger Kern, hier sind sie sich selbst* (Guggenheim, Friede 158 – sie selbst). Frisch (vgl. Schenker 108 ff.) und Dürrenmatt haben z. T. in diesem Sinne korrigiert (oder korrigieren lassen). Schwieriger wird es bei unbestimmtem Subjekt *man* oder ohne Subjekt in Infinitivkonstruktion, denn „man selber“ ist nicht befriedigend: *Aufrichtigkeit ist Gottesnähe ... Da ist man ganz sich selbst* (Kübler, Öppi und Eva 337). *Gottfried Kellers eindringliche, vielfach variierte Predigt: sich zu bescheiden und immer sich selbst zu sein* (C. F. Meyer VII 182). *Frei sein bedeutete Verantwortung, den Auftrag, sich selbst zu werden* (Guggenheim, Seldwyla 39). *Sich anpassen und doch sich selber bleiben* (NZZ 12./13. 12. 87, 23). Glinz, Die innere Form des Deutschen, 1952, S. 169, sagt dazu: „Die Setzung des Akkusativs statt des Nominativs, der Zielgröße statt der Gleichgröße, ist aus der Unvollkommenheit des vorliegenden Sprachsystems durchaus begreiflich.“ Trotzdem sei der sorgfältige Sprachbenutzer gewarnt! •

Sektionschef, der; -s, -s: **1.** Dienstgrad in der Bundesverwaltung und in kantonalen Verwaltungen, dem „Abteilungschef“ untergeordnet. **2.** Chef der Kontrolle über die Militärdienstpflichtigen in der Gemeinde. *Infolge Wegzug des bisherigen Inhabers wird der Posten des Sektionschefs zur Neubesetzung ausgeschrieben ... Anmeldung an den Gemeinderat Staffelbach* (Landanzeiger 5. 9. 68). *„Wer ist der Lehrer Schwomm?“ ... „Er ist an der Sekundarschule, er ist Gemeindeschreiber, auch Sektionschef, und den gemischten Chor leitet er auch ...“* (Glauser II 72: Wachtmeister Studer).

Sekundarlehrer, der: Lehrer an einer → **Sekundarschule.**

Sekundarschule, die; -, -n (in fast allen Kantonen der deutschen Schweiz): einer der Stränge der oberen Volksschule (Sekundarstufe I: vom 5., 6. oder 7. bis zum 8. oder 9. Schuljahr); Stellung im Schulsystem, Anschlußmöglichkeiten usw. variieren aber fast von Kanton zu Kanton.

...sekündig — ... Sekunden dauernd. *Jede Minute gab der Sender ein einsekündiges Signal an einen Satelliten ab* (NZZ 7. 6. 88, 9). → G 131/3.

Selbständigerwerbende, der/die; -n, -n (Amtsspr.) // Selbständige (jmd., der einen selbständigen Beruf ausübt). *Der Ständerat hat mit klarer Mehrheit beschlossen, ... die Beiträge der Selbständigerwerbenden im selben Ausmaß wie diejenigen der Unselbständigerwerbenden zu erhöhen* (Vaterland 3. 10. 68, 3). → **Freierwerbende, Unselbständigerwerbende.**

selbsttragend: vor allem (Geschäftsspr.) svw. sich selbst finanzierend, ohne Zuschüsse auskommend. *Selbsttragender Betrieb* [Zwischentitel]. *Die Mietzinse decken die eigentlichen Betriebskosten des Heimes* (NZZ 11. 9. 87, 55). *Das kulturelle Wiener Sommerprogramm sei finanziell selbsttragend, wenn man nur alle Devisenströme „umlege“, welche die Touristen zusätzlich ... in der Stadt hinterließen* (NZZ 22./23. 8. 87, 7).

Selbstunfall, der; -[e]s, ...fälle (Amtsspr.): Verkehrsunfall, von dem nur der Verursacher selbst betroffen ist. *Verschiedene Selbstunfälle, die* *glücklicherweise nur mit Sachschaden endeten* (Vaterland 27. 12. 68).

Semifinal, der; -s, -s (Sport) // das Semifinale (Halbfinale). →**Halbfinal.**

Seminar, das; -s, -e und -ien: auch kurz statt →**Lehrerseminar** (Lehrerbildungsanstalt). *Kein Italienisch-Obligatorium in den Seminaren* (NZZ 23. 10. 69). *19 Absolventen außerkantonaler Seminarien erhalten ... die aargauische Wahlfähigkeit* (Aargauer Tagbl. 20. 5. 69).

Sempachersee, der; -s ⫽ Sempacher See; →G 153/2d.

Senkel, der: ***im Senkel** — im Lot: **a)** lotrecht, senkrecht. *Behausungen ohne alles Erhabene ... nicht im Senkel, nicht im Winkel, windige Gebilde* (Kübler, Öppi der Student 229). **b)** (übertr.) in Ordnung. *Hinter dezent gedrechselter, korrekt im Senkel stehender Syntax* (Schweizer Illustrierte 3. 7. 71, 53). *Sie sind eine Persönlichkeit; um populär zu reden: Sie stehen im Senkel* (Lenz, Fahrerin 207).

senkrecht: auch svw. aufrecht, rechtschaffen, charakterfest; häufig in den Verbindungen ***senkrechter Bürger/Eidgenosse/Schweizer.** *Abschließend unterstrich Dr. Brunschvig, daß Rachamim sich so verhalten habe, wie jeder senkrechte Schweizer es an seiner Stelle ... auch getan hätte* (NZZ 1969, 732, 17). *Die Stadtküche werde vorbildlich geführt, der Verwalter ... sei ein senkrechter Mann, das wolle doch hoffentlich niemand bezweifeln* (Erny, Neujahr 106).

Senn, der; -en, -en ‹mundartnah auch Dat., Akk. Sg. Senn› (auch bayr., österr.): Bewirtschafter einer Alp ([Ober-]Hirte und Käser); regional auch: Besorger einer Käserei, wohin die Bauern die Milch liefern. *Die älteste Sennhütte des Landes stand zwischen Wiesen und Wäldern am Abhang eines Berges. Jeden Morgen und jeden Abend kamen die Bauern mit der Milch, und der Senn gewann Käse und Anken daraus* (Inglin, Verhexte Welt 243). *Bei der Sennhütte blieb er stehen und schaute dem Senn ... zu, wie er Schotte für die Schweine bereitstellte* (Honegger, Morgen 116).

Sennenkäpplein, das; -s, -: kreisrunde, randlose, den Hinterkopf bedeckende Mütze, Teil der Sennentracht; gilt als typisch schweizerisch. →G 105.

serbeln — kränkeln, dahinwelken. *Kakteen, dazu ein paar verdörrte Agaven, ein paar serbelnde Palmen, das war die Oase* (Frisch, Stiller 33). *Seinerzeit serbelte ein Strauß im zoologischen Garten von Frankfurt. Man ... fand, daß er Glasscherben und einen Ehering gefressen hatte* (Nebelspalter 1963, 29, 11). *Zweifellos ist es ihm gelungen, etwas frischen Wind in die serbelnde sozialdemokratische Presse zu bringen* (NZZ 25. 5. 72). →G 097. →**ab-, dahinserbeln.**

Serie, die; -, -n: [ze'ri:, ze'ri:ən — 'ze:ri̯ə, 'ze:ri̯ən]; →G 037.

Servela →**Cervelat.**

Service, der; -s, -s (Kundendienst, Warte- und Reparaturdienst, Bedienung der Gäste in Gaststätten): • ‹Aussprache:› [*frz.* sɛʀvis; 'zɛrvis ⫽ *engl.* 'sə:vɪs], also gleich wie d a s S. (mehrteiliges Eß-, Kaffeegeschirr) [// bdt. zɛr'vi:s]; →G 039. • ‹Bedeutung:› auch svw. — Trinkgeld, // Bedienungsgeld. *Die Zeche betrug für jeden Fr. 1.10 – ohne Service. Der Kollege zahlte 1.50 und ließ das Herausgeld als Service liegen* (National-Ztg. 4. 10. 68, 3).

Serviertochter, die; -, ...töchter ⫽ Serviererin. *Balmont quetschte sich ... durch die Drehtür in den Stimmenschwall der hohen Halle* [des ‚Bahnhofbüfetts']; *er stieß mit einer Serviertochter zusammen* (Bestand und Versuch 250: J. Federspiel). *Damals sagte man noch Kellnerin, und das war nicht beleidigend. Heute muß man Serviertochter sagen* (Diggelmann, Harry Wind 63). *Gesucht in Café-Bar ... nette, selbständige Serviertochter* (Vaterland 3. 10. 68, 5; Inserat).

Servitut, die; -, -en — das Servitut. *Wenn die Voraussetzung, unter der die*

Servitut begründet würde, zufolge Änderung der tatsächlichen Verhältnisse entfällt (NZZ 8. 12. 60). *Das Haus zum Ritter ... war Privateigentum. Die Stadt besaß jedoch eine Servitut auf der Fassade* (Bringolf, Leben 175). →G 076.

Sessel, der: auch (übertr.) svw. Parlamentsmandat, Sitz in einer Behörde. Dazu Zusammensetzungen wie **Sesselhocker, -kleber, -reiter:** wer einen solchen Sitz innehat und unverdienterweise an ihm festhält. [Die junge Generation ist] *ein problematisches Geschlecht in einer problematischen Zeit! Alle Arbeit ist schon vergeben, alle Posten sind besetzt, einer Phalanx von Sesselhockern und Kompromißstrategen sehen sie sich gegenübergestellt* (Guggenheim, Alles in allem 912). *Am schlimmsten steht es in Luzern, wo Engstirnigkeit der Behörden, Schwäche der politischen Parteien und Sturheit einiger Sesselreiter bisher die objektive Prüfung des Alternativvorschlages torpediert haben* (Beobachter 1961, 746). **Sesseljäger, -streber:** wer (nur um Macht und Ehre willen) nach einem solchen Sitz strebt; **Sesseltanz** (verächtl.): Kampf um solche Sitze. *Sesseltanz in Den Haag* (NZZ 8./9. 10. 77, 3; nachher: *Es gilt 16 Kabinettssessel auf drei Parteien ... zu verteilen*).

sFr.: Sigle für Schweizer Franken. →**Fr.** →G 092.

SG: Autokennzeichen und allg. Sigle für (den Kanton) St. Gallen; →G 092.

SH: Autokennzeichen und allg. Sigle für (den Kanton) Schaffhausen; →G 092.

Shampoo, das: ['ʃampo: // (österr.:) ʃam'po:, (bdt.:) ʃɛm'pu:, auch ʃam'pu:]; →G 040/4.

Siders: deutscher Name der an der Sprachgrenze im Wallis gelegenen Stadt Sierre.

Siebente, der; -n (kath. Kirche) // Siebeneramt, Amt vom siebten Tag (Totengedenkmesse nach [ungefähr] sieben Tagen. →**Dreißigster.**

Siebentel, (seltener; bdt. häufiger:) **Siebtel,** der #/ das; -s, -; →G 076.

Siebner, der; -s, -: **1. a)** Angehöriger des Jahrgangs (19)07. **b)** Wein des Jahrgangs (19)07. **2.** (auch bdt. landsch.) — die Sieben. **a)** Ziffer 7. **b)** [Wagen der] Straßenbahn- oder Buslinie 7. *Beim seitlichen Zusammenprall entgleisten das vorderste Drehgestell des Dreizehners und das hinterste des Siebners* (NZZ 22. 10. 74, 471, 41).

sieden ⟨st. V.⟩: • ⟨Beugung:⟩ sott, gesotten // (bdt. meist:) siedete, gesiedet; →G 054 • ⟨Bedeutung:⟩ auch (wie bdt. landsch., fachspr.; österr. veraltend) svw. — kochen, in den spez. Bedeutungen: **1. a)** bis zum Siedepunkt erhitzt und unter Dampfentwicklung in wallender Bewegung sein. *Den Reis in die siedende ... Flüssigkeit einrühren* (Fülscher, Kochbuch, Nr. 982). **b)** zum Sieden (a) bringen. *Milch sieden.* **2.** in Wasser/im eigenen Saft zum Sieden (1a) bringen und damit gar werden lassen. *Den Sud aufsetzen und die Muscheln solange darin sieden, bis sie aufgesprungen sind* (Fülscher, Kochbuch, Nr. 617a). **3.** zum Zwecke des Garwerdens in siedendem (1a) Wasser liegen. *Die Kartoffeln müssen noch 5 Minuten sieden.*

Siedfleisch, das (auch südd.): gekochtes Rindfleisch bzw. Rindfleisch zum Kochen, Suppenfleisch. *Nichts hätte er* [ein Metzgermeister mit einem gutgehenden Laden] *zu tun brauchen als sein Siedfleisch und seine Würste zu verkaufen* (Guggenheim, Alles in allem 66). *Wir aßen einen appetitlich hergerichteten ... „Lauchgemüseteller mit Siedfleisch und Saucisson“* (NZZ 20. 11. 87, 54). →G 143. Ebenso **Appenzeller Siedwurst.**

Signal, das: auch (bdt. selten) svw. — Verkehrszeichen, Verkehrsschild. *Die im Kantonsblatt publizierten Parkverbote an der Rigistraße und Rothenhalde sind nun mit der Aufstellung der Signale rechtskräftig geworden* (Vaterland 4. 10. 68, 19). Dazu **Signaltafel.**

Signalement, das: • ⟨Aussprache, Beugung:⟩ [zɪgnalə'mɛnt]; -[e]s, -e // [...'mã:]; -s, -s; →G 038 • ⟨Bedeutung, Geltung:⟩ vor allem svw. (Amtsspr.) Personenbeschreibung [zum Zwecke der Fahndung] (bdt. seltener). *Das Signalement: die erste Unbekannte ist 25 bis 30 Jahre alt, 158 bis 160 cm groß und von eher fester Statur. Sie hat lange schwarze Haare ... und trug einen Rotfuchsmantel; sie spricht italienisch* (NZZ 8. 12. 72). *Der Zuhälter ... versuchte sich mit zwei unbekannten Herren zu decken. Nach ihrem Signalement befragt, sagte er ...* (Bichsel, Jahreszeiten 31).

Signalisation, die; -, -en # Signalisierung; →G 123. Auch svw. **a)** Bekanntmachung durch Hinweisschilder. *Gründe für das unerwartet geringe Interesse* [am Winterthurer Bahnhofsparkhaus:] *Unter anderem fehlte ... eine geeignete Signalisation* (NZZ 17. 8. 88, 55). **b)** die [Gesamtheit der] Verkehrszeichen. *Gegenwärtig werden* [an der Autobahn] *noch die Zäune und die Leitplanken erstellt sowie die Signalisation angebracht* (St. Galler Tagbl. 4. 10. 68, 5).

signalisieren: auch (Amtsspr.) svw. durch Hinweistafeln, Verkehrsschilder kennzeichnen. *Für Velos und Mofas steht ... ein speziell signalisierter Parkplatz bereit* (NZZ 10. 9. 87, 54). *Die Umleitung über die Stocker- beziehungsweise die Talstraße wird signalisiert* (NZZ 21. 10. 87, 54). *Wegen ... Bauarbeiten ist die Bühlwiesenstraße ... für rund 3 Monate als Einbahnstraße signalisiert* (NZZ 12./13. 9. 87, 55). *Die Strecke ist dort mit einer Höchstgeschwindigkeit von 80 Kilometern pro Stunde signalisiert* (NZZ 31. 3. 87, 49). Dazu **Signalisierung.** *Die Signalisierung eines Veloweges* (NZZ 2. 7. 87, 71). →**Signalisation.**

Signet, das [zɪ'gne:t]; -s, -e // [zɪ'gnɛt]; -s, -e/[sɪn'je:]; -s, -s; →G 038.

Sigrist, der; -en, -en (nicht im NO) # Kirchendiener, Sakristan. *Die Schmierereien* [am Großmünster] *wurden am Auffahrtsmorgen vom Sigristen entdeckt* (NZZ 21. 5. 71). *Von links kommt der Pfarrer ... Der Sigrist hilft ihm in den Talar* (Dürrenmatt, Komödien I 303: Besuch der alten Dame). →**Mesmer.**

Silsersee, der # Silser See; →G 153/2d.

Silvaplanersee, der # Silvaplaner See; →G 153/2d.

Siphon [*frz.* sifɔ̃], der; -s: auch (wie österr.) svw. — Sodawasser.

Sitten: deutscher Name von Sion, der Hauptstadt des zweisprachigen Kantons Wallis.

sitzen ⟨st. V.⟩: • ⟨Beugung:⟩ bin gesessen (auch südd., österr.) — habe gesessen. *Die Schimpansin Lulu ... wäre mit dem „Latz" um den Hals am gedeckten Tischlein bei Hörnli und Apfelmus gesessen* (NZZ 31. 3. 88, 55). *Die Katzen waren alle im unteren Flur gesessen* (Helen Meier, Trockenwiese 96). →G 058. Ebenso **da-, gegenüber-, herum-, zusammensitzen.** • ⟨Bedeutung:⟩ ⟨mit Richtungsangabe⟩ (mundartnah) — sich setzen. *Entscheidend für den Erfolg solcher Bestrebungen sei, daß alle rechtzeitig an einen Tisch säßen* (NZZ 11. 5. 88, 24). *Es wäre auch für uns besser, in den Zug zu sitzen und nach Süden zu fahren* (Diggelmann, Abel 81). →G 065.

Skore [*engl.* skɔ:ᵊ; skɔ:r], das; -s, -s # (wie engl.:) Score (Sport [Mannschaftsspiele]: Spielstand, [Vorsprung in der] Torzahl). *In einem sehr lebhaften Spiel ... ließ Lausanne ... Basel keine Chance mehr und erhöhte das Skore innert zwanzig Minuten von 1:0 auf 5:0* (Vaterland 1968, 281). *Wallace eröffnete in der 80. Minute das Skore für die Schotten, den* [!] *Ostojic erst zwei Minuten vor Schluß ausgleichen konnte* (St. Galler Tagbl. 1968, 560, 31). Dazu **Gesamtskore.**

skoren (Sport; auch vorarlb.) # scoren (einen Punkt, ein Tor erzielen). *In bester Form war Moor, der siebenmal skorte* (NZZ 16. 11. 70). Dazu **Skorechance, ...gelegenheit, ...versuch.** *Den Schweizern glückten dann ... einige vielversprechende Angriffe, doch konnte keiner mit einem Treffer abgeschlossen werden: Die Skoreversuche –*

vor allem ein 13-m-Schuß des ungedeckten Blättler – gingen meist daneben (NZZ 16. 11. 70).

Skorer, der; -s, - (Sport): Spieler, der einen Punkt, ein Tor erzielt. *Die beiden Rückraumspieler Jost und Rubin, die den Angriff ankurbelten und mit je acht Treffern erfolgreichste Skorer waren* (Bund 21. 9. 87, 34). Dazu **Skorerpunkt:** *Der finnische Verteidiger wurde bei den Edmonton Oilers 16mal eingesetzt und erzielte dabei 13 Skorerpunkte* (5 Tore, 8 Assists) (Sport 9. 4. 87, 37).

SO: Autokennzeichen und allg. Sigle für (den Kanton) Solothurn; →G 092.

Socken, der; -s, - (auch südd., österr.) # die Socke. *Die Haushälterin nahm die Nadel mit dem gesprenkelten Garn, fuhr mit der Holzkugel in den Socken und stach hinein* (Meier, Verwandtschaften 70). *Ich ... betrachtete den blauen Socken des fremden Herrn* (Frisch, Gantenbein 74). →G 077.

Sodbrunnen, der (bdt. selten) // Ziehbrunnen. *Der ... Regen hat zu einer Besserung der Wasserversorgung im Neuenburger und Berner Jura geführt. Zahlreiche Sodbrunnen alleinstehender Gehöfte haben sich wieder gefüllt* (NZZ 18. 12. 62). *Paolo träumte. Im Zwielicht unter der Mütze sah er Jacinta, wie sie den Topf am Feuerhaken mit dem Wasser vom Sodbrunnen füllte* (Ganz, Abend 169). *Ältester Sodbrunnen der Schweiz entdeckt ... Der Brunnenschacht* [dürfte] *zur Hallstattzeit errichtet worden sein* (NZZ 26. 11. 84, 5).

soldäteln (mundartnah): Soldaten spielen; von Buben und (abschätzig) von Erwachsenen. *„Überhaupt", knurrte sie, wozu das dumme unnütze Soldäteln? Wenn die Völker Frieden halten wollen ..."* (Spitteler IV 128: Conrad der Leutnant). →G 098. Dazu **Soldätlerei,** die; -: *Wenn die Geschichte mit Rußland* [Hitlers Krieg] *erledigt ist, und wenn das so weitergeht wie bis jetzt, wird das in kurzer Zeit der Fall sein, dann hat doch diese ganze Soldätlerei bei uns keinen Sinn mehr in der neuen Ordnung Europas* (Guggenheim, Alles in allem 1043).

Solennität, die; - →**Jugendfest.**

solid (auch österr.) # (bdt. vorwiegend:) solide. *Wie solid ist unsere Wirtschaftsblüte* (NZZ 2. 10. 87, 54). *Ein ... solid verankertes ... Schweizer Industrieunternehmen* (NZZ 11. 9. 87, 33). →G 087.

Solothurn: Stadt und Kanton in der Nordwestschweiz.

Solothurner, der; -s, -: Einwohner von Stadt oder Kanton Solothurn.

solothurnisch: zur Stadt oder zum Kanton Solothurn gehörig, sich darauf beziehend.

sömmern (auch bdt. landsch.): (Vieh) den Sommer über auf der Alpweide halten. *Der Wirt des „Tierhags"* [am Schnebelhorn im Zürcher Oberland] *ist zugleich Alphirt und Holzer. Er hat 180 Rinder zu sömmern ...* (NZZ 8. 5. 87, 50). Dazu **Sömmerung,** die. *Daß die Eigentümer und Pächter von Alpen und Weiden in erster Linie Vieh von im Kanton ... ansässigen Viehbesitzern zu angemessenen Bedingungen zur Sömmerung zu übernehmen haben* (NZZ 30. 3. 87, 17). →**alpen.**

Sommervogel, der; -s, ...vögel (mundartnah; auch bdt. landsch.) — Schmetterling. *Ich sehe, obschon ich mich dagegen wehre, feuchtflügelig einen Sommervogel, der stirbt, bevor der Tag um ist* (Boesch, Gerüst 165). *Ganz unerwartet für uns Eltern übt ein umfangreiches Werk über Sommervögel eine große Anziehungskraft auf unsere Kinder aus* (Schweizer Spiegel 1962, April, 82).

Somvix [zɔm'fɪks], das; -: rechtsseitiges Nebental des Vorderrheintales, rätor. Val Sumvitg. Der Name wird immer mit dem Artikel gebraucht; →G 018, 082.

Sonderzug, der; -[e]s, ...züge: auch (meist ⟨dim.⟩ **Sonderzüglein,** das; -s, -) ⟨übertr.⟩ svw. Vorgehen auf eigene Faust, Ausscheren aus der gemeinsamen Front. *Die Obwaldner ... sind meist die Musterknaben: Nirgends gibt es weniger Neigung zu Sonderzüglein* *und individualistischen Übermarchungen des Gewohnten und Gehörigen* (Allemann, Schweiz 56). *Plebiszit über Rüstungsabbau in Rumänien: Ein Sonderzüglein Ceausescus* (NZZ 22. 10. 86, 4; Überschr.). ***ein Sonderzüglein fahren:** *In Nicaragua verbleibt ... als organisierte Opposition nur die Coordinadora Democrática Nicaraguense ... Daneben fahren noch die Konservativdemokraten ein Sonderzüglein* (NZZ 22. 12. 82, 5). →G 106. →**Extrazug.**

Sonnenstoren, der; -s, -, auch: **...store,** die; -, -n: **1.** svw. →Storen (1). *Wie jeden Morgen mußte Gottfried* [im chemischen Labor] *zuerst das Geschirr in die Schränke und Schubladen einräumen ... Dann zog er die Sonnenstoren hoch* (Schmidli, Schattenhaus 213). **2.** svw. →Storen (2), // Markise. *Es war ein Ufer ... mit einem Paradies von Teestuben, Sonnenstoren und bunten Sesseln* (Frisch, Bin 103).

Sonnseite, die; - (auch österr.) — Sonnenseite. *In vierzehn Tagen blühen an der Sonnseite Leberblumen* (Steiner, Strafarbeit 112). →G 148/2b. Dazu **sonnseitig:** *Auf dem sonnseitigen Trottoir* (Guggenheim, Gold. Würfel 51). →**Schattseite.**

Sopraceneri [*ital.* so:pra'tʃɛ:nɛri], das; -s: der Nordteil des Kantons Tessin, „oberhalb" (nördlich) des Monte Ceneri. Der Name wird immer mit dem Artikel gebraucht; →G 082.

Sorge, die: ***[zu] jmdm./etw. Sorge tragen/** (mundartnah:) **haben** (bdt. gehoben) — sich um jmdn./etw. kümmern; jmdn./etw. gut, sorgsam behandeln; sorgen, daß jmd./etw. nicht Schaden nimmt, verloren geht. *Sagen Sie das der Welt: Mensch ist Mensch. Nichts weiter! Aber tragen Sie sich Sorge, daß Sie nicht verzweifeln* (Frisch, Tageb. 1946/49, 82). [Der Polizist] *steckte den Paß in seine Herztasche. „Sie müssen ihm Sorge tragen", sagte Andres. „Es ist mein einziger"* (Muschg, Mitgespielt 366). *Eine Hauptaufgabe haben* [der Ausbildungschef und die Waffenchefs], *nämlich zu ihrem Personal, den Instruktoren aller Stufen, Sorge zu tragen* (NZZ 25. 9. 85, 35). *Die Gewerkschaften haben es ... erlebt ..., daß die Koalitionsfreiheit ein köstliches persönliches Recht ist. Sie sollten ... zu diesem Recht auch Sorge tragen, nachdem sie nun als Organisation arriviert sind* (NZZ 1965, 5036, 1). *Und natürlich trug man Sorge, daß er* [Daidalos] *auch nicht wieder einen Faden hinter sich abwickle* (Humm, Kreter 15). *Habt Sorge zu euren Dirigenten, zeigt ihnen ab und zu auch deutlich, daß ihr sie schätzt* (Aargauer Tagbl. 16. 6. 87. →G 060, 061.

Sottoceneri [*ital.* sotto'tʃɛ:nɛri], das; -s: der Südteil des Kantons Tessin, „unterhalb" (südlich) des Monte Ceneri. Der Name wird stets mit dem Artikel gebraucht; →G 082.

Souschef [*frz.* suʃɛf], der; -s, -s ‹frz. sous-chef›: auch svw. **a)** (Eisenbahn) stellvertretender Bahnhofsvorsteher. **b)** (allg., mundartnah) zweiter Mann in einem Betrieb.

Soussol [*frz.* susɔl], das; -s, -s ‹frz. sous-sol›: Untergeschoß. *Im Soussol finden Sie eine große Anzahl hübscher Modelle für Töchter zwischen 4 und 14 Jahren* (Bund 14. 10. 68, 5; Inserat).

Souverän, der: auch svw. die Stimmbürger, das stimmberechtigte Volk. *Die Aula der Schule stammt aus der Zeit, da der „Souverän" – so heißt bei uns der stimmfähige Bürger – noch Kredite in jeder Höhe bewilligte* (Muschg, Mitgespielt 117). *Gegen den stadträtlichen Entscheid wurde ... das Referendum ergriffen. Der Souverän hieß aber mit 4 434 Ja gegen 3 826 Nein den geplanten Ausbau ... gut* (NZZ 5. 3. 73, Mittagausg., 14). *Allgemein erfreut ist man über die Tatsache, daß die Hochschulvorlage die Gnade des Souveräns gefunden hat* (Aargauer Tagbl. 12. 5. 70). *Mit 15 936 Ja gegen 7 903 Nein hat der Bündner Souverän der Änderung des kantonalen Berufsbildungsgesetzes zugestimmt* (NZZ 5. 3. 73).

sowieso: auch (mundartnah, veraltet) als zustimmende Antwort auf eine Frage oder Aufforderung, etwa svw. sicher! klar! *„Aber Ihr müßt mir's nachmachen." „Sowieso", sagte Äschbacher und stellte dasselbe Gemisch noch einmal her* (Glauser II 169: Wachtmeister Studer). *Ob er etwas fragen dürfe. Sowieso, wenn es zur Sache gehöre, dazu seien sie ja da* (Guggenheim, Alles in allem 612).

SP / (seltener:) SPS: (buchstabierte) Abkürzung für Sozialdemokratische Partei [der Schweiz]; →G 028, 093.

Spälte, die; -, -n: ein- oder zweimal gespaltenes, 1 m langes Stück Rundholz. *Ist der Durchmesser eines Prügels größer als etwa 12 cm, so wird dieser längs gespalten – es entstehen Spälten; ihre Länge beträgt ebenfalls einen Meter* (NZZ 1970, 109, 33). *Während das Nutzholz als Langholz von 10 bis 22 m oder als Trämel von 4 bis 10 m Länge ausgehalten wird, besteht das Schichtholz aus 1 m langen Spälten und Prügeln, die zu Beigen aufgesetzt werden* (NZZ 30. 6. 74, 348, 17).

spanische Nüßchen, das; -n -s, -n - (mundartnah) — Erdnuß. *Ich sitze im Dunkel einer Loge ... und kaue spanische Nüßchen, die ich, um keine Spreu zu hinterlassen, im Dunkel meiner Jakkentasche aufknacke* (Frisch, Gantenbein 105).

Spannteppich, der; -s, -e // Teppichboden. *Sehr gepflegter Innenausbau ... Ganze Wohnung Spannteppiche* (NZZ 12. 12. 86, 104; Inserat). *Die Unterstellung, daß man irgendwie einverstanden sei, ist lautlos wie das Gehen auf Spannteppich* (Frisch, Tageb. 1966/71, 378).

Sparbatzen, der; -s, - // Sparpfennig, Spargroschen. *Es ist nicht immer klug, mit Ersparnissen zu kaufen. Lassen Sie den Sparbatzen sicher dort ruhen, wo er ist. Mit dem ...-Barkredit können Sie Ihr Vorhaben genauso verwirklichen!* (Bund 18. 10. 68, 14; Inserat). *Daß dies kein Reichtum war, ein mittlerer Sparbatzen bestenfalls* (Guggenheim, Gold. Würfel 186).

Sparbüchlein, das ≠ Sparbuch. *Wohin führte sie* [Neutralität und Toleranz] *euch? ... zur Ruhe des Ausgleichs, zur Tugend des Paragraphen, zum Frieden der Sparbüchlein* (Zollinger II 404: Die große Unruhe). →G 106. →**Sparheft.**

Spargel, der; -s, ‹Plur.:› Spargeln ≠ Spargel. *Er wolle Spargeln ziehn* (Spitteler II 287: Olymp. Frühling). *Erst ein paar arglose Spargeln zu entfärbtem Rohschinken; dann Scampi vom Grill* (Muschg, Mitgespielt 177). *Zarter Spargel ist prall, von mittlerer Dicke ... Zurüsten: Die Spargeln sorgfältig schälen ...* (Fülscher, Kochbuch, Nr. 524). →G 072.

Sparheft, das ≠ Sparbuch. *Haben Sie bei uns schon ein Sparheft eröffnet? ... Zahlstelle in St. Gallen: Schweizerische Kreditanstalt* (St. Galler Tagbl. 1968, 467, 34). →**Sparbüchlein.**

Sparkassenbüchlein, das; -s, - ≠ Sparkassenbuch; →G 106.

Spatz, der: auch ‹Gen./Dat./Akk. Sg. -, Pl. -en› (Soldatenspr.) svw. Stück Suppenfleisch. *Was „Spatz" ist, wissen die meisten, wenn auch dieses Wort nicht im Duden steht. Es entstammt dem Soldatenjargon ...* (Zeitungsinserat). *Seine Truppen begannen indes ... kompagnieweise die Biwaks vorzubereiten. Die Küchen kamen angefahren, und bald roch es nach Suppe und Spatz* (Inglin, Schweizerspiegel 281).

Spätzli, die ‹Pl.› // (schwäb.:) Spätzle (kleine Stückchen von einer Teigmasse, abgeschabt und in Wasser gekocht). *Scharni erinnerte sich seiner Lebtage daran, daß es an jenem Tag* [als er vier Stunden Karzer absitzen mußte, zum Mittagessen] *Sauerbraten und Spätzli gegeben hätte* (Welti, Puritaner 28). →G 105. →**Knöpfli.**

speditiv ['ʃpediti:f, auch --'-] (Geschäftsspr.) — rasch, zügig, zielstrebig. *Die Unfähigkeit der Verwaltung, speditiv und zielbewußt zu arbeiten* (National-Ztg. 1968, 557, 7). *Unter ihrer speditiven Leitung wickelten sich die Vereinsgeschäfte flüssig ab* (Vaterland 14. 12. 68). *Das auf eigenem Trassee angelegte schienengebundene*

Verkehrsmittel stellt ... das weitaus speditivste Massentransportmittel dar (National-Ztg. 1968, 455, 3). *Das Geld hat man bereitzuhalten, denn an der Kasse* [eines Selbstbedienungsrestaurants] *wird speditiv gearbeitet* (Meylan, Räume 88). Dazu **Speditivität**, die. →**beförderlich.**

speisen ‹st. V.: spies, hat gespiesen›: Die starken Formen sind bei der eigentl. Bed. (essen) veraltet, bei der übertragenen (mit der notwendigen Zufuhr versehen) noch durchaus gebräuchlich. *Im Mittelland ... wird das Grundwasser durch Flußinfiltrationen gespiesen* (Weltwoche 17. 10. 85, 25). *Wir ... hatten nichts als unsere Hoffnung. Sie allein spies noch unseren Glauben* (Dürrenmatt, Meteor 21). [Der] *Bau von solargespiesenen Fahrzeugen* (Bund 27. 10. 87, 2). →Heuer, Lupe 151; →G 055.

sperbern — spähen. *Jedem einigermaßen erlebnishungrigen Beschatter müßte das ergebnislose Sperbern längst vergangen sein* (Landert, Koitzsch 26).

sperr[angel]offen (mundartnah) — sperr[angel]weit offen. *Die Rachen klappten ... auf und zu ..., schließlich blieben sie sperroffen stehen* (Spitteler IV 46: Mädchenfeinde). *„Was machen Sie da?" fragte sie und lehnte mit ihrem stets sperrangeloffenen Mäulchen zum Fenster hinaus* (Humm, Komödie 62). →G 154.

spetten: als Aufwarte- (Zugeh-, Stunden)frau arbeiten, stundenweise in einem Haushalt Hilfsarbeiten verrichten. *Die tiefste Schande, die über einen ehrbaren Menschen hereinbrechen konnte: der Konkurs. Da ... mußte der Mann schmählich ins Ausland fliehen, die Frau spetten, die Kinder wurden versorgt und waren unter den Mitschülern verfehmt* (Guggenheim, Alles in allem 67). Dazu **Spetterin:** *Trotz ihrer geschwächten Gesundheit arbeitete sie als Spetterin* (NZZ). **Spettfrau:** *Ich habe zweimal in der Woche einen halben Tag eine Spettfrau. Alle zwei Wochen besorgt sie ... die Wäsche* (Schweizer Spiegel 1961, 9, 73). **Spettknabe, ...mädchen:** *Gesucht Spettknabe oder -mädchen* (Aushang an einem Blumengeschäft in Aarau 1969).

Spickel, der; -s, - // Zwickel, keilförmiger Einsatz an Kleidungsstücken. *Marc Bohans Kreationen für das Haus Dior sind gekennzeichnet durch sehr kurze Röcke. Ein tröstlicher Gedanke für den Ehemann: Man kann einfach die alten Röcke abnehmen. Und aus dem, was man abnimmt, kann man Spickel einsetzen, da die neuen Röcke sich weit unten zu entfalten haben* (Nebelspalter 1961, 15, 41).

spicken: auch (mundartnah) svw. schnellen. **a)** intr. ‹ist›. *Verzückt blickte er auf das Zeigerchen, welches die Lautstärke anzeigt. Nach wenigen Sekunden spickte dieses aber auf Null* (Nebelspalter 1966, 9, 17). **b)** trans. ‹hat›. *Ein Stück Fleisch fiel mir* [beim Abräumen an der Table d'hôte zu Boden], *doch war ich geistesgegenwärtig genug, es ... mit der Fußspitze diskret unter den Tisch zu spicken* (Inglin, Amberg 283). *Mit einem speziellen Stein, dem Striker, der mit den Fingern gespickt wird, müssen die Spielsteine so präzis getroffen werden, daß sie im Loch verschwinden* (NZZ 12. 10. 87, 33).

Spiel, das: auch svw. Musikkapelle, // Spielmannszug, namentlich beim Militär. *Der Regimentskommandant ... befahl schallend: „Achtung – steht!" Dem dumpfen Krachen der zusammenklappenden Absätze folgte ein Augenblick völliger Stille, dann setzte das Spiel kräftig mit dem Fahnenmarsch ein* (Inglin, Schweizerspiegel 204). *Ohne Trommeln und Pfeifen geht's natürlich in Basel nicht, und so wurde denn die kleine Feierstunde mit dem Einmarsch des Spiels der Safranzunft eröffnet* (National-Ztg. 1968, 563, 13). Dazu **Militärspiel.**

spielen: auch svw. funktionieren, wirksam werden. *Er redet einer Zusammenarbeit von Presse und Richter das Wort, die allerdings in einem* [wichtigen] *Fall ... nicht gespielt habe*

(Bund 1968, 281, 4). [Zur] *Privatwirtschaft ... findet nur guten Zugang, wer über persönliche Beziehungen verfügt, was naturgemäß erst nach längerem Japanaufenthalt zu spielen beginnt* (NZZ 4. 5. 88, 65).

Spital, das; -s, ...äler (auch österr. und bdt. landsch., sonst veraltet) # Krankenhaus. *Dennoch wurde der Knabe ... so schwer verletzt, daß er auf dem Transport ins Spital verschied* (Bund 3. 10. 68, 7). *Daraufhin brachte der Bäckermeister ... die beiden Opfer selbst ins nächste Spital* (Frisch, Gantenbein 122). ***im gleichen/selben Spital krank sein:** denselben Fehler, Mangel, Übelstand aufweisen. [Was die] *Briefkastenfirmen* [betrifft] *ist Liechtenstein mit verschiedenen Kantonen im „gleichen Spital" krank, wenn man so sagen will* (NZZ 27. 1. 78, 73; Leserbrief aus Liechtenstein). Dazu **Spitalpflege,** die. *Zwei Mitfahrer wurden ... schwer verletzt; sie befinden sich in Spitalpflege* (Bund 4. 10. 68, 7).

Spitz, der; -es, -e (mundartnah) — die Spitze. *Und zu oberst auf dem dünnen Spitz* [des Kirchturms] *die goldene Kugel mit dem Kreuz* (Inglin, Amberg 18). *Wenn ich abends zurückkomme von meinen Einkäufen, muß ich die lehmfarbenen, geschickt in den Spitz gedrehten Tüten ... vorsichtig an Doña Ana vorbeibalancieren* (Jent, Ausflüchte 81). →G 077.

spitz, spitzig: auch svw. genau, knapp. *Die an sich hocherfreuliche Tatsache des Gegenüberstehens von zwei qualifizierten Kandidaten hat zu dem spitzen* [Wahl-]*Resultat geführt* (NZZ). *Potztausend, wie Sie feinfühlig sind! Ihnen kommt es offenbar auf Schritt und Tritt auf nichts so stark an wie auf die Ehre, die aber doch wohl nicht das Allerwichtigste und -nächstliegende im Leben sein kann, und die man daher besser nicht allzuspitzig nimmt* (Walser VIII 85). *spitz rechnen, wiegen.*

Spitzer, der; -s, -: auch svw. // Spitz (kleine Hunderasse). *Zu verkaufen ... Dackel und Spitzer* (Landanzeiger 9. 7. 70). *Verkaufe rassige weiße Spitzerli, 10 Wochen alt* (Blick 1968, 235, 11). Auch: **Spitzerhund,** der. *Onkel Albert ... hatte einen weißen Spitzerhund* (Morf, Katzen 171). →G 124/1.

Sponsor, der (Gönner, Förderer einer Sport-, kulturellen o. ä. Veranstaltung): ['spɔnzo:r, ʃp...]; -s, -en // ['ʃpɔnzɐ, engl. 'spɔnsə]; -s, -s. *Wie im Westen gab es aber* [bei der ersten Moskauer Schönheitskonkurrenz] *kommerzielle Sponsoren* (NZZ 14. 6. 88, 9). →G 040/5.

Sporen ‹Pl.›: ***die/seine Sporen abverdienen** // sich die [ersten] Sporen verdienen. *Feste Lehr[er]stellen waren damals rar; B. H. verdiente seine Sporen ab als Stellvertreter in verschiedenen Gemeinden* (Aargauer Volksbl. 9. 4. 87, 22). *Der Schweizer* [Zehnkämpfer] *B. G., der vor Jahresfrist in Stuttgart an der EM die internationalen Sporen abverdiente* (NZZ 5./6. 9. 87, 59).

sprechen ‹st. V.›: auch (Amtsspr.) svw. — (einen Kredit, einen öffentlichen Beitrag) beschließen, zusprechen. *Für die einzelnen S-Bahn-Linien im Kanton wurden noch keinerlei Kredite gesprochen* (NZZ 5. 1. 87, 23). *Der Schweizerischen Gesellschaft für Volkskunde wurde ein Kredit gesprochen, damit sie ...* (Schweiz. Geisteswissenschaftl. Ges., Jahresber. 1958, 14). →G 135.

springen ‹st. Vb.›: **jmdn. springen lassen** — jmdn. [weg]gehen lassen, laufen lassen, weg-, fortlassen, freilassen. *Es half ihm nichts, daß er ... den Rückzug zu organisieren versuchte; sie ließ ihn nicht springen* (Zollinger II 14: Der halbe Mensch). *Die Konfrontation auf dem Polizeiposten ergab, daß keine der ... Personen etwas mit diesem Raubüberfall zu tun hatte. Sie* [die Polizei] *hätten ... die Leute anschließend wieder springen lassen* (Berner Ztg. 5. 3. 87, 27).

Springerli, das; -s, - (südd. Springerle) // Anisplätzchen. →G 105. →**Anisbrötchen.**

Spritzkanne, die — Gießkanne. *Im*

Parc des Bastillons goß man den Sirup aus Spritzkannen in die unendliche Batterie der Gläser, am großen Kinderfest der „Promotions scolaires“ in Genf (NZZ 22. 7. 74, 334, 13).

Spültrog, der; -[e]s, ...tröge // Ausguß, Spülbecken. *Sicher ist eine durchgehende Abdeckung aller Arbeitsflächen, von Herd, Spültrog und Kühlschrank ... angenehm zum Putzen* (National-Ztg. 4. 10. 68, 11). *Die Augen übersahen Geschirr und Wäschestücke, die unaufgeräumte Küche und seine Frau am Spültrog, mit aufgelösten Haaren* (Schmidli, Meinetwegen 38). →**Schüttstein.**

Spunten, der; -s, -: **1.** — Spund, Zapfen zum Verschließen eines Fasses. *Es ging hoch her. Der Spunten flog vom Fasse* (Nebelspalter). **2.** (mundartnah) einfache Wirtschaft. *Bei einem Glas Rotwein, nachdem er ... sich in ein Lokal verzogen hat, das man volkstümlich einen Spunten nennt* (Landert, Koitzsch 87). *Seltsam, daß es noch keinem Spekulanten eingefallen war, aus diesem verrauchten Spunten ein Etablissement zu machen* (Diggelmann, Rechnung 7). →G 067.

SRG: (buchstabierte) Abkürzung für Schweizerische **R**adio- und Fernsehgesellschaft; →G 028, 093.

Staat, der: auch (Amtsspr.) svw. Kanton (nicht Bund!). *In § 2 wird bestimmt, daß der Staat sich an der Hilfe des Bundes zur Aufrechterhaltung des Betriebes beteiligt* (NZZ). *Die* [gerichtliche] *Einziehung von 75 000 Franken ... zuhanden des Staates Luzern* (NZZ 9. 5. 88, 19). Dazu die Zusammensetzungen **a)** im Gegensatz zu Entsprechungen mit →Bundes-: **Staatsanwalt, -archiv, -beitrag, →-kanzlei, →-kanzler, -kasse, -personal, →-rat, →-steuer, -verfassung, -verwaltung, →-weibel. b)** ohne wörtliche Entsprechung: →**Staatsschreiber, -straße** (→Nationalstraße). **c)** auf Bundes- wie auf kantonaler Ebene gebräuchlich: →**Staatskalender, →-rechnung.**

Staatskalender, der; -s, -: jährlich oder in größeren Abständen erscheinendes amtliches Verzeichnis der Behörden und Verwaltungsstellen des Bundes oder eines Kantons.

Staatskanzlei, die; -, -en (in den meisten Kantonen): vom →Staatsschreiber geleitete Behörde, zentrale Kanzlei von Regierung und Parlament (in den meisten Bundesländern der Bundesrepublik: vom Ministerpräsidenten geleitete Behörde). →**Kantons-, Landes-, Rats-, Regierungs-, Standeskanzlei.**

Staatskanzler, der; -s, - (in VS): svw. →**Staatsschreiber.**

Staatskrüppel, der; -s, - (mundartnah, verächtlich): Militärdienstuntauglicher. *Schließlich will man kein Staatskrüppel sein* (Schenker, Leider 25).

Staatsrat, der; -[e]s, ...räte: (in den Kantonen [mehrheitlich] französischer oder ital. Sprache oder mit Bezug auf sie): svw. →Regierungsrat: **a)** (entsprechend Conseil d'Etat, Consiglio di Stato) Kantonsregierung. *Der Staatsrat des Kantons Wallis hat beschlossen ...* **b)** (entspr. Conseiller d'Etat, Consigliere di Stato) Mitglied der Kantonsregierung, Minister. *Der Vorsteher des Finanzdepartements, Staatsrat Wyer* (NZZ 19. 7. 78, 21).

Staatsrechnung, die; -, -en: Aufstellung über die Einnahmen und Ausgaben des Bundes (Eidg. Staatsrechnung) oder eines Kantons während eines Kalenderjahres, vor allem zuhanden des Parlaments, das sie zu genehmigen hat. *Guter Abschluß der sankt-gallischen Staatsrechnung. Fast 54 Millionen besser als budgetiert* (NZZ 8. 5. 87, 37; Überschrift).

Staatssäckel, der; -s, - (leicht scherzh.; auch südd., österr. [veraltend], sonst selten) — Staatskasse. *Längst sind die Kosten der einst als Ausgeburt wilder Phantastik verschrienen Anlagen völlig abgeschrieben, streicht der Staatssäckel Jahr für Jahr mindestens eine Million Franken aus dem Unternehmen ein* (Allemann, Schweiz 60).

Staatsschreiber, der; -s, - (in den meisten Kantonen): Protokollführer der Kantonsregierung und des Kantonsparlaments, Vorsteher der →Staatskanzlei. →**Kanzleidirektor, Kanzler, Landschreiber, Rat[s]schreiber, Staatskanzler.**

Staatssteuer, die; -, -n: kantonale Einkommens- und Vermögenssteuer, wird zusammen mit den Gemeinde- und Kirchensteuern veranlagt und (durch die Gemeinden) eingezogen.

Staatsweibel, der; -s, -: Amtsdiener eines Kantons, bei festlichen Gelegenheiten in die Kantonsfarben gekleidet. →**Standesweibel; Bundesweibel, Stadtweibel, Weibel.**

Stabelle, die; -, -n: Holzstuhl mit oder ohne Lehne, bei dem die Beine [und die Lehne] einzeln in die Sitzfläche eingelassen sind. *Sancassini setzte sich auf die Stabelle und stöberte in den Büchern, die am Boden übereinander lagen* (Meier, Verwandtschaften 78). *Es gab eine Zeit, wo Händler und Gastwirte auf solche Truhen versessen waren, wie sie auch auf Tische und Stabellen mit gedrehten Füßen, auf ... Zinnkannen und -teller und alles, womit sie Tradition und Romantik vortäuschen konnten, Jagd machten* (NZZ).

Stadel, der; -s, -/Städel (auch südd., österr.): Scheune oder einzelstehender Schuppen zum Aufbewahren von Heu. *Weiter oben* [im Toggenburg], *in den alemannischen Streusiedlungen an den Hängen, sieht auf den ersten Blick alles noch gleich aus wie früher, Geländekammer um Geländekammer, in jeder ein halbes Dutzend Bauernhäuser und Stadel verstreut* (NZZ 13. 9. 70). *Schinz, wie er in Stadeln übernachtet, nie ganz schlafend, wachsam, solange er sich im Grenzgebiet befindet* (Frisch, Tagebuch 1946/49, 454).

Stadt, die: ⟨Plur.:⟩ Städte ['ʃtɛtə // (bdt. meist:) 'ʃtɛːtə]; →G 004.

Stadtammann, der; -[e]s, ...männer: **1.** (in einigen Kantonen) // Bürgermeister einer Stadt. *Die großrätliche Kommission unter dem Vorsitz von Stadtammann Dr. Urech, Aarau* (Vaterland 3. 10. 68, 8). **2.** (in ZH) zivilprozessualer Vollstreckungsbeamter. →**Gemeindeammann, Stadtpräsident.**

Stadtberner, ...luzerner usw.: **a)** Bürger, Einwohner der Stadt (im Gegensatz zum Kanton) Bern, Luzern usw. *Nachdem die Stadtbernerinnen nun Gewißheit haben, stimmberechtigt in der Gemeinde Bern zu werden* (Bund 3. 10. 68, 4). **b)** zur Stadt Bern, Luzern (usw.) gehörig, sich auf sie beziehend. *Ein gewisser Oberst aus altem Stadtberner Geschlecht* (Nebelspalter 1961, 28, 37). *„Vorsicht, Wandermuscheln!" warnen Plakate in den Stadtzürcher See- und Flußbädern* (NZZ 17. 6. 74, 274, 25).

stadtbernisch, -luzernisch usw.: zur Stadt (im Unterschied zum Kanton) Bern, Luzern usw. gehörig, sich auf sie beziehend. *In der stadtbernischen Gemeindeabstimmung vom Sonntag* (NZZ). *Im Verlaufe der Leidensgeschichte der stadtzürcherischen Bauordnung* (NZZ).

Stadtkanzlei, die; -, -en: zentrales Sekretariat und Stabsstelle der Legislativ- und der Exekutivbehörde einer Stadt.

Stadtluzerner, stadtluzernisch →**Stadtberner, stadtbernisch.**

Stadtpräsident, der; -en, -en (in den meisten Kantonen) // [Ober-]Bürgermeister einer Stadt. *Die Besprechung fand im Ostflügel des Stadthauses statt, im Amtszimmer des Stadtpräsidenten* (Guggenheim, Alles in allem 105). →**Stadtammann.**

Stadtrat, der; -[e]s, ...räte: **1.** (in Chur, Frauenfeld, Luzern, Olten, St. Gallen, Schaffhausen, Winterthur, Zürich u. a.) **a)** Stadtregierung (Exekutive). **b)** Mitglied der Stadtregierung. **2.** (in Bern, Biel, Thun) **a)** Stadtparlament. **b)** Mitglied des Stadtparlaments. →**Einwohner-, [Große] Gemeinde-, Große Stadtrat.**

Stadtschreiber, der; -s, -: Vorsteher der →Stadtkanzlei.

Stadtweibel, der; -s, -: Amtsdiener

einer Stadt, bei festlichen Gelegenheiten in die Stadtfarben gekleidet. *Rechts von ihm stand im blau-weißen Pelerinenmantel der Stadtweibel* (NZZ). →**Weibel.**

Stadtzürcher, stadtzürcherisch →**Stadtberner, stadtbernisch.**

Stafel, der; -s, Stäfel (auch vorarlb.): Platz um die Sennhütte auf einer Alp, Sammel-, Melkplatz des Alpviehs.

Stage, der; -s, -s: • ‹Aussprache:› [*frz.* staʒ // 'sta:ʒə] • ‹Geschlecht:› der // die; →G 076 • ‹Bedeutung:› Praktikum in höherer Stellung, bes. im Ausland (bdt.: Vorbereitungszeit, Probezeit). *Nach einem Stage bei der Handelsabteilung des Eidgenössischen Volkswirtschaftsdepartements wurde er 1954 zum Legationsrat befördert und nach London versetzt* (NZZ 1961, Bl. 483).

Stagiaire [*frz.* staʒjɛʀ], der; -s, -s: jmd., der ein →Stage absolviert, — Praktikant. *Die Schweizerische Kommission für den Austausch von Stagiaires mit dem Ausland tagte ... in Biel ... Den Verhandlungen folgten Vertreter des Bundesamtes für Industrie, Gewerbe und Arbeit* (NZZ 1961, Nr. 592). *Eine Initiative des Direktors der Journalistenausbildung in Lausanne ..., der mit welschen Stagiaires Zeitungsredaktionen im Tessin besuchte* (NZZ 21. 8. 87, 22).

Stamm, der; -s ⫽ Stammtisch (regelmäßig sich wiederholende Zusammenkunft eines festen Personenkreises an einem Gasthaustisch). *Ich verstehe nicht, warum man an eine freiwillige Übung gehen muß. Vom Stamm mit deinen ehemaligen Kameraden läßt du dich regelmäßig entschuldigen* (Bestand und Versuch 778: D. Wechsler). →G 140.

Stand, der: auch (gehoben) svw. Bundesglied der Eidgenossenschaft, Kanton. *Gäste* [an einer Landsgemeinde] *waren Bundesrat E. Brugger, der Regierungsrat des Standes Thurgau, der Botschafter Kanadas in der Schweiz* (NZZ 26. 4. 71). ***Volk und Stände:** bei einer eidgenössischen Volksabstimmung ist die Zustimmung von Volk und Ständen gefordert, d.h. nicht nur eine gesamtschweizerische Mehrheit, sondern auch die Stimmenmehrheit in einer Mehrzahl von Kantonen. *Soll das Abkommen der Schweiz mit der EWG Volk und Ständen unterbreitet werden?* (NZZ 31. 7. 72). *Volk und Stände haben ... mit deutlichem Mehr dem Gegenvorschlag zur Mieterschutzinitiative zugestimmt* (NZZ 8. 12. 86, 17). →**Ständemehr, -rat, Standesherr, -initiative, -kanzlei, -kommission, -präsident, -weibel.**

Stande, die; -, -n (auch bdt. landsch.) ⫽ Bottich (großes offenes Holzgefäß aus Dauben) für Wasser, Weintrauben, Sauerkraut, beim Schlachten usw. *Oh, wie der junge Wein in den Kellern ungebärdig nach strenger Schulung rief, nach Ausklärung und Schönung! Jetzt hatte Gryllos Geduld. Jetzt verließ er die Standen nicht, bis der Saft sich gemacht hatte* (Kopp, Damaris 62). Dazu **Gär-, Güllen-, Metzger-, Sauerkraut-, Wasch-, Weinstande.**

Ständemehr, das; -s: Stimmenmehrheit in der Mehrzahl der Kantone bei einer eidgenössischen Volksabstimmung; zur Annahme einer Vorlage sind Ständemehr und →Volksmehr erforderlich. [So] *war die Möglichkeit durchaus gegeben, daß das Ständemehr und das Volksmehr nicht übereinstimmen würden, was seit 1848 in der schweizerischen Abstimmungsgeschichte bereits viermal geschehen ist* (NZZ 1970, 450, 1).

Ständerat, der; -[e]s, ...räte: **1.** die Kammer des schweiz. Parlaments, in die jeder Kanton 2 Vertreter entsendet (vergleichbar dem Bundesrat der Bundesrepublik und Österreichs, dem Senat der USA). **2.** Mitglied der Kantonskammer. →**Nationalrat.**

Ständerlampe, die; -, -n ⫽ Stehlampe. *Das Arbeitszimmer des verschollenen Oberrichters ... eine behagliche Ecke mit Ständerlampe und gediegenen Polstersesseln* (Frisch, Tageb.

1946/49, 89). *Abends saß sie wie bisher im Hauskleid bei der Ständerlampe ... und las* (Kopp, Pegasus 38). →G 141/1.

Standesherr, der; -n, -en (in AI): Mitglied der →Standeskommission (Kantonsregierung). →**Regierungsrat.**

Standesinitiative →**Initiative.**

Standeskanzlei, die; -, -en (in GR, NW, UR): svw. →**Staatskanzlei.**

Standeskommission, die; - (in Appenzell Innerrhoden): Kantonsregierung. →**Regierungsrat.**

Standespräsident, der; -en, -en (in Graubünden): Präsident des Großen Rates (Kantonsparlaments).

Standesweibel, der; -s, -: Amtsdiener in den Kantonsfarben, der bei feierlichen Gelegenheiten den obersten Kantonsbehörden voranschreitet. *In aufgelockerten Viererreihen, zwischen Ehrendamen, Standesweibeln und Fahnenträgern, begab sich die stattliche Gästeschar ins Regierungsgebäude* (NZZ 1. 12. 78, 33: Das Tessin empfängt Luigi Generali, [den] neuen Nationalratspräsidenten). →**Staatsweibel.**

Stange, die: auch svw. schmales, hohes, leicht konisches 3 dl fassendes Glas mit Fuß, in dem Spezial- (im Ggs. zu Lager-)Bier serviert wird. *Ab 1. Mai gelten in Gaststätten folgende Detailpreise: offen/Lager 3 dl (Becher) 1 Fr., offen/Spezial 3 dl (Stange) 1 Fr. 10* (NZZ 23. 4. 74, 186, 15). *Vom Stammtisch aus bestellte er laut eine Stange Bier* (Honegger, Schulpfleger 41). *Noch zwei Stangen Hell, bitte* (Landert, Koitzsch 52). →**Becher.** ****jmdm. die Stange halten:** jmdm. die Waage halten, sich gegen jmdn. behaupten (bdt. hingegen beinahe gegensätzlich: fest zu jmdm. stehen, ihn nicht im Stiche lassen). *Komm einmal an einem Freitag, da sind die Okkulten da, ... Anthroposophen, Panidealisten* [usw.]. *Denen die Stange zu halten, dazu braucht's etwas* (Bührer, Das letzte Wort 49). *Bei der Präsidentenwahl ..., wo die Persönlichkeit wichtiger ist ..., haben die Republikaner seit 1952 den Demokraten die Stange gehalten,* in den USA (NZZ 3. 11. 78, 3). • Warnung: Aufpassen, Mißverständnisse möglich! •

stationieren (Amtsspr. in BS, sonst wohl meist veraltet) // (ein Fahrzeug) parken. *An mehreren Orten wurden stationierte Fahrzeuge auf die Fahrbahn gezerrt* (Basler Ztg. 18. 12. 87, 27). →**parkieren.**

Stationsvorstand, der; -[e]s, ...stände (Eisenbahn; auch österr.) // Bahnhofsvorsteher. *Es tröpfelte noch immer. Der Stationsvorstand hatte einen dicken Mantel angezogen, seine rote Mütze war das einzig Farbige in all dem Grau. Studer trat auf ihn zu und fragte ihn, wo hier der Gasthof zum „Bären" sei* (Glauser II 43: Wachtmeister Studer).

Statthalter, der; -s, - (bdt. nur hist.): Stellvertreter, erhalten in verschiedenen Amtsbezeichnungen. *Friedensrichter und deren Statthalter* (Staatskalender AG 1986/87, 124). Bes. **1.** Vizepräsident **a)** (in BS:) des Großen Rates. **b)** (in LU, ZG:) des Regierungsrates. **c)** (in SZ:) des Bezirksrates. **2.** (in TH, ZH sowie [kurz für Bezirksstatthalter] in BL, [für Regierungsstatthalter] in BE:) Vorsteher der Bezirksbehörde. →(zu 1b:) **Land[es]statthalter;** (zu 2:) **Amts-, Bezirks-, Gerichts-, Regierungsstatthalter.** →Heuer, Lupe 40 ff.

Staublumpen, der; -s, - — Staubtuch, Staublappen. *Das Kätterli ... schüttelte den Staublumpen aus und ... ging mit dem Tuch in der Hand von Gegenstand zu Gegenstand* (Guggenheim, Alles in allem 898). *Meine Schwester empfiehlt sich den Damen, ärgert mich aber nach wie vor mit ihren Staublumpen und Scheuerbesen* (Keller, Briefe II, Nr. 273: 18. 7. 1880 an Marie Melos).

Stauffacherin, die; -, -nen: bezeichnet (nach Schillers „Tell") „das Ideal einer klugen und starken Schweizerfrau ..., einen Stern und Schmuck des

Hauses und Trost des Vaterlandes" (Keller IV 527: Das verlorne Lachen).

staunen: auch svw. abwesend, in Gedanken vor sich hinblicken. *„Weißt du", fuhr sie fort, „daß ich dich gleich fressen möchte, wenn du so studierst, ins Blaue hinaus! ... wenn ich dich nun so staunen sehe, so ist es mir, als ob du gerade an das denkst, woran ich auch gerne sinnen möchte"* (Keller IV 226: Gr. Heinrich). *Die Reisenden kauerten fremd und teilnahmslos auf ihren Sitzen. Manche schliefen, andere staunten bloß so vor sich hin* (Welti, Puritaner 615).

Stechschaufel, die; -, -n — Spaten. *Den Gärtnermeister Wettstein, der weit oben am ... Hang unablässig die Stechschaufel in den Grund grub und die Schollen des Wirzackers wendete* (Guggenheim, Alles in allem 51). *Wir hatten unseren Grundriß, da wir keinen Bleistift hatten, mit der Stechschaufel in den Boden gestochen* (Frisch, Blätter 33).

Stecken, der; -s, - (auch bdt. landsch.) — Stock. *Das Instrument ... bestand aus einem getrockneten Kürbis, auf den ein Stecken genagelt worden war. Eine einzige Metallsaite spannte sich ... bis zum Ende des Stekkens* (Glauser IV 352). Bes. svw. Spazierstock, Krückstock. *Karl hatte sich sonntäglich angetan ... Auf dem Kopf trug er einen grünen Hut, in der Hand einen schwarzpolierten Stecken* (Wirz, Gewalten I 23).

steckengerade (mundartnah) — stocksteif. *Die Kranken liegen stekkengerade in frisch bezogenen Betten* (Vogt, Wüthrich 90).

Steckkopf, der; -[e]s, ...köpfe (mundartnah) — Starrkopf, Dickkopf, in den beiden Bedeutungen: **a)** Starrsinn. *Gehörte Casilda zu jenen Frauen, die neben großer Sanftmut ... einen unerwartet heftigen Steckkopf besitzen* (Welti, Puritaner 601). **b)** starrsinniger Mensch. *Ich kenne deinen Vater ... Ein Steckkopf. Es ist nicht leicht mit ihm* (Schmidli, Schattenhaus 235). Dazu **steckköpfig, Steckköpfigkeit.**

stehen ⟨st. V.⟩: • ⟨Beugung:⟩ bin gestanden (auch südd., österr.) — habe gestanden. *Und mit diesem Hut in der Hand und einem schwarzen eingerollten Regenschirm ist er anderntags vor unseren Toren gestanden* (Amann, Verirren 97). *Der nicht sehr realistische Vorschlag ... ist ... zuletzt nicht mehr zur Diskussion gestanden* (NZZ 11. 2. 88, 51). →G 058. Ebenso **ab-, bei-, da-, fest-, herum-, nach-, nahe-, vor-, zustehen** usw. • ⟨Bedeutung:⟩ ⟨mit Richtungsadverbiale⟩ (mundartnah) — sich stellen, treten. *Obendrein ... steht er auch noch einer jungen Dame auf die Füße* (Frisch, Marion 217). *Bevor sein Frauchen unter die wohlverdiente Dusche stehen kann* (Blick 30. 1. 88, 9). →G 065. →**hin-, unter-, zurückstehen.**

Steigerung, die: auch svw. — Versteigerung. *Solche landwirtschaftlichen Steigerungen sind zwar recht spektakulär, sie stimmen aber auch nachdenklich, verschwindet doch mit den Bauernhöfen immer auch ein Stück offenes Land* (NZZ 1. 4. 1970). *Konkursamtliche Steigerung. Freitag, 6. März ... werden ... gegen Barzahlung öffentlich versteigert: ...* (NZZ 25. 2. 87, 11; Inserat). Dazu **Fahrhabe-, Grundstück-, Liegenschafts-, Pacht-, Viehsteigerung; Steigerungsanzeige, -bedingungen, -erlös, -lokal** usw.

Steinmannli, ...mandli, das; -s, -: aus geschichteten Steinen errichtetes [beinahe] mannshohes Wegzeichen im Hochgebirge. *In der Ferne sieht man schon das Steinmannli der Paßhöhe* (NZZ 8. 9. 88, 67). →G 105. →**Gletschermannli.**

Stellmesser, das // Klapp-, Schnappmesser. *In Winterthur ist ... eine 22jährige Frau von einem Unbekannten vergewaltigt worden ... Er bedrohte sie mit einem Stellmesser* (NZZ 30. 4. 87, 53). *„Die Taschen untersuchen", meinte ein Feuerwehrmann. Kaum hatte er das ausgesprochen, so glitten zahlreiche Stellmesser auf den Boden* (Spitteler IV 219: Conrad der Leutnant).

Stẹngel, der: auch svw. // [Zucker-, Lakritzen-]Stange. *Die Stengel aus Bärendreck, wie die Süßigkeiten aus eingetrocknetem Lakritzensaft genannt wurden* (Guggenheim, Alles in allem 128).

Stẹrnen, der (Gastwirtschaftsname) →G 068.

Stẹrnenhimmel, der (bdt. gehoben) // Sternhimmel. *Im Winter sind die Nächte lang, und man sollte sich ausgiebig am Sternenhimmel erfreuen können.* [Doch] *nur selten hat man sternklare Nächte* (NZZ 29. 11. 88, 9). →G 150.

stetsfort (veraltend) — immerfort, ständig. *Wie erschrak aber der tapfere Seefahrer, gewahrend, daß er immer tiefer ins Geschlinge des Laubes geriet und stetsfort engere Kreise zog* (Gegenwart und Erinnerung 33: A. Zollinger). *Deshalb wäre er dankbar, wenn die neutralen Länder ihm ihre Eindrücke hierüber stetsfort zur Kenntnis bringen möchten* (Bonjour, Neutralität II 601).

Steueramt, das; -[e]s, ...ämter (bdt. veraltend, österr. veraltet) // Finanzamt.

Steuerdomizil, das; -[e]s, -e (Amtsspr.): derjenige Wohnsitz einer Person, Sitz einer Firma, wo die [Haupt-]Steuern zu zahlen sind. [In der neuen Submissionsordnung der Stadt Zürich seien] *für die Vergebung zusätzliche Kriterien anzuwenden (Lehrlingsausbildung, Beschäftigung von Arbeitnehmern aus Stadt und Region, Steuerdomizil seit mindestens drei Jahren in Zürich ...)* (NZZ 25. 8. 87, 51).

Steuerfuß, der; -es, ...füße: jährlich festgelegter Ansatz der Gemeinde-[und Staats]steuern, bezogen auf die ordentliche Staatssteuer nach Steuergesetz. *Kann sich Bern niedrigeren Steuerfuß leisten?* (Bund 6. 10. 87, 22; Überschrift). Gleichbedeutend: **Steueranlage, Steuer[an]satz.**

²steuern (bdt. veraltet) — Steuern zahlen. *Ob es nicht heute noch möglich wäre* [den Büelhof für die Stadt zu erwerben] *und uns billiger zu stehen käme als alles andere, auch wenn Herr Vonbüel dann vielleicht nicht mehr hier steuern würde* (Inglin, Erlenbüel 136). Dazu **nachsteuern:** *Daß bei der Schenkung oder Vererbung von kaufmännischen Unternehmungen ... nicht die volle* [Erbschafts-]*Steuer bezahlt werden muß, wenn die Anteile weder börsenkotiert sind noch regelmäßig außerbörslich gehandelt werden. Verkauft jedoch der Erbe das Unternehmen oder die Beteiligung innerhalb von fünf Jahren, muß er nachsteuern* (NZZ 2.9. 88, 22).

Stịchentscheid, der; -[e]s, -e: Entscheidung durch die Stimme des Präsidenten bei Stimmengleichheit. *In der Kommission war der Antrag nur mit dem Stichentscheid des Präsidenten unterlegen* (National-Ztg. 1968, 454, 2).

Stịckel, der; -s, - (auch südd.): hölzerne Stützstange für Bohnen, Erbsen, Reben. Dazu **Bohnen-, Rebstikkel.**

stier ⟨nur präd.⟩ (mundartnah; auch österr.): ohne Geld. *Als „stier" würde er dastehen, und wenn es unter diesen Freunden auch für ehrenvoll galt, stier zu sein, die Tatsache drückte eben doch auf den Eigenstolz* (Oehninger, Kriechspur 358).

Stierenauge, das; -s, -n (mundartnah) — Spiegelei. *Die Tante lief ... in die Küche, um mir aus einigen Eiern Stierenaugen zu braten* (Schaffner, Jünglingszeit 379). →G 150.

Stierengrind, der; -[e]s, -e (mundartnah, derb) — Starr-, Dickkopf. *Der alte Ulminer hat einen Stierengrind* (Inglin, Graue March 130).

Stierenhalter, der; -s, -: Viehbesitzer, der einen oder mehrere Zuchtstiere hält; →G 150. Ebenso **Stierenmarkt,** der: *am Stierenmarkt in Burgdorf* (Weiß, Volkskunde, Abb. 108). **Stierenschau,** die: *Die Bezirksstierenschau findet Donnerstag, den 24. Oktober ... statt* (St. Galler Tagbl. 15. 10. 68, 10).

still: ***stiller Beruf** →**Beruf.** ***stille**

Wahl: Wahl ohne eigentliche Wahlhandlung; tritt ein, wenn nur soviele Kandidaten für eine Behörde vorgeschlagen sind, wie gewählt werden müssen. *Die Einführung der stillen Wahl, wie sie bei den Nationalratswahlen möglich ist und für die kantonalen Wahlen in Baselstadt, Zug und Aargau praktiziert wird* (NZZ).

Stimmbeteiligung, die; -: Teilnahme an Volksabstimmungen (und Wahlen). *So klagen wir über die schlechte Stimmbeteiligung, den schlechten Versammlungsbesuch und die politische Indifferenz* (St. Galler Tagbl. 1968, 463, 21).

Stimmbürger, der; -s, -: der über das Stimm- und Wahlrecht verfügende Bürger. *Letztlich ist die Verwirklichung weiterer bedeutender regionaler Vorhaben gefährdet, wenn der Stimmbürger, der die Kredite gutheißen soll, den Eindruck erhält, von irgendwelchen Verwaltungsgremien genasführt zu werden* (National-Ztg. 11. 10. 68). →**Aktivbürger.**

stimmen, jmdm. ⟨Dat.⟩ — für jmdn. stimmen, jmdm. seine Stimme geben. *Im zweiten Wahlgang erhielt ich noch 36 Stimmen. Hätten mir wenigstens meine Fraktionsfreunde gestimmt, wären es 52 gewesen* (Weltwoche 7. 5. 65). →G 060.

Stock, der: auch svw. **1.** (kurz für →**Kartoffelstock**) // Kartoffelbrei. **2.** (in BE, häufiger im mdal. Dim. →**Stöckli**) kleineres Wohngebäude neben dem Bauernhaus, in das sich die Eltern des Bauern zurückziehen (// Altenteil) oder wo andere Angehörige wohnen; heute oft vermietet. *Vor noch nicht langer Zeit überließ er das ... Bauerngut ganz seinem Bruder ... und zog sich mit seiner Gattin in den Stock zurück* (Schweizer Bauer 9. 8. 68). →**Wohnstock. 3.** ⟨mundartl. Pl.⟩ **Stöck** (Jaß): Trumpfober und -könig, zählen zusammen 20 Punkte. *Stöck, Stich, Wis* oder *Stöck, Wis, Stich:* Regel, in welcher Reihenfolge gezählt wird, oft in Wirtschaften angeschlagen. *„Drei vom Trumpf König mit Stöck", sagte er ..., „Tausend und vier, ich bedanke mich!" „Oh, wie schade", sagte Schwester Pia ... „ich hätte hundertfünfzig weisen können von der Herzdame und wäre auch fertig gewesen." „Ja, so geht es halt. Aber in dieser Wirtschaft gilt Stöck, Wies* [!], *Stich!"* (Guggenheim, Riedland 173).

Stöckli, (selten:) **Stöcklein,** das; -s, -: **a)** Nebenwohnhaus auf dem Berner Bauernhof, dient oft als Altenteil. *Im Bernbiet an ruhiger und sonniger Lage verkaufen wir ein antikes Stöckli* (NZZ 14. 8. 87, 79; Inserat). **b)** // Altenteil. [Wenn] *ein Bundesrat so früh zurücktritt, daß er noch im vollen Besitz aller Kräfte ist und man von ihm ... nicht verlangen kann, daß er sich ins Stöckli zurückziehe* (Schweizer Spiegel 1961, 7, 7). **c)** (scherzh.) Ständerat (die „kleine Kammer" des schweiz. Parlaments). *Die Auswahl an Kandidaten für die beiden Urner Ständeratssitze wird immer bunter. Am Montag hat ... F. X. H. bestätigt, daß er als sechster Bewerber ins Rennen um ein Mandat im Stöckli steigt* (NZZ 13. 10. 87, 25).

Stockzahn, der (auch südd., österr.) ≠ Backenzahn. ***auf den Stockzähnen lachen:** heimlich lachen oder lächeln, sich ins Fäustchen lachen.

Stör, die; - (auch südd., österr.): befristete Arbeit im Kundenhaus, von Metzger, Schneider(in), Näherin usw. ***auf der Stör arbeiten; auf die Stör gehen, kommen.** *Die heutzutage verschwundene Waschfrau (wie die Schneiderin auf der Stör), die am Familientisch aß* (Guggenheim, Zusammensetzspiel 21). Bildlich: *„Diese Frau war auch mir unheimlich", sagte ich, „aber daß ihr der Teufel selber auf die Stör käme, hätt ich denn doch nicht gedacht."* (Inglin, Verhexte Welt 93). Dazu **Störnäherin, -schneiderin;** →**Störmetzger.**

Storchen, der (Gastwirtschaftsname) →G 068.

Store, die ['ʃto:rə]; -, -n, (selten:) der [*frz.* stor // ʃto:ʁ, st...]; -s, -s, **Storen** ['ʃto:rən], der; -s, -; →G 038, 067, 076:

1. Vorhang, der von oben vor ein Fenster gezogen oder herabgelassen werden kann, um direkte Sonnenstrahlung abzuhalten (bdt. Store: durchscheinend; // Rouleau, Rollo: aus festerem Material; // Jalousette: aus Aluminium- oder Kunststofflamellen). *Ich durfte* [wenn es dunkel wurde] *die beiden Innenstoren ziehen, aus denen große Blumenmuster hervorkamen* (Oehninger, Kriechspur 27). *Die Frühlingssonne traf ihn; er stand auf und ließ die Storen herunter* (Schmidli, Schattenhaus 75). **2.** ≠ Markise (aufrollbares schräges Sonnendach). *Draußen sind* [am heißen Nachmittag] *die Schaufenster der Bäckereien und Metzgereien halb verhängt oder hinter Storen verborgen* (Nizon, Im Hause 15). →**Lamellen-, Sonnenstore.**

Störefried, der; -[e]s, -e — Störenfried. *Es ist eine hundertjährige besondere Gabe Berns, lästige Störefriede zu integrieren* (National-Ztg. 1968, 453, 3). *Der „Geist des Hauses" sorge ... bei manchem möglichen Störefried von selbst für Beruhigung* (NZZ 24./25. 10. 87, 53). →G 147.

Störmetzger, der: Mann, der (meist im Nebenberuf) Hausschlachtungen besorgt. *In ländlichen Gegenden ist die Saison der Störmetzger (Bauernmetzger) gekommen: Sie ziehen von Dorf zu Dorf und von Hof zu Hof, um den Bauern beim Schlachten zu helfen* (NZZ 7. 11. 74, 485, 5). →**Stör.**

stoßen ⟨st. V.⟩: auch svw. **a)** // drükken: an Türen in öffentlichen Gebäuden, Geschäftshäusern steht *stoßen.* **b)** (ein Fahrrad o. ä.) // schieben. *Sie ging ... neben ihm her, er stieß ihr das Rad* (Graber, Fährengeschichten 30).

stoßend: auch svw. Anstoß, Unwillen erregend, das Gerechtigkeitsempfinden verletzend. *Nach einer sehr engagiert geführten ... Debatte hat der Ständerat die stoßende These relativiert, wonach bei einer Vergewaltigung die Ehefrau des Täters als Opfer nicht in Frage komme* (NZZ 19. 6. 87, 21). *Als tiefreligiöser Mensch empfand es Sprecher als stoßend, daß Dienstverweigerer aus Gewissensgründen sich zum Teil schlechter stellten als etwa Armeeangehörige, die sich durch Selbstverstümmelung ihren Pflichten zu entziehen suchten* (NZZ 25./26. 7. 87, 13).

Stoßkarren, der; -s, - — Schubkarre[n]. *Ich stand mit meiner Trommel auf einem Schemel in der Mitte, rechts saß Karl auf seinem Schaukelpferd, links stand Hans mit seinem Stoßkarren,* zum Photographieren (Inglin, Amberg 12).

Stotzen, der; -s, - // Keule (Hinterschenkel des geschlachteten Tieres). *Schweinefleisch: Schulter ... Voressen ... Hals ... Plätzli, vom Stotzen, 100 g nur 1.30* (Aargauer Tagbl. 6. 2. 70; Inserat).

stotzig (mundartnah; auch bdt. landsch., bes. südwestd.) — steil. *Der alte* [Geologe] *Tal zeichnete gern.* [Dabei] *lag ihm daran, mit Nachdruck die Stelle zu zeigen, wo das weiche Gebirge ins Stotzige überging, wo ein früher Abgelagertes mit einem später Abgelagerten zusammenstieß* (Kübler, Öppi der Student 66). *Der südliche Abfall des Couloirs nach Fracedo ist äußerst jäh und stotzig. Seil und Steigeisen sind unbedingt griffbereit zu halten* (NZZ 11. 3. 77, 65).

Strafuntersuchung, die (Recht): Voruntersuchung, nach deren Abschluß Anklage erhoben oder das Verfahren eingestellt wird. *Wegen Betruges in der Höhe von 320 000 Franken steht ein 68jähriger Vertreter bei der Bezirksanwaltschaft Zürich in Strafuntersuchung* (Bund 19. 12. 68).

Strahl, der; -[e]s, -en: auch (mundartnah) svw. Bergkristall. *Dieser Bursche ... übernachtete manchmal in der Hütte, brach aber jedesmal vor Tagesgrauen auf und kam abends mit „Strahlen" zurück, die er gesucht und gefunden hatte. Er war ein Kristallsucher, ein „Strahler", der leidenschaftlich an einen großen, kostbaren Fund glaubte* (Inglin, Güldramont 157).

strahlen: auch svw. Bergkristalle suchen. *Der Gemeinderat von Thusis hat* *sich veranlaßt gesehen, das südlich der Ortschaft gelegene steile, felsige Gebiet ... für das Strahlen (Kristallsuchen) zu sperren ... weil gewisse Strahler ihre Plätze, auf denen sie die Kristalle aus den Felsen brechen, in großer Unordnung zurückließen. Dadurch schadeten sie dem Wald und gefährdeten die tiefer gelegenen Gebiete* (NZZ 11./12. 10. 75, 7).

strählen (mundartnah; auch südwestd., sonst veraltet) — kämmen. *Die Haare ... wurden dann in winzigen Ösen aus biegsamem Draht zusammengefaßt, gewaschen, gestrählt, mit der Schere gleichmäßig gestutzt, gebräunt und onduliert und den ... Damen als Postiches aus eigenem Haar wieder geliefert* (Guggenheim, Alles in allem 383). *Sie stand auf, betrat in einem Schlafrock ungestrählt die Stube ...* (Inglin, Erz. II 131).

Strahler, der; -s, -: auch (mundartnah) svw. Bergkristallsucher. *Er war ein Kristallsucher, ein „Strahler", der leidenschaftlich an einen großen kostbaren Fund glaubte* (Inglin, Güldramont 157). *In Fiesch fand über das vergangene Wochenende die international besuchte Oberwalliser Mineralienbörse statt. Welch stattliche Exemplare dort zu sehen waren, zeigt die Sammlung des Strahlers Anton Grandi* (NZZ 26. 7. 72). →**Strahl.**

Strange, die; -, -n // Strang, (landsch.:) Strähne (Garn, Wolle). *Anläßlich unserer Inventur haben wir 6 000 Strangen und Knäuel allerbester Strickwolle aussortiert* (Walliser Volksfreund 6. 2. 62; Inserat). →G 077.

Straßenanstoß, der; -es: Angrenzen an eine Straße. *Daß die Besitzer von Land wohl kaum zu kurz kommen ... wenn ehemalige Äcker sich in baureifes Land mit Straßenanstoß, Wasser und Strom verwandeln* (Guggenheim, Alles in allem 612). →**Anstoß.**

Straßenbord, das; -[e]s, -e/...börder — Straßenrand, -böschung. *Die Bäume am Straßenbord schienen nurmehr ein Baum mit einem dicken verschwommenen Stamm* (Ganz, Abend 65). *Auf einer vereisten Straße ist ... der Anhänger eines ... Tankzuges das abfallende Straßenbord hinuntergerutscht und umgekippt* (NZZ 21./22. 2. 87, 7). →**Bord.**

Straßendole, die; -, -n // Gully (Einlaufschacht für Straßenabwasser). *Er wirft die drei Briefe ... in eine Straßendole ...* [wobei] *er drei Mal mit der Fußspitze nachhelfen muß* (Frisch, Gantenbein 201). →**Dole.**

Straßenwischer, der; -s, - — Straßenkehrer. *Für alle öffentlichen Ausstellungen ... vom Straßenwischer bis zu den höchsten Ämtern* (NZZ 23. 5. 72). *Die Marge des Militärdienstes ... machte glattweg aus Philologen und Coiffeuren, Beamten und Kabelziehern, Bürolisten und Schermausern, Lehrern und Straßenwischern ... den brauchbaren helvetischen Soldaten* (Schumacher, Rost 62). *Straßenwischer säubern die Treppen mit solcher Intensität, daß man um die brüchigen Mauerreste fürchten muß* (NZZ 30. 4./1. 5. 88, 5). →**wischen.**

Streifkollision, die; -, -en: Unfall, bei dem zwei Straßenfahrzeuge sich seitlich berühren und dadurch beschädigen. *Der ... Chauffeur eines ... Lastwagens wollte, vermutlich ohne Zeichengabe, nach links abbiegen ... In diesem Augenblick wurde der Wagen von einem in gleicher Richtung fahrenden Car überholt ... Es kam zu einer wuchtigen Streifkollision, bei der die rechte Seite des Cars ... teilweise aufgeschlitzt wurde* (NZZ 26. 3. 73, Morgenausg., 3).

streng: auch (wie bes. südd.) svw. anstrengend, mühevoll, beschwerlich, hart. *Unsere Arbeit auf der Ranch war streng* (Frisch, Stiller 207). *Vor einer strengen Konferenz, und immer, wenn die Anforderungen groß sind: Underberg* (Inserat). *Und da geht Ihr zu Bett, weil es ja schon wieder zwei Uhr ist und morgen ist ein strenger Tag* (Frisch, Gantenbein 149). ***es streng haben:** eine anstrengende Zeit haben, hart arbeiten müssen. *Habt ihr es im-*

mer noch so streng? Müßt ihr immer noch um sechs Uhr aufstehen? (Inglin, Schweizerspiegel 537). *Du hast es auch streng gehabt* (Helen Meier, Trockenwiese 128).

Streue, die; - # Streu. *Rund 250 Zentner Heu und 70 Zentner Streue wurden ein Raub der Flammen* (NZZ). *Ein Korbflicker ... hielt auf einen kleinen Gaden zu ... dann deckte er sich mit Streue und schlief ein* (Inglin, Verhexte Welt 21). →G 066.

Strolchenfahrer, der; -s, -: jmd., der ein entwendetes Auto fährt. *Unfall nach Strolchenfahrt. Mit einem zuvor in Zürich entwendeten Auto hat ein Unbekannter ... in H. einen spektakulären Unfall verursacht ... Das Auto des Strolchenfahrers überschlug sich ...* (NZZ 26. 9. 88, 34).

Strolchenfahrt, die; -, -en: Fahrt mit einem entwendeten Auto. *Zwei Tage später wurde der Täter ... verhaftet, der ... weiter zugab, aus einem zu einer Strolchenfahrt entwendeten Auto einen teuren Photoapparat gestohlen und ... verkauft zu haben* (NZZ). *Bei der Entwendung* [im Ggs. zum Diebstahl] *behändigt der Täter ein Motorfahrzeug beispielsweise, weil er nicht zu Fuß nach Hause gehen oder weil er eine Strolchenfahrt ... unternehmen will* (NZZ 5./6. 6. 82, 49).

strub (mundartnah): struppig, ruppig (von Menschen); unruhig, wild (wo alles drunter und drüber geht), schlimm, schwierig (von Zuständen, Zeiten). *War er* [der Prinzipal] *gehässig und bissig, so hatte man die mehr wie saure Pflicht, sich selber für einen struben Gauner zu halten, weil man sich unwillkürlich als der elende Veranlasser der schlechten Stimmung ansah* (Walser V 75). *Der Kanton Aargau ist ein echtes Kind des Aufklärungszeitalters. Von einer Minderheit ertrotzt, wurde er einer widerspenstigen, jedoch heterogenen Mehrheit recht eigentlich aufgezwungen. ... Daß es dabei nicht ohne strube Kämpfe abgehen konnte, versteht sich von selbst* (Aargauer Tagbl. 18. 2. 69). *Nach der struben Nacht vom Samstag auf den Sonntag, während welcher die Hauptwache der Luzerner Stadtpolizei von zusammengerotteten jungen Leuten belagert und angegriffen worden war, ist die Nacht vom Sonntag auf den Montag ruhig verlaufen* (NZZ 6. 1. 69). *Hast Du die vielen ehrgeizigen Mamis und Papis vergessen, die sich lieber Löcher in den Kopf machen lassen, als ihren Kindern eine Vier oder gar noch Strüberes* [eine noch schlechtere Note] *zu gestatten?* (Nebelspalter 1968, 20, 38).

Stube, die; -, -n — Wohnzimmer (bdt. landsch., sonst veraltend: Zimmer, Wohnraum). *John Hartwig hatte seine Stube gemütlich eingerichtet. Manchmal schlief er auf der hölzernen Bank ... vor dem Kachelofen* (Honegger, Schulpfleger 16). *Ich hocke, nachdem sich Ribi ins Bett verzogen hat, bei einer Flasche Bachtobler in der Stube* (Frei, Nacht 58). Auch **Wohnstube:** *In vielen Dörfern seien die Häuser bis in die Wohnstuben und Küchen mit Schlamm bedeckt* (NZZ 16. 6. 88, 7). Dazu **Stubentisch,** der: *Als sie sich endlich am Stubentisch gegenübersaßen, musterte Huber den Versicherungsvertreter lange* (Honegger, Schulpfleger 171).

Stuhl, der: ***zwischen Stuhl und Bank fallen:** zwei Gelegenheiten zugleich verpassen. *Die Radikalen sind am vergangenen* [Wahl-]Wochenende *zwischen den Peronisten und der UCeDe buchstäblich zwischen Stuhl und Bank geraten* (NZZ 8. 9. 87, 1).

Stumpen, der; -s, - (auch bdt. landsch.): Stumpf, Stummel. Besonders in der Zusammensetzung: **Stumpengeleise,** das; -s, - — Abstellgleis, totes, nicht durchgehendes Gleis. *Daß der Personenzug auf ein Stumpengeleise vorgezogen wird, um das andere Geleise für den nachfolgenden Schnellzug frei zu machen* (NZZ 29. 11. 62). *Die Verkehrspolitik unserer Stadt ist auf einem Stumpengeleise angelangt* (NZZ 23. 10. 87, 54).

Stundenhalt, der; -[e]s, -e: stündliche Marschpause. *„Anhalten!“ rief* *der Leutnant. „Rechts treten! Gewehre zusammen, Säcke ab! Stundenhalt!“* (Inglin, Schweizerspiegel 219). *Es wäre nicht mehr weit zur Donnerlücke, eine Stunde Anstieg vielleicht, die Füße hätten sich eingelaufen. Aber Stundenhalt muß sein. Keine Schulreise ohne Stundenhalt* (Muschg, Mitgespielt 98).

stụndig — einstündig. *Aus der fast stündigen Unterhaltung kann ich berichten ...* (Bonjour, Neutralität II 626). *Ein Unfall ... verursachte ... einen knapp stündigen Betriebsunterbruch auf der Tramlinie 5* (Bund 7. 10. 87, 23). →G 128.

Stụndler, der; -s, - (mundartnah) — Sektierer, Anhänger einer Sekte. *Ein Gespräch ... das ... sich über das Sektiererwesen verbreitete. „Unter den Stündlern“, meinte der Wirt, „gibt es keinen braven Mann“* (Walser III 339). *Die Neuapostolen ... waren nicht gern gesehen im Dorf, aber die Gyrwiler ließen sie gewähren, fluchten über die Stündler, lachten über sie* (Honegger, Morgen 65). →G 122.

Stụpf, der; -[e]s, -e (mundartnah; auch südd.) // (ugs.:) Stups, Schubs ([leichter] Stoß [um etw. in Gang zu bringen, um jmdes Aufmerksamkeit zu erregen]). *Ich sehe meistens leidlich klar, wie etwas Gutes zu geschehen hat. Und dann gebe ich der Sache einen kleinen Stupf, damit sie auch wirklich zustande kommt* (Welti, Puritaner 305). *Es genügt schon, der latenten deutschen Bereitschaft zur Reorganisation einen neuen kleinen Stupf zu versetzen* (Weltwoche 7. 8. 64).

stụpfen (mundartnah; auch südd., österr. ugs.), **stụ̈pfen** // (ugs.:) stupsen, jmd. leicht anstoßen, um seine Aufmerksamkeit zu erregen, um ihn an etw. zu mahnen, zu etw. anzutreiben. *Allein sein Versprechen stupfte ihn unablässig mit der Schnauze wie der Metzgerhund das Kalb* (Spitteler IV 370: Imago). *Eine Interpellation des Freisinnigen A. Moßdorf (Bülach) stupfte die Kantonsregierung erneut wegen der dringend notwendigen Elektrifikation der Wehntalbahn* (NZZ).

sturm (mundartnah; auch südwestd.) — schwindlig, betäubt, verwirrt. *Und es wird ... über diese Rechnung in den nächsten Wochen und Monaten so viel widerspruchsvolles Zeug erzählt werden, daß manchem davon sturm im Kopf werden wird* (Weltwoche 27. 1. 61, 13). *Sie jedoch wettern und fluchen unseren guten Bernern die Ohren sturm, was für ein ungerechtes Schicksal Sie unter ihnen erleiden* (Dürrenmatt, Verdacht 71).

Stụ̈rmi, der; -s, - (mundartl.) — Hitz-, Wirrkopf. *Was haben Sie gesagt? Jura? Aber das sind doch nur so ein paar Stürmi. Die sollen froh sein, daß sie in einem Musterstaat leben dürfen* (Nebelspalter 1966, 17, 13). *Gottlob war er ein indolenter Mensch, kein Stürmi wie der Welsche vom vorigen Jahr* (Humm, Kreter 78). →G 073, 110.

[1]**Stutz,** der; -es, Stütze (mundartnah): steiles Wegstück: *Nun muß man, um in die neue Straße zu gelangen, einen „Stutz“ hinauffahren, der ... unübersichtlich – weil bergauf – einmündet* (NZZ 1960, Nr. 11). *Da unversehens bot ein ungeschlachter Stutz / Mit klotzigem Steingetrümmer ihrem Fortschritt Trutz* (Spitteler II 34: Olymp. Frühling).

[2]**Stutz,** der; -es, Stütze ⟨doch auch: vier Stutz⟩ (mundartnah, salopp) — Franken. *„Bieli hat Schwein“, machte er, „vier Stutz gewinnt er“* (Guggenheim, Riedland 228). *„Und Du* [rauchst nicht]*?“ fragte sie ... „Eine Wette mit meinem Alten“, sagte Ulrich. „Nicht vor meinem achtzehnten Geburtstag. Dreitausend Stütze.“ „Was sind Stütze?“ „Franken“* (Muschg, Mitgespielt 198).

Stụtzer, der; -s, -: auch svw. // Stutzen, (kurzes, gezogenes Jagd- oder Matchgewehr). *Kaum waren meine Schüsse verhallt ..., ergriff ich die erste ... Gelegenheit, um ... zu verschwinden. Ich deponierte meinen Stutzer auf der Gepäckabgabe des Bahnhofes*

(Guggenheim, Friede 137). *Hingewiesen sei ferner auf ... diverse Musikinstrumente ... und bei den Waffen Stutzer, Pistolen, Säbel* (NZZ 24. 1. 79, 47: Neuerwerbungen des Landesmuseums). Dazu **Matchstutzer.** →G 124/1.

Substitut, der: • ⟨Beugung:⟩ -[e]s, -e — -en, -en • ⟨Bedeutung:⟩ Mitarbeiter, Gehilfe eines höheren Beamten (bdt.: Assistent od. Vertreter eines Abteilungsleiters im Einzelhandel; [veraltend:] Stellvertreter, Ersatzmann; [Recht:] Bevollmächtigter). *Die Lohnerhöhung* [für die Stadtammänner] *sei nicht gerechtfertigt, man solle gescheiter nach Entlastungsmöglichkeiten (durch Substitute) Ausschau halten* (Tages-Anz. 1. 12. 88, 21).

Subtotal, das; -s, -e ≠ Zwischensumme.

Sudel, der; -s, - // Kladde (Entwurf eines Schriftstücks). *Den Anfang habe ich bereits geschrieben. Im Sudel wenigstens* (Weltwoche 21. 5. 65, 7).

Sukkurs, der; -es (Politik; bdt.: bes. Milit., veraltet): Hilfe, Unterstützung, Verstärkung. *Mit Sukkurs der Gewerkschaften darf Grobet* [ein sozialdemokrat. Bundesratskandidat] *nicht rechnen* (Weltwoche 22. 10. 87, 45). *In Ermangelung eines ausreichenden Sukkurses für die vom Westen unterstützte Kandidatur des pakistanischen Außenministers* (NZZ 8. 10. 87, 1).

Sulz, die; -, -en / das; -es, -e / (auch südd., österr.; schweiz. seltener:) **Sulze,** die; -, -n // Sülze. Die ausgekühlte, schon leicht „ölige" Sulz ½ Tag vor dem Servieren einfüllen (Betty-Bossi-Ztg. 1984, 3, 9). *Schinkenrollen im Sulz* (Warenanschrift, Coop Aarau, 1988). *5 Förmchen mit ausgekühlter, noch nicht erstarrter Sulze ... ausgießen* (Berger, Koch-Bilderbuch 32). →G 044, 066, 077, 132.

sulzen (auch südd., österr.) // sülzen (zu Sülze verarbeiten; zu Sülze erstarren); auch svw. mit Sülze bedecken, füllen. *Gesulzte Krustaden und Pasteten* (Fülscher, Kochb. 64; Überschr.).

Suppleant, der; -en, -en ⟨frz.⟩ — Ersatzmann in einer Behörde, einem Gericht. *Um das Amt eines Suppleanten des Obergerichtes (Nachfolge von Oberrichter H.)* [bewerben sich] *zwei Kandidaten* (Berner Tagwacht 1. 9. 87, 5).

Süßmost, der: unvergorener, haltbar gemachter ≠ Apfelsaft. →**Most.**

Suva, früher auch **Suval,** die; -: Initialwort für Schweizerische Unfallversicherungsanstalt (Luzern). →G 094. *Nun kamen auf dem Kontoblatt noch Abzüge für SUVA und AHV/IV/EO. Die kümmerten ihn nicht besonders, jeder muß sie bezahlen* (Blatter, Schaltfehler 99). *Sie beziehen Atlasbeihilfe und eine lebenslängliche Suval-Rente. So ist noch keiner verhungert* (Erny, Neujahr 196).

SVP: (buchstabierte) Abkürzung für Schweizerische Volkspartei (bis 1971: Bauern-, Gewerbe- und Bürgerpartei; →**BGB**); →G 028, 093.

Synodalrat, der; -[e]s, ...räte (in BE): svw. →**Kirchenrat** (a, b).

Synode, Kirchensynode, die; -, -n: Legislativorgan einer kantonalen evangelisch-reformierten Landeskirche, auch einiger römisch-katholischen (so in AG, SH, ZH) und →christkatholischen (so in AG).

SZ: Autokennzeichen und allg. Sigle für (den Kanton) Schwyz; →G 092.

T

Tablar [*frz.* tablaʀ], das; -s, -e/(seltener:) -s ⟨regionalfrz. tablar[d]⟩ // Regalbrett, Zwischenboden in einem Gestell, Schrank o. ä., Wandbrett. *Mein besonderer Liebling ist das sogenannte Pfeifer-Regal. Es ist 205 cm hoch, 27 cm breit und 21 cm tief, aus massivem Mahagoni, mit sechs Tablaren und vier Schubladen* (National-Ztg. 1968, 554). *Er entnimmt dem Wandschrank aus einem obern Tablar ein Tuch* (Dürrenmatt, Komödien I 57: Romulus d. Gr.). →(zur Aussprache) G 035/4.

Taburett, das; -s, -e/(seltener:) -s ⟨frz. tabouret⟩: • ⟨Betonung:⟩ '--- ⫽ --'-; →G 025 • ⟨Geltung:⟩ geläufig // veraltet • ⟨Bedeutung:⟩ — Schemel, Hokker (einfaches Sitzmöbel ohne Lehne; bdt.: niedriger Sitz ohne Lehne). *Trat ein Offizier ein, schob ihm ein Soldat das Taburett zu ... Der Offizier winkte ab und sagte: „Bleiben Sie"* (Wiesner, Schauplätze 40). *Der Christbaum stand auf einem Taburett* (Schmidli, Schattenhaus 241).

Täfer, das; -s, - ⫽ Getäfel, Täfelung, // Paneel. *Der ... Saal des Kleinen Rates mit seinem durch einfache Holzstäbe gegliederten Täfer* [und] *der flach gewölbten gotischen Decke ... ist vollständig im Original erhalten* (St. Galler Tagbl. 3. 10. 68, 13). *Die Stubengeräusche, ohnehin vom Täfer gemildert, halten einen merkwürdigen Abstand wie bei leichtem Fieber* (Muschg, Sommer 8). Dazu **Decken-, Wandtäfer.** →**Getäfer.** →G 029.

täfern — täfeln. *An den mit dunklem Holz getäferten Wänden* (Guggenheim, Alles in allem 206). *Sie saßen in einem Vorstadtcafé. Ein hellbraun getäferter Raum aus den fünfziger Jahren* (Meylan, Räume 64). →G 044.

Tagbau, der; -[e]s (auch südd., österr.) ⫽ Tagebau. *Das ... Projekt ..., welches ... aus rund 2 km Tagbautunnel und 3 km offener Strecke bestand* (NZZ 4. 9. 87, 25). →G 148/1a.

Tagblatt, das; -[e]s (auch südd., österr.) // Tageblatt; nur noch im Namen von Tageszeitungen (Aargauer, Badener, St. Galler Tagblatt usw.) und als Kurzform dafür. *Der Obersteiger las das Tagblatt* (Trottmann, Nachts 150). →G 148/1a.

Taggeld, das; -[e]s, -er (auch südd., österr.) // Tagegeld. *Daß unsere Parlamentarier ... ein viel zu kleines Taggeld erhalten und viel zu hohe Spesen haben* (Diggelmann, Harry Wind 144). *Sie sind bei einer großen schweizerischen Krankenkasse für ein Taggeld von 20 Franken versichert* (Beobachter 1977, 1, 18). →G 148/1a.

Tagliste, die; - (Amtsspr., in ZH): Liste der in einer Sitzung zu behandelnden Gegenstände, Tagesordnung. *Auf der umfangreichen Tagliste für die Gemeinderatssitzung stehen ...* (NZZ 22. 9. 70). *Kantonsrat. Die Tagliste für die Sitzung vom 20. April ... sieht folgende Verhandlungsgegenstände vor ...* (NZZ 17. 4. 70). *Am Dienstag hätte ... die zweite Session des Schwurgerichts des Kantons Zürich ihren Anfang nehmen sollen. Auf der Tagliste stand der Prozeß gegen einen Kaufmann* (NZZ 31. 3. 65). →G 148/1a. →**Geschäftsliste, Traktandenliste.**

Taglohn, der; -[e]s, ...löhne (auch südd., österr.) // Tagelohn. *Zur Zeit der Baumwollernte* [in Ägypten] *sind schon die Fünf- und Sechsjährigen be-*

gehrte Hilfskräfte, die den Eltern bis zu fünf Franken Taglohn ins Haus bringen (NZZ 10. 6. 82, 7). *Selbst wenn sich unsere Arbeiter mit einer Handvoll Reis als Taglohn begnügten* (Bührer, Das letzte Wort 58). →G 148/1a.

Taglöhner, der; -s, - (auch südd., österr.) // Tagelöhner. *Und die Taglöhner? Sie waren schon zufrieden mit einer Handvoll Kartoffeln, mit einer Schüssel Rüben* (Blatter, Heimweh 206). *Ein Unsterblicher* [Mitglied der Académie française] *verdient unter der Coupole allerdings weit weniger als ein Taglöhner* (NZZ 18./19. 4. 87, 5). →G 148/1a.

Tagreise, die; -, -n (auch südd., österr.) ⫽ Tagereise. *Wir wußten von den Jägern, daß er Krokos jagte, viele Tagreisen im Sumpf, da wo sie sehr groß sind* (Junge Schweizer 266). →G 148/1a.

Tagwache (auch österr.), **Tagwacht** (österr. seltener), die; - // Weckruf, Wecken (beim Militär; auch bei Wandergruppen, Festlichkeiten u. dgl.). *Kurz darauf bläst es zur Tagwache* (Frisch, Blätter 17). *Wann haben Sie mit dem Frühturnen begonnen? Um sechs Uhr dreißig. Und wann hatten Sie Tagwacht?* (Inglin, Erzählungen I 198). *In einer Viertelstunde sollte Tagwache sein. Briner legte sich nicht. Er machte Tagwache, aber sie war ganz und gar formlos* (Muschg, Mitgespielt 115). →G 148/1a.

Tagwen ['tagvən], der; -s, -, auch **Tagwensgemeinde,** die; -, -n (in GL): svw. Bürgergemeinde **(→Gemeinde).** *Keine Mehrheiten fanden die das Verhältnis zwischen Orts- und Tagwensgemeinde (Bürgergemeinde) betreffenden Anträge,* an der Landsgemeinde (NZZ 7. 4. 88, 25). *Die drei Tagwen „Dorf", „Matt" und „Ennetlinth" in Linthal* (ebd.).

Tagwerk, das; -[e]s (auch südd., österr., sonst selten) // Tagewerk. *Die Nachtarbeiter ... haben ihre Aufgaben erfüllt, bevor das Tagwerk der großen Mehrheit anfängt* (NZZ 4./5. 7. 87, 85). *Das Tagwerk* [der Bäuerin] *ist lang, es gibt kaum Feierabend* (Betty-Bossi-Ztg. 1986, 7, 2). →G 148/1a.

Tailleur [*frz.* tajœʀ], der/das; -s, -s (Mode) // Schneiderkleid, -kostüm, Tailormade (in Schneidertechnik gearbeitetes Damenkostüm). *Vom SOC* [Schweiz. Olymp. Komitee wurde] *als offizielle Bekleidung für die Gesamtdelegation ein türkisfarbener Anzug respektive ein entsprechender Tailleur für die Damen ausgewählt* (Bund 13. 8. 68, 9). *Die Besucherin trägt ein schmuckes gelbes Tailleur von klassischer Länge* (NZZ 8. 9. 88, 53). →G 076.

Talschaft, die; -, -en: Tal oder Talabschnitt als geographische und/oder politische Einheit, als Lebensraum. *Die Bauarbeiterschaft der bündnerischen Talschaft des Puschlavs* (NZZ). *„Die Schweiz ist mehr als ein Territorium", sagte Abt, „darum kann sie durch eine militärische Eroberung allein nie untergehen. Jeder Kanton ist eine Schweiz, jede Talschaft, jede Gemeinde und jeder Mann in der Gemeinde"* (Guggenheim, Alles in allem 1032). →G 122/1.

Tambour, der (Trommler): • ⟨Beugung:⟩ -en, -en. // -s, -e; →G 071 • ⟨Geltung:⟩ bdt. veraltend; bes. beim Militär. *Der Laternenumzug der Schuljugend zu den Takten der Stadttambouren,* in Wil (St. Galler Tagbl. 31. 12. 68). *Der Schweizerische Tambourenverband* [hat] *ein Ausbildungslager für ... Junioren ... ausgeschrieben ... Die jugendlichen Trommler und Pfeifer wurden ...* (NZZ 7. 8. 87, 18).

Tannast, der; -[e]s, ...äste ⫽ Tannenast. [Ein Fahrrad-]*Anhänger, der so mit Tannästen voll beladen war, daß der Mann kaum vorwärtskam* (Beobachter 28. 2. 61, 214). →G 148/2b.

Tannzapfen, der; -s, - (auch bdt. landsch.) ⫽ Tannenzapfen. *Als leugnete ich den würzigen Duft der Tannzapfen!* (Frisch, Stiller 66). →G 148/2b.

Tanse, auch (mundartl.:) **Tause,** die; -, -n (im Osten) // Tragbütte aus Holz oder Metall, für Trauben, Wein,

Milch, Wasser, Jauche. *Ganze Tansen voll Trauben* (Frisch, Blätter 98). *Er bewunderte die Kraft des Dragoners, der die volle Tanse hob und die Milch ohne Zittern ... in freier Armhaltung überschüttete* (Guggenheim, Alles in allem 636). *Als nun die Bauern heimgehen wollten und ihre hölzernen Milchtausen anhängten* (Inglin, Verhexte Welt 214). →**Brente.**

Tat, die: ***in Tat und Wahrheit** — tatsächlich, in Wirklichkeit. *Yvonne hatte den Mut, den alle, die Yvonne verurteilen, nicht einmal ahnen ... Oder ist es nicht so? Ist es nicht so, in Tat und Wahrheit?* (Frisch, Die Schwierigen 39). *Die sogenannte Affäre Blaser, die in Tat und Wahrheit eine „Affäre Aubert" und einiger Exponenten seines Departements für auswärtige Angelegenheiten ist* (NZZ 29./30. 8. 87, 21).

Täterschaft, die; -: auch (Amtsspr.) svw. die (Gesamtheit der) an einer Straftat beteiligten Täter; →G 122/1. *In der Nacht ... wurde ... in das Büro einer Baubaracke eingebrochen. Die noch unbekannte Täterschaft entwendete einen graugrünen Kassenschrank* (National-Ztg. 1968, 557, 19). *Ein achtjähriger Knabe war ... entführt worden. Die Täterschaft forderte ... von der ... Mutter ein Lösegeld von einer Million Mark* (NZZ 6. 10. 88, 7).

Tause, die; -, -n →**Tanse.**

Tausendernote, die; -, -n: Tausendfrankenschein. *Während die Noten ausgezählt werden, Tausendernoten, mindestens fünfzehn* (Frisch, Zürich Transit 58). *Einen knappen Monat später wurde er erneut verhaftet; er trug vier Portionen Heroin bei sich sowie sechs Tausendernoten* (NZZ 29. 7. 87, 38). →G 152.

Tausendguldenkraut, das; -[e]s (bdt. selten) // Tausendgüldenkraut; →G 029.

Tausendstel, der ⫽ das; -s, -. *Man will das Leben genießen, aber keinen Tausendstel von diesem Genuß abgeben* (Dürrenmatt, Verdacht 69). →G 076.

Tavetsch [ta'fɛtʃ], das; -: das Vorderrheintal oberhalb von Disentis GR, rätor. Tujetsch. Der Name wird stets mit dem Artikel gebraucht; →G 018, 082.

Taxation, die; -, -en: auch svw. — (Steuer-)Veranlagung. *Die Steuereinschätzung erfolgt durch gemeindeweise zusammengesetzte Steuerkommissionen. Gegen ihre Taxation ist Rekurs möglich an die fünf kantonalen Rekurskommissionen* (Zürcher Bürger- und Heimatbuch 222). Auch **Steuertaxation:** *Es war wie bei der Steuertaxation, wenn der Kommissär die Frage stellte: „Und woraus haben Sie die Anschaffung des Automobils bestritten?"* (Guggenheim, Friede 114). →G 123.

Taxe, die; -, -n (bdt. seltener) ⫽ Gebühr. *Billette zu halben Taxe zahlen: 1. Kinder unter 16 Jahren, 2. AHV-Rentner* (Bund 3. 10. 68, 11). *Der Telexverkehr ist zwischen der Schweiz und Saudi-Arabien eröffnet worden. Die Taxe für Telexverbindungen beträgt Fr. 52.50* (National-Ztg. 13. 8. 68, 3). *In der Regel bleibt die Hauspflegerin drei bis vier Wochen in der gleichen Familie, wobei ... je nach Einkommen und Zahl der Kinder eine Taxe von 6 bis 27 Franken pro Tag entrichtet werden muß* (Bund 3. 10. 68, 25). Dazu **Fahrtaxe** (— Fahrpreis), **Hundetaxe** (— Hundesteuer), **Posttaxe** (// Postgebühr), **Spitaltaxe** (// Krankenhausgebühr), **Telefontaxe** (⫽ Telefongebühr, // Fernsprechgebühr), **Tramtaxe** (// Straßenbahnfahrpreis). →**Halbtaxabonnement.**

Taxi, der — das; -s, -s. *Nils fuhr dort von hinten einen vor einem Rotlicht wartenden Taxi an* (NZZ 6. 1. 73). *Dann läutete auch schon die Flurglocke. „Das ist der Taxi."* (Guggenheim, Alles in allem 952). →G 076.

TCS: (buchstabierte) Abkürzung für **T**ouring-**C**lub der **S**chweiz; →G 028, 093.

Tea-Room, das — der. *1934 ... Es waren die Jahre, da der Tea-Room in Mode kam* (NZZ 1966, Bl. 4036). *Ein neues Tea-Room in Windisch. Das*

Café „Frevo" öffnet am Dienstag (Badener Tagbl. 20. 11. 72). →G 076.

Techtelmechtel, das: ['---- // (bdt. meist:) --'--]; →G 019.

Teilsame, die; -, -n (in OW): althergebrachte Bezeichnung für →**Korporation.** *Korporationen oder Teilsamen und Alpgenossenschaften* [Überschrift]. *Die bestehenden Korporationen, Teilsamen und Alpgenossenschaften werden als althergebrachte Einrichtungen des öffentlichen Rechtes zur Verwaltung von Bürgergut anerkannt* (OW, Verfassung vom 27. 4. 1902, Art. 107). →G 113.

Telefonabonnent, der; -en, -en (auch postamtl.) // Fernsprechteilnehmer. *Die Zahl der Telephonabonnenten wuchs täglich ... die Automobile begannen die Pferdefuhrwerke zu verdrängen* (Guggenheim, Alles in allem 156).

Telefonkabine, die; -, -n // Telefonzelle. *Dort ist eine Telefonkabine – besetzt – soll ich warten? Offenbar ein Bandwurm, also auf zur nächsten* (Landert, Koitzsch 131). *Über 120 Telefonkabinen ...* [in] *Basel-Stadt sind ... von bisher unbekannten Tätern beschädigt worden* (NZZ 29. 6. 87, 5).

Telefonrundspruch, der; -[e]s // Drahtfunk (über Telefonleitungen). *1968 belief sich der Gesamtbestand der Radiohörerkonzessionen auf 1 750 999. Davon entfielen 438 885 auf Konzessionen für den Telephonrundspruch* (St. Galler Tagbl. 1968, 565, 3). *Hörerschwund beim Telefonrundspruch* (NZZ 5. 6. 87, 80). →**Drahtrundspruch.**

Tellensohn, der; -[e]s, ...söhne: mehr oder weniger ironische bzw. scherzhafte Bezeichnung des Schweizers. *Mit einem Apfelkonsum von 30 Kilo pro Kopf und Jahr sind wir Tellensöhne die größten Apfelliebhaber weltweit* (NZZ 8. 2. 88, 26).

Tellerservice, der; - [...,sɛrvis]: Angebot von Tellergerichten. *In unseren Restaurants Tellerservice von 10 bis 22 Uhr* (St. Galler Tagbl. 4. 10. 68, 25). →G 039.

Tenn, das; -s, -e ‹Pl. selten› — die Tenne (in der Scheune). *In der Mittagsstunde fand ein elfjähriger Knabe im Tenn eine Schachtel Streichhölzer und begann damit zu spielen* (NZZ 28. 8. 68). *Der große Misthaufen vor dem Haus war längst verschwunden, der gepflasterte Platz vor der Scheune immer blank gewischt ... Jetzt erwog Heinrich bereits, ob man das Tenn nicht in eine Garage umbauen solle* (Guggenheim, Alles in allem 634). →G 077.

Tenue / Tenü [tǝny], das; -s, -s ‹frz. la tenue› (zunächst Militär, dann allg.): [vorgeschriebene] Art sich zu kleiden. *Heerespolizei kontrolliert Haarschnitt und Tenue ... von 1 000 Wehrmännern im Urlaub* (NZZ 30. 3. 71). *Man erschien bei diesen Veranstaltungen* [in Moskau 1920] *im sogenannten revolutionären Tenu* [!]: *Man trug, was man tagsüber auf der Straße getragen hatte* (Bringolf, Leben 91). *Ein würdiger, bärtiger Herr ... in seiner rotgestreiften Badehose ... hatte freundlich genickt, wenn andere Herren im gleichen Tenue ihn als Herrn Stadtpräsidenten begrüßt hatten* (Guggenheim, Alles in allem 354). →(zum Geschlecht) G 078. Dazu **Arbeits-, Ausgangstenue; Tenuevorschrift.**

Tessin: 1. (der; -s) Hauptfluß der Südschweiz, ital. Ticino, mündet in der Langensee (Lago Maggiore). **2.** (das, veraltet auch: der; -s) Kanton der Südschweiz, ital. Ticino; der Name wird stets mit dem Artikel gebraucht; →G 082. *Das Tessin hat seine Grünen* (NZZ 4./5. 8. 87, 31; Überschrift). *Daß Alice mit der ganzen Familie ... in den Tessin gefahren sei* (Inglin, Erz. II 117).

Tessiner, der; -s, -: Bürger, Einwohner des Kantons Tessin.

tessinisch: zum Kanton Tessin gehörig, sich darauf beziehend.

TG: Autokennzeichen und allg. Sigle für (den Kanton) Thurgau; →G 092.

Thon [to:n], der; -s: Thunfisch (als Speise). *Sie hatte eigentlich die Absicht* *gehabt, just in diesem Geschäft ein paar seltene Leckerbissen – Oliven, Thon und Orangen – zu kaufen* (Guggenheim, Alles in allem 439). →G 046.

Thunersee, der; -s ⫽ Thuner See, →G 153/2d.

Thurgau, der; -s: Kanton der Nordostschweiz. Der Name wird immer mit dem Artikel gebraucht; →G 082.

Thurgauer, der; -s, -: Einwohner, Bürger des Kantons Thurgau.

thurgauisch: zum Kanton Thurgau gehörig, sich darauf beziehend.

TI: Autokennzeichen und allg. Sigle für (den Kanton) Tessin (ital. Ticino); →G 092.

Tibet: • ⟨Aussprache:⟩ [ti'be:t, 'ti:be:t // 'ti:bɛt]; →G 026 • ⟨Artikel:⟩ das — ⟨o. Art.⟩. *Als vorläufig letzte Tat enteignete der St. Moritzer Kurdirektor H. D. das Tibet: Fröhlich hängt er St. Moritz die Bezeichnung „Top of the world" an* (Weltwoche 3. 9. 87, 77).

Tirggel ['t'ɪrk'əl], der; -s, -, auch ⟨Dim.⟩ **Tirggeli,** das; -s, -: kleines Festgebäck, je nach Gegend von verschiedener Art; heute bes. bekannt (auch **Züri-Tirggel[i]** genannt) das Zürcher Weihnachts- und Neujahrsgebäck aus Mehl und Honig, kartondünn und spröde, mittels alter Model sind Bilder und Sprüche eingeprägt.

Tirol, das; -s: wird gewöhnlich mit dem Artikel gebraucht (bdt. ohne). *Er ist im Tirol geboren* (NZZ 1965, Nr. 998). *Viele flohen ..., versuchten zu entkommen nach Bayern, nach dem Tirol oder sonstwohin* (Diggelmann, Abc 81). →G 082.

tischen — den Tisch decken. *Hortense wird kochen und tischen – sie trägt eine Leinenschürze* (Frisch, Die Schwierigen 186). →**abtischen.**

Tobel, das / (selten:) der; -s, -/Töbel (auch südd., österr. ⟨meist bzw. nur: der⟩) — Waldschlucht. *Die neue Brücke ersetzt die bisherige schmale und unübersichtliche Straßenschleife durch das Tobel* (NZZ). *Er wandte sich darauf dem nahen Tobel zu ..., einer bewaldeten Bachschlucht mit Dikkichten, kleinen Wasserfällen, merkwürdigen Felsgebilden, Fuchsbauen ... und andern Verlockungen* (Inglin, Schweizerspiegel 100/101). Dazu **Bachtobel.**

Tochter, die: auch (veraltend) svw. — [junges] Mädchen (junge od. doch jüngere erwachsene unverheiratete weibliche Person). *Seit dem Bestehen der Schule haben mehr als 1 600 Töchter den allgemeinen Bäuerinnenkurs absolviert* (NZZ 20./21. 6. 87, 57). *Claudia, 24 J., Arztgehilfin, ist eine herzliche, aufgeschlossene, hübsche Tochter* (NZZ 7./8. 3. 87, 60; Heiratsinserat). *Stelle als Verkäuferin ... Initiativer, junger, freundlicher Tochter ... bieten wir zeitgemäßen Lohn* (Luzerner Tagbl., Jan. 1987; Inserat). *Tochter, etwa 40jährig, sucht ... leichtere Arbeit* (Vaterland 1968, 280; Inserat). *Die Lehrzeit dauert drei Jahre. Nach dem erfolgreichen Abschluß stehen Jünglingen und Töchtern ... alle Möglichkeiten offen* (General-Anz. 10. 8. 72; Inserat). *Der ledige Knecht ... Näzl ... strich oft gierig in der Dunkelheit herum und belästigte Frauen und Töchter* (Inglin, Verhexte Welt 98). Dazu (veraltend) **Töchterchor, -institut, -schule.** →**Buffet-, Laden-, Lehr-, Saal-, Serviertochter.**

Töff, das/der; -s, - (mundartnah) — Motorrad. *Ein Motorfahrer schwang sich auf sein Töff, donnerte los* (Frisch, Blätter 86). *Der junge Mann wird, weil er sich nach dem Sturz nicht wohl fühlt, von T. im Polizeiauto nach Hause gebracht, während N. den Töff zur Hauptwache fährt* (NZZ 1961, Nr. 3590). Dazu **Töffahrer,** der: *Töffahrer verletzt ... Ein 23jähriger Motorradfahrer ist ... schwer verletzt worden* (Tages-Anz. 24. 10. 87, 19).

Töffler, der; -s, - (mundartnah) — Mopedfahrer: *Nur ein paar Studenten oder auch gelegentlich regenwettermüde Töffler (mit Wechselnummer zum Dreirad) fahren die Kabinenroller noch im Alltag* (NZZ 23. 3. 76, 69, 7): →G 120.

Töffli, das; -s, - (mundartnah)

— Mofa, Moped. *Die lärmigen Töffli. Eine Verschärfung der Zulassungsvorschriften für Motorfahrräder dränge sich zurzeit nicht auf, antwortete der Bundesrat ... auf eine Kleine Anfrage, die auf eine Zunahme des Mopedlärms in den letzten Jahren hingewiesen hatte* (Aargauer Tagbl. 11. 12. 69). *Gibt die Tochter jetzt ihr Geld aus für ein Töffli oder eine Stereoanlage?* (NZZ 18./19. 7. 87, 16). →G 105.

Toggenburg ['tɔk'ən...], das; -s: das Tal der Thur und ihrer Nebenflüsse oberhalb von Wil SG. Der Name wird stets mit dem Artikel gebraucht; →G 082.

tönen: auch svw. — klingen, i. S. v. sich in bestimmter Weise anhören, einen bestimmten Eindruck machen. *So überraschend es für einige tönen mag: Deutsch ist die führende Sprache in Europa* (Sprachspiegel 1965, 125). *Der Kosmetikkonzern Estée Lauder hat das „Eyzone Repair Gel" entwikkelt (tönt eigentlich schrecklich nach Auto-Reparatur)* (Weltwoche 24. 9. 87, 87).

...tönner, der; -s, -: in Zusammenbildung mit Zahlwort, z. B. Achttönner // ...tonner (Lastwagen mit einem Ladegewicht von ... Tonnen). *Die Beschaffung von 400 geländegängigen Lastwagen ... (220 zweiachsige Sechstönner und 180 dreiachsige Zehntönner)* (NZZ 4. 6. 82, 33). →G 131/2.

Torkel, die; -, -n (nordostschweiz.; auch bdt. landsch.) — Kelter, [alte] Weinpresse. *Zu verkaufen in Walenstadt Liegenschaft ... mit Wohnhaus, Torkel und ... Umschwung* (NZZ 16. 6. 73, 273, 24).

total: auch (Geschäftsspr.) svw. — insgesamt. [Stiller ist] *verurteilt zu einer Reihe von Bußen ...; ferner Schulden ..., ferner Schadenersatz ..., zusätzlich ein Drittel der Gerichtskosten, total 9 361.05 Franken* (Frisch, Stiller 370). *Die Baustelle mußte während total* [insgesamt] *dreier Monate ... für den Straßenverkehr total* [völlig] *gesperrt werden* (St. Galler Tagbl. 1968, 560, 27).

Total, das; -s ‹frz.› (Geschäftsspr.) — Gesamt[betrag, -ergebnis, -zahl], Summe. [So] *lagen die Detailhandelsumsätze im November im Total der erfaßten Betriebe wertmäßig um 9,3 Prozent über dem Vorjahresstand* (St. Galler Tagbl. 31. 12. 68). *Für 1968 und die folgenden Jahre belaufen sich die Verpflichtungen bereits auf 4,2 Millionen, so daß das Total der Aufwendungen 1968 16 Millionen ausmachen wird* (National-Ztg. 14. 8. 68, 3). *Berchtold gewann den Pferdsprung mit großem Vorsprung, und Brühwiler wurde Sieger am Pauschen mit dem niedrigsten Total von 18,15* (Vaterland 1968, Nr. 281).

Totalrevision, die; -, -en: Neufassung eines Gesetzes, einer Verordnung, eines Vertragswerks. *Ist es ein Zeichen mangelnden Interesses ... daß es um die Totalrevision der Bundesverfassung so merkwürdig still geworden ist?* (St. Galler Tagbl. 1968, 560, 25). →**revidieren.**

touchieren (bdt. nur bildungsspr., veraltend) — berühren, streifen. *H. ... hatte sich vermutlich in der Höhe verschätzt und einen Baum touchiert, was die einmotorige „Piper" zum Absturz brachte* (Blick 30. 9. 68). *Der Kopfball Nilssons touchierte die Latte* (NZZ 9. 6. 87, 53).

Toupet [*frz.* tupɛ // tu'pe:], das; -s: auch svw. Unverfrorenheit. *Das Toupet, mich mit mir selbst zu unterhalten, fand gebührende Beachtung* (Walser VIII 257). *Die lieben Bündner ... haben jetzt schon eine Wut auf die Welschen, weil diese das Toupet besaßen, die Bündner an den Kantonaltagen der Expo 1964 als letzte aufmarschieren zu lassen* (Nebelspalter). →(zur Aussprache) G 037.

Tour d'horizon [*frz.* tuʀ dɔʀizɔ̃], der ⫽ (bdt. vorwiegend:) die; -, Tours d'h...; →G 076.

träf [trɛ:f] — treffend, schlagend (von Formulierungen); schlagfertig. *Auch wenn man Nationalrat Z's Vergleich* [der neugewählten Präsidentin der Christlich-demokratischen Volkspartei] *mit Corazon Aquino nicht gerade als träf empfindet* (NZZ 16. 2. 87, 17). *Der sonst so überlegene, um ein träfes Wort selten verlegene Finanzdirektor* (NZZ). *Wie P. sich zu La Rochefoucauld und dessen spitzen träfen Wahrheiten stellt* (NZZ 28. 1. 58). *Recht nüchtern, aber sehr weise und träf (für schweizerische Verhältnisse beinahe in Denksportaufgaben) führte ... H. G. durchs Programm* (National-Ztg. 1968, 558). *Ich schlage ... vor, daß wir ... Leute suchen ..., die imstande sind, unsern Kampf mit den Waffen des Witzes auszufechten. Daß über die Abstimmungstage ein träfes, satirisches Flugblatt herausgegeben wird* (Welti, Puritaner 80).

Traggriff, der; -[e]s, -e // Tragegriff; →G 143.

Traggurt, der; -[e]s, -e[n] // Tragegurt; →G 143.

Tragtasche, die; -, -n // Tragetasche; →G 143.

Train [*frz.* tʀɛ̃], der; -s (Milit.): Spezialtruppe innerhalb der Infanterie, die mit Pferden und Maultieren Transporte durchführt, wo (in unwegsamem, tiefverschneitem Gelände) mit Motorfahrzeugen nicht durchzukommen ist. Dazu **Trainkompanie, -soldat.**

Trainer ['trɛ:nər], der; -s, -: auch kurz für — Trainingsanzug, // Sportanzug. *Im neuen Trainer über den Vita-Parcours! Sie finden in unserer Auswahl, was Ihnen dient und gefällt* (Landanzeiger 17. 6. 71). *Zwei Burschen im blauen Trainer und mit nackten Oberkörpern verbrannten Schilf auf einem Haufen* (Frisch, Stiller 546). →G 119.

Traiteur [*frz.* tʀɛtœʀ], der; -s, -e: jmd., der Mahlzeiten oder einzelne [kalte] Gerichte zum Mitnehmen oder mit Hauslieferung herstellt und verkauft. *Ich bestellte wenigstens einmal in der Woche bei einem Traiteur gebackenes Poulet oder Gänseleberpastete* (Diggelmann, Rechnung 43). *Basel erhält das schönste, modernste und größte Spezialgeschäft für Fleisch und Wurst sowie Traiteur-Liebhabereien* (National-Ztg. 1968, 453, 6).

Traktandenliste, die; -, -n — Tagesordnung (einer Versammlung, eines Gerichts, Parlaments usw.). *Das steht auf der Traktandenliste und kommt schon in der nächsten Sitzung* [des Stadtrates] *zur Sprache* (Inglin, Erlenbüel 124). *Die ordentliche Landsgemeinde von Nidwalden versammelt sich am Sonntag, 25. April, um 12 Uhr in Wil an der Aa. Die Traktandenliste ist groß; sie beansprucht im Amtsblatt mehr als hundert Seiten* (NZZ 23. 4. 71). →**Geschäftsliste, Tagliste.**

traktandieren (Geschäftsspr.): als →Traktandum ansetzen, auf die Tagesordnung setzen. *Es sind folgende Verhandlungsgegenstände traktandiert: 1. Ersatzwahl Schulpflegen. 2. Nachtragskredite zum Voranschlag 1968* [usw.] (Vaterland 3. 10. 68, 10).

Traktandum, das; -s, ...den ‹lat.› // Tagesordnungspunkt, Verhandlungsgegenstand einer Versammlung (Regierung, Parlament, Verein usw.). *Die Traktanden der arabischen Gipfelkonferenz* (NZZ 1967, Bl. 5472). *Nun, erwiderte Stadtrat Angst ..., das gehöre eigentlich nicht zum Traktandum, aber immerhin könne er dem Fragenden versichern ...* (Guggenheim, Alles in allem 613). *Als zweites Traktandum stand die grundsätzliche Beschlußfassung über die Erstellung der neuen Turnhalle „Gerbematt" ... zur Diskussion* (Vaterland 3. 10. 68). *Unter Traktandum „Verschiedenes" forderte Obmann H. E. alle Veteranen auf, anfallende Mutationen unverzüglich dem Vorstand zuhanden der Mitgliederkontrolle zu melden* (National-Ztg. 1968, 455). *Die statutarischen Traktanden wurden rasch erledigt* (ebd., 553). →**Abschied** (*aus Abschied und Traktanden fallen), **Geschäft.**

Tram, das; -s, -s ‹engl. tram[way], frz. le tram[way]› (die Tram südd., österr. veraltend) ⧣ Straßenbahn. *Daß einmal sein Enkel ... beim Basler Tram „landen" und den Posten eines stellvertretenden Direktors der BVB* [Basler

Verkehrsbetriebe] *bekleiden werde* (National-Ztg. 1968, 563, 13). *Aus allen Kindern, die eine Mutter ins Tram trägt, auf dem Schoß hält, an der Hand führt* (Frisch, Die Schwierigen 65). *Er schien auf ein Tram zu warten* (Guggenheim, Alles in allem 222). →(zum Geschlecht) G 076. Dazu **Tramabonnement, -billett, -endstation, -führer, -haltestelle, -kondukteur, -linie, -personal, -station, -verkehr, -wagen.**

Trämel [trɛ:məl], auch (mundartl.) [trɛm..., træm...], der; -s, -: Stück Rundholz, zersägter Baumstamm (bdt. landsch.: dicker Klotz, Baumstumpf). *Als der Traktorführer C. H. aus H. (Amt Konolfingen) Trämel aus dem Ballenbühlwald transportierte, verlor er an einer abschüssigen Stelle die Herrschaft über die Ladung* (Vaterland 11. 1. 64). *Die auf eine bestimmte Länge zersägten Trämel werden nun kreuzweise um den Mittelstamm gelegt,* für das Fasnachtsfeuer (NZZ 6./7. 3. 76, 47). →**Spälte.**

Trämler, (in Bern:) **Trämeler,** der; -s, - (mundartnah): Straßenbahner. *Wir Automobilisten wissen ja zur Genüge, daß viele Zürcher Trämler keinen Pardon geben, sondern weiterfahren und erst im letzten Moment auf die Bremse treten* (NZZ). *„Sie kennen mich?" fragte die Soubrette mit einem kandiden Wimpernaufschlag zu dem uniformierten Trämler empor* (Guggenheim, Alles in allem 588; vorher: *Tramkondukteur Füglistaller).* →G 120.

[2]**Tramp,** der; -s (mundartnah) — Trott (altgewohnte, festgefahrene Arbeits-, Lebensweise). *Man würde sagen, sie suchen Händel, die jungen Leute. Aus Langeweile, aus Abenteuerlust, weil sie aus dem Tramp herauswollen* (Guggenheim, Alles in allem 348). *Sonst geht der Dienst im alten Tramp* (Frisch, Blätter 65). *Vor einem Monat ... wurden wir aus unserem täglichen Tramp aufgeschreckt* (St. Galler Tagbl. 1968, 463, 21).

[2]**trampen** (mundartnah): schwerfällig treten. *Und niemand kam, keine Alte, und trampte einem auf den Füßen herum* (Boesch, Fliegenfalle 87). *Den Herrschenden auf die Zehen zu trampen* (Häsler, Außenseiter 178).

Tranksame, die; -: Getränk (im kollektiven S.). *Ähnlich wie bei einem Totenmählchen belebten sich mählich ihre Lebensgeister an Speise und Tranksame* (Guggenheim, Alles in allem 288). *Der unverständliche Passus im Wettkampfreglement, daß in Ausdauerprüfungen unter 20 km Athleten keine Tranksame zu sich nehmen dürfen* (NZZ 3. 9. 87, 61). →G 113.

Träsch, der; -[s] (mundartnah) — Tresterbranntwein, Obstwasser aus Trestern von Äpfeln und Birnen. *Trinken Sie meinetwegen einen Cognac oder einen Träsch* (Nebelspalter 1970, 1, 31). *Die Gant* [auf einem Bauernhof] *beginnt stets mit den kleinen Geräten und Werkzeugen ...* [denn] *am frühen Morgen haben die Käufer noch keine Lust für größere Käufe, aber für Beträge um fünfzig Franken herum lassen sie sich doch noch vor dem ersten „Kaffee Träsch" gewinnen* (Weltwoche 1964).

Trassee [*frz.* trase], das; -s, -s ‹frz. le tracé› // die Trasse ‹frz. la trace› (Linienführung einer Bahn, Straße; Bahnkörper, Bahn-, Straßendamm). *Der Personenwagen war ... ins Schleudern geraten ...* [und] *wurde auf das Trassee der Seetalbahn geworfen* (St. Galler Tagbl. 8. 10. 68). *Das auf eigenem Trassee angelegte schienengebundene Verkehrsmittel stellt ... das weitaus speditivste Massentransportmittel dar* (National-Ztg. 1968, 455, 3). →G 034, 125. Dazu **Bahn-, Straßentrassee.**

Traueressen, das ≠ Leichenmahl, // Totenmahl. *Wenn Traueressen ... dann unsere Bankettzimmer im 1. Stock* (NZZ; Inserat). →**Trauermahl.**

Trauerfamilie, die; -, -n: die trauernden Hinterbliebenen. *Vor der Kirche versammelte sich der größte Teil der Trauergemeinde ... um das frische Grab. Zuvorderst stand die Trauerfamilie* (Oehninger, Bestattung 153).

Trauermahl, das; -[e], ...mähler ⫽ Leichenmahl, // Totenmahl. *Bei Bestattungen und Kremationen empfiehlt sich für ein vorzügliches Trauermahl das Café-Restaurant zum Stahl* (St. Galler Tagbl. 1968, 461, 7). →**Traueressen.**

Trauerzirkular, das; -[e]s, -e: gedruckte Todesanzeige, die mit der Post verschickt wird. *Kremation: Freitag, 29. November, um 11 Uhr im Feldli, St. Gallen. Trauerhaus: Krematorium. Trauerzirkulare werden keine versandt* (St. Galler Tagbl. 1968, 559, 10). →**Leidzirkular.**

Trax, der; -[es], -[e]: fahrbarer Bagger, Schaufellader. *Der 56jährige E. B. ist ... auf einer Baustelle im Saastal von einem mehrere Tonnen schweren Trax überfahren worden* (NZZ 3. 9. 75, 5). *Der Trax hing tatsächlich schwer auf die eine Seite über* (Walter, Der Stumme 96). Dazu **Traxführer; Raupentrax.**

treffen ⟨st. V.⟩: auch svw. **a)** auf jmdn. (als Belastung) fallen. *Der Klägerin wird eine Frist ... angesetzt, um für die sie allenfalls treffenden Prozeßkosten ... eine Kaution in der Höhe von Fr. 35 000.– zu leisten* (National-Ztg. 1968, 453, 2). **b)** ⟨unpers.⟩ ***es trifft soundsoviel auf einen:** auf einen kommt, entfällt soundsoviel (an Guthaben, Schulden od. rein statistisch). *Wenn wir die Kosten gleichmäßig teilen, trifft es auf jeden 34 Franken. – Im Jahre 1848 traf es im Durchschnitt auf zwei Bürger einen Niedergelassenen ... 1874 hielten sich Bürger und Niedergelassene die Waage* (NZZ).

Treffnis, das; -ses, -se: Anteil, Betrag, der bei einer Teilung oder Verteilung dem einzelnen Berechtigten zukommt. *Nach 148 Jahren konnten endlich die 122 geduldigen Erben des Reisläufers Oberstleutnant J. M. A. Amstutz ihre Treffnisse in Empfang nehmen, auf die sie und ihre Vorfahren seit dem Tode ihres streitbaren Ahnen im Jahre 1819 gewartet hatten* (NZZ 4. 4. 67). *Weitsichtig stimmte ... die Landsgemeinde einer veränderten Zuteilung des Treffnisses der Gemeinden an der kantonalen Erwerbs- und Ertragssteuer zu. Demnach erhalten die Ortsgemeinden nunmehr 20 statt 25 Prozent, die Schulgemeinden 16 Prozent und die Armengemeinden 4 Prozent* (NZZ 8. 5. 61). →**Betreffnis.**

Treichel, (seltener:) **Trinkel,** die; -, -n: große, bauchige geschmiedete Kuhglocke (Gebrauchsglocke im Ggs. zur klangvolleren gegossenen Prunkglocke). *Die prächtig farbigen Appenzeller Silvesterkläuse mit den Schellen, Treicheln und dem großen Kopfputz, die alljährlich zum „alten Silvester", dem 13. Januar ... umgehen* (NZZ 14. 1. 74). *Das Zifferblatt seiner Taschenuhr glitzerte golden. Sancassini erkannte Zeichen des Tierkreises ... Über der römischen Zwölf, der Sechs, der Drei und der Neun goldene Kühe oder Kälber mit Treicheln* (Herbert Meier, Verwandtschaften 205). *Vier Kühe, die in der Nähe der Wohnzone von Rietheim ... von April bis Oktober Tag und Nacht weiden, dürfen Treicheln tragen. In diesem Sinn hat das aargauische Verwaltungsgericht ... entschieden* (NZZ 24. 6. 83, 7).

Trester, der; -s (auch bdt. landsch.): kurz für Tresterbranntwein.

Treue, die: ***in guten Treuen:** **a)** (Recht) im guten Glauben. *Bricht ein Verlobter ... das Verlöbnis, oder wird es aus einem Grunde, an dem er selbst schuld ist, von ihm oder dem andern Verlobten aufgehoben, so hat er diesem ... für die Veranstaltungen, die mit Hinsicht auf die Eheschließung in guten Treuen getroffen worden sind, einen angemessenen Ersatz zu leisten* (ZGB 92). **b)** aufrichtig, mit gutem Gewissen. *Das Bundesamt mag in guten Treuen beabsichtigt haben, bloß einen „Diskussionsbeitrag" zu liefern* (National-Ztg. 9. 10. 68). *Der Beobachter hat sich in den Abstimmungskampf nicht eingemischt, weil man in guten Treuen verschiedener Meinung sein konnte über die Berechtigung der Initiative* (Beobachter). *Würde der*

Kurzski lediglich den Hauch des Neuen, des Anderen oder des Ausgefallenen mit sich bringen, dann könnte man in guten Treuen von einer modischen Laune sprechen (NZZ 1969, 684, 27).

Triage [*frz.* tʀiaʒ], die; -: Auswahl[verfahren], Sonderung, Sortierung. *Jene Asylbewerber ... denen in einer ersten Triage nur geringe Chancen* [der Asylgewährung] *eingeräumt worden sind* (NZZ 12. 10. 88, 2). *Da als Folge ungenügender Triage und Kontrolle der* [Sonder-]*Abfälle innerhalb weniger Jahre eine „chemische Fabrik" in der alten Kölliker Tongrube entstanden ist* (NZZ 14. 8. 87, 17).

Triste, die; -, -n (auch bayr., österr.): um eine hohe Stange angelegter großer Heu- oder Strohhaufen. *Als ich nach dem Essen ... talauf spazierte, brannte am nahen Berghang eine Triste Magerheu ... „Die hat der Züslibutz angezündet", sagte* [der Viehhändler] (Inglin, Verhexte Welt 88).

Tröckne, die; - — Trockenheit, Dürre. *Das Rohr ist ein Wahrzeichen der modernen Zeit ... Fort muß das Wasser, wenn es einmal geregnet hat, damit man nach vierzehn Tagen Regenlosigkeit über den Wassermangel und die immer schlimmer werdende Tröckne jammern kann* (NZZ 23. 5. 63). →G 118.

Tröckneraum, der; -[e]s, ...räume ≠ Trockenraum [für Wäsche], *16-Familien-Haus ... 2 Waschküchen, 2 Tröckneräume ...* (Bund 1968, 280, 31). *Ein Metzgerei- und Wurstereigebäude mit Kühl- und Tröckneräumen* (Wirte-Ztg. 6. 9. 68; Versteigerungsanzeige). →G 144.

Trocknungsraum, der; -[e]s, ...räume ≠ Trockenraum [für Wäsche]. *4½-Zimmer-Wohnung mit ... sep*[arater] *eigener Waschküche, mit sep. eigenem Trocknungsraum ...* (Bund 2. 9. 87, 10; Inserat). *Ein Trocknungsraum für Kastanien,* in einem alten Haus im Onsernonetal (NZZ 20. 1. 88, 25). →G 144. Ebenso **Trocknungsständer** — Wäschetrockner, -ständer.

trölen: a) (mundartnah, veraltend) — (ugs.:) trödeln (langsam arbeiten). **b)** (Recht; veraltend) mutwillig prozessieren bzw. Prozesse (durch Einsprachen u. ä.) in die Länge ziehen. Dazu (b): **Tröler,** der.

Trölerei, die; -, -en: **a)** (mundartnah) — Bummelei, (ugs.:) Trödelei. *Das individuelle Lernen erlaubt dem schwächeren Kind ein langsameres Fortschreiten ... doch einer Trölerei ist entgegenzuwirken, schließlich ist das ... Lernziel ... einzuhalten* (NZZ 17. 3. 88, 87). **b)** leichtfertige oder böswillige Verzögerung des Geschäftsganges, bes. vor Gericht. *Die kantonalen Behörden ... haben ... über das ganze Jahr hinweg ... den Tag der Landsgemeinde vor Augen ... Dadurch wird eine Trölerei im parlamentarischen Verfahren ausgeschlossen* (NZZ 7. 2. 72). *Man konnte dem amtlichen Verteidiger ... sicher nicht den Vorwurf der Trölerei machen, als er eine psychiatrische Begutachtung beantragte* (NZZ).

trölerhaft, trölerisch: das Gericht unnötig in Anspruch nehmend, den Gerichtsgang ungehörig verzögernd. *Trölerhafte Beschwerde* (NZZ 12. 11. 63; Überschrift). *Liegt* [in einem Verwaltungsstreitverfahren] *ungebührliche Inanspruchnahme der entscheidenden Instanzen durch ein offensichtlich trölerisches Verfahren vor, dann wird die Staatsgebühr angemessen erhöht* (NZZ 1961, Bl. 4643).

Trolleybus [ˈtrɔlıbʊs], der; -ses, -se (bdt. seltener) // Obus (Oberleitungsomnibus). *Ich folge dem Trolleybus dicht aufgeschlossen; so kommt man ungeschoren durch den Verkehr* (Vogt, Wüthrich 39). *Es sei ihr nachher zumute gewesen, als sei ihr ein Trolleybus über den Leib gefahren* (Humm, Kreter 227). *Zusammenstoß zwischen Tram und Trolleybus* (NZZ 9. 1. 87, 49; Überschr.).

Trotte, die; -, -n (auch südwestd.) — [alte] Kelter, Weinpresse. *Dazu einen Rebhang, irgendwo eine alte Trotte* *mit einer Ehrfurcht erweckenden Jahreszahl* (Frisch, Stiller 379). *Die Besucher der Ostschweizer Weinstube werden an der Expo 64 eine 250jährige Trotte aus Eichenholz bewundern können ... Der neun Meter lange Trottbaum wiegt vier Tonnen* (Nebelspalter 1963, 51, 25). →**Torkel.**

Trottinett ['trɔti,nɛt], das; -s, -e ‹frz. la trottinette› // Roller für Kinder. *Ein sechsjähriges Mädchen ... rollte mit seinem Trottinett vor ein Richtung Bern fahrendes Auto* (NZZ 1974, 239, 2). *Die Frühjahrs-, die Vorsommerkollektionen erschienen in den Schaufenstern, die neuen Modelle ..., die Trottinette und die Dreiräder* (Guggenheim, Alles in allem 852). →G 034, 078 (Fußn. 1).

Trottoir [*frz.* tʀɔtwaʀ], das; -s, -s/-e (bdt. veraltend) // Bürgersteig, Gehsteig. *Am Abend stand er auf dem Trottoir gegenüber dem Studerschen Coiffeurgeschäft* (Guggenheim, Alles in allem 470). *Ein junger Autofahrer hat ... mit seinem Personenwagen auf einem Trottoir eine Mutter mit ihren beiden Kleinkindern überfahren* (NZZ 4./5. 7. 87, 9). →(zur Aussprache) G 035/4.

trotz ‹Präp.›: mit Dat. (bdt. seltener) — mit Gen. *Einzelne Gegenstände, die trotz dem Flammeninferno ... unbeschädigt geblieben sind* (NZZ 17. 2. 88, 54). *Der Konzern kam ... trotz schönen Einzelerfolgen insgesamt kaum voran* (NZZ 24. 4. 87, 17). *Trotz seinem häufigen Schwarz-Weiß, trotz manchen Sätzen, die allein nicht ... halten ...* (Bucher/Ammann 239). →G 090.

trüb (bdt. seltener) ≠ trübe; →G 087.

Trute, die; -, -n — Truthuhn, Truthenne. *Da das Verhalten der Truten unter naturnahen Bedingungen noch wenig erforscht ... ist* (NZZ 22. 2. 88, 5). →G 140. Dazu **Trutenfleisch, -haltung.**

Tschad (Staat in Zentralafrika): [tʃa:d̥, ...t] // (bdt. überwiegend:) [tʃat]; →G 003.

Tschingg [tʃɪŋk'], der; -en, -en (mundartl., verächtlich): Italiener. *Von Pünktlichkeit hältst du wohl nicht viel, was? ... Du solltest mal da oben die Tschinggen sehen ... Um halb stehen die schon da und richten den Schlitten ein* (Kauer, Schachteltraum 36). [Vater zur Tochter:] *Was hast du überhaupt mit diesen linksextremen Tschinggen zu tun? ... Hast du wirklich keine Chancen bei einem Schweizer gehabt?* (Honegger, Schulpfleger 149).

Tschopen, der; -s, - (mundartnah, im Osten): Männerjacke, Jackett. *Die Uniform – neuer Tschopen, alte Hosen (in verschiedenem Grün) – führt dazu, daß ich vorerst ... nicht ernst genommen werde* (Vaterland 1968, 280, 25). *Es ist dort unten* [auf der großen Eisbahn im Talgrund von Davos] *„einen Tschopen kälter“* (NZZ 14. 2. 69). *Dieses Buch gehört in jede Tschopentasche, jeden Schultornister, jedes Handschuhfach!* (NZZ 2. 7. 75, 16; Inserat).

Tschugger →**Schugger.**

Tschumpel, der; -s, - (mundartnah) — Trottel, Schwachsinniger. *Einer redet noch immer von Ausgang, fragt jeden zweiten, wie spät es sei. Bis ihm einer sagt, er sei ein Tschumpel* (Frisch, Blätter 13).

tschut[t]en →**schutten.**

Tuch, das: ***ins gute/dicke Tuch gehen:** ins Gewicht fallen, von Belang sein, teuer zu stehen kommen. *Hier wird uns eine Kostenüberschreitung mundgerecht gemacht, die mit 50% wirklich ins gute Tuch geht* (National-Ztg. 11. 10. 68). *Damit ... geht die Anschaffung* [neuer „Uniformen“ in einem Gaststätten-Großunternehmen] *finanziell ins dicke Tuch* (NZZ 15. 1. 88, 55).

tun ‹unr. V.›: auch svw. sich auf eine best. Art benehmen, aufführen. *So still und ernst die Männer in größeren Versammlungen sich zeigten, so laut und munter taten sie, wenn sie unter sich waren* (Keller X 16: Fähnlein). *Unter den Protestierenden befand sich auch Susanne, die so laut tat, daß sie einen Bußenzettel über 50 Franken ausgehändigt bekam* (St. Galler

Tagbl. 1968, 560, 7). **etw. ist im Tun: etw. tut sich, ist im Werk, wird vorbereitet. *„In der Tat", bemerkte dieser zögernd und geheimnisvoll, „auch ich habe ... Witterung bekommen, daß etwas im Tun sein möchte"* (C. F. Meyer IV 45: Jenatsch). *Der Ausbau des parlamentseigenen Dokumentationsdienstes, der im Tun ist, sollte das technische Rüstzeug ... bieten* (Bund 4. 10. 68). *Im Westen unserer Stadt ist allerlei im Tun* (St. Galler Tagbl. 1968, 461, 11). ***wüst tun →wüst.**

tupfengleich (mundartnah) — genau gleich. *Es gibt Frauen, die sich nach fünf Jahren immer noch tupfengleich schminken wie damals* (Annabelle 1978, 23, 60).

Türfalle, die; -, -n ≠ Türklinke. *Draußen beginnt Nyffenschwander an der Türfalle zu klinken* (Dürrenmatt, Meteor 38). **→Falle.**

Türk, (mundartl.:) **Türgg** [t'yrk'], der; -s, -e: **1.** (Soldatenspr.) Manöver, große Truppenübung. *Müdigkeit lag auf seinen Augen, er hatte seit dem großen Türk* [einem Truppenvorbeimarsch] *keine Minute geschlafen* (Honegger, Morgen 182). **2. a)** (Soldatenspr., dann allg. salopp) anstrengende Übung, Strapaze. *Ein „Türgg" war der allgemeine Soldatenbegriff für jede schwere oder unangenehme Aufgabe* (Lenz, Fahrerin 74). *Die Formel an diesem nun schon zum 12. Male ausgetragenen „Türgg"* [dem Berner Distanzmarsch, ist] *besonders sympathisch* (Bund 1968, 283, 17). **b)** (salopp, abwertend) mit viel Betriebsamkeit verbundene Veranstaltung. *Wann hat eigentlich der Türk mit dem Versenden und Erhalten von Weihnachtskarten im großen Stil eingesetzt?* (Nebelspalter 1962, 7, 29). **c)** (salopp) Winkelzug, Täuschungsmanöver. *Der Türk ist ihm mißlungen.*

Türvorlage, die; -, -n ≠ Türvorleger; →G 124/1. **→Bettvorlage.**

U

überbauen // (ein Grundstück) bebauen (Häuser darauf bauen). *125 neue Wohnungen sind dieses Jahr* [in Birsfelden] *entstanden, und das Sternenfeldareal ist noch nicht fertig überbaut* (National-Ztg. 1968, 553, 13). *Die letzten Grünanlagen werden ja überbaut* (Schmidli, Meinetwegen 185).

Überbauung, die; -, -en: **a)** // Bebauung, das Bebauen eines Grundstücks mit Häusern. *Die Sorgen der Planer um die ziellose Überbauung des Landes* (National-Ztg. 1968, 557, 5). *Die letzte Chance ... innerhalb der Agglomeration Zürich ...* [für einen Rennplatz] *ein Terrain zu finden, das nicht ständig durch Überbauung bedroht ist* (National-Ztg. 1968, 557, 21). **b)** mehrere nach einem Gesamtplan auf einem Gelände erstellte Bauten. *Spiez, Überbauung Weidli, direkt am See: Für sofort oder nach Vereinbarung zu vermieten ...* (Bund 3. 10. 68, 24; Inserat). *Aus Überbauung zu verkaufen 15-Familien-Haus in Vorortsgemeinde von Langenthal* (ebd.). Dazu **Überbauungsplan,** der; -[e]s, ...pläne // Bebauungsplan.

überbinden ⟨st. V.⟩ (Geschäftsspr.) — auferlegen, übertragen. *Dem Verurteilten wurden die Kosten in Höhe von 1500 Franken überbunden* (Bund 1968, 281, 7). *Damit wird dem Staat die Aufgabe überbunden, die überlieferten Kulturgüter zu schützen und zu erhalten* (Bund 16. 12. 68). *... allen*

Fahrzeuglenkern in Erinnerung rufen, daß ihnen nach Gesetz beim Rückwärtsfahren verschiedene Vorsichtspflichten überbunden sind (National-Ztg. 1968, 553, 13). *Die Freiheit überbindet uns die Verantwortung, sie nicht zu mißbrauchen* (NZZ).

überbọrden ⟨sw. V.; ist, auch: hat⟩: **a)** (auch bdt. landsch.:) über die Ufer treten. *Das Geschiebe ... setzt sich im Flußbett nieder, das dadurch immer mehr erhöht wird. So müssen ja bei Hochwasser die Fluten überborden* (Tages-Anzeiger 18. 7. 62). **b)** (bdt. seltener:) über das Maß hinausgehen, alle Maße sprengen, ausarten. *Gegenwärtig scheint der Drang ausländischer Firmen, sich in der Schweiz niederzulassen, geradezu zu überborden* (NZZ 28. 2. 62). Häufig im Part. **überbordend.** *In der quantitativ wiederum überbordenden Bücherflut dieses Jahres* (National-Ztg. 31. 10. 59). *Überbordende Konjunktur* (NZZ 21. 5. 62; Überschr.). *„Wir haben es bedauert", sagte der alte Professor ... mit einer spürbaren Bemühung, sachlich zu bleiben und die Mutter ... vor überbordender Erregung zu bewahren* (Frisch, Stiller 310). *Was bedeutet schon ein kleiner Schatten in einer überbordenden Freude?* (Hugo, Die Elenden [Übers.] 1237). **c)** über die Stränge schlagen. *Daneben* [im übrigen] *kann man schon lustig sein, aber nicht überborden; klar, daß sich die Studenten austoben sollen* (Schenker, Leider 106). *Pflegen wir uns an Volkslustbarkeiten so schlecht zu benehmen ...? Sind wir wirklich ein so überbordendes Völklein?* (Nebelspalter 1961, 9, 33).

überfli̲e̲ßen ⟨überfli̲e̲ßt, ist überflọssen⟩ ≠ ü̲berfließen ⟨fließt ü̲ber, ist ü̲bergeflossen⟩; →G 024. *Die Sparhäfen der Banken begannen zu überfließen* (Aargauer Tagbl. 19. 4. 88, 1). *Die Dolen überflossen gurgelnd,* bei einem Wolkenbruch (Inglin, Amberg 250).

überführen (an einen andern Ort bringen [Amtsspr.]): • ⟨Betonung, Beugung:⟩ überfü̲hren, überfü̲hrt, hat überfü̲hrt (bdt. seltener) ≠ ü̲berführen, führt ü̲ber, hat ü̲bergeführt; →G 024. *Drei Feuerwehrleute wurden ... verletzt; zwei von ihnen mußten ins Spital überführt werden* (Bund 1968, 280, 6).

Ü̲bergewand, das; -[e]s, ...wänder: [zweiteiliger blauer] Arbeitsanzug der Arbeiter. *„Der hat's ihnen aber gesagt", meinte ein Arbeiter im Übergewand mit dem für Durchschnittsrussen üblichen patriotischen Pathos* (Weltwoche 17. 10. 85, 17). *Auf der Straße kam uns in seinem blauen Übergewand der Abwart Hebeisen entgegen* (Guggenheim, Friede 100). →**Überhose, Überkleid.**

überhọ̈ckeln, überhọcken (mundartnah): über die Polizeistunde hinaus im Wirtshaus sitzen bleiben. *Da gab es einen Fourier, der Nacht für Nacht überhockte, so daß wir kaum noch zum Schlafen kamen* (Wiesner, Schauplätze 160). *Herr Meier hat nach dem Kegelschub noch eine Gelegenheit zum Überhöckeln gefunden und kommt erst um zwei Uhr früh heim* (Nebelspalter 1965, 22, 12). →G 097.

Überhọ̈ckler, der; -s, - (mundartnah): jmd., der über die [normale] Polizeistunde hinaus in einer Wirtschaft sitzt. *Das Labyrinth der runden Tischchen, an denen die Frühaufsteher oder Überhöckler sitzen wie ... gestrandete Seefahrer* (Wechsler, Ein Haus 144). *In den „Nachtcafés" tummelt sich lärmiges, alkoholisiertes Volk von Überhöcklern, Zechbrüdern und Prostituierten* (NZZ). →G 120.

Ü̲berhose, die: [von Arbeitern] über der gewöhnlichen Hose getragene [blaue] Arbeitshose. *Enzo B. tunkt mit Brot die letzten Ölreste aus seiner Sardinenbüchse, streicht sich die Finger an seiner Überhose ab und wischt mit dem Ärmel den Mund sauber* (Blatter, Schaltfehler 46/47). →**Überkleid.**

Ü̲berkleid, das; -[e]s, -er: [blauer] zweiteiliger Arbeitsanzug der Arbeiter. *Wenn seine Frau den Pullover gewaschen und ausgebessert hat, ist er noch lange gut genug, um im Winter unter dem blauen Überkleid getragen* *zu werden* (Blatter, Schaltfehler 61). *„Wir müssen die Asche durchsieben", sagte der Wachtmeister, „zieh auch ein Überkleid an!"* (Glauser III 374). *Immer mehr Leute arbeiten im Büro. Und sie tragen eine Krawatte statt ein Überkleid* (Aargauer Kurier 26. 3. 87, 5). → **Übergewand.**

überlaufen (über den Rand eines Gefäßes fließen; übervoll sein und deshalb Flüssigkeit über den Rand fließen lassen): • ⟨Betonung, Beugung:⟩ überlaufen, überläuft, ist überlaufen // überlaufen, läuft über, ist übergelaufen; → G 024. *Da ... während der ganzen Nacht Öl aus dem oberen Tank floß, überlief der kleinere Behälter* (NZZ 1967, Bl. 4834). *Weil der ... See unterhalb von Bormio, der durch den Bergsturz ... entstanden war, zu überlaufen drohte* (NZZ 26. 8. 87, 7).

überlupfen, -lüpfen, sich (mundartnah): **a)** // sich verheben (beim Heben von etw. zu Schwerem sich körperlichen Schaden zufügen). **b)** — sich übernehmen, sich zuviel zumuten. *Wir haben unsere Gemeinde attraktiv gestalten wollen. Deshalb bauten wir u. a. ein schönes Sportzentrum. ... Dabei haben wir uns ganz eindeutig „überlüpft"* (Bund 30. 9. 87, 26).

übermarchen: eine festgesetzte Grenze überschreiten, über das richtige Maß hinausgehen. *Es war eine zuverlässige Freundschaft, nicht völlig ohne zärtlichen Einschlag, mit einem einzigen Blick vielleicht während eines ganzen Abends, der ein wenig übermarchte* (Guggenheim, Alles in allem 862). *Unsere Demokratie sorgt – im Gegensatz zu anderen Staatsformen – weitgehend dafür, daß unsere Verwaltung nicht übermarcht, sondern ihre Aufgaben korrekt erfüllt* (NZZ 28. 5. 63). *Daß der Konkurrenzkampf so unerbittlich und hart geführt wird, daß wer preislich übermarchen möchte, von selber als zu teuer aus dem Wettbewerb ausscheidet* (NZZ 1970, 2, 13). Dazu **Übermarchung,** die. → **March.**

Übermittlungstruppen, die ⟨Pl.⟩ (Militär) // Fernmeldetruppe.

übernächtig (auch österr., sonst veraltend) ≠ übernächtigt (durch allzulanges Wachsein übermüdet). *Ich sehe es ihm an, daß er in der letzten Zeit zuviel gearbeitet hat. Er ist übernächtig, überanstrengt* (Diggelmann, Harry Wind 138). *Sie sagte es ... ohne Mißtrauen, vom Ausgestandenen zusammengeknetet, übernächtig und abwesend* (Guggenheim, Friede 164).

Übernächtler, der; -s, - (mundartnah): **a)** Landstreicher, Tramper, der an nicht dafür vorgesehener Stelle (Stall, Schuppen, Unterführung o. ä.) mit oder ohne Erlaubnis übernachtet; der eine Notschlafstelle benützt. *In einer kleinen Pneufabrik brach in der Nacht auf den Dienstag ein Brand aus ... Man vermutet als Brandursache Unvorsichtigkeit von Übernächtlern* (Tagbl. der Stadt Zürich 9. 7. 58). **b)** jmd., der irgendwo als Gast übernachtet. *Übernächtler nannte man im Handroß* [einem einfachen ländlichen Wirtshaus] *die Leute, welche in den Hotels als Gäste bezeichnet wurden* (Kübler, Öppi der Student 41). **c)** jmd., der seinen Wohnort nur zum Übernachten aufsucht. *Ein moderner Dorftypus ... im Strahlungsbereich der Städte ... großenteils bewohnt von sogenannten Übernächtlern, die als Pendler jeden Tag zur Arbeit in die Stadt fahren* (Weiß, Häuser und Landschaften 313). → G 120.

überquellen: • ⟨Betonung, Beugung:⟩ überquellen, überquillt, ist überquollen // überquellen, quillt über, ist übergequollen; → G 024. *Die chinesische Propaganda überquillt gegenwärtig von Berichten aus Frankreich* (NZZ 1968, 320, 3). *Ladebrükken überquellen fast von Soldaten* (Schumacher, Rost 148).

überrissen (mundartnah): übertrieben, zu hoch angesetzt. *11,6 Millionen sind für den Neubau des Schulgebäudes und der Turnanlagen für die Kantonsschule* [von Obwalden] *vorgesehen.* [Dagegen wird vorgebracht] *die finanziellen Aufwendungen seien überrissen und die Folgekosten könne der*

Kanton nicht verkraften (NZZ 21. 4. 77, 27). *Spesenrechnungen ..., die in einem Kaff wie Bodio ... als überrissen erschienen* (Weltwoche 5. 2. 87, 17). →**übersetzt.**

Überseer, der; -s, -: jmd., der aus Übersee stammt oder lange in Übersee tätig war. *Das letzte Drittel* [des Eishockeyspiels Schweiz–USA] *war gekennzeichnet durch eine Aufholjagd der Überseer* (Aargauer Tagbl. 10. 4. 87, 37). *Groß, hager, markant das gebräunte Gesicht, trug er die Uniform des erfolgreichen Überseers: den dunklen zweireihigen Anzug und silberne Schläfenhaare* (Guggenheim, Friede 255).

übersetzt: übertrieben, zu hoch angesetzt. *Berücksichtigt man ... die persönlichen Verhältnisse der Angeklagten und ihre verminderte Zurechnungsfähigkeit, so mußte man den Antrag des Staatsanwaltes als übersetzt empfinden* (NZZ 25. 3. 77, 7). *Yvonne sah die übersetzten Tribute, die die Kunst ihrem Manne abverlangte* (Kopp, Pegasus 45). Besonders in den Wendungen: *übersetzte Preise, übersetzte Geschwindigkeit* // überhöht.

übersiedeln: • ⟨Betonung, Beugung:⟩ übersiedeln, übersiedelt, ist übersiedelt (bdt. seltener) ≠ übersiedeln, siedelt über, ist übergesiedelt; →G 024. *1970 übersiedelte er nach Zürich.*

überstellen: auch svw. (mit sperrigen, hinderlichen Gegenständen) überdecken, besetzen, belegen. *Die Arbeitstische des Laboratoriums ... waren trotz ihrer Breite mit Apparaten, Gestellen, Reagenzgläsern ... dicht überstellt* (Welti, Martha 264). *Wird das Haltezeichen vom Polizeimann kurzfristig gegeben, kann es vorkommen, daß bis zum gänzlichen Anhalten der Fußgängerstreifen teilweise ... überstellt wird, da der Wagenführer* [der Straßenbahn] *nicht brüsk stoppen darf* (NZZ).

Überwurf, der; -[e]s, ...würfe: auch (wie österr.) svw. // Tagesdecke (über einem Bett), Zierdecke (über einer Couch o. ä.). *Onkel Schmuel zog die Platzkarte ... hervor und legte sie auf die Couch ... Nadja blickte auf die Platzkarte, deren Rot sich hell von der Farbe des Überwurfs abhob* (Wechsler, Ein Haus 239).

Üchtland, (mundartl.:) **Üechtland** ['ʏəxt...], das; -[e]s: histor. Bez. des Gebietes um und südl. von Freiburg (früher mit Einschluß von Bern und Umgebung); heute meist nur noch in der Verbindung **Freiburg im Ü[e]chtland** (zur Unterscheidung von Freiburg im Breisgau). Gelegentl. svw. Kanton Freiburg: *Die ... deutschsprachige Gemeinde Bösingen liegt im Norden des Üechtlands und grenzt an den Berner Ort Laupen* (NZZ 4. 1. 88, 23).

Uhrenmacher, der; -s, - — Uhrmacher. *In Biel-Mett gibt es seit April 1967 ein „Schweizerisches Zentrum zur beruflichen Ausbildung Invalider als Uhrenmacher“* (Genossenschaft 8. 2. 69). *Habt ihr begriffen, was das heißt? Autobusse, Züge, Flugzeuge, Zeitungen, Gärtner, Kühe, Uhrenmacher, Müllmänner, Briefträger nie, gar nie im Streik* (NZZ 21. 6. 88, 27). →G 150.

Umbaute, die; -, -n (Geschäftsspr.) — Umbau. *Das wäre noch schöner, wenn die Reparatur eines undicht gewordenen Daches zu einer in die Hunderttausende gehenden Um- oder besser Neubaute führen sollte* (Guggenheim, Alles in allem 659). *In der Planung der Gasthofumbaute ... war die Bauherrschaft bestrebt, die Gebäudegruppe zu einem harmonischen Ganzen zu fügen* (NZZ 25. 12. 69). →G 075/3, 124/1. →**Baute.**

Umfahrung, die; -, -en: **a)** // Umgehung (eines Ortes durch eine Fernstraße). *Die Eröffnung der westlichen Umfahrung der größten Tessiner Stadt durch die neue Autobahn ist auf den 6. Dezember vorgesehen* (St. Galler Tagbl. 3. 10. 68, 5). **b)** (auch österr.) // Umgehungsstraße. *Fußgänger und Velofahrer haben nichts auf der Umfahrung zu suchen* (Blick 19. 9. 68).

Eine spürbare Entlastung verschiedener Stadtquartiere dank der Eröffnung der Nordumfahrung, von Zürich (NZZ 8. 8. 85, 41).

Umfahrungsstraße, die (auch österr.) // Umgehungsstraße. *Der Vorstand der Sektion Basel des Automobil-Club der Schweiz hat sich ... eindeutig für den Bau der Umfahrungsstraße Riehen ausgesprochen* (National-Ztg. 1968, 553, 7). *Die Sanierung* [des Flüßchens] *ist notwendig. Sie hängt aber mit der Umfahrungsstraße zusammen, und bevor diese Frage abgeklärt ist, kommen wir nicht weiter* (Inglin, Erlenbüel 136).

Umgelände, das; -s: zu einem Gebäude gehörendes Land, auch: Umgebung (eines Ortes o. ä.). *Zu verkaufen herrschaftliches 7-Zimmer-Landhaus. Prächtige Wohn- und Schlafräume ... Herrliche Gartenanlage ... Gebäudeplatz und Umgelände 2 261 m²* (National-Ztg. 1968, 562). *Seither wächst der Ort über die Stadtmauern hinaus, und mehr und mehr Bewohner ziehen es vor, sich im Umgelände niederzulassen* (NZZ). → **Umschwung.**

Umlad, der; -[e]s (Geschäftsspr.) — das Umladen. *Der Wegfall des Umlads in Altstetten bringe die Stückgüter 24 Stunden früher zu den Kunden* (NZZ 26. 5. 88, 58). *Da lagen sie also, meine einundzwanzig* [Gold-]*Barren ... Ich bewältigte in einundzwanzig Bewegungen den Umlad* (Guggenheim, Gold. Würfel 227). → G 115.

Umschwung, der; -[e]s: auch svw. zum Gebäude gehörendes umgebendes Land. *Zu vermieten ... umgebautes Bauernhaus mit Umschwung* (Aargauer Tagbl. 27. 2. 87, 44; Inserat). *Einfamilienhaus ... mit allem Komfort und viel Umschwung* (NZZ 2. 9. 87, 96; Inserat). *Einfamilienhaus ... schöner Umschwung mit altem Baumbestand* (NZZ 14. 8. 87, 88; Inserat). *Beim Bau der Kaserne* [sei] *nicht für den nötigen Umschwung gesorgt worden, der für die Grenadierausbildung unerläßlich sei* (Vaterland 3. 10. 68, 3). → **Umgelände.**

Umtrieb, der; -[e]s, -e: auch ‹meist Pl.› svw. Aufwand an Zeit, Geld, Arbeit, Mühe, der mit etw. verbunden ist. *Diese generelle Erlaubnis hatte keineswegs zur Folge, daß nun alle Lokale offen blieben. Vielmehr hielten manche Wirte den Umtrieb für zu kostspielig und schlossen weiterhin um Mitternacht* (NZZ 1964, Bl. 5082). *Es lassen sich so ohne ins Gewicht fallende Verzögerung bedeutende administrative Umtriebe vermeiden* (NZZ). *Es war im September, Stiller mit allerlei Umtrieben für eine Ausstellung sehr beschäftigt* (Frisch, Stiller 371).

umzonen (Amtsspr.): einen Teil des Gemeindegebietes einer anderen [Bebauungs-]Zone zuteilen. *Das in Neuallschwil erworbene Land mußte in die Zone 7 (öffentliche Werke) umgezont werden* (National-Ztg. 9. 10. 68). → **Zone.**

unabänderlich ['----- // (bdt. meist:) --'---]; → G 021. Ebenso **unabdingbar/-lich, unabkömmlich, unabsehbar, unabsetzbar, unabweisbar/-lich, unabwendbar** usw.

unanfechtbar ['---- // (bdt. meist:) --'--]; → G 021. Ebenso **unangreifbar, unannehmbar, unantastbar, unanzweifelbar** usw.

unauffindbar ['---- // (bdt. meist:) --'--]; → G 021. Ebenso **unaufhaltbar/-sam, unaufhörlich, unauflösbar/-lich, unaufschiebbar** usw.

unausbleiblich ['---- // (bdt. meist:) --'--]; → G 021. Ebenso **unausdenkbar/-lich, unausführbar, unauslöschlich, unausrottbar, unaussprechbar/-lich, unausstehlich, unaustilgbar, unausweichlich** usw.

unbeantwortbar ['----- // (bdt. meist:) --'---]; → G 021. Ebenso **unbeantwortbar, unbeeinflußbar, unbefahrbar, unbegehbar, unbegreiflich, unbehelligt, unbeirrbar, unbeirrt, unbelehrbar, unbenommen, unbenutzbar, unberücksichtigt, unberufen, unberührbar, unbeschreiblich, unbesehen, unbesiegbar/-lich, unbespielbar, unbe-**

stechlich, unbestimmbar, unbestreitbar, unbeweisbar, unbewohnbar, unbezahlbar, unbezähmbar, unbezweifelbar, unbezwingbar usw.

unbedingt: auch (Recht; ebenso österr.) svw. // ohne Bewährungsfrist. *Fahrlässige Tötung – unbedingte Gefängnisstrafe* [Überschrift]. *Das Bezirksgericht K. verurteilte einen gutbeleumdeten und nicht vorbestraften Werkmeister wegen fahrlässiger Tötung, grober Verletzung von Verkehrsregeln und Fahrens in angetrunkenem Zustand zu 7 Monaten Gefängnis unbedingt* (St. Galler Tagbl. 1968, 568, 7). →**bedingt.**

unbeugbar ['--- // (bdt. meist:) -'--]; →G 021. Ebenso **undefinierbar, undenkbar/-lich.**

undurchdringbar ['---- // (bdt. meist:) --'--]; →G 021. Ebenso **undurchdringlich, undurchführbar, undurchschaubar** usw.

uneinholbar ['---- // (bdt. meist:) --'--]; →G 021. Ebenso **uneinnehmbar** usw.

unentbehrlich ['---- // (bdt. meist:) --'--]; →G 021. Ebenso **unentdeckt, unentgeltlich, unentrinnbar, unentschuldbar, unentwegt, unentwirrbar** usw.

unerachtet ['---- // (bdt. meist:) --'--]; →G 021. Ebenso **unerbittlich, unerfindlich, unerforschlich, unerfüllbar, unergründbar/-lich, unerklärbar/-lich, unerläßlich, unermeßlich, unermüdlich, unerreichbar, unerreicht, unersättlich, unerschöpflich, unerschütterlich, unerschwinglich, unersetzbar, unerträglich** usw.

unfaßbar ['--- // (bdt. meist:) -'--]; →G 021. Ebenso **unfehlbar, unglaublich, unhörbar, unlösbar/-lich, unmerkbar/-lich, unmeßbar, unnahbar, unnennbar, unrettbar, unsagbar, unsäglich, unschätzbar, unschlagbar, unschmelzbar, unspielbar, unsterblich, unstillbar, unteilbar, untilgbar, untragbar, untrennbar, untröstlich, untrüglich** usw.

ungefreut (mundartnah) — unerfreulich. *Der Gastgeber stieß den ungefreuten Gast vom Sekretär weg und schrie ihn an* (NZZ 8. 12. 70; Gerichtsbericht). *Alles in allem eine sehr ungefreute Sache, zu der noch lange nicht das letzte Wort gesprochen sein dürfte* (Bund 31. 3. 63). *Den „Aborigines“ ..., jenen Ureinwohnern ..., deren Schicksal bis heute ungefreut und umstritten ist* (NZZ 24. 12. 86, 43). *Bis dahin gilt es, wenigstens die einem zugewiesene Arbeit zu tun. Das ungefreut Notwendige führt immerhin dem Abgrund entlang statt in ihn hinein* (Welti, Puritaner 296). →**gefreut.**

Unselbständigerwerbende, der/die; -n, -n (Amtsspr.) // Unselbständige (jmd., der in seinem Beruf nicht selbständig ist). *Für diese beiden Gruppen hatte der Nationalrat dieselbe AHV-Prämie wie für Unselbständigerwerbende festgesetzt* (National-Ztg. 1968, 455, 2). →**Selbständigerwerbende.**

Unservater, das; -s (ref. Kirche; auch bdt. landsch.) — Vaterunser (nach der Übersetzung der Zürcher Bibel: *Unser Vater, der du bist in den Himmeln.* Matth. 6,9). *In diesem Zimmerchen, am Rand des Bettes, lehrte mich die Mutter eines Abends das Unservater* (Oehninger, Kriechspur 55). *Das alte Unservater, das seit langem nie mehr über Öppis Lippen gegangen war* (Kübler, Öppi und Eva 336).

unter ⟨Präp. mit Dat.⟩: auch (wie südd., österr. ugs.) svw. — während; doch fast nur noch in der Wendung ***unter der Woche.** *Meine Kompanie durfte auch unter der Woche ... duschen* (Diggelmann, Harry Wind 122). *Unter der Woche, wenn keine Sportschau gesendet wird, mag nach der Tagesschau eine Zusammenfassung der Sportereignisse ... gerechtfertigt sein* (NZZ 24. 4. 87, 95; Leserbrief). →**untertags.**

Unterbruch, der; -[e]s, ...brüche — Unterbrechung. *Unterbruch von Bahnlinien* (NZZ 12. 7. 54; Überschr.). *Verzeihen Sie den kleinen Unterbruch der Handlung* (Dürrenmatt, Komödien II 217: Frank der Fünfte).

Auf jenen zornigen Kirchenaustritt meines Vaters folgte ein langer Unterbruch im gemeinsamen Gottesdienstbesuch (Oehninger, Kriechspur 310). *Der ... ehemalige Vizepräsident befindet sich seit 1966 – mit Unterbrüchen – in der politischen Opposition* (NZZ 25./26. 4. 87, 7). →G 115; →Heuer, Lupe 36 ff. Dazu **Arbeits-, Betriebs-, Spiel-, Strom-, Verkehrsunterbruch.**

Ụnterland, das; -[e]s: im Kt. Zürich die Gegend im NNW der Hauptstadt, die Bezirke Dielsdorf und Bülach; im Kt. Glarus die Gegend von Netstal bis zum Talausgang und bis Bilten. →**Mittel-, Oberland.**

Ụnterleibchen, das; -s, - // Unterhemd für Männer und Kinder. *Herbert stand im Unterleibchen da, sah schmächtiger aus, als er war* (Blatter, Heimweh 386). →**Leibchen.**

Ụnteroffizier, der; -s, -e (Milit.): Sammelbegriff für die Dienstgrade Korporal, Wachtmeister, Fourier, Feldweibel, Adjutant-Unteroffizier (Bundesrep., Österr.: svw. schweiz. →Korporal).

Ụnteroffiziersschule, die; -, -n: „dreiwöchiger Instruktionskurs, nach dem der Absolvent zum Korporal befördert wird. Der neuernannte Korporal muß alsdann während einer Rekrutenschule seinen Grad ‚abverdienen'" (Marti, Beispiel 54).

ụnterstehen ⟨unr. V.; ist⟩ (mundartnah) — sich ụnterstellen. *Bei Said war ich gerne, weil ... ich das Bedürfnis hatte, unterzustehen und unterzuschlüpfen* (Nizon, Jahr der Liebe 66). →G 065.

Untersu̲ch, der; -[e]s, -e (Geschäftsspr.) — Untersuchung, namentlich gerichtliche oder medizinische. *Sicher spielen dabei noch andere Faktoren mit, deren Untersuch hier viel zu weit führen würde* (Luzerner Hauskalender 1962, 57). *Zur Erhärtung dieser Behauptung* [daß sie keine Drogen eingenommen habe] *wünsche sie einen ärztlichen Untersuch* (NZZ 3. 7. 73). *Oberländer verlangt Untersuch* [Überschrift]. *Der westdeutsche Vertriebenenminister Oberländer bat Bundestagspräsident Gerstenmaier, daß ein parlamentarischer Untersuchungsausschuß sich mit seiner Tätigkeit während der Nazi-Zeit beschäftigen möge* (Zeitungsnotiz). *Gratis-Gemüseuntersuch für Urner* (Luzerner Neueste Nachrichten 8. 9. 87, 20; Überschr.; nachher: *Gemüse aus überschwemmten Hausgärten wird im Labor in Brunnen kostenlos untersucht*). →G 115.

unterta̲gs (auch österr.) — tagsüber. *Abends erwischt man dich kaum allein, und untertags bist du im Büro* (Inglin, Schweizerspiegel 350).

Ụnterteller, der; -s, - — Untertasse. *Kaffee-Service ... bestehend aus 8 Kaffeetassen mit Untertellern, 8 Desserttellern* [usw.] (Jelmoli, Katalog Frühling 1988, 601).

Ụnterwaldner, der; -s, -: Bürger, Einwohner des Kantons Unterwalden (d. h. der Halbkantone Ob- und Nidwalden).

ụnterwaldnerisch: zu Unterwalden gehörig, sich darauf beziehend.

Unterwe̲isung, die: vor allem (mundartnah) svw. **a)** — Religionsunterricht. *Das war in der vierten Klasse, als der Religionsunterricht begann. Zweimal in der Woche kam der Pfarrer ... und hielt Unterweisung* (Diggelmann, Freispruch 66). **b)** spez. (ref. Kirche) — Konfirmandenunterricht.

unterzi̲ehen: auch ***sich [jmdm./einer Sache] unterziehen** — sich fügen, sich unterordnen. [Das Üben für die Revue „Holiday on Ice"] *ist harte Körperschulung, Einordnung ins Kollektiv. Die ehrgeizigen jungen Leute unterziehen sich dem klaglos* (NZZ 22./23. 8. 87, 9). *Die liebende Vereinigung überstieg an Fülle des Lebens das bloße Denken, das Denken hatte sich zu unterziehen* (Kübler, Öppi und Eva 336). *Wenn aber Abstimmungen durchgeführt worden sind ... so hat sich schließlich die Minderheit der Mehrheit zu unterziehen* (NZZ 14. 4. 87, 35).

unüberbietbar ['----- // (bdt. meist:) ---'--]; →G 021. Ebenso **ụnüberbrückbar, ụnüberhörbar, ụnüberschaubar,**

unüberschreitbar, unübersehbar, unübersetzbar, unübersteigbar, unübertragbar, unübertrefflich, unübertroffen, unüberwindbar/-lich usw.

unumgänglich ['---- // (bdt. meist:) --'--]; →G 021. Ebenso **unumschränkt, unumstößlich, unumstritten.**

unveränderbar ['----- // (bdt. meist:) --'---]; →G 021. Ebenso **unveränderlich, unverantwortlich, unveräußerlich, unverbesserlich, unverbrüchlich, unverbürgt, unvereinbar, unvergleichbar/-lich, unverkennbar, unverletzbar/-lich, unverlierbar, unvermeidbar/-lich, unverrückbar, unversiegbar/-lich, unverwechselbar, unverwertbar, unverwischbar, unverwundbar, unverwüstlich, unverzeihbar/-lich, unverzichtbar, unverzinslich, unverzüglich** usw.

unvorstellbar ['---- // (bdt. meist:) --'--]; →G 021.

unwägbar ['--- // (bdt. meist:) -'--]; →G 021. Ebenso **unwandelbar, unweigerlich.**

unwiderlegbar ['----- // (bdt. meist:) ---'--]; →G 021. Ebenso **unwiderleglich, unwiderruflich, unwidersprechlich, unwidersprochen, unwiderstehlich** usw.

unwiederbringlich ['----- // (bdt. meist:) ---'--]; →G 021.

Unwort, das; -[e]s — ungutes, böses, gehässiges Wort. *Der Selbstmord der Familie scheint den Nachbarn völlig rätselhaft. Bei Pegels fiel nie ein Unwort, und der Vater galt an seiner Arbeitsstelle als sehr zuverlässig und eifrig* (Blick 24. 9. 69).

unzählbar ['--- // (bdt. meist:) -'--]; →G 021. Ebenso **unzähmbar.**

unzerbrechlich ['---- // (bdt. meist:) --'--]; →G 021. Ebenso **unzerreißbar, unzerstörbar, unzertrennbar/-lich** usw.

Unzukömmlichkeiten, die ⟨Pl.⟩ (auch österr.) — Unzulänglichkeiten, Schwierigkeiten. *Es hat sich gezeigt, daß die Information durch mehrere Stellen in solchen Fällen zu Unzukömmlichkeiten führt. Daher ist ... die Information zentralisiert worden* (Bund 1968, 284, 28).

UR: Autokennzeichen und allg. Sigle für (den Kanton) Uri; →G 092.

urbarisieren — urbar machen. *Nahe bei einer Stadt in der Ostschweiz urbarisierte ein Landwirt eine völlig unerschlossene Liegenschaft* (Nebelspalter 1962, 11, 6). →G 102.

urchig ⟨Adj.⟩ — urwüchsig, bodenständig, unverfälscht, markig, ⫽ deftig, // urig. *Den urchigen Schatz unserer Volkslieder* (Dürrenmatt, Hörspiele 187). *Zum gemütlichen Teil* [einer Zusammenkunft], *der mit einem herrlich urchigen Essen* [begann] (Vaterland 17. 12. 68). *Der seit 60 Jahren in Zürich wohnhafte Berner Oberländer war ... auch Maler, mit einem markanten Strich, urchig, währschaft wie jene Gegend, aus der er stammt* (NZZ 25. 11. 87, 60). *Man wagt nicht zu träumen, was Lyndon B. Johnson über diese Hearings denkt ... Man kann es sich nicht urchig genug vorstellen* (NZZ 1966, Bl. 2332).

Urkantone, die ⟨Pl.⟩: die drei Kantone der ursprünglichen, ersten Eidgenossenschaft (Uri, Schwyz und Unterwalden). →**Innerschweiz, Urschweiz.**

Urlaub, der: nur svw. **a)** (Milit.) Erlaubnis, sich vom Truppenstandort zu entfernen. **b)** außerordentliche Dienstbefreiung eines Arbeitnehmers auf Gesuch hin; dazu **Bildungs-, Erholungs-, Studienurlaub; unbezahlter Urlaub.** (Bdt. auch svw. dem Arbeitnehmer vertraglich bzw. gesetzlich zustehende arbeitsfreie Wochen; →**Ferien.**)

Urnengang, der; -[e]s, ...gänge: Volkswahl und/oder -abstimmung. *Im aargauisch-kantonalen Wahljahr mit seiner Vielzahl an Urnengängen* (NZZ). *Die Durchführung der eidgenössischen Wahlen ist Sache der Kantone. Doch die Organisation des eigentlichen Urnengangs wird in den meisten Fällen den Gemeinden überlassen* (Bund 13. 10. 87, 13). Weitere Zusammensetzungen z. B.: **Urnen-**

büro, -lokal (Wahllokal); **Urnenöffnung** (Öffnung[szeit] des Wahllokals).

Urner, der; -s, -: Angehöriger, Einwohner des Kantons Uri. Der Föhn wird „der älteste Urner" genannt.

urnerisch: zum Kt. Uri gehörig, ihn betreffend. *Den Verkehr auf dem urnerischen Straßennetz* (NZZ 1961, Bl. 348).

Urnerland, das; -[e]s (mundartnah): Kt. Uri. *Starker Föhn im Urnerland* (NZZ; Überschrift). →G 153/2a

Urnersee, der; -s: der südlichst ... des Vierwaldstättersees. Der Name wird gewöhnlich zusammengeschrieben; →G 153/2d.

Urschweiz, die; -: der historische Kern der Schweiz, die Kantone („Urkantone") UR, SZ, OW und NW. *Daß Obwalden die Ehre zugefallen ist, den ersten Bundesrat der Urschweiz zu stellen* (NZZ 20.12.59, Bl. 8).

Ursner, auch: **Urschner,** der; -s, -: Einwohner von Urseren (des Urserentals, Kt. Uri).

Usanz, die [u'zants]; -, -en (Brauch, Gepflogenheit im geschäftlichen Verkehr) // Usance [y'zã:s]; -, -n; →G 038.

V

Vaduz (Hauptort des Fürstentums Liechtenstein): [fa'dʊts]; →G 018.

Vagabund, der, **Vagant,** der [fag... — vag...]; →G 018.

Vakanz, die [fa... — va...]; →G 018.

Vandale, der; **vandalisch; Vandalismus,** der // (bdt. vorwiegend:) Wandale usw.; →G 042.

Vanille, die: [*frz.* vanij; 'vanil # va'nɪljə // va'nɪlə]; →G 039.

Variété, das // Varieté; →G 031.

Vasall, der [fa... — va...]; →G 018.

VD: Autokennzeichen und allg. Sigle für (den Kanton) Waadt (frz. Vaud); →G 092.

VDM: (buchstabierte) Abkürzung für (lat.) **V**erbi **D**ivini **M**inister/Ministra (Diener[in] am göttlichen Wort), Titel der ordinierten (aber [noch] kein Pfarramt innehabenden) reformierten Theolog[inn]en; →G 028, 093.

Vegetarier, der, **Vegetation,** die [fege... — vege...]; →G 018.

Vehikel, das [fe... — ve...]; →G 018.

Velo [*frz.* velo; 'velo], das; -s, -s (mundartnah bis normalspr.) # Fahrrad, // (ugs.:) Rad. *Doch fuhr er stundenlang mit seinem Velo herum* (Dürrenmatt, Versprechen 227). *Abends, nachdem sich der letzte Arbeiter ... aufs Velo gesetzt hatte* (Frisch, Die Schwierigen 238). *Ungebrochener Trend zum Velo* [Überschr.]. *Ende 1986 waren in der Schweiz insgesamt 2 450 362 Fahrräder registriert* (NZZ 15. 4. 87, 33). →(zur Aussprache) G 021. Dazu etwa: **Veloanhänger, -einstellraum; velofahren** # radfahren, **Velofahrer** # Radfahrer; **Velohändler, -handlung, -mechaniker; Velopneu** // Fahrradreifen; **Velopumpe; Velorennen** — Radrennen; **Veloständer** — Fahrradständer; **Velotour** # Fahrrad-, Radtour; **Damenvelo** # -rad; **Herrenvelo** # -rad; **Motorvelo** # Motorfahrrad, — Mofa; **Rennvelo** // -rad.

Veltlin, das: [fɛlt'li:n] (bdt. seltener) // [vɛlt...]; →G 018.

Venedig: [fe'ne:dɪg // ve...]; →G 018.

Ventil, das: [fɛn... # vɛn...]; →G 018.

verbürgert: (in einer Gemeinde, einem Kanton, der Schweiz) das Bürgerrecht besitzend. [Man veranstaltete] *un* [illegible] *der Schweiz verbürgerten o*[illegible]*edergelassenen Künstlerinnen einen öffentlichen Wettbewerb* (NZZ). →**gebürtig, heimatberechtigt, -genössig.**

verdạnken: auch (bes. Geschäftsspr.; auch vorarlb.) in der Wendung **[jmdm.] etw. verdanken** — [jmdm.] für etw. danken, Dank abstatten, sich [bei jmdm.] für etw. bedanken. *Alle Geschenke, die man einander gemacht hat, müssen noch einmal geschenkt werden, noch einmal eingepackt und mit Schleife verschnürt, noch einmal aufgeschnürt und bewundert, mit Entzücken verdankt* (Frisch, Gantenbein 192). *Ich habe Ihr erstaunliches Bekenntnis, dessen Mitteilung ich Ihnen als einen Beweis des Vertrauens verdanke, mit gebührender Andacht gelesen* (Spitteler IV 298: Imago). *Die von Direktor von Meyenburg bekanntgegebenen Schenkungen zum 100-Jahr-Jubiläum ... verdankte Stadtpräsident Widmer* (NZZ 7. 5. 71). *Die ... Kassaabrechnung wird genehmigt und dem Kassier seine Arbeit bestens verdankt* (Innerrhoder Volksfreund; so oder ähnlich meist in Vereinsprotokollen).

verdạnkenswert (Geschäftsspr.) — dankenswert. *Das ist gewiß sehr schön und verdankenswert. Dennoch bin ich nicht ganz glücklich* (Nebelspalter 1965, 27, 12). *Auf Anfrage teilte die ... Gesandtschaft in verdankenswerter Weise mit ...* (NZZ 1960, Bl. 10).

Verdạnkung, die; -, -en (Geschäftsspr.): Dank, Ausdruck des Dankes. *Das Protokoll ... über die letztjährige Hauptversammlung wurde nach Verdankung genehmigt* (St. Galler Tagbl. 1968, 565, 15). *Diese verdienstliche Anregung wurde vom Zentralkomitee unter Verdankung entgegengenommen* (NZZ). ***unter Verdankung der geleisteten Dienste:** stehende Formel bei Rücktritten. *Vom Rücktritt von Pfarrer A. Müller als Mitglied der Schulgesundheitskommission wird unter bester Verdankung der geleisteten Dienste Kenntnis genommen* (National-Ztg. 1968, 455, 11).

Verdịkt, das [fɛr... — vɛr...]; →G 018.

Verdịngbub, der; -en, -en; **Verdịngkind,** das; -[e]s, -er (früher): Junge, Kind, der/das bei einer Bauernfamilie →verdingt ist. *Lebenslauf? Verdingbub bei einem Bauern. Diebstähle ... Dann ging es, wie es in solchen Fällen immer geht. Erziehungsanstalt ... Ausbruch. Diebstahl ...* (Glauser II 12: Wachtmeister Studer). *Zwischen 1926 und 1973 wurden 619 jenische Kinder ihren Eltern weggenommen und in Pflegefamilien, als Verdingkinder auf Bauernhöfen oder in staatlichen Anstalten ... untergebracht* (NZZ 19. 10. 87, 61).

verdịngen ⟨sw. V.⟩: auch (früher) svw. ein Kind durch die Waisenbehörde gegen geringes Kostgeld bei einer Bauernfamilie unterbringen. *Das seien nicht seine Eltern, die Leute in Uitikon, erläuterte der Bursche. Er sei dort nur verdingt. Er habe noch eine Schwester, die sei bei Bauersleuten in Bonstetten* (Guggenheim, Alles in allem 222).

Verẹna, Verọnika ⟨weibl. Vornamen⟩ [fe... — ve...]; →G 018.

verfuhrwerken: verpfuschen, verderben, verpatzen. *„Verstehen Sie mich jetzt?" fragte Pfarrer Franck ... „Verstehen? Weniger als je –" „Das dachte ich mir! ... Reden ist sinnlos. Man verfuhrwerkt nur immer alles"* (Vogt, Melancholie 140). *Während der gesamten zehn Jahre seines Wirkens als Außenminister hatte Aubert mit diesem mühsamen, von Anfang an verfuhrwerkten Geschäft zu tun,* dem Beitritt der Schweiz zur Europäischen Sozialcharta (Aargauer Tagbl. 3. 12. 87, 1).

vergaben — vermachen, schenken. *Frl. Emma Allenspach ... hat durch letztwillige Verfügung an 21 gemeinnützige Institutionen insgesamt 10 000 Fr. vergabt* (NZZ).

Vergabung, die; -, -en — Schenkung, Vermächtnis. *Wie ... verlautet, hat der deutsche Verleger Axel Springer dem* *israelischen Nationalmuseum eine Schenkung in der Höhe von einer Million Dollar zur Errichtung einer Bibliothek angeboten. Der israelische Erziehungs- und Kulturminister ... erklärte, der Annahme dieser Vergabung sei noch nicht zugestimmt worden* (NZZ 1966, Bl. 3968).

verganden: verwildern durch allmähliche Bedeckung mit Gestrüpp (und Steinen), zu →Gand werden (von Alpweiden, die nicht mehr genutzt werden). *Was geschähe mit all dem Land, das zu bebauen sich ... eigentlich gar nicht lohnt, mit den Hügeln und Hängen in den Alpen, in den Voralpen und im Jura? Sie alle würden wohl innert kurzer Zeit verganden* (NZZ 4./5. 10. 80, 37). Dazu **Vergandung,** die. *Die Waldfläche in der Schweiz ... nimmt ... vor allem wegen der Vergandung von Grenzertragslagen im Berggebiet ... wieder zu* (NZZ 14. 10. 87, 21).

verganten (mundartnah; südd., österr. veraltet) — versteigern. *Mit dem liberalen Umschwung 1830 wurde das Schloß* [Knonau] *für Verwaltungszwecke nutzlos und wurde verganten* (NZZ 21. 10. 88, 55). *Meine erste Frage war, ob wir jetzt ausziehen müßten, ob uns alles, was wir besaßen ... weggenommen und vergantet würde* (Guggenheim, Die frühen Jahre 36). →**Gant.**

vergelstern — einschüchtern, verwirren. *Daß du uns die bewährtesten, wägsten Kellnerinnen vergelsterst* (Spitteler IV 135: Conrad der Leutnant). *Den durch sein* [Stadtrat Ä.s] *Vorgehen ... vergelsterten Gewerblern ist nun ... vom Gericht bestätigt worden, daß sie dem Vorstand des Bauamtes I ... Irreführung vorwerfen dürfen* (NZZ 13. 11. 87, 53).

vergessen: ***etw. geht vergessen** — wird vergessen, gerät in Vergessenheit. *Früher weitverbreitet, ging er* [der Topinambur] *nach dem Zweiten Weltkrieg fast vergessen und erlebt nun eine Renaissance* (NZZ 25. 2. 87, 37). *Daß bei der Abrüstung die Interessen der Supermächte im Vordergrund stünden und Drittstaaten ... leicht vergessen gingen* (NZZ 27. 3. 87, 33).

vergönnen: auch (veraltend) svw. — mißgönnen, nicht gönnen. *Weshalb vergönnte man ... den Ehefrauen die Möglichkeit, „in der Wirtschaft eine befriedigende Arbeit zu suchen" ...?* (NZZ 14. 5. 74, 221, 37). *Nicht daß ich es irgend jemandem vergönnt hätte ... mit Fanfarenklängen in einem Schloß empfangen zu werden* (Freier Aargauer 21. 10. 69). *Ein Ereignis, das ihm ebenso vergönnt blieb wie das Erleben des Tages seiner Pension, die er ... am 6. Oktober erreicht hätte* (Wohler Anz. 4. 11. 88, 7). • Diese (alte regionale) Bedeutung hat neben der gesamtdeutschen (gewähren; gönnen) keinen Platz, denn sie ist der ziemlich genaue Gegensatz dazu, und das muß zu Mißverständnissen führen. Also in der Standardsprache vermeiden! •

verhalten: auch svw. **1.** (mundartnah) **a)** — zuhalten. *„Ich will nichts mehr davon hören ...!" Frau Barbara ... verhielt sich mit beiden Händen die Ohren* (Inglin, Schweizerspiegel 74). **b)** — dicht sein. *Sobald die Wände und das Dach* [des halb zerfallenen Hauses] *wieder verhielten, fing er um das Haus herum ... zu roden an* (Frühling der Gegenw., Erz. III 230: Ad. Haller). **2.** (Amtsspr.; auch österr.:) — verpflichten, anhalten. *Der neue Verfassungsartikel schafft ... die Rechtsgrundlage für die Gründung regionaler Verkehrsbetriebe als öffentlich-rechtliche Unternehmungen ... und ermöglicht dem Kantonsrat, Gemeinden zu verhalten, sich an solchen Verkehrsbetrieben zu beteiligen* (Zeitungsbericht 1972).

verharzen: meist nur im 2. Part. **verharzt** — (in der Bewegung) blockiert, festgefahren, ins Stocken geraten. *Sollte es heute mehr Wehrmänner mit verharzten Hüften und blockierten Knien, mit schlechter Haltung ... geben* (Schumacher, Rost 37). *Verharzte Energiepolitik* (NZZ 9./10. 1. 88, 21; Überschrift). →**harzen.**

verhọckt: festsitzend, festgefahren, erstarrt. *Als Max Frisch vor einigen Jahren den Literaturpreis der Stadt Zürich erhielt, gab er in seiner Dankansprache dem Begriff „zersetzend" eine kühne Drehung ins Positive: er legte dar, daß der moderne Schriftsteller das Bedürfnis habe, Verhocktes und Erstarrtes zu zersetzen, um Raum zu schaffen für das Jugendliche und Neue* (Schweizer Spiegel 1965, 5, 34). *Was in dieser dunklen Welle der Emotionen bis zu verhockten Haßgefühlen an die Oberfläche gespült wurde* (NZZ 1964, 579). *Die internationalen Leute, mit denen sie zu tun hatte, unterschieden sich nur wenig von dem, was sie sich unter einer normal verhockten Bureaukratie vorstellte* (Welti, Puritaner 536).

Verhö̱ramt, das; -[e]s, ...ämter (in einigen Kantonen, so AR, GL, OW, SH, SZ, UR, ZG): Untersuchungsrichteramt. *Der wissenschaftliche Dienst der Stadtpolizei Zürich wurde vom Verhöramt Schaffhausen mit der Ausarbeitung eines Gutachtens ... beauftragt* (Vaterland 14. 12. 68).

Verhö̱rrichter, der; -s, - (in einigen Kantonen): Untersuchungsrichter. *Ein Gemunkel entstand, von dem wir so lange nichts ahnten, bis ein mißtrauisch veranlagter Onkel Ottos mich fast wie ein Verhörrichter auszufragen begann* (Inglin, Erz. I 121).

verhu̱delt (mundartnah) — zerlumpt. *Im Erker ... schaute ... Therese aus dem Fenster und sah ein verhudeltes altes Weib, das ... dringend nach ihr verlangte* (Inglin, Ingoldau 325).

verhü̱hnern (mundartnah): unordentlich verstreuen, durcheinanderbringen, aus Unachtsamkeit verlegen oder verlieren. *„Der Koffer ist gekommen ... man muß sofort auspacken ..." „Mama", sagte Therese, „überlaß das mir, gelt." „Geh weg!" sagte die Mutter. „Du verhühnerst mir doch alles."* (Inglin, Ingoldau 228). *Das ungläubige Erstaunen ... über den verhühnerten und heruntergekommenen Zustand der Villa, die doch die Residenz darstellt* (Dürrenmatt, Komödien I 78: Romulus d. Gr.).

verịrrlich: leicht in die Irre führend. *Nachdem sie einmal das erste Unvertrautsein überwunden hatte ... begann* [sie], *das ... Labyrinth zu durchforschen. Sie belustigte und graulte sich ... bei der verirrlichen Wanderung* (Welti, Lucretia 180). *Stundenlang könne man ... auf den Höhen wandern, obwohl die unzähligen Tälchen und Höhenzüge mancherorts zunächst auch etwas verirrlich seien* (E. Y. Meyer, Trubschachen 39). →**verwirrlich.**

verkla̱gen, jmdm. ‹Dat.› (mundartnah) — bei jmdm. *Von einem alten ... Manne ...* [der] *jahrelang im Zuchthaus gesessen hatte, eines schweren sittlichen Verbrechens wegen, das er an seiner leiblichen Tochter verübte, die ihn dem Richter verklagte* (Walser IV 270: Geschwister Tanner). →G 060.

verknọrzt (mundartnah): verkrüppelt, verwachsen, mißgebildet. *Wir glauben an die Depeschenagentur – trotz deren verknorztem Stil* (Nebelspalter 1965, 48, 7). *Hier wird schlicht dargestellt, wie einfältig und wie verknorzt die menschliche Psyche, die den Verbrecher zu seinen Taten zwingt, oft ist* (Beobachter 31. 8. 72, 46). *Du bist ein verklemmtes, verknorztes Mädchen. Wer hat dir wehgetan?* (Morf, Katzen 18). →**knorzen.**

Verkụndung, die; -, -en: auch kurz für →**Eheverkündung,** Aufgebot. *Um die Verkündung zu erwirken, müssen die Verlobten ihr Eheversprechen beim Zivilstandsbeamten anmelden* (ZGB, Art. 105).

Verla̱d, der; -[e]s (Geschäftsspr.) — das Verladen (von Waren). *19 Tonnen Papier sammelten die Schüler ... und transportierten es zum Verlad nach der Station* (Bund 4. 10. 68, 9). *Onkel Josef lädt Getreidesäcke auf den Brükkenwagen. „Du kannst mitfahren zum Verlad* [auf der Bahnstation] *im Hasli"* (Frei, Nacht 70). →G 115. Dazu **Autoverlad:** *Wegen eines Lawinenniedergangs war die Zufahrt zum Autoverlad am Lötschberg in Goppen-*

stein vorübergehend gesperrt (NZZ 6. 1. 87, 5).

Verlag, der; -[e]s: auch (mundartnah, abwertend) svw. Herumliegen von Gegenständen, Unordnung. *Die Manzin ... schämte sich des schlechten Gerätes und der verdorbenen Betten, welche nun abgeladen wurden. Sali schämte sich auch, aber er mußte helfen und machte mit seinem Vater einen seltsamen Verlag in dem Gäßchen* (Keller IV 90: Romeo und Julia). *Ich habe einen gräßlichen Verlag auf meinem Schreibtisch, ich muß wieder einmal aufräumen!*

verlangen, jmdm. ‹Dat.› etw. (mundartnah) — von jmdm. *„Und die Papiere?" ... „Warum haben Sie ihm die Papiere nicht verlangt?"* (Frisch, Tageb. 1946/49, 109). *Der Kindergärtnerin wird er für die Kaninchenfelle mehr verlangen müssen* (Blatter, Schaltfehler 58). *Man verlangt mir oft die Adresse meines Coiffeurs, weil mein Haarschnitt so gut gefällt* (NZZ 9. 9. 82, 97; Inserat). →G 060.

Verlassenschaft, die; -, -en (Recht, veraltend; auch österr.) — Nachlaß, Erbe, Hinterlassenschaft. *Ausgeschlagene Verlassenschaft des Hilfiker K. E.,* wird liquidiert (Stadtanz. Bern 19. 11. 88, 3; amtl. Anzeige).

verleiden ‹sw. V.; ist›: auch svw. zuwider werden, Überdruß erregen (bdt. nur: er verleidet es mir: nimmt mir die Freude daran). *Brot verleidet nie* (Zeitung). *Wenn sie in der freien Zeit noch spielen, so verleidete ihnen das Spiel eher als sonst* (Inglin, Verhexte Welt 65). *Einfach weil es ihnen verleidet ist, mit sich selber zu reden* (Guggenheim, Alles in allem 768).

Verleider, der; -s (mundartnah) ≠ Überdruß; häufig in den Wendungen: **den Verleider haben/bekommen; jmdm. den Verleider anhängen/bringen/machen.** *Dein Zustand ist nur der hohe Grad einer allgemeinen, unter den meisten Truppen verbreiteten Not. Den ‚Verleider' nennt man's ja etwa, aber ich finde, das ist ein schwacher Ausdruck. Bei den Welschen sagt man ‚le cafard' und versteht mehr darunter* (Inglin, Schweizerspiegel 304). *Dem Wachtmeister war das Spiel plötzlich verleidet.* [Er] *hätte keinen Grund, für seine plötzliche Müdigkeit angeben können. Er hatte den Verleider! Basta!* (Glauser II 195: Wachtmeister Studer). *Man wird* [in der Schule] *derart vollgestopft mit Lösungen von Problemen, die man noch gar nicht hat und erkennt, daß man bald den Verleider bekommt* (Nebelspalter 1965, 36, 6). *Dieser Negativismus ... hat zur Folge, daß der Jugend zum vorneherein der Verleider angehängt und daß die Neigung zum Rückzug aus der politischen Wirklichkeit gefördert wird* (NZZ 1966, Bl. 2259).

verlochen: 1. — (Kadaver, Kehricht) vergraben, verscharren. *Nachdem E. die ganze Hütte geputzt und Säcke voll Unrat verlocht hatte* (Helen Meier, Trockenwiese 98). **2.** ‹übertr.:› **a)** unter etw. begraben. *Der Maire von Nizza ist unter Bergen von Beschwerden verlocht und kann nichts tun* (Nebelspalter 1962, 30, 38). **b)** (Geld) zum Fenster hinauswerfen. *Wer sehen will, wie in Zürich Steuergelder verlocht werden, soll sich einmal die Straßenbauten in hinteren Abschnitt der Eierbrechtstraße ansehen* (NZZ 1960, Bl. 11).

Verlustschein, der; -[e]s, -e (Recht): jedem an einer Pfändung teilnehmenden Gläubiger zustehende schriftliche Bescheinigung über den ungedeckt gebliebenen Betrag seiner Forderung.

vermarchen — vermarken (eine Landfläche nach der Vermessung durch Grenzsteine o. ä. sichtbar und dauerhaft abgrenzen). *In den zwanziger Jahren wurde ... die Landgrenze* [zwischen Venezuela und Kolumbien] *von einer schweizerischen Expertengruppe vermessen und vermarcht* (NZZ 3. 5. 71). Dazu **Vermarchung** — Vermarkung. →G 044.

Vermicelles [*frz.* vɛrmisɛl], die ‹Pl.; frz.›: spaghettiartige „Würmer" aus

Marronipüree, mit Schlagrahm garniert, eine Süßspeise.

Vermittler, der; -s, - (in AI, AR, GR, SG, SZ, UR): svw. →**Friedensrichter.**

vermögen ⟨unr. V.⟩: auch (mundartnah) svw. sich etw. leisten können, die Mittel zu etw. haben. *Was malt er denn? Nichts Gutes, sonst vermöchte er eine bessere Hose* (Herbert Meier, Verwandtschaften 169). *Vermag Zurzach keine Kläranlage?* (General-Anzeiger 8. 4. 71; Überschrift). *Manche Familien, die es vermochten, verließen die gefährdete Stadt* (NZZ 24. 3. 88, 3). *Wir leben hier solid und ehrenfest und vermögen es!* (Keller VIII 10: Kleider machen Leute).

vermöglich (auch bdt. landsch.) — vermögend, wohlhabend. *Im Mittelalter war es ein Herrenprivileg, steinerne Häuser zu bauen; später gingen die Städte aus feuerpolizeilichen Gründen zur Steinbauweise über, und schließlich baute auch der vermögliche Bauer Steinhäuser* (Weiß, Volkskunde 90).

Vernehmlassung, die; -, -en. **1.** amtliche Bekanntmachung. *„Getreue, liebe Mitbürger" ist eine Formel, welche die bündnerische Regierung noch heute auf ihren gedruckten Vernehmlassungen anwendet* (Weiß, Volkskunde 341). **2. a)** Meinungsäußerung, Stellungnahme zu einer öffentlichen Frage, besonders im Gesetzgebungsverfahren auf Bundesebene, wo die Kantone und die Spitzenverbände jeweils im **Vernehmlassungsverfahren** offiziell dazu aufgefordert werden. *Im Tenor ähnlich gehalten ist eine Vernehmlassung der Katholischen Aktion, die die Eindeutigkeit der päpstlichen Enzyklika begrüßt* (NZZ 1968, 479, 1). *In letzter Zeit haben sich die Befürworter der kommerziellen Fernsehreklame vermehrt zum Wort gemeldet, sei es in der Presse oder in Eingaben und Vernehmlassungen an die Behörden* (NZZ). *Den Kantonen, Parteien, Verbänden und anderen ... interessierten Stellen geht ein Vorentwurf zu einer Änderung des Bundesgesetzes über den Militärpflichtersatz zur Vernehmlassung zu* (NZZ 8. 2. 1974, 64, 17). *Internationale Rechtshilfe in Strafsachen* [Titel]. *Überblick über das Ergebnis der Vernehmlassung* [Untertitel] (NZZ 26. 3. 1974, 143, 17). **b)** kurz für **Vernehmlassungsverfahren:** Aufforderung der Kantone und Spitzenverbände zur Stellungnahme zu einem eidgenössischen Gesetzesentwurf. *Der Bundesrat faßt keinen wichtigen Beschluß und formuliert keinen endgültigen Verfassungs- oder Gesetzesentwurf, ehe er ihn „in die Vernehmlassung geschickt" hat* (Salis, Müßiggänger 373).

Vernehmlassungsverfahren, das; -s, - →**Vernehmlassung** (2a, b).

verpfründen (auch südd.): jmdm./sich gegen einmalige Zahlung oder Übereignung lebenslänglichen Unterhalt verschaffen. Dazu **Verpfründung** (s. OR, Art. 521 ff.).

verquanten (mundartnah, abwertend): verkaufen, oft mit dem Nebensinn des Heimlichen, Unerlaubten, des Abstoßens unter dem Wert. *Traute Heimat meiner Lieben, sei verquantet Stück um Stück* (Nebelspalter; Parodie des Liedes von J. G. von Salis-Seewis).

verrumpfe[l]n (mundartnah) — zerknittern. *Capitaine Lartigue in seiner verrumpfelten Khakiuniform* (Glauser II 473). *In ... ererbten verrumpften Zivilkleidern drückte ich mich herum* (Welti, Puritaner 120). *Wir lachten uns krumm, während vier oder fünf Indios reglos vor der verrumpften* [Kino-] Leinwand saßen (Frisch, Homo faber 49). →**Rumpf.** →G 097.

versäumen: auch svw. **a)** aufhalten. *Wenn du ein halbes Leben lang vor einer Tür gestanden und geklopft hast, Herrgott noch mal, erfolglos wie ich vor dieser Frau ... und dann geh du weiter! Vergiß sie, so eine Tür, die dich zehn Jahre versäumt hat!* (Frisch, Stiller 412). **b)** ⟨+ sich⟩ [zu lange] verweilen. *Auf dem Heimweg von der Schule versäumte ich mich mit Kameraden am* *großen Platzbrunnen* (Inglin, Amberg 101).

(**verschliefen,** sich) ‹st. V., nur noch in den Vergangenheitsformen verschloff, verschloffen› (mundartnah): sich verstecken, verschwinden, indem man irgendwo hineinschlüpft. *Sie hätte nichts gesehen ..., es müsse sich die Traktandenliste in der Neujahrspost verschloffen haben* (Guggenheim, Friede 49). →**schliefen.**

Verschrieb, der; -[e]s, -e: Fehlschreibung, Schreibfehler; →G 115.

verschupfen (auch bdt. landsch.)/(im Westen:) **verschüpfen** (mundartnah): jmdn. zurücksetzen, benachteiligen, stiefmütterlich behandeln. *Das Gefühl ist* [in der freiburgischen Bauernschaft] *weit verbreitet, nicht nur das verschupfte, sondern sogar das verachtete Kind der schweizerischen Gesellschaft zu sein* (NZZ 27. 5. 74, 241, 13).

verschwellen: a) (geküferte Holzgefäße) durch Einlegen in oder Einfüllen von Wasser aufquellen lassen, so daß sie wieder dicht werden. *In der hohen Zeit der Winzer, sobald der Trottenmann die mächtigen Kufen verschwellte und die Reifen antrieb* (Kopp, Damaris 61). **b)** (ein Trinkgefäß) durch einen Trunk einweihen. *Die Greise brachen nun auf nach dem Gabentempel, wo sie ... den jungen Helden schon mit dem glänzenden Becher in der Hand antrafen. Also zogen sie mit ihm nach der Weise eines muntern Marsches in die Hütte, um den Becher zu „verschwellen", wie man zu sagen pflegt* (Keller X 83: Fähnlein). **c)** ein erfreuliches Ereignis durch einen Trunk feiern, „begießen".

verserbeln ‹sw. Vb.; ist› — zugrunde gehen. *Das hätte ihr* [der eifersüchtigen Rivalin] *so gepaßt, daß er ohne sie verserbelt und verludert* [wäre] (Guggenheim, Alles in allem 782). →**serbeln.**

versorgen: auch svw. **1. a)** etwas verwahren, unterbringen. *Das Geschirr muß man in der Nähe des Spültroges oder der Geschirrwaschmaschine versorgen können* (National-Ztg. 4. 10. 68, 11). *Auch jetzt hielt er seine Brieftasche in seinen Gewändern irgendwo versorgt* (Keller V 250: Gr. Heinrich). **b)** etw. an seinen Aufbewahrungsort [zurück]stellen od. legen. *Newton: Doch nun muß ich meinen Kognak versorgen, sonst tobt die Oberschwester* (Dürrenmatt, Komödien II 297: Die Physiker). *Als ich zuhause die Geige im Kasten versorgte, wußte ich, daß alles zu Ende war* (Kopp, Der sechste Tag 155). **2.** jmdn. (wegen Geisteskrankheit o. ä.) in eine Anstalt einweisen, in einer A. unterbringen. *Die Untersuchung ergab, daß der Täter geistesschwach ist, weswegen er versorgt war und aus der Armee ausgemustert wurde* (Appenzeller Volksfreund). *Sie müssen die arme Frau versorgen lassen* (Humm, Komödie 54).

Versorgung, die; -: auch svw. Einweisung in eine Erziehungs-, Heil- oder Pflegeanstalt. *Übrigens hieß er Augsburger Hans, fünfmal vorbestraft. Ihm drohte die Versorgung* (Glauser II 146). [Gegen die Menschenrechtskonvention verstößt] *daß die Versorgung von Kindern, Geisteskranken, Alkoholikern usw. nach kantonalem Recht und eidgenössischem Vormundschaftsrecht teilweise ohne Gerichtsurteil möglich bleibt* (NZZ 12. 5. 74, 217, 33). →**Verwahrung.**

verspeisen: • ‹Beugung:› verspies, verspiesen — verspeiste, verspeist. [Des Bären] *Fleisch wurde in Altdorf verspiesen, die Tatzen wurden an Ketten vor der Säge aufgebunden* (Radiozeitung 1961, 5). *Am Mittag ... war er mit Walter im Terrassegärtchen gesessen und hatte zum Café crème möglichst unauffällig ... vier Semmel* [so!] *zerrissen und verspiesen* (Guggenheim, Alles in allem 938). →**speisen.** →G 055.

verstäten: festmachen, bes. das Fadenende (beim Sticken oder Stopfen). *Er griff zwischen den Eisenstäben hindurch nach dem verborgenen Riegel, mit dem das ... Gitterpförtchen verstätet war* (Welti, Lucretia 275). *Er ... schaute dem Kondukteur zu wie er das*

Seil der Kontaktstange [auf dem alten Tramwagen] *niederzog, damit um den Wagen herumlief, dann die Rolle wieder auf den Leitungsdraht gleiten ließ, das Seil befestigte und verstetete*[!] (Guggenheim, Alles in allem 168).

vertragen ‹st. V.›: auch svw. # (Brot, Zeitungen, Post) austragen. *Das Vertragen war auch meine Sache. Kaum in der Backstube fertig, mußte ich mich aufs Velo setzen* (Beobachter 1961, 697). *Bis acht Uhr haben wir noch 40 Minuten Zeit, um die Zeitungen zu vertragen* (Blick 21. 9. 68). Dazu **Verträger:** *Zustellung des „Ostschweizerischen Tagblattes" durch Verträger und Post im Bezirk Rorschach* (St. Galler Tagbl. 1968, 559, 2). **Vertragung:** *Der Wegfall der zweiten Paket- (und Geld-)Austragung hat zur Folge, daß die „erste" und einzige Vertragung jetzt um zwei bis drei Stunden später stattfindet* (NZZ).

verunfallen (bdt. seltener) — verunglücken (durch einen Unfall zu Schaden, ums Leben kommen). *Bundesrat Otto Stich ist beim Skifahren ... verunfallt und hat sich die linke Schulter gebrochen* (NZZ 3. 1. 86, 27). *Ein 28jähriger ... Automobilist verlor in einer Rechtskurve die Herrschaft über sein Fahrzeug und verunfallte tödlich* (NZZ 21. 4. 87, 5). *Man schiebt dem Verunfallten eine Decke unter den Rükken* (Loetscher, Noah 156).

verunmöglichen (bdt. seltener) — unmöglich machen, verhindern. *Mit einem kicherigen Lachen, das ... jedes ernsthafte Gespräch verunmöglichte, hielt sie die Herren von sich* (Frisch, Stiller 112). *Der Aufbau eines ... „totalen" Marketings* [ist] *durch die Vielgestaltigkeit des Usego-Organismus erheblich erschwert, nicht aber verunmöglicht* (National-Ztg. 1968, 455, 21). [Mindszenty] *weigert sich seit 1956 ... die USA-Botschaft in Budapest zu verlassen. So hat er bis jetzt dem Regime verunmöglicht, seine Ausweisung zu verlangen* (National-Ztg. 1968, 557).

verurkunden (Geschäftsspr.): einen Grundstückverkauf notariell ausfertigen [lassen]. Dazu **Verurkundung,** die: *Daß* [W. B.] *die geerbte Liegenschaft effektiv ... an die Gemeinde verkaufen wollte ...* [und] *daß die anschließende Verurkundung ordnungsgemäß und dem erneuten Willen W. B.s entsprechend stattfand* (Beobachter 1988, 24, 34).

Verwahrung, die; -: auch (Recht; wie früher bdt.) svw. zwangsweise Unterbringung einer Person in einer Anstalt, wo sie unter Kontrolle ist; kann anstelle einer Zuchthaus- oder Gefängnisstrafe angeordnet werden, wenn jmd. sich als Gewohnheitsverbrecher erwiesen hat (Strafgesetzbuch, Art. 42). *Verwahrung für Notzuchtsverbrecher* (NZZ 29. 1. 87, 9; Überschrift). → **Versorgung.**

Verwaltungsrat, der; -(e)s, ...räte: von den Aktionären aus ihrer Mitte gewählte Gruppe von Personen, die die Geschäftsführung einer Aktiengesellschaft besorgt oder durch Direktoren besorgen läßt und überwacht, // Aufsichtsrat. *Die Industrie, das heißt die Generaldirektoren und die Vorsitzenden der Verwaltungsräte, wurden Mitglieder der Wehrgesellschaft* (Diggelmann, Harry Wind 21).

verwandt, jmdm. — mit jmdm. *Er sei mir verwandt* (Herbert Meier, Verwandtschaften 134). → G 089.

verwedeln — vertuschen, verschleiern, vernebeln. *Muß denn bei uns alles so enden? Muß denn immer wieder alles verwischt und verwedelt werden? Jedem streitet man ein wenig ab und gibt man ein wenig zu ...*(Inglin, Schweizerspiegel 437). *Es ist deshalb tröstlich ... daß die Zürcher Regierung die PdA-Anfrage nicht mit verwedelnden Sowohl-als-auch-Sätzen, sondern mannhaft und eindeutig beantwortet hat* (Nebelspalter 1961, 22, 6). → G 098.

verwerfen ‹st. V.›: auch svw. **a)** (eine Spielkarte) ausspielen, ohne damit etw. zu stechen. *Hätt ich vorhin nicht Kreuz verworfen, hätt ich gewonnen* (Brambach, Wahrnehmungen 53). **b)**

(die Arme) gestikulierend heben, ausbreiten. *Sie steigt aus der Wanne und schüttelt sich. Die beiden müssen lachen, weil Jota sich benimmt wie ein nasser Hund, die Beine schlenkert und die Arme verwirft und die Wände bespritzt* (Wilker, Jota 18). *Ratlose Gestalten, in sinnloser Angst die Hände verwerfend* (Spitteler IV 156: Conrad der Leutnant). **c)** in einer Volksabstimmung ablehnen. *Huttwil verwirft Frauenstimmrecht* (Bund 1968, 280, 13). Dazu (c): **Verwerfung; Verwerfungsparole** (svw. →Nein-Parole).

Verweser, der; -s, - (in einigen Kantonen, so ZH): aushilfsweise, befristet angestellter reformierter Pfarrer oder Volksschullehrer (bdt. nur noch hist.: jmd., der ein Amt, ein Gebiet [als Stellvertreter] verwaltet). *Der Anteil der Verweser gegenüber den gewählten Lehrern* [ist] *von rund 20 auf annähernd 25 Prozent angewachsen* (NZZ 24. 7. 74, 338, 15). *Ein Verweser versieht in einer Gemeinde ein Pfarramt vorübergehend, ohne gewählt zu sein* (NZZ 8. 3. 88, 57). →**Vikar; Amtsverweser.**

verwirrlich — verwirrend. *Eine gelegentlich recht komplexe, gar verwirrliche ... Familiengeschichte* (NZZ 1. 9. 88, 27). →**verirrlich.**

verzeigen // anzeigen (gegen jmdn. Strafanzeige erstatten). *Ab ... 19. Januar ... werden widerrechtlich in der Sperrzone Parkierende verzeigt* (NZZ 14. 1. 87, 49). Dazu: **Verzeiger,** der. *Die Zeugeneinvernahme erfolgte in Eglis Abwesenheit, weil er als Verzeiger und nicht als Geschädigter behandelt wurde* (NZZ). **Verzeigung,** die: *Fehlbare, die wiederholt gemahnt wurden, haben mit einer Verzeigung zu rechnen* (NZZ 27./28. 7. 85, 39).

verzetteln: auch (wie südd.) svw. (Stroh, Gras, Mist) mit der Gabel ausbreitend verstreuen. *So daß wir unsere Säcke, unsere Gewehre, unsere Helme ... in den nahen Schopf tragen, wo auch das Stroh schon verzettelt ist, dann schütteln wir das Mottenpulver aus den Wolldecken* (Frisch, Blätter 11). *Allenthalben riecht es nach verzetteltem Mist, es gurgeln die Quellen ... die laublosen Wälder stehen voll märzlichem Himmel zwischen ihren Stämmen* (Frisch, Stiller 462). In gleicher Bed. auch **verzetten** (mundartnah): *Können Sie es nicht endlich lassen, solchen Mist zu verzetten?* (Honegger, Schulpfleger 173). →**zetten.**

verzwatzeln (mundartnah; auch bdt. landsch.) — vor Ungeduld vergehen. [Ihr Mann sei] *ein Pedant ..., ein Topfgucker. Sie verzwatzle manchmal schier* (Humm, Kreter 69). →G 097.

Verzweigung, die; -, -en: **a)** (amtl.) Stelle, wo eine Autobahn von einer andern abzweigt, // Autobahndreieck. *Auf dem Autobahnnetz gab es insbesondere auf der Verzweigung der N1 und N2 bei Härkingen Schwierigkeiten,* mit dem Neuschnee (NZZ 22. 11. 88, 13). **b)** (Zeitungsspr.) überh. svw. Abzweigung, Kreuzung. *Auf der Verzweigung Regensberg-/Birchstraße in Zürich 11* [sind] *zwei Personenwagen zusammengestoßen* (NZZ 5. 12. 88, 32).

Veston [*frz.* vɛstõ], der; -s, -s (vor allem Fachspr.) // Jackett, Jacke (als Teil der Männerkleidung). *Der Täter ... trug einen dunklen Veston und dunkle Hosen* (NZZ 26. 8. 88, 54). *Zum Zwecke eines Wettkampfes zogen wir unsere sonntäglichen Vestons aus* (Frisch, Stiller 404). →**Kittel, Rock.**

Veterinär, der [fe... ⫽ ve...]; →G 018.

Vetterliwirtschaft, die; - ⫽ Vetternwirtschaft. *„Aber das machen doch alle so. Euer Vetter Karl ist kaum ohne Protektion Hauptmann geworden ..." „Vetterliwirtschaft!" erwiderte Paul lächelnd. „Glaubst du im Ernst, Papa oder Onkel Boßhart würde auch nur einen Finger für uns krümmen? ... die sind viel zu pflichtbewußt?* (Inglin, Schweizerspiegel 198). →G 109.

Viadukt, der, auch das [fia... — via... // via...]; →G 018.

Viehhabe, die; -, **Viehstand,** der; -[e]s; **Viehware,** die; -: Viehbestand, -besitz eines Bauern, Sennen. *Sämtliche Viehhabe und die meisten landwirt-*

schaftlichen Maschinen konnten gerettet werden; dagegen wurden die Heuvorräte ein Raub der Flammen (NZZ). Die letzten 14 *Jahre war er* [auf der Alp] *immer allein mit sich und seiner Viehware* (Berner Oberländer 27. 10. 87, 5).

Vierer, der; -s, -: auch svw. **1.** Angehöriger des Jahrgangs [19]04. **2.** (auch bdt. landsch.) — die Vier. **a)** Ziffer. **b)** Anzahl Augen auf dem Würfel. **c)** Note, Zensur. *Er hat einen Vierer im Latein.* **d)** [Wagen der] Straßenbahn- oder Buslinie 4. [Sie] *eilen über die Bahnhofbrücke ... und erreichen den besagten Vierer (oder einen Fünfzehner) ... noch am Central* (NZZ 24. 7. 74, 338, 15). →**Achter.**

Viererkolonne, die; -, -n (Militär, Turnen): Marschordnung, wobei man zu vieren nebeneinander geht; →G 152. →**Einer-, Zweierkolonne.**

Viererzimmer, das; -s, - // Vierbettzimmer. →G 152.

Vierplätzer, der; -s, - // Viersitzer (Personenauto für vier Personen). *Der Wagen war ein älterer Vierplätzer starker Konstruktion* (Welti, Puritaner 367).

vierplätzig // viersitzig (Personenauto). *Ein taubengrau gespritztes Vehikel ..., vierplätzig, zweitürig, neben den bunten Straßenkreuzern amerikanischer Herkunft eher bescheiden* (Guggenheim, Friede 122).

Viertel: • ⟨Aussprache:⟩ ['fi:r... # 'fır...]; →G 003 • ⟨Geschlecht:⟩ der # das; →G 076. *1971 stellten die Jungen mit 1,9 Mio. fast einen Drittel der Bevölkerung, Anfang 1987 machten sie mit 1,6 Mio. nur noch einen Viertel aus* (NZZ 7./8. 3. 87, 33).

Viertelsgemeinde, die; -, -n (in BE): Unterabteilung einer weitlaufigen ländlichen Gemeinde, die (mit eigenem Viertelsgemeinderat, Viertelsgemeindepräsident, Viertelsgemeindeversammlung, eigenen Steuern usw.) einen Teil der Gemeindeaufgaben selbständig erledigt. *Die Finanzlage der Einwohnergemeinde Rubigen ist prekär ...* [während] *die Unterabteilungen, die Viertelsgemeinden Allmendingen, Rubigen und Trimstein, ihre Finanzen tendenziell eher beeinflussen können* (Bund 17. 11. 88, 33). →**Bäuert, Fraktion.**

Viertkläßler, der; -s, - (auch südd.): Schüler der vierten Klasse; →G 118.

Viertklaßlesebuch, das; -[e]s, ...bücher: Lesebuch für die vierte Klasse [der Primarschule]. *Es gibt eine ganz traurige Geschichte im 4.-Klaß-Lesebuch, eine Geschichte von einem Maikäfer, der ein Bein gebrochen hat* (Bucher/Ammann 390: Jörg Steiner). →G 148/2a.

Vierwaldstättersee, der; -s # Vierwaldstätter See; →G 153/2d. →**Waldstatt.**

vierzehn, vierzig: ['fi:r... // 'fır...]; →G 003.

Vignette [vıɲɛtə, vi'ni̯ɛtə], die; -, -n ⟨frz.⟩: auch (kurz für **Autobahnvignette**) svw. an der Windschutzscheibe anzubringender Kleber, der die Entrichtung der jährlichen Autobahngebühr bezeugt. → (Aussprache) G 035/1.

Vikar, der: • ⟨Ausspr.:⟩ [fi'ka:r — vi...]; →G 018. • ⟨Bedeutung:⟩ auch (in mehreren Kantonen, so AG, ZH) svw. Stellvertreter eines Lehrers, vorübergehend eingesetzter Lehrer. [Im Kt. Zürich werden] *während der drei WK-Wochen ... 418 Lehrer fehlen; ihre Ersetzung durch Vikare bereitet große Schwierigkeiten* (NZZ 1967, Bl. 4287). Dazu auch **Vikariat, vikarieren.**

Viktor ⟨männl. Vorname⟩: ['fıkto:r # 'vık...]; →G 018.

violett: [fio... — vio... // vi̯o...]; →G 018.

Viper, die: ['fıpər, auch: 'fi:pər // 'vi:...]; →G 004, 018.

Viscose, die // Viskose (eine Kunstfaser); →G 042.

Visier, das: [fi... — vi...]; →G 018.

visieren: auch (Geschäftsspr.) svw. **a)** // abzeichnen (mit seinem Namenszeichen versehen, als gesehen kennzeichnen). **b)** # beglaubigen. *Diese Erklärung* [daß Sie wegen eines Gebrechens oder einer Krankheit nicht an der Urne stimmen können] *lassen Sie vom Arzte visieren* (St. Galler Tagbl. 1968, 461, 11).

Visum, das; -s, Visa: auch (Geschäftsspr.) svw. Namenszeichen, Unterschrift, womit man ein Schriftstück als „gesehen" abzeichnet; Abzeichnung. *Der Angeklagte hatte ... für die ihm unterstellten Putzfrauen die Lohnquittungen auszustellen und sie mit dem Visum des Institutsleiters ... der ... Kasse zur Auszahlung vorzuweisen* (National-Ztg. 1968, 554, 24).

Visumspflicht, die; - // Visumzwang. *Nach wie vor besteht zwischen den beiden Ländern* [DDR und Polen] *eine strenge Visumspflicht* (NZZ 12./13. 9. 87, 3).

Vita-Parcours ['vi:tap'ark'u:r], der; -, - // Trimm-dich-Pfad (nach der Versicherungsgesellschaft „Vita", die die Anleitungstafeln finanziert). *Die ersten Vita-Parcours wurden im Jahre 1968 in Wäldern der Stadt Zürich eröffnet. Seitdem sind in der Schweiz mehr als 300, in Westdeutschland nahezu 700, in Holland ein halbes Dutzend solcher Anlagen erstellt worden* (NZZ 9. 12. 73, 572, 35).

Vogelheu, das; -s: feine Weißbrotscheibchen, in der Bratpfanne leicht in Butter geröstet, mit Eierguß (und nach Belieben Kümmel) vermengt; mit Kompott oder Salat gegessen.

Vogesen, die ⟨Pl.⟩: [fo'ge:zən ⫽ vo ...]; →G 018.

Vogt, der — Vogt; →G 004.

vogten [auch: 'fɔktən] (mundartnah, veraltend) — bevormunden. *Weißt du, was dein Vater wollte? Mich vogten lassen wollte er* (Humm, Greif 101). *Der Kerl soll das Geld, das die Gemeinde für ihn ... aufgebracht hat ... zurückzahlen. Das wäre ungesetzlich, sagte der Postmeister. Papperlapapp, wir lassen uns nicht vogten* (Diggelmann, Freispruch 83). →**bevogten.**

Vokabel, die; **Vokal,** der: [fo... — vo...]; →G 018.

Volant [*frz.* volõ], das ⫽ der. *Das breite Volant in der Mitte kontrastiert ... apart zum großen Karomuster* (Jelmoli, Katalog Herbst/Winter 1982, 24). →G 076.

Volg, der: Initialwort für Verband ostschweizerischer landwirtschaftlicher Genossenschaften. →G 094.

Volk und Stände →**Stand.**

Volksbegehren, das; -s, -; **Volksinitiative,** die; -, -n: Gesetzes- oder Verfassungsvorlage, von einer bestimmten Anzahl Stimmbürger unterschriftlich unterstützt, muß zur Volksabstimmung gebracht werden. *Der Inhalt des Volksbegehrens ist zwar in zähen Verhandlungen mit der Regierung inzwischen verwässert worden, lohnt aber immer noch ein kräftiges, überzeugtes Ja* (National-Ztg. 30. 9. 68). *Und sogar zwei Volksinitiativen habe ich glücklich durch die Abstimmung gebracht* (Jent, Ausflüchte 193).

Volksmehr, das; -s: Mehrheit der Stimmberechtigten der ganzen Schweiz bei einer eidgenössischen Abstimmung; Ggs. →**Ständemehr.**

Volkswirtschafter, der; -s, - ⫽ Volkswirtschaftler, // Volkswirt. *Volkswirtschafter, 34, sprachgewandt, bereist ... sucht interessante Stelle* (NZZ 14. 6. 72). →G 115. →**Betriebswirtschafter.**

Volkswirtschaftsdepartement →**Departement.**

Volkswirtschaftsdirektion →**Direktion.**

Volkswirtschaftsdirektor →**...direktor.**

Vollamt, das: Amt, dem sein Inhaber die volle Arbeitszeit widmet. *Der* [St. Galler] *Große Rat hat ... dem Gesetz über die Organisation der Bezirksgerichte zugestimmt. Es bringt eine Reform ...: Vollamt für Gerichtspräsidenten und Gerichtsschreiber ...* (NZZ 2. 12. 77, 35). *Von den sieben Mitgliedern des Aarauer Stadtrates hat einzig der Stadtammann ein Vollamt inne; die sechs Stadträte fungieren nur im Nebenamt.* →**Halbamt, Nebenamt.**

vollamtlich: im →Vollamt; ein Vollamt innehabend; ein Vollamt ausmachend. *Neben dem vollamtlichen*

Stadtpräsidenten [von Schlieren ZH] (NZZ 12./13. 11. 77, 51). *Der Große Rat hat ... eine zusätzliche halbe Gerichtsschreiberstelle bewilligt, womit ein bestehendes Halbamt in eine vollamtliche Gerichtsschreiberstelle umgewandelt werden kann* (NZZ 2. 12. 77, 35).

Vollpackung, die; -: (Milit.) marschmäßig gepackter Tornister. *Von Davos schickte man uns nach St. Moritz ... Befohlen war Vollpackung, aber wir haben die Hälfte zurückgelassen, im Stroh vergraben* (National-Ztg. 1968, 563, 4). *Mehr als einmal schickte ich meine Soldaten nach dem Nachtessen mit Vollpackung und mit Gasmaske ... auf einen Übungsmarsch* (Diggelmann, Harry Wind 121).

vollumfänglich ‹o. Steig., nicht präd.› (Geschäftsspr.) — vollständig, in vollem Umfange. *Dieser legte dann unter dem Druck der Beweismittel ein vollumfängliches Geständnis ab* (St. Galler Tagbl. 8. 10. 68). *Der internationale Flughafen von Beirut ist wieder vollumfänglich in Betrieb* (St. Galler Tagbl. 31. 12. 68).

von ‹Präp.›: auch (Amtsspr.) svw. Bürger von ... *Kurt Meyer, 1921, Dr. phil., von Zürich, in Aarau.*

vorab: auch svw. **a)** zuerst einmal, in erster Linie. *Die Gäste aus USA sind aber nicht nur bleibende Virtuosen ..., sie sind vorab Musiker durch und durch* (National-Ztg. 1968, 553, 17). **b)** besonders, namentlich. *Daß der Bundesrat an der Gleichbehandlung von Selbständigen und Unselbständigen festhält. Vorab deshalb, weil sonst ...* (St. Galler Tagbl. 1968, 463, 3). **c)** zur Hauptsache, größtenteils. [Laut einer] *Umfrage ... widmen sich Ärzte den öffentlichen Interessen vorab in gemeinnützigen privaten Organisationen (z. B. Rotes Kreuz ...) sowie in Behörden und Organen auf kommunaler und kantonaler Ebene* (NZZ 14. 10. 83, 37).

Vorabklärung, die; -, -en: vorausgehende Erkundung, Ermittlung. *Die Heranziehung fremder Bewerber setzt Vorabklärungen und Vorsichtsmaßnahmen voraus, welche im Verkehr mit einheimischen Submittenten nicht im gleichen Maße vonnöten sein mögen* (St. Galler Tagbl. 1968, 462, 3). *Diese Vorabklärungen haben ... zur Folge gehabt, daß die Polizeibehörden ... schon über ein ... Dossier verfügten, das sehr rasch zu Geständnissen der Verhafteten geführt hat* (St. Galler Tagbl. 17. 12. 68). →**abklären, Abklärung.**

Voranschlag, der; -[e]s, ...schläge: auch svw. — Budget, // Haushaltsplan (Aufstellung der fürs kommende Jahr vorgesehenen Einnahmen und Ausgaben der öffentlichen Hand, von Organisationen, Vereinen). *Die Thurgauer Staatsrechnung 1986 ... weist in der laufenden Rechnung ... einen Ertragsüberschuß von rund 38,6 Millionen aus. Die Verbesserung gegenüber dem Voranschlag beträgt 46,5 Millionen* (NZZ 24. 3. 87, 37).

Vorarlberg (auch: Vor...), das; -s: wird gewöhnlich mit dem Artikel gebraucht. *Das Vorarlberg ist das westlichste Bundesland Österreichs. Feldkirch im Vorarlberg. Wir fahren ins Vorarlberg.* →G 082.

vorbehältlich (Geschäfts-, bes. Rechtsspr.) ≠ vorbehaltlich. *Vorbehältlich der Genehmigung durch den Kantonsrat beschließt der Regierungsrat ...* (NZZ 12. 10. 73, 474, 21). →G 131/4.

Vorderland, das; -[e]s: Bezirk des Kantons Appenzell Außerrhoden, der nordöstliche Landesteil; →**Hinter-, Mittelland.**

Voressen, das; -s — Ragout. *Was paßt besser zu winterlichen Menüs als das vitaminreiche Rüebli aus Schweizer Boden! Sowohl zu Fleischvögeln wie zu Voressen schmeckt das preiswerte Gemüse hervorragend* (Brückenbauer 25. 3. 87, 7; Inserat). *Schweins- und Kalbsvoressen: 500 g Fr. 5.–.*

vorfahren ‹st. V.›: auch (veraltend) **jmdm. vorfahren** — jmdn. überholen. *Offenbar versteht sie mein Hupen nicht, und es dauert noch eine Weile, bis ich vorfahren kann in der Art, wie* *die Polizei vorfährt, um einen Wagen zu stoppen* (Frisch, Montauk 148).

Vorfenster, das: Winterfenster (zweites Fenster, das bei älteren Häusern jeweils im Herbst angebracht und im Frühling wieder entfernt wurde bzw. wird). *Im Winter war es in dieser Stube warm ... Die Vorfenster waren angebracht, und zwischen den Rahmen lag die Butter, stand die Milch, denn sie besaßen damals noch keinen Kühlschrank* (Blatter, Heimweh 443).

vorgängig (Geschäftsspr.) **1.** ⟨Adj., nur attr.⟩ (bdt. veraltend) — vorausgehend. *Wie der Verfasser der Schrift, Dr. R. R., an einer vorgängigen Pressekonferenz ausführte ...* (National-Ztg. 1968, 556, 2). *Ein älterer Mann ... wurde – ohne vorgängigen Warnungsruf ... – durch einen Polizisten von hinten über den Kopf geschlagen* (Guggenheim, Alles in allem 489). **2.** ⟨Adv.⟩: vorher, zuvor. *Die direkt beteiligten Professoren waren vorgängig von ihrer Schweigepflicht entbunden worden* (NZZ 11. 12. 70). **3.** ⟨Präp. mit Gen. oder Dat.⟩: vor (zeitlich). [Man] *spricht nur von den tschechischen „Erwartungen", auf die Bonn vorgängig eines diplomatischen Austausches ... eingehen sollte* (NZZ 1967, Bl. 3081). *Hierbei ist vorgesehen, vorgängig dem Baubeschluß die interessierten Kantone und Gemeinden anzuhören* (NZZ).

Vorhang, der; -[e]s, ...hänge: auch (wie bdt. veraltend, österr.) svw. // Gardine (heller, leichter Fenstervorhang). *Transparenter, luftiger Kölsch-Vorhang mit Volants für heimelige Fenster* (Jelmoli, Katalog Herbst/Winter 82, 393).

Vorkehr, die; -, -en ⟨meist im Pl.⟩ ⫽ Vorkehrung, vorsorgliche Maßnahme. *Daß die Operation T nur gedanklich vorzubereiten sei, ohne schon jetzt materielle Vorkehren zu treffen* (NZZ 14./15. 5. 88, 25). *Es wurden Vorkehren eingeleitet, um Mitgliedstaaten* [der WHO] *mit Beitragsversäumnissen ... zu bestrafen und Frühzahler in den Genuß von Zinsleistungen kommen zu lassen* (NZZ 16. 5. 88, 3). →G 123. Dazu **Sicherheitsvorkehr:** *Wie wird es* [das Individuum] *mit dem Unkalkulierbaren fertig, das sich trotz aller Sicherheitsvorkehren ... stets von neuem ... beängstigend Bahn bricht?* (Bucher/Ammann 69: Hans Boesch). →G 117.

vorkehren: ausschließl. svw. vorsorglich anordnen, in die Wege leiten. *Sucht man zu erkennen, was in militärischer Hinsicht bis zu den achtziger Jahren vorgekehrt werden soll, um die Gefahr großer Konflikte möglichst herabzusetzen ...* (Vaterland 1968, 279, 2).

Vorlage, die; -, -n: auch **1.** kurz für **Abstimmungsvorlage:** Gesetzestext, Kredit- oder Sachbeschluß, der der Volksabstimmung unterliegt. *Die Stimmbürger des Kantons Schwyz hatten ... über zwei wichtige Vorlagen zu entscheiden, nämlich über die Erweiterung des Lehrerseminars Rickenbach ... und über ein neues Fremdenverkehrsgesetz ... Der Souverän hat beide Vorlagen abgelehnt* (NZZ 15. 9. 69). **2.** svw. ⫽ Vorleger (kleiner vorgelegter Teppich). *Vor der ... Haustür lag eine zerfranste Vorlage* (Guggenheim, Zusammensetzspiel 197). Häufig in Zusammensetzungen: *Badezimmer-Garnitur ...: Badematte, WC-Deckel-Bezug, WC-Vorlage* (Jelmoli, Katalog Frühling 1987, 556). Ferner **Bett-, Türvorlage.** →G 124/1.

vorn[e]herein: ***zum vornherein,** (auch:) **zum vorneherein, im vornherein** — von vornherein. *Die hier ... entwickelten ... Grundbegriffe sind nicht zum vornherein als Axiome konzipiert worden* (Glinz, Syntax 20). *Zum vornherein wird man diesen ... Überlegungen kaum jede Berechtigung absprechen können* (NZZ 29. 3. 74, 149, 37). *Der Bub schien sich zum vornherein dagegen zu wehren, jemals ... unabhängig zu werden* (Kübler, Öppi der Narr 153).

Vorort, der; -[e]s: **1.** (in der alten Eidgenossenschaft bis 1798 und von 1803–48:) dasjenige Bundesglied, dem gewisse Präsidialfunktionen übertragen waren. **2.** (heute:) **a)** federführende Sektion einer überregionalen Körperschaft oder Vorstand einer solchen. *In Montreux* [hielt] *die Vereinigung schweizerischer Chorverbände ihre Delegiertenversammlung ab und wählte für vier Jahre einen neuen Vorort, den Kanton Aargau, der Luzern in der Geschäftsleitung ablöst* (Aargauer Tagbl. 8. 10. 69). **b)** Vorstand des Schweizerischen Handels- und Industrievereins (des ältesten und wichtigsten Spitzenverbandes der schweiz. Wirtschaft) bzw. kurz für diesen selbst. *Der große Mitgliederkreis des Vorortes bringt es notwendigerweise mit sich, daß die Verbandsbehörden einem heterogenen wirtschaftspolitischen Interessenspektrum gegenüberstehen* (NZZ 25./26. 9. 76, 17).

Vo̲rschlag, der: auch svw. — Gewinn (in einer Bilanz), Einnahmeüberschuß, Vermögensvermehrung. *Nachdem die eidgenössische Staatsrechnung wider Erwarten mit einem Vorschlag abgeschlossen hat, findet man es nicht mehr nötig, die Subventionen noch weiter zu streichen* (Nebelspalter 1967, 26, 32). *Was vom Gesamtwert der Errungenschaft* [,Vermögenswerte, die ein Ehegatte während der Dauer des Güterstandes entgeltlich erwirbt'] ... *nach Abzug der auf ihr lastenden Schulden verbleibt, bildet den Vorschlag* (ZGB, Art. 210). →**Rückschlag.**

vo̲rstehen ⟨unr. V.; ist⟩ — ⟨hat⟩; →G 058. *Jahrzehntelang ist Bringolf von da an der städtischen Administration vorgestanden* (Allemann, Schweiz 351).

Vo̲rstoß, der; -es, ...stöße: auch (Parlament) Oberbegriff für **Einzelinitiave** (→Initiative), →**Motion** und →**Postulat.** *Zu Beginn der Mittwochsitzung des Nationalrates kamen vier sozialversicherungspolitische Vorstöße zur Sprache ... Bundesrat Tschudi nahm alle vier Vorstöße entgegen, die Motionen aber nur als Postulate* (Bund 3. 10. 68, 4). →**Motion, Postulat.**

Vorteil, der ['fo:r... ≠ 'fɔr...]; →G 003.

Vo̲rtritt, der: auch svw. // Vorfahrt (im Straßenverkehr). *Auf der Kreuzung Goldbrunnen-/Bühlstraße kam von rechts ein Lieferungswagen, dem der Lenker des Personenautos den Vortritt nicht gewährte* (NZZ). Dazu **vortrittsberechtigt, Vortrittsrecht.**

vorwẹg: auch svw. jeweils im Augenblick, von Fall zu Fall. *Die Kunst des Aquarells ist mir völlig unbekannt. Was tut's? Das was ich nie gesehen habe, wie man es macht, ich erfinde es vorweg* (Guggenheim, Sandkorn 211). *Alle Stunden ... übernahm er, auch die Physik, die Chemie, in welchen Fächern er keine Kenntnisse besaß. Er erwarb sie sich vorweg* (ebd. 115). →**vorzu.**

vorzu̲: jeweils im Augenblick von Fall zu Fall. *Wie oft kommt es vor, daß wir ein solches ... Erlebnis wieder zurückrufen möchten, um es besser auszuschöpfen, aber das ist nicht möglich, und mit dem, was wir vorzu erleben, geht es uns nicht besser: es geht vorüber, und erst nachher erkennen wir es in seiner Bedeutung* (Barth, Predigten 1913, 206). *Noten, das gab noch nicht die richtige Musik. Da lebte mein Vater eben nur bei den Noten und nicht ganz bei sich selber. Spielte er aber frei, so sah und hörte ich, wie er die Musik vorzu erst hervorbrachte* (Oehninger, Kriechspur 103). →**vorweg.**

vo̲rzwängeln, sich: — sich vordränge[l]n. *Stockungen sind nicht zu vermeiden. Es ist heiß, man wartet und schwitzt, wartet und versucht, sich um eine Wagenlänge vorzuzwängeln* (Frisch, Stiller 238). →**zwängeln, zwängen.**

Votạnt [vo...], der; -en, -en (bdt. bildungsspr. veraltet): Diskussionsredner im Parlament, in einer Versammlung. *Die Debatte über Couve de Murvilles Erklärung ist im Gang; 31 Votanten sind eingeschrieben* (NZZ 1967, Bl. 2625). *Der Berichterstattung über die jüngste Delegiertenversammlung der FDP entnehme ich, daß von verein-*

zelten Votantinnen versucht wurde, Nationalrat Blocher das Etikett „erzkonservativ, reaktionär ..." umzuhängen (NZZ 11. 9. 87, 97; Leserbrief).

votieren: auch (wie österr.) svw. im Parlament, überhaupt in einer Versammlung eine Stellungnahme abgeben *Heimann stellte den Antrag auf Streichung der Einfügung. Öchslin votierte für festhalten* (St. Galler Tagbl. 13. 12. 68).

Votum, das; -s, Voten: auch svw. Äußerung, Diskussionsbeitrag im Parlament, in einer Versammlung. *Die Versammlung wurde speditiv geleitet, und die Voten blieben diszipliniert kurz* (NZZ 10.5. 88, 33). *Im Nationalrat gehörte A. zu den wortgewaltigen Rednern, die es fertigbrachten, daß bei ihren Voten im Saal absolute Stille herrscht* (Bund 30. 9. 87, 12).

VPOD: (buchstabierte) Abkürzung für: **V**erband des **P**ersonals **ö**ffentlicher **D**ienste (Gewerkschaft); →G 028, 093.

Vreneli →**Goldvreneli.**

VS: Autokennzeichen und allg. Sigle für (den Kanton) Wallis (frz. Valais); →G 092.

Vulkan, der: [fʊl... — vʊl...]; →G 018.

W

Waadt [vat, auch: va:t], die; -, **Waadtland,** das; -[e]s: der größte Kanton der französichen Schweiz, frz. Vaud, pays de Vaud. Der Name wird immer mit dem Artikel gebraucht; →G 082. *Die Waadt muß sparen* (NZZ; Überschrift). *Gute Ernte im Waadtland* [Überschrift]. *Im Kanton Waadt wird man voraussichtlich den gleichen Weinertrag erzielen wie im Vorjahr* (Genossenschaft 7. 9. 68). *Er trinkt Weißwein, einen Dreier Twanner vom Bielersee ... oder Fechy aus dem Waadtland* (Bichsel, Jahreszeiten 133).

Waadtländer: 1. der; -s, -: **a)** Einwohner des Kantons Waadt. *General Guisan, der Oberkommandierende der schweizerischen Armee während des Zweiten Weltkrieges, war Waadtländer.* **b)** Wein von den Ufern des Genfersees. *Haugut war ein guter Kerl, wenn er da hockte, wo er hingehörte. Irgendwo im Leuen, Bären oder Adler. Vorm Jaßteppich, beim gelben Waadtländer* (Welti, Puritaner 68). **2.** zum Kt. Waadt gehörig, aus der Waadt stammend. *Der Waadtländer Große Rat; die Waadtländer Weine.*

waadtländisch: zum Kanton Waadt gehörig, sich darauf beziehend, von dort stammend. *Die waadtländische Regierung; waadtländische Weißweine.*

waagrecht (auch österr.; bdt. seltener) // waagerecht; →G 148/2a.

Wacht... // Wach... in Zusammensetzungen wie **Wachtablösung,** die: *Wachtablösung im Zürcher Kantonsrat* [Überschrift]. *Im Kanton Zürich beginnt jeweilen am 1. Mai das neue Amtsjahr; für das Parlament bedeutet das den Wechsel im Präsidium* (NZZ 5. 5. 69). **Wachtdienst,** der: *Während der letzten drei Wochen ... habe die Kompagnie Wachtdienst und Befestigungsarbeiten an der Grenze durchgeführt* (Inglin, Schweizerspiegel 391). **Wachtlokal,** das: *Der Hauptmann ... trat vor die strammstehende Schildwache, stellte ein paar Fragen und ging ins Wachtlokal* (Inglin, Schweizerspiegel 390). **Wachtstube,** die: *Man denkt, man sitzt in der Wacht-*

stube und denkt (Frisch, Blätter 70). →G 141/1.

Wächte, die; -, -n: zunächst ganz allg. svw. — Schneeverwehung, Schneewehe. *Noch bevor man den halben Weg bis zum Wald hinunter ... zurückgelegt hat, gerät man dann ... in eine große Wächte, eine Schneeverwehung, die man von oben her nicht hat erkennen können, und ist plötzlich bis zu den Hüften in den Schnee eingesunken* (E. Y. Meyer, Trubschachen 201).

Wachtmeister, der; -s, - (auch österr.): zweitunterster Unteroffiziersgrad, svw. Feldwebel in der Bundesrepublik und der DDR (in der BRD: unterster Dienstgrad bei der Polizei).

Wädli, das; -s, - // Eisbein. *Ia fleischige Wädli p. kg 5.50* (Schweiz. Allg. Volkszeitung 11. 8. 73, 83; Inserat). *Als ich bezahlte, warf die Serviertochter einen raschen Blick auf das erst halb aufgegessene Wädli* (Schweizer Spiegel 36, 1960/61, 20). →G 105.

Waffenplatz, der; -es, ...plätze: Truppenausbildungs- und -übungsplatz. *Der größte Waffenplatz der Schweiz – alljährlich werden in Thun zwölf Rekrutenschulen, mehrere Offiziers- und Unteroffiziersschulen und viele Spezialkurse durchgeführt, womit die rund 3000 Betten ausgelastet sind – feierte sein 150jähriges Bestehen* (NZZ 15. 9. 69). *In der Schweiz gibt es 40 Waffenplätze; sie bestehen aus Kasernen, Schießständen und -plätzen und dienen vor allem den Grund- und der Kaderausbildung* (Bund 10. 1. 87, 8).

Waffenrock, der; -[e]s, ...röcke (Milit.; bdt. veraltet): Uniformjacke; bildl. auch svw. Uniform. *Ich hatte den moppigen Waffenrock ausgezogen, an den Gürtel gebunden* (Frisch, Gantenbein 58). *Wen wundert's wenn er nun den Waffenrock gegen denjenigen des Zunftmeisters vertauscht?* (NZZ 28. 12. 82, 20: Zum Rücktritt des Waffenchefs der Infanterie).

wägen (bdt. nur fachspr., sonst veraltet — wiegen (i. S. v. das Gewicht von etw. auf der Waage bestimmen). *Durch Aufschneiden und Wägen wird die Qualität der Kakaobohnen geprüft* (NZZ 16./17. 7. 88, 67). *Der Jude käme heut' mit der Schafherde ... Ob Kainz sich aufs Wägen verstehe?* (Glauser I 354: Gourrama).

Wägitalersee, der; -s: Stausee im Nordosten des Kantons Schwyz. Der Name wird gewöhnlich zusammengeschrieben; →G 153/2d.

Wagner, der; -s, - (auch südd., österr.) // Stellmacher.

Wähe, die; -, -n (auch südwestd.): dünner, flacher Kuchen, mit gesalzenem oder süßem Belag. *Großmutters Häuschen ... ihr großer Kachelofen ... der Rauchfang und die dunkle Küche, die Wähen, die sie gebacken* (Kübler, Öppi der Narr 254). *Daß jetzt keine Brote mehr auf dem Gestell* [des Bäkkerladens] *lagen, nicht einmal Weggli, es gab nur noch Wähen und Konfekt* (Frisch, Gantenbein 125). [Nach dem Großbrand im Strandbad wurde ein provisiorischer Stand entwickelt] *so daß sich die Badegäste ... wiederum mit Tranksame, heißen Würstchen, Sandwiches, Wähen, Gebäck, Glaces, Zigaretten usw. bedienen werden können* (NZZ 11. 7. 74, 316, 17). Zusammensetzungen: **Apfel-, Aprikosen-, Kirschen-, Nuß-, Rhabarber-, Zwetschgenwähe; Kartoffel-, Käs(e)-, Nidel-, Speck-, Spinat-, Zwiebelwähe.**

währschaft ⟨Adj.; -er, -este⟩: kernig, tüchtig, solid, reell, gediegen, kräftig, // deftig. *Einem währschaften Bauern aus dem Zürcher Oberland, der seinen Hof auf die Höhe gebracht ... hatte* (Beobachter 28. 2. 61, 212). *Daß es eine Barbe war, jener kräftige, währschafte Fisch ... mit den wulstigen Lippen* (Schweizer Spiegel 1963, 9, 40). *Vidons Motorrad ist schwarz und rostig und währschaft und nicht glänzend mit bunten Sprüchen und Verzierungen wie die Motorräder von Vronis Mitschülern* (Morf, Katzen 121). *Ihre Nachthemden, die währschaften, soliden, trocknen flatterlos am Seil* (Helen Meier, Trockenwiese 42). *Selbst die einfa-*

chen aber währschaften Menus während der Viehmärkte sucht man heute vergebens (Aargauer Tagbl. 13. 12. 86). *Daß sie hiesigen Geblütes waren, währschaften Hungers und landesüblicherweise nicht gesonnen, dem Wirt etwas zu schenken* (Guggenheim, Alles in allem 578).

Waldstatt, die; -, ...stätte: (urspr.: Siedlung im Wald) noch (gehobene) Bezeichnung der drei (bzw. vier) Urkantone Uri, Schwyz, Unterwalden (und Luzern) sowie von Einsiedeln. *Die drei Waldstätte; die Waldstatt Maria Einsiedeln.* →**Vierwaldstättersee.**

Wallholz, Walholz, das; -es, ...hölzer // Teigrolle, Nudelholz, (bdt. landsch.:) Wellholz, Wälgerholz, (österr.:) Nudelwalker. *Eine bekannte Witzfigur ist die Frau mit dem Walholz, welche die Heimkehr ihres Gatten abwartet* (Schweizer Spiegel 1963, Mai, S. 19). →**auswallen.**

Wallis, das; -: Kanton im Tal der Rhone oberhalb des Genfersees; das Oberwallis bis zum Pfynwald ['pfi:n...] zwischen Salgesch und Siders (frz. Sierre) ist deutsch-, das Unterwallis französischsprachig. Der Name (wie frz. le Valais) wird immer mit dem Artikel gebraucht; →G 082.

Walliser ['valɪzər]: **1.** der; -s, -: Angehöriger des Kantons Wallis. **2.** zum Wallis gehörig, aus dem Wallis stammend. *Die Walliser Regierung; Walliser Weine.*

Wandkasten, der; -s, ...kästen — Wandschrank. *Zu verkaufen ... 7-Zimmer-Einfamilienhaus. Große Einbauküche ... Holzdecken, Spannteppich, eingebaute Wandkästen ...* (General-Anzeiger 16. 10. 69; Inserat). *Als Maria hinaufkam, stand Martha vor dem offenen Wandkasten* (Helen Meier, Trockenwiese 44). →**Kasten.**

Wank, der; -[e]s: ***[k]einem Wank tun:** sich [nicht] bewegen, [k]einen Mucks machen; etw./nichts tun in einer Angelegenheit; jmdm. [nicht] entgegenkommen. [Sie] *trugen mich, der ich keinen Wank mehr tun konnte, in den Wartsaal. Einer holte den Arzt. Sechs Wochen war ich danach arbeitsunfähig* (Beobachter 1961, 786). *Trotz erstaunlich weitem Entgegenkommen Brandts hat Stoph keinen Wank getan* (NZZ 24. 5. 70). *Zum Beispiel laden wir Fröhlichs ein. Heja, wir sind jetzt drei- oder viermal bei ihnen gewesen, und es war endlich fällig, daß wir auch einen Wank tun* (Zeitung).

warm: *warm geben →geben. *warm machen →machen.

warten, jmdm. (mundartnah) — auf jmdn. warten, jmdn. erwarten: **a)** an einem Orte bleiben, bis jmd. [nach]gekommen ist. *Ich gehe zuerst hinauf und ... dann warte ich dir oben* (Inglin, Ingoldau 242). **b)** jmdm. bevorstehen. *Die* [Autobahn-]*Strecke Luzern–Lopper, wo man sich dauernd beengt fühlt und nie weiß, was einem wartet* (NZZ 13. 8. 70). *Unser Bild zeigt den Nationalrat an der Arbeit. Ihm wartet in dieser ... Sommersession ein besonders schwerer Fuder von Traktanden* (Aargauer Tagbl. 5. 6. 69). →G 060.

Wartgeld, das; -[e]s, -er: Pauschalentschädigung für einen Bereitschaftsdienst zugunsten der Allgemeinheit, z. B. an freiberufliche Hebammen, an Bootsvermieter, die einen Rettungsdienst unterhalten, an ehrenamtliche Amtspersonen (in AR und AI). *Der Regierungsrat des Kantons Bern hat beschlossen, ab 1980 keine Hebammenwartgelder mehr auszurichten* (Tages-Anz. 12. 12. 79, 6). →G 143.

Wartsaal, der; -[e]s, ...säle (so bahnamtlich) ⫽ Wartesaal. *Ob sie einander treffen könnten, heute noch, im Wartsaal des Hauptbahnhofes?* (Oehninger, Kriechspur 325). *Zehn Personen seien schwer und elf leicht verletzt worden, als ein Vorortzug im* [Budapester] *Bahnhof Bararos in einen Wartsaal fuhr* (NZZ 15./16. 4. 78, 9). →G 143.

Wartzimmer, das; -s, - — Wartezimmer. *Wie im Wartzimmer beim Zahnarzt, wenn der nächste ... aufgerufen* *wurde* (Welti, Puritaner 90). *Die in den Wartzimmern der deutschen Schweiz aufliegende Zeitschrift soll der Vermittlung medizinischer Erkenntnisse ... dienen* (Vaterland 4. 10. 68, 3).

Waschzuber, der; -s, - (auch bdt. landsch.) // Waschbottich. *Er verkaufte seine gesamte Habe, das Vieh, die Möbel, den Hausrat und ließ sogar noch den Waschzuber und die Rechen versteigern* (Martini, Nicht Anfang [Übers.] 155). →**Zuber.**

Wasenmeister, der; -s, - — Abdekker. *Wer schon einmal in der Nähe eines Wasenplatzes mit größerem Anfall war und bei ungünstiger Wetterlage die Düfte einatmete, der muß sich wundern, daß es noch Wasenmeister gibt* (Aargauer Tagbl. 14. 11. 75, 5). *Bergman in der Nähe Freuds, das ist wie ein Köter, der in der Nähe einer Wasenmeisterei herumstreunt* (Weltwoche 9. 9. 66).

Wasseramt, das; -[e]s: volkstümliche Bezeichnung des solothurnischen Bezirks Kriegstetten, im Süden der Stadt Solothurn. *Im solothurnischen Wasseramt wurde ein Hausbursche verhaftet* (Aargauer Tagbl. 24. 1. 69).

weben: • ‹Beugung:› wob, gewoben (bdt. nur übertr., gehoben) // webte, gewebt; →G 054. *Zu diesen 7 spann Gugelmann das Garn, wob Gugelmann das Gewebe* (Inserat). →**handgewoben.**

Wegbord, das; -(e)s, -e und ...börder: Wegrand, Wegböschung. *An einem einzigen unbewölkten Tag befreite die ... Sonne alle südlich abfallenden Wegborde und Steilhänge* (Inglin, Graue March 98). *Landschaften voll bizarrer Canyons in den sandigen Wegbördern* (Bund 2. 9. 87, 13). →**Bord.**

Weggen ['vɛk'ən], der; -s, -: feines, mit Milch (und Butter) bereitetes, besonders geformtes längliches Festbrot aus Weißmehl. →**Anken-, Birnen-, Wurstweggen.**

Weggli ['vɛk'lɪ], das; -s, -: feines weißes (Milch-)brötchen, gewöhnlich zweigeteilt mit tiefem Einschnitt: *Sabine schlich ... wieder in die Stube, wo sie Butter, Konfitüren, Zucker, frische Weggli und Gipfel noch etwas gefälliger anordnete,* für das Frühstück des Herrn (Inglin, Erlenbüel 26). *Man will das Leben genießen, aber keinen Tausendstel von diesem Genuß abgeben, kein Weggli und kein Räppli* (Dürrenmatt, Verdacht 69). ***den Fünfer und das Weggli →Fünfer. *weggehen wie frische Weggli:** reißenden Absatz finden. *Die neuen Goldmünzen würden weggehen wie frische Weggli* (Weltwoche 7. 4. 76, 11). →G 105.

Wegleitung, die; -, -en (auch österr.) — Anleitung, Unterweisung. *Dieser Vortrag bot viele Wegleitungen, dieses Thema im hauswirtschaftlichen Unterricht individuell zu gestalten* (Vaterland 14. 12. 68). *Ein „Kulturkomitee" ... organisiert* [für die irakischen Gefangenen in Iran] *sogenannte spirituelle Wegleitung, welche die Experten ... als Gehirnwäsche ... bezeichnen* (NZZ 20. 9. 88, 5).

Wegmacher, der; -s, -: Straßenarbeiter ländlicher Gemeinden. *Er liebte seinen Beruf als Wegmacher* (Zermatten, Maulesel [Übers.] 56). *Daß die Wegmacher den Schnee nicht immer sofort wegräumten, weil zuerst das Dorf drankomme und erst nachher die abgelegenen Höfe* (NZZ 17./18. 9. 88, 81). →G 148/1a.

Wegnetz, das // Wegenetz. *Fahrzeuge werden sich strikt an das dannzumal zur Verfügung stehende Wegnetz halten müssen* (NZZ 11. 11. 87, 23). →G 148/1a.

Wegrecht, das: Recht, den Weg über ein (landwirtschaftlich genutztes) Nachbargrundstück zu benutzen. *„Wegrecht" für Elefanten* [Überschrift]. *Der World Wildlife Fund hat die Regierung von Sri Lanka dringend gebeten, in den neu entstehenden Landwirtschaftszonen des Landes sogenannte „Elefantenkorridore" einzurichten* (NZZ 13. 6. 75, 7). →G 148/1a.

Wegwahl, die — Abwahl (Nichtbestätigung, Nichtwiederwahl eines Behördenmitglieds, Lehrers, Vereinsvorstandsmitglied usw. in einem ordentlichen Wahlakt). *Verzichten viele Kantonsräte von sich aus auf eine Wiederwahl, so gibt es nur wenige Wegwahlen. Ist aber die Lust zum freiwilligen Rücktritt gering, steigt die Zahl der Nichtwiedergewählten stark an* (Gruner/Junker, Anhang ZH, 24). *Das Beispiel der im Bezirk Affoltern erfolgten Wegwahlen von vier Sekundarlehrern* (Zeitung).

wegwählen — abwählen (ein Behördenmitglied, einen Lehrer usw. in einem ordentlichen Wahlakt nicht wiederwählen, nicht in seinem Amt bestätigen). *Nachdem ihn die Wohnbaugenossenschaft als Präsidenten weggewählt hatte* (National-Ztg. 1968, 561, 2).

wehren: auch **sich für jmdn./etw. wehren** — sich für jmdn./etw. einsetzen, für jmdn./etw. kämpfen. *Die Aktion „Terre des hommes" tut das Menschenmögliche und wehrt sich für die armen Bälglein* (Nebelspalter 1966, 23, 26). *Da die Freiburger, ganz anders als die Berner und Schaffhauser, sich für ihre Stadt nicht wehren ..., steht einzig zu hoffen, daß führende Persönlichkeiten ... an der Saane vorstellig werden,* gegen ein das Altstadtbild bedrohendes Bauprojekt (NZZ 24. 8. 62, Morgenausg., Bl. 3).

Wehrkleid, das; -[e]s (gehoben): Uniform des Soldaten. *Das Tragen des Wehrkleids auch im militärischen Urlaub entspricht einer alten schweizerischen Tradition* (NZZ 1969, 689, 13).

Wehrmann, der; -[e]s, ...männer und (seltener) ...leute: im Militärdienst stehender Mann, Soldat. *Wehrmänner, die wegen Militärdienstes nicht am Wohnort stimmen können, haben Gelegenheit ...* (St. Galler Tagbl. 3. 10. 68, 10). *Im Unwettergebiet ... ist am Sonntag ein Armee-Pinzgauer abgestürzt; ein Wehrmann, der Oberleutnant H. K. aus R., erlag später ... den erlittenen Verletzungen* (NZZ 26. 9. 87, 5). *Eine anregende Vorstellung: daß Menschen in einem Konzert sitzen ... und seidene Damen gehen umher, verkaufen Brötchen, und das alles für den Wehrmann* (Frisch, Blätter 85).

Wehrstein, der; -(e)s, -e // Prellstein. *Auf den Wehrsteinen entlang der Straße saßen sie, auf den Leitpfosten für den Schneepflug, mitten im Acker,* Bussarde (Boesch, Fliegenfalle 121). [Er streifte mit] *dem Fußraster einen Wehrstein, wurde nach links geworfen und schlug mit dem Kopf an ein Bachgeländer* (NZZ).

Weibel, der; -s, -: Amts-, Gerichts-, Gemeindediener, -bote. *Während der Sitzung des Großen Stadtrates ... kam der Weibel herein und bedeutete Abt, er werde ans Telephon gebeten* (Guggenheim, Alles in allem 533). [Als die] *im Palais Bourbon tagende Deputiertenkammer mitten in einer Sitzung durch das Krachen einer Bombe aufgeschreckt wurde ... Damals wurden ein Abgeordneter und einige Sekretäre und Weibel verletzt* (NZZ). *Wir wanderten ... durch blühende Wiesen zum Landsgemeindeplatz. Von der Straße her klangen Märsche ... die Ratsherren schritten dort ... und manchmal leuchtete der Weibel im roten Mantel aus dem Grünen* (Inglin, Amberg 115). → **Bundes-, Staats-, Stadtweibel.**

weibeln (mundartnah): für eine Sache werbend umhergehen, Propaganda machen, Unterstützung, Stimmen, Geld sammeln. *So hatte ... der Parteipräsident nicht nur an alle Parteifreunde Einladungen verschickt, sondern er weibelte von einem zum andern höchst persönlich* (Schweizer Spiegel 1961, 12, 13). *Es wird gerne gemeckert über die Schweizer Fremdenwerbung, wenn sie irgendwo in der weiten Welt in einem Erstklaßhotel mit Chalet und Trachten für unsere touristisch attraktiven Eigenarten weibelt* (Nebelspalter 1965, 27, 41).

Weichsel, die; -, -n (auch bdt. landsch.) ≠ Sauerkirsche, Weichselkirsche. *Früchte wie ... Holunder, Kirschen, Erdbeeren, Weichseln und auch Himbeeren* (Betty-Bossi-Ztg. 1986, 6, 14).

Weidland, das — Weideland. *Daß*

dort, wo heute Hochhäuser ... stehen, früher Weidland war (NZZ 30. 12. 87, 15). →G 143.

Weidling, der; -s, -e (auch bdt. landsch., bes. süd[west]d.): Flußkahn, Fischerkahn. *Als* [die Arbeiter in der Limmat] *die verschlammte Leiche sahen, stellten sie sofort ihre Arbeit ein, unterrichten die Polizei, die in einem grünen Weidling anruderte* (Frisch, Gantenbein 489). [Die Wett]*übungen für das Eidgenössische Pontonierwettfahren zerfallen in das Sektionswettfahren, das Einzelwettfahren mit Boot und Weidling ... den Fährenbau und das Schwimmen* (NZZ 6. 9. 70).

Weiher, der; -s, - (auch bdt., bes. südd.) — Teich. *Die Leiche, die am Samstag morgen aus einem Weiher bei Uhwiesen ZH gezogen wurde* (NZZ 1. 9. 87, 5). *Unter den Tannen ein ruhiger Weiher, davor zwei ... Gartenstücke* (Humm, Carolin 249).

Weihnacht, die; -, -en: normalspr., häufig (bdt. gehoben). *Vor der Weihnacht schrieb Jenny nach Hause* (Zollinger, I 87). *Gedenket der Kundenweihnacht!* (National-Ztg. 1968, 557, 27). *Der Weihnachtsbaum von unserer ersten Weihnacht im eigenen Haus* (Junge Schweizer 111). *Die erste „weiße Weihnacht" seit fünf Jahren* (NZZ 23. 12. 86, 5).

Weihnachten, [die]: mit Art. und/oder attr. Adj. als Plural (auch südd., österr.); ohne Art. oder attr. Adj. eher Sg. // das Weihnachten (Pl. nur noch in einigen festen Formeln). *Weihnachten ist ein häusliches Fest. Diese Weihnachten bleiben wir zu Hause. – Es kommen Weihnachten, es kommen Ostern; immer gibt es zu tun* (Frisch, Die Schwierigen 280). *Römische Weihnachten mit dem Papst* (NZZ 27. 12. 82, 1; Überschrift). →G 075.

weihnächtlich — weihnachtlich. *Die weihnächtliche Illumination der Innenstadt* (National-Ztg. 1968, 558, 17). *Menschen mit weihnächtlichen Gedanken* (Guggenheim, Friede 185). →G 131/4. Ebenso **vorweihnächtlich.**

Weinbeere, die; -, -n (auch südd., österr.): große, ausgesprochen aromatische, meist aus Spanien stammende Rosine mit Kernen (bdt.: einzelne Beerenfrucht der Weinrebe).

Weindegustation, die; -, -en // Weinprobe. →**Degustation.**

Weinland, das; -[e]s: der nördliche Teil des Kantons Zürich, zwischen Winterthur und dem Rhein bei Schaffhausen. *Nach jahrzehntelangen Auseinandersetzungen um den Bau der Nationalstraße 4 im Weinland* (NZZ 16. 6. 87, 58).

weisen ⟨st. V.⟩: **1.** (Jaß) zu Spielbeginn gewisse Kartenkombinationen, die man in der Hand hat, melden und sich gutschreiben lassen. *Beim ersten Spiel konnte Studer hundertfünfzig weisen. Er atmete auf* (Glauser II 96: Wachtmeister Studer). →**Wis. 2.** zeigen, erweisen. *Die Resultate* [der Präsidentenwahl] *werden weisen, ob sich Griechischzypern für die Kontinuität oder für den Wechsel entschieden hat* (NZZ 14. 2. 83, 3). Bes. in der Wendung ***es wird/muß sich weisen, ob ...** *ob der Interpellant seine Forderung in der wirksameren Form einer Motion oder eines Postulates wiederholen will, wird sich weisen* (NZZ 8. 6. 82, 47). *Auch wenn es sich erst noch weisen muß, ob der Ecu sich eines Tages als europäische Parallelwährung entwikkeln kann* (NZZ 8./9. 10. 83, 17).

weißeln — (weiß) tünchen, // weißen. *Ob der Mieter beim Wegzug aus der Wohnung die Küche neu weißeln muß* (NZZ 13./14. 6. 81, 35). *Barblin weißelt die ... Mauer mit einem Pinsel an langem Stecken* (Frisch, Andorra 7). →G 099.

Weißkabis, der; - ⫽ Weißkohl. *Weißkabis ist zurzeit eines der billigsten Gemüse* (NZZ 18. 2. 87, 35). →**Kabis.**

Weisung, die; -, -en: auch (in ZH) svw. beleuchtender Bericht, mit dem eine Kantonsregierung oder ein Gemeinderat dem Parlament oder den Stimmbürgern eine Vorlage unterbreitet. *Der Stadtrat* ... [von Zürich] *hat ... den Voranschlag 1989 bereinigt* *und auf dieser Grundlage die Ausarbeitung der Weisung an den Gemeinderat in Auftrag gegeben* (NZZ 2. 9. 88, 55). → **Botschaft.**

weiterfahren ⟨st. V.⟩: auch svw. — fortfahren (in einer Tätigkeit). *Und ohne eine Antwort abzuwarten, fuhr ich weiter: „Es gibt eben ...“* (Morgenthaler, Woly 68). *Auf dieser Linie ... weiterzufahren, ist der Wählerauftrag vom 18. Oktober* (NZZ 21. 10. 87, 21).

weitermachen: auch (Milit., mundartnah) svw. sich zur Weiterausbildung zum Unteroffizier und Offizier ausheben lassen. [In einem Flugblatt] *prangerte das „Soldatenkomitee Basel“ ... die Herrschaftsverhältnisse in der Armee und namentlich den Zwang zum Weitermachen an* (NZZ 10. 3. 75, 5).

weiterziehen ⟨st. V.⟩: **einen Rechtsfall, ein Urteil weiterziehen** — in einem Rechtsfall, gegen ein Urteil Revision einlegen. *Tschanuns Verteidiger zieht Urteil weiter* [Überschrift]. *Nach Staatsanwalt M. B. will jetzt auch Verteidiger B. G. kantonale und eidgenössische Nichtigkeitsbeschwerde gegen das Urteil des Zürcher Obergerichts ... anmelden* (NZZ 3. 3. 88, 55). *Staatsanwalt M. B. ... zog den Fall an das Obergericht weiter und bekam recht* (Tages-Anz. 6. 5. 88, 17).

Weiterzug, der; -[e]s (Amtsspr.) — Berufung (gegen einen Verwaltungsentscheid, ein Gerichtsurteil). *Der Stadtrat von Kloten ... hat ... gegen die Anordnungen des Bezirksrates ... Rekurs eingereicht. Diesen Weiterzug muß das Stadtparlament aber noch bestätigen* (NZZ 20. 9. 88, 57). → **weiterziehen.** → G 115.

weitherum: weithin, in weiten Kreisen. *Unterdessen sind „I Salonisti“ berühmt geworden; sie haben weitherum Konzerte gegeben, und es gibt schon eine ganze Reihe von Schallplattenaufnahmen* (NZZ 20. 6. 88, 7). *Die offiziellen Statistiken über die Kriegserfolge in Vietnam, die weitherum skeptisch beurteilt werden* (NZZ 1966, Bl. 3947). *Nachbarn und ... Dorfgenossen, die man grüßte, nach deren Befinden man fragte und deren Wohlergehen weitherum das eigene Wohlergehen war* (Kübler, Öppi und Eva 68).

Welle, die; -, -n: auch svw. Holz-, Reisigbündel. *Wenn er hinter der Scheune Drähte zuschnitt, um Wellen zu binden* (Blatter, Heimweh 245). *Insgesamt wurden 14 385 m³ Holz verkauft ... Das Brennholz umfaßte 8 903 Ster Schichtholz, 24 350 Wellen und 1 058 m³ unaufgearbeitetes* (NZZ). Dazu **Buchen-, Heiz-, Tannenwelle.**

welsch: vor allem spez. svw. zur französischen Schweiz gehörig, aus ihr stammend, sich auf sie beziehend (entspr. regionalfrz. romand). *die welsche Schweiz; Berichterstatter welscher Zunge* (im Parlament); *die welschen Kantone. – Die welschen Zeitungen* (Inglin, Schweizerspiegel 299). *In einem welschen Pensionat wurde sie ... zur frommen Tochter erzogen* (Inglin, Amberg 35).

Welsche, der/die; -n, -n: Schweizer[in] französischer Sprache (frz.: le Romand, la Romande). *Sie lese viel Französisch, der Mutter wegen, einer Welschen* (Guggenheim, Alles in allem 232). *Die Anteilnahme der Welschen und der Deutschschweizer am Schicksal ihrer sprachverwandten Nachbarvölker* [während des 1. Weltkriegs] (Inglin, Schweizerspiegel 342).

Welsche, das; -n (mundartnah): die französische Schweiz. *Als Uhrmacherin hatte sie der Vater aus dem Welschen in seine neugegründete Fabrik geholt* (Bührer, Das letzte Wort 42).

Welschland, das; -[e]s: die französische Schweiz. *Deutschland fiel in Belgien ein, und eine große Entrüstung ging durch das Welschland* (Bund 18. 10. 68, 3). *Nun war er ein Bub im Welschland, in Saignelégier, wo er Französisch hätte lernen sollen, aber der Herr nützte ihn nur aus* (Bichsel, Jahreszeiten 55).

Welschlandjahr, das; -(e)s: Aufenthalt schulentlassener Buben und Mädchen in einer Familie der frz. Schweiz zur Vervollkommnung in der frz. Sprache, weithin üblich bis zum 2. Weltkrieg und z.T. bis heute. *Verlangen doch beispielsweise die PTT, aber auch renommierte Häuser der Mode und der Bijouterie sowie bestimmte Pflegerinnenschulen das absolvierte Welschlandjahr* (NZZ 9. 10. 73, 468, 15). *Wir suchen ein Mädchen, welches bei uns das Welschlandjahr verbringen möchte ... Fam*[ilie] *Dominique F., Yverdon* (Bund 18.2. 88, 43; Inserat). *Die einst in der Deutschschweiz so fest verankerte Tradition des „Welschlandjahres" verliert sich* (NZZ 5. 9. 88, 18).

Welschschweiz, die; -: die französische Schweiz. *Punkt 13 Uhr 40 setzte sich der Sonderzug der SBB ... mit dem noch amtierenden ... und dem neuen Bundespräsidenten* [J.-P. Delamuraz] *in Richtung Welschschweiz in Bewegung* (NZZ 9. 12. 88, 21). *Nur die Waadt macht die Welschschweiz ... überhaupt möglich,* als deren großer mittlerer Teil (Allemann, Schweiz 416). →**Deutschschweiz, Romandie.**

Welschschweizer, der; -s, -: Schweizer französischer Muttersprache. →**Deutschschweizer.**

welschschweizerisch: zur welschen (französischsprachigen) Schweiz gehörig, sich auf sie beziehend. →**deutschschweizerisch.**

Werg, das: ***Werg an der Kunkel** →**Kunkel.**

Werre, die; -, -n (mundartnah; auch westmd., südd., österr.) ≠ Maulwurfsgrille. *Im Lebhag hatten Igel gewohnt und nachts auf ihren Streifzügen Engerlinge und Werren gefressen* (Inglin, Erz. II 157).

Wertschrift, die; -, -en — Wertpapier. *Für unsere* [Bank-]*Filiale Glattbrugg suchen wir eine(n) tüchtige(n) Sachbearbeiter(in) für den Bereich Wertschriften* (Weltwoche 26. 2. 87, 51; Inserat). *Steuerbetrug durch fiktive Wertschriftenverluste* (NZZ 27. 3. 87, 7).

werweißen ⟨werweißte, gewerweißt⟩: hin und her beraten, raten, rätseln. *Die Entscheide sind materiell nicht von erheblicher Tragweite, wird doch während einer halben Stunde gewerweißt, ob man „Entschädigung" oder „Abgeltung" sagen soll* (NZZ). *Monatelang werweißte man darüber, ob Guevara überhaupt noch am Leben sei* (NZZ 1967, Bl. 286). *Jawohl, hier gebe es nichts zu deuteln, nichts zu markten, nichts zu werweisen* [!], *was damit gemeint sei* (Guggenheim, Alles in allem 976).

wettschlagen: **a)** gegeneinander aufrechnen. *Im Vergleich wird vereinbart, daß ... die Anklage zurückgezogen und die Kosten wettgeschlagen werden* (NZZ). **b)** wettmachen. *Man möchte sagen, die Berner Justiz habe mit diesem Prozeß einigermaßen wettgeschlagen, was ihr die unverhältnismäßig lange Dauer der Untersuchung an Kritik eingetragen hat* (NZZ 1966, Bl. 3613). *Durfte er* [der Agent] *dem Klienten verwehren, neue Operationen zu versuchen, um die* [Spekulations-] *Verluste zu verringern, wettzuschlagen oder gar in Gewinne zu verwandeln?* (Guggenheim, Alles in allem 71).

widerhallen ⟨es widerhallt, hat widerhallt⟩ (bdt. selten) // widerhallen ⟨es hallt wider, hat widergehallt⟩; →G 024. *Unsere Sirenen widerhallten ringsum* (Frisch, Homo faber 829).

Widerhandlung, die; -, -en (Recht) — Zuwiderhandlung. *Wegen Widerhandlung gegen das Betäubungsmittelgesetz hat das Luzerner Kriminalgericht zwei Jugoslawen ... verurteilt* (NZZ 30. 3. 88, 9). →G 133.

widerspiegeln: • ⟨Betonung, Beugung:⟩ widerspiegeln, es widerspiegelt, hat widerspiegelt (bdt. selten) ≠ widerspiegeln, es spiegelt wider, hat widergespiegelt; →G 024. *In seinen Worten widerspiegelte sich die Position von Ministerpräsident Schamir* (NZZ 23./24. 1. 88, 4). *In den überlieferten Gebäuden widerspiegelt sich eine jahrhundertlange Geschichte* (Heimatschutz 1988, 1, 25).

Wiedererwägung, die: ***in Wiedererwägung ziehen** (Amtsspr.): auf einen Entscheid, Beschluß zurückkommen.

Bei dieser Sachlage ist das Departement des Innern und der Volkswirtschaft bereit, die ursprünglich negative Verfügung in Wiedererwägung zu ziehen (Beobachter 1987, 7, 40). Dazu **Wiedererwägungsantrag, -gesuch.**

Wiederholungskurs, der; -es, -e: jährliche dreiwöchige Militärübung. Häufig abgekürzt: **WK** (gesprochen Weka). *Vor mir lief ein Soldat mit voller Packung ... offenbar rückte er zum Wiederholungskurs oder zur Inspektion ein* (Guggenheim, Zusammensetzspiel 69).

wiefeln (auch bdt. landsch.), **wifeln:** ein Loch, eine dünne Stelle in Gestricktem, Gewebtem sorgfältig ausbessern, stopfen. *Näht und wifelt mit dem gleichen Fuß und mit jedem Faden* (Walliser Volksfreund 27. 11. 64; Nähmaschineninserat). *Es flitzten auf den Drähten des Kontinents die Beruhigungen der Diplomaten hin und her, das Loch zu schließen, das die Kugeln des serbischen Attentates in das zarte Gewebe des Friedens gerissen. „Sie wollen es wiefeln", meinte das Maly, „wie man bei uns sagt"* (Guggenheim, Alles in allem 385). →G 097.

Wienerli, das; -s, - // Wiener [Würstchen], (südwestd.:) Wienerle. *Bestand auch ihre nächtliche Stärkung vielleicht nur aus Cervela oder einem Paar Wienerli und einer Flasche Hürlimannbier* (Guggenheim, Alles in allem 222). →G 105. →**Frankfurterli.**

Wiesenbord, das; -(e)s, -e und ...börder: Wiesenböschung. *Ein Kanal mit grünem Wasser, ein Wiesenbord zu beiden Seiten* (Frisch, Tageb. 1946/49, 160). *Blindschleiche und Zauneidechse ... besiedeln die verschiedensten Lebensräume, Wiesenborde, Bahnböschungen, Wald- und Feldränder* (NZZ 18. 5. 88, 59). →**Bord.**

Wiesland, das; -[e]s (auch südwestd.) // Wiesenland (mit Wiese bedecktes Land). *Manches Wohn- und Weekendhaus ... mitten im bäuerlichen Wiesland wäre nicht entstanden, wenn nicht das erwähnte kantonale Bureau durch seine Abwasserbewilligungen dazu verholfen hätte* (NZZ 1961, Bl. 312). *Ein Reiter ... der sich auf dem kürzesten Weg über Wiesland und Kartoffeläcker dem Übungsplatz der Kompagnie näherte* (Inglin, Schweizerspiegel 214). →G 148/2b.

Willkomm, der; -s (bdt. seltener) ≠ das Willkommen. *Als wir ... zum Wagen hintraten, schrie er auf in herzlichem Willkomm* (Kübler, Heitere Geschichten 181). *Der freudige Willkomm, der am 14. September 1887 der ersten Brünigbahnlokomotive zuteil wurde* (NZZ 19. 5. 88, 67). →G 124/1.

wimmen / wümmen (mundartnah) — [Wein] lesen, Weinlese halten. *An den Hängen, die zur Thur abfallen, gab es wiederum nicht viel zu wimmen* (NZZ).

Wimmet / Wümmet, der; -s ⟨o. Pl.⟩ (mundartnah) — Weinlese. *In den kleinen Rebbergen war Wümmet* (Guggenheim, Alles in allem 139). *Der Wümmet wurde durch warmes, sonniges Wetter begünstigt* (NZZ 3. 12. 86, 52). →G 111.

wind und weh (auch südwestd.) — angst und bange, jämmerlich zumute, sterbensübel. *Nur ist ein Unterschied. Der Herzogin, von Sünden schwer, ward es leicht und wohl im Kloster; mir wird es darinnen wind und weh* (C. F. Meyer V 145: Plautus im Nonnenkloster). *Eva ... konnte in raschem Wechsel der Stimmung dann stolz, kühl und abweisend werden, daß dem Öppi wind und weh wurde* (Kübler, Öppi und Eva 242).

Winde, die; -, -n (mundartnah, in ZH, Nordostschweiz): auch svw. // Dachboden. *Zu verkaufen ... Einfamilienhaus mit 3 Zimmern ... Ölzentralheizung, Winde und Keller sowie gedecktem Sitzplatz* (St. Galler Tagbl. 15. 10. 68, 18). Dazu (u. a.): **Windenkammer** // Bodenkammer. *Dort drüben müsse es sein, sagte der Drogist besorgt und zeigte ... gegen die Dachluke an der Wetterseite. In der Windenkammer erwies es sich dann, daß der Schaden bedeutend war ... Wasser sammelte sich auf dem hölzernen Estrichboden*

(Guggenheim, Alles in allem 657). →**Estrich.**

wịnden ‹sw. V.; unpers.› (bdt. seltener): **es windet** — der Wind geht, weht, bläst. *Wir warteten lange auf den Wind, der uns hinübersegeln sollte ... So fahren wir hin. Denn ein wenig windete es nun wirklich* (Frisch, Bin 101/2). *Ihr Roßschwanz wollte einfach nicht hinten bleiben, so sehr windete es* (Frisch, Homo faber 109).

wịrten: den Beruf eines Gastwirts ausüben, eine Gastwirtschaft führen. *Frau L. B. wirtet seit 30 Jahren im Restaurant Schweizergarten* (Vaterland 14. 12. 68). *Daß der bisherige Pächter noch bis zum 30. September in der „Altstadt" wirten dürfe, das Lokal dann aber ... baulich zu erneuern sei* (Aargauer Tagbl. 4. 4. 87). *Hinter dem Tanzsaal lag ein kleiner Hof. Im Sommer wurde hier gewirtet* (Oehninger, Kriechspur 262). →**bauern.**

Wịrtepatent, das; -[e]s, -e: Ausweis über die Ausbildung und bestandene Prüfung für die Führung eines Gastwirtschaftsbetriebs. *Als mittelalterlicher Knabe absolvierte er die Hotelfachschule, machte das Wirtepatent, sah ein Inserat für eben dieses Lokal, schnappte zu* (Weltwoche 17. 9. 87, 85).

Wịrtesonntag, der; -[e]s, -e: Wochentag, an dem eine Gaststätte regelmäßig geschlossen ist (freier Tag für den Wirt und seine Angestellten).

Wirz, der; -es ⧺ Wirsing[kohl]. *Kohlarten wie Weißkabis, Rotkabis und Wirz* (NZZ).

Wis, Wys [vi:s], der; -es, -e (Jaß): das „Weisen", d.h. Melden (zu Beginn des Spiels) gewisser Kartenkombinationen, für die Punkte angerechnet werden. →**Stock** (3).

wịschen: auch svw. — fegen, ⧺ kehren (mit einem Besen o.ä. Staub, Schmutz usw. beseitigen). *Überall stehen die Weiber vor den Türen und wischen mit ihren Besen* (Dürrenmatt, Hörspiele 57). *Unter den Bäumen draußen wischten sie das raschlige Laub zusammen* (Frisch, Die Schwierigen 151). ***vor der eigenen Tür wischen** // ... kehren. *Wir haben genug vor unserer eigenen Tür zu wischen* (NZZ 1970, 152, 23). ***unter den Tisch/Teppich wischen** // ... kehren. *Wertvolle Anregungen der Gymnasiallehrer seien von der Maturitätskommission unter den Tisch gewischt worden* (Bund 4. 10. 68, 4). *Mit Scheinpatriotismus Mängel unter den Teppich gewischt* (Basler Ztg. 18. 12. 87, 11). →**Straßenwischer.**

Wịschmaschine, die; -, -n // [Straßen-]Kehrmaschine. *Auch die Sachvorlagen wie ... die Wischmaschine für die öffentlichen Anlagen ... wurden genehmigt,* von der Gemeindeversammlung in Unterentfelden AG (Aargauer Tagbl. 16. 6. 87, 36).

wịssen, jmdm. etw. (mundartnah) — für jmdn. *Ich fragte ihn, ob er mir ein Zimmer wüßte* (Diggelmann, Rechnung 169). *Andres wüßte ihr einen Zug, um Ulrichs Taktik zu durchkreuzen* (Muschg, Mitgespielt 45). *Wir vom Bankverein wissen Ihnen etwas Besseres* (NZZ 16. 4. 74, 173, 22; Inserat, Überschrift). →G 060.

Wịssenschafter, der; -s, - (auch [seltener] österr., sonst veraltet) ⧺ Wissenschaftler. *Abwanderung britischer Wissenschafter* (Bund 3. 3. 63). *Dr. A. bekleidet als Wissenschafter eine hohe Stellung in der Behörde* (Vaterland 3. 10. 68, 18). *Ich war ... vielleicht auch kein echter waschechter Wissenschafter* (Guggenheim, Zusammensetzspiel 14). →G 115; →Heuer, Lupe 116 f. Dazu **Atom-, Betriebs-, Wirtschaftswissenschafter** usw. →**Betriebswirtschafter, Gewerkschafter.**

Wịtfrau, die; -, -en (auch bdt. landsch., sonst veraltet) — Witwe. *Er war damals 25, sie eine 40jährige Witfrau mit zwei schon größern Kindern* (Aargauer Tagbl. 2. 2. 72). *Öppi ... tanzte mit der Juwelierswitfrau* (Kübler, Öppi der Narr 361).

WK: (buchstabierte) Abkürzung für →**Wiederholungskurs;** →G 028, 093.

Wo̱hnstock, der; -[e]s, ...stöcke (in

BE): svw. →**Stock** (2). *Zu vermieten in Kirchberg Holzwohnstock ... Komfortabler Ausbau* (Bund 24. 10. 87, 12; Inserat). *Den beiden Räumen im Erdgeschoß eines Wohnstocks ... verleiht Täfer ... etwas Heimeliges. Das 1675 erbaute Gebäude ist Teil einer aus zwei Bauernhöfen mit Nebengebäuden bestehenden Häusergruppe* (NZZ 4. 7. 88, 15).

Wolf, der: auch svw. // Wölfling (Pfadfinder der jüngsten Altersgruppe).

Wollen... ‹in Zusammensetzungen› (älter) — Woll..., so **Wollenhärchen,** das: *Ein heimlichfeister Sherlock Holmes, der aus Zigarrenasche und Wollenhärchen welterschütternde Tatsachen abzuleiten versteht* (Welti, Puritaner 600); **-knäuel,** der: *Die Bibel lag neben den Wollenknäueln,* auf dem Tisch (Guggenheim, Alles in allem 1018); **-strumpf,** der: *Glaub' mir, er wird nachgiebig werden wie ein Wollenstrumpf* (Boßhart III 88). →G 150.

Wuchs, der — Wuchs; →G 004.

Wuhr, das; -[e]s, -e (auch bayr., südwestd.) — das Wehr. *Zudem wurde der Fußweg bis zum untern Wuhr verlängert* (General-Anz. 9. 12. 72). *Stepan Iwanowitsch dachte ... an Städte aus Wolkenkratzern, an den lautlosen Fall eines Wuhrs in der Sommerwärme, an einen Trab auf der Landstraße* (Zollinger II 442: Die große Unruhe). *Wuhre lassen sich selbst abseits der Gewässer noch bauen, wenn auch ihres Zwecks beraubt* (Wiesner, Lapidare Geschichten 119). Dazu **Wuhrbruch,** der: *Ich hätte niemals gedacht, daß sich in unserem Lande eine solche Leidenschaft für die Sprache gestaut hat; der Durchbruch kann mit einem Wuhrbruch verglichen werden* (Sprachspiegel 1972, 9).

wümmen, Wümmet →**wimmen, Wimmet.**

Wunderfitz, der; -es (mundartnah) — Neugierde. *Als sie aus reinem Wunderfitz zu meiner Taufe kamen* (Gosse, Vater und Sohn [Übers.] 241).

wunderfitzig (mundartnah): neugierig. *Vor 1798 war das Bild* [der Schweiz] *sogar noch viel reicher ... und es muß eine wahre Lust für einen wunderfitzigen Autor gewesen sein, den Verschiedenheiten des „Regiments" nachzuspüren* (Allemann, Schweiz 8). *Hinter der Tür stand so etwas wie eine alte Amme, wachsam und wunderfitzig* (Zollinger II 236: Die große Unruhe).

wundern: es wundert mich: auch svw. es interessiert mich, ich bin neugierig, ich möchte wissen (bdt. nur: es verwundert, erstaunt mich). *Mehr verriet sie nicht, zumal es Stiller gar nicht wunderte, warum sie dieses Bedürfnis hatte* (Frisch, Stiller 372). *So kam es, daß er das Mädchen schon seit ein paar Jahren nicht mehr ... gesehen und gar nicht wußte, wie es aussah, seit es herangewachsen. Und doch wunderte es ihn zuweilen ganz gewaltig* (Keller VII 109: Romeo und Julia).

wundernehmen ‹st. V.›: **es nimmt mich wunder:** auch svw. es interessiert mich, ich bin neugierig, ich möchte wissen (bdt. nur: es verwundert, erstaunt mich). *Yvonne nahm es ... nur wunder, was jetzt weiter geschehen würde* (Frisch, Die Schwierigen 104). Wortspiel mit beiden Bedeutungen: *Spuken tut Schulz bis dato nicht, wenigstens nicht in der Hottingergegend. Vielleicht spukt er in Darmstadt; es nimmt mich wunder, ob es ihn wunder genommen hat, nicht wieder zu erwachen* (Keller, Briefe I 266: an Freiligrath, März 1860).

wunderselten ‹Adv.› — sehr selten. *Einsam war's zu diesen Stunden immer. Wunderselten geschah's, daß ein Taxi ... vorbeifuhr oder ein Fußgänger des Wegs kam* (Welti, Puritaner 498). *Viermal im Jahr ... feiern wir in der reformierten Kirche das Abendmahl ...* [Doch] *eine ganz große Menge von Leuten ... nimmt nur wunderselten daran teil* (Barth, Predigten 1913, 103).

wünschbar — wünschenswert. *Es ist wünschbar, daß der Kantonsrat zu eidgenössischen Angelegenheiten, die für den Kanton Zürich von erheblicher Be-*

deutung sind, Stellung nehmen kann (NZZ). *Ja, ich phantasierte mich wieder so hinein, daß mir ihre Fehler, selbst ihre teilweise Dummheit, zum wünschbarsten aller irdischen Güter wurden* (Keller VII 70: Pankraz der Schmoller). Dazu **Wünschbarkeit,** die: *Von der Wünschbarkeit vermehrter Anstrengungen in der Entwicklungshilfe* (Bund 4. 10. 68, 13). →G 129.

Wurstweggen [...vɛk'ən], der; -s, -: Blätterteigtasche, mit Wurstmasse gefüllt. →**Weggen.**

Wust [vʊst], die; -: Initialwort für **W**arenumsatzsteuer. *90 Millionen Franken, wovon 39 Millionen auf überzähliges Material, Teuerung und Wust entfallen* (Vaterland 3. 10. 68, 3).

wüst: *wüst tun (mundartnah): sich laut, ungebärdig aufführen, Radau machen. *Als er* [betrunken] *heimkam, schwankte er hin und her, stieß eine Blumenvase um und lärmte. Da fürchtete sich das kleine Mädchen vor ihm ... „Was hat der Vater, warum tut er so wüst?" fragte es weinend* (Inglin, Verhexte Welt 59). *„Die Amseln ... haben auch bereits schon um vier Uhr morgens wüst getan." Conrad biß sich auf die Lippen ... ‚Amsel' – und wüst tun* (Spitteler IV 132: Conrad der Leutnant). →**tun. *jmdm. wüst sagen** (mundartnah): jmdm. gehörig die Meinung sagen, jmdn. derb schelten, beschimpfen. *Woher hat der Mohr das fremde Wort* [„Sweine-und"]*? Hier sagt man sich auch wüst, aber nicht so* (C. F. Meyer V 85: Der Schuß von der Kanzel).

Z

Zabe[d], Zabig, Zobe[d], Zobig ['tsa:b..., 'tsɔ:b..., 'tso:b...], der/das; -[s], - (mundartl.): Zwischenmahlzeit am Nachmittag, ≠ Vesper. *Anläßlich einer Exkursion in eine Fabrik lädt der Direktor Lehrer und Schüler zu einem Zabig ein* (Nebelspalter 1961, 13, 69). Dazu **Z...halt, Z...pause, Z...plättli.** →**Zvieri.**

Zahltag, der; -s: auch svw. die am Zahltag ausbezahlte Lohnsumme, Wochen-, Monatslohn. *Natürlich sollen (und müssen) Sie Geld in Ihrer Tasche haben, aber doch nicht den ganzen Zahltag* (NZZ 11. 1. 71; Inserat einer Bank). *Seine Frau muß er loben ... Aber Bruno G. hat auch Vertrauen zu ihr. Seinen Zahltag legt er ihr alle vierzehn Tage auf den Tisch, öffnet nicht einmal das braune Säcklein* (Blatter, Schaltfehler 75).

Zahltag[s]säcklein, das; -s, - // Lohntüte. [Es ist] *noch nie vorgekommen, daß sich die in der Rubrik Auszahlung eingetragene Summe von dem Geldbetrag unterschied, der in seinem Zahltagssäcklein abgezählt war* (Blatter, Schaltfehler 97). →G 105. →**Lohnsäcklein.**

Zaine (auch bdt. landsch.) / **Zeine,** die; -, -n: großer runder, ovaler oder rechteckiger geflochtener Korb mit zwei Griffen, Wäschekorb. *Als die fabrikmäßige Herstellung von Zainen und Körben aufgenommen wurde, verschwand der Beruf des Korbers mehr und mehr* (NZZ 10. 6. 73, 39). *Eine Zaine voll frischer Wäsche* (Inglin, Verhexte Welt 237). *Überall Karren, überall Wagen, überall Hacken, Gabeln, Rechen, Fangtücher, Körbe, Zainen, Kisten, Harassen und Säcke,* bei der Ernte (Kopp, Der sechste Tag 184).

Zapfen, der: • ‹Plural:› Zäpfen — Zapfen. *Die schweren Eisenzäpfen der Räder* (Humm, Inseln 125) • ‹Bedeutung:› auch svw. # Korken.

Zapfenzieher, der (auch südwestd.) // Korkenzieher. *Er zog die Schublade des kleinen Tisches ... heraus ... und fand schließlich einen Zapfenzieher* (Honegger, Schulpfleger 109). *Neu in der Schweiz: Der Zapfenzieher mit dem besonderen Dreh* (Betty-Bossi-Ztg. 1985, 10, 24).

zäuseln → **zeuseln.**

Zehner, der; -s, -: auch svw. **1. a)** Angehöriger des Geburtsjahrgangs [19]10. *Er ist schon 77, er ist ein Zehner.* **b)** Wein des Jahrgangs [19]10. **2.** Zehnrappenstück. **3.** (auch bdt. landsch.) # die Zehn i. S. v. [Zug, Wagen der] Straßenbahn- oder Buslinie 10. *Im Morgental ... mußte der Zehner während einer Viertelminute warten, weil sich noch Leute in den bereits vollgestopften Wagen drängen wollten* (NZZ 1972, 44, 17). → **Achter, Fünfer; Batzen.**

Zehnernote, die; -, -n: Zehnfrankenschein. *„Kannst du mir fünf Franken wechseln?“ ... „Hab ich nicht ... Ein Zehnernötli und auf den Tschent genau fünfundsiebzig Rappen“* (Brambach, Kaffee 98). → G 152.

Zehntel, der # das; -s, -. *Zu Ostern, wenn er ... seine dreißig bis vierzig Eier verschlang, während Öppi kaum einen Zehntel davon zur Strecke zu bringen vermochte* (Kübler, Öppi von Wasenwachs 108). *Mit einer Reduktion auf einen Zehntel* (NZZ 4./5. 4. 87, 5). → G 076.

Zeichnungsblatt, das # Zeichenblatt. *Tuben, Pinsel kollern über den Tisch. Zeichnungsblätter liegen verstreut* (Pulver, Himmelpfortgasse 75). → G 144. Ebenso **Zeichnungsblock,** der: *Der Großvater hatte den Zeichnungsblock auf dem Knie* (Bestand und Versuch 54: Ruth Blum); **-lehrer,** der: *Er hatte ein wenig Ähnlichkeit mit meinem frühern Herrn Zeichnungslehrer* (Kübler, Heitere Geschichten 83); **-saal,** der: *ein zweiter Zeichnungssaal,* für die Mädchensekundar- und Töchterschule (St. Galler Tagbl. 1968, 565, 13); **-stunde,** die: *Wir gehen gerne zu einem Lehrer ..., der neue und originelle Ideen in die Zeichnungsstunden bringt* (Aargauer Tagbl. 24. 12. 87, 25).

Zeigfinger, der — Zeigefinger. *Druckpunkt ... dann langsames Krümmen des Zeigfingers,* beim Schießen (Frisch, Gantenbein 287). *Ausschalten: mit dem Daumen, dem Zeigfinger, der Handballe, dem Arm* (Blatter, Schaltfehler 38). → G 143.

Zeigstecken, der; -s, - // Zeigestock. *Ein einziger verblieb* [von der ‚expressionistischen Quadriga auf dem Berliner Sprechtheater‘ der zwanziger Jahre:] *... Brecht ... Das liegt nicht an seiner marxistischen Unterweisung mit dem Zeigstecken, die ist ein Akzessorium ...* (Humm, Mitzudenken 366). → G 143.

Zeine → **Zaine.**

Zeitungsverträger, der; -s, -, **...verträgerin,** die; -, -nen // Zeitungsausträger[in]. *Wir suchen per sofort oder später Zeitungsverträgerinnen für obige Quartiere* (Tagblatt der Stadt Zürich 10. 2. 61, Nr. 35). *Eine Zeitungsverträgerin schiebt ihren quietschenden Karren von Haustür zu Haustür,* in der Morgendämmerung (NZZ 4./5. 7. 87, 85). → **Verträger.**

Zeltblache, -plache, die; -, -n: Zeltbahn, -plane. *Wir standen neben den Geschützen, alle in den verregneten Zeltblachen, schlotterten ...* (Frisch, Blätter 88). *Erst hieß es, der* [sowjetische] *Pilot habe gebeten, daß sein so geheimes Flugzeug durch Zeltplachen zugedeckt werde* (NZZ 8. 9. 76, 3). → **Blache;** → G 044.

Zeltli/(selten:) **Zeltlein, Zeltchen,** das; -s, - (mundartl./mundartnah, in ZH, Nordostschweiz; vgl. bayr., österr. mundartl. Zelt[e]l) — Bonbon. *Zeltli ohne Zucker?* [Überschrift] *Nach jahrelanger Forschungsarbeit ist es der führenden schweizerischen Bonbonsfabrik gelungen ...* (Aargauer Tagbl. 21. 1. 69). *Ich kaufe nie Zeltli* *beim Beck. Wenn ich einen Zwanziger habe, kaufe ich einen Cervela* (Guggenheim, Alles in allem 26). *Wenn sie Zeltchen hat, frißt sie immer alles allein* (Helen Meier, Trockenwiese 109). →G 105. →**Nidelzeltli.**

zensurieren (auch österr.) // zensieren: **1.** (Schule) mit einer Note bewerten. *Die Schule soll ... der Jugend Kulturtechniken und Wissensgrundlagen vermitteln ... Damit verbunden sind die Aufgaben der Bewertung und Zensurierung des Lernerfolgs und die entsprechende Selektion* (Bund 1. 10. 87, 2). **2.** einer Zensur unterwerfen. *„Vermutlich werden wir* [im Porno-Kino] *wieder unzensurierte Filme zeigen", sagte S.* (Tages-Anz. 6. 5. 88, 17).

Zentimeter, der; -s, -: • ⟨Betonung:⟩ ['---- ⫽ --'--]; →G 025 • ⟨Geschlecht:⟩ der // (bdt. auch:) das; →G 076.

Zentner, der; -s, -: ausschließl. (wie österr.) svw. 100 kg; Abk.: q. (In Deutschland gilt der Zentner zu 50 kg, der in der Schweiz – wie auch die Bezeichnung „Doppelzentner" für 100 kg – veraltet ist.)

Zentralschweiz, die: nicht scharf abgegrenzter Teil der Schweiz, meist = **Innerschweiz,** die Kantone Uri, Schwyz, Unterwalden, Luzern und Zug umfassend.

zetten ⫽ zetteln ([Heu, Mist] verstreuen, ausbreiten). *Ein ... Landwirt ... ist beim Mistzetten tödlich verunglückt. Als er mit seinem Traktor mit angehängtem Mistzetter einen Schräghang durchqueren wollte, überschlug sich ... das Gefährt* (NZZ 10. 12. 87, 9). →G 103. →**verzetten.**

Zeugherr, der; -n, -en (in AI): dasjenige Mitglied der Kantonsregierung, welches dem Militärdepartement vorsteht.

zeuseln, zäuseln (mundartnah): mit dem Feuer spielen. *Die Verantwortung für zeuselnde Kinder liegt in Ihren Händen ...! Helft Brände verhüten!* (NZZ 1972, 159, 9; Inserat). *Daß das Spiel mit dem Feuer, das „Zeuseln", häufig Menschen reizt, die sicher keine pyromanische Veranlagung aufweisen* (NZZ 1966, Bl. 3240). *Ja, wenn sie Heimweh haben, zünden sie immer etwas an. Im 1910 hat es auch so einen gegeben in der Gegend. Einer, der extra von der Fremdenlegion heimkam, um zu zäuseln* (Guggenheim, Riedland 79). →G 097.

ZG: Autokennzeichen und allg. Sigle für (den Kanton) Zug; →G 092.

ZGB: (buchstabierte) Abkürzung für: (Schweizerisches) Zivilgesetzbuch (entspr. dem BGB der Bundesrepublik); →G 028, 093.

ZH: Autokennzeichen und allg. Sigle für (den Kanton) Zürich; →G 092.

ziehen ⟨st. V.⟩: auch svw. vor-, zuziehen. *Bis Yvonne ... heimkommt ... Licht macht, ihre Vorhänge zieht* (Frisch, Die Schwierigen 123). →G 135.

Ziger / (auch südd., westösterr.:) **Zieger,** der; -s: **1.** (veraltet) Quark; →**Zigerkrapfen. 2.** (kurz statt **Schabziger**) Kräuterkäse, in harte grüne „Stöckli" von Kegelstumpfform gepreßt, eine Glarner Spezialität, wird mit Butter vermischt aufs Brot gestrichen.

Zigerkrapfen, der; -s, -: süßes, mit Quark gefülltes Fettgebäck.

Zimmerverlesen, das; -s (Milit.) // Stubenappell. →**Abend-, Antritts-, Hauptverlesen.**

Zinne, die; -, -n: vor allem svw. umfriedete, blechgedeckte waagrechte Fläche auf oder an Dächern von (Stadt-)Häusern, die im 19. Jh. gebaut oder umgebaut wurden, namentlich zum Wäscheaufhängen benutzt. *Schmucklos standen die Häuser da, geschwärzt die Fassaden mit verregneten Fenstern, tropfenden Traufen, und mit viel Zinkblech und eisernen Geländern auf den Zinnen* (Guggenheim, Alles in allem 573). *Ringsum läuten die Glocken, es hangt* [!] *wie ein Summen über den Straßen und Plätzen, über den Alleen, über den Zinnen mit flatternder Wäsche, über dem See* (Frisch, Tagebuch 1946/49, 19). *Am Äußern* [eines Altstadthauses, das „saniert" werden soll] *wirken sich jedoch die in die Dachfläche eingebaute*

Zinne und die wahllos angeordneten Dachaufbauten und Kaminanlagen störend aus. Bei der Neugestaltung wird deshalb die bestehende Zinne entfernt und die Dachfläche geschlossen (NZZ 6. 7. 62). →**Dachzinne.**

Zins, der; -es: auch (wie bdt. landsch., bes. südd., österr.) svw. ⫽ Miete. *Zu vermieten ... ruhige, sonnige, moderne 3-Zimmer-Wohnung. Zins Fr. 302.–* (Bund 1968, 282). →**Mietzins.**

Zirkular, das; -s, -e (bdt. veraltet) — Rundschreiben. *Ihre Aufgaben: Bestellen von ... Artikeln für das Zentrallager; Besprechungen mit Lieferanten-Vertretern; Mithilfe beim Erstellen von Zirkularen für Abnehmer* (National-Ztg. 1968, 454, 10). *Es waren ein paar Hundert Zirkulare aus der Buchdruckerei angekommen ... Das Rundschreiben enthielt ... die genaue Beschreibung ... eines kleinen Dampfapparaten* [!] (Walser V 148: Der Gehülfe). →**Leidzirkular.**

Zitronenschnitz, der; -es, -e: Zitronenstückchen, // Zitronenspalte. *Schweigend rührte er in seinem Tee, drückte einen Zitronenschnitz aus und beobachtete die Frau neben sich* (Schmidli, Schattenhaus 18). →**Schnitz.**

zivil: [tsi'fi:l — ...'vi:l]; **Zivilist** [tsifi'lɪst — tsivi...]; →G 018.

Zivilgemeinde →**Gemeinde.**

Zivilgesetzbuch, das; -[e]s, amtl. **Schweizerisches Zivilgesetzbuch,** abgek. ZGB: entspricht dem Bürgerlichen Gesetzbuch der Bundesrepublik, dem Allgemeinen Bürgerlichen Gesetzbuch Österreichs.

Zivilstand, der (Amtsspr.) // Familien-, Personenstand.

Zivilstandsamt, das (amtl. nur so) ⫽ Standesamt.

Zivilstandsbeamte, der (amtl. nur so) ⫽ Standesbeamte.

Zivilstandsregister, das // Personenstandsregister. *In Bern hatte er noch im Zivilstandsregister nachgesehen, mehr aus Gewissenhaftigkeit ... Die Eheschließung zwischen Cleman, Alois Victor, und Hornuß, Sophie, war regelrecht vermerkt worden* (Glauser II 418).

Zmittag [auch: -'-], der/das; -s ‹o. Pl.› (mundartl.) — Mittagessen. *Man trifft sich vor der Abreise zum guten Frühstück, zu einem kleinen Imbiß oder zu einem feinen Apfelküechli-Zmittag im Tea Room ... am Bahnhof SBB* (National-Ztg. 1968, 553, 15).

Zmorge[n], der/das; -, - (mundartl.) — Frühstück. *Eine Zeitlang versuchte ich es ohne Zmorgen und kam mir sehr modern vor ... Glauben Sie, ich hätte abgenommen?* (Radio-Ztg.).

Znacht, der/das; -s (mundartl.) — Abendessen. *Im Lauf langer Ehejahre habe ich mir angewöhnt, bei der unvermuteten Ansage von fünf Männern zum Znacht kein langes Gesicht zu ziehen* (Schweizer Spiegel 1961, 7, 94). *Suppen-Znacht!* (Inserat).

Znüni, der/das; -s, - (mundartl.) // zweites Frühstück (Zwischenmahlzeit am Vormittag, 9–10 Uhr). *Dann kehrten wir ins Haus zurück, wo die gastfreundliche Frau ein „Znüni" bereitgestellt hatte, Brot, Butter, Käse und geräucherten Schinken* (Inglin, Amberg 120). *Die Wurst war etwas zu jung und das Bier in der Farbe nicht ganz richtig, im übrigen aber war der Znüni, Gott sei Dank, recht* (Kübler, Heitere Geschichten 99). →(zur Beugung) G 073. Dazu **Znünihalt, Znünipause, Znünitasche.**

Zobe[d], Zobig →**Zabe[d].**

Zoccoli ['tsɔkk'oli], die ‹Pl.› (ital.): im Tessin früher übliche pantoffelartige Holzsandalen; heute allg. verbreitet. *Wenn man* [bei Regenwetter] *im Tessin ... sich nach den Klischees Zoccoli, Boccalini und Sonnenstube sehnt* (NZZ 6. 7. 88, 7). *Sachte, schwer, behutsam: um nicht aus deinen Zoccoli zu stolpern, gingst du ... abwärts* (Geiser, Wüstenfahrt 55).

Zone, die: auch (Amtsspr.) svw. Teil des Gemeindegebietes, der nach der Bau- und Zonenordnung einer bestimmten Art von Bebauung und/ oder Nutzung vorbehalten bzw. zur Freihaltung bestimmt ist. Dazu **Zone**

für öffentliche Bauten, Bauzone, Dienstleistungs-, Einfamilienhaus-, Freihalte-, Industrie-, Kern-, Landwirtschafts-, Reserve-, Schutz-, Spezial-, Wohn-, Zentrumszone usw. →**ab-, aus-, ein-, umzonen.**

Zonenordnung, die; -, -en; **Zonenplan,** der; -[e]s, ...pläne (Amtsspr.): Gemeindeerlasse, welche das Bauen regeln, indem das Gemeindegebiet in Bauzonen verschiedener Intensität und zu verschiedenen Zwecken sowie in nicht überbaubare Zonen eingeteilt wird. *§ 103 Einführungsgesetz zum ZGB ermächtigt die Gemeinden, über die Erschließung neuer Baugebiete und über die Verbesserung überbauter Gebiete verbindliche Vorschriften zu erlassen. Solche Gemeindebauvorschriften sind: a) die Bauordnung; b) der Überbauungsplan; c) der Zonenplan mit Zonenordnung* ... (Vollziehungsverordnung ... vom 21. 1. 49, § 1. In: Aargauische Gesetzessammlung III 593).

zu ⟨Präp.⟩: steht auch in Fügungen, wo gdt. bzw. bdt. eine andere Präp. üblich ist. **a)** in. ***zur Hauptsache** — in der Hauptsache, hauptsächlich. *Seine Bibliothek enthält zur Hauptsache Kunstbücher.* ***zum voraus** →**voraus.** ***zum vorn[e]herein** →**vorn[e]herein. b)** nach. ***zum Rechten schauen/sehen** →**schauen, sehen.**

Zuber, der; -s, - (auch bdt. landsch.) // Bottich. →**Waschzuber.**

Zucchetto, der; -s, ⟨ital.; meist im Pl.:⟩ **Zucchetti** [tsʊ'k'ɛttɪ] ≠ Zucchini; →G 125.

zudienen: jmdm. bei der Arbeit zur Hand gehen, helfen. *Juana gebar Kind um Kind ... unter Beteiligung aller Anwesenden, namentlich des Ältesten, der ... mit Tüchern und Schwamm vor Unwillen heulend zudiente* (Zollinger II 440: Die große Unruhe). *Der Arzt, der ein Empfangsfräulein beschäftigt ..., der Architekt, der von einem Zeichner unterstützt wird, der Apotheker, dem eine Helferin zudient ... sollen fortan dem Zwang des Arbeitsgesetzes unterstehen* (NZZ 15. 3. 62).

zugehen ⟨unr. V.; ist⟩: ***das geht in einem zu:** das geht in einem Aufwasch (ugs.), das läßt sich gleich miterledigen. *Jaja, ich nehme Vater Odermatts Axt auch dran* [beim Schleifen]*: das geht ja in einem zu* (Schmidli, Junge 163).

Zügelmann, der; -[e]s, ...männer/...mannen (mundartnah): Möbelträger; Arbeiter einer Firma, die Umzüge besorgt. *Den buckligen Hilfsarbeiter, den lungenkranken Gießer, das ältere Bürofräulein, den Maurer und einen Zügelmann,* im Abstinentenverein (Oehninger, Kriechspur 180). *Das Emporsteigen der Kisten und Möbel, bewerkstelligt durch die Zügelmannen und einige meiner Studenten, die sich helfend ... eingefunden hatten* (Guggenheim, Zusammensetzspiel 187).

zügeln: auch (mundartnah bis normalspr.) svw. **a)** ⟨ist⟩ — umziehen (die Wohnung, Unterkunft wechseln). *Sie erhob sich am nächsten Morgen und zügelte allein in die Hütte hinunter* (Helen Meier, Trockenwiese 14). *Vor einem halben Jahr sind wir gezügelt* (Beobachter 1961, 484). *Das Zeughaus zügelt: Umzug vom Selnau an die Üetlibergstraße* (NZZ 21. 4. 87, 35; Überschrift). **b)** ⟨hat⟩ etw. in eine andere Unterkunft transportieren. *Das Sammelgut wurde bereits ... 1956 von Aarau nach Lenzburg gezügelt* (NZZ 8. 7. 71). **c)** ⟨hat⟩ den Umzug besorgen. *Huber zügelt mit gutem Personal sorgfältig und preisgünstig* (Vaterland 1968, 280; Inserat). Dazu **Zügelfirma, Zügelmann.** →**Züglete.**

Zuger, der; -s, -: **1.** wer in Stadt oder Kanton Zug Bürger oder seßhaft ist. **2.** zu Zug (Stadt oder Kanton) gehörig, aus Zug stammend. *Zuger Spezialitäten sind Zuger Ballen und Zuger Rötel* (→Balchen, Rötel) *sowie die Zuger Kirschtorte.* **3.** (kurz für: Zuger Jaß:) eine Art des Kartenspiels Jaß. *Studer wurde es noch unbehaglicher. Der „Zuger" war ein verdammt gefährlicher Jaß. Wenn man Pech hatte, konnte man ohne viel Mühe fünfzehn*

Franken verlieren (Glauser II 96: Wachtmeister Studer).

zugerisch: zu Zug (Stadt oder Kanton) gehörig, aus Zug stammend. *Etwas von der Synthese zwischen weltläufiger Anpassungsfähigkeit und hartnäckig bewahrender Kraft teilt sich auch der zugerischen Politik mit* (Allemann, Schweiz 72).

Zugersee, der; -s ⫽ Zuger See; →G 153/2d.

zugewandt: *Zugewandte, der; -n, -n ⟨meist Pl.⟩, ***zugewandter Ort: a)** (in der alten Eidgenossenschaft bis 1798:) mit eingeschränkten Rechten und nur mit einem Teil der engeren Bundesglieder verbündetes Staatswesen. **b)** (heute) Mitglied irgendeines Kreises, das aber nicht voll dazu-, nicht zum engeren Kern gehört. *Die Haltung einiger neuer Abgeordneter ... Die Gaullisten hoffen, dort noch einige „Zugewandte" zu gewinnen* (NZZ 1967, Bl. 1083). *Jenen folgenreichen Abend ... als eine etwas ausgelassene Bande, Künstler und Zugewandte, die schöne Julika gewaltsam gekapert und ... Stiller in seinem nächtlichen Atelier überrumpelt hatte* (Frisch, Stiller 136). *Daß das Gesuch Athens, das ... nicht auf volle Mitgliedschaft, sondern auf die losere Form einer Assoziierung abzielt ... Probleme für die Gemeinschaft aufwerfen werde; gleichzeitig wurden die Griechen jedoch einstimmig ... als zugewandter Ort im Kreise der Gemeinschaft begrüßt* (NZZ). *Am gemeinsamen Nachtessen* [des Schweizerclubs Stockholm], *das ... gegen 160 Landsleute und „zugewandte Orte" vereinigte* (NZZ 1961, Bl. 2875).

zügig: auch svw. zugkräftig. *Gratis wohnen. Gibt es ein Schlagwort, das heutzutags zügiger sein könnte?* (Nebelspalter 1965, 11, 35). *Verwunderlich, wenn wir nicht in der Lage wären, einen zügigen Kandidaten aufzustellen* (Honegger, Schulpfleger 131).

Züglete ['tsy:glətə, 'tsʏgl...], die; -, -n (mundartnah) — Wohnungswechsel, Umzug. *Züglete* [Überschrift]. *Wohnungsumzüge und Möbeltransporte im In- und Ausland. Laufend Fahrten nach allen Städten der Schweiz und Europas* (NZZ 1973; Inserat). *Große Züglete der Kantonalbank. Am letzten Freitag wurde die Kantonalbank wegen des bevorstehenden Abbruches fachgerecht ausgeräumt. Von der Pilatusstraße wurde an verschiedene Teile der Stadt hingezügelt* (Vaterland 1968, 281, 10). →G 112. **→zügeln.**

zugriffig: zugreifend, tatkräftig, wirksam. *Er wird ... die Tradition der ersten Nachkriegszeit wieder aufnehmen, als mit der „Letzten Chance" und anderen Filmen Probleme unserer nationalen Existenz zugriffig gestaltet wurden* (NZZ). *Der nicaraguanische Sandinistenchef konnte, vor die Wahl zwischen zwei „Einmischungen" in seine revolutionäre Integrität gestellt, leichten Herzens der weniger zugriffigen Variante den Vorzug geben* (NZZ 10. 8. 87, 3).

zugut[e] haben (auch südd.) ⫽ guthaben. *Wir waren der Meinung, die „Espen" hätten einen Punkt aus Bern zugut* (St. Galler Tagbl. 1968, 566, 17). *Die beiden Städte, die gemäß Straßenverkehrsgesetz einen Anteil an den ... Verkehrsabgaben zugute haben* (NZZ 5. 11. 87, 57). *Descartes war einundfünfzig Jahre alt und hatte noch drei Jahre Lebens vor sich, als sie sich begegneten. Pascal war einundzwanzig und hatte noch zwölf Jahre zugute* (Guggenheim, Zusammensetzspiel 80). →G 134.

zuhalten ⟨st. V.⟩: ***jmdm. etw. zuhalten:** zukommen lassen, verschaffen. *Niemand wird etwas dagegen haben, wenn die finanziellen Leistungen des Bundes weit überwiegend den Bergbauern zugehalten werden* (NZZ). *Er besaß nun bereits wieder eine Camionette, ein wackeliges und launisches Geschöpf ... das ihm Jonny Morf zugehalten hatte* (Guggenheim, Alles in allem 995).

zuhanden, zu Handen ⟨mit Gen. oder mit *von*⟩ (Geschäftsspr.): **a)** (in Adressen; auch österr.; abgek. z. H.) ⫽ zu Händen. *Kantonales Baudeparte-*

ment, Abt. Tiefbau, z. H. von Herrn Meier. **b)** zur Weiterbehandlung und/oder Beschlußfassung durch ... *Der Gemeinderat hat ... eine entsprechende Vorlage zuhanden des Stadtrates und der Gemeindeabstimmung verabschiedet* (Bund 3. 10. 68, 25). Dazu i. w. S.: *Er war ... geradezu erheitert von der Anekdote, die er da zuhanden geselliger Abende erlebte* (Frisch, Stiller 281). →G 044.

zuleid[e]: auch (mundartnah) svw. — zum Trotz. *Und von dem Tage des Todes hinweg ... bezahlte er der Witwe dreihundert Franken ... Monat für Monat ... auf Lebenszeit, bis Frau Oblong starb, und sie war ja noch nicht sehr alt ... und wäre sie älter, sie würde zuleide noch weiter leben* (Guggenheim, Die frühen Jahre 15).

zum voraus →**voraus.**

zum vorn[e]herein →**vorn[e]herein.**

zunachten ⟨sw. V.; unpers.⟩ — Nacht werden, dunkeln. Fast nur im subst. Inf.: ***beim, vor dem Zunachten.** *Er fuhr bei Sonnenaufgang fort und kam beim Zunachten ... durch die Dörfer zurück* (Kübler, Öppi von Wasenwachs 75). →**einnachten, nachten.**

Zündholz, das/**Zündhölzchen,** das; -s, - (beide auch südd., österr.) — Streichholz. *Bundesgesetz betreffend die Fabrikation und den Vertrieb von Zündhölzchen, vom 2. November 1898* (NZZ 4. 10. 68). *Mit Zündhölzern spielender Knabe schwer verbrannt* (Freier Aargauer 6. 8. 69). *Im Handschuhfach waren Schokolade, Zündhölzer, Bleistifte* ... (Helen Meier, Trockenwiese 115). →G 106.

zündrot (mundartnah): brennend rot, feuerrot. *Rosa bekam einen zündroten Kopf, stand auf und ging wortlos hinter die Theke* (Diggelmann, Rechnung 54). *In einem kurzen Rock kommt sie daher, die Schenkel halb entblößt, wie viele jetzt, in einem zündroten Rock* (Herbert Meier, Stiefelchen 11).

Zündungsschlüssel, der — Zündschlüssel. *Der Halter* [des gestohlenen Wagens] *hatte vergessen, den Zündungsschlüssel abzunehmen* (Vaterland 3. 10. 68, 6). *Wie man* [als Automechanikerlehrling] *mit Wagen umzugehen hat, mit dem Schraubenschlüssel nämlich, nicht mit dem Zündungsschlüssel* (Landert, Koitzsch 14). →G 145.

Züpfe, die; -, -n (in BE) — Zopf (feines Weißbrot in Zopfform). *Eine besondere Attraktion bildet der Marktstand auf dem Bundesplatz, wo ab 8 Uhr Bauernbrote und Züpfen verkauft werden* (Bund 14. 10. 68, 32). *Mit währschaftem geräuchtem Speck, selbstgebackenem Bauernbrot oder goldgelber Züpfe, rotbackigen Äpfeln* ... (NZZ 25. 10. 82, 29).

Zürcher: 1. der; -s, -: jmd., der aus Zürich (Stadt und Kanton) stammt, in Zürich seßhaft ist. *Wer ist der berühmteste Zürcher?* **2.** aus Zürich stammend, zu Zürich gehörend. *Geschnetzeltes nach Zürcher Art. Der Zürcher Stadtpräsident. Die Neue Zürcher Zeitung.*

zürcherisch: aus Zürich (Stadt oder Kanton) stammend, zu Zürich gehörend. *Zürcherisch diskret sind die Zeichnungen zum „Stellungskrieg" in der Ehe* (Blick 24. 9. 68).

Zürich ≠ Zürich; →G 004.

Zürichbiet, (mundartl.:) **Züribiet, ...piet,** das; -s (mundartnah): der Kanton Zürich, besonders der Teil außerhalb der Hauptstadt. *Die Anbaufläche* [für zu Sauerkraut verarbeiteten Weißkabis] *136,7 ha. Davon liegen 68,5 ha im Berner Gürbetal und 38,5 ha im Züribiet* (Aargauer Tagbl. 27. 2. 87, 5). *Das abwechslungsreiche Zürichbiet* (NZZ 24. 7. 87, 37). →**Biet.**

zürichdeutsch: in der Mundart der Stadt und (des Hauptteils) des Kantons Zürich.

Zürichsee, der: -s // (bdt. oft:) Züricher See.

Zürihegel ['tsʏrɪ,hegəl], der; -s, - (mundartl.): gutmütiger Spitzname der Zürcher. „Der schnellste Zürihegel", (mdal.:) De schnällscht Zürihegel: jährlicher Wettbewerb im Kurzstreckenlauf unter der Stadtzürcher Jugend (seit 1949).

Zürileu, der; -en, -en (mundartl.): der Löwe als Zürcher Wappentier (genauer: Wappenhalter), als Personifizierung Zürichs, auch als Spitzname des Zürchers: *Der Zürileu errötet* (Nebelspalter 1969, 23, 30). *Sämtliche volljährigen Zürileuen männlichen Geschlechtes* (ebd. 1966, 46, 12). Auch Name eines Zürcher Gratisanzeigers. →**Mutz** (Berner Mutz).

zurückbuchstabieren: eine [zu weit gehende] Äußerung zurücknehmen; Ansprüche, Zielvorstellungen, erreichte Positionen zurückstecken, (ugs.:) einen Rückzieher machen. *Man glaubt, daß der Kreml in etlichen Punkten zurückbuchstabieren könnte* (Bund 3. 10. 68, 2). *Die SP-Motion* [für eine engere Ladenschluß-Regelung], *die einzelne Gemeinden und beispielsweise das Glatt-*[Einkaufs-]*Zentrum zum Zurückbuchstabieren zwänge* (NZZ 13. 10. 87, 53).

zurückkrebsen # einen Rückzieher machen. *Die Erklärung* [Wilsons in Sachen Autonomie für Schottland und Wales] *hat bei den Schotten die Befürchtung geweckt, daß die Regierung im Begriffe sei, zurückzukrebsen* (NZZ 30. 10. 75, 5). *Emilio merkte sehr gut, daß der Gnesa keine Lust zum Heimfahren hatte, doch da er sein Ehrenwort gegeben hatte, wollte er nicht als erster zurückkrebsen; in Amerika ist eine Wette eine Wette* (Martini, Nicht Anfang [Übers.] 191).

zurücklegen (Amtsspr.) — (ein Lebensjahr) vollenden. *Ein Jüngling, der das 18. Altersjahr noch nicht zurückgelegt hat, fuhr ... mit dem Auto seines Vaters ...* (National-Ztg. 1968, 455, 24). *Stimmberechtigt sind Schweizer Bürger nach zurückgelegtem 20. Altersjahr* (St. Galler Tagbl. 3. 10. 68, 465, 10).

zurzeit (auch österr.) // zur Zeit. *Die Frage, weshalb der Triebzug in Letten nicht angehalten hat, wird zurzeit noch untersucht* (Vaterland 3. 10. 68, 3). *Wir müssen zurzeit vorsichtig sein, sonst machen wir alles wieder kaputt* (Morf, Katzen 84). →G 051.

zusammenbüscheln: zu einem Strauß zusammenbinden, hübsch zusammenstellen; (den Mund) spitzen. *Wie jedes Jahr hatte man ein buntes Programm zusammengebüschelt* (National-Ztg. 30. 9. 68). *Während sein Mund ... mit großer Beweglichkeit aus der Kreisform über die liegende Acht ... sich in einen Punkt zusammenbüschelte, den Falter vernehmlich küßte und ... in die Kreisform zurückging* (Wirz, Gewalten I 274). →**büscheln.**

zusammenhöckeln ⟨ist⟩ (mundartnah): gemütlich zusammen-, beieinandersitzen. *Mehr junges Volk ... hökkelt in der Cafeteria zusammen. Die Stimmung ist überaus friedlich* (NZZ 24. 12. 86, 37). →G 097.

zusammenspannen, mit jmdm.: sich mit jmdm. zusammentun, mit jmdm. gemeinsame Sache machen. *Als der Angeklagte ... ein Mädchen kennengelernt hatte, spannte er mit diesem zusammen. Gemeinsam unternahm man ausgedehnte Reisen und beging dabei Zechprellereien und Diebstähle* (NZZ 1961, Bl. 576). *Adam spannte* [bei den Tennismeisterschaften] *im Doppel mit seinem Finalgegner des Einzels, Heinz Hürlimann, zusammen* (St. Galler Tagbl. 1968, 461, 17).

Zusammenzug, der; -[e]s, ...züge (Milit., auch Sport) — das Zusammenziehen verschiedener Truppenkörper, Mannschaften für gemeinsame Manöver, Übungen, Training. *Ein solch großer Zusammenzug* [der Regimentsspiele; →Spiel] *sei für die Musiker eine große Motivation* (Thurgauer Ztg. 6. 5. 88, 36). *Die Spitzenschwimmer dieser vier Verbände werden in Zukunft gemeinsame Trainingslehrgänge besuchen. Der erste Zusammenzug ist für Ostern 1969 vorgesehen* (National-Ztg. 1968, 564, 3). →G 115.

zuschletzen (mundartnah) — (eine Tür, ein Fenster) zuschlagen. *Sabine ... sah zu ihrem Schrecken, daß er den schweren Eichentürflügel nicht manierlich schloß, sondern in einem plötzlichen Zornanfall mit aller Kraft* *zuschletzte* (Inglin, Erlenbüel 133). →**schletzen.**

Zusehen, das: ***auf Zusehen hin** — auf Widerruf, bis auf weiteres. *Das Zürcher Komitee für die ungarischen Flüchtlinge beabsichtigt, das Ungarnhaus „Hirschen" auf Zusehen hin weiterzuführen* (NZZ, wohl 1957). *Er versicherte, er werde seine Freunde erst einmal von den gröbsten Methoden abhalten. Erst einmal! Auf Zusehen hin* (Humm, Kreter 169).

Zusenn, der; -en, -en: erster Gehilfe des Sennen auf der Alp. *Auf gut 2 000 m Höhe betreut er* [ein Student, als Senn] *40 Kühe, zusammen mit seiner Freundin N. K. als Zusenn, ihrem Bruder als Hirt* (Betty-Bossi-Ztg. 1987, 7, 2). *Der Zusenn oder das Heimat* (Muschg, Liebesgeschichten 23; Titel einer Erzählung).

zusitzen ⟨st. V.; ist⟩ (mundartnah) — sich zu Tisch setzen. *Eine gewisse Aufregung, daß der Sohn wieder einmal da war, gebot ihr ... nochmals zu prüfen, ob auch das Brot, der Zucker und alles vorhanden war ... „Es ist so weit", sagte Frau Reinhart, „du kannst zusitzen."* (Frisch, Die Schwierigen 199). →G 065.

Zusprache, die; -, -n: Gewährung eines Zuschusses; →G 117. *Gegenüber 1986 haben Gesuchszahl und -summe um je etwa 5 % zugenommen, das Total der Zusprachen um 2,8 %* (Nationalfonds 1987, 44).

zusprechen ⟨st. V.⟩: auch svw. — (jmdm. eine Unterstützung, einen Zuschuß) gewähren. *Nachdem das START-Programm letztes Jahr mit 4 Zusprachen lanciert worden war, konnten diesmal 7 solcher Beiträge zugesprochen werden* (Nationalfonds 1987, 44).

Zustupf, der; -[e]s, -e/...stüpfe: materielle Unterstützung, Zuschuß, zusätzliche Einnahme, Zusatzverdienst. *Daneben erhielt er Zustupf aus Helvetien, Lebensmittelpakete mit Kakao und eingedickter Büchsenmilch* (Kübler, Öppi der Narr 47). *Temporärarbeit ...: man muß nicht regelmäßig arbeiten. Sondern dann, wenn es einem paßt. Oder eben dann, wenn Sie einen Zustupf brauchen* (NZZ 1970, 279, 20; Inserat). *Wenn die Stadt Zürich ... im Rahmen des Lastenausgleichs große finanzielle Zustüpfe vom Kanton erhält* (NZZ 16. 3. 87, 34).

Zuzüger, der; -s, -: **a)** wer zu einer Gruppe stößt, sich ihr anschließt. *Zahlreiche Regierungen haben bereits ihre Absicht bekanntgegeben, dem Vertrag beizutreten. Möglichst früh hinter den drei Atommächten unterzeichnet zu haben, wird als Zeichen friedlicher Gesinnung und der Fortschrittlichkeit gelten ... Daß sich die Schweiz unter den ersten dieser Zuzüger befinden wird, ist nicht anzunehmen* (NZZ 1963, Bl. 3109). **b)** wer an einem Ort zugezogen ist, // Zuzügler. *Mit Hilfe gemeinsamer Entwicklungsanstrengungen zu versuchen, die Region für Zuzüger attraktiver zu gestalten* (National-Ztg. 1968, 561, 11). *Daß diese deutschen Gäste und Zuzüger ... auch befruchtend gewirkt haben. Durch Wagner wurde Zürich zu einer Musikstadt ...* (Guggenheim, Seldwyla 63). →**Neuzuzüger.** →G 121.

Zvieri ['tsfiəri], das/der; -s, - (mundartl.): Zwischenmahlzeit am Nachmittag (etwa 15.30–17 Uhr), ≠ Vesper. *Nach dieser schönen Feier wurde ein währschaftes Zvieri serviert* (Bund 17. 12. 68). →(zur Beugung) G 073. →**Zabe; Znüni.**

zwängeln: (von Kindern) durch unablässiges Fordern oder Drängen etw. zu erlangen suchen, // quengeln. *Vater Sigi spazierte ... mit seinem ungezogenen Sprößling, der fortwährend zwängelte: „Papi, ich habe Durst!"* (Nebelspalter 1965, 37, 36). *Nein, du darfst nicht einfach auf den Boden sitzen und zwängeln* (Helen Meier, Trockenwiese 77). →G 097. →**vorzwängeln.**

zwängen: auch svw. durch Fordern oder Drängen etw. zu erlangen suchen. *„Muetti", schmeichelte er ... „Muetti, ich möchte bei dir schlafen." „Ä, Melk!" rief die Mutter. „Was fällt* *dir denn ein ..." „Ich möchte halt bei dir sein." „Warum nicht gar, du Fegnest!" „Doch Muetti, doch! Ich will einfach!" „Fang nicht zu zwängen an, verstehst du! Komm ..."* (Inglin, Ingoldau 40). *Vielleicht hätten Brückmehl und Barbara dem zwängenden Willen Dorettens widerstanden, wenn nicht Erna zum vorneherein schwach geworden wäre* (Welti, Puritaner 382). →**erzwängen.**

Zwạnger, der; -s, -: jmd., der durch unablässiges, rücksichtsloses Fordern oder Drängen seinen Willen durchzusetzen versucht. *Da meine Mutter nicht kam, wurde ich böse; ich stampfte mit den Füßen und schrie. Ich war damals ein schrecklicher Zwänger* (Humm, Greif 11). *Immer wieder* [werden] *auf Tramschienen anhaltende Autos von einem Tram gerammt ... Ich rede ausdrücklich von anhaltenden Autos und will keineswegs die Zwänger unter den Automobilisten verteidigen* (NZZ; Leserbrief).

Zwängerei, die; -, -en: **a)** ungeduldiges Drängen auf etw. *Die Kinder wollten nicht einschlafen, sie schrien nach dem Onkel Fred ... Gertrud wies sie zur Ruhe, nahm sich jedoch vor ... Fred hinaufzuschicken, um der Zwängerei ein Ende zu machen* (Inglin, Schweizerspiegel 516). **b)** eigensinniges, unnachgiebiges Beharren auf einer Forderung, Durchsetzen eines Zieles. *Als Bundesrat Chevallaz ... die Einführung einer neuen persönlichen Waffe des Wehrmannes durchsetzte, wurde dieser Entscheid ... unter der Hand als Zwängerei kritisiert. Jetzt werde überall bedauert, daß der Beschaffungsrhythmus nicht beschleunigt werden könne* (NZZ 25. 9. 87, 21). *Er ... konnte nicht begreifen, was für ein böser Zauber das klug und angenehm begonnene Werk der Ordnung in eine so widerwärtige Zwängerei verwandelte* (Inglin, Erz. II 275).

zwạngerisch: unnachgiebig, rücksichtslos fordernd, drängend; gebieterisch. *Bei den Känguruhs findet er Müller, der ... das Blatt mit immer neuen ... Känguruh-Andeutungen bedeckt. Nie wird er bis zu jenem Täschchen kommen, in dem ein Junges mehr zwängerisch als putzig den Kopf dreht* (Muschg, Mitgespielt 323). *Der Tornister drückte ihn schwer aufs Kreuz, und die Riemen rissen so zwängerisch an seinen Schultern, daß ihm ... am Halsansatz die Adern schwollen* (Inglin, Schweizerspiegel 229).

Zwạnziger, der; -s, -: auch (mundartnah) svw. Zwanzigrappenstück. *Nochmals versuchen, Amsler zu erreichen! Eine* [Telefon-]*Kabine ist frei ... Mein letzter Zwanziger ...* (Landert, Koitzsch 134). →**Fünfer, Zehner.**

Zwạnzigernote, die; -, -n: Zwanzigfrankenschein. *Der Schauspieler Kipferl war im Gewinn, es lag bereits eine Zwanzigernote vor ihm auf dem Tisch* (Guggenheim, Alles in allem 652). →G 152.

Zweier, der; -s, -: auch svw. **1. a)** Angehöriger des Jahrgangs (19)02. *Er wird heuer 86, er ist ein Zweier.* **b)** Wein des Jahrgangs (19)02. **2.** 2 dl Wein. *Die dicke Freundin ... will einen Féchy, der Pilot einen Träsch, und ich nehme einen Zweier Magdalener* (Widmer, Schweizer Geschichten 110). **3.** (auch bdt. landsch.) **a)** Ziffer 2. **b)** zwei Augen auf dem Würfel. *Er hat einen Zweier geworfen.* **c)** Note, Zensur 2. **d)** [Wagen der] Straßenbahn- od. Buslinie 2. →**Achter.**

Zweierkolonne, die; -, -n (Militär, Turnen): Marschordnung, wobei man zu zweien nebeneinander geht. *Er hüpfte hinter der Schulklasse her, lauter ordentlichen kleinen Buben und Mädchen in Zweierkolonne auf einem Frühlingsspaziergang* (Helen Meier, Trockenwiese 14). →G 152. →**Einer-, Viererkolonne.**

Zweierzimmer, das — Doppelzimmer, // Zweibettzimmer (im Hotel). →G 152.

Zweifränkler, der; -s, - (mundartnah) — Zweifrankenstück. *Endlich kam der Bub zurück, den Reinhart vorher zum Bäcker geschickt hatte mit einem Zweifränkler* (Frisch, Die

Schwierigen 80). →G 120. →**Fränkler.**

Zweiplätzer, der; -s, - // Zweisitzer (Auto mit zwei Sitzplätzen). *Guy ... spielte seit langem mit dem Gedanken, einen Zweiplätzer anzuschaffen. Ein kleiner, molliger und doch sehr starker Wagen sollte es sein* (Welti, Puritaner 586). →**Sechsplätzer.**

Zweiräppler, der; -s, - (mundartnah) — Zweirappenstück. *Die kleinen Knirpse mit ihren Sparkäßlein ... deren Inhalt von kleinen Münzen, selbst roten Ein- und Zweiräpplern* (Guggenheim, Gold. Würfel 45). →G 120. →**Räppler.**

zweitinstanzlich →**erstinstanzlich.**

Zweitklaßabteil, -hotel, -lesebuch, -wagen →**Erstklaß...**

Zweitkläßler, der; -s, - (auch südd.): Schüler der 2. Klasse; →G 122.

Zwetschge, die; -, -n (auch südd.; sonst nur fachspr.) // Zwetsche, (österr.:) Zwetschke; →G 044.

Zwischenhalt, der; -[e]s, -e — Zwischenstation, // Zwischenaufenthalt. *Zwischenhalte in Genf und London* [Überschrift]. *Premierminister Nehru hielt sich ... auf dem Flug von Delhi nach London eine Stunde in Genf auf, um sich mit Delegierten der Laoskonferenz zu besprechen* (NZZ 1961, Bl. 4153). *Unbeachtet, in der Nacht ... führte der Wagen das Ehepaar Gidionovics ... dem Bahnhof zu. Dieser dreißigjährige Aufenthalt in dieser Stadt war für sie nur ein Zwischenhalt auf ihrer Nomadenwanderung* (Guggenheim, Alles in allem 952). →**Halt.**

zwischenhinein (bdt. veraltet) — zwischendurch. *Kutsche um Kutsche klapperte vorbei, Automobile pusteten zwischenhinein, und alle hatten etwas Festliches an sich* (Moeschlin, Sommer 10). *Zwischenhinein gab es immer wieder Tage, an denen ...* (Guggenheim, Friede 168). *Nein, P. P. fühlt sich hoch über den Köpfen der restlichen Berner* [als Münsterturmwart] *nicht einsam: „Ich bin zwischenhinein ganz gerne allein“.* (NZZ 21. 11. 88, Beilage Bern 15).

Zwischenverpflegung, die; -, -en (urspr. Milit.): kleine Verpflegung, Stärkung bei einer Rast unterwegs. *Wenn sich eine Leiche wie ich ... ihren Tribut von den Lebenden ... holt, als Zwischenverpflegung, bis sie sich wieder in ihre Gräber ... verkriecht* (Dürrenmatt, Verdacht 150).

Zwölftel, der # das; -s, -; →G 076.

Zyklame, die; -, -n (auch österr.) // das Zyklamen (Alpenveilchen); →G 077.

Quellen und Sekundärliteratur

Zitiert wird, wo nichts anderes angegeben ist, nach *Seiten;* bei Zeitungen meist nach Erscheinungstag und Seite (z. B. NZZ 2. 12. 88, 21); bei Zeitschriften nach Jahrgang und Seite (z. B. Sprachspiegel 1975, 23) oder nach Jahrgang, Heft und Seite (z. B. Beobachter 1987, 10, 31), bei Zeitungen auch nach Jahrgang, Ausgabe und Seite (z. B. Bund 1968, 235, 5).

Verzeichnis der zitierten Quellen

Aargauer Kurier. [Wochenzeitung.] Aarau, seit 1969.

Aargauer Tagbl.: Aargauer Tagblatt. Aarau, seit 1880.

Aargauer Volksbl.: Aargauer Volksblatt. Baden, seit 1911.

Allemann, Fritz René (* 1910)

– Schweiz: 26mal die Schweiz. Panorama einer Konföderation. 4., überarb. Aufl. München, Zürich: Piper 1985.

Ammann, Jürg (* 1947)

– Verirren: Verirren oder Das plötzliche Schweigen des Robert Walser. Roman. Aarau, Frankfurt, Salzburg: Sauerländer 1978.

Annabelle. [Frauenzeitschrift.] Zürich, seit 1938.

Appenzeller Volksfreund. [Zeitung.] Appenzell, seit 1876.

Appenzeller Ztg.: Appenzeller Zeitung. Herisau, seit 1828.

Barth, Karl (1886–1968)

– Predigten 1913. Hg. v. Nelly Barth und Gerhard Sauter. Zürich: Theologischer Verlag 1976. (Karl Barth, Gesamtausgabe)

Basler Nachrichten. [Tageszeitung.] Basel 1856–1977.

Beobachter: Der schweizerische Beobachter. [Zeitschrift.] Glattbrugg, seit 1927.

Berger, Koch-Bilderbuch: Marianne Berger: Koch-Bilderbuch. Mit 130 Rezepten. Kempttal: Maggi [um 1960].

Berner Tagwacht. [Tageszeitung.] Bern, seit 1893.

Berner Ztg.: Berner Zeitung. Bern, seit 1979.

Bestand und Versuch. Schweizer Schrifttum der Gegenwart. [Anthologie.] Zürich, Stuttgart: Artemis-Verlag 1964.

Betty-Bossi-Ztg.: Betty Bossi Zeitung. Fachzeitschrift für Kochen und Haushalten. Zürich, seit 1972.

Bichsel, Peter (* 1935)

- Frau Blum: Eigentlich wollte Frau Blum den Milchmann kennenlernen. 21 Geschichten. Olten, Freiburg i. B.: Walter 1964.
- Jahreszeiten: Die Jahreszeiten. Neuwied, Berlin: Luchterhand 1967.
- Kindergeschichten. Neuwied, Berlin: Luchterhand 1969.

Biograph. Lexikon AG: Biographisches Lexikon des Aargaus 1803–1957. Aarau: Sauerländer 1958.

Blatter, Silvio (* 1946)

- Heimweh: Zunehmendes Heimweh. Roman. Frankfurt, Zürich: Suhrkamp 1978.
- Schaltfehler. Erzählungen. Zürich: Flamberg-Verlag 1972.

Blick. [Tageszeitung.] Zürich, seit 1959.

Boesch, Hans (* 1926)

- Fliegenfalle: Die Fliegenfalle: Schichten – Wohnungen – In der Baracke. Zürich: Artemis-Verlag 1968.
- Gerüst: Das Gerüst. Roman. Olten, Freiburg i. Br.: Walter 1960.

Bonjour, Edgar (* 1898)

- Neutralität: Die Geschichte der schweizerischen Neutralität. 6 Bände. Basel: Helbing & Lichtenhahn 1965–70.

Boßhart, Jakob (1862–1924)

- I–VI: Erzählungen. 6 Bände. 2. (Bd. 5: 3., Bd. 6: 1.) Aufl. Leipzig: Haessel 1919–21.

Brambach, Rainer (1917–83)

- Kaffee: Für sechs Tassen Kaffee und andere Geschichten. Zürich: Diogenes-Verlag 1972.
- Wahrnehmungen. Prosa. Zürich: Fretz & Wasmuth 1961.

Bringolf, Walther (1895–1981)

- Leben: Mein Leben. Weg und Umweg eines Schweizer Sozialdemokraten. Bern, München, Wien: Scherz 1965.

Brückenbauer: Wir Brückenbauer. Wochenblatt des sozialen Kapitals. Organ des Migros-Genossenschafts-Bundes. Zürich, seit 1942.

Bucher/Ammann: Werner Bucher, Georges Ammann: Schweizer Schriftsteller im Gespräch. Lizenzausgabe. Zürich: Buchclub Ex Libris [1973?].

Bührer, Jakob (1882–1975)

- Das letzte Wort. Roman. Zürich: Oprecht 1935.

Bund: Der Bund. Unabhängige liberale Tageszeitung. Bern, seit 1851.

Bundesverfassung: Bundesverfassung der Schweizerischen Eidgenossenschaft. Vom 29. Mai 1874.

Bündner Tagbl.: Bündner Tagblatt. Chur, seit 1853.

Camenzind, Josef Maria (1904–84)

- Balz: Schiffmeister Balz. Freiburg i. Br.: Herder 1941.

Diggelmann, Walter Matthias (1927–79)
– Abel: Geschichten um Abel. Roman. Einsiedeln, Zürich: Benziger 1960.
– Freispruch: Freispruch für Isidor Ruge. Roman. Lizenzausgabe. Zürich: Buchclub Ex Libris [1969?].
– Harry Wind: Das Verhör des Harry Wind. Roman. Einsiedeln, Zürich, Köln: Benziger 1962.
– Hinterlassenschaft: Die Hinterlassenschaft. Roman. München: Piper 1965.
– Rechnung: Die Rechnung. [Erzählungen.] Einsiedeln, Zürich, Köln: Benziger 1963.
Doyle, Holmes [Übers.]: Arthur Conan Doyle: Sherlock-Holmes-Geschichten. Der Hund von Baskerville. Aus dem Englischen übersetzt von Trude Fein. Zürich: Manesse-Verlag 1981.
Dürrenmatt, Friedrich (* 1921)
– Gespräch: Nächtliches Gespräch mit einem verachteten Menschen. (Ein Kurs für Zeitgenossen.) Zürich: Verlag der Arche 1957.
– Hörspiele: Gesammelte Hörspiele. Zürich: Verlag der Arche 1961.
– Komödien I/II: Komödien I. Komödien II und Frühe Stücke. Zürich: Verlag der Arche 1957, 1963.
– Meteor: Der Meteor. Eine Komödie in zwei Akten. Zürich: Verlag der Arche 1966.
– Richter: Der Richter und sein Henker. Roman. Hamburg, Basel: Rowohlt 1955 (rororo 150).
– Stadt: Die Stadt. (Prosa I–IV.) Zürich: Verlag der Arche 1952.
– Verdacht: Der Verdacht. 9. Aufl. Zürich, Einsiedeln, Köln: Benziger 1971.
– Versprechen: Das Versprechen. Requiem auf den Kriminalroman. Zürich: Verlag der Arche 1958.
Erny, Hansjörg (* 1934)
– Neujahr: Morgen ist Neujahr! Roman. Frauenfeld, Stuttgart: Huber 1971.
Federer, Heinrich (1866–1928)
– Berge u. Menschen: Berge und Menschen. Roman. 87. Tsd. Berlin: Grote 1922.
– Sisto e Sesto. Eine Erzählung aus den Abruzzen. Nachdruck. Basel: Verlag Gute Schriften 1947.
Felder, Aarg. Kunstdenkmäler: Peter Felder: Aargauische Kunstdenkmäler. 2. Aufl. Aarau: Sauerländer 1969.
Frei, Otto (* 1924)
– Nacht: Bis die Nacht sich in die Augen senkt. Roman. Zürich: Verlag der Arche 1982.
Freier Aargauer. [Tageszeitung.] Aarau 1906–87.
Frisch, Max (* 1911)
– Andorra. Stück in 12 Bildern. 601.–640. Tsd. Frankfurt: Suhrkamp 1975 (Bibliothek Suhrkamp, 101).

– Biedermann: Biedermann und die Brandstifter. Ein Lehrstück ohne Lehre. 23. Aufl. Frankfurt: Suhrkamp 1977 (Edition Suhrkamp, 41).
– Bin: Bin oder die Reise nach Peking. 42.–48. Tsd. Zürich: Atlantis-Verlag; Frankfurt: Suhrkamp 1965 (Bibliothek Suhrkamp, 8).
– Blätter: Blätter aus dem Brotsack. 4. Aufl. Zürich, Freiburg i. Br.: Atlantis-Verlag 1969
– Frühe Stücke: Santa Cruz – Nun singen sie wieder. 7. Aufl. Frankfurt: Suhrkamp 1975 (Edition Suhrkamp, 154).
– Gantenbein: Mein Name sei Gantenbein. Roman. Frankfurt: Suhrkamp 1967.
– Homo faber. Ein Bericht. 286.–305. Tsd. Frankfurt: Suhrkamp 1969 (Bibliothek Suhrkamp, 87).
– Marion: Tagebuch mit Marion. Zürich: Atlantis-Verlag 1947.
– Die Schwierigen: Die Schwierigen oder J'adore ce qui me brûle. Roman. Neuausgabe, 6. Aufl. Zürich, Freiburg i. Br.: Atlantis-Verlag 1970.
– Stiller. Roman. Lizenzausgabe. Zürich: Buchclub Ex Libris [1960].
– Tageb. 1946/49: Tagebuch 1946–1949. Frankfurt: Suhrkamp 1950 (Bibliothek Suhrkamp, 261).
– Tageb. 1966/71: Tagebuch 1966–1971. 51.–65. Tsd. Frankfurt: Suhrkamp, 1972.
– Transit: Zürich-Transit. Skizze eines Films. Frankfurt: Suhrkamp 1966 (Edition Suhrkamp, 161).

Frühling der Gegenw., Erz. I–III: Erzählungen. Gesammelt und zusammengestellt von Charles Linsmayer und Andrea Pfeifer. 3 Bände. Zürich: Buchclub Ex Libris 1982/83. (Frühling der Gegenwart. Der Schweizer Roman 1890–1950.)

Fülscher, Kochbuch: Elisabeth Fülscher: Das Fülscher-Kochbuch. Der Führer zur Kochkunst mit 1700 Rezepten von internationalem Niveau. 11., überarbeitete Aufl. Rüschlikon-Zürich; Stuttgart, Wien: Albert Müller 1983.

Fux, Adolf (1901–74)
– Erzählungen: Eines Sommers Wahn und Ende – Jungwuchs auf Hoh'neggen. Erzählungen. Bern: Verlag Gute Schriften 1950.
– Wundernase: Die verlorene Wundernase. Geschichten um Walliser Kinder für jung und alt. Basel: Friedrich Reinhardt 1961.

Ganz, Raffael (* 1923)
– Abend: Abend der Alligatoren. Erzählungen. Zürich, Stuttgart: Artemis-Verlag 1962.

Geiser, Christoph (* 1949)
– Wüstenfahrt. Roman. Lizenzausgabe. Zürich: Buchclub Ex Libris 1986.

General-Anz.: General-Anzeiger Region Aarau. [Wochenzeitung.] Aarau, seit 1913.

Genossenschaft. [Wochenzeitung] [hg. vom Verband Schweizerischer Konsumvereine]. Basel 1949–70.
Glauser, Friedrich (1896–1938)
– I–IV: Gesammelte Werke. 4 Bände. Zürich: Verlag der Arche 1969–74.
Gosse, Vater und Sohn [Übers.]: Edmund Gosse: Vater und Sohn. Eine Darstellung zweier Temperamente. Aus dem Englischen übertragen von Meret und Hans Ehrenzeller. Zürich: Manesse-Verlag 1973.
Graber, Rudolf (1899–1958)
– Fährengesch.: Die letzten Basler Fährengeschichten. Zürich: Schweizer-Spiegel-Verlag 1960.
Gratisb.: dieses buch ist gratis. Texte zeitgenössischer Schweizer Schriftsteller. Zürich: Gratis-Verlag 1971.
Gruner/Junker: Erich Gruner, Beat Junker: Bürger, Staat und Politik in der Schweiz. Lehrbuch für den staatsbürgerlichen Unterricht an höheren Mittelschulen der deutschen Schweiz. 2., völlig neu bearbeitete Aufl. Basel: Lehrmittel-Verlag des Kantons Basel-Stadt 1972. →Junker/Fenner.
Guggenheim, Kurt (1896–1983)
– Alles in allem. Roman. Gesamtausgabe, 3. Aufl. Zürich, Stuttgart: Artemis-Verlag 1968.
– Friede: Der Friede des Herzens. Roman. Zürich: Artemis-Verlag 1956.
– Die frühen Jahre. Zürich: Artemis-Verlag 1962.
– Gold. Würfel: Der goldene Würfel. Roman. Zürich: Artemis-Verlag 1967.
– Hl. Komödiant: Der heilige Komödiant. Erzählung. Zürich, Köln: Benziger 1972.
– Minute: Minute des Lebens. Roman um die Freundschaft zwischen Zola und Cézanne. Zürich: Artemis-Verlag 1969.
– Riedland. Roman. Zürich, Stuttgart: Artemis-Verlag 1958
– Salz: Salz des Meeres, Salz der Tränen. Roman. Zürich, Stuttgart: Artemis-Verlag 1964.
– Sandkorn: Sandkorn für Sandkorn. Die Begegnung mit J.-H. Fabre. Zürich, Stuttgart: Artemis-Verlag 1959.
– Schanzengraben: Tagebuch am Schanzengraben. Zürich, Stuttgart: Artemis-Verlag 1963.
– Seldwyla: Das Ende von Seldwyla. Ein Gottfried-Keller-Buch. Zürich, Stuttgart: Artemis-Verlag 1965.
– Unser vier: Wir waren unser vier. Roman. Zürich: Artemis-Verlag 1949.
– Zusammensetzspiel: Das Zusammensetzspiel. Roman. Frauenfeld, Stuttgart: Huber 1977.

Häsler, Alfred A. (* 1921)
– Außenseiter – Innenseiter. Porträts aus der Schweiz. Frauenfeld: Huber 1983.
Heimann, Erwin (* 1909)
– Antoni: Andreas Antoni. Roman. Bern: Francke 1952.
– Söhne: Hast noch der Söhne ja. Roman. Frauenfeld: Huber 1956.
Heimatschutz. [Zeitschrift.] Hg: Schweizer Heimatschutz. Zürich, seit 1906.
Heß-Haeberli, Jugendfürsorge: E. und M. Hess-Haeberli: Möglichkeiten und Ziele der modernen Jugendfürsorge. Zürich 1961.
Hesse, Hermann (1877–1962)
– I–VII: Gesammelte Dichtungen. 7 Bände. Frankfurt: Suhrkamp; Zürich: Fretz & Wasmuth 1952–57.
Hogg, Widersacher [Übers.]: James Hogg: Der Widersacher. Roman. Aus dem Englischen übersetzt von Fritz Güttinger. Zürich: Manesse-Verlag 1969.
Hohl, Ludwig (1904–80)
– Nächtlicher Weg. Erzählungen. Zürich: Morgarten-Verlag 1943.
Hohler, Franz (* 1943)
– Idyllen. Neuwied, Berlin: Luchterhand 1970.
Honegger, Arthur (* 1924)
– Morgen: Wenn sie morgen kommen. Roman. Frauenfeld, Stuttgart: Huber 1977.
– Schulpfleger: Der Schulpfleger. Roman. Frauenfeld: Huber 1978.
Huggenberger, Alfred (1867–1960)
– Bauern: Die Bauern von Steig. Leipzig: Staackmann 1913.
Hugo, Die Elenden [Übers.]: Victor Hugo: Die Elenden. Roman. Aus dem Französischen übertragen von Hugo Meier. Zürich: Manesse-Verlag 1968.
Humm, Rudolf Jakob (1895–1977)
– Carolin. Zwei Geschichten aus seinem Leben. Zürich: Büchergilde Gutenberg 1944.
– Greif: Der Vogel Greif. Ein Roman. Zürich: Steinberg-Verlag 1953.
– Komödie: Kleine Komödie. Ein heiterer Zürcher Roman. Zürich: Buchclub Ex Libris 1958.
– Kreter: Der Kreter. Roman. Zürich: Werner Classen 1973.
– Linsengericht: Das Linsengericht. Analysen eines Empfindsamen. Neuausgabe. Zürich: Buchclub Ex Libris 1981 (Frühling der Gegenwart).
– Mitzudenken. Reflexionen aus zwei Jahrzehnten. Lizenzausgabe. Zürich: Buchclub Ex Libris 1969.
– Rabenhaus: Bei uns im Rabenhaus. Literaten, Leute und Literatur im Zürich der Dreißigerjahre. Neuausgabe. Zürich: Fretz & Wasmuth, Werner Classen 1975.

– Universität: Universität oder Ein Jahr im Leben des Daniel Seul. Roman. Zürich, Stuttgart: Werner Classen 1977.
Inglin, Meinrad (1893–1971)
– Amberg: Werner Amberg. Die Geschichte seiner Jugend. Zürich: Atlantis-Verlag 1949.
– Erlenbüel. Roman. Zürich: Atlantis-Verlag 1965.
– Erz. I/II: Erzählungen. 2 Bände. Zürich, Freiburg i. Br.: Atlantis-Verlag 1968/70.
– Excelsior: Grand Hotel Excelsior. Roman. Zürich, Leipzig: Orell Füßli 1928.
– Graue March: Die Graue March. Roman. Neue Fassung. Zürich: Atlantis-Verlag 1956.
– Güldramont. Erzählungen. Leipzig: Staackmann 1943.
– Ingoldau: Die Welt in Ingoldau. Vom Verfasser bearbeitete neue Auflage. Zürich: Atlantis-Verlag 1964.
– Jugend: Jugend eines Volkes. Erzählungen vom Ursprung der Eidgenossenschaft. Neue Fassung. Zürich: Atlantis-Verlag 1948.
– Jugend[1]: Jugend eines Volkes. Leipzig: Staackmann 1939.
– Schweizerspiegel. Roman. Neue Fassung. Zürich: Atlantis-Verlag 1955.
– Verhexte Welt. Geschichten und Märchen. Zürich: Atlantis-Verlag 1958.
– Wendel: Wendel von Euw. Roman. Stuttgart, Berlin, Leipzig: Deutsche Verlags-Anstalt 1925.
Jaeggi, Urs (* 1931)
– Wohltaten: Die Wohltaten des Mondes. Erzählungen. München: Piper 1963
Jelmoli, Katalog: Jelmoli-Katalog. Die größte Auswahl. Mode, Wohnen, Freizeit. Zürich: [Warenhaus] Jelmoli SA.
Jent, Louis (* 1936)
– Ausflüchte. Roman. München: Piper 1965.
Junge Schweizer: Junge Schweizer erzählen. Kurzgeschichten junger Schweizer Autoren. Zürich: Schweizer Verlagshaus 1971.
Junker/Fenner: Beat Junker, Martin Fenner: Bürger, Staat und Politik in der Schweiz. 4., vollständig neu bearbeitete Aufl. Luzern: Interkantonale Lehrmittelzentrale; Basel: Lehrmittelverlag des Kantons Basel-Stadt 1986. →Gruner/Junker.
Kauer, Walther (1935–87)
– Schachteltraum. Roman. 2. Aufl. Berlin: Verlag Volk und Welt 1976.
Keller, Gottfried (1819–90)
– I–V: Werke. 5 Bände. Zürich: Atlantis-Verlag 1971.
– Briefe I–IV: Gesammelte Briefe. In vier Bänden hg. von Carl Helbling. Bern: Benteli 1950–54.

Kilian, Peter (1911–88)
– Walliser Sagen. Basel: Friedrich Reinhardt 1946.

Kloter, Karl (* 1911)
– Didier: Kennen Sie Didier? Roman. Zürich: Schweizer Verlagshaus 1966.

Kochlehrbuch: Kochlehrbuch der Haushaltungsschule Zürich. 3., durchgesehene und ergänzte Aufl. Zürich: Haushaltungsschule 1941.

Kopp, Josef Vital (1906–66)
– Damaris: Die schöne Damaris. Roman. Einsiedeln, Zürich, Köln: Benziger 1954.
– Forstmeister: Der Forstmeister. Dokumente einer Krise. Roman. Luzern, München: Rex-Verlag 1967.
– Pegasus: Die Launen des Pegasus. Roman. Einsiedeln, Zürich, Köln: Benziger 1958.
– Der sechste Tag. Roman. Einsiedeln, Zürich, Köln: Benziger 1961.

Kübler, Arnold (1890–1983)
– Heitere Geschichten: 48 heitere Geschichten. Zürich: Buchclub Ex Libris 1961.
– Öppi der Narr. Zürich: Buchclub Ex Libris 1964.
– Öppi der Student. Roman. Lizenzausgabe. Zürich: Buchclub Ex Libris 1966.
– Öppi und Eva. Roman. Zürich: Buchclub Ex Libris 1969.
– Öppi von Wasenwachs. Der Bub ohne Mutter. Roman. 2., bearbeitete Aufl. Zürich: Buchclub Ex Libris 1965.

Kursbuch: Offizielles Kursbuch Schweiz. Bern: Schweizerische Bundesbahnen.

Landanz.: Der Landanzeiger. [Zeitung.] Oberentfelden, seit 1909.

Landert, Walter (* 1929)
– Koitzsch. Roman. Langnau: Verlag Emmenthaler Blatt 1971.

Lenz, Max Werner (1887–1973)
– Fahrerin: Fahrerin Scherrer. Roman. Zürich: Büchergilde Gutenberg 1946.

Loetscher, Hugo (* 1929)
– Abwässer. Ein Gutachten. Frankfurt, Berlin, Wien: Ullstein 1981 (Ullstein-Buch 26034).
– Kranzflechterin: Die Kranzflechterin. Roman. Zürich: Verlag der Arche 1964.
– Noah. Roman einer Konjunktur. Zürich: Verlag der Arche 1967.

Loos, Cécile Ines (1883–1959)
– Mond: Hinter dem Mond. Roman. Neuausgabe. Zürich: Buchclub Ex Libris 1983 (Frühling der Gegenwart).

Luzerner Neueste Nachr.: Luzerner Neueste Nachrichten. Unabhängige schweizerische Tageszeitung. Luzern, seit 1898.

Luzerner Tagbl.: Luzerner Tagblatt. Fortschrittlich-liberale Tageszeitung. Luzern, seit 1853.

Mächler, Robert (* 1909)

– Walser: Das Leben Robert Walsers. Eine dokumentarische Biographie. Genf, Hamburg: Kossodo 1966.

Marti, Kurt (* 1921)

– Beispiel: Zum Beispiel: Bern 1972. Ein politisches Tagebuch. Neuwied, Berlin: Luchterhand 1973.

Martini, Nicht Anfang [Übers.]: Plinio Martini: Nicht Anfang und nicht Ende. Roman einer Rückkehr. Aus dem Italienischen übertragen von Trude Fein. Zürich, Stuttgart: Werner Classen 1974.

Meier, Gerhard (* 1917)

– Kanal: Der schnurgerade Kanal. Roman. Frankfurt: Suhrkamp 1982 (Suhrkamp-Taschenbuch, 760).

Meier, Helen (* 1929)

– Trockenwiese. Geschichten. Lizenzausgabe. Zürich: Buchclub Ex Libris 1986.

Meier, Herbert (* 1928)

– Stiefelchen. Ein Fall. Zürich, Einsiedeln, Köln: Benziger 1970.

– Verwandtschaften. Roman. Einsiedeln, Zürich, Köln: Benziger 1963.

Meine Heimat. Aargauisches Jungbürgerbuch. 6. Aufl. Aarau: Sauerländer 1960.

Metzgereigewerbe: Fachbuch für das Metzgereigewerbe. 2 Bände (1: Berufs- und Geschäftskunde; 2: Fachkunde). Zürich: Verband Schweizerischer Metzgermeister; Thun: Ott 1960.

Meyer, Conrad Ferdinand (1825–98)

– I–VII: Sämtliche Werke. Ausgabe in sieben Bänden, besorgt von Hans Zeller und Alfred Zäch. Bern: Benteli 1961 ff.

Meyer, E. Y.

– Trubschachen: In Trubschachen. Roman. Frankfurt: Suhrkamp 1973.

Meyers Modebl.: Meyers Modeblatt. [Wochenzeitschrift.] Zürich, seit 1924.

Meylan, Elisabeth (* 1937)

– Räume: Räume, unmöbliert. Sieben Erzählungen. Zürich: Artemis-Verlag 1972.

Moeschlin, Felix (1882–1969)

– Sommer: Der glückliche Sommer. Roman. Zürich: Metz 1942.

Morf, Doris (* 1927)

– Katzen: Die Katzen gehn nach Wallisellen. Geschichte einer Demonstration. Zürich: Domo-Verlag 1969.

Morgenthaler, Hans (1890–1928)
– Woly: Woly, Sommer im Süden. Roman. Neuausgabe. Zürich: Buchclub Ex Libris 1982 (Frühling der Gegenwart).
Moser, Hans Albrecht (1882–1978)
– Erinnerungen: Erinnerungen eines Reaktionärs. Zürich, Stuttgart: Artemis-Verlag 1965.
Muschg, Adolf (* 1934)
– Fremdkörper. Erzählungen. Zürich: Verlag der Arche 1968.
– Liebesgeschichten. Frankfurt: Suhrkamp 1972.
– Mitgespielt. Roman. Zürich: Verlag der Arche 1969.
– Sommer: Im Sommer des Hasen. Roman. Zürich: Verlag der Arche 1965.
Nationalfonds 1987: Schweizerischer Nationalfonds zur Förderung der wissenschaftlichen Forschung. 36. Jahresbericht: 1987. Bern 1988.
National-Ztg.: National-Zeitung. Basel 1842–1977.
Naturschutz. Zeitschrift des Schweizerischen Bundes für Naturschutz. Basel, seit 1935.
Nebelspalter. Schweizerische humoristisch-satirische Wochenschrift, Zürich, dann Rorschach, seit 1875.
Nizon, Paul (* 1929)
– Canto. Frankfurt: Suhrkamp 1976 (Suhrkamp-Taschenbuch, 319).
– Im Hause: Im Hause enden die Geschichten. 2. Aufl. Frankfurt: Suhrkamp 1971.
– Jahr der Liebe: Das Jahr der Liebe. Roman. 2. Aufl. Frankfurt: Suhrkamp 1981.
NZZ: Neue Zürcher Zeitung und schweizerisches Handelsblatt. Zürich, seit 1780.
Obwalden, Verfassung: Verfassung des Kantons Unterwalden ob dem Wald. Vom 27. April 1902.
Oehninger, Robert Heinrich (* 1920)
– Bestattung: Die Bestattung des Oskar Lieberherr. Roman. Zürich: Flamberg-Verlag 1966.
– Kriechspur. Roman. Bern, München: Erpf 1982.
Ostschweiz: Die Ostschweiz. Tageszeitung für Stadt und Kanton St. Gallen. St. Gallen, seit 1875.
Pulver, Max (1889–1952)
– Himmelpfortgasse. Roman. Neuausgabe. Zürich: Buchclub Ex Libris 1981 (Frühling der Gegenwart).
Radio-Ztg.: Schweizer Radio-Zeitung. Zofingen 1927–1958.
Rät. Namenbuch: Rätisches Namenbuch. I: Materialien. Von Robert von Planta und Andrea Schorta. Zürich, Leipzig: Niehans 1939.
Richardson, Clarissa [Übers.]: Samuel Richardson: Clarissa Harlowe. Roman. Aus dem Englischen übersetzt und bearbeitet von Ruth Schirmer. Zürich: Manesse-Verlag 1966.

Salis, Jean Rodolphe von (* 1901)
- Müßiggänger: Notizen eines Müßiggängers. 3. Aufl. Zürich: Orell Füßli 1984.
Schaffner, Jakob (1875-1944)
- Dechant: Der Dechant von Gottesbüren. Roman. 11.-15. Tsd. Leipzig, Zürich: Grethlein 1917.
- Jünglingszeit: Die Jünglingszeit des Johannes Schattenhold. Roman. 4. Aufl. Stuttgart, Berlin, Leipzig: Union Deutsche Verlagsgesellschaft 1930.
Schenker, Walter (* 1943)
- Leider. Solothurner Geschichten. Bern: Kandelaber-Verlag 1969.
Schiller, Tell: Friedrich Schiller: Wilhelm Tell. Schauspiel. 1804.
Schmidli, Werner (* 1939)
- Meinetwegen: Meinetwegen soll es doch schneien. Roman. Zürich, Einsiedeln, Köln: Benziger 1967.
- Schattenhaus: Das Schattenhaus. Roman. Zürich, Einsiedeln, Köln: Benziger 1969.
Schmitter, Waldarbeit: Werner Schmitter: Waldarbeit und Waldarbeiter im Prätigau. Schiers: Buchdruckerei Schiers 1953.
Schriber, Margrit (* 1939)
- Muschelgarten. Roman. Zürich: Nagel & Kimche 1984.
Schumacher, Hans (* 1910)
- Rechnung: In der Rechnung ein Fehler. Vierundzwanzig kurze Geschichten. Zürich, Stuttgart: Artemis-Verlag 1968.
- Rost: Rost und Grünspan. Erinnerungen eines Soldaten an den Aktivdienst 1939-1945. Zürich, Stuttgart: Artemis-Verlag 1964.
Schweizer Bauer: Der Schweizer Bauer. Zeitung für die Landbevölkerung. Bern, seit 1847.
Schweizer Familie. [Illustriertes Wochenblatt.] Zürich, seit 1960.
Schweizer Frauenbl.: Schweizer Frauenblatt. [Wochenzeitung.] Aarau ..., jetzt Winterthur, seit 1919.
Schweizer Illustrierte. [Wochenblatt.] Zürich, seit 1912.
Schweizer Lexikon. 7 Bände. Zürich: Encyklios-Verlag 1945-48.
Schweizer Spiegel. Eine Monatsschrift. Zürich 1925-72.
Schweizer Stellenanz.: Schweizer Stellenanzeiger. Wochenblatt des Stellenmarktes. Zürich 1959-75.
Sie und Er. [Illustriertes Wochenblatt.] Zürich 1929-72.
Spitteler, Carl (1845-1924)
- I-XI: Gesammelte Werke. Hg. von Gottfried Bohnenblust, Wilhelm Altwegg, Robert Faesi. 11 Bände. Zürich: Artemis-Verlag 1945-58.
Sport. [Wochenzeitung.] Zürich, seit 1921.
St. Galler Tagbl.: St. Galler Tagblatt. Tagblatt der Kantone St. Gallen, Appenzell und Thurgau. St. Gallen, seit 1839.

Staatskalender AG: Staatskalender des Kantons Aargau 1986/87. Aarau: Staatskanzlei 1986.
Stadtanz. Bern: Stadtanzeiger Bern. Amtliches Publikationsorgan für die Gemeinde Bern. Bern, seit 1986.
Steiner, Jörg (* 1930)
– Strafarbeit. Roman. Olten, Freiburg i. Br.: Walter 1962.
Strafgesetzbuch: Schweizerisches Strafgesetzbuch. Das Bundesgesetz vom 21. Dezember 1937, in Kraft seit 1. Januar 1942, mit allen Änderungen und Ergänzungen bis Anfang 1975. 8., überarbeitete und erweiterte Aufl. Zürich: Orell Füßli 1975.
Tagbl. der Stadt Zürich: Tagblatt der Stadt Zürich. Städtisches Amtsblatt. Zürich, seit 1837.
Tages-Anz.: Tages-Anzeiger. Unabhängige schweizerische Tageszeitung. Zürich, seit 1893.
Tages-Anzeiger-Magazin. [Wochenendbeilage.] Zürich, seit 1970.
Tauber, Herbert (* 1912).
– Silbermöwe: Die Silbermöwe. Roman. Zürich, Stuttgart: Artemis-Verlag 1966.
Tavel, Rudolf von (1866–1934)
– Bernerland: Geschichten aus dem Bernerland. Basel: Friedrich Reinhardt 1934.
Telefonbuch Aarau: Telefon-Buch Region Aarau. Zürich: Lokal-Telefon-Verzeichnis AG.
Trottmann, Georg (* 1920)
– Nachts: Nachts unterwegs. Erzählungen. Zürich, Stuttgart: Artemis-Verlag 1960.
Urner Wochenbl.: Urner Wochenblatt. Altdorf, seit 1877.
Valloton, Corbehaut [Übers.]: Félix Valloton: Corbehaut. Roman. Aus dem Französischen übersetzt von Franz Bäschlin. Zürich: Manesse-Verlag 1973.
Vaterland. Schweizerische Tageszeitung. Luzern, seit 1873.
Vogt, Walter (1927–88)
– Melancholie. Die Erlebnisse des Amateur-Kriminalisten Beno von Stürler. Zürich: Diogenes-Verlag 1967.
– Wüthrich. Selbstgespräch eines sterbenden Arztes. Zürich: Diogenes-Verlag 1966.
Volksztg.: Schweizerische Allgemeine Volkszeitung. Zofingen 1885–1977.
Walliser Volksfreund. [Tageszeitung.] Naters-Brig, seit 1920.
Walser, Robert (1878–1956)
– I–XII: Das Gesamtwerk. Hg. von Jochen Greven. Bände I–XII 1/2. Genf, Hamburg: Kossodo 1966–75.
– Gehülfe: Der Gehülfe. Roman. Hg. von Carl Seelig. Genf, Darmstadt: Holle-Verlag Helmut Kossodo 1955 (Robert Walser: Dichtungen in Prosa, 3).

Walter, Otto F. (* 1928)
– Der Stumme. Roman. München: Kösel 1959.
– Unruhen: Die ersten Unruhen. Ein Konzept. Reinbek bei Hamburg: Rowohlt 1972.
Weber, Werner (* 1919)
– Figuren: Figuren und Fahrten. Aufsätze zur gegenwärtigen Literatur. Zürich: Manesse-Verlag 1956.
Wechsler, David (* 1918)
– Haus: Ein Haus zu wohnen. Roman. Zürich: Artemis-Verlag 1961.
Weiß, Richard (1907–62)
– Häuser und Landschaften: Häuser und Landschaften der Schweiz. Erlenbach-Zürich, Stuttgart: Rentsch 1959.
– Volkskunde: Volkskunde der Schweiz. Grundriß. Erlenbach-Zürich: Rentsch 1946.
Welti, Albert Jakob (1894–1965)
– Lucretia: Der Dolch der Lucretia. Roman. Zürich, Stuttgart: Artemis-Verlag 1958.
– Martha: Martha und die Niemandssöhne. Roman. Zürich: Artemis-Verlag 1946.
– Puritaner: Wenn Puritaner jung sind. Roman. Zürich: Morgarten-Verlag 1941.
Weltwoche: Die Weltwoche. [Wochenzeitung.] Zürich, seit 1933.
Widmer, Urs (* 1938)
– Schweizer Geschichten. Bern, Stuttgart: Hallwag-Verlag 1975.
Wiesner, Heinrich (* 1925)
– Lapidare Gesch.: Lapidare Geschichten. München: Piper 1967.
– Schauplätze. Eine Chronik. Neuausgabe der überarbeiteten Fassung von 1976. Zürich: Buchclub Ex Libris 1988.
Wilker, Gertrud (1924–84)
– Jota. Zürich: Flamberg-Verlag 1973.
Wirte-Ztg.: Schweizerische Wirte-Zeitung. Zürich, seit 1896.
Wirz, Otto (1877–1946)
– Gewalten: Gewalten eines Toren. [Roman.] 4.–5. Tsd. Stuttgart: Engelhorns Nachf. 1923.
Witz, Friedrich (1894–1984)
– Ich wurde gelebt. Erinnerungen eines Verlegers. Frauenfeld, Stuttgart: Huber 1969.
Wohler Anz.: Wohler Anzeiger. [Zeitung.] Erscheint wöchentlich zweimal. Wohlen AG, seit 1887.
Wynentaler Blatt. Vereinigte Regionalzeitung. Menziken AG, seit 1864.
Zahn, Ernst (1867–1952)
– I–X: Gesammelte Werke. Erste Serie. 10 Bände. Stuttgart: Deutsche Verlags-Anstalt 1909.
– Kämpfe. Eine Erzählung aus den Schweizer Bergen. 2. Aufl. Zürich: Schröter 1902.

Zermatten, Maulesel [Übers.]: Maurice Zermatten: Der versprochene Maulesel und andere Erzählungen aus dem Wallis. Aus dem Französischen übersetzt von Marguerite Janson, Irène Killer. Zürich, Stuttgart: Rascher 1964.

ZGB: Schweizerisches Zivilgesetzbuch. Vollständige Ausgabe des Gesetzes samt einschlägigen Nebengesetzen und Verordnungen... Hg. von Heinz Aeppli. 24., überarbeitete Aufl. Zürich: Orell Füßli 1987.

Zinsli, Paul (* 1906)
- Ortsnamen. Strukturen und Schichten in den Siedlungs- und Flurnamen der deutschen Schweiz. 2., durchgesehene und ergänzte Aufl. Frauenfeld: Huber 1975.

Zollinger, Albin (1895–1941)
- I–IV: Gesammelte Werke. 4 Bände. Zürich: Atlantis-Verlag 1961–62.

Zürcher Bürger- und Heimatbuch. 4. Aufl. Zürich: Verlag der Erziehungsdirektion 1949.

Zürcher Hausbuch. Ein Ratgeber für den Ehestand. Basel: Berichthaus 1951.

Zurlinden, Hans (1892–1972)
- Betrachtungen: Zeitgemäße europäische Betrachtungen. Erlenbach-Zürich: Rentsch 1954.

Sekundärliteratur

Aufgeführt sind nur die zitierten Werke sowie ganz wenige wichtige neuere Arbeiten; im übrigen sei auf die hier genannten Bibliographien von Sonderegger und Börlin verwiesen.

Bänziger, Andreas: Kasusabweichungen in der Gegenwartssprache. Eine Untersuchung anhand von Beispielen aus der schweizerischen Presse. Diss. Freiburg/Schweiz 1970.

Baur, Arthur: Was ist eigentlich Schweizerdeutsch? Winterthur: Gemsberg-Verlag 1983.

Die Benennung der Fleischstücke und ihre Verwendung. Hg. vom Verband Schweizer Metzgermeister. Bearbeitung: Schweizerische Fachschule für das Metzgereigewerbe. 4. Aufl. Zürich: Verband Schweizer Metzgermeister 1985.

Börlin, Rolf: Die schweizerdeutsche Mundartforschung 1960–1982. Bibliographisches Handbuch. Aarau, Frankfurt, Salzburg: Sauerländer 1987 (Reihe Sprachlandschaft, 5).

Boesch: Die Aussprache des Hochdeutschen in der Schweiz. Eine Wegleitung. Im Auftrag der Schweizerischen Siebs-Kommission hg. von Bruno Boesch. Zürich: Schweizer-Spiegel-Verlag 1957.

Boesch 1968: Bruno Boesch: Sprachpflege in der Schweiz. In: Sprachnorm, Sprachpflege, Sprachkritik. Jahrbuch [des Instituts für deutsche Sprache] 1966/67, Düsseldorf: Schwann 1968, S. 220–235.

Bußmann, Hadumod: Lexikon der Sprachwissenschaft. Stuttgart: Kröner 1983.

Das Deutsch der Schweizer. Zur Sprach- und Literatursituation der Schweiz. Vorträge, gehalten anläßlich eines Kolloquiums zum 100jährigen Bestehen des Deutschen Seminars der Universität Basel. Hg. von Heiner Löffler. Aarau, Frankfurt, Salzburg: Sauerländer 1986 (Reihe Sprachlandschaft, 4).

Dieth, Eugen: Vademekum der Phonetik. Phonetische Grundlagen für das wissenschaftliche und praktische Studium der Sprachen. Bern: Francke 1950.

Duden Aussprache: Duden, Band 6: Aussprachewörterbuch. Wörterbuch der deutschen Standardaussprache. 2., völlig neu bearbeitete und erweiterte Aufl. Mannheim, Wien, Zürich: Bibliographisches Institut 1974.

Duden Bildwörterbuch: Duden, Band 3: Bildwörterbuch der deutschen Sprache. 3., vollständig neu bearbeitete Aufl. Mannheim ...: Bibliographisches Institut 1977.

Duden Fremdwörterbuch: Duden, Band 5: Fremdwörterbuch. 4., neu bearbeitete und erweiterte Aufl. Mannheim ...: Bibliographisches Institut 1982.

Duden Grammatik: Duden, Band 4: Grammatik der deutschen Gegenwartssprache. 4., völlig neu bearbeitete und erweiterte Aufl. Mannheim ...: Bibliographisches Institut 1984.

Duden Rechtschreibung: Duden, Band 1: Rechtschreibung der deutschen Sprache und der Fremdwörter. 19., neu bearbeitete und erweiterte Aufl. Mannheim ...: Bibliographisches Institut 1986.

Duden Universalwörterbuch: Duden Deutsches Universalwörterbuch. Mannheim ...: Bibliographisches Institut 1983.

Duden Zweifelsfälle: Duden, Band 9: Richtiges und gutes Deutsch. Wörterbuch der sprachlichen Zweifelsfälle. 3., neu bearbeitete und erweiterte Aufl. Mannheim ...: Bibliographisches Institut 1985.

Ebner, Jakob: Wie sagt man in Österreich? Wörterbuch der österreichischen Besonderheiten. 2., vollständig überarbeitete Aufl. Mannheim ...: Bibliographisches Institut 1980 (Duden-Taschenbücher, 8).

Fenske, Hannelore: Schweizerische und österreichische Besonderheiten in deutschen Wörterbüchern. Tübingen: Narr 1973 (Institut für deutsche Sprache, Mannheim: Forschungsberichte, 10).

Friederich, Wolf: Moderne deutsche Idiomatik. Systematisches Wörterbuch mit Definitionen und Beispielen. München: Hueber 1966.

Gelhaus, Hermann: Vorstudien zu einer kontrastiven Beschreibung der schweizerdeutschen Schriftsprache der Gegenwart. Die Rektion der Präpositionen trotz, während und wegen. Bern, Frankfurt: Lang 1972.

Glinz, Hans: Die innere Form des Deutschen. Eine neue deutsche Grammatik. Bern: Francke 1952 (Bibliotheca Germanica, 4).

Gorys, Erhard: dtv-Küchen-Lexikon. Von Aachener Printen bis Zwischenrippenstück. 7. Aufl. München: Deutscher Taschenbuch-Verlag 1986.

Gubler, Georg: So ist's richtig! Merkblätter für Rechtschreibung im deutschen, französischen, italienischen, englischen Satz. Schweizerische und fremdsprachige Eigenheiten. 4., erweiterte Aufl. Herrliberg ZH: im Selbstverlag 1961.

GWdS: Duden. Das große Wörterbuch der deutschen Sprache. 6 Bände. Mannheim, Wien, Zürich: Bibliographisches Institut 1976–81.

Henzen, Walter: „Schweizerisch Unterbruch." In: Sprachleben der Schweiz. Sprachwissenschaft, Namenforschung, Volkskunde. (Rudolf Hotzenköcherle zum 60. Geburtstag.) Bern: Francke 1963.

Heuer, Walter: Darf man: Darf man so sagen? Zweite Folge der kritisch-vergnüglichen Glossen zu unserer Gegenwartssprache, Zürich: Buchverlag NZZ 1976.

– Lupe: Deutsch unter der Lupe. Kritisch-vergnügliche Glossen zu unserer Gegenwartssprache. Zürich: Buchverlag NZZ 1972.

– Richtiges Deutsch. Eine Sprachschule für jedermann. 2. Aufl. Zürich: Buchverlag NZZ 1960. – 18. Aufl., neu bearbeitet von Max Flückiger und Peter Gallmann. Zürich: Verlag NZZ 1986.

Id.: Schweizerisches Idiotikon. Wörterbuch der schweizerdeutschen Sprache. Begonnen von Friedrich Staub und Ludwig Tobler und fortgesetzt unter der Leitung von Albert Bachmann u. a. Bisher 14 Bände. Frauenfeld: Huber 1881 ff.

Kaiser I/II: Stephan Kaiser: Die Besonderheiten der deutschen Schriftsprache in der Schweiz. 2 Bände (1: Wortgut und Wortgebrauch. 2: Wortbildung und Satzbildung). Mannheim, Wien, Zürich: Bibliographisches Institut 1969/70 (Duden-Beiträge, 30 a/b).

Kretschmer, Paul: Wortgeographie der hochdeutschen Umgangssprache. 2., durchgesehene und ergänzte Aufl. Göttingen: Vandenhoeck & Ruprecht 1969.

Lötscher, Andreas: Schweizerdeutsch. Geschichte, Dialekte, Gebrauch. Frauenfeld, Stuttgart: Huber 1983.

Magenau, Doris: Die Besonderheiten der deutschen Schriftsprache im Elsaß und in Lothringen. Mannheim, Wien, Zürich: Bibliographisches Institut 1962 (Duden-Beiträge, 7).

Moser, Hugo: Regionale Varianten der deutschen Standardsprache. In: Wirkendes Wort, 1982, 327–339.
Ortner, Hanspeter: Wortschatz der Mode. Das Vokabular der Modebeiträge in deutschen Modezeitschriften. Düsseldorf: Schwann 1981 (Sprache der Gegenwart, 52).
Österreichisches Wörterbuch. Hg. im Auftrag des Bundesministeriums für Unterricht, Kunst und Sport. 36., überarbeitete Aufl. Wien: Österreichischer Bundesverlag; Verlag Jugend und Volk 1985.
Schenker, Walter: Die Sprache Max Frischs in der Spannung zwischen Mundart und Schriftsprache. Berlin: de Gruyter 1969 (Quellen und Forschungen ..., NF 31).
Schilling, Rudolf: Romanische Elemente im Schweizerhochdeutschen. Mannheim, Wien, Zürich: Bibliographisches Institut 1970 (Duden-Beiträge, 38).
Schläpfer, Robert: Schweizerhochdeutsch und Binnendeutsch. Zur Problematik der Abgrenzung und Berücksichtigung schweizerischen und binnendeutschen Sprachgebrauchs in einem Wörterbuch für Schweizer Schüler. In: Standard und Dialekt, Studien zur gesprochenen und geschriebenen Gegenwartssprache, Festschrift für Heinz Rupp zum 60. Geburtstag. Bern, München: Francke 1979, S. 151–163.
Schwarzenbach, Rudolf: Die Stellung der Mundart in der deutschsprachigen Schweiz. Studien zum Sprachbrauch der Gegenwart. Frauenfeld: Huber 1969 (Beiträge zur schweizerdeutschen Mundartforschung, 17).
Schweizer Monatshefte für Politik, Wirtschaft, Kultur. Zürich, seit 1921.
Siebs: Deutsche Aussprache. Reine und gemäßigte Hochlautung mit Aussprachewörterbuch. Hg. von Helmut de Boor, Hugo Moser und Christian Winkler. 19., umgearbeitete Aufl. Berlin: de Gruyter 1969.
Sonderegger, Stefan: Die schweizerdeutsche Mundartforschung 1800–1959. Bibliographisches Handbuch mit Inhaltsangaben. Frauenfeld: Huber 1962 (Beiträge zur schweizerdeutschen Mundartforschung, 12).
Sprachdienst: Der Sprachdienst. [Zweimonatsschrift.] Hg. im Auftrag der Gesellschaft für deutsche Sprache (Wiesbaden). Wiesbaden, seit 1967.
Sprache Sprachgeschichte: Sprache, Sprachgeschichte, Sprachpflege in der deutschen Schweiz. Sechzig Jahre Deutschschweizerischer Sprachverein. Zürich 1964.
Sprachspiegel. Zweimonatsschrift. Hg. vom Deutschschweizerischen Sprachverein. Luzern, früher Zürich, seit 1945.
Tendenzen: Tendenzen, Formen und Strukturen der deutschen Standardsprache nach 1945. Vier Beiträge zum Deutsch in Österreich, in der Schweiz, der Bundesrepublik Deutschland und der Deut-

schen Demokratischen Republik. Von Ingo Reiffenstein, Heinz Rupp, Peter von Polenz, Gustav Korlén. Marburg: Elwert 1983 (Marburger Studien zur Germanistik, 3).

Unser Wortschatz. Schweizer Wörterbuch der deutschen Sprache. Mit einem umfassenden Textteil zu Wortgebrauch und Grammatik. Bearbeitet von Ingrid Bigler, Otfried Heyne, Achilles Reichert, Robert Schläpfer, Heinz Zimmermann. Zürich: Sabe Verlagsinstitut für Lehrmittel 1987.

Die viersprachige Schweiz. Von Jachen Arquint [u. a.]. Hg. von Robert Schläpfer. Zürich, Köln, Benziger 1982.

Wahrig, Gerhard: Deutsches Wörterbuch. Mit einem „Lexikon der deutschen Sprachlehre". Sonderausgabe, ungekürzt. Völlig überarbeitete Neuauflage. Gütersloh, Berlin: Bertelsmann Lexikon-Verlag 1977.

Wehlen, Rainer: Wortschatz und Regeln des Sports: Ballspiele. Mannheim, Wien, Zürich: Bibliographisches Institut 1972 (Duden-Taschenbücher, 16 a).

Werlin, Josef: Wörterbuch der Abkürzungen. Mannheim, Wien, Zürich: Bibliographisches Institut 1971 (Duden-Taschenbücher, 11).

Wörterbuch der deutschen Gegenwartssprache. Hg. von Ruth Klappenbach und Wolfgang Steinitz. Akademie der Wissenschaften der DDR, Zentralinstitut für Sprachwissenschaft. 6 Bände. Berlin: Akademie-Verlag 1964–77.

Register

Binnendeutsch/Gemeindeutsch – Schweizerisch

Dieses Register ist nicht mehr als eine Suchhilfe: Es ermöglicht den Zugang zum Wörterbuch von den binnen- oder gemeindeutschen Ausdrücken her. Bitte benutzen Sie es nicht für sich allein als Kurzwörterbuch: Dazu ist es viel zu stark verkürzt; es könnte Sie sehr in die Irre führen!

A

Binnendeutsch/Gemeindeutsch	Schweizerisch
Aargau	Kulturkanton, Rüebliland
abbrechen	abklemmen
Abdecker	Wasenmeister
Abendessen	Nachtessen, Znacht
Abfall	Güsel, Kehricht
abfällig äußern, sich	schnödeln, schnöden
abfangen	abpassen
abgespannt	abgeschlagen
Abhang	Bord, Rain
Abhebung (Bank)	Rückzug
Abitur	Matur, Maturität (b), Maturitätsprüfung
Abiturient	Maturand
Abladen	Ablad
Ableben	Hinschied
ablecken	abschlecken
ablehnen	refüsieren
abmühen, sich	knorzen
Abonnent	Bezüger
abplagen, sich	abhunden, sich
Abseits	Offside
Abstellgleis	Stumpengeleise
abstimmen	abmehren
abstimmen (offen)	ausmehren
Abwahl	Wegwahl
abwählen	wegwählen
Abwasserschacht	Dole
Abwesenheit	Absenz
abzeichnen	visieren
Abzweigung	Verzweigung
aggressiv	angriffig
Ahnung	Hochschein
Alm	Alp
Almabtrieb	abfahren, Alpabfahrt, Alpabzug, Alpentladung
Almauftrieb	Alpaufzug, Alpfahrt, auffahren, Auffahrt (b)
Altbauwohnung	Altwohnung
Altenteil	Stock (2), Stöckli
Altenwohnheim	Alterssiedlung
älter	bestanden
altkatholisch	christkatholisch
Ambiente	Ambiance
Ambulanzdienst	Sanität (2)
Amtsdiener, -bote	Weibel
an Land spülen	länden
an sich nehmen	behändigen
Anbau	Anbaute
andernfalls	ansonst
andeuten	antönen
Anekdote	Müsterchen
angehen	beschlagen
angenommen werden	durchgehen
Angrenzen	Anstoß
Angriff nehmen, in	anhandnehmen
angst und bange	wind und weh
anhalten	verhalten (2)
anhängig	hängig, pendent
Anisplätzchen	Springerli
Ankläger bei Militärgericht	Auditor
ankreuzen	ankreuzeln
ankündigen	ankünden
Anlage	Beilage
Anleitung	Wegleitung
Anlieger	Anstößer, Anwänder
Annahmestelle	Ablage
anpacken	anhand nehmen, ankehren
Anrainer	Anstößer, Anwänder
Anreger	Initiant
Anrichte[raum]	Office
anrufen	anläuten
ansässig	domiziliert
anscheinend	schein's
Anschlag	Affiche
anständig	recht
anstellen	ankehren
Anstoß (Fußball)	Kick-off
Anstoß erregend	stoßend
anstoßen	schupfen, stupfen
anstrengend	streng

Anteil	Betreffnis (a), Treffnis
Antrag	Anzug (2), Begehren
Anwesen	Heimwesen
anzeigen	verzeigen
Anzug	Kleid, Kleidung
Apfelsaft	Most (1), Süßmost
Apfelsine	Orange
Apfelstückchen	Apfelschnitz
Apfelwein	Most (2)
appetitlich	chüschtig, gluschtig
Ar	Are
Arbeit	Büez
Arbeit, anstrengende	Krampf
Arbeit im Kundenhaus	Stör
arbeiten	schaffen
Arbeiter	Büezer
Arbeitgeber	Patron
Arbeitgeberin	Patronne
arbeitsam	schaffig
Arbeitsanzug	Berufskleid, Übergewand, Überkleid
arbeitsfreier Tag	Freitag
Arbeitshose	Überhose
Armeegeneral	Korpskommandant
armer Ritter	Fotzelschnitte
Atem	Schnauf
auf (dem Fußboden, dem Rücken)	an (1b)
auf (etw. anrechnen)	an (2a)
auf beiden Seiten	beidseitig, beidseits
auf dem laufenden	à jour
auf dem Magen liegen	aufliegen (2)
auf einmal	aufsmal
auf Widerruf	Zusehen
aufatmen	aufschnaufen
auferlegen	überbinden
Auffahrunfall	Auffahrkollision
Aufgebot	Eheverkündigung, Verkündung
aufgeregtes, lärmendes Getue	Gestürm
aufgeweckt	gefitzt
aufhalten	versäumen (a)
Aufkleber	Kleber
Aufladen	Auflad
Aufpreis	Aufzahlung
aufrechnen gegeneinander	wettschlagen
aufrührerisch	auflüpfisch
aufschichten	aufbeigen
aufschneiden	blagieren
aufsetzen, sich	aufsitzen
Aufsichtsrat	Verwaltungsrat
aufspringen	aufjucken
Aufteilung	Ausmarchung (a)
Aufwand an Zeit, Geld, Arbeit	Umtrieb
Aufwartefrau	Spetterin
aufziehen	föppeln
ausarten	überborden (b)
Ausbau	Korrektion
Ausbildungsausweis	Brevet
ausdünnen	erdünnern
auseinanderhalten	ausscheiden (b)
Auseinandersetzung	Ausmarchung (b)
ausfertigen (notariell)	beurkunden
ausfindig machen	eruieren
Ausflugsbus	Autocar, Car
ausführlich	einläßlich
Ausgabenüberschuß	Rückschlag
ausgehen	herauskommen
ausgenommen	bis an
ausgleiten	ausschlipfen, schlipfen
Ausguß	Schüttstein, Spültrog
Aushilfslehrer	Verweser, Vikar
Aushilfspfarrer	Verweser
Ausladen	Auslad
auslaufen	auslampen
Auslieferungsstelle	Ablage
ausliegen	aufliegen (1)
ausplaudern	ausbringen
ausringen	auswinden
ausroden	ausreuten
ausrollen (Teig)	auswallen
ausrutschen	ausschlipfen
ausschelten	Kappe waschen
ausschwingen	auslampen
Aussendung	Aussand
Außenverteidiger	Außenback
außer	bis an, nebst
Ausstattung	Ausbau, Innenausbau
austragen	vertragen
Auswahl[verfahren]	Triage
auswalzen (Teig)	auswallen
Ausweisung	Landesverweis
auswellen	auswallen
auswringen	auswinden
ausziehen	abziehen
Ausziehtisch	Auszugtisch
Autobahn	Nationalstraße
Autobahndreieck	Verzweigung
Autofahrer	Autolenker, Automobilist
Autoreifen	Autopneu

B

Baby	Bébé, Buschi
Babyjäckchen	Schlüttli
Bachufer, -böschung	Bachbord
Backenzahn	Stockzahn
Badeanstalt	Badanstalt, Badi
Badeanzug	Badkleid
Baden AG	Bäderstadt
bahnen	pfaden (a)
Bahnhofsgaststätte	Bahnhofbuffet, Buffet
Bahnhofsvorsteher	Bahnhofvorstand, Stationsvorstand
Bahnsteig	Perron
Ballungsraum	Agglomeration
Bank, durch die	Band
Banker	Bänkler
Banknote	Note
bankrott	konkursit
Bankrotteur	Konkursit
Bär	Mutz
Basel	Rheinstadt
Baskenmütze	Béret
Bau	Baute
Bauerngut, -hof, -betrieb	Gewerb, Gewerbe, Heimen, Heimwesen
Bauernschaft, -stand	Bauernsame
Baufluchtlinie	Baulinie
Baulichkeiten	Gebäulichkeiten
Baumgarten	Hofstatt
Baumwollstoff, gewürfelter	Kölsch
Bauzuschuß	Baubeitrag
Beamter	Funktionär
bebauen	überbauen
Bebauung	Überbauung
Bedienungsgeld	Service
beeilen, sich	pressieren (b)
befestigen	fixieren
Befestigung	Fixation
begraben unter etw.	verlochen
begrenzen nach oben	plafonieren
bei (sich haben)	auf (1b)
bei (Tisch)	an (1c)
beiden Seiten, auf/von	beidseitig, beidseits
beiderseitig	beidseitig
beiderseits	beidseitig, beidseits
Beifall	Akklamation
Beihilfe	Gehilfenschaft
beim Wort nehmen	behaften
Beisammensitzen	Hock
bejahrt	bestanden
belegen	überstellen
belegtes Brötchen	Canapé, Sandwich
beleibt	fest
beleihen	belehnen
benachrichtigen	avisieren
benachteiligen	verschupfen
Benzin	Most (3)
beraten, hin und her	werweißen
Bereitschaftsdienst	Pikett
Bergkristall	Strahl
Bergrutsch	Schlipf
Bergsteiger	Berggänger
Bern	Bundesstadt, Mutzenstaat, -stadt
Berufsausbildung	Berufslehre
Berufung	Appellation, Weiterzug
Berufung einlegen	rekurrieren
beruhen auf	abstützen (b)
berühren	touchieren
Beschlag	Beschläg
beschließen	rätig werden
beschmutzt	schmuselig
Beschreibung	Beschrieb
beschwerlich	streng
besiegen	bodigen
Besitzerwechsel	Handänderung, -wechsel
besolden	salarieren
besonders	vorab
bestimmen (Frist)	ansetzen
betäubt	sturm
betreffen	beschlagen
Betriebsinhaber	Patron
Betriebsinhaberin	Patronne
Betriebswirt	Betriebswirtschafter
betrüblich, sehr	himmeltraurig
Bett machen	betten
Bettbezug	Bettanzug
Bettgestell, Bettstelle	Bettstatt
Bettuch	Leintuch
Bettvorleger	Bettvorlage
bevormunden	bevogten, vogten
Bewährungsfrist	Probezeit
Bewährungsfrist, mit	bedingt
Bewährungsfrist, ohne	unbedingt
Beziehen	Bezug
beziehen (Bett)	anziehen
Bezieher	Abonnent, Bezüger
Bezug	Anzug (1)
Bierdeckel, -filz, -untersatz	Bierteller
Bild	Helgen
binnen	innert
Birma	Burma
Birmane	Burmese
birmanisch	burmesisch
bis auf	bis an
bis auf weiteres	Zusehen
bis einschließlich	bis und mit
bis jetzt	bis anhin
bisher	bis anhin
bisweilen	etwa

Blabla	Gelafer
Blahe	Blache
blockiert	verharzt, verhockt
Blühen der Obstbäume/Reben	Blust (b)
Blumenstrauß	Maien
Blüten der Obstbäume/Reben	Blust (a)
Blütezeit von Obstbäumen, Weinreben	Blühet
Bodenkammer	Windenkammer
bodenständig	urchig
Bohner	Blocher
bohnern	blochen
Bohnerwachs	Bodenwichse
Bonbon	Zeltli
Bootshafen	Haab
Böschung	Bord, Rain
böses Wort	Unwort
Bottich	Stande, Zuber
Brachse[n]	Brachsmen
Brandschau	Feuerschau
Branntwein	gebrannte Wasser
Brasse[n]	Brachsmen
Bratkartoffeln	Rösti
Bratwurstfüllung	Brät
Briefumschlag	Couvert
Brigadegeneral	Brigadier
Brocken	Mocken
Brocken, harter	Pièce de résistance
Brösel	Brösmeli
Brot, dunkles	Ruchbrot
Brötchen	Bürli, Weggli
Brötchen, belegtes	Canapé
Brotmann	Grittibänz
Brugg AG	Prophetenstädtchen
Büchergestell, -schrank	Bücherschaft
Budget	Voranschlag
Büffettfräulein	Buffettochter
Bug (Fleisch)	Laffe
Bügeleisen	Glätteisen
bügeln	glätten
Bulle	Muni
Bundeswehr	Armee
Bürgerliches Gesetzbuch	Zivilgesetzbuch
Bürgermeister	Ammann, Gemeindeammann, Gemeindepräsident, Hauptmann, Stadtammann, Stadtpräsident
Bürgersteig	Trottoir
Büro eines Rechtanwalts	Kanzlei
Büroangestellte[r]	Bürolist
Bürschchen	Schnaufer
Busch klopfen, auf den	förscheln
Bütte	Gelte
Butter	Anken

C

campen	campieren
charakterfest	senkrecht
Chicorée	Brüsseler

D

Dachboden, -raum	Estrich, Winde
Dachrinne	Dachkännel, Kännel
daherreden	lafern, schnorren
dahinsiechen	abserbeln, dahinserbeln
dahinwelken	serbeln
dämmern	eindämmern
danach	darnach
daniederliegen	darniederliegen
Dank	Verdankung
danke	merci!
danken für etw.	verdanken
dankenswert	verdankenswert
Dauerkarte	Passepartout (a)
dauern	gehen (2)
dazugeben	dreingeben
Defizit	Mindererertrag, Rückschlag
deftig	urchig, währschaft
Demonstrant	Manifestant
demonstrieren	manifestieren
Destillationsapparat	Brennhafen
deswegen	darob
Deutscher	Sauschwab, Schwab
Deziliter	Dezi
dicht	satt
dicht sein	verhalten (1b)
Dickkopf	Steckkopf, Stierengrind
Dieb	Schelm
Dirnenwelt	Milieu
Diskussionsbeitrag	Votum
Diskussionsredner	Votant
Döbel	Alet
doch wie es so geht	aber eben
doch wohl	denk
Dokumentar	Dokumentalist

Doppelzimmer	Zweierzimmer
Drahtfunk	Telefonsrundspruch
Drän	Drain
drängen	pressieren (a)
draufgängerisch	angriffig
Dreibettzimmer	Dreierzimmer
Dreieck	Equerre
Dreißigeramt	Dreißigste
Drillich	Drilch
Dritter	Drittperson
drücken	stoßen
Du antragen	Duzis machen
Dublee	Doublé
dummer Streich	Kalberei
dunkeln	eindunkeln, einnachten, nachten, zunachten
Dünnung	Lempen
durch die Bank	Band
durchdrücken	durchstieren
durcheinanderbringen	verhühnern
durchsetzen	durchstieren
durchtrieben	gefitzt
durchwachsen	durchzogen
durchweg	durchwegs
dürr	rösch (b)
Dürre	Tröckne

E

eben	drum, halt
Eckball	Cornerball
eilen	pressieren (a)
eilig	pressant
Eimer	Kessel
einäschern	kremieren
Einberufung	Aufgebot (a)
Einbeziehung	Einbezug
Einbürgerungsgesuch	Bürgerrechtsgesuch
Eindruck machen, einen	präsentieren
eindrucksvoll	eindrücklich
Einfrankenstück	Einfränkler, Fränkler
eingehen, auf etw.	eintreten
eingehend	einläßlich
einjährig	jährig
Einkassierung	Einzug
einkaufen	posten
Einkaufswagen	Rolli (b)
Einladen	Einlad
Einnahmeüberschuß	Vorschlag
einnehmen	nehmen
Einrappenstück	Einräppler, Räppler
Eins	Einer
Einschreibebrief	Chargé
einschüchtern	vergelstern
Einser	Einer (a)
einsetzen für jmdn./etw., sich	wehren
Einspruch	Einsprache
Einstecktuch	Pochette
Eintrittskarte	Billett
Einwohnermeldeamt	Einwohnerkontrolle, Kontrollbüro, Schriftenkontrolle
einzäunen	einhagen
einzahlen	einbezahlen
Einzelhandel	Detailhandel
Einzelhandelsgeschäft	Detailgeschäft
Einzelhändler	Detaillist
Einzelzimmer	Einerzimmer
einziehen	beziehen
Einziehen	Bezug
Einzieher	Einzüger
Einziehung	Einzug
Eis	Glace
Eisbecher	Coupe
Eisbein	Gnagi, Wädli
Eisenbahner	Bähnler, Eisenbähnler
Eisenbahnfahrkarte	Bahnbillett
Eisenbahnzug	Komposition
eisern	pickelhart
eiserne Ration	Notportion
Eistüte	Cornet
Elastik	Elast
Elfmeter	Penalty
Ellbogen brauchen	ellbögeln
endgültig	für ganz
Endspiel	Final
eng anliegend	satt
Enkelkind	Großkind
entfallen	dahinfallen
Entladen	Entlad
Entlastung	Décharge
entleihen	entlehnen
entlohnen	entlöhnen, salarieren
entrußen	rußen
Entwarnung	Endalarm
Erdnuß	spanische Nüßchen
Erdrutsch	Erdschlipf, Schlipf
erfreulich	gefreut
ergeben	abgeben (2)
ergreifen	betreten
erheben	beziehen
Erheben	Bezug (2)
erkundigen, sich	nachfragen
Erlagschein	Einzahlungsschein
erledigen	bodigen

ermitteln	eruieren
Ernennungsurkunde	Brevet
Eröffnungs-aussprache	Eintretensdebatte
Ersatzmann	Suppleant
erstarrt	verhockt
Erster-Klasse-Abteil	Erstklaßabteil
Erstlingsjäckchen	Schlüttli
ertappen	betreten
erwarten (mit Sorge)	ersorgen
erweisen	weisen (2)
erzwingen	erzwängen
Eßgeschirr des Soldaten	Gamelle
Eßlatz	Eßmantel
Etikett	Etikette
etwa[ig]	allfällig
eventuell	allfällig
experimentieren	herumpröbeln, pröbeln

F

Fabrikarbeiter	Fabrikler
Fachwerkbau, -haus	Riegelbau, -haus
Fadennudel	Fideli
fadenscheinig	blöd
fahrende Habe	Fahrhabe
Fahrerflucht	Führerflucht
Fahrerin	Chauffeuse
Fahrkarte	Billett
Fahrnis	Fahrhabe
Fahrrad	Velo
Fahrschein	Billett
Fahrzeugführer	Fahrzeuglenker
Falte	Rumpf (a)
Falten werfen	rumpfen
Familienname	Geschlechtsname
Familienstand	Zivilstand
Färse	Rind
Fastnachts-donnerstag	Schmutziger Donnerstag
Fastnachtsfeuer	Funken
Federbett, -decke	Duvet
fegen	wischen
Fehlbetrag	Minderertrag
fehlschlagen	fehlen
Fehlschuß	Nuller (a)
Fehlsprung	Nuller (b)
feiern	festen
Feinkost	Comestibles
Felchen	Abeli, Albock, Balchen
Feldbett	Schragen
Felddiebstahl	Frevel
Feldsalat	Nüßlisalat
Feldwebel	Wachtmeister
Felsblock	Fluh
Felsspalte	Schrund
Felswand	Fluh
Fernmeldetruppe	Übermittlungs-truppen
Fernsehteilnehmer	Fernsehkonzes-sionär
Fernsprech-teilnehmer	Telefonabonnent
Fertigbau[weise]	Elementbau
festgefahren	verharzt, verhockt
festmachen	fixieren, verstäten
Festzelt	Festhütte
Fett, tierisches	Schmer
Fettgebackenes bereiten	kücheln
Feuer spielen, mit	zeuseln
feuerjo	Fürio
Feuermeldeanlage	Brandalarmanlage
feuerrot	zündrot
Feuerversicherung	Brandassekuranz
Feuerwehr, ständige	Brandwache
feurio	Fürio
fidel	glatt
Figur	Postur
Finanzamt	Steueramt
Fischerkahn	Weidling
Fischpacht	Fischenz
fix und fertig	fixfertig
Flächeninhalt, -umfang	Halt
flacher werden	abflachen
Flasche geben, die	schöppeln (2)
Flaschenpfand	Flaschendepot
Fleischbeschau	Fleischschau
Fleischer	Metzger
Fleischerei	Metzg (a)
fleißig	schaffig
Flicken	Plätz (a)
Fliese	Plättli
Flomen	Schmer
Flugwesen	Aviatik
Flurbereinigung	Güterregulierung, -zusammenlegung
Flurgrenze	March
Flurhüter	Bannwart
Flurschaden	Kulturschaden
Flußbarsch	Egli
Flußkahn	Weidling
Flußniederung	Schachen
Föhre	Dähle
folgen können	nachkommen
fortan	inskünftig
fortfahren	weiterfahren
fortjagen	heimzünden
Foulelfmeter	Foulpenalty
Franken	[2]Stutz
Frankfurter [Würstchen]	Frankfurterli

französische Schweiz	Welsche (das), Welschland, Welschschweiz
französischsprachige[r] Schweizer[in]	Welsche (der/die), Welschschweizer
Frauenklinik	Frauenspital
Freiberufler	Freierwerbende
freier Tag	Freitag
Freikarte	Freibillett
freilassen	springen lassen
freizügig	large
fremdeln	fremden
Friseur	Coiffeur
Friseuse	Coiffeuse
Fruchtsaft	[2]Jus
Frühlingsbergweide	Maiensäß
Frühstück	Morgenessen, Zmorge
Frühstück, zweites	Znüni
frühstücken	Morgen
fügen, sich	unterziehen
Führerschein	Fahrausweis, Führerausweis
Füllfederhalter	Füllfeder
Fundamentierung	Fundation
Fünffrankenstück	Fünfliber
Fünfsitzer	Fünfplätzer
Fünfzigfrankennote, -schein	Fünfzigernote
Fünfzigrappenstück	Fünfziger
funkelnagelneu	nigelnagelneu
funktionieren	spielen
für	pro
für immer	für ganz
Fußball spielen	schutten
Fußgängerbrücke	Passerelle
Fußgängerüberweg	Fußgängerstreifen

G

Gänsehaut	Hühnerhaut
Gänsemarsch	Einerkolonne
Gardine	Vorhang
Gartenhecke	Gartenhag
Gartenzaun	Gartenhag
Gastwirt	Restaurateur
Gaunerwelt	Milieu
Gebäude	Baute, Gebäulichkeiten
gebrauchsfertig machen	richten (a)
Gebrauchtwagen, -ware	Occasion
Gebühr	Taxe
Geburtsjahr	Jahrgang
gedörrt	dürr
gedrungen	fest
Gefährte	Gespane
Gefrorenes	Glace
gegen etw. tauschen	an (2b)
Gegenstimmen	Gegenmehr
Gehalt (Lohn)	Salär
Gehirnerschütterung	Hirnerschütterung
Gehirnschlag	Hirnschlag
Gehsteig	Trottoir
geistlos	fad
Geizhals	Rappenspalter
Geländekamm	Krete
Geld	Klotz
Geldschein	Note
Geldstrafe	Buße
Gelüste	Gluscht
Gemähte, das	Mahd (b)
Gemarkung	Bann
Gemeindediener, -bote	Weibel
Gemeindegebiet	Bann, Gemeindebann
Gemeindeparlament	Einwohnerrat (a), Gemeinderat (2a), Generalrat, Große Gemeinderat, Landrat (2)
Gemüsesaft	[2]Jus
genau	spitz
Gendarm	Landjäger
Generalleutnant	Korpskommandant
Generalmajor	Divisionär
Generalstaatsanwalt	Generalprokurator
Genf	Calvinstadt, Rhonestadt
Geplapper	Gelafer
geräuchert	geräucht
Gerichtsdiener, -bote	Weibel
geringfügig	minim
Gerümpel	Grümpel
Gesamt	Total
gesamtschweizerisch	national
gesamtüberholt	generalrevidiert
Gesamtüberholung	Generalrevision
Geschäftsführer	Gerant
geschehen	gehen (1), laufen
Geschirrspüler	Abwaschmaschine, Geschirrwaschmaschine
Geschworene	Assisen
Gesetzentwurf	Gesetzesentwurf
Gestell	Schaft
Getäfel	Getäfer, Täfer
Getränk	Tranksame
Getreide	Frucht
gewählt werden	belieben
gewähren (Zuschuß)	zusprechen

Gewimmel	Gegramsel
Gewinn	Vorschlag
gewürzt	rezent
gießen	leeren
Gießkanne	Spritzkanne
giftige Bemerkungen machen	gifteln
Glauben, in gutem	Treue
gleich (genau)	tupfengleich
Gletscherspalte	Schrund
glimmen	motten
Gockel	Güggel
Goldschnitte	Fotzelschnitte
Göre	Gof
Grat	Krete
Graubünden	Rätien
Grenzstein	Marchstein
Grenzwert	Limite
Grießflammeri	Grießköpfli
Grießschnitte	Grießplätzli
grillen	grillieren
Gros	Hauptharst
großartig	bäumig
Großtuer	Großhans
großtun	blagieren
Großvater	Großätti
großzügig	large
grübeln	hintersinnen
Grummet	Emd
Grundschule	Primarschule
Grundschullehrer	Primarlehrer
Gründung	Fundation
Grünkohl	Federkohl
Gully	Dole, Straßendole
Gutdünken	Gutfinden
guthaben	zugute haben
Gymnasium (Oberstufe)	Lyzeum

H

Hacke	Karst, Kräuel
Hackklotz	Scheitstock
Hafer	Haber
Hahn	Güggel
Hähnchen	Güggeli, Mistkratzerli
Halbrock	Jupon
Halstuch	Foulard
Hammelschlegel, -keule	Gigot
Handharmonika	Handorgel
Handharmonikaspieler	Handorgeler
handikapen	handicapieren
Hang	Rain
Häppchen	Mümpfeli
harter Brocken	Pièce de résistance
Hauklotz	Scheitstock
Hauptschlüssel	Passepartout (b)
Hausbesitzer	Hausmeister
Hausflur	Hausgang
Haushaltsplan	Voranschlag
Hausmeister	Abwart, Hauswart
Hausputz	Putzete
Hausschuh	Finken
Haussuchung	Hausdurchsuchung
Hauswiese	Hofstatt
Hecke	Grünhag, Lebhag
Heftfaden, -naht	Fadenschlag
heimleuchten	heimzünden
Heimweh	Langezeit
helfen	zudienen
hellhörig	ringhörig
hellichter Tag	heiterhell
herantreten	begrüssen
heranziehen	beiziehen
Herbstrübe	Räbe
herumprobieren	pröbeln
hervorrufen	rufen (2b)
Heuboden	Heubühne, -diele
Heuernte	Heuet
Heuhaufen	Heuschochen, Triste
Heuschuppen	Stadel
hie und da	etwa
Hilfe	Sukkurs
Himmelfahrt	Auffahrt
hin und her beraten	werweißen
hinausschieben (Frist)	erstrecken
hinlegen, sich	abliegen
Hinscheiden	Hinschied
hinsetzen, sich	hinsitzen
hinstellen, sich	hinstehen
Hinterbliebenen	Hinterlassenen
hinterher	nachhinein
Hinterlassenschaft	Verlassenschaft
hintreten	hinstehen
hinzuziehen	beiziehen
Hippe	Gertel
Hitzkopf	Stürmi
hochheben	auflüpfen
Hochrippe	Hohrücken
Hochschulreife	Maturität (a)
Hocker	Taburett
höhere Schule	Mittelschule
Holunder	Holder
Holzbündel	Welle
Holzdiebstahl	Frevel
Holzrutsche	Reiste
Holzsandalen	Zoccoli
Holzscheit	Scheit
Holzstoß	Scheiterbeige
Horde (Lattengestell)	Hurde

Hörfunk	Radio (a)
Hörnchen	Gipfel
Hosentasche	Hosensack
Hubschrauber	Heli
Huhn	Poulet
Hundertfranken-note, -schein	Hunderternote
Hypothekenbrief	Schuldbrief

I

immerfort	stetsfort
in (der Sonne)	an (1 d)
in Angriff nehmen	anhandnehmen
in erster Linie	vorab
in puncto	punkto
infolge von	ob (2)
innerhalb	innert
insgesamt	gesamthaft, total
instand setzen	instand stellen
Instrukteur	Instruktor
interessieren	wundern, wunder nehmen
Italiener	Tschingg

J

ja bitte!	ja gern!
ja eben	denk
Jacke	Kittel, Veston
Jackett	Kittel, Tschopen, Veston
Jahreszahl	Jahrzahl
Jahrgedächtnis	Jahrzeit
Jalousette	Lamellenstoren, Store (1)
Jauche	Gülle
jauchen	güllen
jenseits	ennet
jeweils	jeweilen
Joch	Jucharte
Johannisbeeren, schwarze	Cassis
juchhe!	juhe!
Jugendgottesdienst	Kinderlehre
Jugendherberge	Jugi
Junge	Bub, Knabe
junges Mädchen	Tochter
Jura (Rechtswissenschaft)	[1]Jus

K

Kabarett	Cabaret
Kabelschelle	Bride
Kabriolett	Cabriolet
Kachel	Plättli
kacheln	plätteln
Kachelofen	Kunst
Kai	Quai
kalben	kalbern
Kalbsbries	Milke
Kaldaunen	Kutteln
kalt werden	abkalten
Kamerad	Gespane
Kamin	Cheminée
kämmen	strählen
kämpfen für jmdn./etw.	wehren
Kanister, Kanne	Bidon
Kantonsparlament	Große Rat, Kantonsrat (1), Landrat (1 a)
Karamel	Caramel
Karo	Ecken, Häuschen
Karosserie	Carrosserie
Karosserieklempner	Autospengler
Kartoffelbrei, -püree	Kartoffelstock, Stock (1)
Karussel	Reitschule, Rößlispiel
Käsewasser	Schotte
Kassenwart	Quästor, Säckelmeister
Kastanien, geröstete	Marroni
Kasten	Haraß
Kastenbrot	Modelbrot
Katze	Büsi
Kaution	Hinterlage
Kavaliers-[taschen]tuch	Pochette
Kavalleriepferd	Eidgenosse (2)
kehren	wischen
Kehrmaschine	Wischmaschine
Kelter	Torkel, Trotte
Keule	Schlegel, Stotzen
Kiefer	Dähle, Föhre
Kiepe	Hutte, Kräze
Kies	Grien
Kind	Gof
Kindergarten-schüler	Kindergärtler
Kindergeld	Kinderzulage
Kinderklinik, -krankenhaus	Kinderspital
kinderlieb	kinderliebend
Kino	Cinéma
Kirchendiener	Mesmer, Sigrist
Kirchengemeinde	Kirchgemeinde
Kirchweih	Chilbi
Kittel	Kutte

Kladde	Sudel
Klappbett	Schragen
klapperig	lotterig
Klappmesser	Stellmesser
klären	abklären
Klärung	Abklärung
Kleid	Rock
Kleiderschrank	Kleiderkasten, -schaft
Kleidung, vorgeschriebene	Tenue
Kleingarten	Familiengarten, Pflanzplätz
Kleingebäck	Guetsli
Kleingeld	Münz
klingeln	läuten, schellen
klingen	tönen
Klinke	Falle
Klischee	Cliché
Klosett	Häuschen
klug werden	drauskommen
knallen	klepfen
knapp	spitz
Knarre	Rätsche
Knauser	Rappenspalter
Knauserei	Knorzerei
Kneipe	Beiz, Pinte, Spunten (2)
Knochen	Bein
Knospe	Knopf (2)
Knoten	Knopf (1)
knusperig	rösch (a)
kochen	sieden
Kochgerät	Réchaud
Kochtopf	Pfanne
Kofferkuli	Rolli (c)
Kognak	Cognac
Kohlrabi	Rübkohl
Kohlrübe	Bodenkohlrabi
Kollier	Collier
Kommandeur	Kommandant
Kommanditist	Kommanditär
Kommissar	Kommissär
kompakt	satt
kompromißlos	pickelhart
Konditor	Confiseur
Konditorei	Confiserie (1b), Patisserie (1)
Konfekt	Confiserie (2)
Konfirmandenunterricht	Unterweisung (b)
Konkurrenz machen	konkurrenzieren
Kopf	Grind
Kopfball	Köpfler
Kopfkissen, breites	Pfulmen
Kopfschmerzen	Kopfweh
Kopfsprung	Köpfler
Koppel	Ceinturon
Korb (kleiner)	Kratten
Körbe flechten	korben
Korbflechter, -macher	Korber
Korken	Zapfen
Korkenzieher	Zapfenzieher
kosten (probieren)	degustieren
krabbeln	gramseln
Kräftemessen	Hosenlupf (b)
Kraftfahrzeug	Motorfahrzeug
Kraftwagen	Motorwagen
Krampe	Agraffe
kränkeln	serbeln
Krankenhaus	Spital
Kratzeisen	Scharreisen
Kraul, kraulen	Crawl
Krauskohl	Federkohl
Kräuterkäse	Schabziger, Ziger (2)
Krempel	Grümpel
Krepp	Crêpe
Krümel	Brösmeli
Küchel	Chüechli
Kuchen, kleine	Patisserie (2)
Küchenmesser	Rüstmesser
Küchenschrank	Chuchichäschtli
Kugelfang	Scheibenwall
Kuhglocke	Treichel
Kumt	Kummet
kündigen	künden
künftig	inskünftig
kupieren	coupieren
Kuppe	Gupf
Kurve	Rank
Kurzwaren	Mercerie
Küster	Mesmer, Sigrist

L

Ladentisch	Korpus
Lakritze	Bärendreck
Land spülen, an	länden
Landungsplatz, -steg	Lände
langatmig	langfädig
Lappen	Plätz (a)
lärmend	lärmig
Lastkahn, -schiff	Ledischiff, Nauen
Lastwagen	Camion
Lastwagentransportdienst	Camionnage
Lattenkiste	Haraß
Lätzchen	Eßmantel
Laufbursche	Ausläufer
laufen lassen	springen
Laufstrecke	Parcours
laut	lärmig
läuten	schellen

Lebensjahr	Altersjahr
Lebkuchen	Biber
lecker	gluschtig
legen, sich	liegen
Lehre	Berufslehre
Lehrerbildungsanstalt	Lehrerseminar
Lehrjunge, Lehrling	Lehrbub
Lehrmädchen	Lehrtochter
Leichenmahl	Leidmahl, Traueressen, -mahl
Leihhaus	Pfandleihanstalt
leisten können, sich	vermögen
Liste	Rodel
locker	lotterig
Lohntüte	Lohnsäcklein, Zahltagssäcklein
Lokaltermin	Augenschein
los sein	laufen
lose	lotterig
Luftfahrt	Aviatik
Luftreifen	Pneu
Luftwaffe	Flugwaffe
Lump	Fink, Fötzel, Schlufi
lustig	glatt
Luzern	Leuchtenstadt

M

Mädchen, Mädel	Meiteli, Meitli, Tochter
Magazinverwalter	Magaziner
Magen liegen, auf dem	aufliegen (2)
mager, sehr	brandmager
Mähen	Mahd (a)
manchmal	etwa
Mangel, die	Mange
Mangold	Krautstiele
Männerjacke	Tschopen
Manöver	Türk
Markise	Store (2)
Marmelade	Konfitüre
Marschbefehl	Aufgebot (b)
Marschpause	Marschhalt, Stundenhalt
Maschinengewehrschütze	Mitrailleur
Maschinenschreiberin	Daktylo
matt	abgeschlagen
maulen	schnorren
Maulwurf	Schermaus
Maulwurffänger	Feldmauser, Mauser, Schermauser
Maulwurfsgrille	Werre
Mäusefänger	Feldmauser, Mauser
mehren	äufnen
Mehrheitswahlsystem	Majorz
Mehrpreis	Aufzahlung
Melancholie	Seelenschmetter
Melkeimer	Melchter
Meringel	Meringue
Mesner	Mesmer, Sigrist
Metzgerei	Metzg (a)
Miete	Mietzins, Zins
Mietshaus	Renditenhaus
Mietzins	Hauszins
Mieze	Büsi
Milchkaffee	Schale
Milchmischgetränk	Frappé
Milchsammelstelle	Hütte
Militärdienst	Dienst
Militärübung	Wiederholungskurs
minimal	minim
Ministerium	Departement, Direktion
mißgebildet	verknorzt
mißgönnen	vergönnen
mißlingen	abverheien, fehlen
Misthaufen	Miststock
Mitesser	Bibeli
Mitgliederversammung	Bott
Mitgliedsbeitrag	Mitgliederbeitrag
Mittagessen	Zmittag
Mitteilungsblatt	Bulletin
Mittelstürmer	Center
Möbelträger	Zügelmann
Mofa	Töffli
Möhre	Karotte, Rübchen, Rüebli
mokieren, sich	schnödeln, schnöden
Molke	Schotte
Molkerei	Hütte
Molkereifachmann	Molkerist
Monatsgehalt, -lohn	Monatssalär, Zahltag
Moor	Moos
Mop	Flaumer
Moped	Motorvelo, Töffli
Mopedfahrer	Töffler
Morgen (Feldmaß)	Jucharte
Mörtel	Pflaster
Motorrad	Töff
Motte	Schabe
Mucks	Wank
mühevoll	streng
Müll	Güsel, Kehricht
Mülleimer	Kehrichtkübel, Kübel
Mülltüte	Kehrichtsack
Mure, Murgang	Rüfe

Murmeltier	Mungg
mürrisch	hässig
Musikkapelle	Spiel
Musselin	Mousseline

N

nachgewiesen	ausgewiesen
Nachlaß	Verlassenschaft
Nachrichtenbüro	Depeschenagentur
Nachspeise	Dessert
Nacht werden	einnachten, nachten, zunachten
Nachtisch	Dessert
nachträglich	nachhinein
nachweislich	ausgewiesen
nackt	blutt
nagelneu	nigelnagelneu
Nahverkehrszug	Regionalzug
Namenszeichen	Visum
namentlich	vorab
Napfkuchen	Gugelhopf
naschen	schlecken
Naschhaftigkeit	Schlecksucht
naß machen	netzen
necken	föppeln
nennen	sagen
Nestel	Bändel
Neugierde	Wunderfitz
neugierig	wunderfitzig
neugierig sein	wundern, wundernehmen
nicht wahr?	gelt?
niedergelassen	domiziliert
Niedergeschlagenheit	Seelenschmetter
Nikolaus	Klaus
Nord[ost]wind	Bise, Biswind
notariell ausfertigen	beurkunden
notwendig sein	brauchen
Nudelholz	Wallholz
Numerator, Numerierungsapparat	Numeroteur
nun einmal	halt
nur noch	nur mehr
Nußhörnchen	Nußgipfel

O

obendrein [noch]	erst noch
Oberbürgermeister	Stadtpräsident
Obergrenze	Plafond
oberhalb von	ob (1)
Oberhand gewinnen	obenaufschwingen, obenausschwingen
Obststückchen	Schnitz
Obus	Trolleybus
Ofensetzer	Hafner
öffentlicher Grund	Allmend
Offiziersanwärter	Aspirant
Offiziersschule	Aspirantenschule
oh ja	doch
Okystickerei	Schifflistickerei
Olten SO	Dreitannenstadt
ordentlich	recht
ordnen	richten (a)
Ortsteil	Fraktion
Ostwind	Oberwind (a)

P

Paneel	Getäfer
Panscherei	Mischlerei
Papiere	Schriften
Papierwarengeschäft	Papeterie
Paprika	Peperoni
Parkbank	Bänklein
parken	parkieren, stationieren
Parkuhr	Parkingmeter
Partikularismus	Kantönligeist
Paspel	Passepoil
paspelieren	passepoilieren
pasteurisierte Milch	Pastmilch
Pate	Götti
Patengeschenk	Göttibatzen
Patensohn	Göttibub
Patin	Gotte
peinlich	bemühend
peinlich berühren	bemühen
Peitsche	Geißel
Penthaus	Attikawohnung
Personalausweis	Identitätskarte
Personenbeschreibung	Signalement
Personenstand	Zivilstand
Personenstandsregister	Zivilstandregister
Petersilie	Peterli
Petroleum	Petrol
Pfadfinder	Pfader
Pfand	Depot
pfeifen, auf etw.	foutieren
Pfennigfuchser	Rappenspalter
Pferd	Roß
Pferdeapfel	Roßbollen
Pferdeschwanz	Roßschwanz

Pfifferling	Eierschwamm
Pflanzland	Bünte
Pflaumenschnaps	Pflümli
Pickel	Bibeli
Pik	Schaufeln
Pilz	Schwamm
Pionier	Sappeur
Pistazie	Pistache
Plackerei	Büez
Plakat	Affiche
Plane	Blache
plappern	lafern
Plätteisen	Glätteisen
plätten	glätten
Plätzchen	Guetsli
plötzlich	brüsk
polieren	glänzen
Polizeibeamter	Polizeimann
Polizeidienststelle, -revier	Polizeiposten
Polizist	Polizeimann, Schugger
Polstersessel	Fauteuil
Portier	Concierge
Postbeamter, -bote	Pöstler
Postbus	Postauto
prahlen	blagieren
Prahlhans	Großhans
Praktikant	Stagiaire
Praktikum	Stage
Preis	Gabe
Prellstein	Wehrstein
Privatmann, -person	Private
protestieren	aufbegehren
prozessieren, mutwillig	trölen (b)
Pullover	Lismer
Puste	Schnauf
Pustel	Bibeli
putzen (Gemüse)	rüsten (b)
Putzlappen	Lumpen

Q

Quark	Ziger (1)
quengeln	zwängeln
Quote	Betreffnis (a)

R

rackern	hunden
Rad	Velo
Radau machen	wüst tun
radeln, radfahren	pedalen, velofahren
Ragout	Voressen
Rahm	Nidel
Rand	Bord
Rande kommen, zu	Schlag
Rapperswill SG	Rosenstadt
Rapunzel	Nüßlisalat
rasch	beförderlich, speditiv
Raspel	Raffel
raspeln	raffeln
Rassel	Rätsche
Rate	Betreffnis (b)
ratlos sein	Berg
rätseln	werweißen
Rauchwaren	Raucherwaren
räumen	pfaden (b)
Rauminhalt	Kubatur
Rausch, leichter	Dusel
rebellisch	auflüpfisch
Rebpfahl	Rebstecken, -stickel
Rechenbuch	Rechnungsbuch
Rechenschaft ziehen, zur	behaften
Rechnung	Faktura
Rechtsanwalt	Advokat, Fürsprech, Fürsprecher
rechtschaffen	recht, senkrecht
Recital	Rezital
Redakteur	Redaktor
reell	währschaft
Reff	Räf
Regal	Schaft
Regalbrett	Tablar
Regenabfallrohr	Kännel
regierungsfreundlich	gouvernemental
Reibe	Raffel
reiben	raffeln
Reifen	Pneu
Reifeprüfung	Matur, Maturität (b), Maturitätsprüfung
Reinemachen	Putzete
reinen Tisch machen	sauber
Reisebus	Autocar, Car
Reisigbündel	Bürdeli, Reisigwelle, Welle
reizlos	fad
Religionsunterricht	Unterweisung (a)
Rennstrecke	Parcours
Rentenversicherung	Alters- und Hinterlassenenversicherung
Rentner	Pensionierte
reservieren	ausscheiden (a)
resolut	räß (b)
Rettungsdienst	Sanität (2)
Revision einlegen	weiterziehen
Reyon	Rayonne
Rezeption	Réception

Richtfest	Aufrichte
Rinderbraten	Rindsbraten
Rock	Jupe
rodeln	schlitteln
roden	reuten
Roller	Troffinett
rollieren	roulieren
Rollo	Store (1)
Rosenmontag	Güdismontag
Rosine	Weinbeere
rösten (Brot)	bähen
rote Bete	Rande
Rotkohl	Rotkabis
Rotzbengel, -junge	Schnuderbub
Roulade	Fleischvogel
Rouleau	Store (1)
Rübe, rote	Rande
Rübe, weiße	Räbe
ruchbar werden	auskommen
Rückentraggestell	Räf (1)
Rückentragekorb	Hutte, Krätze
Rückfahrkarte	Retourbillett
Rückgeld	Retourgeld
Rücksendung	Rücksand
Rückspiel	Retourspiel
rückwärtsgehen	rückwärtskrebsen
Rückzieher machen	zurückbuchstabieren, zurückkrebsen
Ruhebank	Bänklein
Ruhesitz	Höckli
Ruheständler	Pensionierte
rührt euch!	ruhn!
Rumpelkammer	Grümpelkammer
Runde	Kehr
Rundfunk	Radio (a)
Rundfunkgerät, -empfänger	Radio (b)
Rundfunkteilnehmer	Radiokonzessionär
Rundgang	Kehr
rundlich	fest
Rundschreiben	Zirkular
Runkelrübe	Runkel
Runzel	Rumpf (a)
ruppig	strub
rutschen	schlipfen

S

Sackleinen	Emballage
Sahne	Nidel
Sahnebaiser	Meringue
Sahnebonbon	Nidelzeltli
Sakristan	Mesmer, Sigrist
Salzstange	Bierstengel, Salzstengel
Sammelbüchse	Kässeli (b)
Sammelfahrschein	Kollektivbillett
sammeln	äufnen
Sanitätstruppe	Sanität (1)
Sankt Gallen	Gallusstadt
Sankt Nikolaus	Klaus, Samichlaus, Santiklaus
saubermachen	putzen
Sauerbraten	Mocken, saure
Sauerkirsche	Weichsel
Säugling	Bébé, Buschi
Säuglingsflasche	Schoppen
Schaffhausen	Munotstadt
Schaffner	Billeteur, Kondukteur
Schaffnerin	Billeteuse
schalldurchlässig	ringhörig
schamlos	ausgeschämt
Schar	Harst
scharf (Speisen)	räß (a), rezent
scharfzüngig	räß (b)
Schatzmeister	Quästor, Säckelmeister
Schäufele	Schüfeli
Schaufellader	Trax
schaumig schlagen	schwingen (1)
Scheck	Check
schelten, derb	wüst sagen
Schemel	Taburett
Schenke	Beiz, Pinte, Spunten (2)
Schenker	Donator
Schenkung	Vergabung
Schenkwirt	Beizer
scheppern	schättern
Scheuerbürste	Fegbürste
Scheuereimer	Putzkessel
scheuern	fegen
Scheuertuch	Lumpen, Putzlumpen
schichten	beigen
schieben	stoßen
Schiedsrichter	Ref
schiefgehen	fallieren
Schiffanlegestelle	Schifflände
Schiffchen[mütze]	Policemütze
Schillerlocke	Cornet
Schimmer	Hochschein
Schinken	Hamme
Schirmmütze	Dächlikappe
Schlachtbank	Metzg (b)
schlachten	metzgen
Schlachtfest, -platte	Metzgete
Schlachtvieh	Bankvieh
Schlafanzug	Pyjama
schlagfertig	träf
Schlagrahm	Nidel, geschwungener

Schlagsahne	Nidel, geschwungener; Schlagrahm
Schlappen	Schlarpe
schlecht gelaunt	muff
Schleife	Masche
schleppend	harzig
schleudern (Wäsche)	ausschwingen
Schlucht	Schrund
schmackhaft	chüschtig
Schmalzgebackenes	Chüechli
schmeicheln	flattieren, höfeln
schmerzlich berühren	beelenden
Schmetterling	Sommervogel
schmierig	schmuselig
schmollen	Kopf machen
Schmuckhändler	Bijoutier
Schmuckwarengeschäft	Bijouterie
schmudellig	schmuselig
Schnappmesser	Stellmesser
Schneebesen	Schwingbesen
schneefrei	aper
schneefrei werden	apern, ausapern
Schneematsch	Pflotsch
Schneeverwehung	Wächte
Schneiderkleid, -kostüm	Tailleur
schnellen	jucken, spicken
Schnellstraße	Expreßstraße
Schnittchen	Canapé
Schnitzel	Plätzli
Schnuller	Nuggi
Schnurrbart	Schnauz
Schnürsenkel	Bändel, Schuhbändel
Schokolade	Schoggi
Schornstein	Kamin
Schornsteinfeger	Kaminfeger
Schrank	Kasten, Schaft
Schranke	Barriere
Schrebergarten	Familiengarten
Schreibwarengeschäft	Papeterie
Schriftführer	Aktuar, Schreiber
schrottreif	abbruchreif
schrubben	schruppen
Schrubber	Schrupper
Schubkarre[n]	Benne, Karrette, Rolli (a), Stoßkarren
Schubs	Schupf, Stupf
Schuft	Fink, Schlufi
schuften	krampfen, krüppeln
Schuh	Schlarpe
Schuhband	Schuhbändel
Schulbildung	Schulsack (b)
Schuldrecht	Obligationenrecht
Schuljunge	Schulbub

Schulranzen	Schulsack (a), Schulthek
Schulterblatt des Schweines	Schüfeli
Schulterpasse	Göller
Schuppen	Schopf
schütten	leeren
Schutzdach	Schermen
Schutzwald	Bannwald
Schwachsinniger	Tschumpel
Schweineragout	Schweinsbrägel
Schweinsohr	Prussien
Schweinsragout	Schweinsbrägel
Schweiz	Helvetia, Helvetien, Schweizerhaus, Schweizerland
Schweizer	Eidgenosse (1), Schweizerknabe, Tellensohn
Schweizerhäuschen	Chalet
Schwelbrand	Mottbrand
schwelen	motten
Schwelfeuer	Mottfeuer
Schwierigkeiten	Unzukömmlichkeiten
schwindlig	sturm
Score	Skore
Sechsbettzimmer	Sechserzimmer
Sechssitzer	Sechsplätzer
Seeanrainer	Seeanstößer
Seesaibling	Rötel
Sehnsucht	Langezeit
Seitental, enges	Krachen
Sekretär	Schreiber
Sektierer	Stündler
Selbständiger	Freierwerbende, Selbständigerwerbende
selten (sehr)	wunderselten
Semmel	Mutschli
Serviererin	Serviertochter
Serviererin im Speisesaal	Saaltochter
setzen, sich	abhocken, absitzen, hocken (b), sitzen
Siebeneramt	Siebente
Silvester	Altjahrstag
Silvesterabend	Altjahrabend
sitzen	hocken (a)
sitzen, behaglich	höckeln
Sodawasser	Siphon
Söldner	Reisläufer
Söldnerdienst	Reislauf
Soldat	Wehrmann
Soldatenmantel	Kaput
solid	recht
Solothurn	Ambassadorenstadt
Sommersprosse	Laubflecken, Märzflecken

Sonderfahrt	Extrafahrt
sondern	ausscheiden (b)
Sonderung	Triage
Sonderzug	Extrazug
sonst	ansonst
sorgen	besorgt
sorglos	large
Sortierung	Triage
Soße	Sauce
spähen	sperbern
Spannrippe	Federstück
Sparbuch	Sparheft
Sparbüchse	Kässeli (a)
Sparpfennig	Sparbatzen
Spaß	Plausch
Spaten	Stechschaufel
Spätzle	Knöpfli
Spediteur	Camionneur
Speiseeis	Glace
Spelt	Dinkel
Spendensammlung	Kollekte
Spiegelei	Stierenauge
Spielmannszug	Spiel
Spießer	Bünzli
Sportanzug	Trainer
Spottwort	Schlötterling
Sprechstundenhilfe	Praxishilfe
spröde	rösch (b)
Spülbecken, -stein	Spültrog, Schüttstein
Spund	Spunten (1)
Staatsvertrag zw. Kantonen	Konkordat
Stabsfeldwebel	Adjutant-Unteroffizier
Stadtparlament	Große Stadtrat, Stadtrat (2a), Gemeinderat (2a)
Stadtviertel	Quartier
Standesamt	Zivilstandsamt
Standesbeamte	Zivilstandsbeamte
ständig	stetsfort
Stange (Zucker-, Lakritzen-)	Stengel
Stangenbrot	Pariserbrot
Stapel	Beige
stapeln	aufbeigen, beigen
stark	fest
Starrkopf	Steckkopf (b), Stierengrind
Starrsinn	Steckkopf (a)
Statur	Postur
Staub wischen	abstauben
Staubtuch, -lappen	Staublumpen
Steckrübe	Bodenkohlrabi
Stecktuch	Pochette
Stehlampe	Ständerlampe
steil	stotzig
steiles Wegstück	[1]Stütz
stellen, sich	stehen

Stellmacher	Wagner
sterbensübel	wind und weh
Steuern zahlen	steuern
Steuerveranlagung	Taxation
Stichkampf	Ausstich
stiefmütterlich behandeln	verschupfen
Stifter	Donator
stillgestanden!	Achtung – steht
Stimmenmehrheit	Mehr
Stock	Stecken
stocksteif	steckengerade
Stoß	Schupf, Stupf
Stoß (Stapel)	Beige
stoßen	schupfen
Strafanzeige erstatten	verzeigen
straff	satt
Strafstoß	Penalty
Strammstehen	Achtungstellung
Strapaze	Türk
Straßenarbeiter	Wegmacher
Straßenbahn	Tram
Straßenbahner	Trämler
Straßenkehrer	Straßenwischer
Straßenrand, -böschung	Straßenbord
Streichholz	Zündholz
streifen	touchieren
Strickjacke	Lismer
Strohhaufen	Triste
Strumpfwaren	Bonneterie
struppig	strub
Stubenappell	Abendverlesen, Zimmerverlesen
Stück (Land)	Plätz (c)
Stück (Teig)	Plätz (b)
Stück (Tuch, Leder)	Plätz (a)
Stückzins	Marchzins
Studentenausweis	Legi
Studienrat	Mittelsschullehrer, Professor
Stummel	Stumpen
Stumpf	Stumpen
Stundenfrau	Spetterin
Stups	Stupf
stupsen	stupfen
Stürmer	Forward
stützen	abstützen (a)
Stutzuhr	Pendule
Subvention	Beitrag
Sülze	Sulz
Summe	Total
Sumpf	Moos
Suppenfleisch	Gesottene, Siedfleisch, Spatz
suspendieren	einstellen

T

tadeln	Kappe waschen
täfeln	täfern
Täfelung	Täfer
Tagesdecke	Bettüberwurf, Überwurf
Tagesordnung	Geschäftsliste, Tagliste, Traktandenliste
Tagesordnungspunkt	Geschäft, Traktandum
tagsüber	untertags
Tailormade	Tailleur
Taldurchbruch	Klus
Tarifvertrag	Gesamtarbeitsvertrag
Tasche (in Kleidung)	Sack
Taschengeld	Sackgeld
Taschenmesser	Sackmesser
Taschentuch	Nastuch
Taschenuhr	Sackuhr
tatkräftig	zugriffig
Taugenichts	Fötzel
Tausendfrankenschein	Tausendernote
Tauziehen	Seilziehen
Teelöffel	Kaffeelöffel
Teich	Weiher
Teigrolle	Wallholz
Teilbetrag	Betreffnis, Treffnis
Telefonzelle	Telefonkabine
Teppichboden	Spannteppich
Thunfisch	Thon
Thurgau	Mostindien
Tisch abräumen	abtischen
Tisch decken	tischen
toasten (Brot)	bähen
Tod	Hinschied
Todesanzeige	Leidzirkular, Trauerzirkular
Tor	Goal
Toraus	Behind
Torhüter	Goalie, Keeper
Torlinie	Behindlinie
töten	abtun
Totenmahl	Leidmahl, Traueressen, -mahl
totes Gleis	Stumpengeleise
Tragbütte	Brente, Tanse
Trainingsanzug	Trainer
Tränen	Augenwasser
Transportunternehmer	Camionneur
Trasse	Trassee
Trauer	Leid
Trauerfeier, -gottesdienst	Abdankung
Trauerkarte	Leidkarte
traurig stimmen	beelenden
treffend	träf
Treffer	Goal
Trester[branntwein]	Bätziwasser, Träsch, Trester
treten	stehen
Trimm-dich-Pfad	Vita-Parcours
trinken (gewohnheitsmäßig)	schöppeln (1)
Trinkgeld	Service
Trockenheit	Tröckne
trödeln	trölen (a)
Trommler	Tambour
tropfnaß	bachnaß, pflotschnaß
Trott	Tramp
Trottel	Tschumpel
Trotz, zum	zuleide
trotzen, trotzig sein	Kopf machen
Trumpfneun	Nell
Truppenausbildungsplatz	Waffenplatz
Truppenübung	Türk
Truthahn, -henne	Trute
tüchtig	währschaft
tünchen	weißeln
Türklinke	Türfalle
Turnus	Kehr, Kehrordnung
Türvorleger	Türvorlage
Tüte	Papiersack

U

übel	leid
über	ob (1)
über die Ufer treten	überborden (a)
überdecken	überstellen
Überdruß	Cafard, Verleider
Überdruß erregen	verleiden
übereinkommen	rätig werden
überhöht	überrissen, übersetzt
überholen	revidieren
überholen	vorfahren
übernachten	nächtigen
übernehmen, sich	überlupfen (b)
Überschuß	Benefiz
übertragen	überbinden
übertrieben	überrissen, übersetzt
übervorteilen	abreißen
Uferstraße	Quai
umgebendes Land	Umgelände, Umschwung
Umgehungsstraße	Umfahrungsstraße
Umladen	Umlad
umständliches Getue	Schneckentänze

umziehen	dislozieren, zügeln
Umzug	Züglete
unabgepackt	offen
unbefriedigend	halbbatzig
unerfreulich	bemühend, ungefreut
unerledigt	hängig, pendent
Unfallstation	Notfallstation
Ungeduld, vergehen vor	verzwatzeln
ungut	leid
Uniform	Wehrkleid
Uniformjacke	Waffenrock
Unlust	Cafard
unmöglich machen	verunmöglichen
unnachgiebig	pickelhart
Unordnung	Verlag
unruhig	strub
Unselbständige	Unselbständig-erwerbende
Unterbrechung	Unterbruch
unterbringen	heimtun, plazieren, versorgen (1 a)
Untergeschoß	Soussol
unterhalten, sich	berichten
Unterhemd	Leibchen, Unterleibchen
Unteroffizier	Korporal
unterordnen, sich	unterziehen
Unterstand	Schermen
unterstellen, sich	unterstehen
Unterstützung	Sukkurs, Zustupf
untersuchen, gründlich	ausbeineln (b)
Untersuchung	Untersuch
Untersuchungsliege	Schragen
Untersuchungsrichter	Verhörrichter
Untertasse	Unterteller
Unterweisung	Wegleitung
unverfälscht	urchig
Unverfrorenheit	Toupet
unvermittelt	brüsk
unversehens	handkehrum
Unzulänglichkeiten	Unzukömmlichkeiten
urbar machen	urbarisieren
Urheber	Initiant
urig	urchig
Urlaub	Ferien
urwüchsig	urchig

V

Vater	Ätti
Vaterunser	Unservater
Veranstaltung	Anlaß
verbleichen	abschießen
verdrießlich	hässig, muff
Vergnügen	Plausch
Vergnügungssteuer	Billettsteuer
vergraben	verlochen (1)
verhängen (Strafe)	ausfällen
verheben, sich	überlupfen (a)
verhindern	verunmöglichen
verhökern	verquanten
Verhör	Einvernahme
verhören	befragen, einvernehmen
verkaufen	verquanten
Verkäuferin	Ladentocher
Verkehrszeichen, -schild	Signal
verkrüppelt	verknorzt
Verladen	Verlad
verlängern (Frist)	erstrecken
verlegen	verhühnern
Verlegung	Dislokation
verlieren	verhühnern
verlockend	anmächelig
verlorenes Brot	Fotzelschnitte
vermachen	vergaben
Vermächtnis	Vergabung
vermarken	vermarchen
vermehren	äufnen
vermieten	ausmieten
vermögend	vermöglich
Vermögensvermehrung	Vorschlag
Vermögensverminderung	Rückschlag
vernebeln	verwedeln
vernehmen	einvernehmen
Vernehmung	Einvernahme
Verordnung	Dekret
verpatzen	verfuhrwerken
verpflichten	verhalten (2)
verpfuschen	verfuhrwerken
versammeln	besammeln
verschaffen	zuhalten
verscharren	verlochen (1)
verschießen	abschießen
verschleiern	verwedeln
Versetzung (Schule)	Promotion
Verstärkung	Sukkurs
versteigern	verganten
Versteigerung	Gant, Steigerung
verstreuen, unachtsam	verhühnern
Verteidiger	Back
vertuschen	verwedeln

verunglücken	verunfallen
verwahren	versorgen (1 a)
verwehren	abklemmen
verwirren	vergelstern
verwirrend	verwirrlich
verwirrt	sturm
Verzehr	Konsumation
Verzeichnis	Rodel
Vesper	Zabed, Zvieri
Viehbestand	Lebware, Viehhabe
Vierbettzimmer	Viererzimmer
Viersitzer	Vierplätzer
viersitzig	vierplätzig
Virginia	Brissago
Visumszwang	Visumspflicht
Volksschule	Primarschule
Volksschullehrer	Primarlehrer
Volkswahl, -abstimmung	Urnengang
Volkswirt	Volkswirtschafter
voll (zum Überlaufen)	platschvoll
vollständig	vollumfänglich
von Amts wegen	von amteswegen
von beiden Seiten	beidseitig, beidseits
vor (zeitlich)	vorgängig (3)
vorausgehend	vorgängig (1)
vorbereiten	richten (b), rüsten
vordrängeln, sich	vorzwängeln
Vorfahrt	Vortritt
Vorhängeschloß	Malerschloß
vorher	vorgängig (2)
vorrücken	rücken
vorschlagen, zur Wahl	portieren
vorsorglich anordnen	vorkehren
vorsorgliche Maßnahme	Vorkehr
Vorstadtviertel	Außenquartier
vorstellen, etw.	präsentieren
vorwärtsgehen	rücken

W

Wächte	Gwächte
wackelig	lotterig
Waffel	Bretzel
Wagenfolge (Eisenbahn)	Komposition
während	unter
Waldhüter	Bannwart
Waldschlucht	Tobel
Walnuß	Baumnuß
Wandbrett	Tablar
Wandergewerbeschein	Hausiererpatent
Wandschrank	Wandkasten
wankelmütig	hüst und hott
Wärmflasche	Bettflasche
Waschbecken	Brünnlein, Lavabo
Waschbottich	Waschzuber
Wäschekorb	Zaine
Wäschemangel	Mange
Wäscheschleuder	Auswindmaschine
Wasserrinne	Kännel
Wasserrübe	Räbe
Wechselgeld	Herausgeld, Retourgeld
Weckruf	Tagwache
Wegbiegung	Rank
Wegböschung	Wegbord
wegfallen	dahinfallen
Wegrand	Wegbord
wegtreten !	abtreten !
Wehr, das	Wuhr
Wehrdienstverweigerer	Dienstverweigerer
Wehrpaß	Dienstbüchlein
Weichselkirsche	Weichsel
Weinbauer	Rebbauer
Weinlaub	Reblaub
Weinlese	Leset, Wimmet
Weinlese halten	wimmen
Weinpresse	Torkel, Trotte
Weinprobe	Weindegustation
weismachen	angeben
weißen	weißeln
Weißfisch	Ruchfisch
Weißkohl	Kabis, Weißkabis
weithin	weitherum
weitschweifig	langfädig
wenden	kehren
wenden, sich an jmdn.	gelangen
Wendeplatz, -schleife	Kehrplatz
werbend umhergehen	weibeln
Wertpapier	Wertschrift
Weste	Gilet
Westwind	Oberwind (b)
Widerruf, auf	Zusehen
Widerwille	Aberwille
wiegen (Gewicht feststellen)	wägen
Wiener [Würstchen]	Wienerli
Wiese	Matte
wild	strub
wimmeln	gramseln
Windbeutel	Ofenküchlein
Winkelineal	Equerre
Winter werden	einwintern
Winterfenster	Vorfenster

Winterkohl	Federkohl
Winterthur ZH	Eulachstadt
wirksam	zugriffig
Wirrkopf	Stürmi
Wirsingkohl	Köhli, Wirz
Wirt	Beizer
Witwe	Witfrau
Wochenlohn	Zahltag
wohlhabend	hablich, vermöglich
wohnhaft	domiziliert
Wohnungswechsel	Züglete
Wohnzimmer	Stube
Wölfling	Wolf
Wort nehmen, beim	behaften
wünschenswert	wünschbar
Wurstwaren	Charcuterie

Z

zahlen	ausrichten
Zahlkarte	Einzahlungsschein
Zahlungsbefehl	Betreibung
Zaun	Hag
Zebrastreifen	Fußgängerstreifen
Zeche	Konsumation
Zechtour	Pintenkehr
Zehn (Spielkarte)	Banner
Zehnfrankenschein	Zehnernote
Zehnrappenstück	Batzen
Zeichenwinkel	Equerre
zeigen	weisen (2)
Zeigestock	Zeigstecken
Zeitungsausträger	Zeitungsverträger
Zeltbahn, -plane	Zeltblache
zensieren	zensurieren
zerknittern	verrumpfeln
zerknittert	rumpflig
zerlumpt	verhudelt
zerschneiden, fein	schnetzeln
zetteln	zetten
Zicklein	Gitzi
Ziege	Geiß
Ziehbrunnen	Sodbrunnen
zielstrebig	speditiv
Zierdecke	Überwurf
Zirbelkiefer	Arve
Zollstock	Doppelmeter, Meter
zu (Ostern, Pfingsten)	an (1e)
zu (zum 1. Sept.)	auf (2i)
zu Hause	daheim
zu Rande kommen	Schlag
zu weit gehen	übermarchen
Zucchini	Zucchetto
Zuchtstier	Muni
Zuckererbse	Kefe
Zuckerstange	Schleckstengel, Stengel
zudem	erst noch
zuerst einmal	vorab
Zugabe	Dreingabe
zugeben	dreingeben
Zugehfrau	Spetterin
zügig	speditiv
zugkräftig	zügig
zugreifend	zugriffig
zugrunde gehen	verserbeln
zuhalten	verhalten (1a)
zukommen lassen	zuhalten
zulassen	immatrikulieren
Zulassung als Rechtsanwalt	Anwaltspatent
Zuname	Geschlechtsname
zur Hand gehen	zudienen
zur Rechenschaft ziehen	behaften
Zürich	Limmatathen, Limmatstadt
zurück	retour
zurückgeben, -senden	retournieren
zurücksetzen	verschupfen
zurückstecken	zurückbuchstabieren
zurückstellen, -legen	versorgen (1b)
zurücktreten	abgeben (1)
zurückweisen	refüsieren
zurückwenden, sich	rückwärtskrebsen
zusammenbringen	äufnen
Zusammenrücken	Schulterschluß
zusammentun, sich	zusammenspannen
zusätzlich zu	nebst
Zusatzverdienst	Zustupf
zuschlagen, -werfen	schletzen, zuschletzen
Zuschuß	Beitrag, Zustupf
zuvor	vorgängig (2)
Zuwiderhandlung	Widerhandlung
zuziehen	einfangen
Zuzügler	Zuzüger (b)
Zwanzigfranken-schein	Zwanzigernote
Zwanzigrappenstück	Zwanziger
Zweibettzimmer	Zweierzimmer
Zweifrankenstück	Zweifränkler
zweigleisig	doppelspurig
Zweirappenstück	Zweiräppler
Zweisitzer	Zweiplätzer
zweisitzig	...plätzig
Zwetsche	Zwetschge
Zwickel	Spickel
Zwischenaufenthalt	Zwischenhalt
zwischendurch	zwischenhinein
Zwischenstation	Zwischenhalt
Zwischensumme	Subtotal

DER SICHERE WEG, EINFACH MEHR ZU WISSEN.

Wann heißt es »mahlen«, wann »malen«? Was meint der Arzt mit »Placebo«, was der Chef mit »Placet«? Wann schreibt man nach dem Doppelpunkt groß, wann klein? Die DUDEN-Taschenbücher helfen überall dort, wo Sie schnell und zuverlässig Antwort auf Ihre Fragen suchen.

DUDEN-Taschenbücher. Die praxisnahen Helfer für (fast) alle Fälle: Komma, Punkt und alle anderen Satzzeichen · Wie sagt man noch? · Die Regeln der deutschen Rechtschreibung · Lexikon der Vornamen · Satz- und Korrekturanweisungen · Wann schreibt man groß, wann schreibt man klein? · Wie schreibt man gutes Deutsch? · Wie sagt man in Österreich? · Wie gebraucht man Fremdwörter richtig? · Wie sagt der Arzt? · Wörterbuch der Abkürzungen · mahlen oder malen? · Fehlerfreies Deutsch · Wie sagt man anderswo? · Leicht verwechselbare Wörter · Wie verfaßt man wissenschaftliche Arbeiten? Wie sagt man in der Schweiz? · Wörter und Wendungen · Jiddisches Wörterbuch.

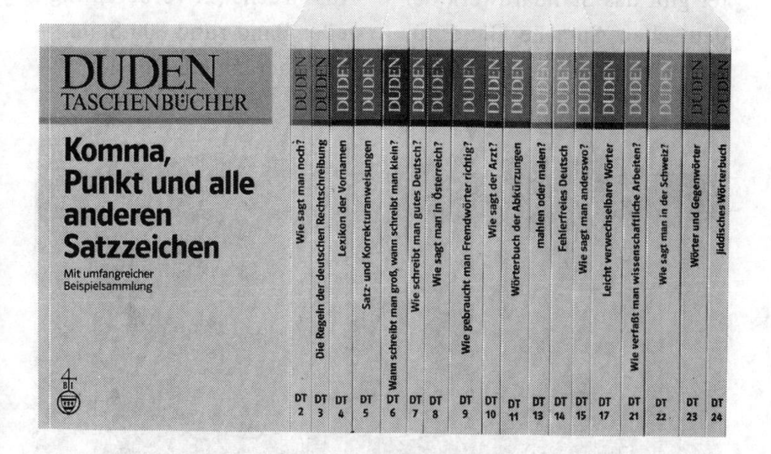

DUDENVERLAG
Mannheim · Leipzig · Wien · Zürich

FEDERFÜHREND, WENN'S UM GUTES DEUTSCH GEHT.

Spezialisten, das sind immer diejenigen, die sich in den Besonderheiten auskennen. Sachverhalte bis in die Details aufzeigen und erklären können, weil sie sich auf ihrem Gebiet spezialisiert haben. Wie der DUDEN in 12 Bänden, herausgegeben und bearbeitet vom Wissenschaftlichen Rat der DUDEN-Redaktion. Von der Rechtschreibung bis zur Grammatik, von der Aussprache bis zur Herkunft der Wörter gibt das Standardwerk der deutschen Sprache Band für Band zuverlässig und leicht verständlich Auskunft überall dort, wo es um gutes und korrektes Deutsch geht.

Der DUDEN in 12 Bänden: Rechtschreibung · Stilwörterbuch · Bildwörterbuch · Grammatik · Fremdwörterbuch · Aussprachewörterbuch · Herkunftswörterbuch . Die sinn- und sachverwandten Wörter · Richtiges und gutes Deutsch · Bedeutungswörterbuch · Redewendungen und sprichwörtliche Redensarten · Zitate und Aussprüche (in Vorbereitung). Jeder Band rund 800 Seiten – und jeder ein DUDEN.

DUDENVERLAG

Mannheim · Leipzig · Wien · Zürich

Die universellen Seiten der deutschen Sprache

Deutsche Sprache, wie sie im Buche steht: Das DUDEN-Universalwörterbuch ist das Nachschlagewerk für alle, die mit der deutschen Sprache arbeiten oder an der Sprache interessiert sind. Über 120000 Artikel mit den Neuwörtern der letzten Jahre, mehr als 500000 Angaben zu Rechtschreibung, Aussprache, Herkunft, Grammatik und Stil, 150000 Anwendungsbeispiele sowie eine kurze Grammatik für Wörterbuchbenutzer dokumentieren auf 1816 Seiten den Wortschatz der deutschen Gegenwartssprache in seiner ganzen Vielschichtigkeit.

Ein Universalwörterbuch im besten Sinne des Wortes.

DUDENVERLAG
Mannheim · Leipzig · Wien · Zürich

KENNT ALLES, WEISS ALLES UND SIEHT RICHTIG GUT AUS.

Von A–Z völlig neu überarbeitet. Meyers Großes Taschenlexikon in 24 Bänden bietet mit 150 000 Stichwörtern und mehr als 5 000 Literaturangaben auf 7 680 Seiten ein Höchstmaß an Information – und an Aktualität. Über 5 000 meist farbige Abbildungen und Zeichnungen, Tabellen und Übersichten garantieren Ihnen, daß das größte deutsche Taschenbuchlexikon in jeder Hinsicht schön anschaulich ist. Meyers Großes Taschenlexikon in 24 Bänden – das ist vielseitiges Wissen im kleinen Format. Für alle, die gern auf dem neuesten Stand der Dinge sind und deshalb nicht auf ein aktuelles und preiswertes Markenlexikon verzichten wollen. In Klarsichtkassette.

B.I.-Taschenbuchverlag
Mannheim · Leipzig · Wien · Zürich